Les Plantes d'appartement: encyclopédie en couleurs

par Rob Herwig

Traduction : Frida Verdiell

Rob Herwig

Les Plantes d'appartement : encyclopédie en couleurs

Choix et soins des plantes d'appartement
Description de 1 500 plantes
1 000 illustrations

Traduit du néerlandais par Frida Verdiell

LA MAISON RUSTIQUE

FLAMMARION

Du même auteur :

Acclimater toutes les plantes d'appartement

350 plantes de jardin
(Traductions-adaptations françaises par Claude Riou)

Présentation générale et système des symboles
Cornelissen & Kruijsen, concepteurs, Breda.

Photographies
Rob Herwig, Harry Smith, Georges Lévêque, Wolfram Stehling et beaucoup d'autres. Voir : responsables de la photographie : p. 288.

Dessins
Cornelissen & Kruijsen, concepteurs, Breda.

Ont collaboré à l'édition originale néerlandaise :

Fournisseurs de plantes et lieux des photographies
A.M.E.V. Hoofdkantoor - Utrecht
Gebr. Bak Bromeliakwekerij - Assendelft
Gebr. Barendsen Handelskwekerij - Aalsmeer
Botanische tuinen van de Rijksuniversiteit te Utrecht, (Baarn en de Bilt)
Bruinsma Tuin Dorado - Aalsmeer
Cactuskwekerij C.V. Bulthuis en Co. - Cothen
Diatel - Amsterdam Buitenveldert
Handelskwekerij Edelman - Reeuwijk
Handelskwekerij Eggink - Voorschoten
Fransen, Hey & Veltman/BBDO - Amsterdam
Van Gelder I.T.G. - Zeist
Gemeentelijk museum - Zutphen
Fa. Chr. Graafland, kassenbouw - Vleuten
Graf Lennart Bernadette - Schloss Mainau
Hoek's Bloeiproevenbedrijf - Oude Niedorp
Instituut voor de Veredeling van Tuinbouwgewassen - Wageningen
Intercodam b.v. - Amsterdam
Jolina Bloemiste - Amsterdam
Jolina Twins - Amsterdam
Laboratorium
voor Bloembollenonderzoek - Lisse
Handelskwekerij Lemkes - Alphen a/d Rijn
Bonsaikwekerij Fa. Lodder - Vleuten
Fam. Lubbers - Barneveld
Handelskwekerij Fa. A. Maarse - Rijsenhout
Gebr. K.C. van de Meer - Aalsmeer
Coöp. Centr. Raiffeisen-Boerenleenbank - Amsterdam
Fam. Siesling - Epe
Handelskwekerij Fa. Tas & Zn. - Aalsmeer
Wallich & Matthes - Amsterdam
Kwekerij De Wilde - Bussum
Wisley garden R.H.S. (Riplcy, Surrey)
Zaalberg Potterij - Leiderdorp

En outre, ont collaboré à la présente édition française :

Traduction
(de la 2e édition néerlandaise, 1981)
Frida Verdiell

Dessins
(schéma p. 53, bas ; carte p. 57)
Jean-Claude Roger

Adaptation
(du paragraphe sur les principaux mélanges du commerce, p. 62, 2e colonne)
Denis Retournard

Révision et direction générale
Jean-Marie Pruvost-Beaurain

© 1978, 1981 Zomer & Keuning Boeken B.V., Ede
pour les éditions originales néerlandaises
(Titre original : *Herwig Kamerplanten - encyclopedie*)

© 1984 *La Maison Rustique, Flammarion*, Paris
pour la présente édition française
I.S.B.N. 2-7066-0143-4

N° d'édition : 11 730
Dépôt légal : novembre 1984
Imprimé aux Pays-Bas

Table des matières

Avant-propos

Je me rappelle encore fort bien comment, en 1967, écrivain débutant, je me présentai chez un éditeur pour lui proposer un livre sur les plantes d'appartement. Il me semblait que les 3 ou 4 petits ouvrages spécialisés disponibles sur le marché n'offraient qu'un choix bien restreint. « Un livre sur les plantes d'appartement, mais n'est-ce pas déjà fait ? », s'écria le directeur abasourdi. Et il m'éconduisit prestement.

En dix ans, les choses ont bien changé. Ce livre, j'ai fini par l'écrire, et j'en ai même écrit plusieurs. Je n'ai pas été le seul à m'atteler à la tâche, grâce à quoi le consommateur curieux trouve aujourd'hui un choix considérable à sa disposition.

L'amour des plantes ne cesse de s'affirmer et l'amateur réclame une information de plus en plus détaillée. Des ouvrages élémentaires limités à quelques 100-200 plantes, on est passé à ceux qui réunissent de 200 à 400 espèces, pour en arriver au présent ouvrage qui englobe au moins 1 500 espèces illustrées de plus de 700 photographies en couleurs.

L'histoire de ce livre remonte à 1937, année au cours de laquelle mon père, A.J. Herwig, fit paraître son « Encyclopédie pratique du jardinage », un volume de 788 pages qui est resté un ouvrage de référence. Malgré son titre, ce livre englobait la description d'une énorme quantité de plantes d'appartement. Il connut plusieurs réimpressions dont certaines datent de l'après-guerre. Celle de 1967 fut, sur mon initiative, scindée en deux parties. Ainsi naquit une encyclopédie où les plantes d'appartement et les plantes de jardin étaient traitées en deux volumes distincts. L'un et l'autre étaient, comparés aux ouvrages actuels, assez maigrement illustrés. Une nouvelle édition s'imposait. Ce fut d'abord, en 1977, la parution d'une nouvelle version de l'encyclopédie des plantes de jardin, dûment complétée et entièrement illustrée en couleurs. C'est aujourd'hui le tour des plantes d'intérieur. L'ouvrage que nous présentons au lecteur comprend quatre parties. La première, agrémentée de photographies en couleurs, traite de la culture des plantes dans la maison, la serre et le jardin d'hiver. La deuxième, illustrée de croquis, est un guide minutieux des petits travaux pratiques que nécessitent la culture et les soins de ces plantes. La troisième partie, également illustrée en couleurs, constitue l'encyclopédie proprement dite. On y trouvera, classées suivant l'ordre alphabétique de leur nom latin, un très grand nombre de plantes d'appartement, de serre et d'orangerie, toutes plantes que l'on peut se procurer assez facilement sur le marché et qui résistent raisonnablement à l'atmosphère d'une habitation.

Cet ouvrage, bien que très documenté, ne prétend pas être exhaustif. Il suffit de penser aux centaines — que dis-je ? — aux milliers d'espèces de cactées qu'un amateur spécialisé peut réunir dans sa serre pour se rendre compte que seule une infime partie de sa collection a pu être décrite et illustrée ici. Par contre, on découvrira dans ces pages le répertoire des plantes d'appartement le plus complet et le plus détaillé que l'on puisse trouver à ce jour, sans compter une longue liste de plantes exotiques et originales à élever en serre. La quatrième partie comprend des tableaux et la liste alphabétique des végétaux, incluant leur appellation commune, ce qui permettra de retrouver sans peine une plante dont le nom latin a pu échapper. Ainsi, ce livre met directement à la disposition de l'amateur quantité de renseignements que seul le professionnel pouvait autrefois lui fournir. Il y a gros à parier que ce dernier se montre aujourd'hui peu disposé à remplir ce rôle d'informateur, et l'on peut même se demander s'il en a encore la compétence. L'horticulteur est devenu de nos jours un super-spécialiste. Il connaît à fond tout ce qui concerne un type précis de culture. Il cultivera, par exemple, des azalées ou des fougères, mais en général sa compétence effective se limitera à un groupe de plantes qu'il produit lui-même. Essayez d'interroger un spécialiste des broméliacées sur la culture des cactées. Vous obtiendrez certes une réponse, mais elle ne sera pas forcément exacte.

Le fleuriste professionnel, lui, n'est même plus un horticulteur. La plupart du temps, il achète ses plantes au « veiling »[(1)] ou chez le grossiste. Et — il le déplore souvent — il ne trouve plus le temps de produire lui-même ses plantes à partir de semis ou de boutures, comme c'était encore souvent le cas dans les années 30. Ce n'est plus rentable. Le fleuriste (du moins en ce qui concerne les plantes d'appartement) est devenu un simple intermédiaire, d'où sa méconnaissance de l'horticulture. Plus frappante encore l'ignorance dont font preuve la plupart des commerçants que l'on trouve sur les marchés et le personnel des magasins en « self-service » chargé du rayon des plantes. Selon eux, « la plante se plaira partout, pourvu qu'on l'arrose ni trop, ni trop peu », bref, ils vous disent n'importe quoi.

À la limite, on pourrait conclure qu'il n'existe plus guère de nos jours de professionnels ayant une formation générale et que, lorsqu'ils existent, ils ne sont plus accessibles au public. Il ne reste donc à l'amateur amoureux des plantes qu'une seule source de renseignements : l'information écrite, qu'il trouvera dans les articles de revues spécialisées, dans les livres et pourquoi pas, dans ce livre-ci. L'expert, le professionnel, c'est désormais lui-même. Certains se demanderont, à la lecture de cet ouvrage, s'il est réellement nécessaire de connaître de façon aussi détaillée et précise les conditions de croissance des plantes d'appartement. Les mélanges terreux, les périodes de repos, le respect des normes de température, a-t-on vraiment besoin de savoir tout cela ? Un bon compost ordinaire et un petit arrosage quotidien ne suffisent-ils pas ? Il ne faut pas perdre de vue que ce livre a été écrit à l'intention de ceux qui *aiment*

(1) Marché au cadran

véritablement les plantes, qui ne se contentent pas de les admirer avec les yeux, mais qui leur « parlent » comme on dit, un sourire au coin des lèvres. Ces gens-là, je les prends, moi, très au sérieux car je suis l'un deux, fou de plantes, persuadé que pour elles rien n'est trop bon. Il n'est pas question ici d'amateurisme, d'à-peu-près. Soigner ses plantes est un passe-temps sérieux dont on ne traite pas à la légère. Ce livre pourra peut-être paraître d'un abord rébarbatif, mais il contient des informations sérieuses et honnêtes. Les débutants n'auront aucune peine à se procurer des ouvrages plus faciles.

Je voudrais, pour terminer, ajouter quelques mots de remerciement à l'adresse de tous ceux qui m'ont aidé à mener ce travail à bien. Leur noms sont mentionnés à la fin de ce volume. Je tiens à exprimer tout particulièrement ma reconnaissance à Esther van Duyvendijk qui a participé activement à la rédaction du texte. Ellen Lubbers-de Beer m'a aidé à rassembler l'énorme documentation et à élaborer les tableaux et le registre alphabétique. Dini van de Bruinhorst et Elly Vlijmincx ont coopéré aux travaux de recherches sans lesquels un ouvrage tel que celui-ci ne peut espérer voir le jour.

Je remercie également les lectrices et lecteurs, très nombreux, qui par leurs conseils et leurs observations judicieuses ne cessent de m'aider à compléter ma documention. J'espère qu'ils continueront à m'apporter leur contribution, car seules leurs critiques pourront m'aider à parfaire cet ouvrage.

Lunteren, automne 1978.

Seconde édition

Le plaisir que j'ai de pouvoir préfacer cette seconde édition de mon ouvrage, c'est à vous, lectrices et lecteurs, à vos réactions si encourageantes que je le dois. Ce livre répond de toute évidence à un besoin. Je suis particulièrement sensible à l'accueil favorable qu'il a rencontré et je remercie tous ceux qui, depuis sa parution, m'ont aidé à le parfaire, grâce à leurs commentaires et à leurs suggestions.

Grâce à eux, on a pu, dans cette réédition, corriger quelques erreurs et passer au crible les documents photographiques. L'index des noms scientifiques des plantes n'a subi aucune modification.

Lunteren, printemps 1981

Un peu d'histoire

Qu'est-ce qu'une plante d'appartement ?

Il n'existe pas de plantes d'appartement à proprement parler. Aucune plante ne croît spontanément dans une pièce ou dans la maison, si ce n'est les moisissures qui s'attaquent aux planchers et qu'on découvre lorsqu'ils cèdent. Tout au plus risque-t-on de voir une plante grimpante pousser une tête curieuse par la fissure d'un mur.

Ce que nous appelons plantes d'appartement, ce sont des végétaux qui, introduits par l'homme à l'intérieur des appartements — ou, d'une façon plus générale, à l'intérieur des constructions — y font preuve d'une résistance raisonnable. Ce n'est qu'au cours de ce dernier siècle que l'on a — à force de croisements et de sélections — créé des plantes exclusivement destinées à vivre en appartement ou en serre. Prenons, par exemple, les nombreux hybrides de bégonias ou les races d'*Hibiscus* obtenues par irradiation. Ce sont là des plantes expressément produites en vue de la décoration intérieure. En les créant, le producteur n'a jamais eu la moindre intention d'enrichir la nature. La motivation de toute cette activité est purement commerciale. Il est extrêmement rare que l'idéalisme préside à la création d'un hybride.

Un passé plusieurs fois millénaire

La plante d'appartement se distingue essentiellement par le fait qu'elle ne croît pas directement dans le sol. On la plante dans des jardinières, des pots, des caisses ou autres récipients. Cet usage existait déjà chez les Sumériens et dans l'Égypte ancienne, il y a quelque trois mille cinq cents ans. Des témoignages iconographiques de l'époque nous montrent des poteries et des vases de pierre garnis de plantes, pour la plupart des buissons ou des arbustes, qui séjournaient probablement en plein air. C'est surtout sous le règne de Ramsès III que se répandit l'usage des arbustes en pot. Certains de ces végétaux sont connus sous nos climats en tant que plantes d'intérieur : ce sont le myrte (*Myrtus communis*), le grenadier (*Punica*), les palmiers et, très vraisemblablement, le très populaire papyrus (*Cyperus*).

Toutes ces plantes exigeaient naturellement un arrosage artificiel. Cela ne posait point de problème, car les Sumériens disposaient déjà de systèmes appropriés et les jardins d'Égypte étaient, pour la plupart, pourvus de longues pièces d'eau rectangulaires qui remplissaient la fonction de réservoirs. L'eau, puisée à l'aide d'un « chadouf », sorte de seau attaché à une corde, était acheminée le long de conduits faits de pierre ou de troncs d'arbres évidés.

En Chine on s'est également intéressé très tôt aux plantes, mais nous ne savons pas de façon très précise si on les cultivait en pot. Les célèbres bonsaï japonais, classés chez nous dans la catégorie des plantes d'appartement ou, plus exactement, dans celle des plantes de serre froide, ne sont pas une création aussi ancienne qu'on pourrait le croire. Ce n'est qu'à partir du XIII᷎ siècle qu'on se mit à collectionner des arbrisseaux nains, recueillis dans la nature. Les Grecs et les Romains, qui entretenaient des relations avec la civilisation égyptienne tardive, lui empruntèrent l'usage de la culture des plantes en pot. Leurs patios, il y a deux mille ans, étaient ornés de poteries garnies de végétaux, mais on ignore si ces plantes étaient rentrées à l'intérieur. Il s'agissait essentiellement de ce qu'on appelle aujourd'hui des plantes d'orangerie.

Un palmier et des *Aspidistra* décorent un patio à Séville. Ces plantes réclament chez nous un abri chauffé.

Introduction des plantes exotiques

Les Croisés ont été les premiers à importer, en nombre encore limité, des plantes d'Asie Mineure. Ce n'est qu'au XV᷎ siècle que les navigateurs italiens se mirent à rapporter d'Asie des plantes exotiques en quantités importantes. Certaines d'entre elles pouvaient prospérer normalement dehors, mais les plantes à caractère typiquement tropical exigeaient un abri hivernal, même en Italie. Il est normal qu'on ait tenté d'acclimater ces plantes à l'intérieur des habitations : ce sont là nos premières vraies plantes d'appartement. Les méthodes de culture se perfectionnèrent très rapidement ; en 1585, on construisit dans le jardin botanique de Padoue la toute première serre, une structure octogonale destinée à abriter un unique palmier : *Chamærops humilis*, une plante d'appartement très répandue de nos jours. La mode des plantes exotiques ne tarda pas à faire rage. Au XVII᷎ siècle, on vit les serres et les orangeries pousser comme des champignons, non seulement dans les jardins botaniques, mais aussi et surtout chez les riches particuliers en Angleterre, en France et en Allemagne. Au début du XVIII᷎ siècle, on dénombrait plus de 5 000 variétés de plantes exotiques importées. Cette folie ne fit que s'amplifier. Des chercheurs de plantes essaimèrent dans le monde entier et rapportèrent en Europe des échantillons de plantes exotiques venues de l'Inde, d'Afrique, du Nord et du Sud, d'Amérique et même d'Australie. Bien des noms de plantes d'intérieur nous rappellent cette époque aventureuse. Écrite en 1772 par Louis Antoine, comte de Bougainville, l'explorateur français parti pour gagner la Polynésie en passant par le détroit de Magellan, la « Description d'un voyage autour du monde » connut, lors de sa parution, un succès retentissant. Le souvenir de ce voyageur a été immortalisé par la plante qui porte désormais son nom : la bougainvillée. On pourrait citer des dizaines d'exemples où chaque nom évoque le souvenir d'une expédition pleine d'aventures et de naufrages, dictée par une soif incroyable de découvertes.

Il faut cependant bien avouer que la plupart des

entreprises dans ce domaine étaient motivées par l'appât du gain, un gain qui profitait surtout aux gros pépiniéristes d'Europe et, plus tard, des U.S.A. Le public, aguiché par la publicité, s'enthousiasma pour la culture des plantes exotiques et les prix grimpèrent. Au début, on comptait parmi ces végétaux bon nombre de plantes de jardin. Mais au fur et à mesure qu'affluaient les plantes de serre et d'orangerie, le goût pour les plantes de serre chaude s'affirma. C'est de cette époque (1750-1850) que datent les plus célèbres jardins d'hiver, dont certains se transformèrent en véritables jardins d'agrément. Le chauffage de ces bâtiments posait alors de très gros problèmes et, curieusement, ce n'est qu'en 1818 que quelqu'un s'avisa qu'on pouvait facilement faire circuler de l'eau chaude au moyen d'un système de tuyauteries. On installa donc des poêles isolés dans les serres et on fit la triste expérience de ce fâcheux procédé. Quand, dans la seconde moitié du XIXe siècle, vint enfin l'ère du chauffage central et que fut supprimé l'impôt sur les portes et fenêtres, on vit les petites serres d'amateur se multiplier très rapidement, surtout en Angleterre.

Aux Pays-Bas, où l'on construisait moins de serres, on prit goût à cultiver des plantes exotiques dans les pièces d'habitation. C'étaient, en général, des plantes imposantes qui exigeaient peu de lumière, comme les palmiers, les *Dracæna*, les *Aspidistra* et autres plantes du même genre. Les petites fenêtres et les draperies étaient loin de laisser pénétrer la lumière comme le font, de nos jours, nos baies vitrées. On s'intéressait peu aux plantes héliophiles. Mais on trouvait déjà à cette époque de véritables amateurs qui cultivaient des espèces difficiles dans de petites serres ou dans des bacs.

Évolution accélérée au XXe siècle

Au XXe siècle, la plante d'appartement cesse d'être considérée comme une curiosité exotique pour s'intégrer au cadre banal de la maison. A l'origine, sa fonction était purement décorative, mais à mesure que le conformisme relâche son emprise sur notre mode de vie moderne, une place plus grande lui est faite : elle s'installe désormais dans notre existence en qualité d'être vivant.

Jusqu'à la Deuxième Guerre mondiale, le soin des plantes d'appartement était considéré comme une occupation paisible et agréable, destinée à distraire la maîtresse de maison, un art que les mères enseignaient à leurs filles. On ne cherchait ni à enrichir ses connaissances dans ce domaine, ni à élargir le choix des plantes, ni à diversifier les modes de culture : on mettait tout simplement la plante dans un vulgaire pot de terre que l'on dissimulait dans un cache-pot, et le tour était joué. On achetait son terreau chez le fleuriste, généralement du terreau de feuilles de hêtre décomposées mêlé à du fumier bovin déshydraté. L'un des premiers engrais chimiques pour plantes d'appartement, baptisé « Herwig's Succes », passait dans les années 30 pour un produit miracle et connut un gros succès.

Tous ceux qui, à la recherche d'un stimulant pour leurs plantes, se sont un jour arrêtés, pleins de perplexité, devant l'énorme choix d'engrais organiques et chimiques que leur proposent les rayons des centres d'horticulture auront compris que quelque chose de fondamental a changé. C'est surtout à partir de 1965 que la plante s'est imposée dans la maison, non seulement en Belgique et en Hollande mais aussi en Angleterre par exemple, où la plante d'appartement avait tenu jusque-là une place relativement effacée. Ce phénomène peut s'expliquer par le développement de l'urbanisation : s'installer dans un appartement c'est renoncer à avoir un jardin. On peut aussi penser que le durcissement de nos conditions de vie et le matérialisme grandissant ont réveillé chez l'homme la nostalgie des plantes et des bêtes. Sans doute retrouve-t-il à leur contact l'équilibre qui lui est indispensable pour assumer son existence quotidienne. Les plantes, en envahissant nos logements modernes, en ont réchauffé l'ambiance, créant un climat propice au bien-être de leurs occupants. Elles sont réellement devenues les amies de l'homme.

Deux photos réalisées selon le procédé Kirlian. Les feuilles (ici, des feuilles de rosier) ont été préalablement soumises à un éclairage électrique violent, de haut voltage. Est-ce leur aura qui serait ainsi révélée ? Nous n'avons pas encore pénétré tous les mystères. Ces feuilles ont été photographiées une heure après la cueillette. Au fur et à mesure que la feuille meurt, l'« étincelage » produit autour d'elle s'éteint.

La plante, une amie

Les plantes que l'on a chez soi ont chacune leur histoire. L'une vient d'une lointaine forêt de Nouvelle-Zélande, où elle croissait au bord d'un clair ruisseau. Une autre se balançait, pendue aux branches d'un arbre, à des dizaines de mètres au-dessus du sol, quelque part dans la forêt vierge. Pour celui qui se plaît à rêver à la provenance de ses plantes et à évoquer le décor de leur habitat d'origine, les plantes acquièrent une dimension supplémentaire. Pour lui, leur existence se double d'une vie sensible, insaisissable, mais qu'il devine.

Peut-on en conclure que les plantes ont une âme ? Et pourquoi pas ? Même si cette âme n'a rien à voir avec la nôtre. On dit bien que la plupart des animaux, et aussi des plantes (classées, bien sûr, un cran au-dessous) possèdent une âme collective. Pas de personnalité propre, comme c'est (ou c'est censé être) le cas pour l'homme. Selon cette théorie, les plantes pourraient donc échanger des « sensations » entre elles. L'homme ayant atteint un degré d'évolution supérieur à celui des plantes (et des animaux), communiquer avec elles devrait représenter pour lui un jeu d'enfant. Il paraît effectivement établi qu'une telle communication puisse exister. Prenons quelques exemples. Les expériences de l'Américain Clive Backster, qui étudie les plantes à l'aide d'un détecteur de mensonges, sont bien connues de tous. Cet appareil mesure la résistance galvanique de la peau chez l'homme, mais Backster applique cette technique aux plantes. Un stylet inscrit les fluctuations de la résistance sur une bande enregistreuse. Backster a pu ainsi observer une réaction violente chez une plante placée sous contrôle lorsqu'on détruisait une

autre plante ou qu'on jetait une crevette vivante dans de l'eau bouillante. La simple intention de nuire déclenchait à elle seule une réaction très nette, même à distance.

Cette communication, formellement reconnue, entre l'homme et la plante, l'animal et la plante et entre les plantes elles-mêmes ne peut être interrompue en plaçant la plante dans une cage de Faraday (un espace isolé), même si on enferme la plante dans une caisse de plomb. La nature des échanges se situe donc, vraisemblablement, en dehors du rayonnement électrodynamique, tout comme les forces mises en jeu en télépathie.

Un certain J.I. Rodale a découvert, en 1956, que les boutures prospéraient mieux lorsque la plante mère est encore en vie. Il semblerait qu'il émane d'elle quelque chose qui protège la bouture et la stimule. S'il brûlait la plante mère, il constatait que les boutures se développaient beaucoup moins bien que celles d'un groupe témoin dont on avait préservé la mère. La distance entre plante mère et boutures semblerait jouer un rôle négligeable dans ces expériences.

Aux U.S.A., J.B. Rhine, une célébrité dans le domaine de la parapsychologie, et Franklin Loehr se sont livrés à des expérimentations en organisant des réunions de prières pour les plantes. On sema diverses plantes en deux groupes distincts. Pour le premier groupe, on organisa des réunions de prières quotidiennes ; le groupe témoin dut, pour sa part, se passer de ce soutien moral. On a deviné la suite : les plantes ayant bénéficié des oraisons prospérèrent avec plus de vigueur. On peut également prier pour l'eau qui sert à arroser les plantes : on obtient un résultat tout aussi positif. Une prière hostile freine le développement de la plante. On peut même, en priant, provoquer la mort d'une plante, mais une telle prière exige une concentration beaucoup plus intense qu'une prière favorable. Le Dr Marcel Vogel, rattaché au groupe de recherche I.B.M. en qualité de chimiste et de radiologue, s'exprimait ainsi en 1971 : « Les plantes possèdent une psyché indiscutable ; on peut observer chez elles des processus de pensée et il existe des plantes qui enregistrent les réactions émotionnelles des hommes ».

Le *Philodendron* est une plante qui se prête admirablement à ce genre d'expérience, surtout les espèces à feuilles découpées, comme *Philodendron bipinnatifidum, P. elegans, P. laciniatum, P. squamiferum* qui semblent être particulièrement sensibles.

On peut se livrer à l'expérience soi-même. Vous demandez à un ami électronicien de vous monter rapidement un détecteur de mensonges. On trouve de nombreux schémas de montage dans n'importe quelle revue spécialisée. On relie les feuilles au détecteur au moyen de deux électrodes en métal inoxydable et on mesure la résistance au pont de Wheatstone, mais il faut, dans ce cas, fortement multiplier les écarts entre les différentes mesures effectuées en ohms. On lit ensuite les résultats sur le cadran d'un millivoltmètre ou, mieux encore, sur une sortie imprimante.

A ce point de l'expérience, on va s'asseoir tranquillement sur une chaise, à environ 50 cm de la plante, on se détend, puis on concentre sa pensée sur le *Philodendron*, sur la perfection de ses formes, sur l'utilité de son magnifique feuillage dont les découpures permettent à la lumière de glisser jusqu'à la végétation qui pousse sous lui. On imagine aussi la plante chez soi, s'épanouissant dans toute sa perfection. Au bout de 20 à 30 minutes de méditation on commence à sentir le contact s'établir avec la plante. Le lien a pris corps. Une fois la communication établie, la plante témoigne de sa réceptivité par des modifications dans le port de son feuillage, et son degré de sensibilisation est traduit en impulsions électriques, matérialisées par les mouvements de l'aiguille du voltmètre ou par les traces du stylet sur la bande enregistreuse. Il suffit, par exemple, de penser attentivement à la bonne petite ration de fumier déshydraté que l'on se propose de servir à son *Philodendron* pour activer sa croissance et, aussitôt, on observe une réaction de la plante.

La photographie du type Kirlian, sur laquelle on observe un étincelage dû à un effet électrique, offre un champ d'investigation non moins intéressant (voir photo en haut, à gauche). Toutes ces expériences, quelles qu'elles soient, prouvent en tout cas une chose : les plantes ont une âme et il est possible d'entrer en communication avec elles. Ne le savait-on déjà ? Autrefois on parlait de jardiniers qui avaient les « doigts verts ». Aujourd'hui, cette vérité est simplement confirmée et on cherche à lui trouver une explication.

Où cultiver les plantes d'appartement ?

Les plantes d'appartement, on peut le constater, acceptent de pousser dans les endroits les plus insolites. Les plus robustes se contentent d'un minimum de soins. Un peu de lumière, d'eau et de chaleur leur suffit. Mais il ne faut pas se leurrer : la plupart d'entre elles sont plutôt des locataires exigeantes.
Dans les pages qui suivent, nous passerons en revue les divers emplacements susceptibles d'accueillir des plantes d'appartement.

Plantes d'appartement dans la nature. *En haut, à gauche :* des broméliacées envahissent un tronc d'arbre (Suriname). *À gauche, au centre :* une orchidée épiphyte, *Miltonia flavescens. En bas, à gauche :* une passiflore couverte de fruits. *En bas, au centre :* un *Philodendron bipinnatifidum* se lance à l'assaut d'un arbre. *En bas, à droite :* des broméliacées terrestres (Curaçao). *La grande photo* montre quelques exemplaires de *Pelargonium radens*, âgés de plus d'un an, s'épanouissant à l'aise devant une fenêtre ensoleillée.

La tablette de fenêtre

La tablette de fenêtre est vraisemblablement l'héritière des niches pratiquées autrefois dans l'épaisseur des murs. C'est un emplacement idéal pour les plantes d'appartement. On a pu évaluer que 80 % des plantes d'intérieur cultivées sur l'ensemble des territoires de la Belgique et des Pays-Bas (on estime le total à quelque 500 000 000 d'unités) le sont sur des tablettes de fenêtre[1].
Autrefois, cette tablette consistait en un rebord juste assez large pour recevoir un modeste pot de fleurs. Les vitres étaient toujours en verre simple et rarement étanches, surtout dans le cas des fenêtres à petits carreaux. Il n'y avait pas de chauffage sous les fenêtres. La plante souffrait donc du froid en hiver, car on avait beau chauffer le poêle à blanc, auprès de la fenêtre la température atteignait rarement 20 ºC. Il est amusant de citer à cet égard un petit extrait du journal de Victoria Sackville-West, cette célèbre Anglaise qui fut écrivain et architecte de jardins et à qui l'on doit le merveilleux parc de Sissinghurst Castle. C'était la fille d'un millionnaire, qui passa sa jeunesse dans l'une

des plus opulentes résidences de campagne d'Angleterre, baptisée Knole (dans le voisinage de Sevenoaks, dans le Kent). On y dénombre pas moins de 365 chambres et salles. Au début de ce siècle, quand la famille était réunie autour de la table, en hiver, il y soufflait tant de courants d'air que les domestiques étaient obligés de protéger les commensaux en les isolant des fenêtres au moyen de paravents. Nos maisons n'étaient probablement pas mieux loties et il ne devait pas y faire moins froid auprès des fenêtres.
L'habitude de placer les plantes près des fenêtres détermine automatiquement leur choix. Toutes celles qui, à l'époque, donnaient satisfaction à cet emplacement étaient des plantes qui requéraient une certaine fraîcheur pendant l'hiver. La culture du cyclamen, pour ne citer qu'un exemple, ne posait dans ces conditions aucun problème. Cette plante se satisfait

(1) *Note de la traductrice :* La tablette de fenêtre, dont il est très souvent question dans cet ouvrage, est un élément architectural beaucoup plus répandu en Belgique, aux Pays-Bas et au Danemark, par exemple, qu'en France. Les fenêtres, même sur rue, sont souvent dépourvues de voilage et de persiennes. Les plantes placées sur la tablette y bénéficient d'un éclairage idéal. Elles font la fierté de leurs propriétaires et l'admiration des passants.

parfaitement, en décembre, d'une température avoisinant 10° à 15 °C.

La tablette de fenêtre n'offre plus, de nos jours, des conditions tout à fait identiques. L'isolation a été considérablement améliorée ; on utilise de plus en plus les doubles vitrages et il n'est (heureusement) plus question de courants d'air. On installe sous les fenêtres des radiateurs qui, en interposant un rideau de chaleur, préviennent le refroidissement. Conséquence : la tablette de fenêtre est devenue un emplacement privilégié où s'accumule au contraire de l'air chaud, surtout l'hiver, quand un petit rayon de soleil vient renforcer l'effet du chauffage. L'air chaud monte autour du pot et dessèche les feuilles car, bien souvent, cette tablette est trop étroite. On s'astreint actuellement à maintenir la température aux environs de 20 °C tout au long de l'année. C'est en fait ce qu'on a toujours tenté de faire, mais on y réussit mieux aujourd'hui. De nombreuses plantes, et notamment celles qui réclament normalement une température hivernale un peu plus basse, se laissent duper. Les cactus et autres plantes grasses périssent ou fleurissent mal, le cyclamen perd ses fleurs au bout de quelques jours, l'*Hibiscus* résiste et fleurit tout l'hiver mais au bout d'un an ou deux, découragé, il abandonne la lutte. Des catégories entières de plantes, que l'on trouve toujours dans le commerce, ne sont absolument pas aptes à supporter cette température de 20 °C d'un bout à l'autre de l'année.

Il existe heureusement quantité de plantes qui préfèrent au contraire une chaleur constante. On pense aux *Ficus*, aux *Dieffenbachia*, aux *Dracæna* et à bien d'autres végétaux d'origine tropicale qui figurent aujourd'hui parmi les plantes d'appartement les plus prisées. On aurait tort de croire que ce bouleversement a appauvri notre choix. L'isolation renforcée des surfaces vitrées entraîne simplement la sélection d'une nouvelle gamme de plantes. Cette évolution ne concerne pas tout le monde. Il existe toujours pas mal de maisons anciennes pleines de courants d'air, mais leur nombre diminue. À partir du moment où les fenêtres deviennent des points où la température reste élevée en permanence, la largeur de la tablette requiert une attention toute particulière. Bien conçue, elle mesure environ 50 cm, ce qui met le feuillage à l'abri de l'air chaud ascendant. Trop peu d'architectes, hélas, tiennent compte de ces données et les tablettes étroites sont la règle plutôt que l'exception.

Le véritable amateur de plantes confronté à une étroite bande de carreaux vernissés ou de travertin n'hésite pas une seconde. Il démolit sans hésitation ce support indigne et le remplace par un autre aux nobles dimensions. Il a le choix entre le carreau de faïence, la pierre naturelle, le bois d'essence précieuse ou habillé de formica, etc. Il faut à tout prix éviter de laisser subsister des interstices par où l'air chaud pourrait s'infiltrer. À la simple tablette où s'alignent les pots de fleurs traditionnels on peut préférer une vaste jardinière fixe, remplie de tourbe, dans laquelle on enfouit les pots. Voilà qui commence enfin à ressembler à une « fenêtre fleurie » (voir p. 20) : nous y reviendrons. On trouvera les schémas de ce type d'agencement à la p. 66.

Si la tablette de fenêtre offre un emplacement de tout premier ordre, c'est que les plantes y bénéficient d'un maximum d'éclairement. Le problème du choix des plantes n'est pas éliminé pour autant. Il est évident qu'une fenêtre orientée au nord n'offre pas les mêmes conditions de croissance qu'une fenêtre orientée plein sud. La plante en pot individuel se déplace sans problème lorsqu'elle est simplement posée sur le sol. Il en va autrement des plantes groupées sur une tablette. Aucune erreur n'est permise dès le départ. Les symboles utilisés dans ce livre pourront servir de guide. Ainsi, une plante accompagnée du signe ◑ conviendra plus particulièrement à une ouverture à l'est ou à l'ouest, et même au sud, si elle peut bénéficier entre 10 heures et 16 heures de l'ombrage d'un volet, d'un store ou de toute autre protection. Les indications relatives à la température et à l'humidité ambiante doivent, elles aussi, être prises en compte. Il est indispensable que, dans chaque cas, l'ensemble des conditions de culture soit respecté.

Si l'on a décidé d'habiller ses fenêtres de plantes, le mieux est de dresser d'abord un plan qui guidera le choix. À chaque fenêtre doit correspondre une liste de plantes bien adaptées, qui comprendra des espèces à feuillage et quelques variétés à fleurs. On pourra inclure dans cette liste les plantes que l'on possède déjà, quitte à les déplacer (sauf, bien entendu, si elles se plaisent tout particulièrement à l'endroit où elles se trouvent déjà), et on fera, petit à petit, l'acquisition des autres plantes figurant sur la liste.

Certains estiment qu'une seule tablette par fenêtre, c'est trop peu. Ils en superposent deux ou trois. C'est une excellente solution pour qui dispose d'une collection de petites plantes. On fixe dans l'embrasure, de part et d'autre de la fenêtre, des tasseaux sur lesquels on fait reposer des planches. Si la fenêtre est particulièrement large et que les planches risquent de s'incurver, on fait passer, par un petit trou percé en leur centre, un mince câble d'acier que l'on fixe au plafond et que l'on maintient en place par une agrafe qui le coince sous la planche. On vérifie la parfaite horizontalité. Les planches recevront de préférence un revêtement en plastique dur (Formica®, Résopal®, etc.). La vue se trouve évidemment bouchée et le nettoyage de la fenêtre soulève quelques problèmes, mais cette solution n'en conserve pas moins ses adeptes.

Bel exemple d'une tablette de fenêtre idéale : large et solide. Les plantes n'y souffriront pas de l'air chaud qui monte du radiateur. Peut-être faudrait-il encore boucher les fentes d'aération le long de la fenêtre.

Les plantes cultivées en solitaires

Bien que la proximité d'une fenêtre offre à la quasi-totalité des plantes d'intérieur la situation privilégiée par excellence, certains spécimens particulièrement robustes supportent d'en être éloignés de quelques mètres. C'est notamment le cas des fougères, des diverses espèces de *Dracæna*, des *Monstera, Aspidistra, Cissus* et autres plantes moins résolument héliophiles. Au début de ce siècle, on avait coutume de poser ces plantes sur des sellettes, d'où elles dégringolaient allègrement. On s'étonne du degré de résistance de ces plantes, quand on se souvient qu'à l'époque les fenêtres étaient non seulement petites, mais encore obscurcies par d'épais rideaux.

Les plantes cultivées en solitaires bénéficient de nos jours de conditions nettement améliorées. Les ouvertures, facteur essentiel, se sont élargies et multipliées. Certaines baies montent jusqu'au plafond et laissent la lumière pénétrer très loin à l'intérieur des pièces. Les plantes élevées en solitaires sont les premières à en profiter. En se servant d'un posemètre (voir p. 52), on peut cerner avec précision la zone limite susceptible de convenir à une plante. Il est intéressant de noter que certains emplacements peuvent jouir en hiver d'un éclairement exceptionnel. Le soleil, très bas à cette saison, peut se glisser très avant dans une pièce favorablement orientée, et ceci pour le plus grand bien des plantes à feuillage qui, souffrant du raccourcissement des jours, ont quelque peine à satisfaire leur besoin de lumière. Les plantes solitaires, tout comme celles plantées en groupe dans des bacs, ne doivent en aucun cas être placées dans des endroits où elles auraient à souffrir du passage. Les feuilles ne supportent pas de être constamment frôlées. L'usage des colonnes et autres supports vacillants a heureusement disparu de nos intérieurs modernes. La préférence va aux jardinières basses et aux pots posés directement sur le sol, sans aucun risque de chute. Il suffit de veiller à ce qu'il ne se produise pas d'écoulement d'eau qui pourrait endommager le revêtement du sol. On a le choix entre la soucoupe glissée sous le pot, ce qui n'est pas très joli, ou un pot étanche ou un cache-pot, mais cette dernière solution est passée de mode. On voit de plus en plus des bacs ou des pots cylindriques en matière synthétique. Ils sont parfaitement adaptés à la culture des plantes, même s'ils donnent l'impression d'être trop petits. Il est faux de croire que les parois des pots doivent être poreuses pour permettre aux racines de respirer. Le seul problème réel posé par ces nouveaux conteneurs est celui de l'arrosage, surtout s'ils sont hauts et étroits. La terre en surface donne l'impression d'être sèche, alors que l'eau accumulée au fond du pot peut provoquer la pourriture des racines. Rien d'étonnant à ce que l'on se soit penché avec attention sur ce problème. Les solutions que l'on a trouvées sont décrites dans cet ouvrage : ce sont l'hydroculture, la semi-hydroculture (pp. 45-46) ou encore le simple tuyau de plastique enfoncé dans le pot et qui permet de vérifier s'il reste de l'eau au fond (p. 56).

L'avantage qu'ont les plantes cultivées en solitaires sur celles plantées en groupe dans des bacs est de pouvoir être traitées en fonction de leurs exigences spécifiques. La plante est seule dans son pot, et on connaît très exactement ses besoins en lumière, en chaleur et en degré d'humidité de l'air. Nous verrons, lorsque nous aborderons le problème des plantes groupées dans des bacs, qu'il est nécessaire de sélectionner celles dont les exigences sont sensiblement pareilles.

La composition architecturale des plantes soulève, elle aussi, un problème. On peut avoir des idées très diverses sur la façon d'associer différentes espèces dans un bac. Dès qu'il s'agit d'une plante solitaire, la question ne se pose même plus. Du point de vue esthétique, on peut difficilement trouver à redire à la façon dont la plante est présentée dans son pot : elle est forcément bonne. On ne peut pas toujours en dire autant des arrangements réalisés dans les bacs.

On peut, sans inconvénient, mettre quelques plantes couvre-sol au pied d'un sujet aux dimensions imposantes planté dans un pot un peu vaste. *Soleirolia soleirolii* ou *Ficus pumila*, entre autres, sont de charmantes petites plantes qui festonneront gracieusement le bord du pot. Leur feuillage est neutre et l'effet produit est toujours agréable.

Rien de plus tentant que l'envie de déplacer constamment une plante solitaire. C'est une tentation à laquelle il est toutefois bon de résister. Les plantes détestent changer de place et réagissent en s'étio-

lant, en perdant leurs feuilles, etc. Ceci n'a rien à voir avec le fait de pousser une plante quelques minutes sur le côté lorsqu'on fait le ménage, car la plante retrouve rapidement son emplacement habituel et elle n'en souffrira pas. Pas plus qu'elle ne souffrira si on la sort (à supposer qu'on puisse encore la transporter) une petite heure, le temps de profiter d'une ondée estivale qui rafraîchira son feuillage. Pourvu qu'on la protège au pied avec un film de plastique qui empêchera la terre de se détremper. Il faut surtout, lorsqu'on cultive des plantes en solitaires, respecter un juste rapport entre la taille de la plante et celle du conteneur. Et ceci ne concerne pas uniquement les racines, qui doivent disposer d'un espace suffisant, mais aussi l'effet visuel produit par la plante et sa stabilité. Une plante trop grande pour son pot cesse de croître, produit une impression de déséquilibre et finit immanquablement par se renverser. Il ne faut pas hésiter à changer de pot tous les ans afin de maintenir un rapport harmonieux entre la plante et son conteneur. Il faut bien se mettre en tête que, dans le cas de la plante solitaire, le pot remplit une fonction esthéti-

Monstera deliciosa est souvent planté en solitaire. Il peut atteindre des dimensions imposantes.

Un *Plectranthus* habille la base de deux beaux plants ramifiés de *Dracæna* installés dans une vaste jardinière assez basse. Au besoin, la plante rampante sera facilement remplacée.

Ce *Dieffenbachia amœna* exubérant, sagement planté dans son bac austère, n'a pas besoin de faire valoir.

La disposition de ces trois *Dracæna deremensis* 'Warneckii' est particulièrement harmonieuse.

Ficus lyrata est une plante d'intérieur très résistante qui convient très bien pour la plantation en solitaire. Ici aussi, on a réuni trois pieds de taille différente, de façon à obtenir une belle touffe.

que primordiale, et que n'importe quel récipient propre à recevoir de la terre ne peut pas convenir. Le simple fait d'harmoniser la forme et la couleur du conteneur avec celles de la plante peut transformer la plus banale des plantes vertes en un élément de décor séduisant.

Bacs à plantes et suspensions

Nous entendons par bacs à plantes tous les conteneurs, du plus petit jusqu'au plus grand, quels que soient leur forme et leur matériau, regroupant des plantes d'espèces variées. C'est ce dernier point qui les distingue des pots contenant une plante solitaire, tels que nous venons de les décrire au chapitre précédent.

L'art de choisir les plantes

Lorsqu'on décide de garnir un bac, le plus difficile est de combiner le choix et l'arrangement des plantes. Le substrat, l'éclairement, la température, l'arrosage, le degré d'hygrométrie de l'air ambiant sont sensiblement pareils pour toutes les plantes qui y sont réunies. On peut tout au plus constater que, dans les bacs de grandes dimensions, les plantes les plus basses et placées au centre bénéficient de moins de lumière et d'une humidité un rien plus élevée qu'elles doivent à la transpiration des végétaux qui les recouvrent. Mais en gros, les plantes réunies dans un même bac doivent se satisfaire de conditions identiques pour toutes. Cette constatation, si simple et si évidente, retient pourtant rarement toute l'attention qu'elle mérite. Souvent, les plantes sont choisies uniquement en fonction de leur apparence et, au bout de quelques semaines, le bac commence à prendre une allure inquiétante. Les premières plantes commencent à dépérir. On a beau tourner et retourner le bac, arroser, rien n'y fait, les plantes continuent à mourir. On peut s'étonner que tant de fleuristes se rendent coupables de cette erreur. Une telle ignorance de leur part est impardonnable. Ou l'esprit de lucre primerait-il toute autre préoccupation ?

Peu importe, le lecteur de cet ouvrage, averti, lui, peut escompter un meilleur résultat. Toutes les espèces répertoriées sont accompagnées d'un symbole. Le simple fait de grouper des plantes assorties du même signe est déjà un gage de succès. Pour plus de facilité, on a groupé sous forme de tableaux les plantes porteuses du même symbole : on les trouvera à partir de la p. 273.

Une fois ce premier choix arrêté, on s'apercevra que les plantes marquées du même symbole ne s'accordent pas forcément du point de vue esthétique. Il faudra faire une deuxième sélection, qui dépendra alors du goût personnel de chacun.

La manière de planter

Pour garnir un bac, on peut procéder de deux manières.

a. Remplir le bac de terre ; sortir les plantes de leur pot et les planter directement dans le bac. Avantage : les racines trouvent facilement leur nourriture, la croissance est rapide et vigoureuse. Inconvénient : lorsqu'on désire supprimer ou renouveler une plante, on s'aperçoit que les racines se sont étroitement entremêlées, rendant l'opération particulièrement délicate.

b. On peut s'y prendre autrement. On laisse les plantes dans leurs pots qu'on enfouit dans de la tourbe, de façon à en cacher complètement le bord supérieur. L'avantage est de pouvoir fournir à chaque plante le substrat qui lui convient et de changer plus facilement les plantes, donc de remplacer les potées défleuries. Il se peut qu'au bout d'un certain temps les racines dépassent du pot, mais c'est peu de chose en comparaison de ce qui se produit quand on supprime les pots. Si l'on souhaite soigner plus spécialement la présentation d'un côté du bac, on dispose les plantes les plus hautes à l'arrière-plan et les plus basses devant. Quand le bac doit être vu de plusieurs angles à la fois, on met les plus hautes au centre. L'opération peut être compliquée par le fait que les bacs sont très souvent placés auprès d'une fenêtre pour mieux recevoir la lumière du jour. Il est logique, dans ce cas, de masser les plantes à végétation basse du côté de la baie et les plus hautes derrière, donc du côté de la pièce. Leurs feuilles auront normalement tendance à se tourner vers la lumière, et celui qui est censé les regarder et qui se trouve généralement à l'intérieur, ne voit que le revers et le dessous des fleurs et du feuillage. À moins qu'il ne se ménage un petit coin entre le bac et la fenêtre, ou qu'il écarte un peu le bac

pour jouir, ne serait-ce que partiellement, du spectacle des feuilles tournées vers la source de lumière ; mais beaucoup de plantes s'en ressentiront car, ne l'oublions pas, l'intensité de la lumière décroît en raison du carré de la distance qui sépare la plante de la fenêtre (si on double cette distance, on divise l'intensité de la lumière par quatre).

Si les plantes ont été placées dans le bac avec leur pot, il est possible de tourner, pour un temps limité, le beau côté vers l'intérieur de la pièce ; il est rare qu'elles en souffrent. Cela permettra, au contraire, à la tige principale de pousser bien droit et le port des plantes s'en trouvera amélioré.

La difficulté se trouve en grande partie résolue lorsqu'il y a moyen de faire intervenir une source de lumière dans la pièce même, soit sous forme d'un puissant éclairage artificiel (voir p. 47), soit en pratiquant des ouvertures dans le plafond. Quand la pièce est étroite on parvient quelquefois à caser le bac à plantes réservera toujours la plénitude de sa grâce aux regards venus de l'extérieur. Si le jardinier se sent frustré, le passant, lui, est comblé.

L'art de présenter les plantes : les conteneurs

Si l'on fait abstraction des modes de culture sans sol, dont il sera question plus loin, on peut distinguer les types de conteneurs suivants :

a. Les bacs mobiles.
b. Les bacs fixes en maçonnerie, béton, etc.
c. Les bacs fixes creusés dans le sol.
d. Les suspensions.

a. Les bacs mobiles

Il n'existe pas de différence fondamentale entre les

Une composition un peu désordonnée qui s'intègre parfaitement à cet intérieur bohème, avec ses murs de briques apparentes et son plancher rustique. Une plantation de ce type exige beaucoup de lumière. Cette jardinière est placée à 2 m en retrait de la fenêtre que l'on voit à l'arrière-plan, mais elle est également éclairée par une autre fenêtre qui n'est pas visible sur la photographie. Grâce à ce double éclairage, les tiges pousseront bien droit.

bacs mobiles et les pots destinés aux plantes solitaires. On a affaire, dans les deux cas, à un récipient de dimensions très variables, destiné à recevoir de la terre ou tout autre substrat. On choisira, de préférence, des récipients dont la base n'est pas perforée, pour éviter les fuites d'eau. Le bac à plantes sera donc, selon notre définition, le récipient où sont regroupées plusieurs espèces ou variétés de plantes. Le pot ne contient qu'une plante unique. Les coupes que l'on reçoit souvent en cadeau font partie des petits bacs mobiles et peuvent trouver leur place sur la tablette de fenêtre. Garnies en dépit du bon sens, elles ont souvent une existence très brève. Le mieux est de les défaire dès réception afin de donner aux petites plantes une chance de survivre individuellement. La tendance actuelle est aux éléments un peu plus ambitieux que l'on pose à même le sol.

Le plastique est un matériau très fréquemment utilisé, en raison de son prix et de sa parfaite étanchéité. Les bacs en polyester ou en mousse de latex durcie, aux parois très épaisses, sont plus coûteux ; ils ont souvent une forme hexagonale et existent dans des

gammes de couleurs très variées. On peut s'amuser à assortir leurs formes et leurs nuances aux plantes et au style du mobilier, mais il faut se montrer prudent si on ne veut pas verser dans le mauvais goût. Il est préférable de s'en tenir aux teintes neutres comme le blanc, le brun foncé et le vert. On a aussi le choix entre le plastique mat et le plastique brillant.

Les bacs en fibrociment sont bon marché et tout à fait recommandables. Ils sont parfaitement étanches, mais ils « transpirent ». Il vaut donc mieux ne pas les laisser en contact direct avec le sol. On les pose sur des plots ou on les équipe de roulettes. Les bacs en bois peuvent convenir, à condition d'avoir subi un traitement qui les rende imputrescibles et étanches : la seule façon d'y parvenir efficacement est de les doubler d'une feuille étanche (plastique ou zinc).

Si l'on achète des bacs de grande capacité, on a intérêt à les choisir montés sur des roulettes qui permettent de les déplacer facilement lors des nettoyages. Certaines personnes adoptent cette solution pour les grands bacs affectés à des coins mal éclairés. Cela leur permet de les amener de temps à autre

à proximité d'une fenêtre pour les « recharger ». C'est une façon de faire qui se défend, à condition d'y penser très souvent et très régulièrement et d'avoir soin d'exposer toujours le même côté de la plante à la lumière.

b. Les bacs fixes en maçonnerie

On peut fort bien monter à même le sol, s'il est suffisamment résistant, de vastes bacs à plantes en maçonnerie. En fait, on ne retient cette solution que si la chape est en béton. Les planchers en bois ont trop tendance à travailler, ce qui peut provoquer des fissures dans la maçonnerie des bacs. Il est primordial d'étudier soigneusement les conditions d'éclairement de l'emplacement prévu avant de se lancer dans les travaux. La lumière naturelle est indispensable et plus elle sera abondante, mieux cela vaudra. Pratiquement, cela signifie que le bac ne sera jamais distant de plus d'un mètre ou deux d'une fenêtre, à moins que la taille des baies vitrées soit telle (ce peut être le cas de halls d'immeubles ou de vastes locaux de bureaux) qu'elles admettent une lumière abondante très avant dans la pièce. On fera ses mesures en s'aidant d'un posemètre (voir p. 52).

La cage d'escalier d'un immeuble d'appartements ou de bureaux est aussi un emplacement de tout premier ordre. Ces endroits sont fréquemment éclairés à profusion, à la fois par le haut et les côtés, et offrent un volume propre à accueillir des plantes de haute taille ou des plantes retombantes au feuillage exubérant. On peut imaginer un immense bac maçonné à même le sol du rez-de-chaussée et d'autres, plus petits, répartis sur les paliers des différents étages, du côté de la rampe ou des fenêtres. Et voilà une cage d'escalier transformée en forêt vierge.

Une excellente idée, encore faut-il que l'architecte y pense en dessinant ses plans, consiste à incorporer dans les bacs un système d'arrosage qui permette de les doucher une fois par mois, ce qui résout du même coup le problème de l'entretien. Le revêtement des murs et l'évacuation des eaux seront, cela va de soi, méticuleusement étudiés.

Le hall d'entrée d'un grand immeuble de bureaux se prête admirablement à l'installation d'un jardin d'hiver planté dans un vaste bac pouvant mesurer plusieurs mètres de côté, mais dont la profondeur ne doit pas nécessairement dépasser 60 cm. Une partie du bac pourra même être aménagée en pièce d'eau. Ici encore, l'intervention de l'architecte est importante, car il aura dû prévoir, pour le hall, une façade entièrement vitrée qui laisse pénétrer la lumière à flots. Cette baie sera, autant que possible, orientée à l'ouest.

L'étanchéité de ces sortes de jardins est assurée par un revêtement intérieur : bitume, polyester ou tout autre matériau approprié. Le fond doit être construit en pente légère, de façon à diriger l'excédent d'eau (en général minime) vers un conduit d'évacuation (une gaine de câble électrique dans laquelle on glisse un tampon à récurer les casseroles pour éviter qu'elle se bouche). Grâce à ce petit dispositif, l'eau ne stagnera pas au fond du bac et la vie des précieux végétaux sera sauve.

Au fond du bac, on dépose une mince couche de gravillons ou de tessons ; on la recouvre d'un filtre, qui peut être un feutre spécial ou une mince feuille de mousse plastique qui empêchera la terre de s'infiltrer dans la couche de drainage.

La terre des bacs de très grandes dimensions n'a pas besoin d'être renouvelée tous les ans. Une fertilisation régulière suffit à assurer la nourriture des plantes. Au bout de deux à trois ans, quand les plantes commencent à se gêner, on les enlève toutes pour ne conserver que les plus belles, que l'on replante.

Dans les constructions ultra-modernes, les très grands bacs sont souvent équipés de systèmes d'arrosage automatique, à moins que l'on ait recours à la culture hydroponique. Ceci entraîne des frais nettement plus élevés. On trouvera des détails supplémentaires à ce sujet pp. 45-46.

c. Les bacs fixes creusés dans le sol

En règle générale, plus le bac est bas, plus la plante reçoit de lumière. C'est la raison essentielle pour laquelle on recommande de creuser le bac à plantes dans le sol. C'est une solution qui se défend aussi du pur point de vue esthétique.

En ce qui concerne l'éclairement, nous ne pouvons que répéter ce qui a été dit à propos des bacs élevés sur le sol. Si le bac est médiocrement éclairé, les plantes s'étiolent et finissent par mourir. L'éclairage artificiel est onéreux et ne peut se concevoir qu'à titre

En haut, à gauche : au pied d'un escalier bien éclairé, un exemplaire géant de *Philodendron bipinnatifidum*. Il est planté dans un bac mobile.

Au centre, à gauche : plusieurs variétés de *Ficus*, ayant toutes les mêmes exigences de culture, sont groupées dans un bac mobile.

En bas, à gauche : des roulettes incorporées permettent de déplacer le bac facilement.

En haut, ci-dessus : pour diviser cette vaste pièce, on a construit une jardinière à même le sol.

Ci-dessus : les énormes *Yucca* plantés dans cette jardinière en maçonnerie ont été importés tels quels. Il est peu probable qu'ils résistent au-delà d'un an ou deux.

exceptionnel. Des ouvertures vitrées dans le toit : voilà encore une solution envisageable et élégante.

Il n'est pas tellement facile de faire creuser un bac à plantes dans une construction achevée. En faisant sauter la chape de béton, on court le risque de provoquer des fissures dans l'immeuble. Il est impensable d'entreprendre de tels travaux sans avoir pris l'avis d'un professionnel.

Par contre, s'il s'agit de planchers en bois, rien ne s'oppose à ce qu'un bricoleur bien entraîné se lance dans l'entreprise. On commence par dégager le parquet jusqu'au niveau des poutres. S'il s'avère nécessaire d'en scier quelques unes, on commence par les étayer en construisant un muret de soutien à l'endroit où se trouveront leurs nouvelles extrémités. On attend que ce muret ait complètement séché pour scier les poutres et construire le bac dans l'espace libéré. En principe, il sera exécuté en maçonnerie ; la partie supérieure sera recouverte de carreaux et le parquet remis en place tout autour du bac. Si le sous-sol est sableux, donc relativement sec et drainant, il est inutile de couler un fond. La profondeur du bac sera au minimum de 40 cm.

Si le sol est carrelé, la réalisation ne posera aucun problème. Il ne sera même pas nécessaire d'achever le bac par une bordure. Il faudra simplement veiller, lorsqu'on récurera le sol, à ne pas laisser l'eau savonneuse couler dans la terre, ce qui, à la longue, pourrait nuire à la bonne santé des plantes.

Des bacs de ce type peuvent facilement se concevoir en culture hydroponique ou semi-hydroponique, à condition que le fond et les parois soient rendus parfaitement étanches.

d. Les suspensions

Chacun connaît le petit pot suspendu, avec ou sans soucoupe, que l'on accroche au mur par un piton, ou les coupes et les bols suspendus au plafond par des cordelettes, devant une fenêtre. Tous ces récipients ont leur utilité, car de nombreuses plantes ont un port retombant et c'est suspendues qu'elles produisent le meilleur effet.

On peut, bien entendu, imaginer d'autres manières de présenter les plantes retombantes. On pense tout de suite à les planter au bord d'un grand pot contenant une plante solitaire ou le long d'un vaste bac à plantes en maçonnerie qu'elles recouvriront avec grâce.

Les cages d'escaliers, lorsqu'elles sont suffisamment éclairées, sont des lieux de prédilection pour ce genre de plantes. Il suffit de disposer des jardinières ordinaires le long de la rampe, sur les paliers. On sera surpris de la longueur que les tiges peuvent atteindre : parfois une dizaine de mètres. Veiller à ce que les récipients soient très stables si on ne veut pas voir bacs et plantes dégringoler dans le vide. Faire attention aussi à ce que le bord des jardinières ne blesse pas les tiges. Celles-ci sont parfois si longues et si lourdes qu'il faut leur fournir un point d'appui à mi-parcours. Les vides, lorsqu'ils sont bien éclairés, se décorent beaucoup avec des plantes.

Une autre façon très originale de cultiver les plantes retombantes est de les planter dans des cylindres de plastique de différentes hauteurs que l'on place côte à côte. La terre cuite est un matériau tout aussi valable. Il ne faut pas craindre de choisir des couleurs vives. On les remplit entièrement ou en partie d'un bon terreau. On obtient une sorte de jeu de tuyaux d'orgue d'où les plantes s'échappent gaiement en cascades décoratives. Il suffit d'un peu de fantaisie pour broder d'innombrables variations sur ce thème. Pourquoi pas un arbre artificiel couvert de plantes retombantes ? Ceci nous amène aux plantes épiphytes que l'on fait croître sur un tronc d'arbre artificiel, mais parfaitement imité. On le couvre d'orchidées, de broméliacées et de divers végétaux grimpants et rampants. C'est une idée sur laquelle nous reviendrons à la p. 40.

Très curieusement, les plantes haut perchées sont fréquemment oubliées lors des arrosages. Elles apprécient pourtant une petite gorgée d'eau, au même titre que leurs sœurs placées plus près du sol. Il faut s'inventer des petits trucs qui permettent de parer à ces négligences dont elles souffrent. La culture hydroponique ou les pots à réservoir d'eau permettront à ces laissées pour compte de disposer d'une petite provision d'humidité en attendant qu'on veuille bien se souvenir de leur existence. Il est aussi très important de laisser un espace entre la surface de la terre

et le bord des pots suspendus, sinon l'eau d'arrosage, en débordant, provoque d'affreuses taches sur les murs.

On choisira donc, pour les suspensions, des pots légèrement plus grands que la normale, car ils permettront une plus grande absorption d'eau. Éviter d'utiliser des pots de terre cuite ou des pots non vernissés dont les parois poreuses laissent trop facilement évaporer l'eau.

Les plantes retombantes que l'on cultive sur des blocs de fougères arborescentes ou dans des petites corbeilles en lattis doivent être décrochées et baignées. Laisser ressuyer avant de remettre en place. Cette méthode vaut d'ailleurs pour toutes les plantes, même celles cultivées en pot.

16

Les plantes d'orangerie

En évoquant l'apparition des plantes d'appartement en Europe, nous avons rappelé que nombre d'entre elles avaient une origine subtropicale. Les premiers orangers *(Citrus aurantium)*, introduits en Angleterre dès la fin du XVIe siècle, étaient cultivés en plein air. L'expérience se révéla, à l'usage, peu convaincante et c'est ainsi qu'un certain sir William Temple eut l'idée de rentrer les arbustes pendant l'hiver. Ceci nous explique pourquoi un abri destiné à accueillir les plantes gélives pendant la mauvaise saison a reçu le nom d'orangerie.

Nous continuons aujourd'hui à parler de plantes d'orangerie quand nous voulons désigner des végétaux que l'on sort de fin mai à fin septembre et qui, le reste de l'année, sont conservés à l'abri du gel. Nous avons marqué ces plantes d'un signe qui permet de les repérer facilement. La plupart des plantes d'orangerie, dites aussi plantes en caisse, parce qu'on avait coutume autrefois de les élever dans des caisses munies de poignées pour pouvoir les déplacer aisément, sont accompagnées des symboles ○ et ☉. Entrent également dans cette catégorie les plantes avec les signes ◖ et ☉ . Ce mode de culture — température basse, mais à l'abri du gel en hiver, et soleil ou mi-ombre et fraîcheur en été — est le seul qui convienne vraiment aux plantes d'orangerie. On consultera aussi la rubrique « Périodes de repos » à la p. 60, pour des détails de culture complémentaires. L'hivernage est indispensable à la formation des boutons à fleurs et seule une grande luminosité en été permet à ces plantes de remplir leurs fonctions d'as-similation d'une façon satisfaisante. Ces faits très simples expliquent les déboires que l'on essuie si souvent quand on cultive en appartement les plantes marquées des symboles mentionnés plus haut : elles ont trop chaud l'hiver et souffrent parfois du manque d'éclairement en été. Leur font également défaut : l'air frais si nécessaire à leur cyle de végétation et les averses estivales qui les débarrassent de la poussière.

Les plantes d'orangerie en été

Les plantes d'orangerie s'accommodent fort bien de nos étés. Il ne faut pas non plus se laisser impressionner par le terme « plantes en caisse ». Ce ne sont pas forcément des plantes de taille imposante. Une bouture d'*Hibiscus* peut fleurir après un an de culture, alors qu'elle est encore bien petite et se contente d'un pot ordinaire. Pourvu qu'on les taille chaque année au printemps, presque toutes les plantes d'orangerie peuvent être maintenues dans des proportions très raisonnables.

Supposons que l'on dispose d'un balcon d'appartement bien ensoleillé et que l'on souhaite y cultiver quelques plantes, en été. On commencera par le protéger du vent, à hauteur de balustrade, à moins que le constructeur n'y ait déjà pensé. On empote les plantes dans des pots en plastique dont le fond est percé. Une forte couche de tessons assurera le drainage et évitera aux plantes d'être noyées en cas de pluie. Les pots de petite taille ont l'inconvénient de se laisser facilement renverser par le vent. Il faut donc trouver un moyen ou un autre de les fixer au sol, en tassant, par exemple, du gros gravier autour des pots. On pourrait aussi les ranger dans de jolies jardinières en teck véritable, qui sont coûteuses mais agréables à l'œil et indestructibles. Ne pas oublier de pratiquer quelques ouvertures au fond pour l'évacuation de l'excédent d'eau. Les cylindres en plastique, les pots en grès sans trou de drainage et les autres récipients de ce genre sont à écarter, car l'eau stagnerait au fond.

Si les plantes ont séjourné dans la maison ou si elles viennent directement d'une serre, il ne faut pas les sortir avant la deuxième moitié de mai, en choisissant une journée très douce et sans vent. Attention aux nuits froides ! Il se peut qu'il faille attendre juin pour que le climat soit favorable. Mieux vaut trop tard que trop tôt. Un changement trop brusque est toujours préjudiciable aux plantes. On vérifiera dans ce livre que la plante supporte bien le plein soleil. Dans le cas contraire, prévoir un ombrage léger, comme un lattis tendu au-dessus des plantes. Bassiner souvent les plantes, surtout au cours des premières semaines, et veiller à ce que la motte ne se dessèche jamais complètement. Les pots de petite taille disposent d'une très faible réserve d'eau. On peut recourir à la

---

Une fort belle collection de plantes d'orangerie exposée pendant les mois d'été dans le Cantonspark à Baarn (Pays-Bas). En septembre, toutes ces plantes, cultivées pour la plupart dans des baquets, sont rentrées dans une serre froide où elles passent l'hiver. L'amateur qui dispose d'un local adéquat pourra, lui aussi, aménager un coin de ce genre (en plus petit !) dans son jardin.

culture hydroponique ou utiliser des récipients à réservoir d'eau (pp. 45-46).

Au jardin les conditions sont généralement plus favorables que sur le balcon ; ceci est dû au fait qu'il y règne un micro-climat plus doux qu'à une altitude de, disons, 12 mètres. La terrasse et ses abords sont des endroits tout désignés pour recevoir des plantes d'orangerie. C'est là qu'on pourra le mieux les admirer et qu'on risque le moins d'oublier de les arroser. Si elles redoutent le plein soleil, il se trouvera toujours un arbre ou un arbuste à proximité pour les protéger. Il faut, pour bien faire, pouvoir les mettre à l'abri des ardents rayons du soleil de midi.

Les plantes d'orangerie s'enterrent aussi avec leur pot au jardin. On utilise alors, de préférence, des pots de plastique de 20 cm de profondeur et d'un diamètre de 30 cm. La surface de la terre doit se trouver à 5 cm au-dessous du bord supérieur du pot. Dans un jardin normalement arrosé, le pot se trouvera naturellement irrigué. Sinon, il faut couvrir et entourer le pot de tourbe. Grâce à ce système, on pourra partir en vacances sans que les plantes en souffrent.

Plantes d'orangerie dans un cadre princier.
En haut : sur fond de château rococo, une azalée du Japon s'épanouit dans une vasque merveilleusement ouvragée (île de Mainau, lac de Constance).

En bas : la célèbre Orangerie du château de Versailles.

Les plantes d'orangerie en hiver

Fin septembre ou en octobre, dès que les premières gelées nocturnes sont à redouter, les plantes d'orangerie doivent être rentrées. Et c'est là que commencent les ennuis. Qui, de nos jours, dispose encore d'un local frais, à l'abri du gel, bien éclairé, et, si possible, haut de 3 m, où il peut entreposer ses plantes d'orangerie pendant tout l'hiver ? A la p. 60, on trouvera des suggestions pour la construction d'une annexe au garage spécialement conçue à cette fin. C'est une solution qui mériterait d'être adoptée plus souvent. Pour les possesseurs d'une serre froide, pas de problème. On règle le thermostat entre 1 et 5 °C, et l'hiver peut venir. Penser à aérer largement la serre par beaux jours. Ne pas hésiter à se servir de toutes les ouvertures.

Rares sont sans doute les lecteurs qui disposent d'une orangerie véritable, une de ces merveilleuses constructions d'autrefois, aux hautes fenêtres orientées vers le sud. Mais certains pourront peut-être tirer parti d'un vieil hangar ou d'une étable aménageables. Les anciennes orangeries n'avaient pas de verrières au plafond, ce qui incitait les plantes à s'étirer vers la lumière venant des fenêtres. Elles réussissaient cependant à passer l'hiver correctement. Par temps doux, il faut ouvrir les portes toutes grandes et sortir éventuellement les plantes pendant la journée.

Nous aurons l'occasion, plus loin, de parler de la véranda et du jardin d'hiver. Ils peuvent, à condition d'être chauffés très modérément, offrir un excellent abri à toutes les plantes d'orangerie.

Une entrée fraîche ou une cage d'escalier peuvent remplir la même fonction. Pourquoi s'obstine-t-on à surchauffer ces endroits, comme s'il était impossible de régler leur température ? On pourrait y conserver bien plus de plantes si, en hiver, le thermomètre s'y maintenait entre 5 et 10 °C. Les arbrisseaux au feuillage caduc, cultivés comme plantes d'orangerie, peuvent être complètement enfouis dans la terre en hiver. On procède ainsi avec le fuchsia. On manque encore d'expérience en ce qui concerne d'autres espèces, mais il n'est pas interdit de faire ses propres essais. Attendre que le feuillage ait presque complètement chu ; ouvrir une tranchée de 20 cm de profondeur et d'une largeur suffisante pour y coucher la plante ; recouvrir de terre. Par temps de gel, ajouter une couverture de paille. Déterrer les plantes au plus tard en mars. Ce n'est pas une panacée universelle, mais, si on n'a pas le choix, mieux vaut enfouir ses plantes que les laisser geler. Cette méthode ne s'applique pas aux plantes à feuillage persistant.

Les plantes d'orangerie au printemps

Il arrive que, très tôt au printemps, la température grimpe subitement dans les locaux où sont entreposées les plantes d'orangerie. C'est fréquent lorsque le local a de larges ouvertures au sud. Le soleil peut faire rapidement monter le thermomètre au-dessus de 20 °C.

Sous l'effet de la chaleur, les plantes entrent en végétation. Ceci serait bénin si la température douce se maintenait et si l'on pouvait sortir les plantes rapidement, mais ce n'est, hélas, pas toujours le cas. Il se passe alors ceci : quand vient le moment de les mettre dehors, les plantes ont déjà sorti leur jeune feuillage, mais il n'est pas assez endurci pour pouvoir résister au vent et au froid.

Pour réussir ses plantes d'orangerie, il faut, impérativement, retarder au maximum leur entrée en végétation. On y parvient en maintenant la fraîcheur dans le local, en aérant, en ombrant, etc. Il n'est pas question de freiner le démarrage au-delà de fin avril, début mai, mais peu importe, puisqu'on approche alors du moment où les plantes pourront être sorties normalement. Choisir pour cela une journée où le temps est couvert et pluvieux, mais sans vent.

Les petites plantes d'orangerie doivent être rempotées tous les ans, de préférence au printemps. Si les pots ou les caisses sont un peu grands, on peut se contenter d'un rempotage tous les deux ou même tous les trois ans. Mais il vaut mieux rempoter trop tôt que trop tard.

Par la même occasion, on taillera sévèrement toutes les plantes qui fleurissent sur le bois de l'année, c'est-à-dire après le 1er juillet. L'opération est utile ; certains végétaux croissent avec une telle vigueur que, faute de taille, ils deviendraient rapidement intransportables. On en profitera pour enlever tout le bois mort.

Plantes d'orangerie dans un cadre ordinaire.
Tout en haut : un bel oranger orne la terrasse. L'hiver, il doit être rentré.

Au centre : un échaffaudage original supporte des plantes d'orangerie et des plantes de massifs. Une rampe d'arrosage est dissimulée dans les barres du haut.

Ci-dessus : plantes d'orangerie sur un balcon d'appartement.

Vérandas et jardins d'hiver

Il fut une époque où bien des maisons avaient leur véranda. C'étaient des sortes d'annexes vitrées. L'utilisation du bois de sapin rouge et parfois du fer impliquait, pour ces vérandas, des soins constants d'entretien si on ne veut pas les voir pourrir, rouiller ou fuir. Pourtant, bien des constructions anciennes ont réussi à conserver leur véranda, souvent à la plus grande satisfaction de leurs propriétaires, et toujours pour le plus grand bien des plantes qui trouvent là un séjour idéal. Dans de nombreux cas, la véranda est couverte d'un toit vitré ; c'est une aubaine pour les plantes et cela évite une perte de clarté à l'habitation à laquelle la véranda est adossée. Par contre, ces grandes surfaces vitrées rendent ces lieux pratiquement inhabitables en hiver. Leurs vitrages simples rayonnent trop de froid et les chauffer serait trop onéreux. On peut se demander pourquoi les techniques modernes de construction (utilisation de l'aluminium, doubles vitrages) ne jouent pas davantage en leur faveur.

Une véranda orientée au sud peut subir de fortes hausses de température lorsque le soleil luit. Il faut donc prévoir un moyen d'ombrer. Les stores vénitiens à lamelles orientables sont parfaitement efficaces, mais des rideaux en tissu imputrescible sont aussi valables. Une toiture en verre armé peut éviter des accidents, au cas où un panneau viendrait à se détacher, et permet en outre de se passer de dispositif d'ombrage.

L'aération se fait par les portes qui ouvrent sur le jardin. En règle générale, la véranda communique directement avec la pièce à laquelle elle est adossée. Il est utile de prévoir, en plus, un châssis ouvrant dans le toit et des grilles d'aération latérales, de façon à pouvoir ventiler la véranda sans ouvrir les portes. Le chauffage sera assuré par un ou plusieurs radiateurs raccordés au chauffage central et équipés d'un thermostat. C'est la seule façon de maîtriser la température en hiver. Si la véranda sert avant tout d'abri aux plantes d'orangerie (voir p. 18), une température minimale hivernale de 5 à 10 °C est suffisante, mais il faut alors pouvoir l'isoler de la zone habitée. Si l'on souhaite occuper la véranda en hiver, il faudra faire monter la température aux environs de 20 °C, mais il fera alors trop chaud pour les plantes d'orangerie, les cactus et les plantes succulentes. L'idéal serait une véranda dont les portes ouvrent largement sur une vaste terrasse en dur, où l'on peut installer plantes et sièges. C'est un confort particulièrement apprécié les jours où un orage vous surprend alors que vous preniez tranquillement votre repas dehors.

Adjoindre un jardin d'hiver à la maison

On trouve sur le marché des jardins d'hiver préfabriqués, mais ils ne s'adaptent pas toujours au style de la maison. Il faut aussi obtenir, au préalable, un permis de construire à la municipalité. On sélectionnera des matériaux qui résistent à l'humidité et qui sont faciles à entretenir. Le bois de cèdre, et en particulier celui vendu sous l'appellation « Red Cedar », est celui qui convient le mieux car il ne gauchit pratiquement pas et est parfaitement imputrescible. Il n'est pas nécessaire de le peindre, mais avec le temps, il prend un aspect délavé. Une petite application d'huile suffira à lui rendre bonne allure. La plupart des autres qualités de bois nécessitent une couche de peinture ou d'enduit protecteur, opération fastidieuse et qu'il faudra renouveler.

L'aluminium est plus pratique, surtout s'il est anodisé. Son emploi est recommandé à ceux qui habitent au bord de la mer ou à proximité d'industries. L'aluminium non traité prend vite un aspect inesthétique. Pour les vitrages, on choisira le verre de préférence au plastique : du verre armé pour le toit, du verre à vitre ordinaire ou éventuellement du verre isolant pour les parois. Prévoir des dispositifs d'ombrage et de ventilation.

Le reste de la construction peut être réalisé en béton et en maçonnerie. Un sol en béton pourvu d'une évacuation d'eau est fort pratique. On pourra le carreler par la suite, à moins que l'on préfère un revêtement moderne imputrescible, qui améliorera l'acoustique. Tout autour, on élèvera un soubassement en maçonnerie, de 60 cm de haut, auquel seront accrochés les radiateurs. Il faudra surtout prévoir de très vastes tablettes de fenêtre, car le jardin d'hiver est avant tout destiné à abriter des plantes. Des portes, de préférence en aluminium, s'ouvrant largement faciliteront l'accès. Quelques mots à propos de la toiture. Il faut absolument que sa pente soit accentuée pour que l'eau de pluie ruisselle facilement en entraî-

nant les poussières. Monter la toiture de façon à éliminer le maximum d'obstacles, en utilisant de grands panneaux et des barres aux feuillures étroites et lisses. Un bon rinçage au jet doit pouvoir suffire à assurer l'entretien. Placer une gouttière en plastique, reliée par un tuyau de descente à un tonneau situé à l'intérieur du jardin d'hiver (on peut même l'enterrer) pour recueillir les eaux pluviales. On aura ainsi une provision d'eau d'arrosage à portée de la main. Pour éviter que l'eau de condensation ne goutte à l'inté-

En haut : une véranda construite dans le prolongement d'une pièce d'habitation. Éclairage excellent grâce au toit en plastique ondulé.

En bas : ce jardin d'hiver adossé à la maison est envahi par un fouillis de plantes. Quiconque s'installe à la petite table peut se croire transporté dans la forêt vierge.

rieur, on dispose, tout le long de la toiture, des petites gouttières d'intérieur spécialement conçues pour cet usage. Lorsqu'on aménage un jardin d'hiver, il faut se rappeler qu'il y règne habituellement un degré d'humidité élevé, c'est pourquoi il faut éliminer tous les meubles, rideaux ou autres matières susceptibles d'être attaquées par la pourriture ou la moisissure. Surtout, pas de placards ! Ce sont des nids à vermine.

Quelles plantes cultiver dans le jardin d'hiver ?

Si l'on maintient dans le jardin d'hiver (ou la véranda) une température assez basse, on pourra y conserver des plantes d'orangerie (à transporter sur la terrasse en été), des cactées et des plantes grasses. Si on y fait régner une température moyenne, mieux vaut faire son choix parmi les plantes marquées du signe ☺.

Le jardin d'hiver, la véranda sont en général orientés vers le sud : on sélectionnera, par conséquent, des plantes dont les exigences en matière d'éclairement sont symbolisées par ○, ou ◐ si on peut ombrer dans la journée.

Le degré d'hygrométrie est généralement plus élevé dans ces endroits que dans l'habitation proprement dite et conviendra très bien aux plantes marquées ○. L'arrosage et le choix du terreau sont laissés à l'appréciation du jardinier. Le jardin d'hiver n'offre ni contraintes, ni avantages particuliers.

Une revue rapide des plantes répertoriées dans cet ouvrage permettra au lecteur de réunir très rapidement un assortiment de plantes qui correspondent à ses goûts. Il découvrira avec plaisir qu'il peut inclure dans son choix quantité de plantes de serre. Tant il est vrai qu'un jardin d'hiver ou une véranda ne le cèdent en rien à une serre.

Ci-dessus : la fenêtre aménagée en vitrine, que les Allemand appellent « Blumenfenster », n'est rien d'autre qu'une serre d'appartement vitrée sur ses deux faces.

À gauche : une serre d'appartement très réussie. Les vitres, côté intérieur, sont coulissantes. Les poinsettias sont peut-être un peu trop voyants, mais cette faute de goût est corrigée par la présence de magnifiques orchidées, broméliacées et plantes vertes tropicales.

La « fenêtre fleurie »

Les Allemands appellent « Blumenfenster », littéralement — fenêtre à fleurs —, une vraie fenêtre aménagée en vitrine, dans laquelle on cultive, non pas des fleurs à couper, mais des plantes vertes. Nous pourrions parler de « fenêtre-vitrine » ou de « fenêtre-serre ». En fait, les Allemands ne sont pas les premiers à avoir exploité cette formule car, dans l'Angleterre victorienne, il était déjà question d'un « hortus fenestralis », terme utilisé par un nommé Shirley Hibberd qui avait acquis, en son temps, une certaine notoriété en tant qu'écrivain spécialiste des fleurs et des plantes. Il décrit cette installation comme une serre miniature, réalisée en ménageant un espace pour les plantes entre les parois d'une double fenêtre. La vitre de doublage pouvait aussi bien être rapportée à l'intérieur qu'à l'extérieur. En Angleterre, cette formule n'a connu que très peu de succès, par contre elle est devenue très populaire en Allemagne après la Seconde Guerre mondiale. Les perfectionnements dus aux techniques modernes y ont largement contribué. Une « fenêtre fleurie » bien aménagée offre aux plantes qu'elle accueille des conditions de croissance particulièrement favorables.
On distingue différentes catégories de « fenêtres fleuries ».

a. La « fenêtre fleurie » ouverte
Ce n'est rien d'autre qu'une jardinière, mais de très grandes dimensions. Rien ne la distingue fondamentalement du bac à plantes décrit dans les pages qui précèdent. La jardinière peut être incorporée dans le sol ou placée à une hauteur de 40 à 60 cm. Une vraie « fenêtre fleurie » donne sur l'extérieur.

b. La « fenêtre fleurie » isolée
C'est à une installation de ce type que la « Blumenfenster » doit sa renommée. Sa particularité caractéristique est d'être totalement isolée de la pièce où elle se trouve par l'interposition d'un vitrage. On a donc affaire à une serre d'appartement au travers de laquelle on a vue sur l'extérieur. Elle jouit ainsi d'un microclimat : sa température et son hygrométrie peuvent être réglées indépendamment des conditions de la pièce où elle se trouve. Inutile de préciser que,

dans de telles conditions, ce type de vitrine se prête à la culture de toutes les plantes de serre. Les broméliacées, les orchidées, les plantes à feuillage originaires des forêts tropicales y poussent comme des choux, et on peut les admirer à loisir de son fauteuil. Ce genre de serre d'appartement est une installation assez coûteuse, que l'on peut aménager dans une construction neuve ou à l'occasion de travaux de rénovation. On trouvera quelques croquis accompagnés de détails techniques à la p. 66. Introduire cette installation dans une pièce, après coup, suppose d'importants travaux de démolition. Il faudra de toute façon renoncer à la construire en relief sur l'extérieur d'un mur de façade. La réalisation est beaucoup plus facile lorsqu'il s'agit d'un immeuble neuf : on demandera à l'architecte de l'inclure dans ses plans.
L'entretien d'une « fenêtre-fleurie » exige plus de temps que celui d'une tablette. On a, en somme, une vraie serre de 60 à 80 cm de profondeur. On passera facilement une heure par jour à arroser, attacher les tiges, enlever les fleurs fanées. Le nettoyage de la face interne de la vitre extérieure n'est pas une sinécure. On pourra s'aider d'une raclette montée sur un manche. Les parois, côté habitation, seront coulissantes et amovibles, ce n'est qu'à ces conditions qu'on pourra les nettoyer à fond. Les deux parois latérales peuvent être réalisées en maçonnerie soignée. Le plafond doit être conçu dans un matériau insensible aux effets de l'humidité et facile à éponger d'un coup de chiffon humide. Le fond est le plus souvent constitué par le bac à plantes lui-même ; ménager tout autour un vide de 5 à 10 cm pour permettre à l'air de circuler plus librement. Cela permet aussi de rincer les parois et les vitres à l'aide d'un petit tuyau : l'eau glisse sous le bac par l'espace laissé libre et est évacuée par un drain (voir coupe p. 66).
Si la fenêtre est orientée plein sud, il faut à tout prix un dispositif d'ombrage. Un store à lamelles en aluminium, actionné de l'intérieur par des cordons est la solution la plus commode. Une orientation à l'ouest est aussi excellente. Ombrer est alors quasiment superflu et on supprime les risques d'oubli.
La « fenêtre fleurie » est tout particulièrement exposée à l'insolation et doit obligatoirement comporter un système de ventilation efficace : des grilles d'aération inoxydables, par exemple. Il arrive très souvent que

l'aération soit impuissante à contrôler la température. On remédie à cet inconvénient en incorporant à la vitrine un ventilateur électrique déclenché automatiquement par un thermostat.
Il arrive aussi que le degré d'hygrométrie ne satisfasse pas aux exigences spécifiques des plantes installées dans la vitrine. Effectuer d'abord des mesures à l'aide d'un hygromètre. Si l'on n'arrive pas à remédier à ce défaut par des vaporisations sur les parois et le fond, il faut installer un humidificateur électrique, couplé avec un hygrostat qui arrête automatiquement l'humidificateur dès que le degré d'humidité souhaité est atteint. Il est bon de contrôler l'efficacité de la ventilation afin de prévenir tout risque de formation de buée sur les vitres. L'utilisation de verre isolant pour la fenêtre extérieure supprime pratiquement ce problème.

Quelles plantes choisir ?
Pour la vitrine ouverte, en communication directe avec l'air ambiant de la pièce, on choisira des plantes qui s'adaptent normalement aux intérieurs chauffés. Par le simple fait de planter serré une profusion de plantes dans un bac d'assez grande surface, on crée, aux abords immédiats, une atmosphère légèrement plus humide que celle qui enveloppe une tablette de fenêtre décorée de façon traditionnelle. Mais la différence n'est pas énorme. Le cas de la vitrine isolée est totalement différent. Son avantage essentiel est précisément de permettre, grâce au haut degré d'hygrométrie qu'elle peut leur offrir, la culture de plantes qui ne prospèrent habituellement que dans l'ambiance d'une serre chaude et humide : c'est-à-dire des broméliacées, plantes épiphytes qui poussent de préférence sur des troncs d'arbre (voir p. 40 comment réaliser soi-même un support pour épiphytes), des orchidées (pour la plupart également épiphytes), des plantes tropicales à feuillage qui exigent une forte humidité atmosphérique, des fougères, etc. Il est rare qu'on aménage cette sorte de vitrine en jardin de cactées, ou il faut alors y créer des conditions de culture bien déterminées en utilisant, pour la face intérieure, un vitrage isolant. Car, rappelons-le, ce mini-paysage aura besoin, pour prospérer, d'une température hivernale très basse et l'isolation thermique, côté extérieur, n'a plus de raison d'être. La vitrine sera aussi équipée d'un puissant dispositif de ventilation qui, l'hiver, empêchera la température de monter au-delà de 10 °C. Les plantes succulentes ont en effet horreur d'avoir chaud en hiver.

La serre

La serre est une construction hermétique au vent, pourvue d'une couverture transparente, parfois équipée d'un système de chauffage, destinée à la culture des plantes. On distingue trois types de serres : la serre chaude, la serre tempérée et la serre froide. Ce n'est pas l'architecture mais le degré minimum de température maintenu en hiver qui les différencie l'une de l'autre. La température minimum se situe entre 5° et 8 °C pour la serre froide, entre 12° et 15 °C pour la serre tempérée et entre 18° et 20 °C pour la serre chaude. En décrivant les plantes de serre, nous avons généralement indiqué auquel des trois types elles appartiennent.

Lorsqu'on envisage l'achat d'une petite serre, il faut bien se dire que l'acquisition d'un modèle de qualité, robuste, équipé d'un système de chauffage représente un investissement assez important. Les modèles apparemment bon marché que l'on propose dans le commerce sont de dimensions très réduites. Ils sont livrés sans soubassement, sans chauffage, sans tablettes, sans notice de montage et parfois même sans vitrages. Les suppléments risquent de peser lourd.

Celui qui cherche à la revendre n'en retirera que fort peu de chose. Si, au bout de quelque temps, on se rend compte qu'on ne possède ni la patience, ni l'enthousiasme requis pour s'en occuper, on aura fait une perte sèche. Par contre, l'amateur sérieux, décidé à consacrer au moins une heure par jour à son passe-temps favori, tirera de sa petite serre un plaisir inépuisable : dans son cas, un investissement important trouve sa pleine justification. Dans les pages qui suivent, nous allons examiner, point par point, les problèmes techniques qui relèvent de l'installation d'une serre. Les conseils de culture figurent dans la partie encyclopédique, avec la description des plantes.

Implantation

Il existe des serres entièrement indépendantes, qui ne s'appuient à aucun élément existant, et il en est d'autres, dites « adossées », qui s'appuient contre un mur. Une paroi en plus ou en moins : la différence est là. C'est l'emplacement prévu pour la serre qui déterminera le choix du modèle.

Une serre indépendante sera orientée, dans la mesure du possible, nord-sud dans le sens de sa longueur. Cette orientation a pour effet de concentrer les rayons les plus vifs du soleil sur la plus petite surface vitrée, tandis que les grands côtés recevront la lumière plus douce du matin et du soir. Il en résultera une meilleure régulation de la température. S'il se trouve, côté sud, un grand arbre planté à distance

raisonnable, son ombre fournira à la serre une protection naturelle bénéfique entre 11 heures et 15 heures. Parfois, c'est l'ombre d'un haut bâtiment qui remplit ce rôle.

On a l'habitude de placer une serre adossée contre un mur exposé au sud. Si la serre est chauffée en hiver, cette exposition n'est pas forcément la meilleure. En été, la serre sera surchauffée ; il faudra donc beaucoup ombrer et ventiler. Cette serre subira forcément de grands écarts de température. Une exposition à l'est, à l'ouest et même au nord peut, en fin de compte, se révéler plus rationnelle.

La petite serre de balcon est d'un encombrement encore plus réduit. Elle est également adossée, mais trop exiguë pour que l'on puisse y pénétrer. Elle offre juste ce qu'il faut de place pour abriter les plantes auxquelles on accède par une grande vitre coulissante. L'inconvénient majeur de ces mini-serres est leur mauvaise ventilation. Les écarts de température y sont très marqués. Les plantes de grande taille n'y trouvent pas leur place. Elles se prêtent surtout à la culture des plantes succulentes. On leur choisira, de préférence, un coin abrité.

Construction

Réglementation communale. Avant de se lancer dans l'achat d'une serre, il est prudent de consulter le règlement communal et de solliciter éventuellement un permis de construire auprès de la mairie. Les serres sont parfois interdites par le règlement de copropriété de certains ensembles. Dans tous les cas, la courtoisie la plus élémentaire implique que l'on s'assure au préalable de l'accord de ses voisins[1].

Les fondations. Lorsque la serre est adossée à un mur de la maison, ses fondations devront avoir approximativement la même profondeur que celles de l'habitation. Si on néglige cette précaution, il arrive que, lors d'un hiver particulièrement rigoureux, les fondations de la serre subissent les effets du gel et que sa charpente gauchisse par rapport à la maison. Il s'ensuit des entrées d'eau et des bris de verre.

Les serres indépendantes sont souvent montées sur des socles de béton préfabriqués. On peut également creuser une tranchée et couler un muret de ciment en guise de fondations. La serre doit être fixée très solidement sur ses fondations si on ne veut pas la voir un jour délogée par une tempête. De nombreuses serres sont relativement basses et il faut, pour remédier à cet inconvénient, surélever les fondations de 10 à 15 cm. On s'habitue vite à la petite marche d'accès.

Les matériaux.

Pour la charpente, on utilise le fer, l'aluminium, le sapin blanc, le sapin rouge, le cèdre, le « Red Cedar » et autres essences durables et, finalement, différentes sortes de matières plastiques. Pour le vitrage, on se sert du verre, du plexiglas, de films en plastique : polyéthylène, plastique acrilique. Nous examinerons les avantages et les inconvénients de ces divers matériaux.

Le fer offre l'avantage d'être solide, indéformable et relativement bon marché, mais les éléments doivent être au préalable galvanisés, enduits d'une couche protectrice de fond et peints avant la pose des vitres. Ces charpentes ont tendance à disparaître du marché.

On trouve de plus en plus des charpentes en aluminium, vendues en « kit ». Ces kits sont livrés avec des plans très explicites. Un bricoleur habile pourra, au prix de quelques efforts, monter sa serre en un weekend. L'aluminium est léger et très résistant. Dans les régions très polluées ou exposées à l'air marin, l'aspect du métal pourra s'altérer, sans que toutefois sa solidité soit mise en question. Si l'on habite une de ces régions, on aura avantage à utiliser de l'aluminium anodisé, c'est ce que l'on emploie couramment pour les châssis des portes et des vitrines des magasins, mais encore assez rarement pour les serres.

Le bois de sapin blanc, le meilleur marché qui soit

(1) Le passage a été adapté par la traductrice.

Une serre en bois de cèdre. Elle est pratiquement indestructible, mais difficile à monter pour un amateur (la pose des vitres est très délicate). Ce type de serre est de moins en moins accessible, à cause du prix du bois.

La serre moderne en aluminium est relativement facile à monter. Les vitres sont fixées par des agrafes. La qualité augmente beaucoup avec le prix.

On peut encore trouver des serres d'amateur en fer galvanisé, mais seul un homme de métier est capable de les monter.

utilisé pour la construction des serres, est de moins en moins prisé. Son plus gros défaut est son manque de résistance aux intempéries ; il demande à être très souvent traité et repeint. Le sapin rouge, bien qu'il soit un peu plus onéreux, est lui aussi peu durable. De plus, ces deux essences ont tendance à gauchir.
La plupart des charpentes en bois actuelles sont réalisées en « Red Cedar » ou en « Western Red Cedar ». Ces essences sont pratiquement indestructibles. Elles sont insensibles à la chaleur et à l'humidité, mais leur aspect se détériore. On parvient à raviver le ton du bois en y passant une couche d'huile.
Le verre demeure le matériau le plus couramment utilisé pour le vitrage. Les panneaux étaient autrefois assez petits. De nos jours, on donne la préférence à des panneaux de grandes dimensions : ils admettent davantage de lumière et sont plus esthétiques. On se sert de verre de seconde qualité, de préférence pas trop mince, car il doit pouvoir résister à un orage de grêle. La toiture est parfois exécutée en verre martelé : ce matériau permet de se passer de dispositif d'ombrage.
La pose des vitres sur les charpentes en bois représente pour l'amateur un travail fastidieux. Il faut enduire la feuillure d'une couche de mastic bien ramolli avant d'y appliquer les vitres. L'opération est beaucoup plus facile avec les charpentes en aluminium. L'étanchéité est assurée par des joints de néoprène et les panneaux sont maintenus dans les profils par des agrafes inoxydables. Le polycarbonate est un merveilleux matériau à utiliser pour la construction des serres, à la fois durable et incassable. Mais son prix de revient est beaucoup plus élevé que celui du verre, ce qui explique que son emploi soit encore si peu répandu. Le polyester et le P.V.C., qui avaient tendance à s'opacifier, sont aujourd'hui vendus avec une garantie, mais ils offrent peu d'avantages par rapport au verre. Les vitrages isolants, qui emprisonnent une petite nappe d'air entre deux feuilles de matière synthétique, sont sensationnels. Ils ont un pouvoir isolant supérieur à celui du verre et réduisent sensiblement les frais de chauffage. Ils sont encore très rarement utilisés dans la construction des petites serres d'amateur. Les vitrages en matière synthétique filtrent si efficacement la lumière qu'ils permettent de se passer de claies d'ombrage.
Il existe aussi des serres montées simplement à l'aide de modules raccordés en écailles, mais ce marché ne perce pas. Les panneaux qui peuvent avoir, par exemple, 50 cm de large, sont fixés les uns aux autres par des vis. On peut en assembler autant qu'on le veut. On obtient une espèce de tunnel, que l'on ferme en ajoutant un pignon à chaque extrémité.
Plus simples encore sont les tunnels constitués d'arceaux en tubes de fer ou de plastique que l'on recouvre d'un film plastique. On a accès à l'intérieur par une porte pratiquée dans l'un des pignons. Le prix de revient de ces serres est assez modeste, mais ces

installations sont beaucoup trop fragiles pour être permanentes.
Le film plastique s'utilise aussi très efficacement pour renforcer l'isolation des serres vitrées en hiver. On le fixe sous le toit, à quelques centimètres du vitrage, au moyen d'agrafes spéciales disponibles dans le commerce. Quelques heures de travail qui feront faire de sérieuses économies de chauffage, surtout si l'on possède une serre chauffée.

Montage
Une serre se compose de deux parois latérales et de deux pignons, le tout surmonté d'un toit à pans inclinés. La pente du toit varie entre 20° et 45°. Le toit et les parois latérales des serres formées de modules imbriqués forment généralement une surface continue.
Autrefois, on commençait par construire un muret de 50 à 80 cm de haut sur lequel prenait appui la structure vitrée, haute d'environ 150 cm. Là-dessus venait se poser une toiture à double pente. Les serres modernes ont des parois vitrées qui se prolongent jusqu'au sol ; c'est un progrès. Il y a désormais suffisamment de lumière sous les tablettes pour y cultiver, avec succès, toutes sortes de plantes. Le choix du type de serre se fait en fonction des cultures qu'on se propose d'y conduire. Les éleveurs d'orchidées ont un faible pour les serres montées sur des soubassements en bois ou en briques. Ils estiment que l'atmosphère humide et obscure qui règne sous les tablettes est propice au développement de leurs plantes. Une chose est en tout cas certaine : ces endroits sont le refuge de prédilection d'un tas de vermine.
Dans les petites serres, qui font environ 2 m sur 2,5 m, on ménage, au centre, un sentier de 70 à 80 cm de large. De part et d'autre de ce passage, on installe les tablettes de culture, à hauteur commode. Parfois, on installe les tablettes sur un seul côté uniquement. On utilise souvent pour ces plans de travail des plaques de fibrociment fixées dans des profils d'aluminium : ces deux matériaux résistant totalement à la rouille et à la pourriture. Ce sont, en quelque sorte, de vastes caisses qui font au maximum 90 cm de profondeur sur 20 cm de haut. On les remplit de tourbe ou de mélange de culture. Si la serre n'a pas de muret en briques, il vaut mieux, à cause de leur poids, ne pas accrocher les tablettes aux parois. Des tablettes bien conçues reposent sur des pieds et sont totalement indépendantes de la serre.
Certains jardiniers préfèrent les tablettes en caillebotis, parfois montées en gradins, qui offrent beaucoup de rangement pour les toutes petites plantes, comme les cactées. Les orchidées se cultivent très souvent sur de telles tablettes.
Au-dessus des tablettes, on accroche encore très souvent une étagère étroite ou une gouttière qui permet de caser de nombreuses plantes de petite

taille ou rampantes. Une gouttière spéciale en aluminium simplifie l'arrosage. On remplit la gouttière d'eau, l'humidité monte dans les pots par capillarité. Au bout d'une demi-heure, on évacue l'excédent d'eau.
On peut faire courir tout au long du toit des fils de fer inoxydables auxquels on attache les tiges des plantes grimpantes. Rien de plus facile que de visser quelques pitons de laiton dans les barres d'une charpente en bois. On vend des petits crochets spécialement conçus pour s'adapter au profil des charpentes en aluminium.
La hauteur de la serre doit permettre à un homme de s'y tenir debout, même s'il y a un conduit de cheminée qui court le long du faîte. On compte, en général, une hauteur de 1,90 m. Au besoin, on peut se tirer d'affaire en surbaissant le sentier.
Les eaux pluviales peuvent être recueillies des deux côtés de la pente du toit dans des gouttières en métal ou en plastique, reliées à des tuyaux de descente qui aboutissent, à l'intérieur de la serre, dans des grands tonneaux de fibrociment munis d'un déversoir. On disposera ainsi, à tout moment, d'une eau d'arrosage douce et à bonne température. L'eau de condensation qui se forme sur les parois, à l'intérieur de la serre, doit pouvoir s'écouler sans jamais goutter sur les plantes. Il se forme surtout de la buée de condensation quand les gouttières sont fixées à l'intérieur de la serre (c'est uniquement le cas des grandes serres). Il convient alors d'utiliser des gouttières à paroi double ou bien de fixer, sous la première gouttière, une deuxième gouttière destinée à recueillir les gouttelettes.

Éclairage
Bien des amateurs ne peuvent consacrer à leur serre que les fins de journée. Ou bien encore, on peut aimer faire visiter sa serre à des amis venus passer la soirée. Autant de raisons qui justifient l'installation d'un éclairage artificiel. On adoptera, de préférence, des tubes au néon isolés par des gaines étanches et fixés au faîte de la toiture. Pour une petite serre, deux gaines, équipée chacune d'un tube de 40 watts, seront amplement suffisantes.
Si l'on veut faire profiter les plantes d'un éclairage d'appoint, on fixera les tubes fluorescents un peu plus bas, sous les plantes suspendues, à 40-60 cm au-dessus des tablettes. On peut même fixer des lampes sous les tablettes pour cultiver des plantes posées sur le sol. L'idée n'est pas saugrenue.
Il ne manque pas de raisons qui justifient l'installation du courant électrique dans une serre (voir le chapitre consacré au chauffage). Il est souvent possible de tirer une ligne directement à partir du compteur général de la maison, en la faisant passer sous le plancher. Les lignes doivent toujours être placées sous câble et enterrées dans une tranchée dans la serre. On fera appel pour ces travaux à un électricien de métier.

Chauffage

Les ressources d'une serre froide sont limitées. On ne peut espérer pouvoir y cultiver des plantes d'appartement. L'hiver, on se verrait dans l'obligation de vider complètement la serre à cause du gel. Il existe heureusement divers moyens de la chauffer.

Le meilleur marché et le plus répandu est le poêle à pétrole qui brûle avec une flamme bleue. En stockant le combustible dehors, dans un grand réservoir, on est sûr de pouvoir tenir plusieurs mois. Donc, un moyen économique mais d'une puissance assez fai-

À gauche : une petite serre d'amateur équipée de 3 tablettes sur pieds. À gauche : une tablette supplémentaire suspendue. Cette serre est chauffée et éclairée.

En bas : cette serre, un peu plus grande, n'est équipée de tablettes que sur un seul côté. Elle est chauffée par deux petits poêles à pétrole. Claies d'ombrage sur le toit.

ble : on obtient tout juste un gain de température de 5 °C par rapport à la température extérieure. Son utilité est quasi nulle dans les régions où il gèle fort. Ces poêles n'ont pas besoin d'être reliés à un conduit d'évacuation de fumée.

On se sert également très souvent, dans les petites serres, de poêles à pétrole ordinaires qui fonctionnent sans mèches. On est quelquefois obligé d'installer un ventilateur d'évacuation des gaz pour améliorer le tirage. Il existe des versions de ces brûleurs spécialement conçues pour les serres et autres locaux humides. Leur puissance est supérieure à celle des poêles à flamme bleue ; leur consommation aussi.

Le gaz naturel, si répandu de nos jours, est un merveilleux combustible qui s'applique fort bien au chauffage des serres. On vend des brûleurs spéciaux pour serres, mais un bon poêle ordinaire, résistant à la rouille, peut suffire. Il faut obligatoirement un conduit d'évacuation de fumée.

Si l'installation du chauffage central de la maison a une capacité suffisante, on pourra dériver un embranchement qui ira chauffer la serre. On installe quelques radiateurs ou des tubes à ailettes. Pour obtenir un bon réglage de la température de la serre, on adaptera une vanne mélangeuse sur la chaudière ou, à moindres frais, des robinets thermostatiques sur les radiateurs. Ce mode de chauffage exige une mise de fonds importante au départ, mais on la récupérera au bout de quelques années sous forme d'économies de combustible et de gain de confort.

Le chauffage électrique intégral est extrêmement fiable et contrôlable, mais malheureusement très onéreux. Si la serre est déjà alimentée en courant électrique, les frais d'installation du chauffage seront relativement modiques. Ce qui coûte, c'est la consommation. Il existe des radiateurs soufflants spéciaux pour serres, d'une puissance de 3 000 watts, réglés par thermostat. On recommande de choisir des modèles dont le thermostat indépendant se place à 1,50 m de hauteur. Il y a également les radiateurs tubulaires que l'on installe sous les tablettes, mais l'absence de ventilateur entraîne une moins bonne répartition de la chaleur. On utilise aussi le courant électrique pour alimenter les câbles chauffants qui servent de chauffage d'appoint et qui sont placés au fond des tablettes, enterrés sous une couche de sable grossier. Ici aussi, la température de la tablette peut être réglée au moyen d'un thermostat. C'est un « gadget » très intéressant lorsqu'on décide de transformer une partie de la tablette en planche à multiplication. On l'isole du reste au moyen d'un vitrage et on peut, à ce moment, semer et bouturer à loisir.

Quand le chauffage d'une serre décide de tomber en panne, on peut être sûr que ce sera par une nuit glaciale où le thermomètre descend au-dessous de — 15 °C. Si votre vigilance est prise en défaut, vous trouverez, au réveil, toutes vos plantes anéanties par le gel. C'est, hélas le genre de surprise qu'une serre peut vous réserver. C'est pourquoi nous recommandons d'installer un système d'alarme qui signale toute chute de température dangereuse. L'avertisseur sonore doit être placé dans la chambre à coucher.

On constate, avec un certain étonnement, que la plupart des jardiniers amateurs règlent la température de leur serre une fois pour toutes, sans se préoccuper de réduire le chauffage pour la nuit. Ils disposent d'un unique thermostat et négligent de le régler chaque soir. Négligence, oubli ? En tout cas, gaspillage d'énergie. Baisser le thermostat de 3 ou 4 °C avant de

Petit brûleur à gaz naturel : un des moyens de chauffage les plus pratiques et les plus économiques.

Radiateur soufflant de 3 000 watts avec thermostat incorporé ; il suffit à maintenir la température d'une petite serre chaude.

se coucher permet de réaliser de substantielles économies, et de nombreuses plantes ne s'en portent que mieux si elles bénéficient d'un peu de fraîcheur pendant la nuit. Il n'est pas inutile de disposer de deux thermostats commandés par une horloge réglable, à moins que l'on adopte un système de réglage automatique par cellule photo-électrique, ce qui est encore plus précis. Le montage de ce type de cellule photo-électrique, qui agit par contacteur, est à la portée de tout bricoleur habile, qui trouvera cet appareillage vendu en « kit » dans le commerce (Philips).

Voici, résumées, les puissances minimales de chauffe exigées pour une serre en vitres ordinaires, non adossée, quel que soit le mode de chauffage adopté :

serre chaude : 300 kcal par m^2 de vitrage
serre tempérée : 250 kcal par m^2 de vitrage
serre froide : 200 kcal par m^2 de vitrage

Ces mesures sont calculées pour une température minimale extérieure de — 20 °C.

Aération

L'air trop chaud ou trop humide est chassé de la serre par les fenêtres, les portes, les châssis d'aération ou encore des ventilateurs. La vie des plantes peut en dépendre. Nombreuses sont celles qui réclament une ventilation accrue lorsqu'elles arrivent au terme de leur cycle de végétation ; c'est notamment le cas des plantes succulentes lorsqu'elles se préparent à entrer en période de repos, avant l'hiver. Les serres où règne une forte humidité (surtout si elles abritent des plantes fleuries, orchidées, cyclamens, etc.) ont besoin d'être fréquemment aérées, en particulier l'automne. L'aération ne suffit même pas toujours à assainir l'atmosphère, il faut parfois faire intervenir le chauffage, sinon les fleurs se couvrent de taches et des maladies cryptogamiques se développent sur les plantes. Les serres d'amateur comportent généralement un ou deux châssis ouvrants dans le toit. Le dispositif est souvent complété par des grilles ou des volets d'aération incorporés dans les parois latérales. Il est prudent de maintenir une légère aération lorsqu'on est obligé de s'absenter, au cas où la température viendrait à subir une brusque hausse. L'idéal est de pouvoir disposer d'un système d'ouverture automatique, qui fonctionne par l'intermédiaire d'un piston plongé dans un cylindre contenant une matière qui se

dilate sous l'effet de la chaleur (gaz, huile, etc.). Ce système est malheureusement assez fragile et le cylindre coûteux à remplacer.

Le ventilateur électrique fonctionne tout autrement. On l'adapte généralement sur un pignon. Il suffit de le déclencher manuellement, au moyen d'un interrupteur, ou automatiquement, au moyen d'un thermostat, cette dernière solution étant naturellement la plus fiable. Au bas du pignon opposé, juste au-dessus du niveau du sol, on place une grille d'aération par où s'infiltre l'air frais et pur de l'extérieur. On choisira un ventilateur qui se referme automatiquement dès qu'il cesse de fonctionner, pour éviter des entrées d'air froid pendant la nuit.

Ombrage

Les serres couvertes de verre à vitre ordinaire doivent pouvoir être protégées des rayons du soleil, autrement les plantes courent des risques de brûlures. C'est la nature même des cultures qui doit dicter les moyens de protection à utiliser. Ainsi, les cactées et autres plantes grasses supportent presque toutes le plein soleil, sauf tout au début du printemps, mais le soleil est plutôt rare à cette époque de l'année. Les orchidées, par contre, exigent une forte protection sauf, peut-être, aux jours les plus sombres de l'hiver.

On a mis au point différents matériels d'ombrage. Il y a ceux que l'on fixe à l'extérieur, comme les stores ou claies à enrouleur, en bois de teck ou en matière synthétique. D'autres se placent à l'intérieur, comme les toiles à ombrer en matière synthétique, d'un emploi très courant en Angleterre. Tous sont valables, mais tous ont le même défaut : il faut constamment penser à les baisser et à les lever. Un seul oubli et voilà la plupart des plantes endommagées. L'automatisation est assez difficile à appliquer dans ce domaine. Elle exige l'intervention de petits moteurs et de toutes sortes de réglages. Le système sera forcément fragile et sujet aux pannes. La solution la plus efficace reste, si nous nous en tenons à notre expérience, l'application sur toute la surface vitrée (à l'exception du pignon nord) d'une peinture à ombrer qui, blanche et opaque au soleil, devient transparente par temps de pluie. L'appliquer en mars, de préférence au pinceau (le pulvérisateur donne un résultat moins soigné), et l'enlever en automne. L'éclairement de la serre sera moins bon que si on utilisait des claies à dérouler à la main, mais l'avantage est de taille : le travail est fait pour toute la saison.

Un toit en verre martelé supprime presque totalement le problème de l'ombrage, même si quelques rayons de soleil pénètrent par les parois latérales. Les films et les modules en polyester ne nécessitent aucune protection.

Arrosage

Pour arroser, le mieux est de se servir d'un arrosoir à long col. On fait journellement (ou plusieurs fois par jour, si le temps est chaud) l'inspection de ses plantes et on arrose chacune d'elles selon ses besoins. On peut aussi parfois se servir du tuyau. Certaines plantes supportent d'être arrosées à la pomme fine. Il est quelquefois nécessaire de mouiller aussi le sol pour élever le degré d'hygrométrie de l'air ambiant. Ces derniers temps, on a vu apparaître des systèmes d'arrosage automatiques, certains applicables aux serres. Le plus connu est l'arrosage par capillarité. On dispose dans le fond de la tablette une nappe en matériau poreux, maintenue humide en permanence. On enfonce fermement les pots dans ce matériau ; si le contact est bien établi, l'eau montera de façon continue dans les pots par capillarité. Le système fonctionne aussi avec des pots en plastique, pourvu que leur fond soit percé de plusieurs trous.

On pratique également l'arrosage aérien au goutte à goutte. On fixe au-dessus de la tablette un tuyau de plastique muni d'une multitude de minuscules buses de pulvérisation en plastique, chacune de ces petites buses correspondant à l'emplacement d'une plante. Les grandes plantes sont servies par trois ou quatre buses. A intervalles réguliers, très rapprochés, la buse libère une petite goutte.

Hygrométrie

Il faut que règne dans la serre un degré d'hygrométrie relativement élevé et qui corresponde aux besoins des plantes qui s'y trouvent. Les cactus se contentent naturellement d'une atmosphère plus sèche que la plupart des orchidées. L'humidité de l'air à l'intérieur de la serre provient de la transpiration des plantes elles-mêmes et de l'humidité de la tablette (eau contenue dans la tourbe, la terre des pots, etc.). Très souvent se trouvent encore sous la tablette des réservoirs contenant de l'eau d'arrosage qui, eux aussi, contribuent à renforcer l'humidité ambiante. Les effets conjugués de la ventilation et du chauffage contribuent à dessécher l'atmosphère ; ils peuvent servir à l'assainir quand elle est trop chargée d'humidité (on allumera le chauffage par exemple). Si le degré d'hygrométrie est au contraire trop bas (faire des mesures à l'aide d'un bon hygromètre), on rétablira l'équilibre en se servant d'un humidificateur électrique (p. 59). On maintient efficacement l'humidité de l'air ambiant en arrosant le sol.

Quelles plantes cultiver dans une serre ?

Presque toutes les plantes d'intérieur se trouveront mieux dans une serre que dans un appartement, ne serait-ce qu'à cause des conditions d'éclairement.

Outre les plantes d'appartement courantes, on y cultivera avec bonheur des plantes tropicales beaucoup plus rares. On en trouvera une liste dans cet ouvrage. Les cactées et les orchidées, qui rencontrent un intérêt grandissant, s'y plairont beaucoup. La serre peut aussi servir de refuge temporaire aux plantes qui supportent mal un séjour prolongé en appartement. On les sortira au moment de leur floraison ou quand leur feuillage est à l'apogée de sa beauté, puis on les replacera dans la serre pour qu'elles s'y refassent une santé.

Aucun endroit ne se prête aussi bien aux semis et au bouturage. Et la serre peut aussi, bien entendu, servir à multiplier et à faire pousser des plantes de jardin et des légumes.

En haut : le système d'ouverture de châssis d'une serre en plastique acrylique.

En bas, à gauche : stores en matière synthétique fixés à l'extérieur de la serre.

En bas, au centre : des stores analogues, mais fixés à l'intérieur de la serre.

En bas, à droite : tonneau en matière synthétique dans lequel aboutissent les tuyaux de descente des gouttières de la serre.

Vitrines, terrariums, bonbonnes, etc.

C'est au cours des années 30 du siècle dernier qu'un certain Dr Nathaniel Ward, médecin londonien, découvrit que toutes sortes de plantes exotiques pouvaient parfaitement se cultiver dans de petites vitrines hermétiques. La « wardian case », comme on l'appelle depuis lors, ne tarda pas à faire fureur. À l'origine, on y cultivait surtout des fougères, mais on s'aperçut très vite que bien d'autres plantes, et principalement des plantes exotiques à feuillage, y venaient très bien. En fait, ce type de vitrine se situe à mi-chemin entre la « fenêtre fleurie », dont il a déjà été question, et la

La plantation d'une bouteille à col étroit est un travail de patience, mais les plantes pourront ensuite se passer de soins pendant des mois.

serre chaude. Le secret de la réussite réside dans l'utilisation d'un espace clos où l'on peut entretenir un degré d'hygrométrie particulièrement élevé. L'arrosage est à peine nécessaire.
La température est celle du milieu environnant, ou un rien plus élevée. Seul l'éclairage peut poser quelques problèmes. Dès que la vitrine ou la bonbonne se trouvent trop éloignées d'une fenêtre, la croissance des plantes s'arrête.

Faut-il les clore ?

On peut trouver curieux qu'une vitrine ou une bonbonne puissent se passer totalement d'aération. Il faut bien comprendre que ce milieu de culture représente un microcosme ayant ses caractères propres. L'eau absorbée par les racines est restituée par la transpiration de la partie aérienne de la plante. Elle se condense sur la vitre et ruisselle sur le substrat de culture. Un léger arrosage ne s'impose que si la plante accuse un développement exceptionnel et que la masse du feuillage augmente considérablement. On assiste exactement au phénomène cyclique de l'assimilation et de la transpiration. Le jour, les plantes dégagent de l'oxygène et absorbent le gaz carbonique. La nuit, le processus est inversé. Les rapports en quantité ne sont pas, il est vrai, tout à fait les mêmes, mais dans la pratique la différence est imperceptible. La méthode la plus rationnelle consiste donc à obtenir une fermeture hermétique.

Choix des récipients

À moins qu'on ait la chance de dénicher une authentique « wardian case » chez un antiquaire, le plus simple est de se procurer un terrarium. Il ne s'agit de rien d'autre que d'un aquarium ordinaire que l'on peut acheter n'importe où. On a aujourd'hui des aquariums tout en verre, leurs parois sont assemblées par un mastic de silicone invisible. Finis les joints et les fonds disgracieux ! C'est une vitrine facile à réaliser soi-même. Les « kits » sont vendus avec un mode d'emploi.
On commence par tapisser le fond de l'aquarium d'une couche drainante de 5 cm de gravier ou, mieux encore, de charbon de bois. On la recouvre de 5 à 10 cm de substrat de culture. On ferme l'aquarium avec une feuille de verre.
On trouve aussi de très grands aquariums en plastique transparent, très solides, qui s'apparentent plutôt aux serres d'appartement. Les modèles de luxe sont équipés de systèmes d'éclairage et de chauffage, comme de vraies serres : la frontière qui les sépare est difficile à définir.
Quelques firmes ont mis sur le marché des vitrines avec éclairage incorporé, qui peuvent se poser n'importe où dans l'appartement. Ces types de vitrines, terrariums, plantariums, etc., peu importe le nom qu'on leur donne, n'ont plus besoin de la proximité d'une fenêtre, leur éclairage artificiel peut satisfaire des végétaux pas trop gourmands de lumière.
Un grand bocal, une cuve de batterie, certains récipients de laboratoire se transforment aisément en plantarium. Pourvu que la matière soit transparente et que le récipient puisse être fermé hermétiquement, il se prêtera à la culture. On aime beaucoup, actuellement, les bonbonnes transparentes ; on y acclimate très facilement toutes sortes de menues plantes. Leur col étroit complique un peu la plantation, mais certains trouveront dans cette difficulté un attrait supplémentaire. On réussit généralement fort bien cette délicate opération en s'aidant de cuillers, fourchettes, crochets, couteaux ou lames de rasoir fixés au bout de longues baguettes. Les vrais problèmes surgissent quand les petites plantes ont rempli tout l'espace disponible et qu'il faut les sortir. On n'utilisera donc qu'un substrat très pauvre et on ne fertilisera jamais, pour retarder au maximum la croissance des petites plantes.

Entretien

L'arrosage est superflu. Une légère condensation sur les parois indique que le degré d'humidité est satisfaisant. Si la buée s'épaissit, on enlèvera le couvercle ou le bouchon et on laissera évaporer quelques jours. S'il ne se produit pas du tout de condensation, on arrosera parcimonieusement.
N'administrer de l'engrais que si le terrarium offre un espace suffisant pour le développement des plantes.
On extirpera les petites feuilles mortes pour éviter la prolifération des moisissures, favorisée par l'humidité ambiante. On nettoiera les parois des récipients à l'intérieur et à l'extérieur pour conserver au décor toute sa fraîcheur.
Il arrive que des algues forment, sur les parois et sur

Tout en haut : ces serres miniatures anglaises (« wardian case ») ont connu une grande vogue au siècle dernier.

En-dessous : une vitrine à plantes moderne avec éclairage et chauffage incorporés. Ceci est un petit modèle, il en existe de beaucoup plus grands.

le fond, un dépôt vert sale dont on se débarrasse difficilement. On les combat en passant sur les parois un coton imbibé d'un produit spécial, auquel les plantes résistent assez bien et qui est inoffensif pour l'homme.
Dans un plantarium, les végétaux ont tendance à se développer très vite. Il est donc nécessaire d'enlever régulièrement des plantes. Cette obligation transforme l'entretien de ces récipients en une véritable corvée et explique que beaucoup d'amateurs enthousiastes finissent par se lasser de leurs vitrines, plantariums et bonbonnes.

Choix des plantes

Les plantes qui conviennent à la culture en vitrine, terrarium et bonbonne sont accompagnées des signes suivants : ◉ , ◍ , ◎ , ○ et ◙ .
Ce sont essentiellement des fougères, des petites plantes tropicales à feuillage, des petites plantes carnivores, des orchidées, de menues broméliacées. Ne planter que des végétaux minuscules : c'est une règle absolue si l'on veut garnir une bonbonne.

Utilisation des plantes d'appartement

Des plantes d'appartement, pour quoi faire ? En général on le sait plus ou moins, mais peut-être reste-t-il des domaines à explorer. Ce chapitre est consacré aux possibilités d'exploitation des plantes en tant qu'élément de décor.

Comment choisir une plante ?

Il y a des gens qui achètent une plante sur l'inspiration du moment. Chez le fleuriste, au marché, ils tombent en arrêt devant une petite plante qui les séduit, et ils l'achètent sur le champ, sans se demander s'ils trouveront chez eux un endroit où elle se plaira. Il y a gros à parier qu'avant six mois ces acquéreurs enthousiastes auront complètement déchanté.

Il existe un très grand choix de plantes d'appartement. Ci-dessous, une collection de crotons et de *Cordyline*. Ces plantes aiment une atmosphère humide.

Mais vous, véritables amateurs de plantes, vous vous montrez sûrement plus circonspects. Vous commencez par vérifier quelle plante manque à votre collection, puis vous entreprenez votre quête. Découvrez-vous enfin l'objet de votre convoitise ? son emplacement est déjà réservé. Ainsi, la plante et son propriétaire auront toutes les chances d'être satisfaits l'un de l'autre, ce qui est tout de même important.

Choisir en fonction de l'orientation de la fenêtre
Toute habitation a des fenêtres diversement orientées. La luminosité d'une pièce dépend précisément de l'orientation de ses ouvertures. (Pour plus de détails, voir p. 53). Avant d'acheter une plante, il faut savoir à quelle fenêtre on la destine. Si on n'a pas l'intention de la poser sur une tablette de fenêtre, la question reste de savoir d'où lui viendra la lumière dont elle a besoin pour vivre. Les symboles utilisés dans ce livre renseigneront le lecteur, de façon claire et précise, sur les besoins des plantes en matière d'éclairement : ○ fenêtre orientée au sud, non ombragée ; ◑ fenêtre orientée au sud, avec dispositif d'ombrage ou fenêtre orientée à l'est ou à l'ouest ; ◐ fenêtre orientée au nord ou encore emplacement légèrement en retrait d'une fenêtre bien éclairée.

Choisir en fonction de la pièce
La salle de séjour jouit habituellement d'une température constante d'un bout à l'autre de l'année. Il en va sensiblement de même pour le bureau, la cuisine et la salle de jeu. Les plantes dont la végétation marque un temps de repos et qui, pendant cette période, requièrent une température basse, seront donc systématiquement bannies de ces pièces, à moins qu'on puisse leur trouver un autre refuge pendant leur période de repos.

Si, d'autre part, on recherche une plante destinée à décorer une entrée où il fait un peu frisquet, une résidence secondaire peu ou pas chauffée en dehors des week-ends, ou encore une serre, le choix sera totalement différent. On sélectionnera, dans ce cas, des plantes qui affectionnent une température fraîche en hiver, et il n'en manque pas. La salle de bains ou la cuisine, qui jouissent d'une hygrométrie plus élevée

que le séjour, conviendront aux plantes qui se plaisent dans une atmosphère modérément à très humide.

Quelle taille choisir ?

Toutes les plantes d'appartement sont petites lorsqu'elles sont jeunes. La taille de la plante à l'achat ne laisse donc pas présager son développement ultérieur. Lorsqu'on choisit une plante pour un emplacement bien déterminé, il faut se renseigner sur sa taille adulte. Il faut savoir s'il y a moyen de limiter sa croissance en la taillant, sans risque de nuire à son aspect. Toutes ces vérifications peuvent être faites dans la partie encyclopédique où les végétaux sont décrits plante par plante. Faute de prendre cette précaution, on court le risque d'acheter pour la petite fenêtre de l'entrée un jeune plant de *Ficus benjamina*, dont les feuilles sont trompeusement menues, et de se retrouver, deux ans plus tard, encombré d'un géant de 3 m. On peut aussi acheter des plantes qui ont déjà atteint leur plein développement. Certains professionnels sont spécialisés dans la vente de très grands spécimens de *Ficus, Dieffenbachia, Dracæna* et autres plantes de ce genre. Ce sont là de véritables joyaux de la culture et les soins attentifs dont ils ont été l'objet se répercutent sur leur prix. Leur achat peut se justifier dans des circonstances bien particulières. Il faudra cependant s'attendre à leur voir perdre quelques feuilles au début. En général, ces plantes sortent directement de la serre ; c'est à l'acheteur qu'incombe le soin de les endurcir. Si on tient à acquérir des plantes extra-fortes, il faut s'en tenir uniquement aux variétés les plus robustes.

Quelle couleur choisir ?

Marier les couleurs de ses plantes entre elles et les harmoniser avec la tonalité de son intérieur : voilà un excellent principe de décoration. Une couleur mal choisie ne réduira pas à néant la réussite d'un décor mais, tout comme au jardin, l'effet sera d'autant plus heureux que le choix aura été mieux étudié.
Il est très rare que les différents verts des feuilles jurent entre eux, mais il est des plantes panachées qu'il vaut mieux éviter d'associer. Il arrive, par contre, que les fleurs de certaines plantes contrastent désagréablement avec les rideaux et les garnitures des sièges. L'éventail des choix est très large et une sélection harmonieuse est toujours possible.
Ce critère devrait aussi intervenir dans le choix des fleurs coupées. Avec un peu d'application, on parvient à obtenir des résultats spectaculaires, car les fleurs attirent irrésistiblement le regard.

Les feuillages panachés exigent plus de lumière

Les plantes d'appartement à feuillage panaché présentent sur leurs feuilles des marbrures blanches, rouges et jaunes. Ces endroits contiennent peu ou pas de chlorophylle. Ces plantes ont, par conséquent, un pouvoir d'assimilation inférieur à celui des plantes à feuilles vertes. Mais leurs tons vifs se prêtent justement si bien à égayer le coin sombre d'une pièce ! C'est là que les exigences de la plante et les impératifs de la décoration entrent en contradiction. On a envie de mettre dans un endroit mal éclairé une plante qui, précisément, a un besoin exceptionnel de lumière. Si en achetant une plante panachée on se fourre bien ce principe dans la tête, on finira par lui trouver une petite place convenable. Rien n'empêche de se livrer à de petites expériences. Si les feuilles ont tendance à ternir, on rapprochera la plante d'une source lumineuse.

Les plantes d'une même famille ont souvent les mêmes exigences

C'est un fait que les différentes plantes appartenant à une même famille ont, dans la plupart des cas, des exigences identiques. Un emplacement qui réussit bien aux *Sinningia* conviendra généralement à tous les membres de la famille des *Gesneriaceæ*. Du point de vue esthétique, les plantes d'une même famille s'associent toujours avec bonheur. Il y a pourtant des exceptions à cette règle. La famille des *Vitacæ* compte à la fois des *Cissus*, des *Rhoicissus* et des variétés de plantes succulentes qui exigent des soins totalement différents. En cas de doute, on consultera rapidement cet ouvrage et on comparera les symboles.

En haut, à gauche : collection de plantes pour une fenêtre orientée au sud. De gauche à droite : *Ananas, Coleus, Cereus, Stapelia, Pachypodium, Cephalocereus, Euphorbia.*

En haut, au centre : collection de plantes pour une fenêtre orientée à l'est ou à l'ouest. De gauche à droite : *Calathea, Maranta, Saintpaulia, Odontoglossum, Peperomia, Stephanotis, Microcœlum.*

Ci-dessus : plantes pour une fenêtre orientée au nord. De gauche à droite : *Sansevieria, Asparagus, Asplenium, Pellæa, Chlorophytum.*

Lorsqu'on achète une plante, il faut penser à la taille qu'elle aura à l'âge adulte. Ce *Ficus benjamina* atteindra le plafond en moins de trois ans.

Plantes à « jeter » et plantes à « garder »

Les remarques que nous venons de faire (pp. 27-28) s'appliquent tout particulièrement aux plantes à garder, c'est-à-dire aux plantes qui, théoriquement, survivront plusieurs années dans une pièce ou, en tout cas, dans la maison. On peut aussi, bien entendu, avoir envie d'acheter d'autres plantes, dont on n'est pas sûr qu'elles résisteront, ou même des plantes dont on sait pertinemment qu'elles ne tiendront pas plus de quelques mois. Nous les appellerons irrespectueusement, mais en toute connaissance de cause : plantes à jeter.

Tout est question de sensibilité personnelle. Il y a des gens qui acceptent tout naturellement qu'une jolie plante d'appartement puisse finir à la poubelle. D'autres (heureusement) sont plutôt tentés de se dire : « Donnons-lui encore une petite chance ». L'ennui, c'est que, chez eux, la tablette de fenêtre a tôt fait de se transformer en hôpital : c'est un alignement de petites plantes pitoyables et souffreteuses qui, entre nous soit dit, auraient peut-être mérité un autre propriétaire ou une autre situation. Le propriétaire de ces épaves, qui prétend tellement aimer les plantes, aurait probablement pu faire le bonheur de plantes mieux adaptées aux conditions de son intérieur.

Vu sous cet angle, le problème change et on se dit qu'après tout il n'y a pas de mal à se débarrasser d'une plante : plutôt que de la regarder mourir pendant des années, pourquoi ne pas la remplacer par une plante robuste et florissante, même si elle ne doit durer qu'un temps. Au premier signe de fléchissement, pas de pitié. Hop ! à la poubelle !

Il y a plantes à jeter et plantes à jeter. Il en est d'acceptables, il en est de franchement antipathiques qui font l'effet d'être artificielles. Que penser, par exemple, de telle potée de chrysanthèmes nains aux couleurs criardes, comme on les cultive en masse et que l'on met en vente d'un bout à l'autre de l'année ? Par la culture dirigée (procédé qui consiste à maintenir les plantes dans l'obscurité pendant un temps déterminé pour les exposer ensuite à un éclairage artificiel), on parvient à les faire fleurir à des dates précises, tandis que des produits nanifiants les empêchent d'atteindre leur taille normale. De plus, elles sont traitées aux insecticides et aux fongicides les plus affreux que l'on puisse imaginer. Pourquoi pas ? Puisque ce ne sont pas des produits alimentaires. Après la floraison, on peut planter ces horreurs au jardin, où elles retrouveront leur taille normale de chrysanthèmes — c'est une consolation — mais conserveront leur détestable couleur. Mais, hélas, les pauvrettes ne résisteront pas à l'hiver. C'est une lutte sans espoir. En dépit de tout cela, ces chrysanthèmes connaissent un immense succès. Il y a là un phénomène qui doit nous échapper. Les fougères, qui exigent un haut degré d'humidité ambiante, résistent rarement à un hiver passé dans un appartement. Il vaut donc mieux les considérer comme des plantes à jeter. Mais aussitôt que le chauffage est arrêté, à partir du mois d'avril, bien soignées, elles resteront belles pendant des mois : tout dépend de la façon dont on les arrose. Il y a des gens qui elles commencent à donner des signes de fatigue au bout de deux semaines. Donc, plantes à jeter, mais sous certaines réserves.

On compte également au nombre des plantes à jeter les plantes d'intérieur annuelles telles que le *Senecio cruentus* (mieux connu sous l'appellation de cinéraire), une plante qui a été très populaire, le *Thunbergia* (Suzanne-aux-yeux-noirs), l'*Exacum* et bien d'autres. Il n'est pas possible de conserver ces plantes et dès que la dernière fleur s'est fanée, on peut s'en débarrasser.

Les énormes et somptueux bégonias ne se gardent pas davantage. Ils sont très facilement attaqués par le mildiou. Ils dureront plus longtemps dans un lieu frais. Une fois la floraison passée, on peut les jeter sans arrière-pensée.

Les broméliacées sont d'authentiques plantes à jeter. Le sait-on ? La plante commence à mourir dès que la fleur paraît au cœur de la rosette. Seulement, on peut les multiplier à partir de leurs rejets. On aura toutefois quelque difficulté à les faire fleurir. Il faudra au moins attendre deux ans. Si l'on manque de patience, mieux vaut se résoudre à considérer sa broméliacée comme une plante à jeter que de la laisser végéter jusqu'à ce qu'elle se transforme en fleur séchée.

Ce qui est pratique quand on achète une broméliacée, c'est de n'avoir aucun besoin de vérifier les symboles.

En haut : ce bégonia à fleurs est une plante éphémère. Soigné correctement, il n'en réjouira pas moins la vue pendant plusieurs semaines.

À droite : ce *Syngonium* est une liane à feuillage persistant. Il vivra facilement cinq ans, placé devant cette fenêtre à l'est.

Pourvu qu'on ne la relègue pas dans l'obscurité totale, peu importe la situation qu'on lui donne, la température, l'humidité ambiante, la terre ou le pot. Il suffit de l'arroser correctement, sa longévité en dépendra.

Par souci de commodité, on ne réunira pas des plantes à garder et des plantes à jeter dans le même pot ou la même jardinière. C'est se mettre une corvée sur les bras. Au moment où la plante à garder commence à prendre de l'ampleur, il faudra déplanter celle qui est à jeter. Mieux vaut réserver une place à part aux plantes à jeter, là où l'on pourra les remplacer rapidement et sans dommage pour d'autres plantes. Ce qu'il ne faut absolument pas faire, c'est traiter comme si c'étaient des plantes à jeter des végétaux qui, normalement, peuvent se conserver plusieurs années. On n'exilera pas un *Yucca* dans le premier coin venu, sous prétexte que s'il meurt, tant pis, on le remplacera. On prouvera par là qu'on ne s'intéresse nullement aux plantes elles-mêmes mais uniquement à leur valeur d'objet décoratif. Le *Yucca* n'est pas une plante d'appartement facile mais il a droit au respect de son existence. Qu'on lui donne une situation adéquate (l'été dehors, l'hiver au frais) et il aura une chance de faire ses preuves. Et il existe des quantités de plantes qui, au prix de quelques attentions, révéleront leurs qualités d'endurance. Une réussite dans ce domaine procure toujours une profonde satisfaction au jardinier.

Rien d'étonnant si l'engouement se dissipe aussi rapidement qu'il a surgi. Une tempête dans un verre d'eau, un bon moyen de remplir les pages des revues illustrées. Un autre phénomène lié à la mode est l'intérêt soudain que les gens se mettent à manifester pour certains types de culture. Par exemple, la manie de produire soi-même ses plantes à partir de toutes sortes de noyaux. Cette mode rejoint un peu la tendance collective à vouloir cultiver en chambre toutes sortes de végétaux dits utilitaires. Caféier, théier, bananier, arachide, avocatier : l'*Hortus botanicus* fournira la liste complète de tout ce que l'on peut se procurer dans ce domaine. Tout-à-coup, tout le monde veut avoir chez soi un « bidule » de ce genre et, bien que cela se solde généralement par un fiasco, les professionnels sont parfois ébahis des résultats obtenus par des amateurs.

Il est superflu de chercher à prouver que certains de ces engouements sont le fruit d'une action commerciale. Les petites plantes carnivores que l'on arrache à la nature, et dont on peut prévoir avec certitude qu'elles ne survivront guère plus de deux mois aux conditions de l'appartement, procurent à leurs importateurs des gains non négligeables. Le lecteur fera bien de se méfier de toutes ces plantes pour lesquelles on fait tant de tapage, car il y a souvent anguille sous roche. C'est surtout depuis 1975 que le marché des plantes importées a rompu toutes les digues. Si on se laissait influencer par la publicité, on ne tarderait pas à transformer sa salle de séjour en cabinet de curiosités biologiques : heureusement, il y a le taux de mortalité...

La mode et le choix des plantes

Le choix des plantes est-il une question de mode ? En principe, non, la question primordiale étant plutôt de savoir si une plante pourra ou ne pourra pas prospérer à l'emplacement qu'on lui réserve. Toutefois, dès qu'on se demande si la couleur d'une plante s'harmonisera avec la pièce (ce qui ne manque pas de bon sens), on commence à raisonner en termes de mode. Ces dernières années, on a poussé très loin tout ce qui touche à la décoration intérieure. Le mobilier des années 20 revient-il à la mode ? On décide, avec une certaine logique, que les plantes d'appartement devront, elles aussi, être choisies parmi celles qui étaient en faveur à la même époque. Palmiers, fougères, clivias, lauriers-roses, hortensias, cytises d'appartement, il se trouve toujours une aïeule pour se souvenir du nom des plantes qui décoraient les intérieurs à l'époque. Les plantes d'appartement dont la vogue s'est répandue plus tard, les broméliacées, les

fougères corne d'élan, les *Philodendron*, les *Monstera*, les papyrus, les *Yucca* ne figurent pas sur cette liste. On compte donc sur les plantes pour renforcer un effet d'authenticité. Certaines plantes ou certains groupes de plantes resurgissent sans que le souci de la décoration intérieure intervienne au premier chef. Ainsi, les cactées ont connu dans les années 70 un regain de succès très marqué, tout simplement parce qu'on s'est avisé que c'étaient là de bien charmantes petites plantes. Ou bien quelqu'un, guidé par son flair, découvre que tel *Aspidistra* qualifié de « vieux jeu » est après tout une plante aux multiples ressources, à la fois décorative et increvable. Et des cohortes de gens vont se mettre à penser de même.

La publicité peut, elle aussi, contribuer à re-mettre à la mode l'une ou l'autre plante. On en a fait l'expérience, il y a quelques années, avec le *Pachystachys lutea*, une nouveauté, au dire des médias, qui allait faire un malheur sur le marché. Et puis on vit paraître des articles à son sujet et, comme cette plante ne manque finalement pas d'attrait, les ventes se mirent à grimper. En fait, cette plante est assez capricieuse.

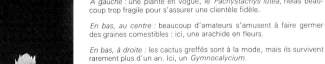

En haut : les anciens pots et plats en cuivre, comme cette pièce de vaisselle de provenance espagnole, se prêtent très bien à recevoir des plantes.

À gauche : une plante en vogue, le *Pachystachys lutea,* hélas beaucoup trop fragile pour s'assurer une clientèle fidèle.

En bas, au centre : beaucoup d'amateurs s'amusent à faire germer des graines comestibles : ici, une arachide en fleurs.

En bas, à droite : les cactus greffés sont à la mode, mais ils survivent rarement plus d'un an. Ici, un *Gymnocalycium*.

L'art de présenter les plantes dans un intérieur

Une fois la plante soigneusement sélectionnée, il faut encore penser à la mettre en valeur. Où faut-il la placer ? Où produira-t-elle le meilleur effet ?

Du point de vue technique, la réponse à la première question est très simple : il faut mettre une plante là où elle a les meilleures chances de prospérer. Ces emplacements sont définis par des facteurs précis qui figurent dans cet ouvrage sous forme de symboles à côté du nom de chaque plante. On ne pourra leur donner une situation différente que si l'une ou plusieurs de ces conditions de culture peuvent être recréées artificiellement (éclairage artificiel, serre, vitrine, abri hivernal).

Une plante est à sa place quand elle est adaptée à l'atmosphère et au volume d'une pièce. Pour une pièce très vaste et très haute on choisira des plantes imposantes, aux grandes feuilles. Dans une pièce de dimensions réduites, une telle plante ne ferait que renforcer l'impression d'exiguïté : il faudra trouver une plante plus basse, aux feuilles plus petites.

C'est tout un art d'assortir une plante au style de l'ameublement. Une plante au feuillage dense et très fin sera parfaite dans un intérieur de style. Dans un intérieur moderne où dominent le verre, le métal, le formica blanc, on obtiendra beaucoup d'effet avec des plantes à grandes feuilles aux formes bizarres et aux couleurs brillantes. Si les meubles sont en rotin, on se tournera plutôt vers des plantes aux feuilles longues, étroites et striées de bandes colorées. Il faut aussi tenir compte des motifs du revêtement mural, des rideaux et des housses des sièges. L'harmonie des couleurs est très importante, mais il faut veiller à ce que le feuillage ne se confonde pas avec les motifs des tissus muraux et des papiers peints. A un petit motif on associera de grandes feuilles et vice versa.

Comment placer la plante pour qu'elle offre son meilleur côté aux regards ? Chacun sait qu'au bout d'un certain temps la plante tourne la face supérieure de ses feuilles vers la lumière. Mais il existe aussi des plantes sans feuilles, ou qui produisent des rosettes qui ne dévieront pas facilement. Sous quel angle la plante est-elle la plus belle ? Vue de haut, un peu de biais ? Dans ce cas, on la pose sur le sol. Vue de dessous ? Il faut alors la suspendre ou la surélever. Vue d'en haut ? On la place de façon à la voir du haut d'un escalier, par exemple. Un emplacement bien choisi contribue énormément à mettre une plante en valeur.

Il faut aussi un peu de variété dans la forme et la couleur des feuillages. Un décor végétal constitué uniquement de différentes variétés de *Ficus* au feuillage uniforme crée, à la longue, une impression de monotonie. Il ne faut pas non plus multiplier à l'excès les couleurs, mais on peut essayer d'introduire des nuances. On s'apercevra vite sur quel détail il faut mettre l'accent. On opposera à des plantes à longues tiges aux feuilles alternées, des végétaux aux feuilles linéaires disposées en rosette. Mais attention : on se laisse facilement entraîner à créer des combinaisons qui n'existent pas dans la nature et qui ne passent pas inaperçues. Il faut donc aussi s'intéresser à la provenance des plantes, à leur origine géographique, pour mieux les combiner entre elles.

Il semble logique de poser les petites plantes sur la tablette de fenêtre et les plus hautes sur le sol. Mais beaucoup de personnes font le contraire. Conséquence : les grandes plantes privent de lumière les plus petites placées derrière elles. Il faut absolument faire l'inverse. Il y a souvent moyen de placer auprès de la fenêtre une petite table avec quelques pots posés dessus : on y a facilement accès et les soins sont simplifiés.

Les plantes difficiles, qui exigent une humidité ambiante particulièrement élevée, seront rassemblées dans une vitrine où l'on pourra aussi les faire bénéfi-

cier d'un éclairage d'appoint. Si cet éclairage est suffisamment intense, on pourra disposer cette vitrine à n'importe quel endroit de la pièce. Les agencements de ce type, à cause de leur prix, sont surtout réalisés dans des immeubles de bureaux ou des édifices publics. On trouvera des renseignements complémentaires au sujet de l'éclairage artificiel p. 47.

Comment compartimenter un espace avec des plantes ?

On est parfois tenté de créer un petit coin à part, isolé par une cloison de verdure. La séparation, sans être totale, crée une zone d'intimité. Malheureusement, ces expériences sont souvent vouées à un échec dû aux mauvaises conditions d'éclairement. Faute d'une source lumineuse (fenêtre ou lanterneau) à l'endroit précis où l'on souhaite aménager la séparation, les plantes dépérissent. Seules les plus solides, notamment l'increvable grimpante *Cissus rhombifolia*, sont capables de sauver la situation. Il faut donc, avant tout, mesurer avec précision l'intensité de l'éclairement à l'endroit où l'on envisage d'établir la cloison végétale. La façon correcte de procéder est expliquée à la p. 52. Dès que l'on descend au-dessous de 700 à 1 000 lux, mieux vaut renoncer. A moins que l'on puisse faire intervenir une source d'éclairage artificiel, même à titre complémentaire.

La partie inférieure de cette cloison peut être constituée d'un muret très bas en maçonnerie aménagé en jardinière, mais on peut aussi grouper des bacs à plantes, côte à côte. Cette dernière formule a l'avantage d'être transformable à volonté. Dès qu'un groupe de plantes donnent des signes de fatigue, on peut les transporter dans un endroit mieux éclairé. Il faudra, de toute façon, se limiter à des plantes qui se contentent de peu de lumière, marquées du signe ◖. Cette catégorie comprend un vaste choix de plantes grimpantes et retombantes. Il faudra prévoir un support pour attacher les tiges grimpantes et suspendre les plantes à port rampant. Ce pourront être de simples fils de nylon (fils à linge) tendus entre le sol et le plafond ou des cloisons ajourées, constituées de modules de béton ou de briques de verre. Choisir des matériaux qui ne souffriront pas des arrosages et des éclaboussures. Si l'on aime la pierre, on donnera sa préférence à des pierres tendres et rugueuses'auxquelles les vrilles des plantes grimpantes pourront s'accrocher.

Se souvenir, à cet égard, qu'aucune plante ne supporte d'être constamment frôlée au passage. Les feuilles s'abîment irrémédiablement. Elles se couvrent de taches brunes et ne tardent pas à se flétrir. Éviter aussi toute source de courants d'air, comme la proximité d'une fenêtre tenue entrouverte : c'est vouer les plantes aux parasites (pucerons) ou exposer leur feuillage au dessèchement.

Les pièges de la routine

Après s'être livré à toutes sortes d'essais pendant plusieurs années, on finit par trouver l'arrangement idéal et on est tenté de ne plus toucher à rien. On se contente de distribuer les petits soins quotidiens. Va pour un an ou deux. Au-delà de ce laps de temps, la routine nous guette. On ne s'en rend pas compte soi-même, ce sont les invités qui le remarquent. « Tiens, ça fait longtemps que ce ficus est là ! » C'est le moment de se secouer et de repartir à zéro, d'acquérir de nouvelles plantes, de nouveaux pots et de tout recommencer. Un petit chambardement de ce genre fera faire peau neuve à votre intérieur.

Tout en haut : l'âtre d'une cheminée inutilisée a été décoré de fougères, une des rares plantes qui supportent le manque de lumière. S'assurer, toutefois, qu'il n'y a pas de courant d'air !

Ci-dessus : le *Dieffenbachia* et les *Yucca* sont plantés dans un grand bac en maçonnerie placé derrière la banquette et servent à isoler un coin dans une grande pièce.

Tout en haut : ce magnifique poêle de faïence ancien exige dans son voisinage un pot de fleurs du même style. Le *Dracæna* semble souffrir d'un éclairement insuffisant.

En haut, au centre : on ne pourra plus guère éloigner ce *Philodendron* de la fenêtre sans qu'il en souffre, sauf le soir, où il sera ramené sans inconvénient au centre de la pièce.

Ci-dessus : les fougères alignées sur ce muret qui délimite une fosse reçoivent juste ce qu'il faut de lumière.

La plante et son pot

La caractéristique essentielle d'une plante d'appartement, c'est d'être cultivée dans un récipient, que ce soit un pot, une caisse ou tout autre conteneur que l'on puisse imaginer. À cet égard, rien n'a changé depuis l'époque des Sumériens où l'on se servait surtout de bacs en terre cuite non vernissés.

C'est il y a une centaine d'années seulement qu'on s'est mis à cultiver des plantes dans des caisses en bois, et la caisse en bois de teck véritable est restée, jusqu'à ce jour, le récipient préféré du véritable amateur de plantes d'orangerie. Les pots de fantaisie et les autres récipients furent mis à la mode au siècle dernier. Rien n'était trop extravagant. Il était parfois difficile de distinguer une sculpture de style grec d'un pot de fleurs. Cages à oiseaux, aquariums, coupes décorées se côtoyaient pêle-mêle, suivant la fantaisie du moment. Les matériaux les plus souvent utilisés étaient la porcelaine, la terre cuite, le bois, le laiton et le verre. La profusion des ornements faisait passer la plante elle-même au second plan.

Aux débordements de l'art victorien succéda l'art nouveau qui, lui aussi, prônait l'utilisation des pots et des jardinières à décors. Il fallut attendre l'avènement du « Bauhaus » pour que la plante redevînt le point de mire. Le pot retrouva son rôle fonctionnel et cessa d'être un objet décoratif en soi.

Abstraction faite de l'intérêt que toutes ces poteries surchargées présentent pour les amateurs d'art « kitsch », on en est resté là. Nous aimons aujourd'hui un pot discret qui mette la plante en valeur.

Au début de ce siècle, on a fabriqué énormément de pots et de cache-pot en céramique, un matériau aux ressources infinies. Les céramiques fabriquées à la main sont actuellement, hélas, hors de prix. Malheureusement aussi, les fabricants de céramique ont continué à produire des pots dont les formes n'ont pas suivi l'évolution du mobilier contemporain. Ceci explique pourquoi les stylistes, après la Seconde Guerre mondiale, se sont tournés vers d'autres matériaux, ouvrant la voie à des possibilités inédites. C'est ainsi qu'ils en vinrent à utiliser les matières plastiques telles que le P.V.C. ou le polyester. Jolina, célèbre fleuriste à Amsterdam, a beaucoup contribué à promouvoir le marché des conteneurs en plastique aux Pays-Bas, par exemple. Elle se servait, pour créer ses modèles, de conduits d'égout en plastique qu'elle peignait au pistolet. C'était un travail d'artisan et le prix des pots était forcément élevé. À peu près à la même époque (fin des années 60), on vit apparaître, venant d'Italie, des pots aux formes sévères qui ressemblaient à ceux de la fleuriste hollandaise. Mais ils étaient plus fragiles. Les États-Unis d'Amérique mirent sur le marché des bacs splendides en polyester ; ils étaient légèrement plus étroits dans le haut que dans le bas et terminés par un bord rentrant. Pas de problème à l'empotage mais, quand au bout de deux ans venait le moment de dépoter la plante, on était forcé de défaire complètement la motte pour parvenir à la sortir du pot. Les stylistes finlandais travaillèrent, eux aussi, à la conception de pots de fleurs. Tout le monde connaît les fameux pots « Arabia » munis de leur inséparable soucoupe : leur solidité et leur fini touchent à la perfection. Le mouvement une fois déclenché, ce fut une débauche. Actuellement, les pots cylindriques se font en plastique moulé, c'est moins cher mais aussi moins beau. On produit également, à bas prix, des pots cylindriques en céramique de toutes sortes de couleurs. Depuis peu, on a vu apparaître des imitations des fameux pots « Arabia ».

Importance de la forme et de la couleur du pot

Nous voici donc revenus à une époque où l'on attache plus d'importance à la combinaison plante-pot qu'à l'intérêt de ces éléments séparés. C'était déjà vrai il y a cent ans, avec la différence que l'accent portait surtout sur l'élément ornemental. Nos pots modernes ne sont plus décorés, mais ont des formes et des couleurs bien étudiées pour mettre discrètement en valeur la beauté de la plante. Prenons une plante à feuillage vert, toute simple, comme l'*Aspidistra*. Placée dans un cylindre rouge vif ou vert mat, elle peut produire un effet remarquable. La couleur du pot, soit qu'elle contraste avec celle du feuillage ou se confonde avec lui, joue énormément. Il y a aussi la ligne élégante et fine du cylindre qui prête à la plante une classe qu'elle n'aurait sûrement pas dans un pot conventionnel.

Les plantes très hautes et très fournies s'accommoderont mieux, quant à elles, d'un bac large et trapu. Par contre, des fougères comme le *Nephrolepis*, qui ont un port à la fois assez haut et étalé, seront à leur avantage dans un haut cylindre blanc. De même, des arbrisseaux comme les *Dracæna* ou les lauriers seront superbes dans un cylindre aux dimensions et à la couleur bien étudiés. Des pots très larges et peu profonds font de merveilleux présentoirs pour collections de cactées.

Les pots anciens

Les pots anciens, lorsque leur origine est authentique, qu'ils aient ou non été destinés à contenir des plantes,

Tout en haut : le feuillage découpé de ce *Philodendron elegans* ne dépare pas la statuette en terre cuite et le pot de bronze ancien posés sur l'étagère.

En haut, au centre : ce cache-pot Art Déco n'est pas encore devenu une pièce rare. La fougère lui confère cependant beaucoup de classe.

Ci-dessus : les récipients en cuivre anciens font de ravissantes jardinières. Une composition comme celle qui est proposée sur cette photo n'aura qu'une durée limitée.

conservent toujours leur attrait, pour peu que leur style s'harmonise avec celui de la pièce. Il faut d'abord s'assurer qu'ils ne souffriront pas d'être utilisés comme pot de fleurs. Qu'il s'agisse d'authentiques coupes chinoises en bronze ou de petits bénitiers du siècle dernier provenant de quelque église, ces objets feront merveille. Les pots de cuivre, surtout s'ils sont anciens, conservent toute la faveur du public.

Si le récipient court le risque d'être abîmé par la rouille ou la moisissure, ce sera un jeu d'enfant pour

Tout en haut : un arrangement très étudié, pour une jardinière ancienne.

Ci-dessus : cette pièce de céramique ne remportera peut-être pas tous les suffrages.

le bricoleur de le vitrifier au polyester. Les coupes, pots et jardinières du temps de grand-mère reviennent aussi à la mode, jusqu'au pot de chambre qui a trouvé une nouvelle utilisation.

Les problèmes du cache-pot

Qu'entend-on exactement par cache-pot ? Ce mot désigne habituellement un récipient destiné à dissimuler un pot ordinaire, en terre ou en plastique. Mais il s'applique aussi aux marmites de cuivre, aux coupes anciennes que l'on affecte à cet usage.

L'avantage du cache-pot est de permettre de vérifier à tout moment si la plante n'est pas trop mouillée, de remplacer sans difficulté une plante par une autre, de pouvoir la baigner de temps à autre, car les pots ordinaires ont à leur base un orifice de drainage que les pots ornementaux n'ont généralement pas.

Tout ceci est parfait. Mais les cache-pots ont aussi leurs inconvénients. Rien de plus dérangeant que la vue du pot ordinaire, tout couvert de moisissures, à l'intérieur de son cache-pot. Très souvent le cache-pot est trop petit et le pot dépasse. Bref, une rangée

de cache-pots devant une fenêtre n'offre pas toujours un tableau réjouissant au regard un peu critique. Très souvent, il s'accumule au fond du cache-pot une petite nappe d'eau stagnante. Il suffit de soulever le pot pour s'en apercevoir, encore faut-il y penser. L'espace humide entre le pot et le cache-pot offre un refuge de prédilection aux insectes, dont les collemboles sont les plus connus. Les cloportes et les perce-oreilles leur tiennent généralement compagnie. Un nettoyage constant s'impose : c'est une corvée supplémentaire.

On contourne ce problème de deux façons : ou bien on pose les pots tels quels sur la tablette de fenêtre, ou on transplante directement la plante dans le cache-pot. Des petits pots ordinaires posés sur des soucoupes dépareillées sont fort sympathiques dans un intérieur peu conventionnel, mais ce style n'est pas du goût de tout le monde. Un bon petit pot de plastique, noir de préférence, assorti de sa soucoupe fera tout de suite plus sérieux. Nous avons déjà dit plus haut les inconvénients qu'il y avait à planter directement dans un cache-pot : on noie facilement la plante. Il y a heureusement des cache-pots avec soucoupe qui permettent d'échapper à cet ennui. Ils sont percés à leur base de plusieurs petits trous par où l'eau s'écoule en cas d'arrosage surabondant. Ces pots sont de toute beauté et l'on se demande pourquoi on les rencontre si rarement. Ils figurent sur de nombreuses illustrations de ce livre.

Le pot et la mode

Les pots de fleurs, en tout cas les cache-pots, sont terriblement soumis à la mode : nous en avons déjà parlé au début de ce chapitre. Certains engouements font leur apparition par vagues : la vogue des suspensions, souvent en forme de boule, apparue il y a une dizaine d'années, illustre bien ce phénomène. De temps à autre, quelqu'un a une idée nouvelle, ou il imagine d'utiliser comme pot de fleurs un récipient familier, mais affecté à un tout autre usage (par exemple : la cuve de batterie), et des troupeaux de gens l'imitent. Généralement ce n'est qu'un feu de paille. En matière de mode, la prudence est de rigueur.

Les pots à la mode ne sont pas toujours des articles courants à bas prix.

On a pu voir, il n'y a pas si longtemps, des petits pots carrés, recouverts sur toutes leurs faces de miroirs soigneusement taillés sur mesure. L'effet était assez curieux. Mais qui va acheter cet article ? D'autres stylistes ont imaginé de recouvrir des petits pots en plastique de feuilles de liège et d'imitation de peau de panthère. Peut-être en reviendrons-nous un jour au goût victorien des pots surchargés d'ornements, la plante ne jouant plus qu'un rôle annexe de remplissage.

Avant de se lancer dans l'achat d'un nouveau type de pot, il faut avoir la sagesse de s'interroger sur ses avantages et ses inconvénients à l'entretien. On n'imagine pas du premier coup d'œil qu'une magnifique cuve de batterie, si joliment remplie de couches de sable bicolores, sera, avant trois mois, complètement défigurée par des algues. Réfléchir avant d'acheter évitera bien des déboires et des dépenses inutiles.

Tout en haut : un arrangement très équilibré : trois touffes de *Dracæna* dans un cylindre moderne en plastique.

Ci-dessus : les poteries en céramique (celle-ci est fabriquée à Zaalberg, aux Pays-Bas) s'intègrent bien dans un décor moderne.

Tout en haut : ces récipients transparents (ils contiennent ordinairement des batteries) sont artistiquement garnis de sable bicolore. La formation d'algues sur les parois oblige à des renouvellements fréquents.

En haut, au centre : autres exemples de cache-pot en forme d'animal. On aime ou on n'aime pas !

Ci-dessus : un cylindre en plastique blanc pour un *Dracæna marginata.* Une solution passe-partout.

Les plantes sur les lieux de travail

Tout a peut-être commencé avec cette charmante midinette qui, un jour, emporta à l'atelier une petite balsamine de rien du tout, appartenant a sa mère, afin d'avoir autre chose sous les yeux que ces éternels chiffons. L'histoire doit remonter bien loin car, autant que nous pouvons nous en souvenir, les plantes ont toujours été présentes dans les fabriques, les ateliers, les bureaux et les écoles. Rien de plus naturel, car c'est bien peu de chose que de soigner une petite plante sur le lieu de son travail. Le rendement n'en souffrira pas et une plante solide y trouvera tout ce qu'il faut pour pousser.

De nos jours, on ne se limite plus, dans les locaux professionnels, à la petite bouture posée devant la fenêtre. Depuis les années 60, les plantes d'intérieur « à usage professionnel » ont pris un essor considérable et leur commerce rapporte des millions. Les petits pots placés dans des soucoupes ont été remplacés par d'énormes bacs plantés d'immenses plantes exubérantes. Pourquoi ?

La plante, image de marque

Nous en avons déjà fait la remarque : plus les conditions de la vie en société se déshumanisent, plus les bureaux et autres locaux professionnels se font fonctionnels, nus, secs, incolores, et plus l'homme éprouve le besoin d'apporter une note de chaleur dans le cadre de sa vie professionnelle. Les dirigeants des sociétés et entreprises se sont avisés qu'il serait peut-être bon de répondre à ce besoin et n'envisagent plus la rénovation de leurs locaux sans y inclure un décor végétal. C'est réconfortant. Dans la plupart des cas, la direction souhaite que les plantations soulignent le prestige de la société et elle accorde sa préférence à de grandes plantes spectaculaires : fougères géantes, *Dieffenbachia* gigantesques, précieux *Yucca* sur tronc, etc. On fait ainsi d'une pierre deux coups. La belle architecture du hall de réception est mise en valeur, le vert frais des plantes contraste agréablement avec le palissandre sombre du bureau directorial. On pense naturellement aussi à placer quelques jardinières dans l'entrée de la fabrique. Les ouvriers ne tarderont pas à y écraser leurs mégots de cigarette, mais on aura au moins prouvé qu'on est une société à la page, soucieuse de ce genre de détails.

Ces propos peuvent paraître cyniques et on ira peut-être penser que la décoration d'un hall de réception ou l'aménagement moderne d'un bureau de direction nous paraissent dépourvus d'intérêt. Point du tout. Si nous notons ces réflexions, c'est qu'elles servent souvent d'arguments pour justifier les aménagements en question. Nous sommes persuadés que l'on fait fausse route.

Défense de toucher aux plantes

Dans leur zèle, les directeurs de société ont oublié comment tout a commencé ; ils ont perdu de vue la midinette ou la dactylo qui, un jour, a apporté sa petite plante pour se faire plaisir. Elle a agi, poussée par un élan affectif, à la recherche d'une relation directe avec la plante, un sentiment que nous avons déjà analysé plus haut (p. 10).

Dans les entreprises que nous venons de décrire, l'homme est, tout au contraire, tenu à l'écart de l'opération. On voudrait créer une relation travail-plantes et on rate son objectif. On déverse des chargements de plantes dans des bacs somptueux, mais le personnel a tout juste le droit d'y jeter un coup d'œil. Il est strictement interdit d'arroser les plantes, de les bassiner, de leur donner de l'engrais, de supprimer les feuilles abîmées (toutes menues besognes chères au cœur de ceux qui aiment les plantes). On part du principe que les employés n'y connaissent rien. (Le directeur a-t-il jamais visité leur logement ?). Ils vont sûrement noyer les plantes, leur donner un engrais qui ne convient pas, les tailler à tort et à travers : on les prend pour des ignares et on préfère confier le soin des plantes à des gens de métier. C'est ainsi qu'est né le système d'abonnement d'entretien, le service des soins à domicile, planifié, scientifique, clinique. Et l'on voit, un beau jour, débarquer le plus jeune commis du fleuriste, frais émoulu de l'école d'horticulture, équipé de son petit chariot bourré de produits phytosanitaires, de shampooings, de pastilles fertilisantes, de pompes aspirantes et tout le tremblement : un gamin qui n'a même jamais pensé à accorder un regard aux plantes de sa mère. Et c'est lui qui est censé montrer à la secrétaire incompétente (en fait, connaisseur de plantes émérite) et aux autres membres du personnel comment on s'y prend pour entretenir les plantations d'une entreprise. Est-il surprenant, dans ces conditions, que le personnel prenne toute cette verdure en grippe, s'en moque éperdument, vide son café dans les bacs, chipe des rejets et emporte finalement ce qui reste d'acceptable ? C'est dans la logique des faits. Si les plantes ont été mises là pour les gens, il faut que ce soient ces gens qui s'en occupent. Les plantes sont des être vivants. Elles ont besoin d'affection pour prospérer. C'est indubitable !

À qui confier le soin des plantes ?

L'approche est heureusement parfois différente, surtout dans les petites sociétés. Nous ne préconisons nullement qu'il faille laisser proliférer aux fenêtres des bureaux des tas de petits pots moisis posés sur des soucoupes à fleurs et plantés d'avortons agonisants, bien que cela puisse créer une certaine atmosphère, au demeurant sympathique. Les plantes peuvent fort bien remplir leur rôle d'image de marque et bénéficier d'attentions personnalisées. On pourrait commencer par former une petite commission chargée de la décoration florale, au sein de laquelle siègeraient des membres du personnel ayant quelque compétence en la matière. Cette commission se réunirait avec l'architecte ou le décorateur pour décider de la forme des pots et des jardinières. On peut éventuellement faire appel à un fleuriste, en qualité de conseiller technique pour ce qui regarde l'achat du matériel de plantation. On fixe le choix : bacs à plantations composées ou pots solitaires. On pèse le pour et le contre des différents systèmes de culture : hydroculture, bacs à réservoir d'eau, culture traditionnelle. On décide si on va faire venir les bacs et les plantes directement de chez un grossiste ou laisser les collaborateurs de la société s'occuper eux-mêmes des plantations. Pourquoi le personnel ne pourrait-il consacrer quelques heures à des plantations qui, après tout, coûtent des mille et des cents à l'entreprise ? Chacun ayant tendance à avoir plus de considération pour son propre travail que pour celui des autres, on peut être sûr que les plantes de la société seront bien soignées si c'est le personnel lui-même qui s'en occupe. La relation homme-plantes serait au moins assurée d'un bon départ.
Pour le hall de réception, la cantine, le bureau du P.-D.G., on peut choisir des plantes au port noble et imposant, en veillant bien à les sélectionner en fonction des conditions de culture qu'on pourra leur offrir. On désigne une personne chargée de les surveiller. Une plante très grande et très coûteuse n'est pas forcément plus difficile à soigner qu'un vulgaire géranium. Il suffit de faire un petit tour dans les quartiers d'habitations d'une ville pour se rendre compte que beaucoup de gens ont les « doigts verts ». Cet amour qu'ils portent aux plantes, ils ne le refuseront pas au jardin de leur entreprise.

Bacs à plantations composées. Précautions

Les sociétés semblent témoigner d'une préférence marquée pour les bacs ou jardinières à plantations composées. Est-ce le fait du fleuriste ou de l'acheteur ? Peu importe. Il est certain que composer, pour une jardinière, un mélange de plantes soumises aux mêmes impératifs de culture pose plus de problèmes que de s'en tenir à une seule espèce. On commet presque toujours des erreurs, beaucoup de plantes meurent au bout de peu de temps et la belle ordonnance du départ est réduite à néant. Dès qu'une plante solitaire fait mine de languir, on peut essayer de lui trouver un autre emplacement, mais si on s'est trompé dans le choix des éléments d'une plantation composée, aucun endroit ne conviendra (consulter aussi p. 14). C'est pourquoi nous aurions tendance à conseiller le choix de plantes solitaires dans les locaux professionnels : on évitera un gaspillage de plantes et donc d'argent.

Importance de l'exposition

Les plantes ont besoin de lumière pour croître : il faut en tenir compte et les placer dans le voisinage d'une fenêtre pour les maintenir en vie. Cette remarque vaut aussi pour les plantes qui servent à décorer les lieux de travail et pourtant, cette vérité si évidente semble souvent être complètement ignorée. Est-il un coin obscur, un renfoncement inutilisable, un couloir chichement éclairé par un tube au néon : on y met aussitôt une plante pour les égayer ! Pauvre plante. Elle vivote quelques mois et meurt. Si l'on tient absolument à caser une plante dans un endroit sombre, il faut lui fournir un éclairage artificiel adéquat : c'est vrai aussi dans les locaux des sociétés. Nous en reparlerons plus loin (p. 47).
Qu'il se dise simplement fleuriste ou spécialiste en décoration florale, le professionnel à qui l'on s'adresse, s'il est sérieux, commencera par arpenter les locaux, un luxmètre à la main. Il fait des marques sur le sol aux emplacements où les plantes auront des chances de prospérer et mesure l'éclairement dont elles y bénéficieront en moyenne. Pour être valables,

les mesures doivent être répétées à différents moments de la journée. Et c'est seulement après que pourront être faites des propositions acceptables. Le quidam qui s'amène directement avec son chargement de plantes est un charlatan et doit être écarté comme tel (et Dieu sait s'il y en a !). L'acheteur doit être vigilant car les délais de garantie sont très courts. Et les paysagistes d'intérieurs feraient bien de veiller eux-mêmes à leur réputation.
La plupart des bureaux sont, heureusement, très bien éclairés. Dans les grands immeubles, la lumière pénètre à flots aux étages élevés et les baies vitrées sont presque toujours très hautes et très larges. Il faut cependant se méfier des vitrages colorés, qui sont de plus en plus fréquemment utilisés, et vérifier qu'ils n'interceptent pas les rayons qui sont vitaux pour les plantes. On peut obtenir ces renseignements auprès d'un laboratoire. L'acheteur ou, mieux encore, l'architecte fera bien de noter ce point précis s'il ne veut pas se retrouver avec un échec de plusieurs centaines de milliers de francs sur les bras et, par-dessus le marché, les compliments de ses collaborateurs.

Page de gauche : un énorme *Pandanus* souligne le prestige de ce bureau directorial. Plante extrêmement robuste.

À droite : une jolie vue sur les quais et un magnifique *Philodendron* devant la fenêtre : toutes les dactylos n'ont pas cette aubaine !

En bas : un décor original. Des plantes vertes sont enfermées entre les doubles parois vitrées (distantes de 40 cm environ) qui entourent cette salle de conférence sobre et élégante.

Température constante

Dans les bureaux modernes, la température est maintenue, dans la mesure du possible, aux environs de 20 °C. Cette température, nous l'avons dit, est loin de convenir à toutes les plantes. Toutes celles qui exigent une période de repos, telles les plantes succulentes, les plantes d'orangerie, etc., sont à exclure de ces lieux. Au travers de la lecture des symboles et des descriptions des plantes, on se rendra vite compte que bien peu de plantes se prêtent à la culture dans une atmosphère constante de 20 °C ou plus. Le choix est donc forcément restreint.

Les baisses de température nocturnes soulèvent un autre problème. Le chauffage de certains locaux professionnels est souvent sévèrement réduit la nuit pour des raisons d'économie, même si certaines entreprises continuent à jeter leur combustible (et le nôtre) par les fenêtres en maintenant, jour et nuit, le thermomètre à 20 °C. La plante supporte tout au plus un écart de 6 °C. Un écart plus important peut lui être très néfaste. Les variations entre les températures diurnes et nocturnes peuvent complètement perturber les fonctions de la plante au moment de la tombée de la nuit et du lever du jour. Au cœur de l'hiver, quand la nuit vient tôt, il vaut mieux chauffer un peu plus longtemps. Le mieux est d'installer un réglage automatique, commandé par une cellule photo-électrique couplée avec une horloge.

Climatisation

Certains immeubles de sociétés sont climatisés : leur degré d'hygrométrie est réglé en même temps que leur température. L'homme, chacun le sait, tolère mal une atmosphère desséchée qui augmente sa sensibilité aux rhumes. Toutes les plantes, sans exception, apprécient une atmosphère raisonnablement humide en hiver. On aura des détails plus précis à la p. 58. Le réglage doit être fait de manière à obtenir une atmosphère agréable à respirer pour l'homme. Un léger excès d'humidité ne nuira jamais aux plantes.

Les bureaux « paysagers »

La notion de bureaux « paysagers » est relativement récente. Elle fait référence à une mode actuelle qui tend à masser des plantes dans les grandes surfaces de bureaux jusqu'à les transformer en véritables jardins. On aimerait pouvoir aussi parler d'usines et d'ateliers « paysagers ». La démarche consiste à compartimenter des locaux très vastes en créant des cloisons de verdure. Les jardinières sont souvent, mais pas obligatoirement, constituées de soubassements fixes.

Le problème primordial, qu'il s'agisse de bureaux ou d'appartements, est toujours celui de la lumière. A moins que le local ne soit éclairé par de très vastes baies ou un toit vitré, la création de cloisons végétales est un non-sens. Si l'éclairement est inadéquat, les plantes ne survivront pas. Des bureaux « paysagers » ne peuvent se concevoir que dans des locaux où règne une atmosphère de serre. Les locaux sont évidemment surexposés et la chaleur y est brûlante en été. Ils doivent donc être climatisés, ventilés, équipés de doubles vitrages, etc. En d'autres termes, ils ne s'improvisent pas. Il faut, de toute nécessité, qu'ils soient prévus dans les plans d'un architecte qui a quelques connaissances en matière d'horticulture. Ceci explique suffisamment que l'aménagement de locaux existants en bureaux « paysagers » n'aboutit pas toujours à une réussite. Mais il va aussi de soi qu'une bonne plafinification peut donner des résultats extraordinaires. Les bacs à plantes sont généralement très vastes pour fournir aux racines une nourriture suffisante. On adopte le plus souvent le système de culture hydroponique ou des bacs à réservoir d'eau, pour n'avoir pas à transporter quotidiennement l'eau d'arrosage. La transpiration des plantes contribue à maintenir le degré d'hygrométrie existant. Au bout de quelques années, on doit souvent procéder à des tailles assez sévères, sinon les plantations se transforment en véritables fouillis. Si l'on omet de tailler, les pousses du haut se développent au détriment de la base des plantes, qui se dénude, et il ne reste, au niveau du regard, qu'une forêt de tiges nues, fort peu esthétique. Les responsables de l'entretien de ces plantations ne doivent pas craindre de manier le sécateur et ne doivent pas hésiter à remplacer carrément une plante trop envahissante par une autre plus jeune, qui peut être tout simplement une bouture.

Tout en haut à gauche : un jardin intérieur dans l'immeuble d'une banque. Des lampes à vapeur de mercure sous haute tension placées dans les grosses suspensions en forme de globe peuvent suppléer au manque d'éclairage naturel.

Tout en haut à droite : des jardinières remplies de plantes vertes cachent la banalité de la rampe d'escalier de ce bureau.

Au centre : une agence bancaire installée dans une maison patricienne remarquablement modernisée et habillée de plantes.

À droite : les plantes sont un élément de décor indispensable dans un restaurant d'entreprise. Ici, le décor est simple mais soigné.

Les plantes d'appartement dans les lieux publics

Par lieux publics, nous entendons le hall d'une mairie, la cage d'escalier d'un grand immeuble à appartements, les galeries couvertes des magasins, etc.

On sait que ces endroits, accessibles à tous, sont souvent victimes du vandalisme. Il semblerait que ce phénomène regrettable soit encore renforcé quand il s'agit de plantations négligées. Plus leur aspect est soigné, moins il y aura de déprédations. Le jardinier doit quand même s'attendre à de nombreux déboires. Il faudra de toute façon remédier immédiatement aux dégâts, si l'on veut éviter qu'ils ne s'aggravent.

On peut essayer de prendre quelques mesures pour protéger, malgré tout, les plantes qui, il faut le reconnaître, sont assez coûteuses. Si l'espace s'y prête, on plantera de préférence de grands arbustes dans des bacs très lourds. Quiconque a eu l'occasion de s'arrêter à l'aéroport de Schiphol (Pays-Bas) aura remarqué le *Ficus benjamina* qui déploie son toit de verdure à plusieurs mètres au-dessus du public, dans le hall de départ. C'est un arbuste qui pourrait trouver sa place dans maintes gares. Il est pratiquement impossible d'en arracher une branche. Une autre solution consiste à trouver aux plantes des emplacements hors d'atteinte du public, comme des galeries en surplomb au-dessus d'un vide de cage d'escalier, des emplacements contre les murs entourant de très grands espaces, où seul le jardinier peut avoir accès. L'architecte, en dessinant ses plans, devra prévoir un système d'arrosage automatique.

Les accès et cages d'escalier des immeubles à appartements sont souvent mornes. On n'y voit généralement pas de plantes. Si les architectes et les occupants de ces immeubles se consultaient, ils pourraient faire quelque chose d'accueillant. Ces lieux sont rarement chauffés, mais il n'y gèle pas. Voilà des conditions qui conviennent à merveille à de très nombreuses plantes d'intérieur. Il suffit de penser aux variétés grimpantes, aux plantes de la famille des vitacées, pour ne rien dire des nombreuses plantes d'orangerie. Si la lumière est satisfaisante, l'espace suffisant et l'arrosage surveillé, cela doit marcher. Il n'est pas rare que des jardinières pouvant contenir des centaines de litres de terreau fassent partie de la construction. Elles communiquent parfois avec l'extérieur, coupées simplement par une cloison vitrée. Les plantes peuvent alors puiser une partie de l'humidité du sol par capillarité. On peut installer différents systèmes d'arrosage : le goutte à goutte est très simple. Le risque de voir les plantes mourir de soif sera réduit au minimum. Il y a parmi les plantes amies du froid suffisamment d'espèces robustes, capables de transformer complètement ces accès inhospitaliers.

Plantes d'appartement à destination particulière

Les plantes d'appartement sont généralement destinées à la salle de séjour, parfois à l'entrée ou aux dégagements. Mais on peut encore leur trouver bien d'autres emplacements dans un logement. Nous allons donc parcourir la maison.

La chambre à coucher

Longtemps, les plantes ont été tabou dans les chambres à coucher. On croyait que le gaz carbonique qu'elles dégagent la nuit était nuisible à la santé. La quantité est en fait très réduite et bien inférieure à celle que nous dégageons nous-mêmes. Une chambre étant, en principe, toujours bien aérée, un petit supplément d'oxyde de carbone ne se percevra même pas.

Si la chambre est très lumineuse, les plantes s'y développeront très bien. Une chambre orientée à l'est (soleil au réveil, fraîcheur au coucher) convient idéalement aux gens comme aux plantes. Si on dispose d'une large tablette ou si on a la place au sol pour un grand bac, on obtiendra des résultats très encourageants. Si on aime une chambre très fraîche ou bien si on dispose d'une chambre rarement occupée (chambre d'amis, par exemple), on peut en faire un lieu d'hivernage pour les plantes de la maison. Il faut pour cela que la température s'y maintienne, autant que possible, autour de 10 °C. L'idéal est d'équiper le radiateur d'un thermostat qui permette de régler la

température à volonté. Si l'on est temporairement amené à élever la température (visite d'amis frileux), ce sera sans conséquence, pourvu que l'on pense à la baisser aussitôt que possible.

La salle de bains

Il est dommage que les salles de bains, dans les constructions anciennes, soient si mal éclairées. On y ménageait de toutes petites ouvertures pour ne pas être vu de l'extérieur. Actuellement, nous avons trente-six moyens à notre portée (rideaux imputrescibles, stores à lamelles, etc.) pour nous protéger des regards indiscrets, même avec une fenêtre normale. C'est une aubaine pour de nombreuses plantes qui s'y trouvent particulièrement à leur aise. Plus on fait couler d'eau dans la salle de bains, plus l'atmosphère y sera imprégnée d'humidité et mieux certaines plantes s'y trouveront. Les fougères, en particulier, y sont très florissantes.

La cuisine

Voici encore une pièce où règne une atmosphère humide. Un conduit d'aération qui fonctionne mal et un fourneau qui marche souvent : rien de meilleur pour une plante. Seules les vapeurs grasses, quand elles sont abondantes, peuvent être nocives. Choisir, en conséquence, des plantes aux larges feuilles coriaces, faciles à laver. Le dépoussiérage des minuscules feuilles d'un *Ficus* a de quoi rendre nerveux.

La cuisine devra être abondamment éclairée si l'on veut obtenir quelque succès. Une large tablette de fenêtre ou même une jardinière fixe seront toutes désignées. On peut aussi fixer une jardinière sur le rebord extérieur de la fenêtre. L'été, on pourra y cultiver des fines herbes qui, rentrées l'hiver, se garderont un bon bout de temps.

La mansarde

Si la mansarde n'ouvre que par une lucarne, il sera fort difficile d'y cultiver des plantes, car on manquera de tablette de fenêtre. Dans les maisons d'angle, la mansarde a parfois une ouverture sur le côté, ce qui élargit les possibilités. Il y a des maisons qui ont une terrasse en étage et d'autres où l'on peut percer de grandes fenêtres verticales dans les combles : toutes celles-là conviendront aux plantes. Un comble très sombre pourra être éclairé par un Vélux : mais attention, il faut prévoir un ombrage contre le plein soleil.

Le garage

Nous avons déjà noté que le garage pouvait faire un abri très appréciable pour les plantes, en hiver, pourvu qu'il soit éclairé par une tabatière ou une fenêtre et que le thermomètre n'y descende pas au-dessous de 5 °C. Ceci est vrai des remises, si elles sont assez spacieuses. On peut aussi y entreposer les plantes annuelles, en été.

La cave

On ne peut pas faire pousser de plantes dans la cave, mais on peut les y laisser hiverner. C'est ce que l'on fait avec les géraniums. À cause de l'absence de lumière, les plantes produisent de longues pousses blanchâtres. Bien qu'ils en souffrent, les géraniums, une fois bien taillés, repartent souvent au printemps. La température de la cave a toute son importance.

Les bulbes et les tubercules se conservent également à la cave. Il faut surtout les surveiller, car ils peuvent pourrir ou moisir. Par précaution, on les enfouit dans de la tourbe bien sèche que l'on renouvelle dès qu'elle s'humidifie. Il faut se rappeler que certains bulbes et tubercules redoutent le froid. Le symbole accolé à la description des plantes fournira tous les renseignements souhaités.

Le bateau

Pour être complet, nous mentionnerons encore les plantes que l'on peut cultiver sur un bateau de plaisance. C'est en effet possible grâce à l'utilisation généralisée de la climatisation. Pour un maximum de chances de succès, on se limitera aux plantes simples et robustes et on les placera devant les hublots. Les fanatiques réussissent même à cultiver des plantes aussi fragiles que des orchidées. Les plantes ne manifestent aucun signe de mal de mer mais elles sont gênées par les fluctuations d'éclairage liées aux changements de cap.

Ces *Dracæna* bien ramifiés prospéreront pendant des années dans cette chambre claire.

Un *Asparagus* dans une salle de bains sombre. Il ne tiendra pas éternellement, mais on en profitera au moins pendant un mois ou deux.

Groupes de plantes d'appartement

Le profane qui pénètre dans une boutique de fleuriste bien approvisionnée sera plongé dans la perplexité par la variété des plantes exposées. Quelle plante choisir ? Sur quel critère se baser ? On peut subdiviser les plantes d'appartement en groupes suivant leurs avantages et leurs inconvénients, leurs exigences de culture, leurs petits secrets et leurs problèmes. Dès l'instant où l'on est capable de situer une plante dans une catégorie déterminée, la tâche devient plus facile.

Exemple d'un arbre porteur de plantes épiphytes. Ses branches sont totalement masquées par les plantes. On peut l'admirer dans une serre d'exposition sur l'île de Mainau. Il porte un assortiment complet de toutes les plantes épiphytes possibles et imaginables. La plupart d'entre elles ne croissent qu'en serre.

Plantes à fleurs

Il faut distinguer :
a. les plantes qui fleurissent une seule fois, puis se jettent à la poubelle (chrysanthèmes en pot, cinéraires, *Thunbergia*) et
b. les plantes qui refleurissent chaque année (azalées, hortensias, *Stephanotis*).
Les plantes du groupe a doivent être considérées comme de simples décorations temporaires : on les choisit comme on choisirait des fleurs coupées, pour mettre une note de couleur dans une pièce. Les deux remplissent la même fonction, mais la plante durera plus longtemps. Les petites plantes fleuries servent souvent à remplir des trous dans les grandes jardinières, mais elles se posent aussi isolément sur le rebord de la fenêtre. Leurs teintes sont souvent très vives. Une couleur choisie avec discernement fera vibrer tout le décor végétal d'une pièce ; mal harmonisée, elle en détruira au contraire tout l'effet.
On obtiendra un tableau charmant en groupant six à vingt de ces petites plantes, de préférence de la

même teinte, dans un récipient ancien, une grande vasque ou une belle corbeille en vannerie. Leur floraison terminée, il faudra s'en débarrasser, car elles sont presque toutes annuelles et il n'est pas possible de les conserver.
Les plantes du groupe b sont les préférées des vrais amateurs. Elles remplissent dans la pièce une fonction totalement différente. Leur principal attrait ne réside pas dans la valeur ornementale de leurs couleurs mais dans la possibilité qu'elles offrent à quelqu'un d'attentif et de compétent de les faire refleurir. Plus la réussite est ardue, plus le plaisir est grand. Il n'est pas rare que ces plantes soient insignifiantes en dehors de leur période de floraison : le feuillage est souvent quelconque, la plante raide. Mais peu importe, l'éclat de la floraison suffit largement à compenser cette disgrâce.
Ces plantes d'élection ne doivent jamais passer toute l'année dans une pièce chauffée ; elles ont besoin d'être soumises, avant la floraison, à une période de repos dans un endroit frais, et, ou sec. On peut ainsi faire passer l'été au jardin à des azalées et à des

hortensias, tandis que les plantes qui fleurissent l'été seront soumises à un repos hivernal. Il est donc indispensable de déplacer ces plantes si on veut les voir refleurir.

Ci-dessous : les feuilles du Coleus offrent une variété infinie de teintes et demi-teintes.

Tout en bas, à gauche : vert et crème, blanc et vert strié de rose ou de rouge, telles sont les associations de couleurs le plus souvent rencontrées chez les plantes à feuillage.

Tout en bas, à droite : les extrémités des frondes des palmiers (ici : un Washingtonia filifera) ne se séparent qu'au moment de l'épanouissement.

Plantes à feuillage

C'est dans cette catégorie que l'on peut ranger la plupart des plantes d'appartement. Ce sont, comme leur nom l'indique, des plantes qui doivent leur valeur ornementale surtout à la jolie forme ou à la couleur de leurs feuilles. Certaines parmi elles joignent à cette qualité une floraison tout à fait honorable. Mais chaque fois que l'attrait des feuilles surpasse celui des fleurs, il sera question de plantes à feuillage.

On vend des plantes aux feuilles vertes, ou rouges, ou striées, ou encore marbrées de différentes teintes : les variations sont nombreuses. On a remarqué que les parties blanches des feuilles assimilaient mal la lumière. Les variétés panachées, dites « variegata », doivent donc être mieux exposées que leurs sœurs aux feuilles vertes.

Le vaste groupe des plantes à feuillage peut se subdiviser en plusieurs sous-groupes, ce qui permet d'y voir plus clair. Ce sont :

Les palmiers

Pendant longtemps on a relégué les palmiers au rang des plantes surannées. Ils ont fait leur réapparition ces dernières années et c'est justice, car presque tous sont des végétaux d'une grande robustesse, qui se satisfont d'un éclairement moyen et supportent très bien l'atmosphère sèche des habitations. Pour pousser vraiment bien, le palmier a cependant besoin de lumière, mais jamais de soleil direct. Les palmiers ont un tronc ligneux, non ramifié. Leurs grandes feuilles sont digitées, c'est-à-dire que leurs éléments sont réunis en éventail au sommet d'une tige, ou bien pennées et, plus rarement, entières et découpées au sommet. En règle générale, les palmiers ne fleurissent pas en appartement, à l'exception de *Chamædorea* qui émet assez facilement des grappes de petites fleurs jaunes ou orange. Ils apprécient les pots profonds et les cylindres modernes leur sont particulièrement bien adaptés. Il faudrait, pour bien faire, glisser un cylindre dans un autre plus grand, celui de l'intérieur étant percé au fond de nombreux trous et bien drainé. Cela permettrait de baigner le palmier et de vérifier qu'il ne reste pas d'eau stagnante au fond du pot.

À cause de leur endurance à l'obscurité, on les a longtemps utilisés en alternance. Après quelques mois passés dans l'immeuble d'une société ou dans un hôtel, ils allaient, pendant un certain temps, se refaire une santé dans une serre, puis reprenaient leur place. Les lecteurs qui possèdent une petite serre ou un jardin d'hiver pourront s'inspirer de cette pratique. La location de palmiers, telle qu'elle était en usage dans les années 20, est passée de mode.

On donne parfois le nom de palmiers à des plantes d'appartement totalement étrangères à la famille, comme le *Yucca*. C'est une confusion de langage que nous n'imiterons pas.

Les fougères

Les fougères se distinguent des autres plantes en produisant des spores au lieu de graines. La formation de graines n'est possible que s'il y a fécondation. Les spores sont une forme anticipée des plantules, elles n'ont pas besoin d'être fécondées. Elles se trouvent sur la face inférieure des frondes. Toutes les frondes ne portent pas de spores ; il y a des frondes fertiles (porteuses de spores) et des frondes stériles.

Une autre de leurs caractéristiques est d'avoir le plus souvent des frondes composées et, plus précisément, pennées. Nous disons d'une feuille qu'elle est pennée quand les folioles sont découpées jusqu'à la nervure centrale. Chez les fougères, les folioles sont quelquefois doublement et même triplement pennées. Les fougères affectionnent une atmosphère humide et leur motte doit être mouillée en permanence. Dans une pièce chauffée, il leur faudra la présence de nombreuses autres plantes ou d'un humidificateur pour satisfaire leurs exigences. Leur arrosage pose des problèmes. Elles ont horreur de l'eau stagnante mais supportent encore beaucoup moins bien que leur motte se dessèche. La meilleure façon de les cultiver est de les planter dans des pots en plastique bien drainés (mettre une bonne couche de tessons au fond du pot). Le bac à réservoir d'eau est exactement ce qu'il leur faut : nos essais ont été concluants.

En principe, les fougères ne sont pas des plantes qui durent très longtemps. Elles résistent rarement au-delà de six mois. Elles se satisfairont d'emplacements relativement sombres, comme l'âtre d'une cheminée inutilisée, pourvu qu'il n'y ait pas de courants d'air (fermer la trappe), ou même d'encoignures de pièces où d'autres plantes rendraient l'âme au bout de quelques jours. Les fougères, elles, y survivront des mois durant. Soignée avec attention, rempotée à temps et bien éclairée, une fougère tiendra des années. L'espèce « corne d'élan », dont les frondes protégées par une pellicule cireuse résistent bien à la sécheresse, confirme cette observation : suspendue dans un endroit pas trop sec, elle deviendra opulente. Les fougères sont des plantes qui s'intègrent avec un égal bonheur aux intérieurs modernes et à tous ceux de style ancien. Le vert frais de leurs frondes se détache bien sur un fond sombre comme celui du bois.

La plupart des fougères sont des plantes qui ne durent pas, mais leur beauté, si brève soit-elle (quelques mois), est tout à fait remarquable. Ci-dessus : un *Nephrolepis*.

Le *Platycerium* ou « corne d'élan » est une fougère persistante. Une pellicule cireuse protège ses frondes contre l'ambiance desséchante des appartements.

Broméliacées

À propos de la culture des broméliacées, nous avons déjà remarqué, à la p. 69, que la plupart des espèces de cette famille doivent figurer au nombre des plantes éphémères, étant donné que la rosette mère meurt après avoir produit sa fleur et que la culture des rejets n'est possible que si l'on a une serre. Ceci ne doit pas nous empêcher de tirer parti de leur valeur décorative dans l'appartement, puisque la plante met plus d'un an à mourir. Les variétés à feuillage vert, mais surtout celles à feuillage coloré entrent souvent dans la composition des massifs en bac. Il faut, pour qu'elles produisent de l'effet, mais ceci est un avis tout personnel, les associer à des plantes qui, dans la nature,

poussent dans un milieu analogue au leur. Une broméliacée plantée avec un cactus du désert peut composer un tableau spectaculaire.

Les broméliacées sont des plantes de tout premier ordre pour une vitrine de plantes tropicales : rien ne pourra mieux leur convenir qu'une atmosphère humide et confinée. Il existe des espèces très intéressantes. L'amateur aura du plaisir à en cultiver sur des souches rhizomateuses de fougères. La multiplication en vitrine pose très peu de problèmes et le remplacement des sujets est donc assuré.

Les rares broméliacées d'appartement aux rosettes coriaces, comme *Billbergia nutans*, qui émettent rosette sur rosette et fleurissent régulièrement, sont de belles plantes aux lignes nettes, très appréciées des amateurs. On les voit malheureusement assez peu souvent.

On peut facilement réaliser soi-même un arbre porteur d'épiphytes pour une vitrine ou une serre où l'on dispose d'un peu plus d'espace. Si l'on peut se procurer un vrai tronc d'arbre, c'est parfait, mais une grosse branche suffira. Choisir un tronc de robinier, bien noueux, aux ramifications décoratives, ou un vieux *Rhus*. Le fixer solidement sur un socle de métal ou de béton, bien lourd. Aux fourches des branches, on cale des morceaux de racines de fougère arborescente ou des blocs de sphagnum et on y installe les plantes, que l'on attache avec un fil de cuivre (ne rouille pas). L'arrosage peut se faire au moyen de brumisateurs fixés en haut de la vitrine ou de la serre.

On peut également se fabriquer un support à épiphytes à l'aide de conduits d'évacuation en P.V.C. d'une section de 32,40 ou 50 mm. Ces tuyaux sont vendus avec divers raccords coudés ou à branches multiples, que l'on combinera entre eux. On choisira naturellement un conduit plus gros pour le tronc que pour les branches.

Quand l'arbre est monté, on l'habille de liège ou de mousse, comme on le fait pour les tuteurs. Si les raccords sont bien bouchés, l'arbre en P.V.C. sera parfaitement étanche et on pourra le brancher sur une alimentation d'eau dont le débit se réglera au moyen d'un robinet. Puis, on perce des trous minuscules dans les tuyaux, en des endroits bien étudiés. La mousse et les plantes fixées dessus pourront, de cette façon, profiter d'un arrosage automatique ou semi-automatique et on s'épargnera une corvée. On peut aussi se servir de tuyaux percés (type Nobel) que l'on enroule autour du tronc et que l'on recouvre entièrement de mousse pour les rendre invisibles.

Plantes grimpantes et retombantes

Les plantes grimpantes et retombantes sont un élément indispensable du décor végétal de l'habitation. Les murs en belle maçonnerie nue sont très en faveur dans les constructions modernes. On peut y faire courir des plantes grimpantes qui seront bassinées quotidiennement : un traitement impensable si les murs sont tapissés ! L'association plantes-pierres ou plantes-briques est très flatteuse.

Il existe une quantité infinie de plantes grimpantes. Elles n'ont pas toutes, comme le lierre, de solides ventouses pour s'accrocher sans aide. Il faudra souvent leur fournir un léger support, soit en fixant des petits crampons dans le mur, soit en tendant des fils. Mais on les verra alors s'élancer à l'assaut du plafond.

Les plantes retombantes sont, elles, tout indiquées pour orner les cages d'escalier et les mezzanines qui font souvent partie de l'architecture moderne. Leurs tiges peuvent se limiter à quelques centimètres ou atteindre facilement 5 m de long. Il faut les planter dans des jardinières lourdes et très stables.

Les petites plantes rampantes ou retombantes font aussi office de couvre-sol dans les grands bacs dont elles festonnent gracieusement les bords. On les utilisera aussi bien dans les grands bacs à plantations composées qu'au pied des plantes solitaires dont elles atténueront un peu le caractère artificiel.

Lorsqu'on installe des plantes grimpantes et retombantes, il est bon de se souvenir qu'à deux mètres du sol, la température est un peu plus élevée que derrière une fenêtre ordinaire. C'est surtout vrai l'hiver, quand l'habitation est chauffée et que l'air chaud se masse en haut des pièces. On s'en rend compte quand on monte sur un tabouret pour fixer quelque

Tout en haut : *Æchmea fasciata* est une très belle broméliacée. Elle commence à mourir dès que sa fleur s'est épanouie.

Ci-dessus : bon nombre de broméliacées sont épiphytes à l'état sauvage. On peut les cultiver sur un vieux tronc d'arbre en compagnie de toutes sortes de plantes grimpantes et rampantes.

chose au plafond. La plante y est sensible, elle aussi, et on fera bien de ne choisir que des espèces marquées ☺. Pour les cages d'escalier, où il fait généralement plus frais, on pourra prendre des plantes marquées ☺ et ☺.

On néglige fréquemment d'arroser les plantes placées si haut. On les plantera donc dans des pots pas trop petits où pourra s'accumuler une réserve d'humidité. On trouve à acheter des suspensions spéciales avec soucoupe, fort pratiques, qui permettent de recueillir l'excédent d'eau. Dommage que leurs formes soient si rarement attrayantes.

« Arbres » d'appartement

Il existe dans le commerce des plantes d'appartement dont le développement est tel qu'on peut les considérer comme de véritables arbres d'appartement. Ils offrent d'immenses possibilités de décoration, mais ils ont aussi leurs problèmes spécifiques, que nous allons examiner. On connaît bien les différentes sortes de *Ficus*, dont *Ficus benjamina* est la plus répandue.

Il leur faut de grands conteneurs solides où ils n'auront à souffrir d'autre concurrence que celle d'une petite plante couvre-sol. Dans leur jeunesse, un pot plus petit leur suffira, mais il faudra veiller à les rempoter à temps. Ils croissent à toute vitesse et il est parfois nécessaire de les rempoter trois fois par an.

En appartement, ils atteignent facilement le plafond. Il n'est pas nécessaire de les rabattre car leur ramure s'inclinera d'elle-même avec beaucoup de grâce. Ce n'est pas le cas de tous les caoutchoucs. *Ficus elastica* devient très haut mais se ramifie difficilement et ne donne pas un bel arbuste. On en plantera trois à cinq sujets par pot et on les étêtera à plusieurs reprises quand ils auront entre 50 et 100 cm de haut : de cette façon, on obtiendra un exemplaire acceptable.

Une fois que l'« arbre » d'appartement a atteint plusieurs mètres de haut, on peut le laisser dans un conteneur de 80 cm de diamètre, sans qu'il soit désormais nécessaire de le rempoter. On se contentera de le fertiliser régulièrement en été et surtout de veiller à l'arrosage. Un hygromètre viendra bien à point. Des bacs d'hydroculture ou à réservoir d'eau sont tout indiqués dans ce cas.

Tous les arbrisseaux d'appartement ne peuvent supporter la taille sans que leur port naturel en souffre. S'ils deviennent par trop envahissants, il est parfois possible de les revendre et de les remplacer par de jeunes sujets. Si on décide de les tailler, il faut y aller avec prudence et ne pas prendre le risque de gâcher leur allure générale.

Les plantes d'appartement qui atteignent des tailles aussi extraordinaires sont relativement rares. Seules les plus vigoureuses y parviennent et elles exigent pour cela une température constante aux environs de 20 °C, été comme hiver. Il faut aussi qu'elles puissent se satisfaire d'un éclairement moyen, car il n'est pas toujours simple de leur trouver une place en plein soleil. Elles appartiennent presque toutes à l'espèce *Ficus*. *Sparmania africana* a aussi besoin de beaucoup d'espace, mais exige de passer l'été au jardin, ce qui limite son emploi.

Si l'on recherche un arbrisseau d'appartement pour endroit frais, comme la cage d'escalier, on pourra faire son choix parmi les plantes d'orangerie. Surtout, bien noter les symboles avant de se décider. Nombre d'arbrisseaux dits « d'appartement », et notamment le *Yucca*, sont à déconseiller parce qu'ils exigent impérativement beaucoup de soleil et une température régulière de 20 °C. Ces plantes appartiennent en réalité à la catégorie des plantes d'orangerie. Il faut se méfier des appellations fallacieuses, on s'expose à de très grosses déceptions.

Plusieurs troncs de *Dracæna* plantés dans un grand bac. La façon la plus rapide d'obtenir un arbuste d'appartement.

Le plus connu et sans doute le meilleur des arbustes d'appartement est *Ficus benjamina*.

Tout en haut : ce *Cissus rhombifolia* palissé sur un mur rouge vif produit un effet de contraste saisissant.

Ci-dessus : très bonne utilisation des plantes retombantes qui enjambent la balustrade d'une galerie en étage. Bien éclairées, elles pousseront comme des choux.

Semis de plantes d'appartement

Pratiquement toutes les plantes d'appartement peuvent s'obtenir à partir de semis. Le tout est de s'y intéresser. À moins de disposer d'une petite serre, le semis est difficile et la culture des plantules particulièrement délicate. Mais enfin, il reste bien des espèces qui viennent facilement sur une tablette de fenêtre. On en trouvera des dizaines dans les catalogues d'un grainetier sérieux, en allant de l'*Abutilon*, l'*Asparagus*, le bégonia, le *Browallia* jusqu'au *Streptocarpus*, sans oublier toutes sortes de cactus. C'est là qu'une petite serre se révèle vraiment intéressante.

On obtient aussi beaucoup de plantes en faisant germer des noyaux de fruits tropicaux comme les dattes (fraîches !), les avocats, les mangues, les lychees, les arachides (non grillées !) et bien d'autres. Nous ne les citons pas tous, car tous ne donnent pas naissance à des plantes d'appartement durables. Lorsqu'on sème des pépins d'orange, de citron, de raisin, de pomme, etc., il faut savoir qu'on obtiendra bien sûr des plantes, mais qu'elles seront très différentes de celles qui portent les fruits comestibles. Ces espèces sont reproduites uniquement par greffage. Les pépins d'orange produisent des orangers sauvages qui portent des fruits sauvages ou pas de fruits du tout. Seules les graines de *Citrus microcarpa* (oranger miniature) donneront une petite plante d'appartement portant de minuscules oranges qui ne sont toutefois pas comestibles.

Les plantes tropicales fleurissent et fructifient difficilement en appartement. Le noyau d'avocat *(Persea americana)* donne, au mieux, une charmante petite plante, mais il ne faut pas en attendre des fruits.

Quelques légumes peuvent, à défaut de jardin, être cultivés avec succès à l'intérieur. On obtiendra sans trop de peine des tomates, des cornichons et des concombres. Il ne faut pas être chiche sur la taille des pots, les légumes poussent vite. Nous nous en tiendrons là, car ce genre de culture sort du cadre de cet ouvrage.

Plantes succulentes

On parle le plus souvent de « plantes grasses ». Ces végétaux possèdent la propriété d'emmagasiner des réserves d'eau dans leurs tissus pour les utiliser pendant la saison sèche. Les cactées, qui font partie de la famille des plantes succulentes, se différencient des autres plantes grasses par la présence d'aréoles ou coussinets qui portent des épines.

Cactées

Les cactées font toutes partie d'une même famille. Quelques espèces ressemblent à des plantes à feuillage ordinaire. On connaît surtout les *Pereskia*. Les *Opuntia* ou figuiers de Barbarie forment un autre groupe. Leurs raquettes rappellent encore la forme des feuilles. Leurs aréoles portent, outre de grandes épines, des petits piquants crochus réunis en bouquets : les glochides. Quiconque a un jour manipulé ces cactus sait avec quelle facilité ces glochides se plantent dans la main (lors de rempotages, par exemple) et combien il est difficile de les extraire.

Les cactées typiques sont celles chez qui la forme originale des feuilles est devenue méconnaissable. Ces cactées ont la forme de boules ou de colonnes à côtes ou à mamelons qui portent les aréoles. C'est de ces aréoles que sortent les piquants. Certaines espèces sont couvertes de longs poils blancs qui leur servent de protection contre le soleil et limitent l'évaporation. Les cactus forestiers comme l'*Epiphyllum* et les *Zygocactus* ont un aspect tout différent. Leurs longues tiges aplaties remplissent le rôle de feuilles.

On les appelle aussi cactus orchidées. Ils portent quelques épines rudimentaires sur le bord de leurs tiges.

Plantes grasses

Cactées et plantes succulentes ou plantes grasses appartiennent à une seule et même famille. Elles ont toutes la particularité de stocker de l'eau dans leurs tissus, mais les plantes grasses n'ont pas d'aréoles.

Dans certains cas, leur parenté avec les cactées est plus qu'évidente. Certaines espèces peuvent se confondre avec les cactus-boules.

Il arrive aussi que l'on ait affaire à des formes de transition. C'est le cas des *Peperomia*, dont certains contestent l'appartenance à la famille des plantes succulentes. Parfois la réserve d'eau s'accumule dans les feuilles, quelquefois uniquement dans la tige, souvent dans les deux. Beaucoup de plantes grasses se ramifient normalement, d'autres forment des rosettes.

Formes bizarres

Les cactées et les plantes grasses prennent souvent des formes bizarres. Certaines sont fasciées en forme de crêtes ou cristées et trahissent à peine leur nature. On dirait une maladie, mais ce n'est qu'un jeu curieux de la nature et on n'en connaît pas très bien les causes. La fasciation est un phénomène qui se manifeste également sur d'autres types de plantes.

On voit aussi des cactus greffés, rouges ou jaunes, supportés par un court porte-greffe vert, d'une autre espèce. Il y a des gens qui s'imaginent que la petite boule rouge ou jaune au sommet est la fleur. Ils se trompent. C'est le cactus lui-même, qui ne contient pas de chlorophylle et ne peut, pour cette raison, pousser sur son propre système radiculaire. Il se nourrit par l'intermédiaire de la souche verte sur laquelle il est greffé.

Les cactus-serpents, longs parfois de plusieurs mètres, les cuphorbes épineuses, les cactées en forme de boule ou de colonne d'où surgissent, après une longue attente, de toutes petites feuilles vertes, toutes ces variantes de la famille des plantes succulentes sont séduisantes, aussi bien à titre décoratif pour l'appartement qu'à titre botanique pour le collectionneur.

Des plantes exigeantes

En jetant un coup d'œil à la p. 70 où il est question des soins à donner aux plantes succulentes, on s'apercevra que presque toutes requièrent une période de repos durant laquelle tous les échanges nutritifs s'arrêtent.

C'est à ce moment que se forment les boutons floraux qui écloront l'été suivant. Cette période, pendant laquelle la plante doit être exposée aux effets du froid, se situe, dans 95 % des cas, en hiver. À l'exception de quelques espèces particulièrement coriaces, indifférentes à la chaleur et qui ne fleuriront qu'exceptionnellement, les plantes succulentes ne sont donc pas adaptées aux conditions d'une pièce chauffée.

L'ignorance de ces faits très simples est cause de la déception de la majorité des gens qui achètent des plantes succulentes. Combien ne meurt-il pas de ces cactus greffés, aux couleurs chatoyantes, à cause d'une température trop élevée, d'un manque de lumière et, très souvent, d'un excès d'arrosage ? Combien de précieux *Melocactus*, venus des Antilles et dont l'exportation est maintenant heureusement freinée, n'ont-ils pas péri dans les appartements de quelques snobs continentaux ? Ces plantes merveilleuses ont des racines très profondes qui sont endommagées lorsqu'on les arrache et ne se reconstituent pas sous nos climats. Ce sont surtout les cactus qui souffrent. Parmi les plantes succulentes, on trouvera plusieurs espèces qui s'acclimatent très bien dans un appartement et peuvent y vivre plusieurs années.

Presque toutes les plantes succulentes s'accommodent, par contre, parfaitement d'une serre à cactées, chauffée et éclairée. On peut aussi les placer, durant l'été, derrière une fenêtre ensoleillée et les remiser, l'hiver, dans un garage où il ne gèle pas, un réduit ou une chambre à coucher fraîche. Abandonner une belle plante grasse dans un endroit peu éclairé et chauffé en permanence, c'est la condamner à une mort certaine. Un véritable amateur de plantes ne lui infligera pas un traitement aussi indigne.

Le semis de nombreuses plantes d'appartement est à la portée de l'amateur. Ci-dessous quelques exemples de plantes obtenues à partir de graines (présentées devant les pots). *De gauche à droite :* caféier, *Yucca*, théier, *Cordyline*, *Ficus benjamina*.

Les plantes succulentes affectent des formes infiniment variées. *Tout en haut, à gauche* : un charmant petit coin de cactées dans une serre d'amateur.

Tout en haut, à droite : une terrine de semis dans laquelle ont été repiquées diverses espèces de *Lithops*.

Ci-dessus : *Haworthia fasciata* est une plante grasse « transparente ». La lumière pénètre par ses stries jusqu'au cœur des feuilles.

À droite : un groupe d'*Espostoa*, cactus colonnaires tout couverts de poils.

En bas, à gauche : *Pachyveria* 'Clavata' a le feuillage typique des succulentes.

En bas, au centre : un groupe de *Conophytum*. Ils ressemblent à des cailloux et sont recherchés par les collectionneurs.

En bas, à droite : *Euphorbia milii*, une succulente qui emmagasine ses réserves d'eau dans ses tiges.

43

Plantes bulbeuses et tubéreuses

Comme on le lira à la p. 68, consacrée aux soins à leur donner, ces plantes sont divisées en deux groupes : celles à floraison printanière et celles à floraison estivale.

Les plantes à floraison printanière, comme les tulipes, les jacinthes, les amaryllis, les narcisses, sont des plantes d'appartement de courte durée, que l'on met en terre sous forme de bulbes, pour les voir fleurir quelques mois plus tard. Elles fleurissent pendant une semaine ou deux, près de la fenêtre puis, souvent, on les jette. On aime surtout ces plantes pour le plaisir qu'on a à les planter soi-même. Ceci explique pourquoi on trouve si rarement à acheter un pot de narcisses en fleurs : il ne procure ni plaisir, ni intérêt.

Il en va de même pour les bulbes à floraison estivale, sinon qu'on les conserve plus facilement d'une année à l'autre, surtout si la culture est conduite en serre. Un tubercule de *Gloriosa* grossira chaque année, de même qu'un bulbe d'amaryllis *(Hippeastrum)* : la culture n'en est que plus intéressante. Presque tous les bulbes et tubercules ont une période de repos strictement délimitée pendant laquelle le feuillage sèche et meurt. Rares sont les espèces qui gardent leurs feuilles en hiver.

Tous ces bulbes et tubercules remarquables, dont les vendeurs par correspondance offrent un choix très étendu, sont fort appréciés du public. Beaucoup sont encore peu connus. Exposées à une fenêtre, ces splendides fleurs exotiques attirent toujours des regards émerveillés. Le prix d'achat d'un bulbe ou d'un tubercule de bonne grosseur, dont la floraison est garantie, est généralement très inférieur à celui d'une plante commune. Il vaut donc la peine d'essayer.

Orchidées

Les orchidées sont les plantes par excellence des amateurs spécialisés qui possèdent une petite serre à part, maintenue l'hiver à 18 °C et étroitement surveillée. Il existe aussi des orchidées de serre tempérée (minimum 12 °C). Ces plantes exigent un substrat spécial et un degré d'hygrométrie relativement élevé.

On serait donc tenté de ne pas les considérer comme des plantes d'appartement. Quelques-unes font cependant exception et fleurissent malgré tout très bien en chambre. L'*Odontoglossum* est la plus robuste, mais aussi le *Cattleya*, le *Cælogyne*, l'*Epidendrum* ou le *Cymbidium* miniature, le *Lycaste*, l'*Oncidium*, le *Paphiopedilum* ou sabot de Vénus, le *Phanælopsis* sont souvent cultivés en appartement, presque toujours devant une fenêtre orientée à l'est.

La « fenêtre fleurie », lorsqu'elle est entièrement close, jouit du climat d'une serre chaude et se prête naturellement très bien à la culture des orchidées, à condition de n'être pas trop ensoleillée. Dans ce genre de vitrine, les plantes sont souvent cultivées sur un bel arbre à épiphytes. Les espèces sont sélectionnées très soigneusement, car il faut que leurs exigences concordent.

La fleur de l'orchidée est très caractéristique. Elle est composée de trois sépales. Le sépale supérieur porte le nom d'étendard. La corolle est formée de trois pétales. L'un d'eux, une sorte de lèvre, est le labelle. Au centre se dressent le style, le stigmate et les étamines, soudés au gynostème. Il n'est pas rare que la tige d'une orchidée mesure plusieurs mètres.

Les orchidées sont des plantes chères, mais les espèces les plus répandues répertoriées dans cet ouvrage sont d'un prix accessible. Le fleuriste n'en a généralement que très peu en réserve. On peut les choisir sur catalogue chez un spécialiste. Elles arriveront expédiées par la poste.

Bonsaï

Bonsaï signifie « arbre sur plateau ». C'est donc un arbre en pot et il a sa place dans ce livre. Mais les Japonais, qui ont emprunté aux Chinois l'art de cultiver des plantes d'extérieur dans des récipients, n'entendent pas par là la même chose que nous. Les bonsaï sont effectivement des plantes en pot, mais ce ne sont pas pour autant des plantes d'appartement. À l'origine, il s'agissait d'arbrisseaux ou de buissons

Tout en haut : on pratique surtout le forçage sur les bulbeuses printanières.

Ci-dessus : des orchidées. Plantes pour amateurs spécialisés.

Ci-dessous : différentes formes de bonsaï : arbres nanifiés selon une technique japonaise. Les bonsaï ne sont pas, à vrai dire, des plantes d'intérieur.

rabougris, aux formes noueuses, ramassés sur le versant des collines. Par la suite, on procéda par semis. Les tiges des plantes étaient tordues au moyen de fils de fer et taillées pour obtenir la forme souhaitée. C'est ainsi que l'on procède toujours au Japon.

Nous importons du Japon d'innombrables bonsaï avec leur récipient pour la revente. Les sujets âgés valent très cher. Nos horticulteurs les élèvent aussi à partir de graines. Un amateur peut essayer d'en faire autant. Il n'est nullement indispensable de choisir des espèces typiquement japonaises, comme le pin noir japonais *(Pinus thunbergiana)*. De nombreux végétaux que l'on trouve couramment dans nos jardins peuvent devenir des bonsaï. C'est le cas du *Cryptomeria japonica* (cyprès du Japon), du hêtre, de la glycine, du cytise, du cerisier du Japon, de l'orme, du genévrier, etc. En principe, tous les végétaux ligneux, rustiques dans nos régions, peuvent convenir pourvu que leurs feuilles ne soient pas trop grandes, car ceci peut être gênant.

Les bonsaï doivent autant que possible séjourner dehors, bien exposés à la lumière et à l'air frais. Pour éviter que les petites plantes ne soient renversées par le vent ou inondées par la pluie, on les place souvent sous un léger abri. On place à leur intention une étagère contre un mur abrité du vent d'est : donc orienté à l'ouest. L'étagère est bâtie de 4 à 5 tablettes en gros bambous, surmontées d'un petit toit en pente qui évitera aux plantes d'être mouillées par la pluie. Devant et sur les côtés, on place des petits stores enroulés, que l'on baisse lorsque les conditions climatologiques sont particulièrement mauvaises.

La plupart des espèces sont totalement rustiques et peuvent passer l'hiver dehors. Mais de très fortes gelées peuvent endommager les terrines et les vases, c'est pourquoi on les protège. Les espèces à feuillage caduc ne posent aucun problème : une bonne couche de roseaux leur fournit une protection suffisante. Les bonsaï à feuillage persistant ont besoin de lumière, il leur faudra donc un châssis vitré, abrité du gel. L'idéal est d'avoir une petite serre froide, car le bonsaï ne peut en aucun cas passer l'hiver dans un endroit chaud. Une température trop élevée provoquerait l'éclosion prématurée des bourgeons et rendrait la plante excessivement sensible au gel.

On reconnaît plusieurs styles de bonsaï : le bonsaï en cascade, le bonsaï accroché sur un rocher, le bonsaï au tronc dressé et raide, le bonsaï au tronc couché par le vent, le groupe d'arbres miniature, etc. Tous portent de merveilleuses appellations japonaises. Leur forme définitive doit avoir un air naturel, mais elle est le résultat de l'intervention humaine et ne s'obtient qu'au prix de savantes torsions et tailles répétées pendant des années. On enroule un fil de cuivre autour des jeunes rameaux encore flexibles et on leur donne la forme recherchée. Le bois, en vieillissant, durcit et se fige dans la position qu'on lui a imposée. On enlève alors le fil.

Le choix de la terrine ou de la coupe est un problème au moins aussi délicat que celui du style de la plante. Il existe des clubs où les amateurs sérieusement intéressés peuvent être initiés à cet art.

Les bonsaï réclament de l'eau et de la nourriture au même titre que n'importe quelle autre plante. De temps à autre, il est même nécessaire de les rempoter. Il faut éviter qu'ils ne poussent trop vite, mais leur végétation doit rester active si on veut leur conserver leur vigueur. Pour le fanatique de bonsaï, les départs en vacances sont exclus, car c'est justement en été que les terrines doivent être arrosées au moins deux fois par jour. L'opération doit être menée avec soin et il n'est pas question de la confier à un profane.

Procédés de culture de remplacement

Pour qu'une plante se développe normalement, il faut que ses racines plongent dans un substrat contenant l'humidité, l'air et la nourriture dont elle a besoin. Pendant des siècles, on s'est servi pour cela d'un « compost » qui était un mélange de terre franche, de terreau de feuilles décomposées et d'argile finement émiettée, auquel s'ajoutait une quantité d'autres ingrédients (voir p. 62). Un mélange de cette nature garantissait, grâce à sa consistance grumeleuse, une bonne perméabilité à l'air et à l'eau et une réserve d'éléments nutritifs sous diverses formes.

Comme ces mélanges d'éléments naturels étaient d'une préparation compliquée, on s'est tourné vers ce que les Anglais appellent le « soilless compost », c'est-à-dire le compost sans terre. C'est, en général, un mélange à base de tourbes diverses et de sable grossier qui, lui aussi, contient toutes les réserves d'air, d'eau et d'éléments nutritifs indispensables à la plante. De plus, il est suffisamment lourd pour fixer solidement la plante au sol.

Hydroculture

Déjà au siècle dernier, Van Liebig avait découvert qu'une plante pouvait fort bien se développer dans un verre d'eau, pourvu qu'on rajoutât à l'eau les éléments nutritifs nécessaires à sa croissance. Il parvint de cette manière à déterminer de façon précise les besoins exacts des plantes. Mais la culture hydroponique ne connut pas tout de suite un prolongement commercial.

Ci-dessous, à gauche : les racines qui se développent dans l'eau diffèrent de celles qui poussent dans la terre.

Ci-dessous, à droite : panoplie de culture hydroponique vendue actuellement dans le commerce. Des boutures faites dans l'eau peuvent être directement empotées dans ces récipients.

Tout en bas : grand bac d'hydroculture dans un immeuble de bureaux.

Ce n'est que dans les années 30 qu'on relança les expériences dans le domaine de l'hydroculture. En 1938, mon frère, G.P. Herwig, avait converti à l'hydroculture quelques dizaines de m² de culture de tomates dans les serres paternelles. Pendant la Deuxième Guerre mondiale, les Américains introduisirent la culture hydroponique dans l'île Ascencion pour répondre aux besoins de leurs troupes en stationnement.

Après la Deuxième Guerre mondiale, les amateurs essayèrent à leur tour le procédé sur leurs cultures d'appartement. Beaucoup se souviendront sans doute de ces pots en matière de couleur verte dans lesquels on suspendait un petit grillage contenant des particules de basalte. On introduisait la plante dans le pot de façon qu'une partie de ses racines plongeât dans une solution nutritive tandis que l'autre se développait dans les particules de basalte. Ce mode de culture se répandit petit à petit. C'était amusant et cela rendait service aux gens qui n'étaient pas tous les jours chez eux pour arroser leurs plantes.

Des racines qui s'adaptent au milieu de culture

Au cours des expériences menées en hydroculture, on s'aperçut bientôt que la plante était capable d'émettre deux types de racines physiologiquement différentes : des racines qui se développent dans la terre et des racines qui se développent dans l'eau. Une bouture de balsamine plongée dans un verre d'eau produit des racines d'eau. Ces racines sont capables d'absorber l'oxygène contenu dans le liquide. Si l'on plante la même bouture dans la terre, elle émet des racines normales qui empruntent leur oxygène aux particules de terre. Le passage dans un milieu terreux d'une plante pourvue de racines d'eau (et le contraire) s'accompagne d'une période d'adaptation peu profitable à la plante. Pour elle, c'est comme si on la bouturait à nouveau. Plus la plante est jeune et plus la conversion est aisée.

Une fois ces faits bien établis, les pépiniéristes se mirent à élever des plantes spécialement destinées à la culture hydroponique, ce qui évitait à l'acquéreur de pratiquer le fastidieux passage de la plante d'un milieu à un autre. Les résultats furent concluants. Les plantes élevées dès le départ en milieu liquide donnèrent des résultats bien supérieurs à celles dont on avait démarré la culture sur sol.

Les granulés d'argile et la commercialisation de l'hydroculture

À peu près à la même époque, un pépiniériste astucieux s'avisa que le matériau de remplissage, basalte ou pierre ponce, qui avait servi jusque-là à maintenir la plante dans son pot, pouvait être remplacé par des granulés d'argile cuite. Ces granulés sont peu poreux, ils sont chimiquement inertes et offrent un solide ancrage aux racines.

On eut vite fait de se rendre compte que les immeubles de bureaux et les lieux publics allaient figurer en tête de liste parmi les clients potentiels. La firme Luwasa, en Allemagne et en Suisse, fit aussitôt les choses en grand. On fit venir d'immenses jardinières et bacs aux couleurs attrayantes. On les remplit de granulés d'argile dans lesquels furent plantés des végétaux spécialement préparés. La solution nutritive remplit environ la moitié du récipient. De cette façon, une partie des racines est immergée tandis que l'autre se développe dans la partie supérieure, parmi les granulés secs. Cette méthode permet aux plantes d'absorber au maximum la nourriture et l'oxygène dont elles ont besoin.

Un indicateur de niveau d'eau indépendant, plongé dans le bac, permet de voir à quel moment il faut le remplir. Pour les particuliers, on trouve dans le commerce des bacs avec voyant qui fonctionnent selon le même principe.

Les recherches se poursuivent et les granulés d'argile sont en passe d'être supplantés par des matières nouvelles, comme le Biolaston qui se présente sous la forme de bâtonnets noirs de 4 cm de long et 2 mm de diamètre. Peu importe leur nature ou leur aspect, l'essentiel c'est qu'elles soient chimiquement inertes et maintiennent les plantes solidement. Le succès des granulés d'argile tient à leur couleur qui fait naturel et est agréable à l'œil.

Facilités accrues grâce à l'échangeur d'ions

La solution nutritive utilisée en hydroculture s'obtient grâce à l'adjonction dans l'eau de pastilles solubles ou de liquides concentrés à diluer. L'eau évaporée est régulièrement remplacée, mais périodiquement il faut siphonner toute l'eau contenue dans le réservoir, que l'on rince soigneusement à l'eau pure avant de le

remplir d'une nouvelle solution nutritive. La solution est en effet régulièrement polluée par les déchets résultant du métabolisme des plantes et, surtout, elle se charge de dépôts calcaires particulièrement néfastes aux plantes.

En réalité, l'hydroculture pratiquée de cette manière est loin de supprimer toutes les corvées et un grand pas en avant a été fait par la firme Bayer, bien connue pour ses aspirines, quand elle a introduit son système basé sur l'échangeur d'ions. Qu'est-ce que le Lewatit HD 5 ? Ce produit, que l'on peut acheter en vrac ou en cartouches de 25 cm³, contient tous les sels minéraux et autres substances nutritives nécessaires à la plante, incorporés sous forme d'ions à une matière synthétique spécifique. L'intérêt de ce produit, c'est que la matière synthétique en question a la propriété d'absorber les ions aux plantes. Il est même indispensable que l'eau contienne du calcaire et des impuretés, car ce sont eux qui permettront aux ions nutritifs de se libérer. Ce processus de substitution, ions nutritifs contre ions nocifs, se poursuit jusqu'à ce que la cartouche se soit vidée de ses substances nutritives et se trouve saturée de déchets. Il dure environ six mois, au bout desquels on remplace la cartouche et le processus recommence.

Les petites plantes se satisferont d'une cartouche de 25 cm³. Les plus grandes en exigent deux. Pour les bacs, on compte un demi-litre de Lewatit pour une surface de 1 m². Tout ce qu'il reste à faire, c'est remplacer l'eau évaporée par de l'eau du robinet.

Les avantages et inconvénients de l'hydroculture

On prétend souvent que les plantes se développent mieux en milieu hydroponique. Nous ne sommes pas de cet avis et fondons notre opinion sur l'observation de plantes identiques élevées dans des conditions optimales selon les procédés traditionnels. Le hic c'est que les plantes cultivées sur sol ne jouissent pas toujours de ces conditions optimales. Celles qui sont élevées dans des bacs modernes étanches en plastique reçoivent souvent trop d'eau, et c'est là que l'hydroculture triomphe. L'hydroculture serait-elle donc la planche de salut pour tous ceux qui sont empêchés de veiller normalement aux soins de leurs plantes ? Parfois, oui. Par exemple dans les bureaux, où les jeunes ont la réputation d'être totalement ignorants de la culture et indifférents aux plantes. Est-ce toujours vrai ? On peut penser qu'une méthode trop simple et trop sûre n'est peut-être pas le bon moyen de créer l'intérêt. L'hydroculture a pour elle l'avantage de garantir à la plante une réserve d'humidité suffisante pour au moins une semaine, quelquefois pour un mois. Le problème des longs week-ends et des petites vacances se trouve ainsi tout résolu. L'allongement du temps libre et le goût grandissant pour les voyages peuvent aussi inciter le particulier à se convertir à ce type de culture.

Son désavantage, c'est son coût. On est contraint, en tout premier lieu, d'acquérir des plantes spécialement préparées et qui valent environ 25 % de plus que des plantes élevées normalement. Le choix des plantes est beaucoup plus restreint. Il faut s'équiper de pots spéciaux, assez onéreux, munis d'indicateur de niveau d'eau ; il faut des cartouches d'engrais, une pompe aspirante pour nettoyer les pots, etc. Les fournisseurs allèguent que l'on récupère très vite la différence en allongeant la vie des plantes et en gagnant sur le temps consacré à leurs soins. Mais en a-t-on toujours les moyens ?

Systèmes à réservoir d'eau

On parle parfois de semi-hydroculture, mais ce terme prête à confusion. Qu'entend-on exactement par système à réservoir d'eau ? La plante est cultivée normalement dans de la terre, même si on accorde une préférence à des substrats très aérés. Tout au fond du pot se trouve un réservoir d'eau. Il est relié au substrat au moyen d'un ruban absorbant, d'une mèche ou quelqu'autre dispositif adéquat. Au fur et à mesure que la plante transpire, le substrat se dessèche et pompe son humidité par l'intermédiaire de la mèche. Quand le système est bien calculé (et généralement le fabricant y veille), le substrat n'est jamais ni trop sec, ni trop humide. Les pots sont pourvus d'une petite ouverture qui permet le remplissage du réservoir, et d'un indicateur du niveau d'eau. L'engrais liquide est versé dans le réservoir même et les plantes reçoivent ainsi, en même temps, l'eau et la nourriture dont elles ont besoin.

Tout en haut : bacs à plantes à réservoir d'eau dans un immeuble de bureaux. L'éclairage est probablement insuffisant !

Au centre : pots de fleurs à réservoir d'eau de taille moins importante, pour l'appartement.

Ci-dessus : grâce à cette « carotte » poreuse, la plante s'arrosera toute seule pendant les vacances.

Entre le fond du pot et le réservoir d'eau se trouve une petite nappe d'air qui communique avec l'extérieur par l'ouverture de remplissage du réservoir et assure aux racines un apport supplémentaire d'oxygène. Si on a déjà jeté un coup d'œil p. 55 au paragraphe intitulé : « Sec, humide, qu'est-ce que cela signifie au juste ? », on comprendra que des nuances comme « assez sec », « pas trop humide », « humidité permanente » n'ont aucun sens si on utilise un système à réservoir d'eau. Le degré d'humidité du substrat dé-

pend du pouvoir d'absorption du ruban ou de la mèche, et on ne peut pas s'attendre à ce que le fabricant vous livre des mèches capables de se régler sur trois degrés d'absorption différents. Il essaye d'atteindre un degré intermédiaire et les plantes qui exigent précisément ce degré intermédiaire seront celles qui prospéreront le mieux dans ce type de pot. Cette moyenne peut varier légèrement d'un fabricant à un autre, mais l'expérience montre que la balance penche généralement du côté de l'excès d'humidité. On devrait donc choisir pour ce type de récipient les plantes de la catégorie ⊗⊗. L'expérience, en tout cas, le confirme.

Avec un peu d'astuce, il est possible d'obtenir également de fort bons résultats avec les plantes marquées ⊗. Il suffit, lorsque le réservoir est vide, d'attendre une semaine avant de le remplir à nouveau. Le substrat a alors largement le temps de sécher, l'oxygène de pénétrer et la plante s'en trouve bien.

Les plantes de la catégorie ⊙ seront beaucoup moins à l'aise dans un pot à réservoir d'eau. On peut essayer de rétrécir le ruban ou d'utiliser un substrat moins absorbant (en y mêlant beaucoup de sable), mais c'est beaucoup de chipotage et il est plus simple de cultiver ces plantes selon la méthode orthodoxe.

Les plantes qui exigent une période de repos seront totalement privées d'eau dès le début de cette période. En même temps, on les transportera dans un endroit plus frais. Pour prévenir un dessèchement total, on arrosera de temps à autre le substrat, en surface, avec un peu d'eau tiède. Si l'eau descend dans le réservoir (on le contrôlera sur l'indicateur de niveau d'eau), c'est le signe que l'on a trop arrosé. À l'expiration de la période de repos, on remet la plante dans un endroit plus chaud et on remplit le réservoir.

Les plantes gourmandes en eau vident le réservoir en une semaine. Si on doit s'absenter pour une période plus longue, il faut bricoler un petit système. C'est très simple, il suffit de connaître le principe des vases communicants.

Relier les pots à un grand réservoir d'eau (baquet ou bassine) au moyen de tuyaux d'alimentation d'aquarium (veiller à ce qu'il ne reste pas de bulles d'air dans l'eau des tuyaux). Contrôler que le système fonctionne bien et partir en vacances, l'âme en paix.

L'avenir du système à réservoir d'eau nous paraît bien assuré. Il est plus simple à mettre en œuvre que celui de la culture hydroponique et comporte des avantages équivalents. Le rempotage ne s'impose que si la plante déborde du pot ou que sa taille est disproportionnée par rapport à celle du pot. Les engrais se distribuent sans problème dans l'eau du réservoir.

Il est évidemment très important que ces pots répondent à un certain nombre d'impératifs esthétiques. Au début, la plupart d'entre eux, de fabrication française, étaient vraiment disgracieux. Depuis, on a fait appel à des stylistes et l'on trouve aujourd'hui des conteneurs tout à fait acceptables. Certains sont recommandés pour l'utilisation à l'extérieur.

Systèmes de dépannage

Tout système à réservoir d'eau repose sur les effets de la capillarité. Nous avons retenu trois petits trucs de dépannage pour les vacances (voir p. 67). Le premier est celui du fil de laine qui relie le pot de fleurs à un récipient plein d'eau. On peut toujours espérer qu'il marchera. La mèche qui relie le pot à une bassine placée plus bas est peut-être plus fiable. Mais quelle ne doit pas être la taille de la bassine ? Il y a aussi les petites carottes de terre cuite qui, par l'intermédiaire d'un fin tuyau, aspirent l'eau contenue dans un seau. Ce n'est pas tellement bon marché, mais cela marche à coup sûr (voir photographie). Il faut un seau d'eau pour deux ou trois pots. Maintenant que les systèmes à réservoir d'eau ont commencé leur conquête du marché, les fabricants d'autres procédés n'auront qu'à bien s'accrocher.

Problèmes d'éclairement

La lumière est un facteur de croissance indispensable à toutes les plantes d'appartement ; nous y reviendrons plus longuement p. 53. La façon de mesurer l'intensité de la lumière à l'aide d'un luxmètre ou, à défaut, du posemètre d'un appareil photographique est exposée p. 52. Le minimum exigé par une plante robuste se situe aux environs de 1 000 lux, mesure effectuée en hiver. Certains auteurs avancent 700 lux, mais il faut alors que la plante soit d'une robustesse exceptionnelle, sinon elle a tendance à filer.

Si l'on tient absolument à faire pousser une plante dans un endroit chichement éclairé par la lumière du jour, il ne reste d'autre moyen que le recours à la lumière artificielle. L'industrie est à notre disposition pour fournir aux bureaux et aux habitations toutes sortes de moyens d'éclairage, pourvu que l'on paie.

Exigences spécifiques des plantes

La plante ne réagit pas au spectre lumineux de la même manière que l'œil humain (voir p. 52). L'homme peut très facilement lire à la lueur d'une lampe à incandescence, mais cette lumière, quelle que soit son intensité, ne suffira pas à faire pousser une plante. Il faut donc recourir à d'autres moyens d'éclairage, tels que les tubes fluorescents, les lampes spéciales pour plantes, les lampes à vapeur de mercure, d'iode ou de sodium sous haute tension. Les trois premiers types de lampes servent à l'éclairage des habitations et des bureaux, les deux derniers sont réservés à l'usage des pépiniéristes.

Des lampes puissantes pour l'œil humain doivent néanmoins être placées relativement près au-dessus des plantes, car leur pouvoir éclairant est trompeur. Un tube fluorescent de 32 watts, placé à 1 m au-dessus d'une plante, ne lui dispense qu'une intensité lumineuse de 520 lux, une lampe pour plantes de 160 watts, de chez Philips, en a une de 700 lux et une lampe à vapeur de mercure à haute tension de 125 watts a une intensité de 1 200 lux. Comme éclairage principal, à cette distance, ce n'est guère satisfaisant, disons même, carrément insuffisant. La surface éclairée à 1 m est très limitée, elle fait au plus 1 m de

diamètre ; au delà de ce périmètre, l'éclairement diminue de façon sensible.

Si l'on veut faire pousser des plantes uniquement à la lumière artificielle, il faudra des batteries de lampes, un peu partout, pour produire une lumière ambiante d'une intensité de 1 000 lux. Et ceci ne satisfera qu'aux exigences des plantes les moins avides. Mieux vaut ne rien dire des plantes à fleurs et de celles qui ont des exigences élevées, comme les cactées.

Par contre, si la lumière artificielle sert seulement de complément à un éclairage naturel trop faible, on peut espérer de bons résultats.

Quand faut-il laisser les lampes allumées ?

On sait qu'un éclairement satisfaisant déclenche chez les plantes le phénomène de photosynthèse (voir p. 49). La plante rejette de l'oxygène et absorbe du gaz carbonique. Dès que l'obscurité s'installe, commence la respiration : la plante absorbe l'oxygène et rejette le gaz carbonique. Les deux processus sont nécessaires à la santé de la plante. On a prouvé qu'une plante avait besoin de bénéficier d'au moins 6 heures d'obscurité d'affilée (il y a des exceptions). Ceci implique qu'elle peut supporter 18 heures d'éclairement naturel ou artificiel.

On peut se baser sur ces données pour régler l'éclairage artificiel des plantes. Il est possible de tirer parti des sources lumineuses naturelles et artificielles à la fois, mais on peut aussi ne recourir à l'éclairage artificiel que pour suppléer aux lacunes de l'éclairage naturel. Ainsi, en période d'hiver, où l'on a le plus besoin d'éclairage artificiel, on peut allumer le matin, entre 4 et 8 heures, et le soir, entre 17 et 22 heures. La jonction se fera tout naturellement avec la lumière du jour ; la plante suivra son cycle respiratoire sans brusques interruptions et elle bénéficiera de ses 6 heures de repos nocturne.

Dans la salle de séjour, où l'on vit le soir, la lumière artificielle peut être gênante. Pas de problème. On laisse les plantes dormir à partir de 17 heures, quand la nuit tombe, jusqu'à 23 heures. Les lumières tamisées par les abat-jour ne les dérangeront pas. On

allume à ce moment l'éclairage artificiel, que l'on laisse brûler jusqu'au lendemain matin, à la levée du jour. Les éclairages naturels et artificiels se complètent ainsi sans heurts et le repos nocturne est préservé.

Comment répartir l'éclairage ?

Les lampes spéciales pour plantes peuvent être suspendues à des fils auxquels on laisse un peu de jeu. Elles sont souvent livrées avec des réflecteurs qui concentrent efficacement la lumière vers le bas. Au fur et à mesure que la plante grandit, le fil sera raccourci, de façon que la distance entre la plante et la lampe reste constante. Il ne faudra cependant pas trop éloigner la lampe, car les feuilles du bas finiraient par manquer de lumière et par périr. Dans le cas de plantes de très haute taille, il faudra pouvoir disposer de plusieurs lampes, placées à des niveaux différents. Quand les plantes à éclairer sont placées sur un rang, le mieux est de fixer une rampe au plafond. On y adaptera autant de projecteurs que le nombre de plantes l'exige. Si on installe une rampe à double circuit, on pourra, en même temps, y fixer des spots qui pourront être allumés indépendamment et serviront d'éclairage d'ambiance dans la pièce. On peut fort bien allumer et éteindre les lampes manuellement, au moyen d'interrupteurs, mais les oublis sont fréquents. Au bureau, il n'y a personne pendant le week-end, et il arrive aussi que l'on s'absente de temps à autre de chez soi. Le rythme naturel des plantes est alors perturbé et elles le supportent très mal. Il est préférable de commander l'allumage et l'extinction des lampes au moyen d'une minuterie, ce n'est pas très cher et cela pourra rendre service pendant des années. Il faudra, cela va de soi, penser à régler sa minuterie en tenant compte des variations de lumière saisonnières.

Ces derniers temps, on a vu apparaître sur le marché des lampes spéciales pour plantes, en provenance de Chine et qui, aux dires de l'emballage, faisaient des merveilles. Leur faible puissance laisse toutefois subsister des doutes quant à leur efficacité. On peut facilement vérifier l'intensité de la lumière, mais pas la qualité de son spectre. L'achat de telles lampes est fortement déconseillé.

En haut : des lampes spécialement conçues pour l'éclairage des plantes permettent à ces *Dracæna* de prospérer dans un endroit sombre.

À droite : un éclairage artificiel dispense sa lumière à ces grands bacs d'hydroculture. Dissimulées dans le plafond, des lampes à vapeur de mercure éclairent les plantes pentant une partie de la nuit.

Les mille et une astuces de la culture

Introduction

On a voulu, dans cette partie de l'ouvrage, rassembler l'essentiel des « recettes » susceptibles d'aider l'amateur à soigner ses plantes d'intérieur. Après un bref examen théorique du fonctionnement des plantes : rôle des racines, des feuilles et des fleurs, nous étudierons plus à fond leurs facteurs de croissance, c'est-à-dire les conditions extérieures indispensables à leur bon développement. Ce chapitre est, en quelque sorte, un commentaire circonstancié des symboles que nous utilisons dans la partie encyclopédique.

Vient ensuite tout ce qu'il est bon de savoir au sujet des substrats, des pots, des soins quotidiens, de la construction des jardinières et bacs fixes et des vitrines, sans oublier le problème des vacances. Quelques pages sont consacrées à des groupes de plantes particuliers. Rien n'a été laissé de côté en ce qui concerne la multiplication. Et nous avons, pour terminer, établi une liste des principaux ravageurs et maladies des plantes.

Nous avons pensé que quelques notions de botanique pourraient aider le lecteur à mieux tirer parti de cet ouvrage. Il est évident qu'un amateur qui a bien compris le processus fondamental du développement des plantes obtiendra de meilleurs résultats. Les notions abordées ne vont pas au-delà de ce qu'on a pu apprendre sur les bancs de l'école. Il s'agit tout simplement de se rafraîchir la mémoire.

Un peu de botanique

De la graine à la plante

Bon nombre de plantes s'obtiennent facilement à partir de graines. Les fougères, il est vrai, ne produisent pas de graines, mais des spores : dans la pratique ceci ne modifie pas leur mode de reproduction. Si on se limite aux plantes à graines, on peut distinguer celles dont les graines contiennent un seul lobe séminal (ou cotylédon) et celles dont les graines en contiennent deux ou davantage. La différence se manifeste au moment de la germination : suivant le cas, on voit surgir de terre une ou deux petites feuilles. Les broméliacées, les orchidées, les liliacées, les palmiers, les aracées et bien d'autres familles appartiennent au premier groupe. Les plantes d'appartement se rattachent cependant, dans leur majorité, au second. On parle couramment de monocotylédones et de dicotylédones. Les conifères, qui forment une classification à part, ont plus de deux cotylédons.

Lorsqu'on décortique une graine assez grosse, — par exemple un noyau d'avocat — on découvre, sous l'enveloppe protectrice, deux cotylédons. À l'endroit précis où ils se rejoignent se trouve le germe, l'embryon de la plante, dans lequel il est déjà possible de discerner la naissance de la racine et de la tige.

Si l'on enfonce avec précaution quelques pointes d'allumettes dans le noyau, de façon à pouvoir le maintenir au-dessus d'un verre rempli d'eau, on verra, à condition que la température soit suffisamment élevée, la racine percer d'abord l'écorce qui enveloppe le noyau, puis s'ouvrir les deux cotylédons. À ce stade, il est très facile d'observer la métamorphose de l'embryon en une tigelle.

Le noyau de l'avocat possède de grands cotylédons qui contiennent une énorme quantité de réserves d'éléments nutritifs, de quoi nourrir de nombreuses feuilles sur la tige. Le processus est différent pour les graines plus petites : les cotylédons se développent alors en même temps que la tige et remplissent provisoirement le rôle des feuilles. Ce sont eux qui se chargent de l'accomplissement de la fonction de photosynthèse et stockent les éléments nutritifs qui servent à fabriquer la tige, les racines et les vraies feuilles. Lorsque les cotylédons restent sous la sur-

face du sol, on parle de germination hypogyne. Dès que les vraies feuilles ont acquis une capacité d'assimilation suffisante, les cotylédons disparaissent : leur tâche est terminée.

L'absorption des substances nutritives

L'absorption des substances nutritives se fait par l'intermédiaire des racines. Elle est particulièrement active dans la zone pileuse qui se trouve juste au-dessus de la coiffe (sorte de petit capuchon qui enveloppe l'extrémité de la racine). Ces poils, extrêmement fins (poils absorbants), naissent des cellules de l'épiderme. Leur longévité ne dépasse pas une quinzaine de jours. Au fur et à mesure qu'ils meurent, ils sont remplacés par d'autres poils issus de l'allongement de la racine. Grâce à ce processus, la plante puise constamment son eau et sa nourriture dans des couches différentes du sol. Lorsque les plantes sont cultivées dans des pots de terre cuite, on observe souvent un enchevêtrement feutré de racines à la périphérie de la motte. C'est le chevelu, qui est formé par les poils absorbants et les radicelles à la recherche d'eau et de nourriture dans les parois poreuses du pot. Lorsqu'à l'occasion d'un rempotage, on enlève ce chevelu, la plante ne tarde pas à s'en ressentir. Malgré cela, certains livres de plantes recommandent très sérieusement cette pratique !

Comment les sels minéraux, dissous dans l'eau et répandus dans la couche de drainage au fond du pot et dans ses parois poreuses, pénètrent-ils au travers de l'enveloppe cellulaire jusqu'au cœur même de la racine ? Cette question a trouvé diverses réponses au cours des temps.

On croyait, autrefois, que le phénomène d'absorption était dû au fait que la solution contenue à l'intérieur des racines était plus concentrée que celle qui se trouve à l'extérieur. Conformément à une loi naturelle, tout liquide se propage dans le sens de la concentration la plus forte. C'est le phénomène de l'osmose. Si la concentration est plus forte à l'extérieur des racines qu'à l'intérieur, le mouvement a lieu dans le sens inverse : la plante se vide. On dit que la plante « brûle ». On peut très bien provoquer ce phénomène en administrant à une plante une dose excessive d'engrais.

On s'est aperçu par la suite que la température jouait également son rôle, car à 0 °C le phénomène d'osmose est pratiquement inexistant. C'est la raison pour laquelle il faut chauffer le pied des plantes à feuillage persistant conservées en orangerie. Lorsque le soleil d'hiver pénètre par les verrières, les feuilles se mettent à transpirer. Si les caisses reposent sur un sol glacé, les racines sont incapables d'absorber l'humidité du substrat et la plante se dessèche : on le remarque à la chute des feuilles. En outre, il existe un lien entre la respiration de la plante (voir ci-dessous) et ses facultés d'absorption de l'eau. On peut en conclure que les extrémités des racines fonctionnent comme une sorte de pompe. C'est ce phénomène qui explique aussi pourquoi un hêtre ou une vigne « pleurent ».

Cette propriété des racines est encore renforcée par la transpiration de la partie aérienne de la plante. Ainsi se produit la montée de la sève.

On explique plus difficilement comment les sels minéraux sont assimilés par les racines. C'est un fait qu'ils n'irriguent pas directement les vaisseaux. Ils sont absorbés par le protoplasme vivant, essentiellement sous la forme d'ions. Il est amusant d'observer que, plantées dans un sol identique, les plantes y puisent chacune les éléments dont elles ont besoin en particulier. Chaque plante se nourrit donc suivant son propre régime. L'acidité du sol a aussi son importance : nous parlons de plantes calcicoles et de plantes calcifuges. Cette caractéristique figure sous forme de symbole au regard du nom des plantes, dans leur description.

L'assimilation

L'assimilation est un processus par lequel la plante transforme en une substance qui lui est propre les matières qu'elle absorbe, notamment au travers de ses feuilles. C'est de cette façon que s'accomplit sa croissance.

Ses stomates sont capables d'absorber d'énormes quantités de gaz carbonique contenu dans l'air. On a pu calculer qu'en une seule journée d'été, une fleur de tournesol fixe 25 g de carbone : c'est la quantité contenue dans 120 m³ d'air. Mais comme la plante n'utilise qu'environ 1/3 du gaz carbonique contenu dans l'air, elle a dû inhaler, ce jour-là, quelque chose comme 360 000 l d'air. Par contre, un cactus, qui a peu de stomates et qui croît donc lentement, ne respire pas plus d'1 ou 2 l d'air au cours d'une chaude

---

Le processus de germination s'observe facilement sur de grosses graines. Procéder comme sur les croquis. Ce noyau d'avocat contient des réserves d'éléments nutritifs suffisantes pour permettre le développement des racines, de la tige et des feuilles. Lorsque les graines sont plus petites, les réserves sont moindres. Les cotylédons poussent alors avec la tige et remplissent provisoirement le rôle des feuilles. En règle générale, les racines se forment en premier, puis viennent la tige et les feuilles.

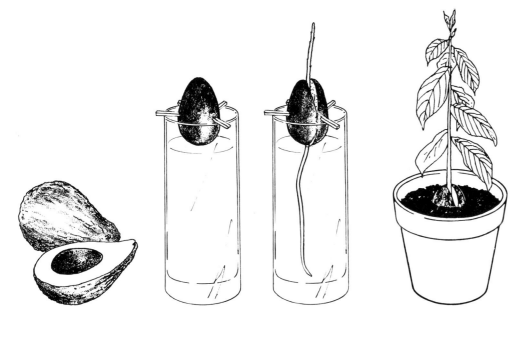

journée. Mais ses besoins en carbone sont aussi très restreints.

Le gaz carbonique de l'air pénètre dans les cellules, donc dans le tissu chlorophyllien des feuilles. Ceci se produit durant le jour, quand les stomates sont ouverts et que la lumière excite les molécules du tissu chlorophyllien. Ce phénomène permet aux molécules d'eau (absorbées par les racines) de se décomposer en hydrogène et oxygène. Il s'agit là d'une réaction photochimique. L'hydrogène réduit l'acide carbonique en hydrate de carbone, tandis que la plante rejette l'oxygène. C'est à ce processus de photosynthèse que nous devons tous la vie.

Les êtres vivants appartenant au monde animal consomment de l'oxygène et rejettent du gaz carbonique. Le feu ne peut brûler sans la présence d'oxygène et, faute d'oxygène, un moteur à combustion n'est plus qu'un bloc inerte de métal. Lorsqu'au sortir des encombrements de la circulation, on pénètre dans une grande serre pleine de plantes, on se sent littéralement revivifié par l'oxygène qui s'y dégage. L'effet est beaucoup moins sensible dans un appartement parce que : a) le nombre de plantes y est limité ; b) le pouvoir d'assimilation des plantes d'appartement est beaucoup moins important. Les proportions sont encore très différentes à l'air libre. Une pelouse de 100 m^2 rejette, en 12 heures, 1,2 kg d'oxygène pur : c'est la quantité contenue dans 6 m^3 d'air. Ce qui signifie que, le même gazon, bien entretenu, dégage, en une saison, assez d'oxygène pour suffire aux besoins de deux personnes pendant un an.

Les hydrates de carbone (amidon, sucres) se forment dans la plante pendant le jour. L'observation permet de vérifier qu'une feuille est plus lourde le soir que tôt le matin. Au cours de la nuit, la production s'arrête, mais ce qui a été assimilé au cours de la journée continue d'être véhiculé dans la plante, si bien qu'au matin, la feuille est de nouveau vide. Les hydrates de carbone sont répartis dans toutes les parties vivantes de la plante, où ils sont consommés. Une partie est aussi acheminée vers les organes de réserve (tubercules, bulbes) où elle est stockée. Un petit champ de pommes de terre de 60 m^2 emmagasine près de 500 g d'amidon par jour.

L'assimilation de l'azote, qui aboutit à la formation des protides, est encore beaucoup plus complexe. Il se forme dans le sol des composés azotés (nitrates) qui, à la suite de décompositions bactériennes, peuvent être assimilés par les racines. Les nitrates sont réduits au niveau des feuilles. L'ammoniac qui en résulte est transformé par les enzymes en acides aminés. En dernier ressort, les acides aminés se transforment en protides.

La respiration

La respiration de la plante est le processus inverse de l'assimilation.

La plante, à ce niveau, consomme les sucres. C'est un processus particulièrement compliqué dont nous épargnerons les détails au lecteur. Cette réaction nécessite de l'oxygène, qui est emprunté à l'air (ou au substrat). C'est en partie le même oxygène que celui qui a été stocké pendant l'assimilation. Il ne faut donc pas commettre l'erreur de considérer l'assimilation et la respiration comme deux processus distincts. Tout le métabolisme de la plante consiste en une chaîne de réactions étroitement liées. C'est la caractéristique même de la cellule vivante.

Le fait de décrire séparément l'assimilation et la respiration nous permet simplement de souligner ce qui les différencie et de mieux saisir le fonctionnement de la plante. Nous pouvons, par exemple, remarquer qu'au cours de la respiration la plante consomme de l'oxygène, alors qu'elle en libère au cours de l'assimilation. Elle rejette heureusement plus d'oxygène qu'elle n'en respire.

La nuit, l'assimilation s'arrête, mais la plante continue à respirer. C'est la raison pour laquelle on avait, et a toujours, coutume de ne pas garder de plantes dans la chambre des malades pendant la nuit, une précaution exagérée, car la consommation d'oxygène de quelques plantes est insignifiante au regard de ce qu'une salle d'hôpital peut en contenir. Les sucres se forment pendant le processus d'assimilation et sont partiellement consommés au cours de la respiration.

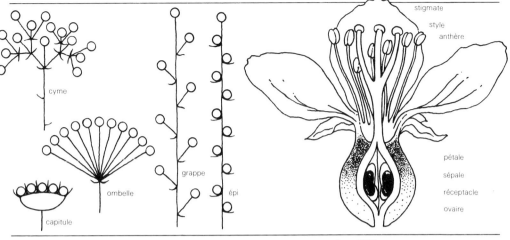

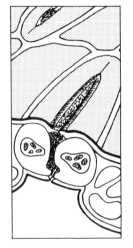

stigmate
style
anthère
pétale
sépale
réceptacle
ovaire

cyme
ombelle
grappe
épi
capitule

La fleur est une sorte de prolongement de la tige dont la forme aurait évolué et sur lequel les feuilles, métamorphosées, s'insèrent étroitement. Dans la fleur se trouvent les organes de reproduction de la plante : les étamines (organes mâles) et les pistils (organes femelles). Ils sont presque toujours protégés par le périanthe, formé d'une corolle (généralement colorée) et d'un calice (ordinairement vert).

La structure des inflorescences revêt des formes qui varient à l'infini et selon lesquelles on a établi la classification systématique du règne végétal. Il est rare qu'une plante produise une fleur unique. Lorsque les fleurs sont groupées, on a des grappes, des épis, des ombelles, des capitules, etc. Chez les composées, les fleurs sont insérées les unes à côté des autres dans un calice commun ; celles qui se trouvent à l'extérieur sont les ligules, celles de l'intérieur sont les fleurons.

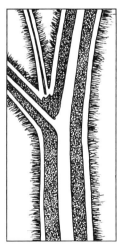

La feuille est un appendice latéral de la tige : la plus jeune croît au sommet. Les feuilles s'insèrent sur la tige selon une disposition bien déterminée et leur développement est limité. En dehors de ces règles, toutes les fantaisies sont permises.

Toutes les feuilles ne dégagent pas la même quantité d'eau. Leur transpiration est en partie déterminée par les stomates (croquis ci-contre), de petits organes qui se trouvent sur la face inférieure de la feuille. Ils s'ouvrent et se referment suivant les besoins. Il peut y en avoir plusieurs centaines par mm².

La structure des plantes forestières leur permet de capter le maximum de lumière. Leur transpiration en est d'autant plus accentuée, mais l'ombrage des bois limite le phénomène. Les plantes désertiques tendent, au contraire, à avoir une surface feuillue la plus petite possible. Elles prennent pour cela la forme de boules (les cactées). La lumière ne leur fait jamais défaut.

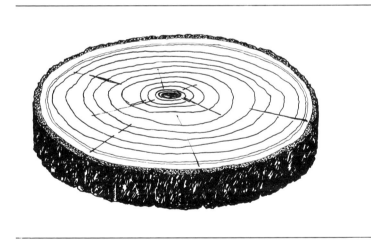

La tige des plantes d'appartement peut être ligneuse ou herbacée. Le croquis de gauche montre une tige ligneuse âgée. Elle est protégée par l'écorce, sous laquelle se trouve le liber par où circule la sève descendante. La couche suivante est le cambium, totalement dense, qui forme en fait une cellule unique. C'est lui qui constitue le cœur de tout végétal ligneux, car c'est lui qui donne naissance au liber, à l'extérieur, et au bois, à l'intérieur : un mécanisme extraordinaire qui explique sa densité.

La solidité des tiges herbacées est due à la turgescence des cellules. Il n'y a pas de formation de bois. Les tiges sont annuelles.

La racine sert à ancrer la plante au sol et à la nourrir. Les racines ne comportent jamais de feuilles et poussent toujours dans le sens de la pesanteur. Leurs formes sont très variées. Un végétal adulte de grand développement peut avoir un système radiculaire parfois long de plusieurs kilomètres. Les plantes qui doivent aller chercher leur eau et leur nourriture dans les couches profondes du sol émettent une longue racine pivotante, non ramifiée, si ce n'est un peu à son extrémité.

À l'extrême gauche, le croquis montre un système radiculaire tel qu'il se présente chez beaucoup de plantes d'appartement. À côté, un bulbe, donc pas une racine à proprement parler, mais une tige souterraine raccourcie et portant des feuilles. Le troisième croquis à partir de la gauche représente un rhizome, une tige souterraine épaissie poussant horizontalement, avec des racines à la partie inférieure. Tout à fait à droite, un tubercule, une excroissance épaissie de la tige (bégonia, *Caladium*) ou une racine arrondie (*Gloriosa*). Il existe aussi des pseudo-bulbes, qui proviennent d'un épaississement de la base de la tige et qui produisent un seul bourgeon (crocus, glaïeul).

La lumière

Nous appelons facteurs de croissance les conditions extérieures qui permettent à une plante de vivre. Ce sont : la lumière, la température, l'eau, l'humidité de l'air ambiant, les périodes de repos et la nourriture. Les quatre premières conditions sont exprimées par des symboles à côté du nom de chaque espèce. Dans le cas des plantes d'appartement, les conditions extérieures dépendent presque entièrement de nous ; il nous paraît donc très important d'apprendre à les connaître et nous nous attarderons un peu sur ce sujet.

La lumière est un facteur de vie indispensable à toute plante. Nous avons déjà, dans les pages qui précèdent, appris quel était son rôle dans le fonctionnement des plantes (photosynthèse). À la p. 47, nous avons montré comment une plante peut vivre grâce à la lumière artificielle. Dans les paragraphes qui suivent, nous verrons quels résultats on peut obtenir en ayant uniquement recours à la lumière naturelle.

Qu'est-ce que la lumière ?

La lumière est une forme d'énergie. On peut transformer cette énergie en chaleur (à l'aide de miroirs ou de lentilles). Du point de vue de la physique, la lumière est aussi un mouvement ondulatoire dont les longueurs d'onde sont très courtes. On les exprime en millionièmes de millimètre, appelés nanomètres. Les longueurs d'onde de la lumière se situent entre 380 et 780 nanomètres.

Nous considérons en général que la lumière du jour est blanche, bien que nous puissions constater que, le matin et le soir, elle est plutôt rougeâtre. La lumière blanche est en effet composée de toutes les teintes de l'arc-en-ciel, allant de l'infrarouge à l'ultraviolet. Plus la lumière tend vers le bleu, plus la longueur d'onde est courte.

La composition de la lumière varie donc au cours de la journée et, de surcroît, son énergie n'est pas uniformément répartie sur toutes les teintes du spectre. L'œil humain est surtout sensible au jaune-vert, mais la photosynthèse s'accomplit essentiellement sous l'effet des rayons rouges. Pour une bonne croissance régulière, il faut l'effet conjugué de toutes les longueurs d'onde du spectre visible.

L'intensité de la lumière

On observe dans la nature un gaspillage considérable de la lumière. 3 % à peine sont effectivement utilisés pour la photosynthèse. Le reste se perd à cause du phénomène de réflexion (et c'est heureux, car dans le cas contraire nous ne verrions rien), ou bien est transformé en chaleur, ou passe au travers des feuilles.

L'éclairement uniforme que reçoit une surface donnée est exprimé en lux. Cette unité repose sur la sensibilité de l'œil humain. Mais la sensibilité des plantes au spectre de la lumière est tout autre. Ainsi, une lampe au néon avec sa lumière rouge orange n'a, en ce qui concerne notre vision, qu'un pouvoir éclairant très faible. Son intensité exprimée en lux est minime. Et pourtant les tubes au néon conviennent très bien aux plantes. Leur rayonnement énergétique est plus grand que ne le laisse soupçonner leur intensité en lux. C'est un piège dont il faut se méfier quand on cherche à comparer le pouvoir éclairant de différentes sources de lumière (par exemple, la lumière du soleil, la lampe à incandescence, les tubes fluorescents, la lampe à vapeur de sodium). Le nombre de lux ne renseigne pas sur la quantité d'énergie qu'une plante peut puiser à une source de lumière.

Puisque nous avons décidé de nous limiter, dans ce chapitre, à l'étude de la lumière du jour, nous continuerons à utiliser le lux comme unité de mesure. L'intensité lumineuse mesurée directement derrière une fenêtre, par une journée ensoleillée, en mai ou en juin, aux environs de midi, s'élève entre 160 000 et 320 000 lux. Le minimum exigé par une plante d'appartement exceptionnellement résistante, placée dans un coin mal éclairé d'une pièce, en hiver, est d'environ 700 lux. Entre ces valeurs extrêmes se situent les degrés de luminosité auxquels on est le plus souvent confronté dans la pratique : 1 000 lux en hiver, et jusqu'à 5 000 lux en été. Une bien grande marge, direz-vous, mais elle existe, car il ne faut pas oublier que l'intensité de la lumière diminue en raison du carré de la distance qui sépare un point de sa source de lumière. Cela signifie tout bonnement que lorsqu'on multiplie par deux la distance qui sépare une plante de la fenêtre, la plante reçoit quatre fois moins de lumière. Cette différence est peu sensible à

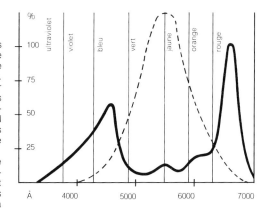

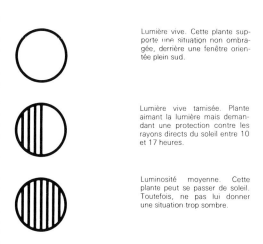

La sensibilité de l'œil (pointillé) aux différentes longueurs d'onde des couleurs du spectre lumineux diffère de celle des plantes (trait gras).

Lumière vive. Cette plante supporte une situation non ombragée, derrière une fenêtre orientée plein sud.

Lumière vive tamisée. Plante aimant la lumière mais demandant une protection contre les rayons directs du soleil entre 10 et 17 heures.

Luminosité moyenne. Cette plante peut se passer de soleil. Toutefois, ne pas lui donner une situation trop sombre.

L'intensité de la lumière en un point donné décroît en raison du carré de la distance qui sépare ce point de la source lumineuse. Si on double la distance qui sépare une plante de la fenêtre (par exemple 2 m au lieu de 1 m) on divise par quatre la lumière qu'elle reçoit.

Un posemètre (celui d'un appareil photographique convient) mesurera la lumière avec plus de précision que l'œil. Régler l'instrument sur 50 ASA et 1/125e de seconde. Mesurer la lumière réfléchie sur un carton blanc posé à l'endroit destiné à la plante. Le chiffre indiquant l'ouverture du diaphragme fournira les indications voulues.
F 16-22 : très ensoleillé (environ 160 000 à 320 000 lux).
F 8-11 : ombre légère (40 000 à 80 000 lux).
F 4-5,6 : mi-ombre (10 000 à 20 000 lux).
F 2,8 : ombre dense (env. 5 000 lux).
Opérer en mai ou juillet, à midi, par un ciel sans nuages.

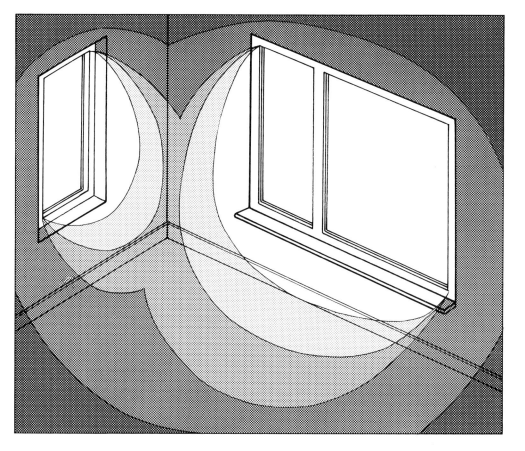

l'œil, dont la pupille se dilate plus ou moins suivant la lumière ambiante. Mais un luxmètre, ou simplement le posemètre d'un appareil photographique, permet de contrôler ce phénomène physique.

Excès de lumière
On considère qu'une situation est trop claire uniquement quand elle est exposée aux rayons directs du soleil. Dans ce cas, elle ne convient pas aux plantes marquées ◖ ou ◗, du moins pas entre 10 et 15 heures.
On dispose de moyens de protection variés. Les stores vénitiens sont très pratiques. Les protections extérieures comme les persiennes, les marquises, les auvents ont l'avantage de garantir de la chaleur. Les

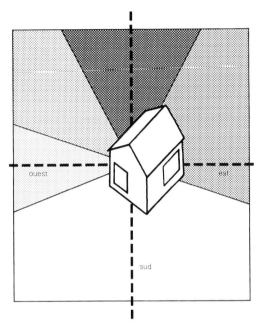

Une fenêtre orientée au sud et non équipée de protection contre le soleil conviendra aux plantes marquées ◯ *. Si elle est ombragée entre 10 h et 17 h, elle conviendra également aux plantes marquées* ◖ *.*

Une fenêtre orientée à l'est se réchauffe très tôt le matin, reçoit le soleil jusque vers 11 h et reste raisonnablement éclairée le reste de la journée. C'est une situation idéale pour les plantes marquées ◖*. Les plantes marquées* ◐ *accepteront d'être placées un peu en retrait.*

Une fenêtre orientée à l'ouest reçoit à peu près autant de lumière qu'une fenêtre orientée à l'est, mais n'est éclairée par le soleil qu'en fin de journée. Elle convient aux plantes marquées ◖*.*

Une fenêtre orientée au nord sera parfaite pour toutes les plantes marquées ◐*, à condition qu'elle ne soit pas masquée par un arbre. À deux mètres en retrait de la fenêtre il n'est pratiquement plus possible de faire pousser une plante.*

Courbe de la longueur du jour, à Paris. Les jours longs (plus de 12 heures de lumière) vont de fin mars à début septembre, les jours courts (moins de 12 heures de lumière) de fin septembre à début mars. (Dessin : Jean-Claude Roger.)

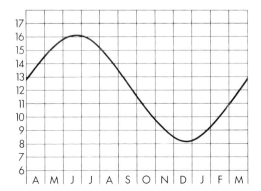

voilages sont également efficaces, tout dépend de leur tissage. On peut aussi interposer de petits paravents en plastique entre la fenêtre et les plantes. L'utilisation de verre teinté ou martelé n'est pas très favorable aux plantes. L'hiver et par temps couvert, la lumière est moins forte, et les plantes un peu en retrait de la fenêtre en souffriront. Il faut aussi s'assurer que le verre teinté ne retient pas une partie des rayons du spectre particulièrement requis pour l'élaboration de la photosynthèse.
Inutile d'ombrer en hiver et par temps couvert. Mais comment prévoir que le ciel restera couvert quand on part de chez soi le matin ? La prudence veut que l'on ferme les voilages ou que l'on baisse les stores chaque jour. L'idéal pour les plantes est que cette opération soit commandée automatiquement. N'importe quel homme de métier est capable d'installer un dispositif électrique couplé avec une cellule photo-électrique qui commandera la fermeture des voilages.

Choix de l'exposition. Erreurs commises
Il n'est pas rare que l'on donne aux plantes d'appartement une situation ou trop sombre ou trop ensoleillée. Pour vous aider à résoudre ce problème, nous avons fait suivre le nom des plantes de symboles précisant leurs exigences en lumière et nous vous avons suggéré une méthode qui permet d'évaluer l'éclairement. Peut-être pourrions-nous encore évoquer quelques cas particuliers.

Exposition trop sombre
On pose souvent une plante à un certain endroit pour l'unique raison qu'elle y « fait si bien ». C'est un mauvais raisonnement. Il vaudrait mieux se demander si elle s'y « sent bien ». Si c'est le cas, tant mieux, on l'y laissera. Les recoins obscurs et impossibles seront décorés de plantes « à jeter », comme des fougères, qui dureront quatre mois, au mieux. Surtout ne jamais y mettre les belles plantes persistantes auxquelles on tient : elles n'y résisteront pas.
Nous l'avons déjà dit, 1 000 lux en hiver ou 5 000 lux en été, c'est le minimum exigé par une plante à feuillage increvable comme l'*Aspidistra* ou le *Cissus rhombifolia*. Les plantes à fleurs et la plupart des plantes à feuillage, surtout si celui-ci est coloré, réclament sensiblement plus de clarté. Lorsqu'une plante nouvellement achetée est placée dans un endroit trop sombre, elle perd souvent beaucoup de feuilles. Celles qui restent foncent : la plante produit plus de chlorophylle pour compenser les défauts de la photosynthèse. Les feuilles ont aussi tendance à s'étirer vers la lumière. Qu'elles se tournent vers la fenêtre est tout à fait normal, mais quand elles commencent à filer, c'est que quelque chose ne va pas. Mesurer la lumière dès que la plante manifeste une déficience : une exposition inadéquate peut en être la cause.

Trop de soleil
Seule une exposition aux rayons directs d'un soleil trop vif peut être contre-indiquée. On le remarque au feuillage qui s'éclaircit et, dans les cas extrêmes, va jusqu'à jaunir. Très peu de plantes sont capables de supporter le plein soleil sans dommage. Même des cactées peuvent brûler s'il survient, au printemps, quelques journées exceptionnellement lumineuses. Plus tard dans la saison, elles s'habitueront à la lumière et la plupart d'entre elles endureront le plein soleil. Il en va de même pour beaucoup d'autres plantes grasses. Toujours lire attentivement le symbole placé à côté du nom de la plante.
Si l'on décèle des signes de brûlure solaire, éloigner les plantes de la fenêtre ou — cela est encore préférable — tamiser la lumière en interposant un voilage, un store ou une banne, etc.

Le pot est tourné
Certaines plantes ne supportent pas que l'on tourne leur pot. Elles sont habituées à recevoir la lumière sous un certain angle et quand il change, les tiges font un tel effort pour se retourner vers la lumière que les boutons tombent. Cet accident se produit uniquement quand il y a des fleurs ou des bourgeons. Les feuilles, elles, se contortionnent plus facilement.
Pour se souvenir du côté de la plante exposé habituellement à la lumière, il suffit de faire une marque : une petite allumette plantée dans la terre ou un léger trait au crayon sur le pot. Les azalées, *Camellia*, gardenia, *Hoya* et les *Zygocactus* sont extrêmement sensibles à ce phénomène.

Effets de la longueur du jour sur la floraison
Comme les poules, qui se mettent sur les perchoirs (quand il y en a...) à la tombée du jour, les plantes ont un mécanisme interne qui les informe de la longueur du jour. La durée du jour (nombre d'heures pendant lesquelles il fait clair) a un effet déterminant sur la formation des boutons floraux ; celle-ci s'arrête dès que la lumière disparaît. On distingue, de ce point de vue, trois groupes de plantes.
a. Les plantes de jours courts. Elles se mettent à produire des boutons à fleurs quand elles ont pu profiter pendant un temps déterminé et quotidiennement de 12 heures de lumière d'affilée au maximum.
b. Les plantes de jours longs. Ces plantes auront besoin, pour fleurir, de profiter quotidiennement, pendant une certaine période, de plus de 12 heures de lumière d'affilée.
c. Les plantes indifférentes à la longueur des jours. Leur floraison ne dépend pas de la longueur du jour. Si on souhaite prolonger le développement d'une plante de jours courts, parce qu'on la trouve trop jeune pour fleurir, il faut s'arranger pour qu'elle subisse au minimum 12 heures d'éclairement journalier. Une fois qu'elle a atteint le développement souhaité, on raccourcit la durée d'éclairement à 10 heures et au bout d'une semaine environ, elle commencera à montrer des boutons. Dès qu'ils sont formés, ils s'épanouiront, quelle que soit la durée du jour. Les plantes de jours courts les plus répandues sont : les azalées de l'Inde, les bégonias à grandes fleurs, les chrysanthèmes en pot, les *Kalanchoe*, les poinsettias et les *Zygocactus*.
À raison de 12 heures au moins d'éclairement quotidien, on verra fleurir *Campanula isophylla* (étoile de Marie), *Epiphyllum* (cactus orchidée), *Pelargonium* (pélargonium), *Sinningia* (gloxinia), *Stephanotis* (jasmin de Madagascar) et bien d'autres.
Très curieusement, la plante est assez indifférente à la nature de la source de lumière. Les lampes à incandescence, dont l'effet est pratiquement nul sur le mécanisme de photosynthèse (voir p. 49), est tout à fait efficace quand il s'agit de prolonger la durée du jour. On a pu observer qu'une campanule étoile de Marie qui bénéficie, en décembre et janvier, de l'éclairage d'une lampe protégée d'un abat-jour (30 lux suffisent) à raison de 8 heures par nuit, atteindra le stade de la pleine floraison en mars. Les feuilles seront, il est vrai, un peu pâlottes, à cause du défaut d'assimilation, mais l'effet du prolongement du temps d'éclairement aura été formellement démontré.
Une légère perturbation de l'obscurité nocturne suffit à influencer la floraison des plantes de jours courts et de jours longs. On connaît l'histoire de l'horticulteur, producteur de chrysanthèmes, qui n'arrivait pas à faire fleurir ses plantes. Il finit par découvrir que l'éclairage de la voie publique, tout faible qu'il était, en était la cause. Une lueur prolongeait artificiellement la durée du jour dans ses serres et maintenait ses plantes à l'état végétatif.
La mise à fleurs grâce à l'intervention artificielle sur la durée du jour est une technique aujourd'hui largement appliquée. Des millions de potées fleuries et d'énormes quantités de fleurs à couper sont traitées pour fleurir à un moment autre que celui qui leur est dicté par la nature. Nous connaissons tous les potées de chrysanthèmes nains. Un procédé parfaitement mis au point permet de les faire fleurir sans problème au printemps ou en été. De même, le poinsettia, qui est devenu très populaire, est offert sur le marché d'un bout à l'autre de l'année. D'innombrables plantes suivront.
Chacun décidera s'il s'agit là d'un progrès de la technique ou d'un gaspillage monstrueux de l'énergie. C'est en général le client qui fait la loi et le grand public se jette sur ces plantes que l'on vend fleuries toute l'année. Le producteur répond à la demande, on ne peut guère lui en vouloir.
La durée du jour est directement liée à la période de repos, dont nous allons reparler. La température joue également un rôle important dans la formation des boutons floraux. Il est assez rare que la durée du jour détermine à elle seule l'époque de floraison. Il faut qu'en même temps la température réponde à certaines exigences. Pour certaines plantes, il faut que les jours courts concordent avec une hausse de la température ; pour d'autres, c'est le contraire. De multiples combinaisons sont possibles.
C'est aux centres de recherche qu'il incombe de définir le cas de chaque plante.

La température

Les plantes que nous cultivons dans la maison ou la serre sont originaires de pays aux climats très variés. Beaucoup d'espèces ont leur habitat naturel dans les forêts vierges équatoriales où règne, en permanence, une température et un degré d'hygrométrie très élevés. D'autres proviennent de régions montagneuses où il fait très chaud le jour et très froid la nuit et en hiver. Et l'on pourrait citer d'autres cas tout aussi extrêmes.

En règle générale, la plante prospère au maximum lorsque les conditions écologiques de son habitat naturel sont recréées aussi complètement que possible : respecter la température ne suffit pas. Chacun sait qu'un *Anthurium* ne peut se cultiver dans une serre non chauffée, mais on commet aussi beaucoup d'erreurs avec les plantes qui, elles, aiment le froid et supportent mal la température de nos appartements. Nous avons tâché d'aider l'amateur en lui indiquant la température à respecter dans chaque cas, et aussi en lui rappelant le pays d'origine de presque toutes les plantes répertoriées. Dans la série des symboles, un ou deux ont trait à la température.

Interprétation des symboles de température

Il n'a pas été facile de déterminer des critères de température précis. Aucune plante ne croît dans des conditions de température invariables. Il est logique que le thermomètre monte lorsque le ciel est clair. Sauf la nuit, bien entendu. Pratiquement partout, la température baisse la nuit. Les saisons aussi interviennent. Il fait plus froid l'hiver que l'été. Enfin, il existe des marges, c'est-à-dire des extrêmes entre lesquels la plante trouve des conditions de croissance optimales. Nous les résumerons ainsi : jour-nuit ; été-hiver ; minimum-maximum.

Nous avons fixé comme critère la température nocturne estivale minimale (l'été correspond, en général, à la période de végétation) pour les raisons suivantes : La température diurne est imprévisible, surtout en été, car elle dépend de notre climat. Par un jour ensoleillé, en pleine vague de chaleur, on peut mesurer derrière la fenêtre, là où se trouvent les plantes, jusqu'à 40 °C. La plupart des végétaux le supportent, surtout parce que cette température s'accompagne de suffisamment de lumière pour activer au maximum la photosynthèse. Mais, par une journée d'été couverte, assez fraîche, la température peut ne pas dépasser 20 °C. Nous avons là un écart de 100 %. La plante n'en est nullement affectée, tant est grande sa capacité d'adaption. La température diurne est donc un mauvais repère.

En hiver, beaucoup de plantes réclament une atmosphère plus fraîche qu'en été. Ce sont les végétaux qui ne se développent qu'à la condition de bénéficier de beaucoup de lumière. Mais il y a des plantes qui continuent à croître tout l'hiver, même si c'est au ralenti.

La température nocturne estivale minimale est donc le meilleur choix. Les symboles sont expliqués ci-dessous.

On peut évidemment se demander si le minimum de la température des nuits d'été descend jamais à 3 °C, mais si on veut bien définir l'été comme la période de croissance, on admettra que, dans certaines régions, le thermomètre peut descendre jusque-là en mai ou en septembre. Les plantes appartenant à la dernière catégorie résistent.

Exige une température élevée. Minimum nocturne, en été : 16 à 20° C.

Température modérée. Minimum nocturne, en été : 10 à 16° C.

Température fraîche. Minimum nocturne, en été : 3 à 10° C.

Les variations de température

Des variations de température fréquentes pendant la journée font en général tort aux plantes. Elles préfèrent une température constante.

D'autre part, on s'accorde à apprécier le rafraîchissement nocturne. Là aussi, les besoins des plantes varient et les recherches dans ce domaine sont encore très incomplètes. Il est probable que le passage de l'assimilation à la respiration (voir p. 50) est favorisé par une chute de la température, qui est bénéfique pour les plantes. Il est indispensable que presque toutes les plantes d'appartement subissent une baisse nocturne de la température. Le sachant, on réalisera de substantielles économies sur le chauffage des habitations et des serres (voir p. 24). On peut, sans le moindre risque, faire descendre le thermostat à 4° ou 6 °C, et parfois même plus bas. Lire les explications des symboles. On verra clairement que les plantes avec le symbole ☺ supportent mieux une forte chute de température que celles avec le symbole ☹.

En hiver, l'écart entre les températures diurnes et nocturnes peut être excessif, surtout pour les plantes qui doivent hiverner à 5 °C. Dès que le soleil luit, il faut aérer abondamment pour éviter une remontée du thermomètre à 15 °C. Sinon, les plantes pourraient croire que la période de repos est à son terme, avec toutes les conséquences que cela comporte (pousses qui meurent par la suite).

Il arrive que l'hiver certaines plantes souffrent du froid pendant la nuit. Il n'y a pas de mal à ce que le thermomètre descende de un à cinq degrés, mais lorsque la plante est prisonnière entre les rideaux et une fenêtre aux vitres ordinaires orientée à l'est, elle peut avoir à subir une température de 5 °C, et c'est plus qu'elle ne peut endurer. Pour prévenir ce genre d'accident, on éloignera les plantes thermophiles (comme les *Anthurium*) de la fenêtre pendant la nuit, ou on les protègera avec des journaux ou des feuilles de plastique. Les plantes qui exigent une température nocturne élevée en été n'aiment généralement pas avoir trop froid en hiver.

Non observance des normes de température

Beaucoup de plantes sont maltraitées du point de vue de la température et, par conséquent, fleurissent mal ou — pis encore — périclitent. Il y a les plantes qui souffrent d'un excès de chauffage en hiver. Nous examinerons ce point à la rubrique « Période de repos » p. 60. Il y a ensuite les innombrables plantes qui ne devraient jamais séjourner dans des pièces chauffées mais que l'on devrait réserver aux entrées, dégagements, cages d'escaliers et autres lieux frais et, pourquoi pas ? au jardin (l'*Aucuba* est une de ces plantes). Les symboles le signalent sous ce genre de plantes, c'est pourquoi nous y insistons dans le texte. Une plante ne succombe pas facilement à une température trop élevée, il faut qu'il fasse au moins 44 °C à l'intérieur pour qu'elle périclite. Tant qu'il y a de l'humidité dans l'air, elle tient bon. Le froid la gêne davantage. Les plus résistantes supportent un ou deux degrés au-dessous de zéro. Il faut prendre la précaution de les faire dégeler tout doucement, en les arrosant d'eau glacée jusqu'à ce que le thermomètre soit remonté au-dessus de zéro. Vient enfin la catégorie des plantes franchement gélives, un groupe très important dont font partie presque toutes les plantes succulentes.

Les plus sensibles des plantes de serre exigent au moins 18 °C : c'est la température minimum d'une serre chauffée. Pour diverses autres plantes le seuil critique se situe vers les 10-12 °C : un *Pandanus* qui a subi, deux jours consécutifs, une température inférieure à 11 °C ne survivra pas, même s'il met deux mois à mourir. Un *Anthurium* peut être endommagé par le simple fait d'avoir été transporté dans un véhicule de livraison non chauffé.

La plante peut-elle séjourner dehors en été ?

Ceci dépend en tout premier lieu de la température nocturne minimale. En principe, seules les plantes marquées ☺ peuvent séjourner sans problème au jardin. Mais il ne faut pas les sortir prématurément : mai, début juin, tout dépend des régions. Il faut que la température soit clémente. Il faudra penser à les rentrer avant les premières gelées nocturnes qui, localement, se produisent déjà en septembre. Toutes les plantes d'orangerie peuvent et doivent même être sorties l'été, si on veut les conserver en bonne santé.

Le substrat est plus froid que l'air

En contrôlant la température ambiante, il est intéressant de vérifier aussi, par curiosité, celle du substrat

L'espace compris entre une fenêtre et un rideau tiré le soir peut être soumis, pendant la nuit, à des chutes de température très sensibles. Ces variations peuvent convenir à certaines plantes et être néfastes à d'autres. Un double vitrage réduira de beaucoup ces écarts.

contenu dans le pot. Si ce dernier est placé derrière une fenêtre en vitres ordinaires, la surprise sera consternante. Étant donné que l'absorption d'eau par les racines est conditionnée par la température du substrat, mieux vaut avoir l'œil ouvert. Dans un pot de terre cuite, où l'eau s'évapore au travers des parois, le substrat sera de 1 à 2° plus froid que celui contenu dans un pot en plastique. Pour réchauffer un peu le substrat, il faut entretenir un peu de chaleur à la base du pot, en plaçant un radiateur sous la tablette de fenêtre, ainsi que cela se fait la plupart du temps. Autrefois, on plaçait les plantes d'orangerie telles que les lauriers-roses sur une étuve. La chose est plus simple aujourd'hui où il suffit d'installer un câble de chauffage électrique.

Effets de la température sur la formation des boutons floraux

La durée du jour n'intervient pas seule dans la formation des boutons floraux, la température joue aussi un rôle important. Il y a des plantes qui ne produisent des fleurs que si elles sont soumises au froid pendant un certain temps : c'est le cas des plantes succulentes. Quand les cactées passent l'hiver dans un endroit trop chaud, elles ne produisent pas de fleurs en été. Chez les chrysanthèmes, au contraire, les boutons ne se forment pas à moins de 15,5 °C. Dès que les boutons du *Rhipsalidopsis* se sont formés, on peut laisser augmenter la chaleur, les fleurs continueront à s'épanouir.

L'eau

Sans eau, aucune plante ne peut vivre très longtemps. Nous l'avons dit, les plantes n'absorbent les sels minéraux que dissous dans beaucoup d'eau. D'ailleurs, leurs tissus sont essentiellement constitués d'eau.

Pour pouvoir absorber l'eau, il faut que les différentes parties de la plante, et en particulier ses racines, soient en contact avec elle. Le *Tillandsia* (fille de l'air) est une exception bien connue à cette règle. Cette broméliacée vit suspendue aux arbres et se nourrit « d'air ».

L'eau s'évapore en majeure partie par les stomates des feuilles. Les autres parties de la plante sont protégées contre le déssèchement par une membrane liégeuse, la cuticule. La plante a la propriété de pouvoir contrôler elle-même sa transpiration, en ouvrant et en fermant ses stomates. Les plantes qui croissent dans des lieux secs sont pourvues d'un moins grand nombre de stomates que celles qui poussent dans un milieu humide. Elles sont aussi constituées de façon à évacuer moins d'eau. Par contre, elles peuvent en absorber beaucoup et la garder longtemps en réserve. Il suffit de penser aux cactus. Quand une plante transpire plus d'eau que ses racines n'en absorbent, ses cellules perdent leur turgescence, elle se ramollit et meurt. Cet accident arrive fréquemment aux plantes qui ont un grand besoin d'eau, comme les hortensias.

À quels signes reconnaître qu'une plante a besoin de beaucoup d'eau ?

Peut-on juger à l'aspect d'une plante si elle réclame beaucoup ou peu d'eau ? Oui, avec un peu d'expérience. Il va de soi que les cactées, originaires du désert, se contenteront de très petites quantités d'eau. Rien ne peut leur être plus néfaste qu'un excès d'arrosage. Les plantes aux feuilles épaisses et coriaces ont aussi des besoins limités ; mais si leur feuillage est léger, vert clair et finement découpé, comme chez les fougères, on peut être sûr qu'elles transpirent beaucoup et qu'il faudra les mouiller généreusement.

Plus une plante pousse, plus il lui faut d'eau

Les besoins en eau d'une plante sont fonction de sa croissance. Rien de plus évident. Les bulbes et tubercules en dormance n'ont naturellement pas besoin d'être arrosés : on les ferait pourrir. Prenons par exemple un bulbe d'amaryllis. Dans les premiers jours qui suivent le rempotage, il faut mouiller la terre très modérément, juste assez pour que la plante se dise : « Tiens ! Le temps du repos touche à sa fin, je peux risquer une petite racine. » Au fur et à mesure que la tige de la fleur se développe, la transpiration commence à se manifester et, comme à ce stade la plante est maintenue dans un endroit bien chaud, l'évaporation se produit aussi au travers du substrat et des parois du pot. Quand la plante a sorti une belle grosse feuille, tout son mécanisme se met en route et il faut commencer à l'arroser copieusement. Le contraire se produit lorsqu'on taille sévèrement une plante, par exemple un *Begonia semperflorens*. En raccourcissant la plante, on lui enlève une grande partie de son feuillage et on réduit fortement sa transpiration. Si on continue à l'arroser comme par le passé, on a tôt fait de transformer la terre du pot en un marécage. Il faut toujours observer un équilibre entre la masse des racines et celle du feuillage. Si cet équilibre est perturbé, il faut en tenir compte dans les arrosages.

Plus il fait chaud, plus il faut arroser

La transpiration des plantes est directement liée à la température ambiante. Nous-mêmes, nous buvons davantage quand il fait chaud. Ainsi font les plantes. Des plantes placées derrière une fenêtre se contenteront peut-être d'une demi-tasse d'eau quand le temps est pluvieux, mais si le soleil se lève, elles transpireront tellement que trois tasses d'eau suffiront à peine. Rien n'est plus erroné que d'administrer tous les jours la même quantité d'eau à une plante. Il faut régler les arrosages sur ses besoins réels. Mais c'est parce que ces besoins sont souvent mal interprétés qu'il se commet tant d'erreurs.

« Humide », « sec », qu'est-ce que cela signifie ?

Quand on veut exprimer le degré d'humidité de la terre, on distingue cinq stades, discernables au toucher : terre très sèche, assez sèche, modérément humide, très humide et détrempée. Il est très difficile de donner à ces termes une valeur absolue. L'expérience montre que chacun interprète un peu à sa

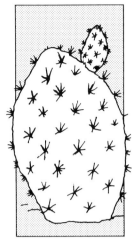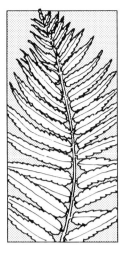

Humidité constante. La terre ne doit jamais se dessécher tout en restant aérée. Ne jamais laisser stagner d'eau au fond du cache-pot. Bien drainer le pot. Choisir de préférence un pot en plastique.

Humidité modérée. Laisser sécher la terre entre deux arrosages, sans toutefois laisser la plante avoir soif. Si le feuillage venait à pendre, baigner aussitôt la plante, elle reviendra à elle. Pot en terre ou en plastique, bien drainé.

Terre plutôt sèche. Arroser modérément et uniquement par temps chaud. Beaucoup de plantes de cette catégorie demandent à n'être pas arrosées du tout pendant leur période de repos. Pot en plastique ou en terre. Veiller tout spécialement à l'efficacité du drainage.

façon une expression comme « terre modérément humide ».

Il est cependant nécessaire d'établir des nuances car elles correspondent à une réalité. Telle plante aura une préférence pour une terre assez humide, telle autre réclamera, au contraire, une terre plutôt sèche. C'est pourquoi nous avons cru bon d'adopter des valeurs de référence, traduites en symboles, qui figurent à côté du nom des plantes. Les terres très sèches ou détrempées étant généralement peu appréciées des plantes, nous nous sommes limités à trois degrés, que l'on trouvera expliqués ci-dessus, à côté des figures.

Ceci n'exclut pas qu'une terre archi-sèche ou archi-mouillée soit parfois souhaitable. C'est dans une terre archi-sèche que les cactus hivernent à moins de 10 °C. On peut très bien cesser complètement d'arroser ces plantes entre fin octobre et fin mai, à condition de maintenir, en même temps, une température très basse. Beaucoup de plantes semi-succulentes, comme les pélargoniums (*Pelargonium*), supportent un traitement identique. Certaines personnes les dépotent, secouent la terre et les supendent, par bouquets, dans une cave fraîche et sombre, mais à l'abri du gel. En février, ces plantes montrent encore des signes de vie.

Parfois, c'est une terre détrempée qui est requise, notamment par les plantes de marais qui sont devenues des plantes d'appartement. Le papyrus (*Cyperus*) en est un exemple bien connu. Son pot doit tremper en permanence dans une soucoupe remplie d'eau, un traitement qui entraînerait une mort certaine pour presque toutes les autres plantes. Ces cas exceptionnels sont toujours précisés dans le texte.

Contrôle de l'humidité du substrat

Une question se pose aussitôt : comment reconnaître avec certitude que le substrat penche vers le « plutôt sec » ou le « plutôt humide » ? C'est, sans l'ombre d'un doute, un problème qui intrigue plus d'un d'entre nous. Le meilleur moyen de contrôle, à la portée de tous, reste le toucher. En enfonçant le doigt d'un centimètre dans le substrat, on doit pouvoir, avec un peu de pratique, déterminer de façon assez précise son degré d'humidité. On peut aussi estimer le poids du pot avec sa plante. On le soulève, s'il paraît plus

léger que d'habitude, il est peut-être temps de l'arroser. Cette méthode suppose que l'on connaît le poids de chacune de ses plantes et n'est peut-être pas très fiable.

Si on utilise des pots en terre cuite, on peut se rendre compte s'ils sont secs en les frappant avec un objet dur : le son renseignera. La couleur du pot est aussi un indice utile. Les sondes hygrométriques, que l'on trouve de plus en plus dans le commerce, sont des moyens beaucoup moins subjectifs et d'un emploi très simple. Le fonctionnement de ces petits appareils est basé sur les variations de la conductibilité électrique du sol en fonction de son humidité. Une terre sèche est moins bonne conductrice qu'une terre humide... Le cadran gradué de l'appareil indique : « sec humide », « très humide », et ces valeurs correspondent bien aux symboles utilisés dans cet ouvrage. Il existe aussi une sonde qui fait entendre un son léger quand on enfonce la jauge dans la terre. Plus les signaux sont rapprochés, plus la terre est humide. À tous ceux qui n'osent se fier à la sensibilité de leur doigt, nous conseillons vivement l'achat d'un de ces petits appareils de mesure. Même s'il ne devait servir qu'à sauver la vie de quelques plantes, l'investissement n'aura pas été perdu.

Le degré d'humidité est particulièrement difficile à contrôler dans les pots en plastique, dont l'usage gagne du terrain. Il se forme assez souvent une couche d'eau stagnante au fond du pot, surtout s'il est assez haut, et les racines en souffrent beaucoup. On peut y remédier en déposant une couche drainante de tessons au fond du pot. La méthode est efficace si l'eau n'en dépasse pas le niveau. On est souvent induit en erreur par l'aspect sec de la couche superficielle du substrat. Les jauges ne pénètrent guère au-delà d'une dizaine de centimètres dans le pot et ne permettent pas de savoir exactement ce qu'il se passe au fond.

On s'est ingénié à trouver des remèdes à cet inconvénient. On place au fond du pot une couche de 5 à 10 cm de tessons. On y enfonce un petit drain en plastique qui ne doit pas toucher le fond. La longueur du tuyau ne dépassera pas le bord supérieur du pot. Puis on remplit le pot de terre et en plante. En regardant dans le drain ou en y enfonçant une fine baguette, on pourra constater s'il s'est formé un dépôt d'eau au fond. Si oui, arrêter aussitôt les arrosages et attendre que l'eau se soit résorbée. Une astuce de bricoleur : on introduit dans le drain un petit flotteur taillé dans un bouchon de liège et fixé au bout d'un fil électrique rouge rigide. Dès que le bouchon se met à flotter, on en est averti par le fil rouge qui apparaît au-dessus du drain.

La température de l'eau d'arrosage.

La température minimum à laquelle les racines d'une plante conservent leur propriété d'absorption varie beaucoup selon les plantes. Pour la majorité des plantes tropicales, elle se situe entre 10 et 15 °C. Mais le lichen des rennes, qui croît dans les régions polaires, conserve cette propriété à des températures au-dessous de zéro. Pour les plantes d'appartement courantes, les températures les plus basses se situent entre 5° et 10 °C. Plus le sol est froid, plus l'absorption est difficile. Au-dessous du minimum requis, les racines ne peuvent plus remplir leur fonction, même si le sol est très humide.

Lorsque les plantes d'appartement se trouvent sur une tablette de fenêtre, dans une pièce chauffée, l'eau d'arrosage se met vite à la température du substrat. Il vaut cependant mieux ne pas utiliser une eau trop froide. Une eau légèrement tiédie est préférable.

Les plantes qui hivernent dans un local froid exigent plus de précautions : il leur faut une eau d'arrosage à 40 °C au moins, car elle est souvent complètement refroidie avant même d'avoir atteint les racines. La température maximum supportée par les racines est de 45 °C.

Les diverses façons d'arroser

L'arrosage soulève quelques problèmes et on s'est ingénié depuis longtemps à mettre au point toutes sortes de systèmes automatiques. Les plus importants sont l'hydroculture et la semi-hydroculture (décrits à la p. 45). Dans les serres, on utilise le système du goutte à goutte ou on se sert de nappes de subirrigation. Les deux méthodes sont expliquées p. 25.

Reste l'arrosage dans l'habitation, le jardin et la cuisine, qui se fait à l'aide d'un arrosoir de bonne taille, à long col. On arrose la surface du sol suivant les besoins des plantes : quelques gouttes, un filet d'eau ou une bonne giclée.

On peut également donner de l'eau dans la soucoupe. On pratique cette méthode avec des plantes qui ont tendance à pourrir quand on les arrose par le haut (cyclamens, cactus). Au bout d'un quart d'heure, il faut vider l'eau qui n'a pas été absorbée.

Les plantes dont la motte doit être modérément ou très humide en permanence seront baignées de temps à autre. On submerge la motte entièrement pendant un quart d'heure. On voit apparaître des quantités de petites bulles à la surface de l'eau : c'est le signe que les bulles d'air contenues dans la motte ont été chassées par l'eau. On laisse les pots s'égoutter et l'air pourra de nouveau pénétrer dans la motte. Les pots que l'on baigne doivent être très bien drainés et percés à leur base pour permettre à l'excédent d'eau de s'écouler facilement. On baigne les plantes uniquement en période de végétation, quand elles transpirent beaucoup. On peut ajouter de l'engrais soluble à l'eau qui sert à baigner les plantes, de cette façon on leur restitue les éléments nutritifs qu'elles perdent dans le bain.

Le plastique est étanche

Chacun le sait et pourtant, après l'introduction des pots en plastique, d'innombrables plantes sont mortes noyées. On a perdu de vue que le pot de terre cuite absorbait, à lui seul, une quantité d'eau assez importante, parfois plus que la plante elle-même. Lorsqu'une plante a été transplantée dans un pot en plastique, on ne peut pas continuer à lui administrer les deux tasses d'eau quotidiennes auxquelles elle était habituée dans son pot de terre. Désormais, une seule tasse lui suffira, et peut-être même moins.

Petit à petit, on s'est habitué aux pots en plastique, mais il arrive encore qu'une plante qui vient d'être rempotée soit arrosée trop abondamment. Pour éviter cette erreur, on se servira d'un hygromètre.

Par mesure de prudence, on tapissera le fond du pot d'une bonne couche de drainage, destinée à recueillir l'excédent d'eau. Il vaut toujours mieux arroser avec parcimonie. Il se perd plus de plantes par excès que par manque d'arrosage.

Ceux qui ne peuvent se faire à ces pots modernes feront bien de s'en tenir aux bons vieux pots de terre cuite. Les plantes de la catégorie ⊙ (assez sec) et

Enfoncer le doigt dans la terre pour en mesurer le degré d'humidité.

Donner un petit coup sec sur la paroi d'un pot de terre cuite. Le son renseignera sur l'humidité de la terre.

Utiliser une sonde hygrométrique. Le degré d'humidité se lit sur le cadran.

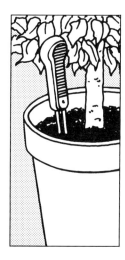

Un hygromètre musical : il fait entendre un son qui renseigne sur l'humidité de la terre.

Les jardinières cylindriques en matière plastique, actuellement en vogue, n'ont pas toujours un orifice de drainage. Voici un système astucieux qui permet de contrôler ce qui se passe au fond du récipient. Étaler au fond du pot une épaisse couche de gravillons ou de tessons ; y enfoncer bien droit un tuyau en plastique qui ne doit pas toucher le fond. Un petit flotteur introduit dans le tuyau indique s'il y a de l'eau au fond. Ce système permet en outre de fertiliser la plante d'une manière plus naturelle. On enlève le flotteur et on verse, à sa place, la solution nutritive qui arrive directement au fond du pot, sans avoir entraîné avec elle les sels nocifs accumulés dans la couche superficielle du compost. Utiliser l'engrais à faible dose, sinon on risque des catastrophes. Une demi-heure plus tard, le fond du pot doit de nouveau être sec.

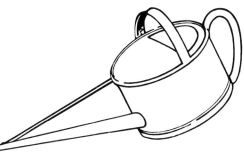

Aucun arrosoir en vente dans le commerce n'est parfait. Celui-ci permet, grâce à son long col, d'arroser les plantes qui se trouvent à l'arrière-plan.

À droite : on peut fort bien baigner les plantes dans l'évier.

éventuellement celles du groupe ⊙ (modérément humide) se cultivent très bien dans des pots de terre cuite. Les plantes du groupe ⊛ (humidité constante) préféreront presque toujours un pot en plastique.

Arrosages défectueux

Nous le répétons encore : l'erreur la plus communément répandue est l'excès d'arrosage. Ou bien on oublie de vérifier l'état du substrat, ou on oublie que l'eau a pu s'accumuler au fond du pot. Ceci arrive souvent lorsqu'on met la plante dans un cache-pot : en soulevant le pot, on contrôlera d'un coup d'œil ce qu'il en est. L'excès d'eau dans les cylindres de plastique se vérifie facilement en appliquant les méthodes que nous préconisons p. 55 (Contrôle du degré d'hygrométrie.)

L'autre erreur consiste à arroser ses plantes d'une façon systématique. Chaque matin, après le petit déjeuner, on fait sa ronde et chaque plante reçoit la même ration. Cette manie est désastreuse. Toutes les plantes des catégories ⊛ ⊙ ont besoin que leur motte sèche de temps en temps. Il faut donc qu'elles puissent parfois sauter leur tour. Ce qui ne signifie pas qu'il faille les laisser se déssécher ! Il se peut que la chaleur augmente au cours de la journée et qu'à midi un léger arrosage s'impose.

Il arrive naturellement aussi qu'une plante manque d'eau. Ceci est dû, encore une fois, au défaut de vigilance. Parfois la motte est si sèche qu'elle se détache du pot et quand on arrose, l'eau s'écoule sans avoir eu le temps de l'imbiber. Le substrat est trop sec et a perdu son pouvoir absorbant. Si on n'y prête pas attention, la plante ne tardera pas à périr. Remède : baigner la plante pour imbiber profondément la motte. Certaines plantes ne supportent absolument pas d'avoir leur feuillage mouillé : c'est le cas des *Saintpaulia*. Leurs feuilles se couvrent aussitôt de taches blanches. On ne doit jamais non plus arroser le cœur des plantes dont les feuilles prennent naissance au ras du sol *(Clivia, Sansevieria, Aloe)* : on les ferait pourrir. Les broméliacées, qui forment une rosette, sont une exception : on verse carrément de l'eau dans leur cavité centrale.

La qualité de l'eau d'arrosage

La qualité de l'eau d'arrosage ne soulève pas moins de problèmes que l'arrosage lui-même. Il ne suffit pas d'amener l'eau du robinet à la température voulue pour pouvoir ensuite arroser ses plantes en toute tranquillité d'esprit. Beaucoup de plantes se vexeront d'une telle désinvolture. Cause ? L'eau ne leur convient pas. Qu'a-t-elle donc, cette eau de ville, que nous buvons impunément, pour provoquer la mort des plantes ?

L'eau que nous consommons est une eau traitée à grands frais dans des stations d'épuration. Elle contient une grande quantité de sels et de substances toxiques que les plantes tolèrent moins bien que nous. Le problème crucial est cependant celui de sa dureté. Elle est due à la présence de sels de calcium et de magnésium. Ceci se voit sur les vieux pots de terre cuite qui ont subi de fréquents arrosages. Leur surface externe est couverte d'une épaisse croûte blanche de bicarbonate de calcium. La dureté de l'eau (en titre hydrotimétrique, TH) est exprimée en degrés français. La plupart des plantes tolèrent un certain degré de dureté et l'exigent même, dans une certaine mesure. Mais une plante calcifuge très sensible commence à avoir des problèmes dès que le TH dépasse 9° français, alors que la plupart des végétaux acceptent normalement 30° français.

Les inconvénients dus à l'utilisation de l'eau du robinet sont les suivants :
a. Elle fait monter le pH du mélange terreux, ce qui est préjudiciable aux plantes qui ne supportent pas un sol alcalin.
b. Ces plantes marquées ⊛ ont des difficultés à assimiler le fer, leurs feuilles produisent trop peu de chlorophylle et jaunissent (chlorose).
c. Il se produit une concentration excessive de sels minéraux au fond du pot et les racines « brûlent ».
d. La plante succombe aux effets toxiques de certaines substances chimiques comme le phénol, la fluorine, etc.

Nous reviendrons plus loin (p. 62) sur le pH. Voici en attendant, et à titre d'illustration, un exemple significatif. L'azalée aime un sol acide dont le pH se situe aux environs de 4-4,5, c'est pourquoi on la cultive souvent dans un substrat composé de sapinette ou de terre de bruyère dont l'acidité lui convient. Après cinq mois d'arrosage à l'eau relativement douce (TH de 20° français), le pH du substrat a monté de 1,5. Si l'on

considère qu'un pH 6 représente pour l'azalée un seuil critique, on comprendra qu'après un tel traitement la pauvre plante se trouve dans un piteux état, si elle n'est déjà morte. Combien de temps faudra-t-il pour qu'elle meure, si elle est arrosée avec une eau d'une dureté de 30 ou 40° français (ce qui n'est pas rare) ? (Réponse : environ deux mois). Ce ne serait pas tellement grave, si l'azalée était une plante d'appartement « à jeter ». Mais c'est la plante à conserver par excellence.

L'azalée n'est qu'un exemple entre des dizaines d'autres que l'on pourrait citer. La conclusion saute aux yeux : un véritable ami des plantes d'appartement qui vit dans une région où l'eau est calcaire (et c'est le cas le plus fréquent) cherchera un remède.

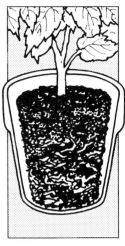

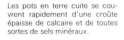

Les pots en terre cuite se couvrent rapidement d'une croûte épaisse de calcaire et de toutes sortes de sels minéraux.

Lorsqu'on rempote une plante, il faut pouvoir insérer facilement un doigt entre l'ancienne motte et la paroi du nouveau pot.

Bannir les pots de terre cuite

Si la qualité de l'eau d'arrosage pose des problèmes, il faut commencer par bannir les pots de terre cuite. Ils absorbent beaucoup d'humidité, ce qui entraîne des arrosages redoublés. Et plus on arrose, plus la motte se charge de substances nocives. Le pot en plastique offre, dans ce cas précis, des avantages indéniables, surtout pour les plantes calcifuges. Coïncidence heureuse : ces plantes sont précisément celles de la catégorie ⊛, qui se plaisent en sol humide en permanence. L'utilisation de pots en plastique se trouve, pour elles, doublement justifiée.

Renouveler la couche superficielle du substrat

Quand on arrose les plantes par le haut, les sels de calcium nocifs se concentrent sur quelques centimètres d'épaisseur dans la partie supérieure du pot et font mourir les racines qui se trouvent à ce niveau. On peut intervenir en enlevant tout simplement la couche superficielle du substrat jusqu'aux racines et en la remplaçant par une couche de tourbe pure. Un rempotage complet est, évidemment, préférable.

Améliorer la qualité de l'eau

On élimine de nombreux problèmes en améliorant la qualité de l'eau du robinet. On y parvient de différentes façons : certaines ont un effet fâcheux sur les plantes, d'autres leur réussissent bien.

Il faut écarter, en premier lieu, les adoucisseurs domestiques que l'on charge de sel de cuisine. Leur fonctionnement repose sur un principe d'échange entre les ions « durs » calcium et magnésium contenus dans l'eau et les ions sodium du sel de cuisine. Ce mécanisme n'abaisse pas la dureté carbonatée de l'eau, qui est si contraire aux plantes sensibles. Il la renforce un peu, au contraire. Il règne un certain malentendu sur ce point. On va jusqu'à vendre de petits arrosoirs avec un adoucisseur incorporé qui fonctionne selon le même principe. Ce sont de véritables petits assassins de plantes.

Seul le déminéralisateur permet à la fois de faire baisser la teneur en carbonate de calcium et de filtrer

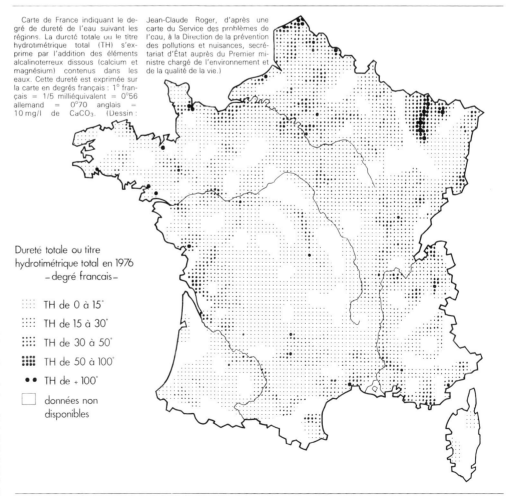

Carte de France indiquant le degré de dureté de l'eau suivant les régions. La dureté totale ou le titre hydrotimétrique total (TH) s'exprime par l'addition des éléments alcalinoterreux dissous (calcium et magnésium) contenus dans les eaux. Cette dureté est exprimée sur la carte en degrés français : 1° français = 1/5 milliéquivalent = 0°56 allemand = 0°70 anglais = 10 mg/l de $CaCO_3$. (Dessin :

Jean-Claude Roger, d'après une carte du Service des problèmes de l'eau, à la Direction de la prévention des pollutions et nuisances, secrétariat d'État auprès du Premier ministre chargé de l'environnement et de la qualité de la vie.)

Dureté totale ou titre hydrotimétrique total en 1976
– degré français –

- TH de 0 à 15°
- TH de 15 à 30°
- TH de 30 à 50°
- TH de 50 à 100°
- TH de + 100°
- données non disponibles

les autres substances nocives contenues dans l'eau. Cet appareil, sous sa forme la plus simple, consiste en un tube en plastique transparent rempli de millions de minuscules particules d'une matière synthétique. Il fonctionne suivant le même principe que le filtre de l'échangeur d'ions. Si le filtrage s'opère avec un débit suffisamment faible (20 litres à l'heure), la pureté obtenue est comparable à celle de l'eau distillée. Cet appareil est distribué en France par S.Y.P.A. (61, rue du Dessous-des-Berges, 75013 Paris). Mais l'eau distillée, utilisée pure, ne vaut rien non plus pour les plantes. On obtiendra le pH voulu en la coupant pour moitié d'eau du robinet. Pour les plantes très sensibles (orchidées), on utilisera un mélange fait de 1/3 d'eau du robinet pour 2/3 d'eau distillée. L'eau filtrée peut également servir pour le thé, le café, les aquariums tropicaux et les oiseaux en cage.

Trucs et ficelles pour obtenir de l'eau douce

Quand on laisse bouillir de l'eau dans une bouilloire, le calcaire se dépose sous forme de tartre sur les parois. C'est une façon d'adoucir l'eau. On verse l'eau bouillante dans des bouteilles. On la laisse reposer 24 heures et on arrose en versant tout doucement. Certaines personnes utilisent du thé refroidi ; le principe est exactement le même.

On vend aussi des produits chimiques à diluer dans l'eau et qui l'adoucissent.

L'adjonction d'acide oxalique (toxique) ou de superphosphate provoque un précipité blanc qu'on laisse reposer avant de se servir de l'eau.

Le fait de filtrer l'eau au travers d'une épaisse couche de tourbe la débarasse en partie des sels de calcium.

Le givre qui se forme sur les parois des congélateurs vaut pratiquement l'eau distillée. Une fois fondu et réchauffé, mélangé à de l'eau du robinet, il pourra servir à arroser les plantes.

L'eau de pluie

L'eau de pluie est douce et devrait donc convenir parfaitement à l'arrosage des plantes. Mais elle est souvent contaminée par la pollution de l'air et peut être nocive, même si elle ne contient pas de calcaire.

Malheureusement, il n'est pas facile de contrôler si l'eau de pluie est polluée. Parfois, on le remarque à une pellicule huileuse qui la recouvre. Son degré de pollution dépend également de la direction du vent. Et quand il n'a pas plu depuis un certain temps, la pluie entraîne les saletés du toit.

Si la maison est passablement éloignée des zones industrielles et si elle est pourvue de descentes de gouttière, on aura intérêt à recueillir l'eau de pluie dans des tonneaux ou des bidons. On mettra en place, à la sortie de la descente, un filtre amovible bricolé avec de vieux bas nylon ou de la mousse plastique. Le tonneau doit être fermé par un couvercle et muni d'un déversoir qui permette au surplus de s'écouler. En hiver, il faut penser à amener l'eau à bonne température avant de s'en servir.

L'eau d'un bassin, biologiquement équilibrée (l'eau doit être limpide), peut aussi servir à l'arrosage. Le bassin peut être alimenté par le tuyau de descente des gouttières. Si on maintient son niveau en le remplissant d'eau de ville, on provoque généralement la prolifération des algues, car l'eau du robinet est plus riche en substances nutritives (entre autres, en phosphates, dont les algues se nourrissent).

L'atmosphère

Trouver à une plante une situation bien éclairée n'est pas toujours facile, mais en se donnant un peu de peine, on y parvient toujours. Lui fournir une température idéale est déjà un peu plus compliqué. L'eau d'arrosage, il faut pratiquement la fabriquer soi-même. Mais comment humidifier l'atmosphère sèche d'une pièce chauffée ? Voilà qui est beaucoup plus difficile. Cet air sec, pratiquement aucune plante ne l'accepte : il faut donc à tout prix trouver un moyen d'y remédier.

Humidité de l'atmosphère

Quand l'air est saturé de vapeur d'eau, on dit qu'il est humide à 100 %. Conformément à une loi physique, l'air absorbe d'autant plus de vapeur d'eau que la température est élevée. Son degré d'humidité est donc une valeur relative. À la température de 5 °C, l'air humide à 100 % contient 6,8 g d'eau au m³. À 20 °C il peut en contenir 17,4 g.

Ceci signifie que nous abaissons l'humidité relative d'une pièce chauffée en y faisant pénétrer de l'air venu de l'extérieur, qui contient beaucoup d'eau en valeur relative, mais peu en valeur absolue. On peut faire le calcul en grammes. Cette notion est troublante, on hésite à l'admettre d'emblée, mais les faits sont indiscutables.

L'humidité relative idéale pour l'homme se situe entre 40 et 65 %, et pour les plantes entre 40 et 90 %. Les plantes grasses se contentent d'une faible humidité ; les végétaux originaires des forêts vierges tropicales exigent un degré d'humidité proche de la saturation.

La plante et l'atmosphère ambiante

La capacité d'une plante à s'acclimater à une atmosphère sèche est liée à sa taille et au nombre de ses stomates. S'ils sont nombreux, la plante est faite pour croître dans une atmosphère humide. Les plantes des régions désertiques sont pourvues d'un petit nombre de stomates et elles peuvent les refermer à volonté. Elles ne transpirent pratiquement pas. C'est à ces propriétés qu'elles doivent leur survie.

Nous créons nos problèmes en nous obstinant à élever dans des pièces dont l'humidité relative ne dépasse pas 40 à 50 % des plantes venues de climats chargés de 60 à 90 % d'humidité. Rien ne leur permet de s'adapter. Elles sont incapables de refermer leur stomates, elles transpirent énormément et leur feuillage se recroqueville.

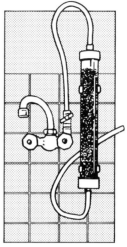 

Un échangeur d'ions adapté sur le robinet d'eau de ville permet d'avoir de l'eau distillée à sa disposition.

Il existe des produits adoucissants chimiques qui font précipiter le calcaire.

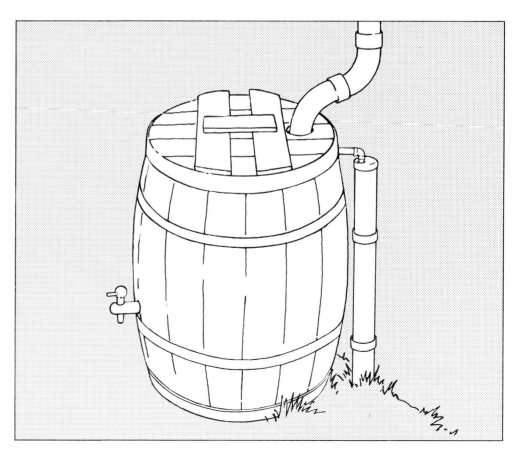

Un réservoir d'eau de pluie fabriqué à l'aide d'un tonneau dans lequel aboutit le tuyau de descente de la gouttière. On a prévu une évacuation du surplus d'eau.

Commençons par renoncer à ces plantes dans l'appartement et nos problèmes s'évanouiront du même coup. Ou bien alors, il faut modifier l'atmosphère ambiante de l'habitation, surtout en hiver.

Sens des symboles

Pour permettre au lecteur de se faire une idée des exigences des différentes espèces de plantes en matière d'hygrométrie, nous les avons toutes fait suivre de symboles résumant leurs besoins. Le sens des symboles est expliqué ci-dessous.

Le chauffage et l'atmosphère ambiante

On estime communément que l'atmosphère des pièces chauffées était plus saine autrefois, grâce à l'humidité dégagée par la combustion du charbon ou du pétrole. Cette humidité ne devait guère profiter aux plantes, car un poêle ordinaire aspire la couche d'air près du sol pour la rejeter par la cheminée et la fumée, en s'échappant, emporte dans ses gaz l'humidité dégagée par la combustion. Il est plus exact de penser que les plantes profitaient de l'air frais, et donc relativement plus humide, qui régnait dans le voisinage des fenêtres auprès desquelles elles étaient placées.

Aujourd'hui, dans nos habitations chauffées par des systèmes à circulation d'eau chaude, les radiateurs sont placés sous les fenêtres et ces emplacements sont souvent les plus secs de la pièce.

Les maisons et les bureaux sont aussi chauffés par des systèmes à air pulsé. L'atmosphère est constamment renouvelée grâce à un échange entre une partie de l'air du dedans contre de l'air venu du dehors. Ce mode de chauffage, très agréable au demeurant, n'est pas du goût des plantes, car il dessèche l'atmosphère. On lui a heureusement trouvé des palliatifs qu'il ne faut pas hésiter à mettre en œuvre (voir colonne suivante).

Comment augmenter l'humidité de l'atmosphère ?

On dispose de divers moyens pour améliorer le degré hygrométrique de l'atmosphère des habitations, certains efficaces, d'autres relativement inopérants. Nous allons les examiner un à un.

Les plantes, lorsqu'elles sont nombreuses, exsudent une assez grande quantité d'humidité qui se mêle à l'air ambiant. Éviter de trop ventiler les pièces, pour conserver le gain d'humidité.

Les grandes jardinières dont la surface est couverte d'une épaisse couche de mousse ou de tourbe humide laissent évaporer une certaine quantité d'eau, surtout si elles sont chauffées par dessous (grandes jardinières posées au-dessus du chauffage).

Une coupe remplie d'eau crée autour de la plante qui est posée dessus, un microclimat légèrement plus humide que celui de la pièce. La coupe sera choisie assez grande et on veillera à ce que le pied de la plante soit tenu hors de l'eau en interposant, entre la coupe et le pot, une soucoupe renversée.

Le lavage des feuilles à l'aide d'une petite éponge humide apporte une amélioration temporaire, le temps que les feuilles sèchent.

Bassiner les plantes à l'aide d'un vaporisateur est une méthode plus efficace, surtout si l'opération est renouvelée fréquemment. Certaines personnes bassinent leurs plantes une dizaine de fois par jour : le résultat ne se fait pas attendre. N'utiliser que de l'eau parfaitement adoucie, sinon la plante ne tardera pas à se couvrir de vilaines taches de calcaire.

Les évaporateurs que l'on accroche aux radiateurs ont été délaissés en raison de leur inefficacité. Dans une pièce de taille moyenne, il faudrait faire évaporer 5 à 10 l d'eau par jour. Cela représente un nombre impressionnant d'évaporateurs. Si on ne les remplit pas d'eau distillée, il se forme une couche de tartre difficile à éliminer.

La climatisation par air pulsé est la formule idéale, surtout si elle est contrôlée par un hygrostat. Le seul problème, c'est que l'on fait régner un degré d'humidité identique dans toutes les pièces de l'habitation et il faut arriver à choisir un moyen terme.

Mouiller le sol n'est possible que si l'on a du carrelage. Asperger le sol, tous les soirs, à l'aide d'un arrosoir. Le résultat sera meilleur si l'appartement est chauffé par le sol, car l'évaporation se fera plus vite.

Les pulvérisateurs électriques, qui par le truchement d'une petite roue propulsée à grande vitesse projettent l'eau en très fines gouttelettes, déposent malheureusement des traces de calcaire sur les meubles et les murs. Utiliser uniquement de l'eau distillée. Leur petit moteur est fort bruyant.

Les humidificateurs électriques se présentent sous la forme de petits bacs en métal inoxydable d'où l'eau, maintenue à 90 °C, s'évapore par le haut. Ils consomment 300 watts pour évaporer 400 cm³ d'eau à l'heure : c'est plus que suffisant pour un appartement de taille moyenne. Ils ne comportent pas de pièces mobiles et sont silencieux. On ne risque pas de les abîmer en les laissant fonctionner à vide. Le tartre qui se dépose au fond du bac s'élimine sans problème grâce à des produits chimiques vendus avec l'appareil. Ils doivent être utilisés une fois par mois. L'air humide créant une impression de chaleur, l'utilisation d'un humidificateur permet de baisser le thermostat du chauffage de un ou deux degrés. On récupère ainsi le prix de l'appareil et sa consommation de courant.

Le degré hygrométrique de locaux spécifiques se règle facilement. Pour ce qui concerne les serres : voir p. 25. L'atmosphère des vitrines et serres d'appartement jouit d'une humidité privilégiée, si on prend la précaution de ne pas trop aérer.

Une large coupe remplie d'eau dans laquelle on a renversé une soucoupe pour y poser le pot. L'évaporation de l'eau crée un micro-climat humide tout autour du pot.

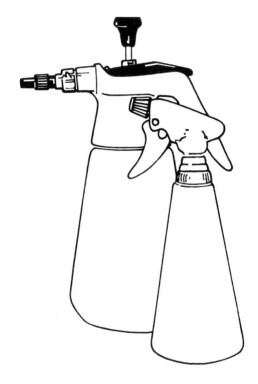

Il existe toutes sortes de modèles de pulvérisateurs. Éviter de pulvériser trop souvent de l'eau sur les plantes à feuilles duveteuses. N'employer que de l'eau douce pour prévenir la formation de taches sur le feuillage.

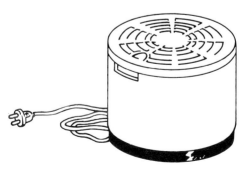

L'usage de l'humidificateur se répand de plus en plus. C'est le moyen le plus efficace pour lutter contre le dessèchement de l'atmosphère dû au chauffage central.

Degré d'humidité relative de l'atmosphère élevé (au-dessus de 60 %). Réalisable uniquement dans les serres et vitrines d'appartement.

Degré d'humidité relative de l'atmosphère moyen (50-60 %), tel qu'on peut l'obtenir dans une pièce chauffée en y faisant fonctionner un humidificateur ou un pulvérisateur.

Degré d'humidité relative de l'atmosphère bas (en dessous de 50 %). Les plantes se satisfaisant de ces conditions ne nécessitent pas d'attentions spéciales.

Les périodes de repos

Beaucoup de plantes répertoriées dans ce livre exigent une période de repos pendant laquelle leur végétation entre en dormance. Comment cela se produit-il ? Le signal est donné dès que les jours commencent à raccourcir. C'est de la durée de la lumière que dépend tout le mécanisme de photosynthèse et de nutrition de la plante (voir p. 50). En période de repos, la plante recevra moins d'eau et pas du tout d'engrais. La température baissera, elle aussi, parfois de quelques degrés seulement, parfois de quelques dizaines de degrés, car la plante vit à ce moment au ralenti. En logeant une plante en sommeil dans un local chaud, on stimule chez elle une croissance prématurée ; les pousses qu'elle émettra s'anémieront, faute de lumière, et la plante entière s'étiolera.

Il va de soi que les végétaux capables de supporter l'hivernage sont des végétaux qui, en fait, ne peuvent s'en passer. Prenons pour exemple le pommier qui, en période d'arrêt de végétation, supporte le gel. Transplanté sous les tropiques, où il n'aura pas à subir l'effet du gel, il continuera à se développer de façon ininterrompue, mais sa fructification sera décevante. Le cycle végétatif de toute plante qui perd ses feuilles l'hiver passe par une période de repos très stricte. C'est pourquoi l'hortensia, qui est une plante à feuillage caduc, doit se reposer en hiver. Les plantes à bulbes et à tubercules montrent, par le fait même qu'elles disposent d'un organe-réservoir, qu'elles sont faites pour supporter un arrêt de végétation, et on doit leur ménager cette interruption sans laquelle le bulbe ou le tubercule ne peuvent remplir leur fonction. Les tiges et les feuilles turgescentes des plantes succulentes sont la preuve évidente que leur cycle végétatif comporte une halte temporaire — en saison sèche — il faut donc la respecter. Les pseudobulbes des orchidées sont, eux aussi, des réservoirs et servent au même but.

En ne permettant pas à ces plantes de suivre leur rythme naturel, on les force à émettre des pousses qui les épuisent et l'on compromet ainsi la formation de boutons floraux. L'absence de floraison n'a souvent d'autre cause que le séjour en local trop chauffé en période de repos.

Durée du jour et température

Ainsi que nous l'avons remarqué aux rubriques « Lumière » et « Température », ces deux facteurs de croissance jouent un rôle primordial dans le cycle végétatif de la plante. La diminution de la lumière, ou plutôt, du nombre d'heures d'éclairement est interprétée par les plantes dites « de jours longs » comme le signe de leur entrée en période de repos hivernal. Les plantes « de jours courts » se mettent au contraire à fleurir quand la durée du jour raccourcit : ce sont des végétaux à floraison hivernale, qui se reposent au printemps ou en été.

La température joue un rôle un peu analogue dans la formation des boutons floraux. Il y a des plantes qui forment leurs boutons quand le thermomètre grimpe, et d'autres, quand il descend. En maîtrisant ces deux facteurs, durée du jour et température, nous réglons à notre guise le temps du repos. En général, on cherchera à respecter le rhythme naturel des plantes, car c'est la méthode la plus simple à appliquer. Les plantes qui exigent une période de repos sont clairement signalées dans la partie encyclopédique de l'ouvrage.

Un abri dans la maison pour les plantes au repos

Les plantes cultivées dans les logements modernes, équipés du chauffage central, sont moins favorisées que leurs sœurs logées dans des constructions moins récentes, chauffées à l'ancienne mode. La température étant uniformément répartie dans toutes les pièces, il est difficile de trouver un endroit un peu frais où les entreposer en période de repos. Par mesure d'économie et pour des raisons de confort, on améliore de plus en plus l'isolation des maisons et on aggrave la condition des plantes. Autrefois, un cyclamen, lorsqu'il était placé auprès de la fenêtre, tolérait assez bien l'atmosphère d'une pièce chauffée. Cette plante affectionne une température fraîche. Derrière un double vitrage, il fait beaucoup trop chaud : nous nous en félicitons, pas le cyclamen qui, lui, en meurt.

Il est curieux qu'à une époque où les plantes d'appartement recueillent tant d'attention, les architectes se désintéressent complètement de leurs besoins. Aménager un petit réduit clair et frais n'implique pas de gros frais, si on y pense en dessinant les plans. En ajouter un par la suite est parfois très difficile.

Si on n'a pas la chance de disposer d'un petit coin à part, on logera ses plantes dans une chambre non occupée ou au grenier. Il faut que la lumière soit suffisante. S'il y a un radiateur dans la chambre, on pourra, sans frais exagérés, l'équiper d'un thermostat permettant de régler la température à volonté. Vérifier au thermomètre si la température obtenue coïncide avec les exigences de la plante.

Une véranda ou un jardin d'hiver, non occupés pendant la saison froide, se prêtent idéalement à l'hivernage des plantes, surtout si la lumière pénètre par le toit. Vérifier qu'il n'y gèle pas.

Autres abris possibles

Sur le balcon d'un appartement, on peut installer une mini-serre qui accueillera les plantes de petite taille, comme les cactées. On l'équipera d'un chauffage électrique pour la garantir du gel.

Les plantes passeront aussi leur période de repos très à l'aise dans une remise ou au garage, surtout si on renforce l'isolation du toit avec du plastique et si on pratique quelques ouvertures supplémentaires dans les murs. Comme ce serait merveilleux si on y pensait au moment de la construction ! Pour une dépense d'ordre négligeable, on pourrait disposer d'une magnifique orangerie, comme celle qui est dessinée sur la page ci-contre.

Une trouvaille de l'auteur : l'orangerie construite en prolongement du garage sera parfaite pour loger les plantes d'orangerie et les plantes grasses pendant l'hiver. Il faut prévoir un léger moyen de chauffage qui maintiendra la température à + 5° C. Les fenêtres et les lucarnes du toit doivent pouvoir s'ouvrir pour permettre l'aération.

Il y a même des plantes qui tolèrent d'être totalement enterrées pendant leur dormance. Les géraniums et les fuchsias en font partie. En octobre, on creuse une tranchée. On dépose, au fond, un lit de gravillons pour assurer le drainage et on couche, par-dessus, les plantes préalablement taillées. On les recouvre de 30 cm de terre et d'une couverture de feuilles mortes ou de paille. On choisira, pour ce faire, un endroit aussi sec que possible. La méthode peut paraître un peu barbare et pourtant, lorsqu'on déterre les plantes, vers la mi-mars, bon nombre d'entre elles ont tenu le coup. Une fois habillées et rempotées, elles démarreront vite.

Les plantes qui subissent un arrêt de végétation en été seront enterrées dans un coin ombragé du jardin ou rangées sur le balcon. Il ne faudra pas oublier de les rentrer à temps.

L'idéal est d'avoir à sa disposition une petite serre spécialement affectée à cet usage. La température minimum ne doit pas y descendre au-dessous de 5 °C. Les plantes y bénéficieront d'espace et de lumière et la température pourra être réglée à volonté.

En haut : une petite serre de balcon peut déjà contenir bon nombre de plantes. Un petit radiateur à ventilateur, muni d'un thermostat, suffira à écarter les risques de gel.

En bas : un thermostat posé sur le radiateur d'une chambre inoccupée permettra de maintenir une température constante de + 5° C.

Les engrais

Pour vivre, une plante a surtout besoin d'azote, de phosphore, de potassium et parfois de calcaire. Le support de culture devra contenir également, mais en quantités infinitésimales, des oligo-éléments tels que du fer, du magnésium, du zinc, du molybdène, du cuivre, du bore et du chlore. Bien que les végétaux (à l'inverse des hommes et des animaux) soient capables de soustraire une partie de leur « nourriture » à l'atmosphère, c'est à la terre qu'ils demandent surtout de leur fournir les éléments nutritifs nécessaires à leur croissance. Les problèmes de fertilisation ne se posent généralement pas pour une plante que l'on vient d'acheter, mais au bout de quelque temps, la plante a épuisé les éléments nutritifs contenus dans le pot et il faut songer à les lui renouveler. La croissance de la plante se règle sur l'élément minimum. S'il y a carence d'azote, on aura beau lui fournir autant de phosphore et de potassium que l'on veut, rien n'y fera. La teneur d'une terre en éléments nutritifs ne peut se mesurer qu'à l'aide d'instruments de laboratoire. Dans la pratique courante, on se contente de recourir à des engrais composés dont on espère qu'ils rétabliront l'équilibre du substrat, ce qui est généralement le cas.

Toutes les plantes n'ont pas les mêmes besoins
La teneur des engrais en azote, acide phosphorique et potassium est exprimée en chiffres reliés par le signe plus. Ainsi une formule 6 + 4 + 6 convient aux plantes d'appartement les plus courantes. Les succulentes préfèrent un engrais moins azoté, selon la formule 4 + 7 + 9. On trouve dans le commerce des engrais composés suivant quantité de formules différentes, chaque fabricant estimant, bien entendu, que la sienne est la meilleure.

Les différentes sortes d'engrais
Mis à part le fait que les engrais varient suivant les proportions des éléments qui entrent dans leur composition, ils peuvent aussi différer suivant la nature de leurs composants. On distingue les engrais minéraux ou engrais chimiques et les engrais organiques (d'origine animale ou végétale), dits aussi engrais naturels. Les uns et les autres se présentent sous forme solide ou liquide.

Quels engrais convient-il d'utiliser pour les plantes d'appartement, les chimiques ou les organiques ? Nous allons peut-être décevoir certains lecteurs, car tout en étant des défenseurs acharnés de la culture biologique, nous ne proclamons pas la supériorité absolue des engrais naturels. Ils ne réussissent pas toujours tellement bien à la plupart des plantes d'appartement. Le substrat de départ, celui dans lequel la plante a été élevée chez l'horticulteur, contient déjà de nombreux engrais chimiques. Les mélanges de rempotage que l'on trouve dans le commerce, également. L'emploi d'engrais organiques ne se justifie que si l'on prépare soi-même son terreau biologique (voir p. 62).

Mieux vaut tenir compte des résultats obtenus. L'essentiel est de s'assurer que l'engrais contient tous les éléments nutritifs dans les proportions souhaitées et n'en contient aucun dans des proportions nocives (par exemple, du chlore), un accident qui arrive aux engrais naturels aussi bien qu'aux engrais chimiques. Les engrais chimiques sont dix fois plus concentrés que les engrais organiques, donc dix fois plus économiques à l'achat. Les engrais liquides sont beaucoup plus chers que ceux vendus en poudre, car ils sont fortement allongés d'eau. Leur forme est plus attrayante, c'est tout.

L'engrais naturel contient, outre des sels minéraux, des matières organiques excellentes pour les plantes mais moins indispensables, car le mélange de rempotage tout prêt en contient déjà beaucoup et il est inutile d'en rajouter.

En résumé, nous dirons que l'on peut administrer sans crainte à ses plantes d'appartement tous les engrais chimiques bon marché vendus sous forme de poudre par toutes les grandes marques. Ne jamais dépasser les doses prescrites. Si on utilise un compost biologique, ou si on éprouve une aversion insurmontable pour les engrais chimiques, on peut évidemment se servir d'engrais naturel.

L'engrais naturel
Le fumier bovin déshydraté est souvent vendu sous forme de poudre ou de bâtonnets. Nous recommandons plutôt l'emploi du sang séché ou de la corne torréfiée en provenance des abattoirs. Se rappeler que l'utilisation de ces engrais fait monter le pH du sol ; éviter donc de les administrer à des plantes calcifuges comme les azalées, les bruyères, les *Anthurium*, les *Camellia*. La même remarque vaut aussi pour le fumier de volaille que l'on trouve ici et là chez les commerçants. On vend également de la poudre de goémon séché. L'huile de poisson est surtout recherchée par les éleveurs d'orchidées.

Les engrais naturels libèrent très lentement leurs éléments nutritifs. Ce peut être un avantage : on évite les risques de brûlures, mais leur effet est lent à se manifester.

Les engrais spéciaux
Parmi les engrais chimiques, on trouve des engrais spéciaux, dits engrais-retard. Ils ont subi un traitement à part ou sont vendus sous forme de capsules à dissolution progressive. Leur effet s'étend sur trois à quatre mois, et on peut distribuer la dose de toute une saison en une seule fois.

On se procure aussi un engrais foliaire liquide à pulvériser directement sur le feuillage. Il ne faut pas en attendre de miracles. Ce même engrais peut être distribué en arrosages normaux.

Quand faut-il fertiliser ?
La fertilisation s'impose :
a. quand la plante est cultivée dans un pot relativement exigu ;
b. quand la plante est en pleine période de croissance ;
c. quand la plante manifeste des signes de carence, ce qui se passe généralement trois mois après le rempotage.

Les plantes qui se développent l'été recevront des engrais à partir de juin. On suspend la distribution en août, avant l'entrée en dormance. Les plantes qui croissent en hiver seront fertilisées avec parcimonie, la courte durée du jour réduisant sensiblement leur capacité d'assimilation, une fonction liée à l'éclairement.

Faire suivre chaque fertilisation d'un arrosage copieux pour prévenir les brûlures. Imbiber d'eau les mottes très sèches avant de les arroser à l'engrais dilué. Les brûlures sont plus facilement provoquées par les engrais chimiques que par les engrais naturels à décomposition lente.

Les plantes voraces, comme le *Sinningia*, apprécient un apport d'engrais quotidien, dilué dans l'eau d'arrosage : réduire la dose normale de moitié. Les plantes à croissance modérée recevront un peu d'engrais tous les quinze jours, les plus paresseuses se contenteront d'un apport par mois. La norme est d'une fertilisation tous les quinze jours. Chaque fois qu'une plante s'en écarte, nous avons soin de le signaler. Ne jamais fertiliser pendant la période de repos.

Dommages causés par les sels
Autrefois, on gardait la plante parfois des années dans le même pot. Un peu d'engrais de-ci de-là suffisait à la maintenir en bonne santé.

Actuellement, on est confronté au problème de l'eau du robinet qui est, à la fois dure et polluée. Cette eau est souvent chargée de sels nocifs. Les engrais chimiques ou organiques en contiennent également (par exemple, du chlore). A force d'arrosages et de fertilisations, ces sels s'accumulent dans la terre et finissent par nuire à la plante.

Un jardinier consciencieux préférera renouveler souvent le support terreux en changeant, par exemple, la couche superficielle jusqu'aux racines. Cette opération procure à la plante une nouvelle provision d'éléments nutritifs et a l'avantage de rendre l'apport d'engrais superflu pendant un certain temps.

Les mélanges terreux et le rempotage

On a vu p. 49 comment la plante se nourrit par l'intermédiaire de ses racines. Le bon fonctionnement de ce mécanisme est lié aux conditions suivantes :
a. une bonne aération (oxygène) ;
b. une humidité appropriée ;
c. une fertilisation satisfaisante.
Tout mélange (qu'il contienne ou non de la terre) doit obligatoirement réunir ces conditions. Il sert, en outre, à fixer la plante dans le pot.

Le choix du mélange terreux
Au chapitre « Terreaux pour plantes d'appartement », les livres anciens mentionnent des dizaines de mélanges différents. On cherchait à reconstituer pour chaque espèce une composition qui se rapprochât de sa terre d'origine.
Aujourd'hui, on aurait plutôt tendance à faire pousser indifféremment toutes les plantes dans un mélange identique. Les deux points de vue nous paraissent excessifs. On peut concevoir que certaines plantes puissent avoir une préférence pour un type de mélange, tandis que d'autres exigeront un mélange basé sur des besoins totalement différents.
Dans ce livre, nous nous en tenons à deux types de mélange de base. Quand une plante exige un support particulier, nous le mentionnons dans le texte.

Amendements artificiels
On n'utilise plus guère de terre franche pure. Autrefois, on prélevait assez couramment un peu de terre dans son jardin, mais déjà on y mêlait du terreau de feuilles ou de gazon décomposés. L'analyse des exigences des plantes (voir ci-dessus) a montré qu'un « terreau » de qualité devait avant tout renfermer beaucoup d'humus qui le rende perméable à l'air et à l'eau. On améliore encore sa texture en lui ajoutant des granulés de matière inerte (sable, mousse de polyuréthane, perlite). Les éléments nutritifs sont ajoutés sous forme d'engrais chimiques.

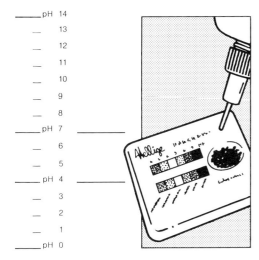

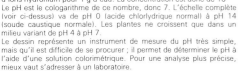

Le pH est une unité de mesure qui exprime la concentration des ions hydronium dans l'eau. Une solution neutre contient 10 000 000 d'ions hydronium pour 1 g d'eau. La concentration est donc de 10^{-7}.
Le pH est le cologarithme de ce nombre, donc 7. L'échelle complète (voir ci-dessus) va de pH 0 (acide chlorhydrique normal) à pH 14 (soude caustique normale). Les plantes ne croissent que dans un milieu variant de pH 4 à pH 7.
Le dessin représente un instrument de mesure du pH très simple, mais qu'il est difficile de se procurer ; il permet de déterminer le pH à l'aide d'une solution colorimétrique. Pour une analyse plus précise, mieux vaut s'adresser à un laboratoire.

Importance du degré d'acidité
Il est extrêmement important que le mélange ait un degré d'acidité compatible avec les exigences de la plante. Sur ce point, il n'y a pas de compromis possible. Un groupe important de plantes d'appartement réclament un pH qui se situe entre 5,5 et 6,5 : c'est ce que nous appelons une terre légèrement acide. D'autres préfèrent un sol nettement plus acide, un pH élevé les empêche d'assimiler le fer contenu dans le sol : ce sont les azalées, les *Brunfelsia*, les calcéolaires, les hortensias, les primevères, les *Sinningia* (gloxinias), etc. Le pH idéal se situe pour elles entre 4,6 et 5,4. Les orchidées et les cactées s'accommodent d'un pH entre 4,5 et 6,5. On trouve dans le commerce des mélanges tout prêts conçus pour ces différentes catégories de plantes.

Les symboles
Un symbole met en évidence pour chaque genre de plante le mélange qui lui est approprié. Par souci de clarté, on s'en est tenu à deux symboles, représentant chacun une composition spécifique. Ils conviennent à 75 % des plantes répertoriées dans ce livre. La composition des mélanges spéciaux est expliquée en clair et signalée par un troisième symbole.

Les principaux mélanges du commerce
Grâce à leurs connaissances des besoins des plantes et de la valeur nutritionnelle des terreaux, les horticulteurs réalisent des mélanges terreux équilibrés. Les spécialistes ont créé une grande variété de mélanges de multiplication et de culture qui contiennent les éléments nutritifs essentiels. Ils ne contiennent pas de graines de mauvaises herbes, d'insectes et de maladies. On les vend en général en sacs de dimensions calculées pour qu'on puisse les utiliser sans salir par terre, qu'il ne s'en perde pas et qu'on n'ait pas besoin d'en garder de trop grandes quantités en réserve.
On trouve en France des terreaux pour plantes vertes, c'est-à-dire celles qui développent un important feuillage décoratif vert ou panaché. Ces mélanges sont à base généralement de terreaux de feuilles, de terreaux de fumier, de sable, tourbe ou de terre de bruyère. Ils sont riches en azote qui favorise le développement des feuilles. Pour les plantes à fleurs, il faut plutôt dire les plantes décoratives par leurs fleurs, les mélanges sont à base de terreau de fumier, de terreau de bruyère additionnés d'engrais fortement dosés en potasse et en acide phosphorique.
Les substrats courants utilisés par la plupart des commerçants sont composés principalement de :
— sept parts de terreau
— trois parts de tourbe
— deux parts de sable grossier
auxquels ils ajoutent de l'engrais et des oligo-éléments suivant des formules qui leurs sont propres.
Chaque plante a besoin d'un mélange différent, les rhododendrons, les azalées ne peuvent supporter la chaux, les orchidées préfèrent des mélanges à base de sphagnum (mousse des marais), d'aiguilles de résineux, et c'est ainsi pour de nombreux groupes de plantes. C'est pourquoi les spécialistes ont créé de nombreux mélanges issus de ces deux types de culture. À ces nombreux mélanges de culture on pourrait ajouter un « terreau » spécial pour semis et même bouturage, les mélanges ordinaires étant trop riches pour la multiplication. Un bon pépiniériste ou un bon commerçant saura vous indiquer quel substrat convient à vos besoins particuliers.
Malheureusement il n'est pas toujours aisé de se procurer ces substrats tout préparés car ils sont souvent d'un prix élevé et d'une distribution restreinte, ou bien encore ils sont souvent fabriqués en de grandes quantités qui les réservent aux professionnels.
Dans d'autres pays, d'autres mélanges standard sont utilisés. L'Angleterre a son fameux mélange John-Innes. En Allemagne, on connaît surtout le Torf Kultur Substrat, abrégé en TKS : il est essentiellement composé de tourbe, de chaux et d'engrais chimiques. Aux Pays-Bas, les principaux fabricants se sont réunis et ont fixé ensemble un type de mélange standard, dit RHPA, composé de : une part de sable de rivière lavé, deux parts de tourbe litière, six parts de tourbe noire ; le pH souhaité est obtenu par l'adjonction de 7 kg de Dolokol super par m³ de mélange, auquel on ajoute en outre 1,5 kg d'engrais composé 16 + 10 + 20, 150 g de phosphate bicalcique et quelques oligo-éléments (Il existe des variantes de ce mélange standard, pour diverses catégories de plantes).

Utiliser un mélange standard, prêt à l'emploi, vendu en sac.

Utiliser un support acide que l'on obtiendra en mélangeant des parties égales de mélange standard et de tourbe acide.

Utiliser un mélange spécial à préparer soi-même en suivant les indications du livre.

Mélanges « maison »
Certains amateurs aiment fabriquer eux-mêmes leurs mélanges de rempotage, qui sont certainement supérieurs à ceux du commerce, ne serait-ce qu'à cause du soin que l'on met à les préparer. On peut utiliser les ingrédients suivants :
1. Terreau de feuilles : de préférence des feuilles de hêtre, mais on peut y mêler d'autres essences. Éviter pourtant les feuilles de chêne. Faire un tas et laisser se décomposer un an ou deux. Cribler. Éviter de laisser dessécher.
2. Terreau de gazon. Les coupes de vieux gazons ou de prairies, surtout si le sol est argileux, sont laissées en tas (avec un peu de motte) jusqu'à complète décomposition. On crible le terreau avant l'emploi.
3. Compost de déchets végétaux provenant du jardin (contient beaucoup de mauvaises herbes !) ou de la cuisine. Peut servir d'amendement au mélange de rempotage.
4. Fumier de ferme. Le fumier bovin doit attendre deux ans avant de pouvoir être utilisé. Il faut le broyer avant de l'incorporer au mélange.
5. Tourbe litière entre dans la composition des mélanges du commerce, mais est parfois aussi utilisée dans les mélanges « maison ». Attention à la concentration en sels !
6. Tourbe noire qui a été soumise à l'action du gel. S'achète en sac dans le commerce. Excellent amendement.
7. *Sphagnum* ou sphaigne. On s'en servait autrefois comme pique-fleurs. On peut parfois s'en procurer chez les fleuristes. Sert à aérer les mélanges.
8. Sapinette. Terreau d'aiguilles de résineux à moitié décomposées, ramassé dans les forêts de conifères.
9. Argile ou loam, peut rendre service. Il faut aller le ramasser soi-même dans la nature.
10. Sable grossier : sable de rivière pas trop riche en calcaire. Il faut le laver. Ramasser de préférence des gravillons.
11. Perlite : petites perles de polystyrène très légères et aérées. S'achète en sac. Choisir la variété horticole qui est neutre.
12. Charbon de bois, tel qu'on l'achète pour le barbecue. Sert à aérer les mélanges.
13. Dolokol ou dolomie. Roche des Dolomites broyée. Sert à rétablir le pH du mélange lorsqu'il est trop acide.
14. Poudre de sang désséché, corne et os torréfiés : remplacent avantageusement les engrais chimiques. Contiennent de l'azote, de la potasse et de l'acide phosphorique, mais aussi beaucoup de calcium. Ne pas utiliser dans les mélanges destinés aux plantes calcifuges.
Il existe bien d'autres composants, en particulier pour les orchidées : racines de fougères, écorces d'arbre broyées. Mais nous nous arrêterons là.

Quelques exemples de mélanges

Mélange pour plantes ordinaires (symbole ⊚)
4 parts de terreau de feuilles finement tamisé
1 part de sable de rivière
1 part de fumier bovin bien décomposé
Ajouter par litre : 5 g de dolomie, 5 g d'un mélange de sang desséché, de corne et d'os torréfiés.

Mélange pour plantes calcifuges (symbole ⊚)
3 parts de terreau d'aiguilles de conifères (sapinette)
2 parts de tourbe
1 part de fumier bovin bien décomposé
Ajouter par litre : 1 à 2 g de dolomie, 2 g d'engrais composé 12 + 10 + 18 (en fins granulés).

Mélange pour semis
1 part de mélange standard de rempotage.
1 part de tourbe.
Ajouter par litre : 2 g de dolomie.
On trouvera d'autres formules de mélanges spéciaux dans la partie encyclopédique. Voir aussi les mélanges pour orchidées et cactées pp. 69 et 70.

Rempotage

Dans la nature, les plantes explorent le sol à leur guise. La plante d'appartement, elle, n'a à sa disposition qu'une quantité de terre limitée dont elle a vite fait d'extirper les éléments nutritifs. Une plante vigoureuse épuise son support en six semaines. On peut intervenir de deux manières : fertiliser ou rempoter. Nous avons expliqué à la p. 61 dans quelles conditions il fallait fertiliser. Nous avons remarqué qu'à la longue la terre se salinise et que ce phénomène peut être aggravé par la qualité de l'eau du robinet. Le rempotage est donc au moins aussi utile que la fertilisation.

Quand rempoter ?

En principe, il est temps de rempoter quand les racines ont envahi toute la motte et que les poils absorbants commencent à former un feutrage à la périphérie. Il est aussi nécessaire de rempoter quand les parois des pots de terre se couvrent de tartre ou que des algues apparaissent à la surface de la terre. Le rempotage donne également de très bons résultats quand une plante donne des signes de faiblesse ou qu'elle est attaquée par des maladies, même si celles-ci ne proviennent pas de la terre.
On peut rempoter à n'importe quel moment de l'année, mais le printemps est la période la plus favorable pour presque toutes les plantes. On n'abîme pas une plante en la tirant légèrement hors du pot pour vérifier l'état de la motte, à condition de ne pas blesser ses racines.
La fréquence des rempotages varie d'une fois par mois à une fois tous les deux ans. Un jeune plant d'*Abutilon* qui émet de nombreuses pousses peut être transplanté dans un pot légèrement plus grand toutes les six semaines, d'avril à septembre. On peut sauver un pied de bégonia (autre plante à croissance rapide) attaqué par l'oïdium en changeant fréquemment sa terre. Mais un agave vieux de cinquante ans, héritage d'une grand-mère, qui fidèlement, chaque été, trône majestueusement sur la terrasse dans son beau baquet de teck, se satisfera d'un rempotage tous les deux ans. La fréquence des rempotages est fonction de la croissance de la plante.

Dans quel récipient rempoter ?

Nous avons évoqué les avantages et les inconvénients des récipients en terre cuite et en matière synthétique, en même temps que les problèmes d'arrosage, à la p. 57. Tout ce qui regarde les cache-pot et les jardinières, bacs, se trouve aux pp. 14 et 32.

L'hydroculture et les systèmes d'arrosage par capillarité sont traités pp. 45 et 46. Les conteneurs les mieux venus sont les pots en plastique munis de soucoupe, économiques et fonctionnels : certains ont des formes très décoratives.
En principe, le nouveau pot doit être légèrement plus grand que le précédent : environ de l'épaisseur d'un doigt. Si la plante est jeune et appelée à se développer très vite, on choisira un pot ou un bac nettement plus vaste, pour éviter d'avoir à recommencer l'opération trop souvent.
Il y a des plantes dont les racines s'enfoncent très profondément dans le pot et d'autres dont le système radiculaire est très superficiel. Il existe des pots conçus pour chacune d'elles : les pots pour palmiers, étroits et hauts, et les pots à azalées, larges et peu profonds. L'existence de ces pots peut avoir une certaine importance pour les horticulteurs qui ont soit des problèmes d'espace dans leurs serres, soit des problèmes financiers à cause du prix élevé des substrats. En d'autres mots, un conteneur pour palmier doit être profond, mais il n'est pas indispensable qu'il soit étroit ; un pot à azalée doit être large, mais sa profondeur est indifférente.
Les pots de fleurs en terre cuite, s'ils sont neufs, doivent être trempés 24 heures dans l'eau avant l'emploi, sinon ils absorbent toute l'humidité de la terre. S'ils ont déjà servi, on les brossera soigneusement. Ne pas utiliser de détergent qui imprégnerait le pot et serait difficile à éliminer. La plupart des détergents sont néfastes aux racines.

Dépoter

Il n'y a pas de difficulté à dépoter une plante qui se trouve dans un pot lisse et étanche. Par contre, les racines s'accrochent parfois solidement aux parois poreuses des pots de terre non vernissés. La tâche sera facilitée si on fait d'abord tremper le pot. Si la motte résiste, briser le pot avec précaution. On se servira des morceaux pour un drainage.
Quand les pots sont enterrés depuis un certain temps, les racines ont poussé au travers du trou de drainage. Il ne faut surtout pas les couper, c'est par leur intermédiaire que la plante se nourrit. Si le pot est en terre, on le brise, s'il est en plastique, on le découpe pour garder les racines intactes.
Certains pots de fantaisie ont un bord rentré. C'est peut-être décoratif, mais en tout cas très gênant quand il faut dépoter la plante. Il ne reste rien d'autre à faire qu'à sortir, petit à petit, toute la terre que l'on peut, en repoussant les racines vers l'intérieur, et à tirer la motte tout doucement.

Éviter à tout prix de blesser les racines

C'est primordial quand on rempote. On manipulera la motte le moins possible. Surtout ne pas toucher à la masse feutrée formée par le chevelu, on priverait la plante de toute possibilité de se nourrir.
Les plantes cultivées dans des pots en terre ont leurs racines massées à la périphérie de la motte, où elles essaient de sucer les éléments nutritifs contenus dans les parois poreuses du pot. Au centre de la motte, on ne trouve pratiquement que de la terre. Cette terre, on peut l'enlever ou ne pas y toucher : de toute façon, les racines ne s'y logeront pas. Dans les pots en plastique, la motte entière est explorée par les racines, il n'en est pas moins superflu d'enlever la terre du centre. On essayera, dans la mesure du possible, d'enlever la couche superficielle, où il ne se trouve pas de racines et qui est saturée de sels.

Le drainage

On conseille de toujours employer des pots percés à la base. Fort heureusement, on dispose aujourd'hui de pots décoratifs (en plastique ou en céramique) percés de petits orifices et vendus avec une soucoupe. Répétons-le : l'eau stagnante est funeste à presque toutes les plantes. Parfois les orifices de drainage se bouchent ; une racine peut en être la cause. Pour prévenir cet ennui, on met un lit de drainage au fond du pot : quelques fragments de pot, des morceaux de charbon de bois ou du gravier. Pour les plantes qui redoutent particulièrement l'eau stagnante (c'est le cas des orchidées) la couche de drainage remplit souvent la moitié du pot. C'est exagéré. L'essentiel est de vérifier que l'eau s'écoule sans problème.
Dans les cylindres ou les bacs étanches, le drainage est moins efficace. Si l'eau dépasse son niveau, les racines entrent en contact avec elle. Il n'a de sens que si on y plante un petit tube de contrôle (voir p. 56). Dans certains cas, le drainage est superflu : si, par exemple, on arrose par la soucoupe. Quelques tes-

Pour dépoter une plante, frapper le pot contre le bord d'une table.

Si les racines ont poussé au travers de l'orifice de drainage, casser le pot en prenant soin de ne pas blesser les racines.

sons au fond du pot suffiront alors, car un drainage trop épais empêcherait la plante de boire par capillarité. Cette remarque est valable aussi pour toutes les plantes élevées sur un matelas d'irrigation, ou selon tout autre procédé d'arrosage par capillarité : il faut, dans ces cas précis, que la terre remplisse le pot jusqu'au fond et que les racines aient accès à l'humidité du réservoir.

Comment planter ?

Recouvrir la couche de drainage de quelques centimètres de terre. Poser la motte par-dessus et continuer de remplir de terre en tassant bien avec les doigts ou une baguette. Entre la surface de l'ancienne motte et le bord supérieur du nouveau pot, il doit rester quelques centimètres que l'on comble avec de la terre neuve (si ce n'est pas le cas, recommencer avec un pot plus grand). Laisser un bord de 1,5 cm pour l'arrosage.

Soins à donner après le rempotage

Il est rare que les racines ne souffrent pas quelque peu lors du rempotage. Leur activité s'en trouve ralentie. Les poils absorbants sont aussi plongés dans un milieu nutritif parfois trop riche pour eux. Il faut donc aider la plante à s'adapter en la traitant avec précaution pendant quelques semaines. On évitera les courants d'air, le plein soleil. Ne pas la sortir tout de suite et supprimer tous les engrais.
Pour faire baisser la concentration de sels dans la motte, arroser très abondamment dans la période qui suit le rempotage, tout en veillant à ne jamais laisser d'eau stagnante au fond du pot. Attendre six semaines avant de reprendre les distributions d'engrais.

Soins quotidiens

Ce que nous avons dit jusqu'à présent des plantes d'appartement démontre combien il est important de s'occuper d'elles quotidiennement. Ce sont ces soins que nous abordons dans ce présent chapitre.

Acclimater la plante
Des plantes que l'on achète, neuf sur dix ont été élevées dans une serre. Elles y ont baigné dans une atmosphère plus humide que celle de leur nouvel habitat. Elles doivent s'habituer à cette nouvelle ambiance plus sèche : nous dirons qu'elles doivent s'acclimater. Dans le meilleur des cas, le fleuriste aura veillé à leur faire subir une phase transitoire, en entretenant dans les locaux où sont entreposées ses plantes un degré d'hygrométrie inférieur à celui des serres de l'horticulteur. Très souvent, cette période intermédiaire est trop brève. On endurcira soi-même les plantes marquées ◯ en les bassinant très souvent les premiers jours. On peut aussi les emballer dans un grand sac en plastique, ouvert dans le haut, que l'on rabat graduellement.

Éviter de déplacer
Il faut éviter, autant que possible, de déplacer les plantes. Certaines parviennent à prospérer sur des bateaux, mais en général elles préfèrent un emplacement fixe. Il faut le choisir judicieusement et si la plante s'y acclimate, ne plus l'en bouger. Sinon, c'est le commencement de la fin.

Arroser
Nous rajouterons peu de choses à ce que nous avons dit de l'arrosage, p. 55 et suivantes. A moins que les plantes ne soient empotées dans des pots à réservoir d'eau, il est très important de les inspecter au moins une fois par jour, et plus, si le temps est très chaud. On ranime assez facilement une plante qui laisse pendre ses feuilles de soif. Arroser avec circonspection, non sans avoir vérifié que la plante a réellement soif. Ce geste, même s'il est quotidien, ne doit jamais devenir automatique.

Ombrer
Toutes les plantes suivies des symboles ◖ et ◕ doivent être protégées des rayons vifs du soleil. Si l'on n'a pas prévu une protection permanente, il faut penser à tirer les voilages ou à baisser les stores. Les accidents dus aux brûlures et au dessèchement sont surtout fréquents dans les vérandas et jardins d'hiver.

Bassiner
Si l'humidité ambiante n'est pas entretenue par une quelconque installation (humidificateur ou autre), il faudra pulvériser de l'eau sur les plantes délicates plusieurs fois par jour, surtout l'hiver, quand on chauffe.

Tuteurer
Les plantes qui ont de longs rameaux grimpants ou rampants ont besoin d'être soutenues. Lorsqu'elles doivent décorer une cloison, on y plantera quelques pitons en laiton bien vissés dans des chevilles (ils sont inoxydables, discrets et durables) et on y attachera les vrilles avec de petits liens en plastique de couleur sombre.
Si la plante se trouve dans un pot mobile, on peut fixer au pot lui-même un cerceau ou un petit treillis sur lesquels on enlace les jeunes tiges. Diverses plantes, dont la passiflore et le *Dipladenia*, sont vendues avec le cerceau ou le treillis. Les plantes grimpantes originaires des forêts vierges tropicales, comme le *Philodendron*, sont souvent livrées avec un tuteur moussu. On peut fabriquer ce tuteur soi-même en garnissant un tuyau en PVC de mousse que l'on attache avec du fil noir. Ce n'est pas tellement facile de garder la mousse humide. Il faut, au préalable, percer de très nombreux petits trous dans le tuyau : au moment de l'arrosage, on remplit aussi le tuyau. L'eau, en s'échappant par les trous minuscules, mouillera la mousse. Cette mousse humide a l'avantage d'activer la croissance des racines aériennes. Dommage que ces tuteurs moussus ne soient pas (encore) en vente dans le commerce de détail.

Le striptease au ralenti : une manière d'acclimater les plantes à une atmosphère sèche. Au fil des semaines, on baisse très progressivement le film plastique dans lequel on les a emballées.

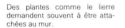

Des plantes comme le lierre demandent souvent à être attachées au mur.

Les plantes grimpantes aux tiges molles, comme cette passiflore, sont souvent enroulées sur un cerceau.

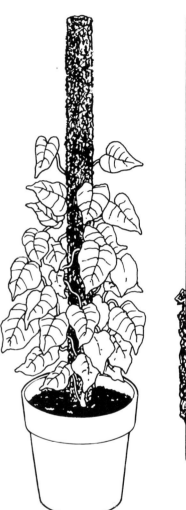

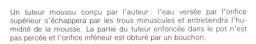

Un tuteur moussu conçu par l'auteur : l'eau versée par l'orifice supérieur s'échappera par les trous minuscules et entretiendra l'humidité de la mousse. La partie du tuteur enfoncée dans le pot n'est pas percée et l'orifice inférieur est obturé par un bouchon.

Lorsqu'on souhaite exposer à la pluie une plante en pot de plastique, il faut couvrir la terre du pot avec une feuille de plastique pour éviter qu'elle se détrempe.

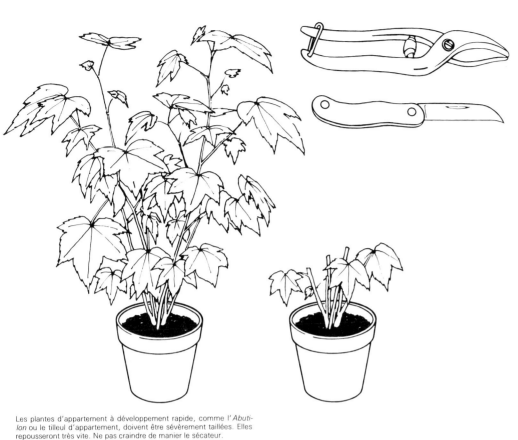

Les plantes d'appartement à développement rapide, comme l'*Abutilon* ou le tilleul d'appartement, doivent être sévèrement taillées. Elles repousseront très vite. Ne pas craindre de manier le sécateur.

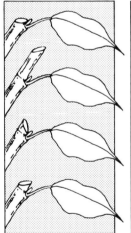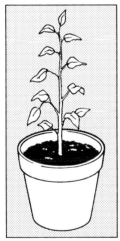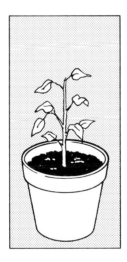

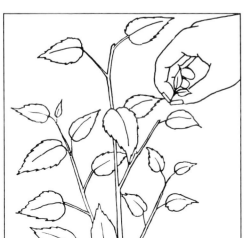

Ci-dessus, à l'extrême gauche : comment tailler ? Toujours au-dessus d'un œil, mais pas trop près, comme le montre le premier croquis en haut. Sur le dessin suivant, le moignon est trop long. Sur la troisième tige, le biseau est dirigé dans le mauvais sens. La tige, tout en bas, est taillée correctement.

À côté : la suite des trois croquis montre les effets du pincement sur une plante. À gauche, la plante avant pincement ; à côté, la plante après pincement, et enfin la même plante après la repousse : le pincement a permis aux yeux latents à l'aisselle des feuilles de se développer et de donner de nouvelles tiges. La plante forme un buisson bien ramifié.

Détail du pincement. La plante est pincée pour la deuxième fois, on opère donc sur chacune des tiges latérales. Toujours pincer juste au-dessus d'un œil.

Nettoyer

Les plantes fleuries doivent être nettoyées. Il faut supprimer régulièrement les fleurs fanées et les feuilles abîmées.

Laver le feuillage

L'assimilation et la respiration se font par l'intermédiaire du feuillage. Il est important que les feuilles soient toujours très propres, car la poussière et les vapeurs grasses pourraient obstruer les stomates. Seules les feuilles lisses et coriaces supportent d'être lavées. Il ne faut pas toucher aux feuilles duveteuses, on ne ferait que les abîmer. Il ne faut pas non plus laver les feuilles couvertes d'une pellicule cireuse (comme celles du *Platycerium*) : cette pellicule protège la plante du dessèchement.

Les taches de calcaire s'enlèvent sans peine à l'aide d'un chiffon imbibé d'eau vinaigrée. On les évitera en utilisant de l'eau douce pour les pulvérisations. On vend des aérosols qui effacent ces taches, mais ils donnent aux feuilles un brillant peu naturel. Le lavage au lait tiède donne aussi d'excellents résultats.

Les surfaces d'accès difficile, comme les côtes des cactées, se nettoient à l'aide d'un coton-tige humecté de lait ou de salive.

Les plantes aux feuilles nombreuses, petites et luisantes seront nettes si on prend la peine de les sortir lorsqu'il tombe une pluie fine et tiède. Si le pot n'a pas d'orifice de drainage, on couvrira la surface de la terre avec un plastique pour ne pas noyer la plante. Certaines personnes mettent leurs plantes sous la douche : c'est parfait si l'eau est douce, sinon la plante sera tachée de calcaire.

Tailler

On peut être amené à tailler dans deux cas : la plante a un port disgracieux et demande à être remodelée, ou bien elle est devenue envahissante.

Tailler de préférence en période de repos, juste avant la reprise de la végétation, c'est-à-dire au moment du rempotage qui se situe vers la même époque. Il est logique de lier ces deux opérations. Il est bien rare qu'au cours du rempotage quelques racines ne périssent (suite à des manipulations maladroites ou non) : on ne peut pas supprimer de racines sans intervenir aussi sur la partie aérienne de la plante ; c'est en équilibrant la plante entière qu'on activera la repousse.

Pour opérer, on se servira d'un sécateur bien affûté. On s'efforcera de donner à la plante une structure harmonieuse en équilibrant sa ramure, en supprimant les branches en trop, celles qui s'entrecroisent au centre de la plante et qui, en frottant l'une sur l'autre, pourraient provoquer des blessures.

Chez certaines plantes, en particulier chez celles de la famille des euphorbes, la taille provoque, à l'endroit de la plaie, l'écoulement d'une sève blanche, semblable à du lait. Panser aussitôt la plaie avec de la poudre de charbon de bois ou des cendres.

Pincer

Le pincement est un cas particulier de la taille, qui consiste à supprimer, en la pinçant, l'extrémité des pousses des jeunes plantes. Les yeux qui se trouvent juste sous le pincement donneront, chacun, un nouveau rameau. Si l'on désire obtenir une plante bien touffue, on répétera l'opération après quelques semaines. De cette façon, la plante s'étoffera et la floraison sera plus abondante.

On pince aussi pour retarder le développement d'une plante. On retardera facilement la floraison d'un fuchsia en le pinçant. Les horticulteurs procèdent ainsi en vue des expositions. L'amateur expérimenté sait exactement à quel moment il doit cesser ses pincements pour que les plantes fleurissent à l'époque qu'il a choisie.

Créer des espaces pour les plantes

Jardinières fixes et vitrines

Nous nous sommes déjà étendus très longuement sur l'intérêt qu'offrent les jardinières fixes et les fenêtres aménagées en vitrines. Nous nous limiterons ici à des remarques d'ordre technique qui pourront servir de guide à des bricoleurs ou des hommes de métier. Ce sont surtout les « fenêtres-fleuries » qui demandent à être pensées sérieusement et, de préférence, au moment de la construction du logement. Les aménager après coup entraîne des frais considérables et parfois des travaux de démolition importants. Il est donc recommandé d'en discuter avec son architecte, avant.

On choisira, de préférence, une situation bien éclairée. On peut toujours envisager un éclairage artificiel d'appoint (voir p. 47), mais il est préférable qu'il demeure accessoire, sinon l'opération devient vraiment compliquée, coûteuse en frais d'installation et dépenses d'énergie et sa présence permanente parfois gênante.

Les « fenêtres fleuries » sont une spécialité de nos voisins du Nord ; elles sont surtout très populaires en Allemagne fédérale. On aimerait les voir aussi chez nous. La chose étant pratiquement inconnue, on aura sans doute quelques difficultés à trouver un installateur compétent. Pour tous ceux qui veulent malgré tout tenter l'expérience, nous essayons de donner, sous forme d'un croquis simple, non les détails techniques d'exécution, mais le principe de ce type particulier de vitrine. Il ne faut utiliser que des matériaux résistant à la rouille : acier inoxydable, aluminium. L'humidité aurait tôt fait d'endommager toute autre matière. On doit pouvoir accéder facilement à la vitrine pour la nettoyer.

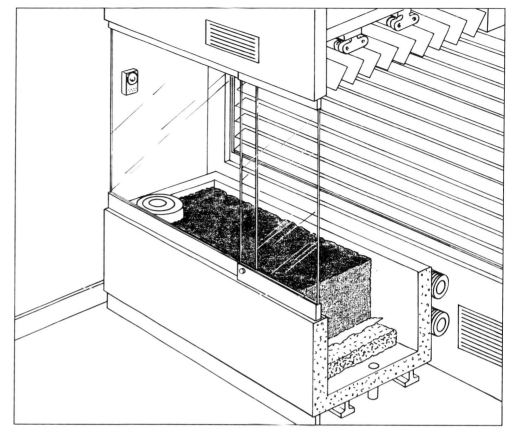

Coupe d'une fenêtre aménagée en vitrine (« Blumenfenster ») suivant les règles de l'art : elle comprend un éclairage artificiel, un chauffage, une aération et un humidificateur d'atmosphère. Le croquis n'est pas fait à l'échelle ; on a simplement tenté de montrer le principe de l'installation.

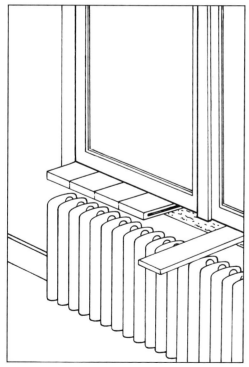

Les tablettes de fenêtre, quand elles existent, sont souvent ridiculement étroites et inutilisables pour le jardinier. Il ne reste plus qu'à revoir l'installation. Enlever ce qui existe. Glisser à la place une planche bien solide, tous les 50 cm.

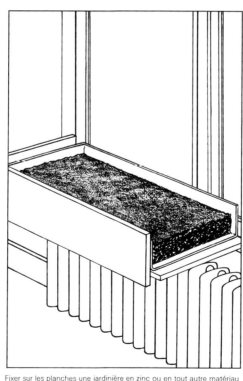

Fixer sur les planches une jardinière en zinc ou en tout autre matériau étanche. Remplir de tourbe et mouiller. Le poids du bac va assurer sa stabilité. Dissimuler l'avant du bac par une planche décorative (elle peut être habillée de contreplaqué, de plastique dur, etc.).

Bon exemple d'une jardinière creusée dans le sol. C'est une solution qu'il faut prévoir au moment de la construction de la maison, sinon elle risque d'entraîner des frais considérables. Soigner le drainage et l'évacuation de l'excédent d'eau. Le convecteur fournit la chaleur, mais les plantes ne sont pas dans le courant d'air.

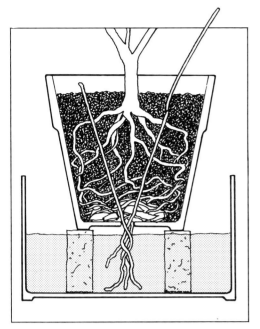

Le système des mèches : le croquis montre comment on les fait passer par l'orifice de drainage du pot. La partie qui dépasse en haut du pot est coupée. Un système qui fonctionne bien, mais la réserve d'eau est vite épuisée.

Une petite carotte poreuse, remplie d'eau, et qu'on fiche dans le pot. La terre absorbe l'eau contenue dans la carotte. La pression descend dans le corps de la carotte qui se remplit au fur et à mesure par l'intermédiaire d'un fin tuyau souple en plastique qui plonge dans un réservoir. Si celui-ci est de bonne dimension, on pourra s'absenter pendant un mois. Si la plante est grande, on se sert de plusieurs carottes et d'autant de réservoirs.

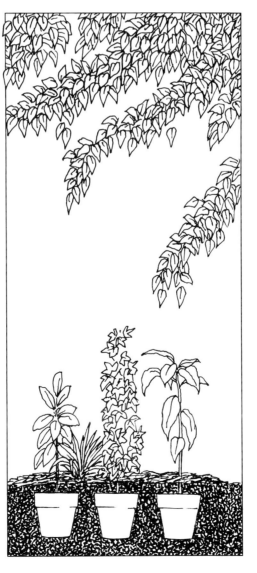

Une très vieille méthode consiste à poser les pots sur une double couche de briques placées dans la baignoire. L'eau arrive juste au-dessous de la base des pots et est absorbée par capillarité via les briques.

Les plantes qui supportent le plein air peuvent être enterrées avec leur pot dans un coin ombragé du jardin. Pailler le sol avec un matériau aéré : feuilles, paille.

Pas de vacances pour les plantes

Mais nous aimons prendre les nôtres. Et voilà une nouvelle source de tracas ! La meilleure solution reste celle du voisin ou du parent à qui l'on demande d'arroser les plantes pendant que l'on s'absente. Commencer par rassembler toutes les plantes dans un endroit où elles seront à l'abri des brûlures : on ne peut tout de même pas exiger d'un aide bénévole qu'il se précipite chez vous chaque fois que le soleil se met à briller.

Signaler les plantes qui réclament des soins particuliers. Tout le monde n'est pas prêt à apprendre cette encyclopédie par cœur. Sur le pot du papyrus, on collera un petit billet : « La soucoupe doit toujours être pleine d'eau. » Et surtout ne pas se fâcher si, au retour, on constate quelques dégâts. On trouvera, chez le fleuriste, de quoi les réparer !

Le problème est moins tracassant pour les adeptes des pots à réservoir d'eau ou de l'hydroculture (voir pp. 45 et 46). Il faut cependant contrôler combien de temps peut durer la réserve. C'est parfois difficile à prévoir, surtout pendant les mois d'été. On connaît plusieurs petits trucs basés sur le principe de la capillarité. Le plus connu est celui de la mèche que l'on fait passer par l'orifice de drainage du pot et qui trempe dans une bassine d'eau. Le pot est posé sur des cales qui le maintiennent hors de l'eau.

Il existe un gadget un peu plus coûteux. C'est une sorte de carotte creuse en argile poreuse que l'on remplit d'eau. On la plante dans la terre qui en absorbe l'eau par capillarité, créant ainsi une dépression dans le corps de la carotte. Celle-ci, relié à un réservoir d'eau par un tube en matière plastique, se remplit au fur et à mesure. Les deux systèmes fonctionnent aussi longtemps que la réserve d'eau n'est pas épuisée. Faire un essai avant les vacances.

Les plantes ligneuses, qui pour la plupart résistent à la pourriture, pourront être entièrement enveloppées dans un plastique, ce qui limitera l'évaporation. Bien mouiller la plante au préalable et la placer hors d'atteinte des rayons du soleil. C'est un procédé risqué, mais certaines personnes ne jurent que par lui. On peut se contenter d'envelopper uniquement le pot, surtout s'il est en terre cuite, cela peut avoir une certaine efficacité.

Il reste un procédé antique qui consiste à se servir d'un baquet à lessive (mais où le trouver aujourd'hui ?) ou d'une grande bassine ou carrément de la baignoire, et de déposer au fond une double couche de briques très poreuses. Remplir le récipient d'eau jusqu'au bord supérieur des briques et poser dessus les pots de fleurs, qui doivent être en matière poreuse, eux aussi. Caler du sphagnum ou des tampons de papier journal mouillés entre les pots. Le fond et les parois des pots absorberont l'humidité et les plantes tiendront ainsi une quinzaine de jours. Les plantes marquées ☺ et ☻ peuvent être enterrées dans un endroit ombragé du jardin, abrité du vent. Les baigner d'abord, les empoter dans des pots en terre cuite, s'ils n'y sont déjà, les enterrer et étendre sur le sol une couverture de feuilles ou de tontes de gazon. Placer le tuyau d'arrosage à proximité et demander au voisin d'ouvrir de temps à autre le robinet, s'il fait très sec.

Si on part en vacances l'hiver, on ramènera le thermostat à 12-14 °C : c'est une température qui convient à pratiquement toutes les plantes, à condition qu'elles ne soient pas exposées à des courants d'air, près d'une fenêtre. Elles nécessiteront quand même quelques petits arrosages. Recommander à la personne qui s'en occupera de ne pas les noyer. Cela ne vaudrait pas mieux que de les laisser se dessécher.

Autrefois, on pouvait porter ses plantes chez le fleuriste pendant les vacances. Cela se pratique encore parfois. Il se peut qu'on ait des amis qui acceptent de prendre les plantes en pension chez eux, dans leur maison ou dans leur serre.

Soins spéciaux par catégorie de plantes

On peut répartir les plantes suivant les familles auxquelles elles appartiennent, mais aussi selon les soins qu'elles réclament. Nous examinerons quelques groupes dont la bonne santé dépend d'un certain savoir-faire. Ces renseignements, outre ceux qui sont donnés dans la partie descriptive de l'encyclopédie, rassemblent l'essentiel de ce qu'il faut savoir à ce sujet.

Les plantes bulbeuses et tubéreuses

Les plantes à bulbe et à tubercule disposent d'organes qui leur permettent d'emmagasiner des réserves en vue des temps difficiles (lire : des périodes de sécheresse). Leur culture doit être conduite de façon à leur ménager une période de végétation, pendant laquelle elles produiront des feuilles et des fleurs, et une période de repos très stricte, où la partie aérienne disparaîtra totalement et les bulbes ou les tubercules seront conservés au sec (et pas nécessairement dans le pot). Seules quelques rares tubéreuses échappent à l'arrêt complet de leur végétation. Nous le signalons dans leur description.

Les bulbeuses et les tubéreuses qui fleurissent en appartement se divisent en deux groupes : celles à floraison printanière et celles à floraison estivale.

Les vraies bulbeuses printanières, comme les tulipes, les jacinthes, les crocus, les narcisses, sont plantées dans des récipients larges et peu profonds. Les pots doivent être bien drainés. On utilise un mélange à base de terre sableuse. Il n'est pas nécessaire qu'il soit riche. Ceux qui ont un jardin pourront les enfouir dans un endroit assez sec et surtout bien drainé, car l'eau stagnante fait pourrir les oignons. Une terre archisèche freinerait cependant le développement des racines. Le trou sera profond de 40 à 50 cm. Dans le fond, on dépose un lit de tessons ou de gravillons, par mesure de précaution, et on range les pots par-dessus. On plante quelques baguettes dans le sol pour repérer l'emplacement. Couvrir, sans tasser, de terreau de jardin. Si le gel menace, on couvrira de paille — non par crainte de voir geler les oignons,

À l'extrême gauche : les bulbes à forcer pour une floraison printanière sont d'abord enterrés au jardin, dans un endroit ni trop sec, ni trop humide.

À gauche : si on n'a pas de jardin, une caisse placée sur le balcon fera l'affaire. La remplir de tourbe : c'est un matériau qui a d'excellentes propriétés isolantes.

Ci-dessus : les bulbes à floraison estivale sont toujours enterrés très superficiellement pour ménager le plus de place possible à leurs racines. Veiller au drainage.

À droite : narcisses et jacinthes sont souvent cultivés dans des carafes spéciales. L'eau doit arriver à quelques millimètres au-dessous de la base des bulbes.

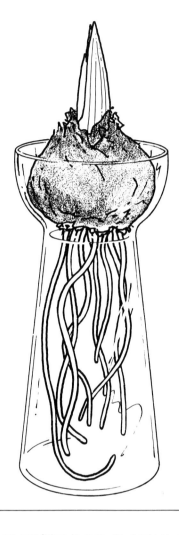

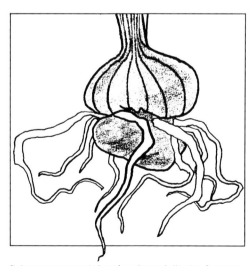

Ci-dessus : un nouveau bulbe naît au-dessus de l'ancien. Ce processus se renouvelle chaque année.

À gauche : beaucoup de lis émettent des racines sur la tige, au-dessus du bulbe. Il faut en tenir compte et enterrer le bulbe profondément dans des pots très hauts.

mais pour empêcher la terre de durcir et pouvoir déterrer les pots si le gel persistait.

Vers la mi-janvier, on déterre quelques-uns des pots enfouis vers la fin octobre afin de vérifier l'avancement de la végétation. Dès que l'on sent nettement le bouton à fleur au cœur de la pousse, il est temps de les exposer à la lumière.

Ceux qui n'ont pas de jardin peuvent enterrer les bulbes dans une caisse, sur le balcon. On remplit la caisse de tourbe et on y enfouit les pots. Essayer de protéger la caisse des rayons du soleil, car pour s'enraciner les bulbes exigent que la température ne dépasse pas 9 °C.

Les bulbes s'enracinent aussi s'ils sont entreposés dans un placard ou un réduit frais. Il n'est pas indispensable de les enterrer, pourvu qu'ils soient à l'obscurité totale. On les plante de façon que leur pointe affleure la terre, on renverse un pot par-dessus et on bouche l'orifice de drainage avec un morceau de sparadrap. En emballant les pots dans des sacs de plastique noir, on prévient le dessèchement. Il faut, dans tous les cas, veiller à ce que la terre des pots enfermés dans les placards reste humide.

On cultive beaucoup de jacinthes et de narcisses sur du gravier ou des carafes spéciales remplies d'eau. L'eau ne doit pas toucher la base des bulbes qui pourriraient à son contact. La réussite de la culture sur eau pure réside dans la qualité des bulbes qui doivent renfermer tous les éléments nutritifs nécessaires à la formation des futures feuilles et fleurs. Les racines ne servent qu'à absorber l'eau.

Tous les bulbes à floraison printanière s'enracinent dans l'obscurité, à basse température, à l'exception de deux variétés de narcisses : 'Grand Soleil d'Or' et 'Paper White' qu'on laisse à la lumière et à la chaleur. Quand les boutons des bulbes mis en végétation dans le noir commencent à gonfler, on peut amener les pots à la lumière. Les pousses se colorent alors très rapidement. La température appropriée varie suivant les espèces. Les premiers jours, on ne dépassera pas 16 °C, quels que soient les oignons. Les muscaris, perce-neige, chionodoxas et autres charmants petits bulbes, supportent mal le chauffage. Nous avons sélectionné les bulbeuses que l'on force sans problème dans l'appartement.

Pendant le forçage, les bulbes ont besoin d'une forte humidité. Il faut pulvériser très souvent de l'eau sur les pousses et même les couvrir d'un petit sac de plastique pour prévenir le dessèchement.

Les bulbes et tubercules à forcer, à floraison estivale, sont mis en terre au printemps, le plus souvent en mars-avril. On les plante dans des pots en terre ou en plastique bien drainés. Un bon mélange de rempotage standard (symbole ⑨) leur convient. On peut y mêler un peu de sable. Ces bulbes n'ont pas besoin de séjourner à l'obscurité. On les met directement sur la tablette de fenêtre ou dans la serre, à une température variant de 15 à 25 °C, tout dépend de l'espèce. Humidifier la terre après la plantation, mais sans excès, aussi longtemps que la végétation n'est pas visible.

La partie aérienne de ces plantes à floraison estivale disparaît complètement après la floraison. Les bulbes et tubercules sont conservés à température moyenne : on les laisse dans le pot ou on les sort, à volonté. Les espèces à feuilles persistantes entrent en dormance, mais leur feuillage ne doit pas sécher complètement. Tous ces détails sont repris dans la description des plantes. On retrouvera à la p. 180 la liste des bulbeuses et des tubéreuses décrites dans ce livre.

Les broméliacées

Bromeliaceæ est le nom donné aux membres d'une vaste famille qui compte d'innombrables espèces groupées en divers genres, dont l'un est le genre *Bromelia,* beaucoup trop encombrant pour être cultivé en appartement. Nous commencerons par quelques remarques générales valables pour toute la famille.

On distingue deux groupes principaux :
a. Les broméliacées terrestres. Elles vivent sur le sol. Elles ont un système radiculaire normal et poussent dans un compost ordinaire. L'ananas en est un spécimen bien connu.
b. Les broméliacées épiphytes vivent haut perchées sur le tronc ou sur les branches des arbres. Leurs racines sont beaucoup moins développées et se contentent d'un peu d'humus qui s'est accumulé à la fourche des branches. On les cultive dans un compost très léger, fait d'un mélange de sphagnum et de racines de fougères. On peut aussi les élever sur des morceaux d'écorce de fougères arborescentes.

Les broméliacées ont en commun de longues feuilles rubannées, imbriquées en rosette et formant, au centre, un entonnoir. Leurs feuilles possèdent une propriété particulière qui leur permet d'absorber, en période de sécheresse, l'eau emmagasinée dans cette cavité. Ce réservoir revêt un caractère particulièrement accusé chez les épiphytes. Chez les espèces terrestres, il joue un rôle moins important, car le sol où elles croissent conserve longtemps son humidité. Les besoins en lumière varient beaucoup d'une broméliacée à l'autre. De nombreuses espèces terrestres croissent en plein soleil, tandis que leurs sœurs épiphytes poussent dans l'ombre des arbres : ces dernières demanderont à être cultivées en situation ombragée. Nulle part dans la nature l'air n'est aussi chargé d'humidité que là où les épiphytes ont leur habitat.

Les bromeliacées épiphytes se cultivent en pot, dans un mélange de sphagnum, de terreau de feuilles bien décomposées, de tourbe, de vieux fumier bovin et de sable grossier ; mais elles seront bien plus belles, mises en évidence sur un arbre à épiphytes. À l'aide de fil de cuivre et du mélange ci-dessus, on fabrique des petits coussins sur lesquels on installe les plantes. L'arrosage et la fertilisation sont un peu compliqués mais ne posent tout de même pas de problème insoluble.

Une belle bromeliacée fleurie n'offre, hélas, qu'un plaisir fugitif. La rosette meurt après avoir donné sa fleur. En achetant un beau *Vriesea* en pleine floraison, on a du mal à imaginer qu'on acquiert, en fait, une plante agonisante. Et pourtant, c'est ainsi. Les bromé-

liacées sont le type même des plantes « à jeter ». Si vous êtes de ceux qui refusent de s'embarrasser de problèmes d'emplacement, de luminosité et d'humidité, la broméliacée est la plante qu'il vous faut. Même l'amateur consciencieux, qui s'efforcera de réunir les conditions de culture idéales, ne réussira pas à maintenir en vie une rosette qui a fleuri.

Mais la broméliacée nous tend une perche. Au pied de la rosette mère se forment toujours un ou plusieurs rejets. Aussitôt que la plante mère donne des signes d'agonie évidents (il faut parfois attendre un an), on sépare les rejets avec beaucoup de précaution, chacun avec quelques racines de la plante mère, et on les rempote en pots individuels. Si la culture est bien conduite, chaque rosette produira à son tour une fleur. Pour y parvenir, il faut, en réalité, disposer d'une serre chauffée, à l'atmosphère très humide.

Les jeunes plants devraient, en théorie, fleurir après deux ans de culture, mais le succès n'est pas garanti. Qu'à cela ne tienne ! Les horticulteurs ont découvert que l'acétylène favorise la formation des boutons floraux. Le gaz est fourni à la plante, dissous dans l'eau dont on remplit la cavité centrale (on peut y ajouter un petit morceau de carbure). Les pommes mûres dégagent aussi de l'acétylène et on peut enfermer la plante entière avec quelques pommes dans un sac en plastique, durant toute une journée. Pendant tout ce temps, la température ne peut pas descendre au-dessous de 20 °C. On emploie plutôt maintenant des solutions spéciales dont on verse quelques gouttes dans le cœur de la rosette, mais les particuliers se procureront difficilement ce produit.

Les broméliacées se reproduisent aussi par semis. Les semences sont généralement importées. La levée a lieu sous verre, à une température de 30-35 °C.

À la p. 279, on trouvera un tableau où sont repris les noms de toutes les broméliacées répertoriées dans ce livre.

Les orchidées

Tout comme chez les broméliacées, on distingue chez les orchidées des espèces terrestres et des espèces épiphytes.

Les espèces de la deuxième catégorie sont, elles

aussi, pourvues d'organes de réserve, non sous forme de bulbes comme chez les broméliacées, mais sous celle de pseudobulbes. Ces pseudobulbes sont quelquefois très apparents. D'autres fois, c'est un simple renflement du long rhizome. Ou encore, ce sont leurs feuilles qui ont la propriété de retenir beaucoup d'eau. Les orchidées épiphytes, qui sont les plus recherchées des amateurs, doivent être cultivées en serre, car elles exigent un degré d'humidité particulièrement élevé (± 80 %). Quelques-unes font exception et s'acclimatent en appartement chauffé, si on les entoure de soins.

La température exigée varie selon les espèces. Les unes aimeront une serre tempérée, les autres préféreront une serre chaude. Nous le signalons dans les descriptions. Elles supportent rarement les rayons directs du soleil, c'est pourquoi les serres des éleveurs d'orchidées sont toujours blanchies. Dans l'appartement, on leur donnera, de préférence, une situation au sud-est. Les orchidées sont extrêmement susceptibles vis-à-vis de leur eau d'arrosage : elles ne tolèrent que de l'eau de pluie ou de l'eau déminéralisée, toujours tempérée.

Support de culture. Les orchidées sont cultivées dans des racines de fougères hachées ou dans du sphagnum broyé. Chaque fois qu'une espèce est mentionnée, nous signalons le mélange particulier qui lui convient. On utilise le plus souvent les racines du *Polypodium vulgare* et du *Osmunda regalis* (osmonde royale). Les racines sont d'abord nettoyées, puis hachées plus ou moins menu selon les exigences des orchidées. Pour les orchidées terrestres, on se sert également de feuilles de hêtre très décomposées, de tourbe, de terreau de gazon, etc. Le pH du mélange doit être très bas. On commence à se servir d'écorce de pin pour diverses espèces.

Certaines espèces d'orchidées pendantes sont cultivées sur des petites bûches découpées dans les racines aériennes des fougères arborescentes. On les attache précautionneusement à l'aide de fils de cuivre et on les suspend dans la serre. Pour les arroser, on décroche les bûches et on les trempe dans de l'eau tempérée.

Ci-dessus : Le *Tillandsia* est une broméliacée épiphyte. Ses feuilles forment une rosette étirée d'où naissent les inflorescences.

À droite : les orchidées épiphytes produisent souvent à leur base des pseudobulbes dans lesquels elles stockent des réserves d'eau. L'apparition de ces pseudobulbes signifie en général que la plante a besoin d'une période de repos.

Périodes de repos. Les orchidées à pseudobulbes ont une période de repos pendant laquelle il faut pratiquement cesser tout arrosage. Parfois même, on peut laisser chuter la température de quelques degrés. C'est à ce moment que se forment les pseudobulbes. Certaines espèces perdent alors la totalité de leurs feuilles.

Rempotage. Le rempotage des orchidées se pratique immédiatement à la sortie de leur période de repos. On y procède tous les deux ans. On enlève soigneusement le vieil humus logé entre les racines, on coupe les racines mortes et on retaille celles qui ont été blessées. On dépose une épaisse couche de drainage au fond du pot, car les orchidées ont horreur de l'eau stagnante. La plante est arrosée généreusement pendant toute la période de végétation, mais il faut que l'excédent d'eau puisse s'écouler facilement. Si le pot retient trop d'eau, on pourra cultiver ses orchidées dans des paniers en lattes spécialement conçus pour elles.

Fertilisation. La fertilisation des orchidées est un point délicat. Comme toutes les plantes, elles ont besoin de certains éléments nutritifs pour croître, mais elles semblent les trouver surtout dans l'atmosphère. Il n'est donc pas indispensable de leur donner de l'engrais. On obtient cependant de bons résultats en leur en administrant un peu, qu'il soit organique ou chimique. On ne distribuera que des doses très faibles. Les amateurs utilisent les engrais les plus bizarres : des émulsions d'huile de poisson, de l'urine de vache en gestation, tout cela très dilué, évidemment.

Multiplication. On multiplie les orchidées par séparation des pseudobulbes, parfois par bouturage, et le plus souvent par semis. Ce dernier procédé est extrêmement complexe et sort du cadre de ce livre. Ces plantes se prêtant particulièrement bien aux croisements, on a créé d'innombrables hybrides baptisés des noms les plus curieux. Il y en a tant qu'il serait vain de tenter d'en donner une liste, même partielle. Les fanatiques pourront se procurer des ouvrages spécialisés.

Ravageurs et maladies. Les orchidées sont attaquées par les pucerons, les cloportes, les thrips et les cochenilles farineuses. L'apparition d'araignées rouges est due à la sécheresse de l'air. Parfois, on trouve des cochenilles à bouclier. Les limaces dévorent facilement les plantes. Les parasites les plus difficiles à combattre sont les acariens. Certains se cachent sur la face inférieure des feuilles et sont quasiment invisibles. D'autres s'attaquent aux fleurs. Ils sont très résistants. Les virus peuvent causer des dégâts importants dans les cultures des professionnels. Voir le tableau des maladies p. 77 et suivantes.

Les palmiers

Les palmiers ont connu un regain de popularité dans les années 70. C'est une excellente chose, car ces belles plantes d'appartement ont bon caractère.

Ils se contentent d'un éclairement moyen et préfèrent éviter le plein soleil. Ils aiment être placés un peu en retrait de la fenêtre. Il leur faut toutefois un minimum de 1 500 lux en hiver.

Ils n'apprécient pas tous la chaleur de l'appartement. Leur température idéale se situe entre 12 et 16 °C. Si on dispose d'une entrée ou d'une cage d'escalier où il fait un peu frais, on les leur réservera. La terre du pot doit conserver une humidité permanente. On baignera la plante de temps en temps. Pas d'eau stagnante dans la soucoupe, sauf pour *Microcœlum* (coco). Les palmiers ne détestent pas une ambiance humide, pourtant, leurs frondes solides supportent assez bien la sécheresse. Laver régulièrement le feuillage et, l'été, sortir la plante quand il pleut.

On les plante dans des pots profonds, bien drainés. Un mélange standard (symbole ⊛) leur suffit. Ils apprécieront aussi un mélange à base de terreau de gazon, de fumier bovin bien décomposé et d'un peu de sable. Tasser fortement la terre au moment du rempotage qui, pour les palmiers adultes, se pratique une fois tous les trois ans (à condition que l'eau d'arrosage soit de bonne qualité). En période de végétation, on donnera un peu d'engrais.

La multiplication se fait parfois par division de la souche, mais c'est rare. On préfère recourir au semis, qui est aussi délicat. Il se pratique sur fond de chaleur et les jeunes plants ne doivent pas quitter la serre chaude avant un an.

On se plaint souvent de ce que les palmiers ont l'extrémité de leurs frondes brune. C'est inévitable, car ce phénomène existe dès le départ. À la naissance, toutes ces petites pointes brunes sont agglomérées, elles se divisent au moment où la fronde se déploie. On peut tailler ces extrémités, mais toujours de façon à laisser subsister au moins 2 mm de la partie tachée, sinon le phénomène se reproduit à l'endroit de la coupe. La coloration brune s'aggrave si la plante est froissée par un passage constant, si l'atmosphère est trop sèche ou l'arrosage insuffisant.

La plante est sujette aux attaques de cochenilles. On les enlève à l'aide d'une allumette. Les autres ravageurs sont : le thrips, l'araigné rouge, la cochenille farineuse et les acariens. Pour les combattre, consulter p. 77 et suivantes.

Les plantes succulentes

Les soins à donner aux cactées et à la plupart des autres plantes grasses sont presque tous identiques, c'est pourquoi nous les traiterons ensemble. Leur caractéristique commune est de pouvoir stocker des réserves d'eau, les cactées, dans leur corps même, les autres succulentes, dans leurs feuilles charnues ou leurs tiges.

Nous le savons maintenant, toutes les plantes munies d'organe-réservoir ont une période de repos obligatoire (nous l'avons vu à propos des bulbeuses, des broméliacées et des orchidées). Les succulentes suivent la règle.

On peut habituellement exposer les cactées en plein soleil. Il faut toutefois prendre quelques précautions au printemps. Rares sont les espèces qui exigent une ombre légère ; c'est le cas de l'*Epiphyllum* et du *Zygocactus*. L'été, il arrive que la température monte très fort aux endroits exposés au soleil. Cela est sans danger : les succulentes sont faites pour le supporter. Ce qui leur est nuisible, c'est la conjugaison d'une forte température et d'une carence de lumière. C'est ce qu'elles subissent parfois chez nous en hiver. Les arrosages stimulent alors leur croissance, qu'elles ne peuvent mener à bien faute de lumière suffisante. Les succulentes ne sont pas de grandes soiffardes, mais pendant les chaleurs estivales on peut leur donner un peu d'eau tous les deux à trois jours. Arroser attentivement, il se peut que l'un des exemplaires de la collection transpire moins que les autres : il ne faut pas le noyer. Un cactus résistera des mois entiers à la

Les palmiers ont presque toujours des feuilles composées. Chez les flabelliformes, elles sont digitées, chez les penniformes, elles ont la forme de plumes. Le tronc des palmiers est ligneux et se ramifie rarement.

sécheresse, mais deux jours passés dans une terre détrempée lui feront rendre l'âme. Arroser à l'eau de pluie, le cactus n'apprécie pas le calcaire dans la terre.

Elles n'ont pas besoin d'une atmosphère humide. Il se peut même que l'humidité d'une serre, par exemple, leur soit contraire et que la pourriture s'installe.

Le mélange destiné aux cactées et autres plantes grasses doit être très aéré tout en retenant l'humidité. Ne pas s'imaginer qu'elles pousseront dans du sable pur. On obtiendra de bons résultats en mêlant 30 à 50 % de perlite à un mélange de rempotage standard (symbole ⊛). Ces particules légères garantiront un drainage efficace, tout en maintenant une humidité suffisante dans le pot pour éviter aux racines de se dessécher. Un pH 4,5-6,5 est idéal : c'est celui du mélange que nous préconisons. Le pot ne doit pas être trop petit (l'horticulteur se sert de pots minuscules par économie). Un pot en plastique convient très bien, si on arrose avec mesure.

La période de repos est d'une importance primordiale pour toutes les succulentes. Pour la grande majorité d'entre elles, ce repos se situe en hiver, mais il y a aussi des succulentes qui entrent en dormance en été (*Rebutia*), en automne (*Zygocactus*), au printemps (*Rhipsalidopsis*). Repos implique moins ou plus du tout d'arrosages et une température basse ou très basse. Ces deux conditions sont interdépendantes : plus il fait froid, moins il faut d'eau. Certains amateurs de cactées laissent à dessein la température descendre de 1 à 2 °C au-dessous de zéro. La plupart des cactées le supportent, à condition que les arrosages aient été suspendus dès novembre. S'il gèle alors qu'elles sont encore humides, elles périront. Il semblerait que ce traitement favorise la floraison.

Les plantes grasses qui n'ont pas reçu d'eau pendant une très longue période se ratatinent un peu. C'est moins visible chez les cactées. Dès que les plantes font mine de se rider, on les vaporise légèrement ou l'on verse des gouttes d'eau au bord du pot. S'il fait trop chaud dans le local où les succulentes en hivernage sont logées, il faut ventiler. En règle générale, on estime à 5 °C la température minimale ; seuls quelques cactus et plantes grasses exigent quelques degrés de plus. Nous avons fourni p. 60 quelques

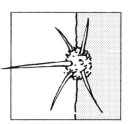
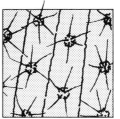
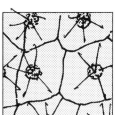

Tout en haut, à gauche : les épines sont portées par les aréoles. Celle-ci ne porte des épines qu'à la périphérie ; elles sont recourbées en forme de crochet.

Tout en haut, à droite : cette aréole porte une épine centrale bien en évidence.

Ci-dessus, à gauche : ici, les aréoles sont alignées tout le long des côtes.

Ci-dessus, à droite : un cactus mamillaire. Ses mamelons sont souvent groupés en spirales.

De gauche à droite : un cactus colonnaire, un cactus segmenté et un cactus globuleux.

Kalanchoe tomentosa : forme une rosette très étirée. Ses feuilles épaisses, couvertes de poils, emmagasinent de grosses réserves d'eau. Leur extrémité est joliment teintée de brun rouge.

Sedum rubrotinctum présente une rosette dense de petites feuilles globuleuses. Elles se détachent facilement et s'enracinent aussitôt.

Ces petits galets vivants sont les plus remarquables des plantes succulentes. Elles se renouvellent chaque année à partir de leur centre. Elles présentent parfois, en surface, des sortes de petites fenêtres transparentes par où la lumière pénètre jusqu'au cœur de la plante.

La rosette de feuilles d'un *Echeveria :* c'est la forme-type des plantes succulentes. Les petites feuilles étroitement imbriquées ont plusieurs millimètres d'épaisseur. Leur tissu retient énormément d'humidité. Au soleil, les rosettes prennent une belle coloration rouge.

conseils concernant l'emplacement à leur réserver en hiver. Les plantes succulentes qui s'arrêtent de croître en été seront aussi moins arrosées à cette époque. Les espèces dont le repos tombe à un moment différent de l'année sont chaque fois signalées.

En période de végétation, les succulentes peuvent être fertilisées. L'engrais doit être pauvre en azote, sinon les plantes se développent trop vite et sont la proie des maladies, surtout des moisissures. Dans la formule d'un bon engrais pour cactus, le premier chiffre (celui qui représente l'azote) ne doit pas dépasser 20 % du total des chiffres de la formule : 5 + 10 + 10 est une formule à la limite de ce qui convient. On peut fertiliser tous les quinze jours pendant toute la période de végétation. On arrête les engrais vers le 1er août pour donner aux plantes le temps de mûrir.

Les succulentes se multiplient par semis, greffage et bouturage. Voir page 72 et suivantes comment on procède.

Divers ravageurs infestent les plantes succulentes : les cloportes, les cochenilles à bouclier, l'araignée rouge. Elles sont victimes de pourritures et de déformations liégeuses : ces deux problèmes sont généralement la conséquence d'une humidité excessive à basse température. Voir plus loin le chapitre des maladies.

Le tableau p. 280 reprend la liste des cactées et plantes grasses décrites dans ce livre.

Les fougères

Les fougères sont souvent considérées comme des plantes « à jeter », car elles ne résistent pas longtemps à l'atmosphère des pièces chauffées. Un beau spécimen de *Nephrolepis* ne coûte pas très cher ; bien soigné, il tiendra au moins deux mois. Les plantes provenant de bonnes maisons arrivent à tenir jusqu'à un an.

Les fougères tolèrent une ombre assez prononcée, mais à titre temporaire. On ne peut les cultiver raisonnablement qu'à exposition bien éclairée. La lumière vive du soleil est contre-indiquée. La température minimum en période de végétation se situe entre 15 et 18 °C, suivant l'espèce.

Elles réclament beaucoup d'eau car leurs frondes abondantes sont couvertes de nombreux stomates. Les espèces aux frondes luisantes et coriaces, comme les scolopendres, transpirent moins et se prêtent bien à l'ornementation des intérieurs. Les autres espèces exigent un degré d'hygrométrie élevé. Presque toutes les fougères se satisfont d'un mélange de rempotage ordinaire (symbole ⓦ). Leur croissance rapide oblige parfois à rempoter deux fois par an. Choisir des pots en plastique, bien drainés, dans lesquels on entretiendra une humidité constante.

Les fougères sont séduisantes quand elles sont bien fournies. On stimulera leur végétation en commençant à leur donner de l'engrais six semaines après le rempotage : concentration faible.

Si une fougère refuse de pousser malgré tous les soins qu'on lui prodigue, essayer de la mettre au repos. Diminuer temporairement les arrosages, donner un emplacement plus frais et couper toutes les vieilles frondes. Rempoter au bout de six semaines, mettre au chaud et essayer d'activer la végétation.

Les fougères, ne donnant pas de fleurs, ne produisent pas non plus de graines. Au revers des feuilles se forment des spores qui sont des plantes en puissance. On peut obtenir de nouvelles fougères à partir de ces spores mais il faut procéder avec énormément de soin. Les terrines et le terreau doivent être stérilisés, la température doit être amenée à 25 °C et il faut couvrir les terrines d'une feuille de verre. La culture des jeunes plantes n'est possible qu'en serre chauffée.

Les fougères ne sont pas très sensibles aux maladies mais, dans des conditions de culture défavorables, elles peuvent être sujettes à des attaques de cochenilles farineuses, de cochenilles à bouclier, de thrips, d'anguillulies et de sciarides. Voir p. 77 et suivantes.

À la p. 279 se trouve un tableau regroupant les fougères décrites dans cet ouvrage.

Les fougères ne donnent pas de graines. Elles portent des spores qui, une fois semées, produisent des prothalles, porteurs d'organes mâles et femelles.

La multiplication

La plupart des plantes d'appartement se multiplient facilement. C'est sans doute la raison pour laquelle tant de gens se livrent si volontiers à cette occupation. Une belle grande plante obtenue à partir d'une bouture procure une satisfaction plus profonde qu'un specimen acheté tout élevé.

Tout le monde a essayé, un jour ou l'autre, de faire prendre une bouture dans un verre d'eau. On ne réussit d'ailleurs pas toujours à obtenir des racines. On peut aussi bouturer sur fond de chaleur, semer, marcotter, greffer : bref on peut essayer toute la gamme des techniques savantes, et suffisamment simples pourtant pour être à la portée des amateurs. C'est pourquoi nous allons les examiner toutes. Quelques mots, pour commencer, de l'équipement très simple, mais indispensable à ces opérations.

Comment s'équiper pour multiplier ses plantes ?
Les substrats de semis ou de bouturage. Pour bouturer ou semer avec quelque chance de réussite, il faut avoir à sa disposition un support léger et humide, pas trop riche. Ce peut être un terreau spécialement préparé, du sphagnum, de l'eau ou une matière synthétique poreuse. On ne se procure pas toujours facilement du terreau de semis ou de bouturage, mais on peut en préparer soi-même en mélangeant, à parts égales, du terreau de rempotage ordinaire et de la tourbe. Ceci permet de diminuer de moitié la concentration des éléments nutritifs contenus dans le terreau courant. Employé pur, il serait trop riche pour les tendres racines des plantules. Bien humidifier le mélange.

On trouve dans le commerce des petits godets de tourbe comprimée qui gonflent une fois trempés dans l'eau. On peut semer ou repiquer les boutures directement dedans. On vend également des sacs remplis de terreau spécial ; ce sont des sortes de petits matelas dans lesquels on pratique, à intervalles réguliers, de petites incisions en croix pour pouvoir y planter les boutures. On arrose abondamment. On découpe le sac pour en extraire les boutures lorsqu'elles sont enracinées. Les horticulteurs se servent aussi de laine de roche ou d'autres matières synthétiques. L'essentiel est d'avoir un support qui laisse circuler l'air et l'humidité autour des racines.

Godets. Ce sont les petits pots en plastique qui conviennent le mieux. Ils sont percés de trous de drainage. On peut commencer par semer ou bouturer plusieurs plantes ensemble dans une terrine pour les repiquer individuellement dans les petits pots. Les petits godets en tourbe sont aussi très pratiques. En se développant, les racines traversent les parois et on peut transplanter les jeunes plants tels quels dans des pots plus spacieux. Le godet de tourbe se décomposera.

Limiter la transpiration. Les boutures ont des feuilles avant d'avoir des racines. En limitant la transpiration, on empêche la bouture de se dessécher. On doit, de même, freiner la transpiration des jeunes semis. C'est très facile, il suffit de placer la caissette ou la terrine dans un sac de plastique. Mieux encore : piquer en croix, dans le pot, deux cerceaux de fil de fer et couvrir d'un sac en plastique.

L'idéal est de disposer d'une mini-serre d'appartement, caissette surmontée d'un couvercle transparent. Il faut que la caissette soit suffisamment haute pour que les boutures un peu grandes y soient à l'aise. Cette petite serre à multiplication est un outil indispensable à tout amateur ; elle est peu coûteuse et vient souvent à point.

Chaleur de fond. Certains semis et boutures ne s'enracinent que si la température du substrat est assez élevée. Normalement, 20 à 30 °C suffisent, mais des plantes à enracinement difficile réclament jusqu'à 35 °C. On peut parfois obtenir ce degré de chaleur en plaçant la caissette à multiplication sur une tablette de fenêtre bien exposée, mais il est alors difficile de maîtriser la température. La petite serre à multiplication avec chauffage électrique incorporé est beaucoup plus fiable. Si l'on veut avoir un outil de classe, on y adjoindra un thermostat. Si le substrat est de nature synthétique, il faudra surveiller avec vigilance son degré d'humidité. On vend des caissettes à semis dont la température est maintenue au niveau souhaité grâce à une résistance disposée dans le fond.

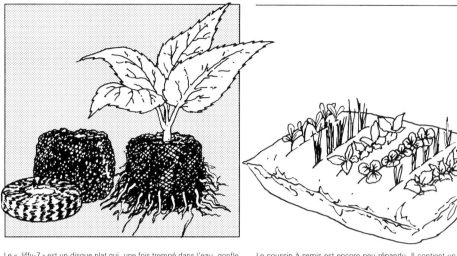

Le « Jiffy-7 » est un disque plat qui, une fois trempé dans l'eau, gonfle et devient un petit pot de semis. Quand les racines percent à la périphérie, on empote la plante, telle quelle.

Le coussin à semis est encore peu répandu. Il contient un terreau de semis ou de bouturage. On pratique de petites incisions dans le plastique pour repiquer les plantules de semis ou les boutures. C'est aussi par ces incisions que l'eau d'arrosage pénètre jusqu'au terreau.

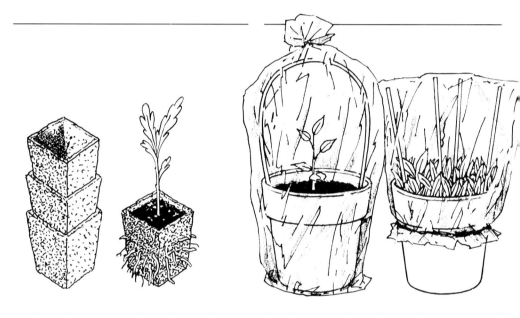

Les petits godets de tourbe doivent être remplis d'un mélange pour semis ou bouturage. Plus tard, les plantes seront empotées avec leur godet.

On protège les plantes et les semis du dessèchement en les couvrant de capuchons de plastique. Les croquis montrent comment on procède.

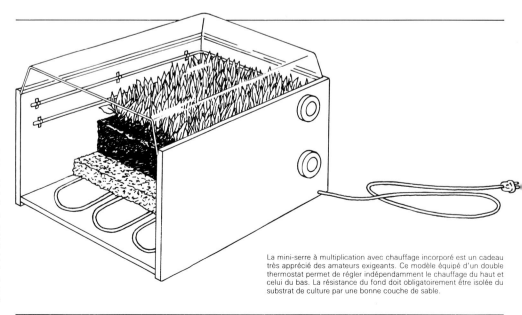

La mini-serre à multiplication avec chauffage incorporé est un cadeau très apprécié des amateurs exigeants. Ce modèle équipé d'un double thermostat permet de régler indépendamment le chauffage du haut et celui du bas. La résistance du fond doit obligatoirement être isolée du substrat de culture par une bonne couche de sable.

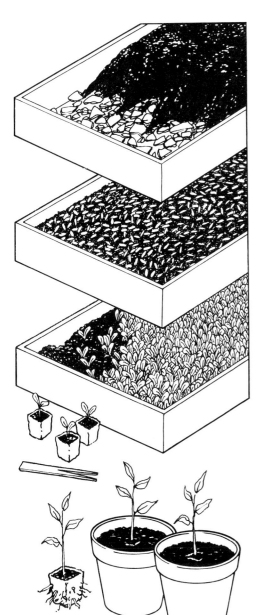

Semer

On obtient de nombreuses plantes d'appartement à partir de graines. On les achète ou on les recueille soi-même. Il est conseillé de semer sans tarder les graines récoltées. Les graines très coriaces sont mises à tremper dans l'eau pendant 24 heures. Il faut parfois entailler l'écorce dure, en faisant attention de ne pas toucher au noyau.

On remplit un pot ou une caissette d'un mélange à semis finement tamisé, que l'on tasse légèrement et que l'on égalise. Semer toujours très clair pour que les plantules ne se gênent pas lorsqu'elles lèveront. Couvrir le semis d'une fine couche de sable blanc lavé, pour éviter que la terre ne croûte en surface et n'empêche l'oxygène de pénétrer jusqu'aux graines.

Pour répartir l'humidité de façon régulière, tremper le pot ou la caissette (percés de trous à la base) dans une bassine d'eau. Attendre que la couche de sable fonce (signe que le substrat est bien mouillé) avant de les retirer de l'eau. Si le pot ou la caissette sont placés ensuite dans une petite serre à multiplication munie d'un couvercle, on n'aura plus besoin d'arroser jusqu'à ce que les graines aient germé.

Presque toutes les graines germent sans lumière. La serre peut donc être placée dans un endroit obscur. Il faudra la transporter dans un endroit lumineux au premier signe de germination si on ne veut pas voir les plantules s'étioler. Choisir une situation claire, mais hors de la lumière directe du soleil. Si un arrosage s'impose, procéder comme au moment du semis.

Certaines graines, comme celles des primevères, doivent être soumises d'abord à l'effet du froid. On enveloppe le pot ou la caissette dans du papier d'aluminium, on les entrepose dans le bac à glaçons du réfrigérateur et on les y laisse deux semaines. La germination se produit par la suite à très basse température (5 à 10 °C).

En haut à gauche : la préparation d'une caissette à semis. On dépose dans le fond quelques tessons de drainage que l'on recouvre d'un mélange terreux pour semis, finement tamisé et, au besoin, stérilisé. La caissette de dessous montre des graines en train de germer.
Dans la troisième caissette, les plantules commencent à montrer leurs vraies feuilles : on va pouvoir commencer à repiquer. Une à une, les plantes sont délicatement repiquées dans de petits godets de tourbe. On les manipule à la main ou en s'aidant d'une étiquette en plastique dans laquelle on a fait une encoche. Bien arroser les petits pots après l'opération. Plus tard, on pourra planter les godets dans des récipients plus grands.

Les graines et les spores à germination très lente sont semées dans un substrat stérile afin d'éviter la formation d'algues. Mettre le terreau dans une casserole, y ajouter une pomme de terre crue, fermer avec un couvercle et glisser dans le four chauffé à 150 °C. Dès que la pomme de terre est cuite (on vérifiera), on peut considérer que la terre est stérile. L'étaler rapidement dans la caissette à semis et couvrir d'une feuille de verre parfaitement propre. Dès que la caissette a refroidi, on peut semer normalement. Remettre la feuille de verre et recouvrir, les premiers temps, d'une feuille de papier pour tenir à l'obscurité.

Replquer

Toutes les graines ne germent pas en même temps. La levée est surtout échelonnée quand on sème des variétés en mélange. Les graines qui lèvent rapidement appartiennent généralement à un même groupe qui peut être déterminé par la couleur : c'est un exemple. Si on sème un mélange de cactus, il se peut que certaines graines ne lèvent qu'au bout de quelques mois. Il ne faut donc pas condamner trop vite un semis qui ne lève pas et surtout se garder de n'en utiliser que les plants les plus forts.

On repique (c'est-à-dire que l'on transfère dans des pots plus grands) les plantes, dès qu'elles sont assez grandes pour être manipulées, ou dès qu'elles ont montré deux vraies feuilles. On les repique dans des godets individuels ou dans des caissettes de semis en les espaçant davantage. Pour les saisir, on se sert d'une petite fourchette ou d'une étiquette en plastique dans laquelle on fait une encoche. Repiquer dans un mélange allégé de tourbe.

Endurcir

Les petits plants issus de semis faits sur fond de chaleur doivent être replacés en serre jusqu'à ce que la reprise se soit manifestée. Ce n'est qu'à partir de ce moment que l'on commence à endurcir les plantes. Les premiers jours, on soulève légèrement le couvercle de la caissette pour les mettre en contact avec l'air extérieur. La transpiration sera plus importante et il faudra surveiller étroitement l'humidité du substrat. Si les plantes ont tendance à monter, on les pincera une ou deux fois pour obtenir des plants bien trapus.

Diviser

On multiplie de très nombreuses plantes d'appartement au moment du rempotage en divisant la touffe en plusieurs morceaux qui sont remis en pot séparément. Procéder avec précaution pour ne pas blesser les racines. On utilise les jeunes pousses du pourtour, qui sont vigoureuses, et on jette celles qui sont abîmées ou trop vieilles.

Certaines plantes émettent de longs stolons qui portent des plantules. Si on les met en terre dans des godets, autour de la plante-mère, elles s'enracinent très facilement. On les sépare alors de la plante-mère et on obtient de nouveaux plants : c'est le principe du marcottage.

Les tubéreuses se divisent de préférence à la fin de leur période de repos. On met les tubercules en végétation dans un endroit chaud et humide, puis on les coupe en autant de morceaux que l'on veut, pourvu que chacun d'eux présente au moins un bourgeon. Les plaies sont saupoudrées de poudre de charbon de bois pour empêcher la pourriture de s'installer.

Les bulbeuses présentent souvent des caïeux accolés à la base du vieux bulbe. On les détache et on les cultive à part pour obtenir de nouveaux bulbes. Pour réussir, il faut réunir des conditions optimales. C'est rarement le cas en appartement. Les propriétaires d'une serre pourront, par contre, augmenter leur collection de bulbes très facilement.

Bouturer

Prélever un organe sur une plante pour lui faire émettre des racines s'appelle bouturer. Différentes parties de la plante se prêtent au bouturage, c'est pourquoi l'on parle de bouturage de rameaux, bouturage d'yeux, bouturage par feuilles ou bouturage de souches.

Une bouture de rameau herbacé ou semi-herbacé se prélève sur une jeune pousse latérale de l'année, non florifère. Les feuilles à l'extrémité de la pousse sont laissées intactes, c'est par leur intermédiaire que s'accomplira le phénomène d'assimilation et c'est par l'extrémité que la plante va poursuivre sa croissance. Les feuilles de la base sont supprimées pour dénuder la partie du rameau qui sera enterrée.

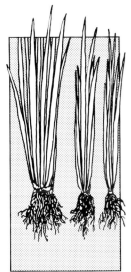

L'éclatage des touffes est une manière très simple de multiplier ses plantes.

Le marcottage par couchage donne souvent d'excellents résultats.

Les rhizomes ou les tubercules peuvent être divisés en autant de fragments que l'on désire, pourvu que chacun porte au moins un œil.

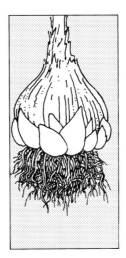

Les bulbeuses produisent souvent de nombreux bulbilles que l'on peut séparer.

Bouture d'œil. On prélève un morceau de rameau comportant une feuille avec un œil non développé à l'aisselle. La taille est pratiquée en biseau, juste au-dessus et au-dessous de l'œil. On conserve la feuille intacte.

Une bouture par feuille se pratique en appliquant une feuille bien à plat sur la terre ou en la plantant dedans. Des racines et des pousses naîtront des nervures.

Bouture de souche. On prélève, avec des racines, un morceau de souche porteur d'au moins un bourgeon non développé.

Substrats pour bouturage

Les boutures se plantent dans un mélange léger, pas trop riche et retenant bien l'humidité. Le sphagnum humide, la tourbe, le terreau de feuilles répondent bien à ces impératifs. Lorsque les boutures sont charnues et turgescentes, le substrat sera tenu plus sec, à cause des pourritures possibles. On peut ajouter au mélange un peu de sable grossier, bien lavé. Un mélange qui convient à toutes les boutures sera composé de 50 % de sable grossier et de 50 % de tourbe. Ce mélange est dépourvu d'éléments nutritifs. Dès qu'elles seront enracinées, les boutures seront transférées dans un mélange terreux ordinaire. Beaucoup d'amateurs font émettre des racines à leurs boutures en les laissant tremper dans un verre d'eau. C'est amusant à regarder, mais le procédé offre peu d'intérêt. La bouture produit des racines d'eau qui ne sont valables que si la culture doit se poursuivre en milieu hydroponique. Si la bouture est repiquée dans la terre, elle est obligée d'adapter ses racines à son nouveau milieu. Mieux vaut la planter directement dans le milieu terreux.

Transpiration

Les boutures feuillées sont plus que toute autre sensibles au dessèchement. Leurs feuilles transpirent et, en l'absence de racines, l'humidité perdue n'est pas récupérée. On réduit la perte d'humidité due à la transpiration en couvrant la bouture d'un sac de plastique ou en l'enfermant dans une mini-serre d'appartement fermée par un couvercle transparent. L'opération requiert un peu de doigté, car il faut respecter un juste milieu entre l'excès de sécheresse et l'excès d'humidité. Chaque bouture réclame un traitement particulier. Les grandes feuilles des boutures à un œil sont maintenues enroulées par un élastique pour limiter leur transpiration. Parfois, on coupe ou on déchire une partie de la feuille : ce procédé n'est valable que pour les feuilles qui ne « pleurent » pas.

Quand bouturer ?

Le bouturage réussit très bien au printemps, mais l'été s'y prête également. Les boutures lignifiées se prélèvent dans la deuxième moitié d'août. Pour les boutures par feuille, on ne choisira que des feuilles bien développées.

Température

Une température élevée favorise toujours l'enracinement. Une mini-serre d'appartement rendra bien des services. La température idéale varie selon les végétaux et peut aller de 18 à 35 °C. Consulter la partie descriptive pour de plus amples détails.

Cas difficiles

Lorsqu'on a affaire à des boutures qui prennent difficilement, on les prélève avec un talon. Cela signifie que l'on prélève le rameau herbacé avec un petit morceau du liber de la tige. Souvent, on le trempe encore dans une poudre d'hormones de bouturage. On fait un trou dans la terre et on plante en vérifiant que la poudre adhère bien au talon. Tasser la terre au pied de la bouture.

Boutures par feuille

Les feuilles des sansevières se coupent en tronçons transversaux de 7 cm qui s'enracinent très bien dans une terre sableuse. Attention de planter chaque morceau en conservant son sens initial. Plantées sens dessus-dessous, les boutures ne donneront pas de racines. Les plantes issues de ces boutures seront vert uni. On n'obtient des sansevières panachées que par division de la souche.

Pour multiplier les bégonias à feuillage, on découpe la feuille en morceaux de 1 cm^2. On les étale bien à plat sur le terreau de bouturage et on les recouvre d'une très mince couche de sable blanc, de façon à ce qu'ils restent visibles. Les longues feuilles du *Streptocarpus* sont découpées le long de la nervure centrale et

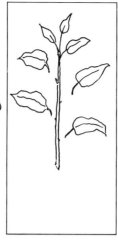

Comment on bouture une extrémité de rameau. On enlève les feuilles de la base ; à la place des yeux naîtront des racines lorsque le rameau sera planté.

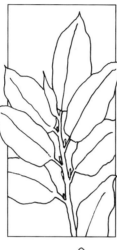
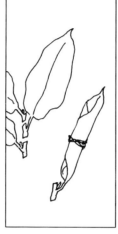

Comment on prépare une bouture à un œil, prélevée ici sur un *Ficus*. On enroule la feuille pour limiter la transpiration.

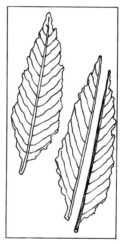

Enracinement d'une feuille de *Streptocarpus*. La feuille est découpée et plantée dans le sens de la nervure médiane. Après quelque temps, des plantules apparaîtront tout le long de la nervure.

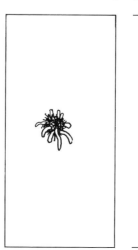
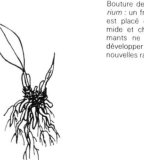

Bouture de souche d'un *Anthurium* : un fragment de la souche est placé dans un endroit humide et chaud. Les yeux dormants ne tarderont pas à se développer et à produire de nouvelles racines et des tiges.

Bouturage d'une feuille de *Sansevieria*. Chaque segment mesure environ 7 cm et est enfoncé de 2 à 3 cm dans la terre. Respecter le sens de la feuille. Les boutures du *Sansevieria* panaché donnent des plantes vertes, unicolores.

Bouturage des *Begonia rex*. La feuille est découpée en petits morceaux. Chacun donnera naissance à une nouvelle plante. Le secret de la réussite consiste à les maintenir bien à plat, en contact avec la terre. On peut s'aider de fines épingles à cheveux.

plantées dans le sens de la découpe. Des dizaines de plantules apparaîtront le long de la nervure.

Les feuilles du *Saintpaulia*, détachées avec un petit bout de leur pétiole, sont plantées droit dans la terre. Leur enracinement est si facile qu'on arrive à les bouturer en les trempant dans un verre d'eau.

Boutures charnues

Les feuilles de certaines succulentes, les boutures des cactées, la couronne feuillue des ananas détachée avec une partie du fruit, les tiges des géraniums, toutes ces boutures doivent sécher quelque temps, voire une semaine, avant d'être plantées. Si on ne prend pas cette précaution, on peut être sûr qu'elles pourriront. Elles ne doivent pas nécessairement sécher au soleil. On les met plutôt à l'ombre, dans un endroit sec exposé aux courants d'air. Laisser les tissus se rider avant de procéder au bouturage.

La brumisation et le bouturage

L'amateur d'aujourd'hui, bien informé des techniques nouvelles, a dans sa serre une installation de brumisation. Ce n'est rien d'autre qu'une rampe d'arrosage qui projette l'eau en fin brouillard. Les pulvérisations sont réglées automatiquement. On dispose sous leur jet les boutures de reprise difficile, comme les conifères, les rhododendrons et autres plantes ligneuses, et on pousse un peu la chaleur de fond. C'est une installation onéreuse, qui se justifie si l'on doit élever un grand nombre de sujets comme des conifères, qui sont des arbustes chers à l'achat. Quelques plantes d'appartement peuvent aussi profiter de cette installation.

Marcotter

Le marcottage est une sorte de bouturage qui se pratique sur la plante elle-même. La multiplication par bouturage des stolons est une forme du marcottage. La plante-mère n'est pas dérangée, mais on provoque la naissance d'une touffe de racines quelque part sur son tronc.

Il faut commencer par causer une plaie, car c'est des tissus blessés que naîtront les racines : on enlève un morceau de l'écorce du tronc, ou on l'entaille obliquement, ou on pratique une incision circulaire sur la moitié de sa circonférence de façon à ne pas entraver complètement la circulation ascendante de la sève. Les racines ne naîtront que si la plaie est enveloppée d'un substrat poreux et humide. On l'entoure donc d'un manchon de sphagnum humide qu'on emballe d'une feuille de plastique, attachée en haut et en bas. On vérifie de temps à autre si la mousse n'a pas séché.

Les racines mettent parfois plusieurs mois à apparaître. On peut hâter leur naissance en enduisant la plaie de poudre d'hormones de bouturage ou en arrosant la plante-mère très parcimonieusement, alors qu'on maintient le manchon de mousse bien humide.

Sitôt que les racines se sont développées dans la mousse, on coupe la tige juste en dessous du marcottage et on empote le nouveau plant. Combattre les effets de la transpiration par de fréquentes pulvérisations ou en supprimant une partie des feuilles.

Sur les plantes ligneuses, on prélève de préférence des boutures à talon. Le fragment de cambium arraché avec l'écorce augmente les chances d'enracinement.

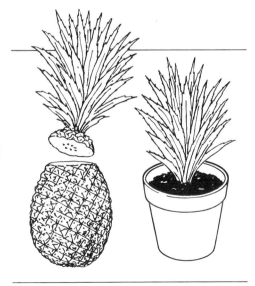

La couronne feuillue de l'ananas est prélevée avec un morceau du fruit. On laisse sécher quelques jours et on empote. On obtient un nouveau plant.

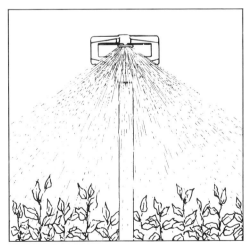

Installation de brumisation dans une serre d'amateur. Elle permet de réussir les boutures les plus capricieuses.

Le marcottage se pratique souvent sur une plante ligneuse comme un *Ficus* devenu trop grand. On marcotte sur les 50 cm du sommet de la plante. C'est un procédé un peu risqué et, si on dispose d'une mini-serre d'appartement, il est souvent plus facile de prélever sur ces plantes des boutures à un œil.

Greffer

Le greffage est un procédé de multiplication qui consiste à souder ensemble deux plantes différentes, en mettant en contact leur cambium respectif. Il n'est pas possible de greffer un cactus sur un *Hibiscus* : les deux espèces doivent être étroitement apparentées. On pratique beaucoup la greffe sur les cactées. Nombre d'entre elles souffrent du manque de luminosité de notre climat. Les cactus jaunes et rouges ne produisant pas de chlorophylle, sont incapables d'assimilation. On les secourt en les greffant sur des cactus verts très vigoureux. Le porte-greffe transmet au greffon ses réserves nutritives superflues. On pourrait, en empruntant des termes médicaux, parler de « donneur » et de « receveur ».
On utilise encore le greffage pour d'autres raisons. Certaines plantes à port retombant sont beaucoup plus jolies lorsqu'elles sont portées par un tronc. Une azalée sur tronc ou une cascade de *Zygocactus* greffé sur tige offrent un joli coup d'œil. Les géraniums et les fuchsias sur tige ne sont pas obtenus par greffage, mais par l'allongement de la tige principale que l'on attache à un tuteur jusqu'à ce qu'elle ait atteint la hauteur désirée. À ce moment, on la pince pour l'obliger à se ramifier.
On utilise fréquemment comme porte-greffe de cactées l'espèce *Eriocereus jusbertii*, qui s'obtient très facilement par semis. Les sujets vigoureux sont coupés bien droit à 5-7 cm au-dessus de leur base et c'est sur cette plaie lisse que la greffe est pratiquée. Ce porte-greffe a l'inconvénient de mourir facilement l'hiver, s'il fait très froid. Le *Tricocereus spachiamus*, également répertorié dans ce livre, résiste mieux à l'hiver, mais succombe quelquefois, épuisé par le greffon.
Pour être utilisé, le porte-greffe doit être âgé de quatre à six mois. Un porte-greffe plus jeune supporte rarement l'opération. Le greffon est, tout comme son porte-greffe, taillé de façon à présenter une surface plate et lisse. Sa section peut être légèrement plus petite que celle du porte-greffe : cela l'empêchera de glisser. Sitôt taillées, les deux parties sont pressées l'une sur l'autre et maintenues fermement en contact au moyen d'un poids ou d'un élastique. Les plantes mettent parfois plusieurs semaines à se souder. Cette opération se pratique en période de végétation. On a la preuve qu'elle a réussi quand le greffon manifeste des signes de croissance.
On peut obtenir un *Zygocactus* ou un *Rhipsalidopsis* sur tige en les greffant sur *Eriocereus jusbertii*. Le porte-greffe doit avoir une hauteur de 30 cm environ. On lui enlève la tête et on entaille le sommet sur une profondeur de 2 à 3 cm. Le greffon, une petite tige de *Zygocactus*, est taillé en biseau sur une hauteur de 2 à 3 cm, à l'aide d'une lame de rasoir. La partie mise à vif est insérée dans l'entaille du porte-greffe et le tout est solidement maintenu en place par un gros piquant de cactus, planté en travers. Pincer le greffon plusieurs fois, au fur et à mesure de la repousse, jusqu'à obtention d'une tête bien fournie.
On laissera au professionnel le soin de greffer les arbustes d'appartement que l'on voit quelquefois.

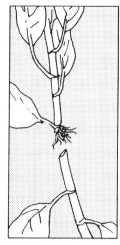
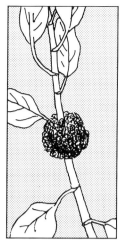

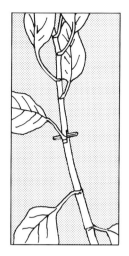

Marcottage aérien. On fait une incision en oblique sous un œil et on y glisse une allumette pour la maintenir ouverte.

On entoure la blessure d'un manchon de sphagnum humide

On l'enveloppe ensuite d'une feuille de plastique.

Dès que les racines se sont formées, on détache la partie supérieure de la plante et on l'empote à part.

Ci-dessus : pour greffer une cactée il faut avoir un porte-greffe de bonne taille. On coupe le sommet à la hauteur désirée et on biseaute le pourtour.
On coupe le greffon à la base de manière à ce qu'il soit bien plat et bien lisse et on le presse sur le porte-greffe. On le maintient en place avec des élastiques ou de la ficelle que l'on enlève dès que la reprise a été constatée.

À droite : on obtient un géranium ou un fuchsia sur tronc en éliminant progressivement toutes les tiges latérales. La tige principale est soutenue par un tuteur. Quand la plante a atteint la hauteur souhaitée, on la laisse se développer normalement.

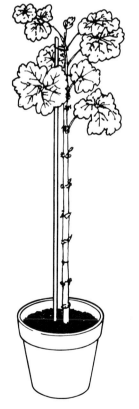

Combattre les maladies

On entend le plus souvent par maladies les désordres qui procèdent non seulement de la plante elle-même, mais aussi tous ceux qui résultent de l'attaque des insectes, des champignons, des virus et des bactéries. Les carences sont causées par l'insuffisance de certains éléments nutritifs. L'apparition des maladies est souvent le signe que la plante se trouve dans un état de moindre résistance. Beaucoup pensent encore qu'une plante saine peut être contaminée par une plante malade. Ceci ne survient que si la plante, apparemment saine, ne dispose plus de moyens de défense. On a pu prouver que l'oïdium d'un bégonia malade, transporté sur un plant sain, reste sans effet. Il semblerait donc qu'une plante, lorsqu'elle est en parfaite santé, exerce une certaine force de répulsion (peut-être olfactive) sur ses ravageurs et les maintient à distance.

Qu'est-ce qui empêche une plante d'être parfaitement saine ? Pour répondre à cette question, il faut retourner aux origines de la plante. Les conditions écologiques de son habitat naturel sont pour elle idéales. Dès qu'on l'enlève à son milieu, on ouvre la porte aux maladies.

Les choses se passent, heureusement, souvent plutôt bien, sinon on ne pourrait conserver pratiquement aucune plante d'appartement. Car il n'existe aucun endroit au monde dont le climat corresponde exactement à celui de nos appartements.

Les conditions climatiques sont exprimées dans ce livre sous forme de symboles. Ce sont : la lumière, la température, l'humidité du sol et de l'air ambiant. La composition des substrats joue aussi son rôle dans la santé de la plante. Et enfin, le respect des périodes de repos n'est pas chose négligeable.

Le diagnostic

Dans 90 % des cas, la plante souffre d'une attaque d'origine animale. Les ravageurs, parfois microscopiques, ne sont pas faciles à distinguer. On se sert d'une loupe pour les identifier. Ils se logent souvent sur la face inférieure des feuilles. Si l'on observe des filaments ou des sécrétions gluantes, il doit s'agir d'insectes. Des trous dans les feuilles indiquent que la plante est dévorée. Les coupables se dissimulent souvent pendant la journée. Les maladies cryptogamiques, telles que le botrytis, l'oïdium, la rouille, se reconnaissent facilement aux taches blanches, grises et autres déposées sur les feuilles et qui s'enlèvent avec le doigt.

Le jaunissement ou le brunissement des feuilles indiquent que l'on commet des erreurs dans les soins : nous les avons répertoriées avec les maladies.

Une plante se fane lorsqu'elle manque d'eau ou lorsque ses racines pourrissent.

Les carences sont dues à l'insuffisance d'un élément nutritif ; elle ne se manifestent que si la plante n'a pas été rempotée ou fertilisée depuis un certain temps. Les feuilles pâlissent et la plante cesse de se développer.

Les maladies à virus affectent la forme de taches sur les feuilles et les fleurs.

Lutte

Lorsqu'une plante est souffreteuse, il faut commencer par vérifier si les soins et la situation correspondent aux indications des symboles. Vérifier également si le substrat de culture utilisé lui convient. Si le contrôle n'est pas possible, rempoter la plante dans un mélange adéquat. Dans 90 % des cas, ces mesures, c'est-à-dire l'amélioration des conditions de culture et le rempotage, suffisent à rétablir la santé de la plante. Ce n'est que si ces interventions se révèlent inefficaces, ou que l'état de la plante devient vraiment alarmant, que l'on aura recours aux moyens de lutte ci-après.

a. Suppression des ravageurs. Très souvent, on peut les attraper à la main. On enlève les cochenilles en frottant la feuille avec une allumette. Les pucerons, s'ils ne sont pas trop nombreux, peuvent aussi s'éliminer à la main. Mais si les bestioles forment des colonies nombreuses, il faudra utiliser d'autres moyens.

b. Appâts. On parvient à capturer certains parasites en disposant des appâts. Les perce-oreilles se cachent le jour. Si on aménage une cachette au voisinage des plantes attaquées, ils s'y réfugient et on peut les prendre au piège. D'autres ravageurs, comme les limaces, ne résistent pas aux appâts empoisonnés.

c. Produits phytosanitaires. L'utilisation de produits chimiques est la méthode la plus répandue dans la lutte contre les ravageurs. Les uns sont présentés sous forme d'émulsion à diluer dans l'eau ; on y ajoute souvent un produit spécial destiné à fluidifier la solution ; celle-ci est ensuite distribuée en pulvérisations sur les plantes. Les aérosols sont d'un maniement plus commode. D'autres sont vendus sous forme de poudre. Le poudrage se fait avec une poudreuse à soufflet.

Dans les serres, on utilise couramment des tablettes fumigènes qui dégagent des fumées toxiques. Les maladies cryptogamiques sont combattues dans les serres en « brumisant » des solutions de composés soufrés.

d. Traitement du sol. Cette forme de traitement tend à se populariser. Le produit est vendu sous forme de bâtonnets à enfoncer dans le pot. Les produits toxiques qu'ils renferment sont entraînés dans la terre par les eaux d'arrosage et absorbés par les racines. La plante elle-même y est insensible, mais les parasites sont empoisonnés.

e. Lutte biologique. On entend par là l'utilisation de produits d'origine végétale. Les plus connus sont le pyrèthre et la roténone, appliqués en pulvérisations. On lutte aussi contre les parasites en introduisant dans les cultures leurs ennemis naturels. On enraye la prolifération des aleurodes en introduisant dans les serres l'ichneumon, *Encarsia formosa*. La larve de cette guêpe minuscule va chercher les larves de ces parasites sous leur petit flocon laineux et les dévore. Ce mode de lutte n'est pas encore à la portée des particuliers qui auront quelque difficulté à se procurer ces prédateurs. Il est donc inutile de s'attarder sur ce sujet.

Les inconvénients des produits phytosanitaires

Ces dernières années, la législation a interdit la vente d'un certain nombre de produits phytosanitaires. Pendant longtemps, on les a utilisés sans limite, et les experts se demandent dans quelle mesure leur emploi incontrôlé a pu nuire au milieu naturel et à la santé des hommes. Combien de produits utilisés aujourd'hui seront-ils interdits demain ? On se le demande.

Ces considérations expliquent pourquoi aucun produit phytosanitaire n'est recommandé dans cet ouvrage. Si le lecteur décide d'y recourir, il le fera à ses risques et périls.

Neuf fois sur dix, les plantes achetées dans les magasins sont déjà couvertes de produits chimiques. Les horticulteurs les utilisent beaucoup. Ce n'est qu'au bout d'un certain temps et après plusieurs rempotages que l'on obtient une vraie plante biologique. Presque toutes les plantes répertoriées ici peuvent se passer de produits phytosanitaires. Sous réserve, évidemment, de réunir pour elles des conditions de culture idéales : mais c'est en quoi consiste précisément l'art et le plaisir du jardinage.

Des moyens de lutte moins dangereux

Autrefois, avant qu'on ait inventé tous ces composés chimiques compliqués, on se servait, pour combattre les ravageurs, de produits naturels très simples et de quelques trucs de bonne femme. Depuis qu'on a pris conscience des dangers que représentent les moyens chimiques, ces vieux remèdes reviennent à la mode. En voici quelques-uns.

1. La teinture de savon. On dilue 20 g de savon noir et 10 g d'alcool à 90° dans 1 litre d'eau. On pulvérise la solution sur les plantes. Efficace contre les pucerons, mais aussi contre d'autres parasites, si l'opération est renouvelée régulièrement.

2. Alcool à 90° pur. On en badigeonne les cochenilles et les cicadelles à l'aide d'un pinceau.

3. Macération de tabac. On fait macérer du tabac à pipe ou du tabac à cigarettes dans de l'eau. Le jus de macération, qui contient un certain pourcentage de nicotine, est filtré et pulvérisé sur les plantes. Attention, la concentration ne doit pas être trop forte.

4. Décoction de bois de quassia et de savon noir. Faire bouillir 10 à 15 g de bois de quassia (acheté chez l'herboriste) dans de l'eau, pendant plusieurs heures, et passer la décoction au travers d'un linge fin. Y ajouter ensuite 10 g de savon noir pour la fluidifier. Proportions pour 1 litre d'eau.

5. Décoction d'absinthe et de savon noir. Procéder comme pour la 4, mais prendre 10 g d'absinthe séchée (s'achète également chez l'herboriste). Cette plante se cultive aussi au jardin, dans les endroits envahis par les parasites qu'elle éloigne à coup sûr.

6. Macération d'orties. On fait macérer plusieurs jours dans de l'eau des orties fraîches ou séchées. On ajoute 1 % de savon noir pour fluidifier le jus et on pulvérise sur les plantes. Cette mixture a une odeur désagréable mais elle a l'avantage de remplir le rôle de fertilisant. En la pulvérisant deux fois par semaine, tout au long de l'été, on sera pratiquement débarrassé des parasites.

7. Infusion de prêle des champs. Faire bouillir 300 g de prêle séchée, dans 1 litre d'eau, pendant trente minutes. Laisser refroidir et filtrer. Diluer 5 cc de cette décoction dans 1 litre d'eau et pulvériser. À utiliser à titre préventif contre les maladies cryptogamiques comme l'oïdium.

8. Savonnée de rhubarbe. Couper 1 kg de rhubarbe en petits morceaux et faire cuire une demi-heure dans 2 litres d'eau. Filtrer et ajouter 25 g de savon noir. Surtout efficace contre les pucerons.

On trouve dans le commerce toutes sortes de pulvérisateurs très pratiques. Les moins chers sont actionnés par une pompe ; les plus coûteux sont des réservoirs à pression préalable, qui permettent une répartition uniforme du liquide sur les plantes.

Produits de lutte biologique en vente dans le commerce

1. Pyrèthre. Fabriqué à partir des fleurs du pyrèthre, un genre de chrysanthème *(Chrysanthemum cinerariifolium)*. Est vendu en aérosol (attention, on y mélange quelquefois des produits non biologiques) ou en liquide, sous le nom de Pyromuls®. Efficace contre les pucerons, les jeunes chenilles, les thrips et les punaises.

2. Roténone. Du japonais « roten », nom de la plante d'où le produit est extrait. C'est un insecticide vendu sous forme de poudre ou de liquide (Para-Deril®). Il entre dans la composition de certains aérosols. Efficace contre les pucerons, chenilles, thrips et aleurodes des serres (ou mouche blanche des serres).

3. Soufre. Ce produit est utilisé avec succès pour lutter contre divers champignons, notamment l'oïdium. Se vend sous forme de fleur de soufre, à répandre en poudrage très fin sur les plantes. La présentation liquide, à pulvériser en solution dans l'eau, est plus commode à l'emploi. Pour les brumisateurs, on utilise essentiellement de la poudre ordinaire. Bien qu'il soit désagréable, le soufre n'est pas toxique pour l'homme (songer aux sources sulfureuses d'origine volcanique).

4. Nicotine. Un produit naturel pur, mais si toxique qu'il ne faut l'utiliser sous aucun prétexte. La nicotine non diluée peut même être absorbée par la peau.

Les principaux ravageurs et maladies

Pp. 78 à 80, on trouvera un résumé des principaux ravageurs et maladies qui s'attaquent aux plantes d'appartement.

Les maladies spécifiques qui n'atteignent que des plantes bien déterminées sont citées dans la description de ces plantes.

Acariens

Parasites microscopiques, pratiquement invisibles à l'œil nu. Ils sucent la sève des feuilles et peuvent causer d'énormes dégâts. L'araignée rouge est un acarien. La lutte est très difficile, car ils sont très résistants. Dans les serres, on est forcé de recourir à des acaricides spécifiques. On utilise des fumigants à base de lindane.

Aleurode des serres

C'est la mouche blanche des serres, un insecte redouté parfois aussi dans les appartements. Ce sont de petites mouches blanches qui s'envolent dès qu'on touche les plantes, pour s'y reposer aussitôt. Elles se logent sous les feuilles et secrètent un miellat, comme les pucerons. Pulvériser régulièrement avec de la teinture de savon ou un produit à base de roténone. Les œufs ne seront pas détruits. Il faudra recommencer l'opération à quatre jours d'intervalle. Renouveler les pulvérisations tout au long de l'été. La lutte biologique se pratique dans les serres en introduisant l'ichneumon, *Encarsia formosa*, mais ce prédateur n'est pas encore disponible sur le marché destiné aux particuliers.

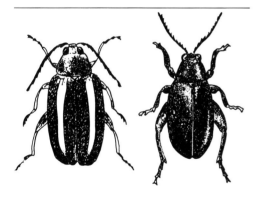

Altises ou puces de terre

Petits coléoptères aux reflets métalliques, parfois striés de jaune. Ils sautent en tous sens et criblent les feuilles, surtout celles des jeunes plantes, de petits trous. Pour lutter, poudrer la plante avec du roténone, répandre du tabac sur la terre, pulvériser souvent avec du pyrèthre.

Anguillules

Ce sont de petits vers invisibles à l'œil nu, qui vivent dans le sol, dans les tiges ou dans les feuilles des plantes, et provoquent d'importants dégâts. Les variétés *Aphelenchoides* sont les plus nuisibles. Ils provoquent des déformations qui entraînent la mort de la plante. Ils procèdent par secteur, en commençant par les feuilles les plus vieilles, et s'attaquent aux boutons aussi bien qu'aux tiges. Les horticulteurs les combattent en épandant des produits chimiques. Les amateurs feront mieux de jeter les plantes atteintes. Veiller à toujours employer du terreau pur, indemne du parasite.

Aphophores : voir cicadelles.

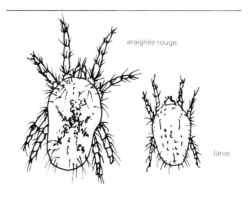

araignée rouge

larve

Araignée rouge

Ces acariens dépassent à peine un demi-millimètre. Les jeunes sont jaunes, les sujets plus âgés, rouges. Ils sont à peine visibles à l'œil nu ; sous la loupe ils ont l'apparence de minuscules araignées. Ces parasites se logent toujours au revers des feuilles qu'ils sucent. On s'en rend compte à de petites taches blanches qui apparaissent sur le dessus des feuilles qui prennent une apparence grise et terne. Si on examine le dessous des feuilles, on y découvre des toiles épaisses sous lesquelles les insectes s'abritent en colonies. L'araignée rouge aime la sécheresse. On luttera contre elle en bassinant journellement (ou même plus souvent) le dessous des feuilles avec une solution de teinture de savon ou de pyrèthre. Ces parasites sont très résistants et particulièrement difficiles à combattre. En dernier recours, on peut utiliser des bâtonnets d'acaricide.

Blanc mille-pieds

Myriapode de couleur blanche, se déplaçant très vite. Chaque segment est pourvu d'une paire de pattes. Il dévore les racines. Arroser avec une macération de tabac ou de roténone. On peut aussi baigner fréquemment et longuement les pots dans de l'eau à 45 °C. En dernier ressort, nettoyer complètement les racines, détruire les parasites et rempoter dans du terreau neuf.

Blattes

Gros insectes aplatis, ressemblant à des coléoptères. Ils mesurent environ 4 cm. Leurs antennes et leurs pattes sont particulièrement longues. On ne les rencontre que dans les serres chaudes, où ces insectes répugnants se nourrissent goulûment des jeunes pousses et des plantules de semis. Ce sont des insectes nocturnes. On les piège en disposant dans la serre des récipients en verre ou des pots contenant un peu de bière, de sirop ou de fromage. Détruire et enlever.

Botrytis

Botrytis cinerea est une moisissure gris brun qui se développe surtout sur les plantes malades ou mortes, parfois aussi sur les semis. Bien ventiler ; éviter l'humidité excessive.

Brûlures des feuilles

Ce n'est pas une maladie, mais la conséquence de traitements aux engrais trop concentrés, notamment en azote. Les feuilles sèchent et se recroquevillent. Dépoter la plante, laver les racines et rempoter, dès que l'on constate les dégâts. À la p. 61, nous avons cité d'autres agents susceptibles de provoquer ces brûlures.

Carences

En azote : les vieilles feuilles comme les feuilles nouvelles deviennent vert clair, la plante pousse mal. Des apports d'engrais composés donnent des résultats immédiats.
En fer : voir chlorose.
En phosphore : les feuilles tournent au vert foncé et même au vert bleuté. Taches rouges, violacées, sur l'envers des feuilles.
On obtiendra une amélioration en fertilisant avec un engrais composé.
En potasse : le bord des feuilles les plus anciennes se teinte en jaune, puis se dessèche tandis que la feuille entière prend une coloration bleuâtre. Arrive rarement aux plantes en pot. L'emploi d'engrais composés apporte une amélioration.

Chlorose

Carence en fer. Apparaît souvent sur les plantes calcifuges cultivées dans un sol trop calcaire. Lorsque le pH du terreau est trop élevé, les racines de ces plantes ne peuvent plus assimiler le fer, élément indispensable à la formation de la chlorophylle. Le parenchyme des feuilles s'éclaircit entre les nervures foncées, puis la feuille entière jaunit. Les mêmes symptômes peuvent aussi provenir d'un manque de manganèse, mais ceci est très rare chez les plantes d'appartement. Des pulvérisations au chélate de fer apportent une amélioration temporaire. Le mieux est de rempoter la plante dans un mélange plus acide.

Chute des feuilles

Il arrive qu'une plante, lorsqu'elle change de milieu, perde brusquement une partie de ses feuilles. Cette chute peut aussi être due à la sécheresse ou à une fertilisation mal équilibrée.

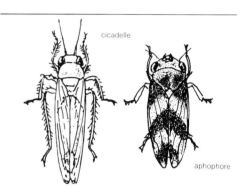

cicadelle

aphophore

Cicadelles

Insectes dont la forme très allongée rappelle celle d'un bateau. Ils font des bonds dès qu'on les effleure. Des petits points blancs apparaissent sur les feuilles dont ils sucent la sève. Les aphophores sont très proches des cicadelles, leurs larves jaune vert se couvrent d'une mousse baveuse qui permet de les identifier facilement. Combattre avec une solution de pyrèthre.

Cloportes

Petits crustacés gris et aplatis, pourvus de nombreuses pattes. Ils se tiennent de préférence dans des endroits humides, comme les caves. Pendant la nuit, ils se nourrissent des parties charnues des plantes.
On arrive à les piéger avec une pomme de terre ou une betterave rouge évidées. On les appâte aussi avec du son, du sucre ou des flocons d'avoine. Le jour, enlever les appâts et les animaux capturés.

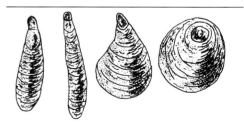

Cochenilles à bouclier

On rencontre quatre espèces de cochenilles à bouclier : la cochenille à virgule, la cochenille ostreiforme, la cochenille plate des serres et la cochenille floconneuse. Elles ont en commun un bouclier cireux sous lequel elles se cachent. On les détruit difficilement avec des insecticides. Il faut empoisonner la plante entière. Les bâtonnets d'insecticide seront, dans ce cas précis, d'un grand secours. Il y a également moyen de les enlever à la main, à l'aide d'une allumette. On peut encore les badigeonner d'alcool à 90°. En conjuguant tous ces moyens, on finit par en venir à bout.

Cochenilles à virgule
Voir cochenilles à bouclier.

Cochenilles farineuses
Ces petits insectes rose orangé, poudrés d'une cire blanche, se déplacent très lentement. Ils vivent en petits groupes.
Badigeonner les colonies avec de l'alcool à 90°.

Cochenilles floconneuses
Voir cochenilles à bouclier.

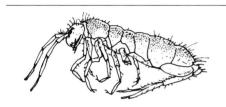

Collemboles
Petits insectes (1 à 4 mm) aptères, sauteurs, qui vivent dans les endroits humides. On les trouve souvent entre le pot et le cache-pot ou dans les soucoupes humides.
On les évite en lavant souvent les cache-pot et les soucoupes et en évitant de laisser de l'eau stagner. Les dégâts sont généralement insignifiants, mais l'espèce blanche dévore parfois les feuilles. Combattre au moyen de produits à base de pyrèthre ou en répandant du tabac dans leur cachette de prédilection.

Coup de soleil
Les rayons du soleil peuvent causer des dommages à des plantes d'ombre ou à des plantes maintenues assez longtemps dans des endroits peu éclairés, si elles sont brutalement transportées au soleil. Le feuillage jaunit et se flétrit.
Des plantes ayant séjourné tout l'hiver dans une pièce peu éclairée doivent être acclimatées au soleil petit à petit, en les ombrant. Même les cactus souffrent d'être transférés en plein soleil après leur repos hivernal.

Excès de chlore
L'eau d'arrosage, lorsqu'elle contient trop de sel de cuisine, cause des dégâts sur les plantes. Utiliser de l'eau dessalée ou de l'eau de pluie. Le feuillage reste généralement vert foncé, mais la plante ne se développe pas. Le bord des feuilles les plus anciennes se dessèche, comme s'il s'agissait d'une carence en potasse[1].

Flétrissement des feuilles
Une plante se flétrit quand elle manque d'eau. Le flétrissement peut aussi être le résultat d'une attaque de champignons. Il existe un champignon qui s'attaque à la base des plantes et provoque la pourriture du pied. On favorise le développement de ces maladies en employant des vieux pots non stérilisés ou en replantant souvent dans la même terre. Utiliser, de préférence, chaque fois un nouveau pot.

Fonte des semis
Elle est causée par divers champignons. Les semis ou les boutures pourrissent à la racine et meurent subitement. Toujours utiliser du terreau de semis neuf et, si le phénomène se reproduit, le stériliser. Les plantes atteintes doivent être détruites.

Fourmis
Les fourmis, que tout le monde connaît, dévorent parfois les plantes, mais la plupart du temps, elles se contentent du miellat déposé par les pucerons. En détruisant les pucerons, on éloigne les fourmis.
On combat les fourmis avec la roténone.

(1) Les eaux du Rhin, aux Pays-Bas, sont parfois chargées de sel de cuisine provenant des rejets de saumure des « Potasses d'Alsace ». Il s'ensuit une pollution de l'eau distribuée, qui a donné lieu à un contentieux entre les gouvernements français et néerlandais. Cette pollution n'affecte pas la France. (Note de la traductrice.)

Fumagine
Moisissure noire qui recouvre les feuilles et qui s'enlève en frottant. Elle est causée par des champignons qui se développent sur le miellat secrété par les pucerons et les cochenilles. On évitera la fumagine en détruisant les pucerons et les cochenilles, et en lavant soigneusement les feuilles à l'eau tiède.

Iules
Ce sont des myriapodes qui ressemblent aux mille-pattes, mais ils sont plus arrondis sur le dos et leur ventre est aplati. Chaque anneau de leur corps est muni d'une paire de pattes. Ils n'ont pas de glande à venin. Contrairement aux mille-pattes, ils sont assez nuisibles : ils se nourrissent surtout des parties tendres des plantes et de jeunes racines. Ce sont des animaux nocturnes qui se tiennent de préférence dans des endroits sombres et humides.
Lutte. 1. Couper une pomme de terre en deux ; évider chaque moitié et les déposer, la face coupée sur le sol. Pratiquer une petite ouverture sur le côté pour en faciliter l'accès. Pendant la nuit, les iules viendront s'y réfugier et on pourra les récolter le lendemain matin. 2. Entourer la plante de mottes de tourbe imbibées de pétrole. 3. Déposer des petits tas de tabac entre les plantes. Son odeur écarte les bestioles.

Jaunissement des feuilles
Il est tout à fait normal que des plantes à feuillage persistant perdent de temps en temps quelques feuilles, surtout celles du bas. Si le phénomène est anormalement important, vérifier que la plante n'est ni trop sèche, ni trop humide. Le courant d'air provoque aussi le jaunissement des feuilles. Corriger les conditions de culture.

Limaces
Mollusques qui dévorent les parties tendres des plantes. Se rencontrent rarement en appartement, mais sont fréquents dans les serres.
Disposer des appâts spéciaux à base de métaldéhyde à support « son », vendus sous forme de granulés. Ne pas laisser à la portée des enfants et des animaux domestiques.

Mildiou
Moisissure blanc sale qui se forme sur le dessous des feuilles.
Réduire l'humidité ambiante et pulvériser avec des produits à base de soufre.

Mille-pattes
Voir blanc mille-pieds.

Oïdium
Maladie cryptogamique qu'on appelle aussi le « blanc » et qui atteint de nombreux végétaux. L'oïdium se présente sous la forme d'une poudre blanche qu'on peut enlever avec le doigt. Les produits les plus efficaces et les moins toxiques que l'on connaisse à ce jour sont à base de soufre : on les utilise en poudrages ou en pulvérisations.
Ils ne suffiront cependant pas à sauver une plante, comme un *Begonia,* fortement atteinte. Voir aussi : mildiou.

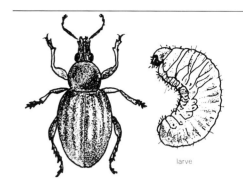

larve

Otiorrhynque
Charançons de couleur brune ou jaune qui apparaissent souvent sur les *Taxus*, mais que l'on rencontre aussi sur d'autres plantes. Ce sont surtout les larves, dépourvues de pattes, qui sont nuisibles. Elles se cachent dans la terre et dévorent les racines.
On les attrape en disposant, entre les plantes, des petits pots remplis de tampons de laine de bois : les insectes viennent s'y loger. Détruire les pots. On peut aussi poudrer les insectes et les larves visibles avec de la roténone. Si la terre est infectée de larves, il faut dépoter la plante, examiner soigneusement les racines et rempoter dans du terreau neuf.

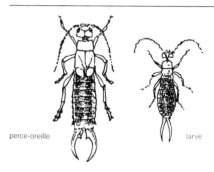

perce-oreille — larve

Perce-oreilles
Insectes arthropodes, de couleur brun foncé, dont le corps se termine par une pince. La nuit, ils dévorent les boutons floraux et les jeunes feuilles. Ils se délectent aussi de pucerons.
On les attrape dans des pots renversés contenant de la laine de bois, où ils aiment à se réfugier le jour. Vider chaque jour les pots.

Pourriture du pied
Voir flétrissement des feuilles.

Pourriture noire des racines
Les racines tournent au brun et pourrissent. Les plantes végètent et finissent par périr. Plusieurs causes sont possibles : des bactéries, des champignons ou des anguillules. Très souvent, la maladie est due à des champignons qui se développent quand le sol est trop mouillé ou trop froid.
Rectifier les conditions de culture et transplanter.

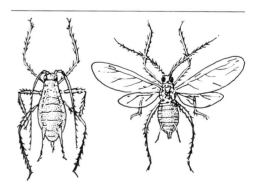

Pucerons
Les plus connus des parasites. Souvent verts ou jaunes, parfois ailés. Ils vivent en colonies nombreuses sur les jeunes pousses. Ils produisent une sécrétion gluante qui provoque l'apparition de la fumagine.
La meilleure façon de s'en débarrasser est d'utiliser de la teinture de savon ou encore de la roténone, du pyrèthre ou de la savonnée de rhubarbe.

Pucerons radicicoles des composées

Ce sont des pucerons blancs, d'aspect laineux, qui s'attaquent aux racines et freinent le développement des plantes.
Lutte : voir blanc mille-pieds.

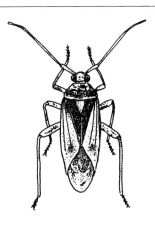

Punaises

La plupart des punaises ont quatre ailes, mais quelques espèces sont aptères. Ces insectes ont un corps large et plat, muni de six pattes, et une tête aplatie, nantie de longues antennes. Ils sont verts ou bruns. Ils se meuvent avec agilité. Leur longueur ne va pas au-delà de 8 mm. Ils se nourrissent de toutes les parties aériennes de la plante, qu'ils perforent de tout petits trous et dont ils sucent la sève. Fleurs et pousses terminales sont déformées.
Exterminer en poudrant et en pulvérisant avec des produits à base de roténone et de pyrèthre.

Sauterelles des serres

Elles mesurent près de 3 cm de long, sont marquées de brun et ont de très longues antennes. Sont surtout fréquentes dans les serres chaudes, où elles aiment à se réfugier pendant le jour. Dévorent toutes les plantes, jeunes et vieilles. On les combat avec des fumigants qui contiennent des produits chimiques souvent très toxiques.

Sciaridés

Ces petites larves, qui ne dépassent pas 3 à 5 mm, ressemblent à de minuscules bâtonnets de verre. On les trouve dans le sol, où ils se nourrissent de jeunes plants de semis ou de boutures.
Arroser avec une solution de roténone. Seule la larve est nuisible. On débarrasse la serre des insectes en pulvérisant des produits à base de pyrèthre ou en utilisant des fumigants.

Sel (dégâts causés par le)

Si on répand du sel de cuisine autour des plantes, elles meurent. Toutes les plantes d'appartement ne réagissent cependant pas de la même façon au sel de cuisine. Les plus sensibles sont les orchidées, suivies des *Anthurium*, *Rhododendron simsii*, et *Sinningia*.
Si l'eau de ville contient trop de sel, il faudra éviter de l'utiliser en arrosages (voir pp. 57-58). Ce genre de dégât est le plus souvent causé par un excès de chlore ou d'autres sels. En cas de doute, rempoter.

Souris

Les souris grignotent rarement les plantes, mais elles peuvent être gênantes dans les serres où elles viennent nicher sur les tablettes.
Maintenir une ambiance humide, car les souris recherchent les endroits secs. Disposer des tas de blé traité avec un anticoagulant. À la moindre blessure, ces petits rongeurs se videront de leur sang. Tenir ce produit hors de la portée des animaux domestiques.

Taches brunes

Elles surviennent généralement quand une plante a souffert du froid. Veiller à ne pas laisser la température descendre au-dessous du minimum requis. Ces taches peuvent aussi avoir pour origine une carence en potasse (voir : carences). Les taches claires sur un feuillage duveteux sont causées par l'eau d'arrosage.

Tarsonèmes

Le *Tarsonemus pallidus* s'attaque souvent aux cyclamens, mais aussi aux saintpaulias et à d'autres plantes. Les feuilles sont déformées et défigurées par des taches sombres.
Très résistant. On ne peut le détruire qu'en recourant à des acaricides puissants.

Tétranyques

Voir araignée rouge.

Thrips

L'insecte adulte ne dépasse pas 1 à 2 mm. Il est brun foncé, la partie postérieure de son corps est rouge. Il perfore d'innombrables petits trous dans les feuilles dont il suce la sève. Les cellules des feuilles pâlissent, les feuilles prennent un aspect argenté, jaunissent et tombent. C'est un ravageur difficile à combattre. Cet insecte prolifère à haute température. On peut essayer de le détruire en pulvérisant des solutions de pyrèthre ou de roténone. La nicotine est plus efficace : on prendra une macération de tabac à pipe haché finement. Faire un essai sur une feuille pour vérifier si la concentration n'est pas trop forte. Si oui, diluer. Les bâtonnets d'insecticide, fichés dans la terre, ont un effet endothérapique : ils empoisonnent la plante mais ne tuent que les insectes.

Vers de terre

On trouve quelquefois des vers de terre dans la terre des pots. Ils sont en général peu nuisibles. S'ils sont trop nombreux, nettoyer les racines et rempoter la plante.

Vers gris

C'est la larve de la noctuelle (papillon crépusculaire de couleur terne), qui dévore aussi bien les parties souterraines que les parties aériennes de la plante.
Déposer des appâts empoisonnés, rempoter. Le jour, les vers enroulés se cachent sous la terre.

Virus (maladies à)

Les plantes montrent de curieuses taches jaunes, allongées ou rondes. Les tiges deviennent parfois rougeâtres. Les feuilles restent anormalement petites. Les maladies à virus, qui se manifestent surtout dans les cultures à l'échelle professionnelle, ne peuvent être prévenues qu'en observant des règles d'hygiène très strictes. Dès leur apparition, il faut détruire le plus vite possible toutes les plantes atteintes.

Les plantes

Dans cet ouvrage, les plantes sont classées par ordre alphabétique, selon leur nom latin actuellement en usage.
Si l'on recherche une plante dont on connaît le nom ancien (synonyme) ou uniquement le nom français, on trouvera la page exacte dans l'index, à la fin du livre.
Les plantes inconnues peuvent, dans bien des cas, être identifiées grâce aux photos.

La nomenclature des plantes cultivées

Beaucoup de personnes se demandent si le recours à la terminologie latine, parfois bien compliquée, est indispensable. Pourquoi ne pas s'en tenir aux noms français ?
La première raison est que ceux-ci présentent des variantes locales ou régionales. La deuxième, que pour beaucoup de plantes il n'existe tout simplement pas de nom français. Une classification alphabétique complète de ces noms étant donc impossible, il a fallu avoir recours aux noms latins exacts. Mais si l'on s'interroge sur le nom latin *exact,* on se trouve devant une autre difficulté. Le lecteur aura peut-être déjà remarqué que certains noms utilisés dans ce livre diffèrent de ceux employés dans des ouvrages plus anciens ou dans certains catalogues. Ceci résulte du fait — peut-être surprenant — que la nomenclature latine n'est pas immuable. Chaque année, quelques noms sont changés, ce qui ne facilite pas les choses. La difficulté provient de ce qu'il faut observer la règle, dite de priorité, énoncée par le Suisse Alphonse de Candolle (1806-1893) et qui précise que le nom le plus ancien est le nom exact. De temps à autre, quelqu'un retrouve une ancienne description de plante, de sorte que le nom en usage, moins ancien, doit disparaître.
Par ailleurs, on remanie parfois, de-ci de-là, la classification systématique et certains genres se retrouvent soudain déplacés. Il faudra s'accommoder quelque temps encore de ces modifications irritantes. Mais l'amélioration constante des communications, au cours des siècles, finira bien par mettre un terme à ces tracasseries.
Il existe des ouvrages scientifiques où les noms les plus récents de pratiquement toutes les plantes sont repris. Pour notre livre, nous avons utilisé l'ouvrage, largement accepté, de Zander, *Handwörterbuch der Pflanzennamen,* 10e édition, mais cet ouvrage date d'il y a six ans, de sorte que certains noms qui y figurent, tout en étant parfaitement reconnus, ne sont plus considérés comme exacts aujourd'hui. Nous avons décidé de nous en tenir là jusqu'à la prochaine édition de Zander ou d'un autre ouvrage analogue, facile à consulter.
Afin de permettre au lecteur une comparaison aisée des noms utilisés dans cet ouvrage avec ceux employés dans d'autres livres ou revues et dans la langue usuelle, nous avons aussi mentionnés les synonymes les plus usités. Les dénominations françaises les plus courantes de chaque plante se retrouvent dans l'index alphabétique, si bien qu'on n'aura guère de difficulté à repérer la plante que l'on cherche.

Famille, genre, espèce, variété et race

Dans la section alphabétique consacrée à la description des plantes, chaque plante est d'abord désignée par son nom générique et ensuite par son nom d'espèce. Nous pourrions comparer ce mode d'identification à l'état-civil, où les individus ont un nom de famille et un ou plusieurs prénoms. Pour *Hibiscus rosa-sinensis,* par exemple, *Hibiscus,* nom du genre, correspond à Dupont, et *rosa-sinensis,* nom d'espèce, à Jean-Jacques. Dans l'énumération de plus de deux noms, le nom générique peut être réduit à l'initiale majuscule et on lira *H. rosa-sinensis.* Cette espèce d'*Hibiscus,* entièrement naturelle, présente des fleurs rose rouge, simples. Au cours des cent dernières années, les horticulteurs ont réussi à produire un nombre de variétés à fleurs généralement beaucoup plus grandes, souvent pleines, rouge orange, jaune, rouge cerise, etc. Certaines mutations ont été provoquées en soumettant les plantes à des irradiations. Ces variétés, qui sont le résultat de l'intervention humaine, ne peuvent en aucun cas être confondues avec les variétés spontanées, obtenues naturellement. C'est pourquoi on les appelle cultivars, abréviation cv, ou races. On parle aussi de formes cultivées, pour introduire un peu de variété dans le vocabulaire. Les noms des cultivars ne sont jamais écrits en italique, mais on utilise une majuscule et l'on place ces noms [imprimés en romain] entre guillemets simples. Exemple : *Hibiscus rosa-sinensis* 'Anita Buis', qui porte de grandes fleurs simples, jaune intense.
Le lecteur trouvera dans ce livre la description de centaines de races car, dans un très grand nombre de cas, il a été procédé à des croisements et des sélections, quoique de manière moins intensive que pour les fleurs de jardin.
Lorsqu'il est question d'une variété naturelle, on utilise l'abréviation var. et le nom latin est imprimé en italique.
Parfois, on parle aussi de sous-espèce ou subspecies, abrégé en subsp. Beaucoup plus rarement on indique, après la variété, la forme ou forma, abrégé en form. Voici le nom de base de l'hortensia d'appartement actuel : *Hydrangea macrophylla* subsp. *macrophylla* form. *otaksa.*
Il arrive de temps à autre que le producteur croise deux espèces d'un même genre et obtienne ainsi une espèce nouvelle. Dans ce cas, on ne parle pas d'une race, mais d'un hybride. On indique le croisement en plaçant le signe x devant le nom de la nouvelle espèce. Exemple : le genêt, *Cytisus* x *racemosus* est le croisement de *Cytisus canariensis* et *Cytissus maderensis* var. *magnifoliosus.*
Il arrive encore plus souvent que l'on réussisse à croiser deux genres différents. Il existe un exemple bien connu de ce genre d'hybridation, c'est x *Fatshedera lizei,* issu de *Fatsia japonica* et *Hedera helix,* une expérience réussie en France en 1910. Dans le classement alphabétique, nous plaçons ce genre « artificiel » sous la lettre F. Comme les croisements entre les membres de la famille des *Orchidaceæ* réussissent facilement, il existe un nombre considérable d'hybrides dans cette famille.

L'utilisation des symboles

Les cinq facteurs essentiels de la bonne croissance des plantes d'appartement sont exprimés à l'aide d'une série de cinq fois trois symboles. Le lecteur trouvera l'explication de ces symboles sur cette page, sur le signet et sur le rabat de la jaquette de ce volume.
Dans la section alphabétique, les espèces de chaque genre sont également classées par ordre alphabétique. Sous le nom de la première espèce mentionnée, on retrouvera toujours les symboles qui s'y rapportent. Si aucun symbole n'accompagne le nom des espèces suivantes du genre, c'est que les symboles convenant à la première espèce citée restent valables pour les autres. Si, par contre, un des symboles ne convient plus à l'espèce suivante, toute la série des symboles est reprise.
Il arrive assez fréquemment que plusieurs symboles d'un même groupe (c'est-à-dire se rapportant à un même facteur de croissance) figurent l'un à côté de l'autre. Si l'on trouve, à la fois, le symbole de la culture à température élevée et celui de la culture à température moyenne, on pourra en déduire que les deux méthodes conviennent ou que la température idéale se situe quelque part entre les deux. Si l'on trouve ensemble les symboles du mélange terreux standard et celui du mélange spécial, c'est que la plante préfère le mélange spécial, mais peut aussi se satisfaire du mélange standard.

Comment identifier dans l'encyclopédie la plante que l'on recherche ?

Afin de donner au lecteur une vue plus claire de la manière systématique dont les descriptions de plantes sont présentées dans cette section de l'ouvrage, nous croyons bon de fournir quelques explications préalables.
Chaque genre est annoncé par un en-tête où figure d'abord le nom générique latin. En dessous, figure un autre nom latin, qui indique à quelle famille le genre appartient. Puis vient le nom « officiel » français. Il peut aussi en exister d'autres, mais il est impossible de les mentionner tous. Parfois, le nom français fait défaut.
Voici l'aspect habituel d'un en-tête :

Acánthus

Acanthácеæ

acanthe

Les accents placés sur les noms latins sont destinés à faciliter leur prononciation en indiquant la place de l'accent tonique.
Les informations essentielles concernant le genre entier sont toujours données sous les rubriques suivantes :
Nom
Origine
Description
Exposition
Soins
Arrosage
Fertilisation
Rempotage
Multiplication
Maladies
La dernière rubrique n'apparaît que si la plante est réellement sujette aux maladies.
On passe ensuite à la description des différentes espèces, classées par ordre alphabétique des noms latins. Est cité en premier, le nom d'espèce exact, suivi de la série des symboles qui figurent les conditions de culture applicables à cette espèce (et, éventuellement, à celles qui suivent). S'il existe pour elle un nom synonyme, il est mentionné précédé de syn. (ce peut être un nom inexact ou démodé). Vient ensuite le nom français, si toutefois il y en a un.
Nous nous sommes aussi efforcés de donner une courte notice descriptive de la plante. Nous l'avons voulue aussi évocatrice que possible, tout en sachant combien cette méthode d'identification est sujette à caution. C'est pourquoi les espèces principales sont toujours illustrées par une photo, combien plus éloquente que des mots ! Nous faisons également mention des races intéressantes. Elles sont fréquemment désignées par leur couleur, comme on le fait, mais moins souvent, pour les plantes de jardin. Si on ne repère pas immédiatement une plante déterminée, on cherchera son synonyme (en s'aidant éventuellement de l'index) : on finira presque toujours par trouver la plante que l'on cherche.

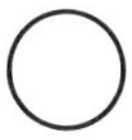 Exige le plein soleil, quand il brille.

 Exige beaucoup de lumière mais doit être protégé des rayons directs du soleil entre 10 h et 17 h.

 Résiste en situation peu éclairée.

 Exige une température élevée ; mininum nocturne, en été : entre 16 °C et 20 °C.

 Exige une température modérée ; minimum nocturne, en été : 10 °C à 16 °C.

 Exige une température fraîche ; minimum nocturne, en été : 3 °C à 10 °C.

 Humidité constante : la motte ne doit jamais être sèche.

 Humidité modérée : laisser la motte sécher entre deux arrosages.

 Terre relativement sèche : arroser modérément, par température élevée uniquement.

 Humidité relative de l'atmosphère élevée (au-dessus de 60 %).

 Humidité relative de l'atmosphère modérée (50 % à 60 %).

 Humidité relative de l'atmosphère réduite (en dessous de 50 %).

 Mélange terreux standard : pH variant entre 5,5 et 6,5.

 Mélange terreux acide : pH variant entre 4,5 et 5,5.

 Exige un mélange terreux spécial (indiqué dans le texte).

Abutílon striátum 'Thompsonii' au beau feuillage panaché

Abutílon megapotámicum

Abutílon 'Golden Fleece' : une forme hybride

Abutílon striátum 'Thompsonii'

multiplient par bouturage. Commencer tôt dans l'année. Prélever des extrémités de rameaux sans boutons floraux. Chaleur de fond : 22 à 23 °C. Placer les boutures sous verre ou plastique, dans un mélange de terreau de feuilles et de sable grossier. Quand la reprise a eu lieu, rempoter plusieurs boutures ensemble dans un pot pour obtenir une plante touffue. *Abutílon megapotámicum* est parfois élevé sur tronc. Voici comment procéder : éliminer les tiges latérales jusqu'à ce que la tige principale ait atteint la bonne hauteur. Pincer le sommet pour qu'il se ramifie.

Maladies. Cochenilles à bouclier, cochenilles farineuses, araignées rouges.

Abutílon darwínii
Atteint jusqu'à 1 m de haut. Fleurs rouge orangé, veinées de rouge, en forme de clochette, toute l'année. Les feuilles cordées, longuement petiolées sont couvertes de poils duveteux.

Abutílon hybrides
Issus du croisement de *Abutílon darwínii* et *Abutílon striátum*. Feuilles digitées, à trois ou cinq lobes. Fleurs campanulées blanches, jaunes, orange, rouges ou toutes ces teintes à la fois.

'Ashford Red' est rouge saumoné, 'Boule de neige' est blanc avec des étamines orange, 'Canary Bird' est jaune, 'Feuerglocke' rouge et 'Golden Fleece' jaune intense. Floraison de mai à octobre.

Abutílon megapotámicum
Syn. *Abutílon vexillárium*. Arbuste à feuilles persistantes, crenelées, non lobées, ovales, aiguës ; tiges grêles, plus ou moins pendantes. Les fleurs diffèrent de celles des autres espèces : elles ont un calice pentagonal rouge et une corolle campanulée jaune d'où jaillissent les étamines violet foncé. 'Variegatum' a des feuilles vertes, marbrées de jaune.

Abutílon striátum
Fleurs rouge orangé, d'août à novembre. La race 'Thompsonii' a des feuilles plus petites, panachées de jaune.

Acácia
Leguminósæ

Nom. Du nom grec : *akakia*. L'arbre d'avenue que nous connaissons s'appelle *Robínia pseudoacácia*.

Origine. Genre important qui compte 800 espèces originaires des régions tropicales et subtropicales d'Afrique et d'Australie.

Description. Les plus hauts font 20 m. Les espèces africaines ont des feuilles pennées ; chez les espèces australiennes, feuilles et pétioles sont transformés en phyllodes (pétioles dilatés). Les fleurs se montrent de janvier à mars ; elles sont toutes petites et groupées en capitules sphériques à l'aspect laineux, comme les fleurs de mimosa. Certaines espèces ont des stipules épineux.

Exposition. En été, exposer les acacias dans un endroit abrité et ensoleillé du jardin ou sur le balcon. Les rentrer vers la mi-octobre et les laisser hiverner dans un local clair et très frais.

Soins. Hiverner à une température de 4 à 6° C. Si la plante émet de trop longues pousses, on les taillera après la floraison.

Abutílon
Malváceæ

Nom. Du mot arabe *aubutilun*, qui désigne l'*Abutílon* ou une plante apparentée.

Origine. Régions tropicales et subtropicales d'Amérique centrale et d'Amérique du Sud.

Description. Plante molle. Elle se présente sous la forme d'un arbuste aux feuilles persistantes et aux tiges grêles plus ou moins arquées. Les feuilles sont généralement cordées et, chez certaines espèces, marbrées (effet d'un virus). Les fleurs, en forme de clochettes, très remarquables, sont blanches, jaunes, orangées et rouges, parfois veinées de sombre. L'*Abutílon* peut atteindre plusieurs mètres de haut, même en appartement.

Exposition. L'été, dans un coin abrité et ombragé du jardin ou sur le balcon. À l'intérieur, on lui donnera une situation à l'ouest. Protéger des rayons vifs du soleil. Exposition la plus éclairée possible en hiver.

Soins. Période de repos : de septembre à février, à une température de 12 à 15 °C. Dans un local trop chauffé

l'*Abutílon* perdra des feuilles. Tailler et rempoter au printemps pour le rajeunir. La floraison se produit au printemps et durera tout l'hiver si la plante jouit d'une situation claire, aérée et fraîche. Ventiler fréquemment. L'*Abutílon* aime l'air frais. Quand la végétation est trop vigoureuse, la plante produit des tiges molles qu'il faut soutenir.

Arrosage. Arroser généreusement pendant la période de végétation. Les plantes hautes de 2 à 3 m demandent des arrosages répétés 2 ou 3 fois par jour, et parfois davantage si le temps est chaud et ensoleillé. L'*Abutílon* supporte assez bien l'air sec mais préfère une atmosphère un peu humide. Réduire les arrosages si la plante hiverne au frais.

Fertilisation. De mars à août, apporter un peu d'engrais à concentration normale, une fois par semaine.

Rempotage. Utiliser un mélange du commerce ou faire soi-même un mélange de parts égales de terreau de feuilles, d'argile, de vieux fumier bovin. Des rempotages fréquents permettent de prévenir les attaques d'insectes comme les cochenilles farineuses.

Multiplication. Semer les variétés hybrides sur une terre légère, à 20 °C. Les variétés à feuillage coloré se

Acácia armáta : un cousin du mimosa.

Arrosage. Si l'on achète, en janvier, chez le fleuriste, une plante boutonnée, il faudra la vaporiser tous les jours à l'eau tiède pour prévenir la chute des boutons. Cesser les vaporisations dès qu'ils se colorent et prennent un aspect plumeux. Maintenir humide tout l'hiver. Arroser copieusement la motte en été. En dépit de leur aspect un peu sec, les *Acácia* sont des arbustes qui consomment beaucoup d'eau.

Fertilisation. Engrais liquide, à concentration normale, tous les quinze jours pendant la période de végétation.

Rempotage. Au printemps, dans du terreau de forêt mêlé d'un peu de sable et de terre argileuse. Les racines blessées répandent une odeur désagréable.

Multiplication. Par graines que l'on met d'abord à tremper dans de l'eau chaude pour hâter la germination, qui est très lente. Le bouturage s'effectue de préférence en avril ou en juillet-août. Bouturer sur fond de chaleur, dans un mélange de tourbe et de sable.

Acácia armáta
○ ○ ⊛ ○ ▦

Syn. *Acácia paradóxa*. Petit arbuste buissonnant de 1,5 m, de couleur vert foncé. Se couvre abondamment de petites fleurs solitaires, jaune clair, au délicieux parfum.

Acácia baileyána
Léger feuillage bleuté. Glomérules jaune foncé.

Acácia dealbáta
Syn. *Acácia decúrrens* var. *dealbáta*. Arbrisseau de belle taille aux fleurs jaune soufré : c'est tout simplement le mimosa. Supporte le gel jusqu'à — 4°, — 6° C.

Acalýpha híspida : ses inflorescences évoquent des queues de renard.

Acalýpha
Euphorbiáceæ

Nom. *Akalephe* est le nom grec d'une sorte d'ortie dont les feuilles ressemblent à celles de l'*Acalýpha*.

Origine. Ces espèces sont, pour la plupart, originaires des îles du Pacifique appartenant à l'archipel australien et de la Nouvelle-Guinée, donc de régions tropicales humides.

Description. Ce genre comprend 430 espèces de plantes herbacées, arbustes et arbres. Leurs fleurs sont souvent groupées en épi ou en grappe. Le feuillage est vert ou coloré de bronze ou de rouge, parfois même couvert d'une véritable mosaïque de teintes.

Exposition. Ils réclament un endroit chaud et humide, très clair, mais abrité des rayons directs du soleil. Seule une lumière abondante leur conservera l'éclat de leur superbe feuillage coloré.
Ce sont des plantes de serre chaude. L'été on peut les rentrer temporairement dans la maison ou même enterrer les pots au jardin, à un emplacement chaud et abrité. L'hiver, elles

doivent être conservées dans une ambiance tempérée, claire et humide.

Soins. On favorisera la ramification de *Acalýpha híspida* en pinçant l'extrémité de ses longues tiges. *Acalýpha wilkesiána*, qui est surtout cultivé pour son feuillage, pourra être pincé deux ou trois fois. Éliminer régulièrement les fleurs fanées. Température minimale hivernale : 16 °C.

Arrosage. Tenir la motte humide tout le temps de la végétation et de la floraison, mais le pied ne doit pas baigner dans l'eau. Créer une ambiance humide autour des feuilles en posant le pot sur une soucoupe renversée dans une coupe remplie d'eau. Vaporiser chaque jour de l'eau tiède sur le feuillage : on évitera ainsi une attaque d'araignées rouges.

Fertilisation. Engrais à dose normale, chaque semaine pendant la période de végétation.

Rempotage. Préparer soi-même un mélange aéré, riche en humus, fait de terreau de feuilles, de vieux fumier bovin, de sable grossier et de terre limoneuse finement émiettée.

Multiplication. Par bouturage, au début du printemps. Faire enraciner sur fond de chaleur — au moins 20 °C — sous verre ou plastique, dans un mélange fait, à parts égales, de sable et de terreau de feuilles ou de tourbe. Il se peut que la bouture perde ses feuilles. Si l'atmosphère est chaude et humide, la tige ne tardera pas à en émettre de nouvelles. Pour obtenir de belles touffes, pincer à plusieurs reprises et planter plusieurs boutures dans un même pot.
Les plantes sont surtout attrayantes lorsqu'elles sont jeunes. Les plus âgées peuvent être taillées en janvier ou février. Elles redonneront des plantes valables.

Maladies. Le manque d'humidité entraîne l'apparition de pucerons et d'araignées rouges. Thrips ; botrytis.

Acalýpha híspida
Ⓘ ⊕ ⊜ ⊛ ⊛ ○ ○ ▣

Syn. *Acalýpha sánderi*. A de longues inflorescences pouvant atteindre 50 cm. Leur forme et leur couleur rouge font penser à des queues de renard. C'est une plante dioïque mais seule la forme femelle est cultivée. Les feuilles pointues sont portées par des pétioles sombres, couverts de poils. Les inflorescences axillaires, retombantes, dépassent du feuillage. Le cultivar 'Alba' a des épis blancs.

Acalýpha wilkesiána
Espèce monoïque. Les épis sont plus discrets : les mâles peuvent dépasser la longueur des feuilles, mais les épis femelles sont plus courts. Les feuilles ovoïdes, terminées en pointe, ont des teintes rouges superbes. On en connaît de magnifiques variétés horticoles.
'Godseffiana' a des feuilles ovoïdes acuminées ; elles sont d'un joli vert clair avec un liseré blanc grossièrement crénelé. 'Hamiltoniana' lui ressemble beaucoup, mais ses feuilles ont des formes irrégulières à la pointe très effilée. Le feuillage de 'Musaica' offre, comme son nom l'indique, une mosaïque de tons bronze, rouges et orangés. La feuille de 'Marginata' est vert olive, bordée de rose, avec parfois des nervures rouges. Et enfin 'Obovata' a des feuilles vert olive, bordées de jaune orangé qui, en vieillissant, prennent des tons vert bronze et rouge carminé.

Acanthocalýcium violáceum fleurit facilement.

Acanthocalýcium
Cactáceæ

Nom. Du grec *akantha*, épine ou piquant, et *kalyx*, calice.

Origine. Les neuf espèces connues sont originaires d'Argentine.

Description. Ces cactus affectent des formes globuleuses ou légèrement cylindriques aux côtes saillantes. Les fleurs, de grandeur moyenne, s'ouvrent le jour. Elles portent des écailles membraneuses qui se terminent en piquants et qui montrent, à leur aisselle, de long poils laineux.

Exposition. Ils réclament beaucoup de lumière mais redoutent, pour la plupart, les rayons ardents du soleil de midi. Ils apprécient l'air frais et se plairont dehors, en été. Hiverner dans un lieu clair, frais et sec.

Soins. Comme la majorité des autres cactus, *Acanthocalýcium* exige une période d'hivernage à une température de 5 à 10 °C.

Arrosage. Arroser modérément en été et pratiquement pas du tout en hiver. Les plantes qui séjournent à l'intérieur, en été, bénéficieront de vaporisations par les journées chaudes.

Fertilisation. Engrais spéciaux pour cactus, de mai à la mi-août.

Rempotage. Rempoter tous les ans dans un mélange perméable. On trouve, dans le commerce, de la terre spéciale pour cactées. On peut faire soi-même un mélange comprenant 5 parts de terreau du commerce, 2 parts de sable grossier et 1 part de terre argileuse.

Multiplication. Faire des semis début mars. Prévoir une chaleur de fond oscillant entre 20° et 30 °C.

Maladies. Araignée rouge, cochenille farineuse, puceron des racines.

Acanthocalýcium spiniflórum
Ⓘ ○ ○ ○ ▣

Syn. *Echinópsis spiniflóra*. Vert mat, sphérique, avec 17 à 20 côtes saillantes. Piquants jaune brun en forme d'aiguille. Fleurs rose pâle, campanulées, de 4 cm de long.

Acanthocalýcium violáceum
Syn. *Echinópsis violácea*. Croît à 1 000 m d'altitude, dans la région de Cordoba en Argentine. Ressemble à *Echinópsis* et à l'espèce précédente, mais ses 10 à 20 piquants sont plus longs et légèrement recourbés. Il atteint 20 cm de haut, a 15 côtes et un diamètre de 15 cm. Ses fleurs lilas pâle font jusqu'à 7 cm de long et 6 cm de large. Cette espèce fleurit facilement.

Acalýpha wilkesiána 'Musaica' a un beau feuillage panaché, mais ses inflorescences sont peu visibles.

Acánthus montánus, la variété d'appartement la mieux connue.

Acánthus

Acantháceæ

acanthe

Nom. Du grec *akanthos,* qui désignait plus particulièrement *Acánthus móllis* dont la feuille servait de motif architectural.

Origine. Les 20 espèces connues viennent des régions chaudes d'Afrique, d'Asie et du bassin méditerranéen.

Description. Plantes herbacées ou buissons épineux portant souvent de très grandes feuilles pennatifides dentées. Fleurs blanches, mauves ou bleues en épi, ayant à leur base des bractées à bord épineux.

Exposition. Donner à l'acanthe une situation bien éclairée mais protégée des rayons ardents du soleil. La plante a des épines assez agressives : veiller à ne pas accrocher les voilages. La placer hors d'atteinte des jeunes enfants.

Soins. L'acanthe a besoin d'espace, tant pour ses racines que pour sa partie aérienne.

Arrosage. Arroser abondamment les plantes bien enracinées, à forte végétation. Entretenir une humidité modérée en hiver. Les acanthes aiment une atmosphère humide. Pratiquer régulièrement des vaporisations sur le feuillage.

Engrais. Arroser tous les quinze jours avec de l'engrais dilué, à concentration normale.

Rempotage. On peut préparer soi-même un mélange fait de 3 parts de mélange de rempotage du commerce, 1 part d'argile finement émiettée et 1 part de tourbe. Utiliser de grands pots.

Multiplication. Boutures de tiges ou boutures à un œil, avec chaleur de fond de 25 à 35 °C, sous verre ou plastique. Le bouturage se pratique dès la fin de l'hiver et au printemps. L'enracinement demande deux à trois semaines.

Acánthus illicifólius

Ⓘ Ⓖ ⊗ Ⓒ Ⓣ

Plante littorale des tropiques. Croît dans les marais saumâtres. Feuille pennatifide, longue de 30 cm et large de 10 cm, au bord épineux ou lisse. Les fleurs, longues de 5 cm, sont blanc rosé.

Acánthus montánus

L'espèce d'appartement la mieux connue. C'est un arbuste à feuillage persistant qui, dans la zone tropicale de l'Afrique occidentale, atteint facilement 2 m de haut. Les branches sont vertes et, en vieillissant, l'arbuste produit de nombreuses racines aériennes. Les feuilles, pennatifides et épineuses, sont étalées à l'horizontale, le limbe est gaufré et le bord en est ourlé. Fleurs blanc rosé, longues de 5 cm.

Achímenes 'Rose' : un hybride à la floraison abondante et durable.

Achímenes

Gesneriáceæ

Nom. Dérivé du grec *acheimenos.* Le *a* est privatif et *cheimon* signifie tempête ou froidure. Il s'agit bien d'une plante des tropiques qui craint le froid.

Origine. Amérique centrale ou du Sud. On en connaît environ 50 espèces, dont la plupart sont originaires du Brésil, du Mexique et du Guatemala.

Description. Plante de serre vivace, à feuillage caduc, souvent velu. Port dressé. Les tiges sont nombreuses mais généralement non ramifiées. Les feuilles sont ovales-aiguës, crénelées et de couleur vert foncé. Les fleurs, groupées par cinq, forment un tube à cinq lobes. Les couleurs varient du blanc au rose en passant par le mauve. Il existe aussi des espèces à fleurs jaunes. Les racines forment des rhizomes écailleux, teintés de blanc, de rose ou de lilas.

Exposition. Comme toutes les *Gesneriáceæ,* l'*Achímenes* supporte mal les rayons directs du soleil. Pour éviter les risques de brûlures du feuillage, lui choisir un emplacement très clair mais abrité du soleil. Lorsqu'elle manque de lumière, la plante produit de longues tiges molles et cesse de fleurir. La conserver dans un endroit chaud, hors des courants d'air.

Soins. Quand les tiges sont fanées, on les coupe à ras du sol. Les rhizomes sont déterrés et conservés bien au sec dans de la tourbe ou du sable, à une température de 10 à 15 °C, pendant tout l'hivernage. À partir de janvier et jusqu'en avril, on peut les replanter dans un terreau neuf en les recouvrant de 1 à 2 cm de terre seulement. Maintenir le terreau humide et la température de fond à 18 - 20 °C. Placer sous verre ou sous plastique et ne jamais arroser à l'eau froide. Les premières pousses apparaîtront très vite. Il est parfois nécessaire de les soutenir. Couper régulièrement les fleurs fanées.

Arrosage. Arroser régulièrement à l'eau douce, tiédie, pendant la végétation et la floraison. Ne jamais laisser la motte se dessécher : on provoque-rait immanquablement le flétrissement des feuilles et des fleurs. Dès que les boutons sont visibles, on entretiendra une humidité ambiante autour de la plante en la bassinant fréquemment. Lorsque les fleurs se sont épanouies, on arrête les vaporisations et on a recours au procédé de la soucoupe renversée. Vers le mois de septembre, l'*Achímenes* commence à se dépouiller de son feuillage et de ses fleurs pour se préparer au repos hivernal. Réduire progressivement les arrosages et laisser la plante entrer doucement en dormance.

Fertilisation. Administrer une solution nutritive, exempte de calcium, tous les dix jours pendant la période de végétation et de floraison. On peut aussi baigner la plante dans de l'eau tiède dans laquelle on aura dilué l'engrais.

Rempotage. Dans un mélange à base d'humus plutôt acide : mélange de parts égales de tourbe, terreau de feuilles, sable grossier, auquel on ajoute un peu de fumier bovin bien décomposé. Placer des tessons de drainage au fond du pot.

Multiplication. Par division du rhizome, bouturage de tiges ou semis. Les gros rhizomes peuvent être coupés en deux avant le rempotage du printemps. Chaque morceau produira au moins six nouveaux rhizomes dans l'année. Le bouturage donne des plants plus robustes. Prélever des tiges de 5 cm et les planter dans de la tourbe. Choisir, de préférence, des tiges nées sur de jeunes rhizomes : elles s'enracineront plus facilement. Les tenir sur une chaleur de fond de 20 à 24 °C. Après trois semaines, repiquer les boutures par 4 et fertiliser les jeunes plants tous les quinze jours avec une solution d'engrais très légère (1/3 de la dose normale). On ne pratique le semis que lorsqu'on désire obtenir des espèces nouvelles. Semer de janvier à février en serre chaude, sur un mélange, à parts égales, de tourbe et de sable grossier.

Maladies. Pucerons, thrips et anguillules. L'apparition de taches annulaires, dues à un virus, est souvent liée à la présence d'anguillules. Le virus se manifeste par des taches rondes, allongées ou en forme de V, d'un vert jaunâtre, sur les feuilles. Détruire les plantes atteintes. Des taches jaunes, devenant brunes, indiquent que la plante souffre d'un ensoleillement trop direct ou d'arrosages à l'eau trop froide.

Achímenes erécta

Ⓘ Ⓖ ⊗ Ⓒ Ⓖ Ⓣ

Syn. *Achímenes coccínea ; A. rósea ; A. pulchélla.* Plante légèrement velue. Hauteur : jusqu'à 45 cm. Tiges rougeâtres un peu tachées. La feuille, verte, a des nervures qui sont rouges au revers. Floraison écarlate exubérante. Les variétés horticoles ont des fleurs rouge clair à rouge vif parfois strié de blanc.

Achímenes grandiflóra

Syn. *Trevirána grandiflóra.* Hauteur : jusqu'à 60 cm. L'envers des feuilles et les tiges sont souvent colorés de rouge. Les fleurs, nombreuses, sont rouge pourpre. 'Liebmannii' est plus petit et ses fleurs sont rose pourpré.

Achímenes hybrides

Les races les plus répandues sont : 'Ambroise Verschaffelt', fleurs blanches veinées de violet ; 'Camille Brozzoni', lilas avec un œil blanc ; 'Little Beauty', rose carmin, à petites fleurs ; 'Paul Arnold', mauve, à grandes fleurs ; 'Purple King', aux fleurs mauves ; 'Rose', dont on devine la couleur.

Achímenes longiflóra

Espèce aux fleurs à long tube (6 cm) blanc ou rouge et aux lobes violets. Parent de nombreux hybrides.

Achímenes pátens

Plante velue. Hauteur 15 cm. Tiges vertes ou brunes. Feuilles grossièrement dentées. Corolle violette, finement dentée.

Achímenes 'Little Beauty', à petites fleurs.

Achímenes 'Paul Arnold', à grandes fleurs

Un exemplaire bien touffu de *Adiántum raddiánum*. Il en existe de nombreuses variétés horticoles.

Ácorus gramíneus 'Aureovariegatus'

Ácorus

Aráceæ

acore

Nom. Du grec *akaron*, ce mot désignant une plante qui nous est inconnue.
Origine. La plante d'appartement, *Ácorus gramíneus*, nous vient du Japon. *Ácorus cálamus* appartient au même genre : c'est une plante aquatique qui, elle, vit en Europe. La souche rhizomateuse aromatique de l'*Ácorus* passait, dans la Babylone, l'Égypte et la Grèce anciennes, pour avoir des vertus curatives.
Description. Rien, à première vue, ne rattache cette graminée à la famille des arums. Mais lorsqu'elle fleurit, ce qui, à notre connaissance, ne se produit jamais en appartement, la parenté est évidente. La plante fait quelque 40 cm de haut et a une souche rampante. L'espèce a des feuilles vertes, mais il existe des cultivars au feuillage panaché.
Exposition. L'espèce à feuillage vert supporte une ombre assez dense. On donnera plus de chaleur et de lumière aux variétés panachées, sans toutefois les exposer en plein soleil.
Soins. L'*Ácorus* est une plante sans problème, aussi longtemps qu'il ne fait pas trop chaud dans l'appartement. Par températures élevées, il faudra beaucoup ventiler.
Arrosage. C'est une plante aquatique, elle ne doit jamais manquer d'humidité et se plaît le pied dans l'eau. Mettre donc le pot dans une soucoupe remplie d'eau. L'humidité ambiante normale la satisfait généralement, mais elle appréciera des bassinages.
Rempotage. L'*Ácorus* s'accommode parfaitement d'un bon mélange du commerce, mais on peut en préparer un soi-même en mêlant du sable, de la tourbe, du terreau de feuilles et de la terre argileuse. La tourbe et le sable doivent prédominer, de façon que le mélange retienne bien l'humidité.
Multiplication. L'espèce et les variétés se propagent par division des touffes, de préférence au printemps.
Maladies. Araignée rouge.

Ácorus gramíneus

Plante acaule, gazonnante. Les feuilles engainantes sont disposées en éventail. 'Argenteostriatus' est strié de blanc et 'Aureovariegatus' a un feuillage panaché : ce sont les deux plus jolies variétés. La var. *pusíllus* ne fait que 10 cm de haut.

Adiántum

Adiantáceæ

capillaire

Nom. *Adianton* était le nom grec d'une fougère qui, lorsqu'elle était arrosée, laissait l'eau s'écouler en gouttelettes de son feuillage sans que celui-ci soit mouillé.
Origine. Ce genre de fougères englobe plus de 200 espèces croissant dans les forêts humides des zones tropicales et subtropicales du monde entier mais surtout d'Amérique centrale et d'Amérique du Sud. On trouve *Adiántum pedátum* jusqu'au cercle polaire, et *Adiántum capíllus-véneris* est une espèce cosmopolite qui se retrouve à peu près partout.
Description. Ces fougères ornementales se distinguent principalement par leurs tiges grêles, luisantes, très foncées et leurs frondes finement dentelées. Les sporanges se trouvent très souvent le long des bords recourbés des frondes. Cette fougère a des racines dures et ligneuses.
Exposition. Se rappeler, lorsqu'on lui cherche un emplacement, que cette fougère a son habitat naturel dans les forêts tropicales humides. Il faut donc lui trouver un endroit chaud, ombragé, avec un degré d'hygrométrie élevé. Les courants d'air lui sont funestes. Toutes ces conditions sont assez difficiles à réunir dans une pièce d'habitation.
Soins. Si une fronde vient à se flétrir à la suite d'une légère négligence, la couper à ras du sol. La plante émettra peut-être de nouvelles tiges. Si la

Adiántum ténerum 'Scutum'

plante montre des signes de fatigue à la fin de l'automne, malgré tous les soins qui lui ont été prodigués, c'est signe qu'elle réclame une période de repos. Réduire quelque temps les arrosages et couper les vieilles frondes. Ne pas exposer à une température inférieure à 18 °C. Un repos de deux mois sera amplement suffisant. À ce moment, donner à la plante une petite chaleur de fond.
Arrosage. Arroser très régulièrement et généreusement, car il est essentiel que la motte ne soit jamais sèche. Redoubler de vigilance quand les racines habitent toute la motte, car la terre retient alors fort peu d'eau. Une fois la motte desséchée, il sera difficile de la mouiller : l'eau glisse le long des racines ligneuses sans être absorbée. Il faut donc non seulement arroser la capillaire, mais aussi la baigner une fois par semaine. N'employer pour la bassiner, l'arroser et la baigner que de l'eau douce. On créera autour de la plante l'humidité désirée en la bassinant et en la posant sur une soucoupe placée dans une coupe pleine d'eau.
Engrais. Fertiliser tous les quinze jours, de mai à août, avec un engrais soluble fortement dilué (environ la moitié ou le tiers de la concentration normale).

Rempotage. Utiliser un mélange prêt à l'emploi ou mélanger 2 parts de mélange du commerce à 1 part de tourbe et une part de sable grossier.
Multiplication. Mars est le meilleur moment pour semer des sporanges. La façon exacte de procéder est décrite p. 71. Une méthode beaucoup plus facile consiste à diviser la souche, toujours au printemps. Veiller à ce que chaque fragment ait un œil et les planter dans des godets garnis d'un mélange, à parts égales, de terreau de feuilles, de sable et de terre argileuse finement émiettée.
Maladies. Placées dans des conditions de culture insatisfaisantes, les fougères sont sujettes aux attaques de cochenilles à bouclier, pucerons des racines, thrips et anguillules.

Adiántum caudátum

Syn. *Adiántum ciliátum*. Pétioles de 10 à 15 cm de long, presque couchés.

Adiántum formósum

Fougère vigoureuse. Peut atteindre 1 m. Pétioles noir pourpre. Les divisions des frondes sont vert clair, de forme triangulaire et très nombreuses. Abondants amas de spores.

Adiántum macrophýllum

Longues frondes de 40 cm, légèrement recourbées. Les jeunes frondes

Adiántum raddiánum 'Goldelse'

sont souvent rougeâtres. Les pinnules (divisions des frondes) stériles sont un peu plus étroites que les fertiles. Les pétioles, solides, sont brun noir.

Adiántum raddiánum

Syn. *Adiántum cuneátum*. 'Decora' s'est appelé autrefois *Adiántum decórum*. Jusqu'à 50 cm. Les jeunes frondes sont rigides, mais en vieillissant, elles s'infléchissent. Les lobes sont cunéiformes à la base. Il en existe de nombreux cultivars : 'Goldelse', ses frondes finement divisées sont jaune d'or, à reflets roses quand elles sont jeunes. Multiplication par division des touffes. De cette variété est issu 'Brillantelse', de végétation encore plus vigoureuse. Se multiplie par spores. 'Fragrantissimum', atteignant jusqu'à 75 cm, est parfumé quand on plante plusieurs sujets ensemble. 'Fritz Lüthii' a un port plus droit.

Adiántum ténerum

A des frondes encore plus tendres que *Adiántum raddiánum* et une végétation plus aérée. Chez la variété 'Scutum', les jeunes pinnules sont vertes ; chez 'Scutum Roseum', elles sont rouge rosé. Les obtenteurs en ont créé de nombreuses sélections qui sont assez proches les unes des autres.

Adromíschus trígynus, pousse en forme de boule.

Adromíschus

Crassuláceæ

Nom. Du grec *adros*, épais, et *mischos*, pédicule des feuilles.
Origine. Ce genre de plantes grasses compte au moins 50 espèces originaires du sud-ouest africain et de la province du Cap.
Description. La plupart des espèces restent petites — environ 10 cm —, quelques-unes atteignent une taille un peu plus haute mais sont courtes sur tige. Elles ont souvent des racines aériennes et forment de jolies rosettes colorées et tachetées. Les fleurs éparses sont discrètes, leurs lobes ont la forme d'une étoile et leur couleur est blanche ou rougeâtre. On les choisit en général pour leur feuillage ornemental.
Exposition. Petites plantes se prêtant bien à des arrangements en coupes ou terrines, avec d'autres plantes grasses ou cactées. Leur réserver un emplacement ensoleillé sur la tablette de fenêtre ou dans la serre.
Soins. Température d'hivernage minimale : 5 °C. Une période de repos, en situation fraîche, évitera à la plante de filer et la préservera des pucerons. Elle réduira aussi la chute des feuilles. Plus le substrat sera sec et pauvre, plus les couleurs du feuillage seront vives, mais la plante court alors le risque de perdre les feuilles de la base.
Arrosage. Arroser très modérément. Les racines de l'*Adromíschus* sont excessivement sensibles à l'humidité. On évitera leur pourriture en arrosant très parcimonieusement pendant la végétation et en maintenant la plante au sec pendant l'hiver.
Fertilisation. Engrais superflu si la plante est rempotée tous les ans.
Rempotage. Mélange très aéré de sable, d'argile et de terreau de feuilles. Drainage épais au fond du pot.
Multiplication. Par bouturage, au printemps. On peut aussi diviser les touffes ou bouturer les feuilles. Elles s'enlèvent facilement de la tige et s'enracinent rapidement dans un mélange de sable et de tourbe.
Maladies. Généralement exempt de maladies. Attaque de pucerons possible, l'hiver, si la température est trop élevée.

Adromíschus coóperi

○ ⊕ ⊚ ◔ ▥

Les feuilles, argentées, tachées de rouge pourpre, peuvent avoir jusqu'à 4 cm. Elles sont épaisses, charnues, souvent ondulées et couvertes d'une pellicule cireuse. Fleurs rouges à lobes blancs.

Adromíschus festívus

Taches pourpres très apparentes sur le feuillage argenté.

Andromíschus trígynus

Végétation très trapue. Feuillage argenté, tacheté de rouge brun.

Æchméa

Bromeliáceæ

Nom. Du grec *aichmê* qui signifie pointe de lance. Les bractées épineuses, aiguës, sont assez acérées.
Origine. On connaît au moins 150 espèces appartenant à ce genre et originaires des régions tropicales et subtropicales d'Amérique centrale et du Sud.
Description. La plupart sont épiphytes, mais il en est aussi de terrestres. Les racines des épiphytes leur servent davantage à s'accrocher qu'à se nourrir. Feuilles souvent bordées d'épines et récurvées, retenant bien l'eau. Elles s'emboîtent à la base pour former une rosette tubuleuse. La plante mère meurt après la floraison, non sans avoir donné naissance, à son pied, à de petites rosettes qui peuvent servir à la multiplication.
Æchméa fúlgens et *Æchméa miniáta* ont des feuilles assez minces. *Æchméa fasciáta* a des feuilles très coriaces. Les *Æchméa* ont une floraison remarquable aux couleurs variant du bleu au jaune en passant par le violet, le rouge, le blanc et le vert. Parfois la couleur évolue en cours d'épanouissement. La floraison se produit de mai à octobre. Il arrive souvent qu'on les confonde avec le *Billbérgia*. La différence est facile à observer. La fleur de l'*Æchméa* est rigide sur sa tige, celle du *Billbergia* est pendante. Les fleurs de l'*Æchméa* sont aussi plus petites. Ses fruits blancs, jaunes, rouges, pourpres ou noirs, ne passent pas inaperçus. Les bractées conservent leur jolie coloration même lorsque la fleur est passée.
Exposition. Emplacement clair et chaud mais en dehors des rayons directs du soleil vif. En serre, on les cultivera en épiphytes sur une branche.
Soins. En période de repos, la température ne devra pas descendre en dessous de 15 °C. Température minimale pendant la floraison : 18 °C, de préférence 22 °C en été. Une température trop basse provoque la pourriture des feuilles. Pour faire fleurir un *Æchméa* récalcitrant, on enferme la plante dans un sac de plastique avec quelques pommes mûres. Les gaz dégagés par les pommes stimuleront la floraison.

Arrosage. Arroser et pulvériser avec de l'eau tiède adoucie : pH 4,1-4,5. L'eau de pluie convient très bien. Éviter à tout prix d'arroser à l'eau froide ou le soir : on provoque ainsi la pourriture de la plante. L'été, on peut verser de l'eau dans l'entonnoir de la rosette. Pendant la période de repos, on n'arrosera que le substrat. Si la plante passe l'hiver au chaud (± 22 °C), on pourra laisser l'eau contenue dans l'entonnoir s'évaporer toute seule. Si la température descend à 16-18 °C, il vaudra mieux la vider. L'ambiance ne doit pas être trop humide. Ne pulvériser que par temps très chaud. Arroser abondamment pendant la végétation, mais ne jamais détremper la terre. L'hiver, on conservera juste un peu d'humidité.
Fertilisation. Une légère solution d'engrais (la moitié de la dose normale), à verser dans l'entonnoir une fois tous les quinze jours. Rincer l'entonnoir à l'eau claire une fois toutes les cinq semaines. On peut aussi pulvériser de l'engrais sur le feuillage.
Rempotage. Jamais de rempotage puisque la plante meurt après la floraison : ceci ne se produit qu'après six ou huit mois. Les rejets sont repiqués dans un terreau spécial pour broméliacées ou *Anthúrium* : il s'agit d'un mélange de sphagnum, de raci-

Æchméa recurváta var. *benráthii*

Æchméa fasciáta, la variété la mieux connue

Æchméa weilbáchii

Æchméa fúlgens, un détail de l'inflorescence.

nes hachées de fougères ou d'orchidées et de terreau de feuilles de hêtre. On y ajoutera, si on veut, un peu de sable grossier et du vieux fumier bovin. Utiliser des petits pots.

Multiplication. On sépare les rejets quand ils ont atteint la moitié de la taille de la rosette-mère, pas avant car ils n'auraient pas encore formé leurs propres racines. Deux semaines avant l'opération, on verse de l'eau dans l'entonnoir des jeunes plants. Prélever le rejet avec le plus de racines possible (y compris celles de la plante-mère). Empoter en substrat pour broméliacées.

Maladies. Cochenilles à bouclier et thrips peuvent se manifester lorsque à la fois la température est trop élevée et le degré d'hygrométrie trop bas. Les *Æchméa* atteints de flétrissure seront détruits pour prévenir l'infection d'autres plantes.

Æchméa bromeliifólia

Rosette en entonnoir. Les feuilles, mesurant jusqu'à 60 cm de long, sont arrondies au sommet et garnies d'épines foncées. Elles sont vertes dessus et écailleuses dessous. Les fleurs jaune verdâtre virent rapidement au brun.

Æchméa calyculáta

Rosette de feuilles vertes, longues de 50 cm. Fleurs jaunes groupées en panicule cylindrique.

Æchméa caudáta

Végétation vigoureuse. La feuille verte, pointue se termine par une épine dirigée vers l'intérieur. Grappes pyramidales de fleurs jaune intense et de bractées jaune orangé. 'Variegata' a des feuilles vertes striées de blanc crème.

Æchméa chantínii

Feuilles vert olive foncé, traversées à intervalles réguliers de bandes blanc rosé. Longue panicule de fleurs jaunes et de bractées rougeâtres incurvées.

Æchméa cœléstis

Rosette en entonnoir. Feuilles dentées, bordées de fines épines mesurant jusqu'à 50 cm de long. Leur face supérieure est verte, le revers est souvent marqué de zébrures. La hampe florale porte des feuilles bractéiformes rosées. L'inflorescence est un axe jaune, poilu, garni de fleurs bleu ciel.

Æchméa fasciáta

Les feuilles en forme de gouttière, longues de 50 cm et larges de 6 cm, forment une rosette en entonnoir. Elles sont épineuses et se terminent en apex arrondi, piquant. D'une jolie couleur gris vert et zébrées. L'inflorescence, en capitule conique, a des bractées roses et des fleurs bleues, virant au lilas. Broméliacée très appréciée pour sa longue et solide floraison. Les formes cultivées pour le commerce présentent des variantes dans la couleur et la largeur de la feuille. 'Silver King' et 'Super Auslesé' ont un feuillage argenté tout à fait remarquable.

Æchméa fúlgens

Rosette assez lâche, formée de feuilles de 40 cm de long et 6 cm de large, de couleur verte, couvertes d'une pruine blanchâtre vers la base. Bord denté. La hampe florale, rigide, est bien dressée au-dessus du feuillage et porte une inflorescence en panicule rameuse de petites fleurs rouge vif, qui tournent au bleu en mûrissant. La var. *Discolor* se distingue par ses feuilles pruinées de violet et de gris en dessous, ce qui contraste très joliment avec le vert olive du dessus.

Æchméa lindénii

Ses feuilles vert-gris peuvent parfois atteindre 1 m de long. Son inflorescence est un épi qui s'épanouit du centre vers l'extérieur, en petites fleurs jaunes. On cultive surtout la forme panachée 'Variegata' dont les feuilles vertes sont striées sur toute leur longueur de larges bandes crème.

Æchméa marmoráta

La rosette est formée de 4 à 6 feuilles vert olive, denticulées et marbrées de brun. Le dessous des feuilles est bleuté et également taché de brun. Les inflorescences, dressées ou pendantes, ont des bractées roses et des fleurs blanches qui virent rapidement au bleu.

Æchméa miniáta

Rosette dense de feuilles vertes, étroites, longues de 40 cm tout au plus. Inflorescence rouge. 'Discolor' a

Æónium arbóreum, cette espèce buissonnante est aussi la plus connue.

Æónium tabulifórme

des feuilles luisantes, brun violacé en dessous et des fleurs bleues.

Æchméa tillandsioïdes

Rosette aplatie, de 15 cm de haut, formée de feuilles longues de 40 cm et larges de 2 cm, aux épines incolores. Fleurs jaunes, réparties de part et d'autre de la hampe. Bractées rouges.

Æchméa weilbáchii

Rosette formée de feuilles longues de 60 cm, denticulées vers la base et entières vers le haut. La hampe florale est souvent légèrement plus courte que les feuilles. L'étroite panicule allongée montre des bractées rouges et des fleurs rose vif. Le cultivar 'Leodensis' est plus attrayant avec son feuillage vert cuivré, lie-de-vin à la base.

Æónium

Crassuláceæ

Nom. Du grec *aioon*, qui signifie tenace, éternel. Indique que ces plantes ne perdent jamais leur manteau feuillage.

Origine. Ce genre englobe 40 espèces, dont 34 proviennent des îles Canaries, où elles croissent dans des endroits secs et pierreux. *Æónium arbóreum* vient du Maroc. On trouve les autres espèces aux îles du Cap-Vert, à Madère et sur le pourtour méridional de la mer Méditerranée.

Description. Plantes succulentes. Leurs rosettes sur tige forment des sous-arbrisseaux. Les tiges sont souvent dégarnies à la base, car elles perdent très facilement leurs feuilles. La plupart ont une floraison allant du vert au jaune d'or, parfois blanc crème et rouge brique. La hampe florale jaillit du cœur de la rosette et se ramifie en plusieurs petites tiges. La rosette qui a produit une fleur meurt après la floraison. Les différentes espèces d'*Æónium* se croisent facilement et il est très difficile de conserver des espèces pures. Les fleurs donnent des fruits contenant énormément de graines.

Exposition. En été, on leur donnera un petit coin ensoleillé au jardin. En d'autres saisons, on les conservera dans un endroit frais et ensoleillé de la maison. Comme toutes les plantes succulentes, l'*Æónium* a droit au repos hivernal.

Soins. Pour conserver la rosette en bonne santé, on fera hiverner la plante à 10 °C. S'il fait plus chaud, on obtient une plante longue et flasque.

Arrosage. Pendant la période de repos, on arrosera juste ce qu'il faut pour empêcher les racines de se dessécher. Plus il fera frais, moins il faudra d'eau. Il faut s'attendre à voir beaucoup de feuilles jaunir et se ratatiner. Il ne restera des rosettes que de petites boules un peu feuillues. La même chose se passe dans la nature, il est donc inutile de s'inquiéter. Reprendre les arrosages réguliers en mars-avril.

Rempotage. Au printemps, dans un support riche et poreux : 2 parts de terreau de feuilles, 1 part de sable grossier et 1 part d'argile meuble.

Multiplication. Par voie végétative, car les espèces ne se reproduisent pas fidèlement par semis. Laisser les boutures de rameaux ou de feuilles sécher quelques jours avant d'opérer.

Maladies. Des cochenilles farineuses font parfois leur apparition sur les

Aerídes lawrénceæ

feuilles qui se sont ratatinées au cours de la période de repos. Enlever à temps les feuilles abîmées.

Æónium arbóreum

○ ⊕ ⊚ ◷ ⊡

Petits arbrisseaux ramifiés, aux rosettes vert clair. Fleurs jaunes. 'Atropurpureum' a des feuilles qui brunissent l'été. 'Zwartkop' a un feuillage brun foncé, même en hiver.

Æónium hawórthii
Feuilles vert bleuâtre, à bords rouges. Fleurs jaune pâle.

Æónium tabulifórme
Ne se ramifie pas. Rosettes aplaties de feuilles étroitement imbriquées, vert clair et légèrement ciliées. Fleurs jaune soufre.

Aerídes

Orchidáceæ

Nom. Aer signifie air. Il s'agit donc d'une orchidée qui pousse « en l'air », sur les arbres.
Origine. Forêts tropicales d'Asie. On les trouve de l'Inde au Japon, nichées dans les arbres, aux endroits où se sont accumulées des feuilles pourries et des fientes d'oiseaux dont elles peuvent se nourrir.
Description. La plupart des orchidées épiphytes produisent des pseudo-bulbes, organes aériens dans lesquels elles peuvent accumuler des réserves nutritives. Ces organes font défaut aux Aerídes. Ces orchidées émettent une tige centrale feuillue qui atteint 1,5 m de long. Les hampes florales, pendantes, sont garnies de toutes sortes de jolies fleurs parfumées.
Exposition. En pleine lumière. Ne craint pas les rayons vifs du soleil. Les espèces les plus délicates doivent être élevées en serre ou vitrine d'appartement.
Soins. Les besoins en matière de température varient selon l'espèce. Cela peut aller de modéré à très chaud. Faire des essais.
Arrosage. Ambiance très humide pendant la période de végétation. Vaporiser fréquemment. Deux à trois arrosages par semaine devraient suffire. Surveiller le drainage. En hiver, arroser une fois par semaine.
Rempotage. Utiliser un support spécial pour orchidées ou préparer soi-même un mélange de racines de fougères grossièrement hachées, de sphagnum, de charbon de bois et de tourbe. Assurer un bon drainage.
Multiplication. Semis.

Aerídes japónicum

◐ ⊕ ⊚ ◷ ⊡

Fleurs odorantes, blanc verdâtre taché de rouge pourpre, en été.

Aerídes lawrénceæ

◐ ⊕ ⊚ ◷ ⊡

Floraison odorante en été. Fleurs blanches, lavées de pourpre, à texture cireuse.

Aerídes multiflórum
Les fleurs blanches, marquées de rose et de violet, se montrent en été.

Aerídes vandárum

◐ ⊕ ⊚ ◷ ⊡

L'espèce la plus connue. Fleurs blanches merveilleusement parfumées, au printemps.

Æschynánthus

Gesneríaceæ

Nom. Du grec aischyne, honte ou outrage, et anthos, fleur.
Origine. On trouve ces épiphytes, dont on connaît quelque 170 espèces, dans les forêts humides d'Asie, de l'Himàlaya à l'Indonésie.
Description. Ces plantes rampantes ou grimpantes ressemblent assez aux Colúmnea. Bien soignées, elles émettent à profusion des fleurs terminales ou axillaires aux teintes écarlates, orange, jaunes ou verdâtres. Calice court à cinq dents. Corolle tubuleuse renflée ou en forme de capuchon. Le bord de la corolle est bilabié, irrégulier. La lèvre supérieure est bilobée, elle avance un peu ou est ourlée vers l'extérieur. La lèvre inférieure a trois lobes tendus, celui du milieu étant parfois recourbé. Les quatre étamines jaillissent presque toujours hors de la corolle. Les feuilles sont opposées, charnues ou coriaces, vertes unies ou marbrées.
Exposition. Elles aiment un endroit chaud et humide, à mi-ombre, et se plairont dans une vitrine ou une serre chaude. On peut toutefois les acclimater en appartement, sur un meuble large ou au pied de plantations composées. La chute des boutons floraux est généralement due au déplacement et aux variations de température et de degré hygrométrique de l'air. Éviter donc de les déplacer et maintenir, autant que possible, une atmosphère uniformément chaude et humide.
Soins. Température hivernale minimale : 18 °C. On dit qu'une température de 12 à 15 °C durant les quatre dernières semaines de la période de repos favorise la floraison, mais cela n'est pas prouvé.
Arrosage. L'été, arroser généreusement à l'eau tiède parfaitement adoucie (pH 4-4,5). Diminuer les arrosages en hiver, mais continuer à bassiner le feuillage car l'Æschynánthus exige, toute l'année, une humidité ambiante élevée. Toujours vaporiser de l'eau tiède et douce.
Fertilisation. Faire, chaque semaine, un apport d'engrais exempt de calcium, dosé normalement. Choisir un engrais pauvre en azote pour favoriser la floraison.
Rempotage. Le support doit être aéré et perméable. Voici un bon mélange de base : prendre des parties égales de terreau de feuilles, de sphagnum, d'argile et de sable grossier. Plus le mélange sera riche en humus et plus la floraison sera abondante. On peut alléger le terreau en y mêlant des perles de polystyrène. Bien drainer le fond du pot pour prévenir toute pourriture. Un mélange

Æschynánthus javánicus est l'une des plus jolies espèces.

Æschynánthus speciósus, une espèce aux grandes fleurs dressées.

pour broméliacées, vendu prêt à l'emploi, conviendra aussi fort bien. On obtiendra même un résultat satisfaisant en se servant d'un mélange de rempotage ordinaire.
Multiplication. La pollinisation artificielle permet d'obtenir facilement beaucoup de graines. Semer sur chaleur de fond. En février, on peut essayer de prélever des boutures feuillées ou à un œil, que l'on fera enraciner sous verre ou sous plastique, sur chaleur de fond (25-30 °C). Repiquer plusieurs boutures ensemble pour obtenir une belle potée.
Maladies. Un substrat trop calcaire compromettra la croissance et la floraison. Les bassinages à l'eau dure provoquent l'apparition de taches sur le feuillage. Une atmosphère sèche favorisera la présence de pucerons et de thrips.

Æschynánthus boscheánus

◐ ⊕ ⊚ ◷ ⊡

Syn. Thricósporum boscheánum et Æschynánthus lampónga. Atteint 30 cm. Feuilles entières, ovoïdes à elliptiques et obtuses. Les fleurs sont réunies en bouquets à l'aisselle des feuilles. Le calice est cylindrique et lisse, la corolle est deux fois plus longue, environ 5 cm, duveteuse à l'extérieur, de couleur rouge écarlate. Floraison de juin à août.

Æschynánthus javánicus
Syn. Trichósporum javánicum. Plante à rameaux décombants, aux feuilles ovoïdes, légèrement dentées. La fleur, au cours de son épanouissement, évoque curieusement un tube de rouge à lèvre : on ne voit d'abord que le calice allongé, brun-rougeâtre d'où sort, peu à peu, la corolle écarlate, tubuleuse. La gorge de la fleur (et

Æschynánthus lobbiánus porte ses bouquets de fleurs tubuleuses bien en évidence.

surtout la lèvre inférieure) a une touche de jaune. Calice et corolle sont velus.

Æschymánthus lobbiánus
Syn. *Trichósporum lobbiánum*. Rameaux tombants aux feuilles verticillées par deux ou trois. Elles sont vert foncé, charnues, elliptiques et pratiquement entières. Fleurs en bouquets terminaux. Calice rouge foncé, recouvert de duvet. La fleur apparaît d'abord comme une petite sphère au fond du calice. Elle s'allonge peu à peu pour donner, au début de l'été, de longues corolles tubuleuses (5 cm), d'un rouge absolument éclatant, avec une petite tache jaune sur les trois lobes de la lèvre inférieure.

Æschynánthus marmorátus
Syn. *Trichósporum marmorátum*. Les feuilles lancéolées, étroitement pointues, longues de 10 cm sont placées deux par deux le long des rameaux pendants. Elles ont des marbrures vert foncé sur le dessus ; l'envers est rouge sombre. Elles sont couvertes d'une pellicule cireuse et vaguement dentées. Les fleurs tubuleuses font 3 cm, elles sont vertes avec des taches brunes, et solitaires à l'aisselle des feuilles, en extrémité de tiges. Les lobes du calice sont longs, étroits et séparés les uns des autres jusqu'à la base.

Æschynánthus parasíticus
Syn. *Trichósporum grandiflórum* et *Æschynánthus grandiflórus*. Les tiges ramifiées portent des feuilles charnues, de 10 cm de long et 1 cm de large. Les fleurs, en bouquets, sont terminales. Les étamines dépassent largement de la corolle rouge, duveteuse, dont les lèvres sont plus ou moins fermées. Se satisfait de quelques degrés de chaleur en moins.

Æschynánthus púlcher
Syn. *Trichósporum púlchrum*. Feuille charnue, coriace, de 6 cm de long sur 2 cm de large. Entière, vaguement dentée. Nervures plus marquées. Donne, en été, des fleurs écarlates avec une gorge jaune. Le calice est jaune verdâtre.

Æschynánthus speciósus
Syn. *Trichósporum speciósum*. Feuille lancéolée, charnue, longue de 10 cm, de couleur verte. La corolle duveteuse est entièrement rouge-jaune-orangé. Les étamines et le style sont très apparents.

Agapánthus
Liliáceæ

agapanthe

Nom. Dérivé du grec *agapê* et *anthos* qui signifient respectivement amour et fleur.
Origine. Les 10 espèces nous viennent de l'extrémité sud de l'Afrique.
Description. Grande plante herbacée aux racines charnues. Ses longues feuilles linéaires, étroites et souples, forment une rosette. Les fleurs blanches ou bleues, à tube court, sont groupées en ombelle au sommet d'une longue hampe. On les utilise en fleurs coupées et, lorsqu'elles sont montées en graines, on en fait des bouquets secs.
Exposition. L'agapanthe se plaît, l'été, dans un endroit ensoleillé et abrité du jardin ou sur un balcon. Hiverner dans un endroit frais, mais à l'abri du gel : garage, serre froide, chambre inoccupée. Lorsqu'en avril, la place se fait rare dans la serre, la plante pourra émigrer vers l'appartement.
On peut même laisser la plante dehors dans une caisse, l'hiver, pourvu qu'elle soit bien protégée du gel par des paillassons.
Cette plante s'acclimate fort bien dans le Midi ou dans l'Ouest, si elle a une protection en hiver. Il faut lui éviter l'humidité stagnante qui la ferait pourrir. Ne pas se laisser surprendre par un hiver précoce ou particulièrement rigoureux.
Soins. On assurera une bonne floraison en maintenant l'agapanthe, tout l'hiver, dans un local très frais et en l'arrosant très peu. Si la température

varie entre 1 et 5 °C, la plante n'aura même pas besoin de lumière. Plus il fera chaud et mieux le local devra être éclairé. Éliminer au fur et à mesure les feuilles jaunies ou pourries. Après la floraison, couper la hampe le plus près possible de la base.
Arrosage. Arroser abondamment pendant la période de croissance. Arroser très parcimonieusement en hiver, ventiler le local chaque fois que le temps le permet.
Fertilisation. Fertiliser chaque semaine avec une solution d'engrais de concentration normale.
Rempotage. Les racines charnues sont très fragiles et on les endommage très facilement en les manipulant. On se contentera d'un rempotage une fois tous les deux ans, et uniquement si les racines ont envahi toute la motte. On cultive l'agapanthe dans des caisses ou des grands pots remplis d'une terre limoneuse, très substantielle.
Multiplication. Après la floraison, par division des touffes. Les jeunes plantes commenceront à fleurir après un an ou deux de culture. On peut aussi semer en avril, à 13-15 °C. La levée des graines est très irrégulière et la mise à fleurs est longue à venir.
Maladies. Lorsque la plante séjourne dehors, elle peut être dévorée par des limaces et des cloportes. Elle est sujette à la pourriture lorsqu'elle est entreposée, l'hiver, dans un local humide.

Agapánthus africánus
○ ⊕ ⊗ ⊖ ○ ⊡
Syn. *Agapánthus umbellátus*. De taille plus réduite que l'espèce suivante. Feuilles moins nombreuses, plus étroites et plus rugueuses, au port plus raide. La fleur est également moins fournie.
Agapánthus præcox subsp. orientális
Syn. *Agapánthus orientális*. L'espèce la mieux connue. Rosette vigoureuse. Feuilles longues de 60 cm, larges de 3 cm. Magnifiques ombelles bleues. 'Albus' et 'Maximus Albus' donnent des fleurs blanches. 'Variegatus' a un feuillage panaché.

Les fleurs de *Agapánthus,* une plante d'orangerie.

Agáve
Agaváceæ

agave

Nom. Du grec *agauos* qui signifie fier, orgueilleux. Les amples et vigoureux agaves, avec leurs énormes inflorescences, dominent le paysage partout où ils se trouvent.
Origine. Les 300 espèces recensées viennent des régions désertiques d'Amérique. Après la découverte de ce continent, elles furent introduites en Europe, où on les trouve aujourd'hui à l'état sauvage sur tout le pourtour du bassin méditerranéen.
Description. Beaucoup de personnes classent les agaves dans la catégorie des plantes succulentes ; ils appartiennent plutôt au groupe des plantes xérophiles, c'est-à-dire aimant la sécheresse. Ils fleurissent rarement dans les régions à climat frais, où on les cultive surtout pour leurs belles feuilles rigides, très lancéolées, imbriquées en rosette sur un tronc très court. Les inflorescences, qui n'apparaissent que sur les sujets très âgés (dix à quinze ans sous les tropiques, cinquante ans, dans les régions tempérées), se présentent sous la forme de larges panicules de fleurs tubuleuses ou campanulées. La rosette meurt après la floraison.
Les hautes hampes florales de *Agáve americána* sont familières à tous ceux qui ont l'habitude de passer leurs vacances dans les pays du soleil. On le confond souvent avec l'*Aloe,* à tort, car l'*Aloe* est une liliacée.
L'agave est une plante dont l'exploitation fut très importante en Amérique Centrale. Les Aztèques et les Incas tiraient le sisal des tissus fibreux de ses feuilles. On extrayait du sucre, du miel, du vinaigre et du vin de la sève des jeunes hampes florales. De nos jours, les Mexicains continuent à tirer de cette sève, qu'ils font fermenter, leurs fameux tequila et pulque. Les épines acérées qui terminent les feuilles étaient utilisées comme aiguilles ou clous.
Exposition. Les espèces les plus petites peuvent être cultivées en appar-

Agáve americána 'Mediopicta', une variété originale, à stries jaunes placées au centre de la feuille.

Agáve americána l'espèce courante à feuilles vertes ; ici comme plante d'orangerie sur une pelouse.

tement, sur la tablette de fenêtre. Elles aiment le plein soleil et se trouveront bien d'un séjour dehors, de mai à début octobre. Les espèces de grande taille se cultivent comme plantes d'orangerie. L'été on les sort au jardin ou sur le balcon. Attention aux épines ! Si on a de jeunes enfants, il faudra piquer un morceau de bouchon de liège à l'extrémité de chaque feuille pour prévenir tout accident. On manque souvent de place pour faire hiverner les sujets de grande taille. Toutes les espèces résistent aux basses températures, mais pas au gel. La serre froide est ce qui leur convient le mieux, mais un emplacement moins bien éclairé, comme un garage, un grenier ou une cave, pourra suffire, pourvu qu'il y fasse bien sec. La plante perdra sans doute quelques feuilles, mais sa santé se rétablira rapidement au printemps.

Soins. Hivernage indispensable à 4-6 °C, dans un endroit aéré et sec.

Arrosage. L'été, lorsque le temps est ensoleillé et que l'emplacement est chaud, les plantes pourront être abondamment arrosées. Dans les régions pluvieuses, on les rentrera en serre froide si la pluie persiste trop longtemps. Les pots doivent être parfaitement drainés. L'eau calcaire ne causera aucun dégât. En hiver, la fréquence des arrosages dépendra de l'éclairement : s'il est faible, on arrosera très peu ; s'il est intense, on donnera un peu plus d'eau de temps à autre. La plante supporte très bien une ambiance sèche.

Fertilisation. Pendant la période de végétation, on administrera une solution fertilisante, à dose normale, une fois tous les quinze jours.

Rempotage. Rempoter chaque année, au printemps. Éliminer soigneusement la terre entre les racines, couper les racines mortes. Rempoter dans un mélange prêt à l'emploi (2 parts) allégé de sable grossier (1 part). Mettre un lit de tessons au fond du pot. Augmenter très progressivement les arrosages après le rempotage.

Multiplication. Le semis donne assez facilement des plantules, mais il faudra attendre longtemps avant

d'obtenir des plantes d'une taille raisonnable. Il vaut mieux repiquer les rejets. On les laisse sécher quelques heures avant de les planter dans un mélange sableux.

Maladies. Cochenilles à bouclier. Cochenilles farineuses et floconneuses, pucerons des racines.

Agáve americána

○ ⊕ ○ ○ ○ ⊡

Ses feuilles vert glauque ont jusqu'à 1,75 m de haut et 20 cm de large. Elles ont des dents marginales crochues, brunes qui, avec l'âge, deviennent grises. L'épine terminale fait 3 cm. Les hampes des fleurs mesurent jusqu'à 6 m et les inflorescences, chargées de fleurs jaune-vert, font 3 m de haut. Le cultivar 'Marginata' est marginé d'or. 'Marginata Alba' a des bords blancs, rosés quand les plantes sont jeunes. 'Marginata Aurea' est bordé de jaune clair et jaune verdâtre et 'Marginata Pallida' est bordé de vert pâle. 'Mediopicta' a une bande crème au centre de la feuille.

Agáve applanáta

Syn. *Agave schnittspáhnii.* Feuilles vert cendré, de 1 m de long sur 10 cm de large.

Agáve attenuáta

La rosette adulte a des feuilles vert

argenté, à bord non denté, glabres, qui vont en s'élargissant au centre.

Agáve ferdinándi-régis

Feuilles écartées, concaves en dessus, très carénées en dessous. Épine terminale noire. Le bord des feuilles devient gris-blanc avec l'âge.

Agáve férox

Rosette étalée de feuilles charnues, longues de 1,30 m, vert foncé un peu grisâtre. Nombreuses dents triangulaires, terminées par des piquants foncés et reliées l'une à l'autre par un fil corné.

Agáve filífera

Rosette arrondie de feuilles rigides et dressées, terminées en pointe et bordées de filaments blancs s'en détachant.

Agáve geminiflóra

Forme une rosette très dense de 200 feuilles au moins, vert foncé, linéaires, mesurant 50 cm de long sur à peine 5 mm de large.

Agáve ghiesbréghtii

Espèce donnant des rejets. Les feuilles naissent directement de la souche. Elles sont vert foncé, striées d'une bande centrale plus claire dans leur jeune âge. Bord corné garni de petites épines.

Agáve parrasána

Originaire de la Sierra de Parras. Atteint 30 cm. Feuilles gris bleuté, rigi-

Agáve strícta

Agáve ferdinándi-régis

Agáve ghiesbréghtii

Agáve parrasána, avec ses grandes dents rouges, est l'une des espèces les plus remarquables.

des et épaisses. Bord ondulé. Épines marginales rouges. L'épine terminale mesure 25 mm.

Agáve párryi

Longueur des feuilles : 30 cm. Largeur : 10-15 cm. Couleur : gris bleuté clair. Pointe aiguë, brun-gris. Une des espèces les plus résistantes, qui supportera de passer l'hiver dehors s'il est doux.

Agáve striáta

Feuilles vert argenté, striées de bandes sombres. Longueur : 45 cm.

Agáve strícta

Rosette très fournie, formée de feuilles vertes très étroites, longues de 35 cm et se terminant par une épine de 25 mm. La rosette ne meurt pas après la floraison. Les bords sont finement dentés et cornés.

Agáve victóriæ-regínæ

○ ⊕ ○ ○ ⊡

Rosette très dense, semi-sphérique, de feuilles vert mat à marges blanches et bandes blanches. 'Variegata' a des feuilles panachées. Température minimale en hiver : 10 °C.

Aglaonéma commutátum produit des fruits rouges luisants.

Aglaonéma
Aráceæ

Nom. Du grec *aglaos* et *nêma*, mots qui signifient fil brillant et pourraient faire allusion aux étamines.
Origine. Les 50 espèces connues sont originaires de l'Asie de l'Est et principalement d'Indonésie, de Malacca, de Thaïlande, des Philippines et de Sri Lanka (Ceylan), où on les trouve dans les forêts tropicales profondes et humides.
Description. Plante de serre et d'appartement, au feuillage vert persistant, formant un buisson et même un arbrisseau. Son succès va grandissant. La plupart des espèces ont des feuilles magnifiquement marbrées. L'inflorescence, comme chez toutes les aracées, comprend une spathe engainant un épi de fleurs compact : le spadice. Les inflorescences sont relativement modestes par rapport aux feuilles. Chez certaines espèces, la fructification colorée a beaucoup de valeur décorative.
Exposition. Donner la préférence à une situation chaude et humide : vitrine d'appartement, serre chaude. Beaucoup d'amateurs réussissent à conserver cette plante délicate dans l'atmosphère normale de l'habitation. Lui choisir un emplacement ombragé. Les espèces panachées préféreront la mi-ombre.
Soins. La température hivernale ne doit jamais descendre au-dessous de 15-18 °C, qu'il s'agisse de la température de la terre ou de celle de l'atmosphère.
Arrosage. N'arroser qu'à l'eau tiède et adoucie. Arroser abondamment en période de végétation, modérément en hiver. La méthode de la soucoupe renversée leur convient fort bien. Vaporiser régulièrement : eau tiède et douce. Ne pas pulvériser directement sur le feuillage si celui-ci a tendance à se tacher.
Fertilisation. Apporter un engrais non calcaire, en solution de concentration normale, tous les dix jours, d'avril à août.

Aglaonéma brevispáthum f. hospitum

Rempotage. En mars-avril, dans une terre perméable. Éliminer soigneusement la vieille terre autour des racines charnues. Déposer des tessons de drainage au fond du récipient. Utiliser des pots larges et peu profonds ou des coupes. Mélange de culture : un mélange tout prêt à l'emploi plus du sphagnum, de la tourbe et du sable.
Multiplication. Semer sur fond de chaleur : 26 °C. Ce procédé ne convient qu'à quelques espèces, comme *Aglaonéma críspum* et *Aglaonéma commutátum*. En général, on préfère bouturer au printemps, sur chaleur de fond (20-25 °C), sous feuille de verre ou de plastique, dans du sable. On choisit, pour ce faire, des extrémités de vieux rameaux. Les plantes âgées peuvent être divisées.
Maladies. Cochenille à bouclier et cochenille farineuse. Aussi des acariens, quand l'éclairement est trop intense.

Aglaonéma commutátum
◐ ◍ ◎ ◒ ▣
Feuille vert foncé, marquée de blanc tout le long des nervures. Spathe blanc verdâtre, baies rouge brillant. 'Pseudobracteatum' a des pétioles blanc jaunâtre. 'Treubii' reste plus petit que l'espèce.

Aglaonéma treúbii 'Silver Queen'

Aglaonéma costátum
Feuillage dense. Hauteur : 30 cm. Feuille vert foncé moucheté de blanc. Nervure centrale blanche.
Aglaonéma críspum
Syn. *Aglaonéma roebelínii*. Tronc de 1 m portant des feuilles vertes, tachées de gris, longues de 30 cm. Baies rouges.
Aglaonéma píctum
Feuille de 15 cm, vert velouté moucheté de vert cendré. La variété 'Tricolor' s'agrémente en plus de taches blanc argent.
Aglaonéma treúbii
Très proche de *commutátum*. Les feuilles sont plus étroites, soulignées de gris clair le long des nervures. Deux formes connues de cette espèce, 'Silver King' et 'Silver Queen', sont plus intensément marquées de taches blanches. La première a des pétioles tachetés, la deuxième des pétioles unicolores.

Allamánda
Apocynáceæ

Nom. Du nom de J.N.S *Allamand* (1713-1787), botaniste suisse qui travailla à Leiden.
Origine. On en connaît 15 espèces, originaires pour la plupart du Brésil. L'espèce mentionnée ici est la plus connue.

Description. Plantes sarmenteuses arbrisseaux ou arbres tropicaux aux grandes fleurs jaunes ou violettes, de toute beauté. Feuilles oblongues, lancéolées, généralement réunies par 3 ou 4.
Exposition. Souvent, ces plantes ne résistent pas longtemps en appartement. Elles nous viennent des forêts vierges tropicales et exigent une atmosphère ambiante très humide. Leur vigueur, lorsqu'elles sont sarmenteuses, les rend trop envahissantes pour une pièce. La serre chaude leur est mieux adaptée, mais certains amateurs réussissent pourtant à les acclimater dans leur séjour. Leur donner une situation claire, mais tamiser la lumière quand le soleil brille trop fort.
Soins. Maintenir la température au-dessus de 18 °C pendant la période de repos. Le manque de chaleur et de lumière provoque la chute des feuilles. Tailler la plante en novembre ou décembre pour stimuler la repousse. Attacher les longs rameaux sur des fils ou au mur. En raccourcissant les rameaux trop longs, on obtiendra une plante plus étoffée.
Arrosage. Arroser généreusement pendant la période de végétation, d'avril à septembre. Vaporiser très souvent, de préférence de l'eau de pluie. Réduire les arrosages de novembre à février et vaporiser de temps à autre de l'eau tiède.
Fertilisation. Fertiliser chaque semaine, en utilisant une solution de concentration normale.
Rempotage. Au printemps, dans un mélange de parties égales d'argile finement émiettée, de vieux fumier bovin, de terreau de feuilles et d'un peu de sable grossier.
Multiplication. Boutures de rameaux, sur chaleur de fond, dans du terreau de feuilles et du sable.
Maladies. Cochenille farineuse, cochenille à bouclier, acariens et aleurode des serres.

Allamánda cathártica
◐ ◍ ◎ ◒ ▣
Arbrisseau sarmenteux aux feuilles lancéolées, en verticilles espacés : les feuilles sont groupées par 3 ou 4, leur bord est ondulé ; elles sont por-

Allamánda cathártica 'Hendersonii' : à l'arrière-plan « La Vierge » de Johfra.

Allopléctus capitátus

Alocásia lówii

Áloe

Liliáceæ

aloès

Nom. De son nom grec *aloê*, de l'arabe *alloeh*, amer. La sève amère de l'*Áloe* était utilisée autrefois pour ses propriétés analgésiques et sédatives. Principe actif : l'aloïne.
Origine. 400 espèces. On les trouve surtout en Afrique du Sud, mais aussi à Madagascar, en Arabie, en Asie du Sud-Ouest, en Afrique tropicale.
Description. Les aloès ressemblent un peu aux agaves, mais leurs rosettes ne meurent pas après la floraison. Les inflorescences de ses succulentes naissent à l'aisselle des feuilles. Elles sont souvent portées par de longues hampes. Les fleurs sont tubuleuses ou campanulées. Les rosettes, denses, sont formées de feuilles épaisses et pointues, souvent bordées de dents. Elles sont parfois maculées. Les aloès sont buissonnants ou arbusifs. Certains poussent sur tige, d'autres sont acaules.
Exposition. On les sort, l'été, dans un coin ensoleillé et abrité. Le soleil embellit leur feuillage et stimule leur floraison. En hiver, on leur réservera un endroit clair et frais : serre froide, combles.
Soins. Une température hivernale de 5 °C favorise la mise à fleurs.
Arrosage. Lorsqu'ils sont exposés en plein air, les aloès ne demandent aucun arrosage s'il pleut de temps à autre. Arroser modérément en période de sécheresse. En appartement, on les arrosera une ou deux fois par semaine, selon la température. Une atmosphère sèche ne les gêne pas.

Áloe arboréscens : un sujet jeune.

Ne jamais mouiller la plante. L'eau stagnante à l'aisselle des feuilles les fait pourrir.
Fertilisation. Un peu d'engrais, une fois tous les quinze jours, en période de croissance.
Rempotage. En avril, tous les deux ou trois ans. Faire un mélange perméable, à la base de terreau de feuilles, terre argileuse fine, sable et per-

tées par des pétioles de 5 mm. Fleurs en bouquets terminaux ; les corolles, qui ont un diamètre de 8 cm, ont des lobes pointus et sont jaunes. 'Hendersonii' a des fleurs plus grandes, jaune orange, teintées de brun à l'état de bouton. 'Grandiflora' est une race moins exubérante, à peine grimpante, mais aux énormes fleurs jaune citron : 12 cm !

Allopléctus

Gesneriáceæ

Nom. Du grec *allos*, autre, et *plectos*, tressé.
Origine. Les 70 espèces connues sont originaires des régions tropicales d'Amérique.
Description. Plantes ligneuses et sous-ligneuses, dressées ou pendantes, partiellement épiphytes. Feuilles opposées. Le calice des fleurs est divisé en cinq segments au bord uni ou denté et généralement rouge ; la corolle est jaune ou blanche. Le fruit est bacciforme. Racines charnues.
Exposition. Emplacement chaud et humide, à mi-ombre.
Soins. Ne pas laisser la température descendre au-dessous de 18 °C pendant la période de repos. Il est facile de voir quand la plante se prépare à entrer en dormance : son aspect se délabre.
Arrosage. La plupart des espèces ont un feuillage duveteux qui ne supporte pas les pulvérisations. Il faut donc recourir au procédé de la soucoupe renversée et faire fonctionner un humidificateur. Arroser régulièrement pendant la période de végétation. La motte ne doit jamais être sèche. Réduire les arrosages en hiver. Toujours utiliser de l'eau tiédie.
Fertilisation. Bouturer sur chaleur de fond (25 à 30 °C) ou semer. Les semis faits en janvier donnent des plantes fleuries en été.

Allopléctus capitátus

Tiges charnues, dressées, de 80 cm de long, à section plus ou moins carrée. Feuilles opposées, ovoïdes, de 20 cm, vert foncé et veloutées dessus, rougeâtres dessous, pétiole rouge. Fleurs en capitules serrés, calice rouge, corolle jaune.

Allopléctus vittátus

Tige charnue, dressée, 60 cm. Feuilles de 15 cm, bronze à vert mousse avec des bandes argentées le long de la nervure médiane et à la base des nervures latérales. Fleurs à calice rouge et corolle jaune. Fruits noirs.

Alocásia

Aráceæ

Origine. On connaît 70 espèces originaires des régions tropicales d'Asie.
Description. L'*Alocásia* figure au nombre des plantes à feuillage les plus ornementales qui soient. Plante dressée, à tige épaisse. Feuilles peltées ou sagittées portées par de longs pétioles. Feuillage souvent panaché. Inflorescence formée d'un spadice et d'une spathe.
Exposition. Plante tout indiquée pour la serre chaude et la « fenêtre fleurie ». Résiste quelques mois en appartement, à condition que l'on y crée des conditions favorables : on préférera alors *Alocásia sanderiána*. Chaleur, humidité, lumière tamisée.
Soins. Toutes les espèces à feuillage panaché ont besoin, l'hiver, d'une période de repos plus ou moins marquée. La température minimum sera maintenue à 18 °C.
Arrosage. Garder la motte toujours humide pendant la période de végétation. Arroser peu en hiver, juste assez pour empêcher la chute des feuilles.
Fertilisation. Engrais soluble, en concentration normale, une fois tous les quinze jours, de mai en août.
Rempotage. À la fin de l'hiver, dans un mélange de vieux terreau de feuilles, tourbe, sphaigne et débris de charbon de bois. Ou bien, mélange prêt à l'emploi.
Multiplication. Semis, drageons, division des rhizomes. Saupoudrer les plaies de poudre de charbon de bois. Arroser modérément jusqu'à la reprise.

Alocásia lówii

Feuille vert foncé, 8 à 9 nervures blanches très marquées, lobes inférieurs soudés sur moins de la moitié de leur longueur. 'Veitchii' a ses nervures soulignées de vert olive et est moucheté irrégulièrement. Bord blanc.

Alocásia metállica

Syn. *Alocásia cúprea.* Feuille cuivrée. Nervures sombres. Lobes inférieurs presque entièrement soudés. Dessous de la feuille pourpré.

Alocásia plúmbea

Grandes feuilles sagittées, vert pourpre, aux lobes inférieurs à peine soudés portées par des tiges de 2 m.

Alocásia sanderiána

Feuille peltée, pendante, verte, à reflets métalliques. Nervures blanches. Bord blanc et denté.

Áloe x príncipes est issu du croisement de Á. arboréscens et Á. férox.

Áloe mitrifórmis, aux feuilles épineuses, disposées en rosette.

Ampelópsis brevipedunculáta var. maximowíczii 'Elegans'.

Áloe férox

lite. N'arroser que lorsque la reprise s'est manifestée.
Multiplication. Semer en mars, sur un mélange sableux, à 21 °C. Si l'on désire repiquer des rejets de la plante mère, il faut les séparer avec précaution, en conservant le plus possible de racines. Les laisser d'abord sécher pendant 2 jours avant de les empoter dans un mélange sableux.
Maladies. Cochenilles farineuses et pucerons.

Áloe arboréscens
○ ☼ ⊙ ○ ☒
Corne de cerf ou corne de bélier. Sa sève cicatrise les plaies causées par des brûlures ou des coupures. Produit des tiges de 3 m. Feuilles vertes, dentées, épineuses, pointues, incurvées au sommet. Fleurs rouge orange.

Áloe férox
Syn. *Áloe supralévis.* La surface et les bords des feuilles vert glauque, épaisses et charnues, sont couverts d'épines brun rouge. Inflorescence rameuse, en grappe. Fleurs rouges.

Áloe húmilis
Rosette dense, assez basse, de feuilles épineuses, glauques, à la pointe incurvée. Fleurs tubuleuses rouges.

Áloe mitrifórmis
Feuille de 15 cm, de couleur uni-

forme, glauque ou verte, avec des épines cartilagineuses plus claires. Produit, en été, des grappes denses de fleurs rouges.

Áloe saponária
Syn. *Áloe dísticha ; Áloe umblláta.* Rosettes denses de feuilles longues de 25 cm, à taches blanches en bandes transversales irrégulières. Épines cartilagineuses marginales. Fleurs rouge safrané.

Áloe striáta
Syn. *Áloe álbo-cíncta.* Rosettes denses de feuilles vert cendré, un peu rougissantes, maculées. Donne, au printemps, des fleurs rouge corail.

Áloe variegáta
30 cm. Feuilles imbriquées sur 3 rangs, vert foncé, lisses, avec des bandes transversales blanches, en gouttière en dessus, carénées en dessous. Fleurit rouge.

Amaryllis

Amaryllidáceæ

amaryllis

Nom. Virgile prête ce nom à une charmante bergère.
Origine. Cette bulbeuse, dont on ne connaît qu'une seule espèce, est limitée à une petite zone sur la côte sud-ouest africaine.
Description. Quand nous parlons d'*Amaryllis,* nous pensons généralement au genre *Hippeástrum ;* il ne faut cependant pas les confondre. L'amaryllis a une hampe florale pleine, qui porte 6 à 12 fleurs. La floraison a lieu à la fin de l'été, après la chute des feuilles. Le feuillage repousse à la fin de l'hiver et au printemps. La hampe florale de l'*Hippeástrum* est creuse et ne porte que 4 à 6 fleurs, un peu plus grandes. Il fleurit en hiver et au printemps, avant ou en même temps que l'apparition des feuilles. Ses graines sont brun-noir, celles de l'amaryllis sont vertes.
Exposition. L'emplacement idéal est une serre ensoleillée, tenue à l'abri du gel, en hiver. On peut le traiter comme une plante d'orangerie et le sortir, l'été, au jardin. Il réussit surtout s'il conserve le même emplacement

Amaryllis belladónna 'Carina'.

plusieurs années de suite. Les amaryllis produisent des fleurs à couper d'excellente tenue. Si on fait fleurir le bulbe en serre, on pourra couper la fleur ; placée dans un vase, elle tiendra très longtemps et on pourra au moins en profiter.
Soins. L'hiver, on gardera les amaryllis à une température minimum de 5 °C. Éliminer au fur et à mesure les fleurs fanées, les tiges et les feuilles mortes.
Arrosage. Arroser modérément pendant la croissance et la floraison. Réduire les arrosages en hiver. Il est inutile de vaporiser.
Fertilisation. Arroser tous les quinze jours avec une solution d'engrais de concentration normale, uniquement en période de végétation.
Rempotage. Enterrer profondément les bulbes ronds au long côl. Les gros calibres demandent à être enfouis à 20 cm. Rempoter tous les 5 à 6 ans dans un mélange prêt à l'emploi.
Multiplication. Quand on sème, méthode qui donne les résultats les plus rapides, il faut au moins 3 ans pour obtenir des bulbes capables de fleurir.

Amaryllis belladónna
○ ☼ ⊗ ○ ☒
Feuilles vertes en lanière, fleurs en forme de trompette, roses, parfu-

mées, pendantes. 'Hathor' donne des fleurs blanches à gorge jaune. 'Parkeri' est la variété la plus florifère, ses fleurs sont rose soutenu, à gorge jaune.

Ampelópsis

Vitáceæ

ampélopsis

Nom. Du grec *ampelos,* vigne, et *opsis,* aspect.
Origine. Il y en a une vingtaine d'espèces, originaires de la côte atlantique de l'Amérique du Nord, du Mexique et d'Asie (surtout d'Asie de l'Est).
Description. Arbuste grimpant qui s'accroche au moyen de ses vrilles. Ses feuilles, alternes, sont simples ou composées et longuement pétiolées. Les petites fleurs, groupées par 5, sont verdâtres. Les fruits renferment 1 à 4 graines. Cette plante ressemble à la vigne vierge sauvage, mais ses vrilles sont dépourvues de ventouses.
Exposition. Il faut lui donner une situation claire, mais hors d'atteinte du soleil de midi. L'été, on peut sortir la plante. L'*Ampelópsis* doit passer l'hiver dans une ambiance fraîche : serre froide ou corridor. Si on veut éviter qu'il envahisse les autres plantes, il faut le garder à distance.
Soins. Conserver, l'hiver, entre 5° et 10 °C.
Arrosage. En automne, la plante perd presque la totalité de ses feuilles : la plante entre en dormance ; il faut réduire l'arrosage au minimum. Arroser modérément tout le reste de l'année. L'*Ampelópsis* tolère bien une atmosphère sèche.
Fertilisation. Engrais liquide, en solution de concentration normale, tous les quinze jours.
Rempotage. Tous les ans au printemps, dans un mélange standard.
Multiplication. Bouturer en juin ou en août, à 15-18 °C, dans un mélange de parties égales de sable et de tourbe.

Ampelópsis aconitifólia
◑ ☼ ☼ ⊗ ○ ☒
Syn. *Vítis disséeta.* Liane vigoureuse,

Ánanas comósus 'Aureovariegatus' : plante-mère avec un rejet sur le fruit.

Le rejet, tel qu'il est issu du fruit.

aux feuilles vert frais, longues de 7 cm, digitées ou découpées. Les baies, bleues, deviennent orange en mûrissant.

Ampelópsis brevipedunculáta

Syn. *Cissus brevipedunculáta*. Pour l'appartement, on cultive surtout la var. *maximowíczii* et la race 'Elegans' qui en est issue. Jeunes pousses velues, devenant glabres en vieillissant. La feuille est grossièrement dentée, pointue, profondément découpée et marbrée de tons roses, blancs et verts. Le feuillage est porté par des rameaux tombants et disparaît en hiver. L'espèce a des feuilles plus grandes (12 cm), vert foncé.

Ampelópsis japónica

Syn. *Ampelópsis serjaniifólia*. Plante sarmenteuse décorative, originaire du

Japon et de la Chine du Nord. Feuilles à 3 ou 5 folioles pennées ou pennatilobées vert foncé et luisantes. Fruits bleus.

Ánanas

Bromeliáceæ

ananas

Nom. Le nom *ananas* est brésilien.
Origine. L'ananas est orginaire des régions tropicales et subtropicales d'Amérique. La culture fruitière s'est étendue à l'Afrique et à l'Asie où, grâce à des conditions favorables, l'ananas s'est aussi naturalisé. Actuellement, ce sont les îles Hawaï qui sont les plus gros producteurs de ce fruit comestible : elles fournissent plus de la moitié de la production mondiale. Récemment, l'ananas s'est aussi imposé comme plante ornementale. On l'importe des Açores ou on le cultive sur place.
Description. L'espèce originale produit des rosettes énormes qui font 2 m de diamètre sur 1 m de haut. Les feuilles sont assez étroites, épineuses et vert foncé sur leur face supérieure. Les cultivars ont une taille plus modeste. Toutes les espèces ont une inflorescence en épi cylindrique, portée par une tige rigide et surmontée d'une rosette foliaire. L'inflorescence compte parfois plus d'une centaine de petites fleurs dont chacune se transforme en baie, tandis que la tige centrale se gonfle et devient charnue et juteuse. Les bractées, les baies, les pédoncules et la tige, en évoluant, se fondent pour donner le fruit. Le parfum caractéristique de l'ananas est dû à un ester butyrique de l'acide butyrique.

Exposition. L'ananas s'acclimate très bien en appartement, où on peut le garder d'un bout à l'autre de l'année, pourvu qu'on lui trouve un emplacement chaud, clair et ensoleillé. La beauté des espèces panachées dépend beaucoup de la quantité de soleil qu'elles reçoivent. Lorsqu'on place un ananas sur une tablette de fenêtre, il faut veiller à ne pas accrocher les voilages, car cette plante porte des épines crochues.
Soins. Température minimum en hiver : 15 à 18 °C. L'été, la température peut monter jusqu'à 30 °C, à condition de beaucoup ventiler.
Arrosage. Bien arroser la plante (y compris la rosette) tout l'été, pendant la période de croissance. Laisser à la terre le temps de résorber l'humidité entre deux arrosages. Tenir un peu plus sec en hiver. S'il fait très chaud, vaporiser de l'eau tiédie.
Fertilisation. Une solution d'engrais, de concentration normale, une fois tous les quinze jours, de mai à septembre.
Rempotage. Après enracinement, empoter dans une bonne terre amendée de sable, de terreau de feuilles ou de sapinette.
Multiplication. Comme toutes les broméliacées, l'ananas meurt après avoir fructifié. On peut le multiplier à partir des rejets nés à la base de la plante. On les sépare de la rosette-mère en mars-avril. On peut aussi le multiplier par la couronne de feuilles qui surmonte le fruit, même s'il s'agit d'un fruit comestible acheté chez le marchand. Choisir un fruit qui présente une touffe bien verte et saine. Détacher la rosette avec un morceau du fruit. Enlever soigneusement toute la pulpe et laisser sécher 24 heures. Empoter dans de la tourbe humide mêlée de sable et laisser prendre racine à un endroit chaud, sous une couverture de plastique.

Ánanas comósus

○ ⊞ ∞ ◐ ○ ▦

Rosette dense de 30 à 50 feuilles ensiformes, vert foncé dessus, vert cendré dessous. Épi floral rose. 'Aureovariegatus' est marginé de blanc.

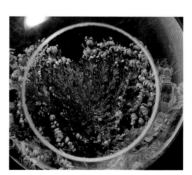

Une rose de Jéricho épanouie.

Une rose de Jéricho (*Anastática*) fermée.

Anastática

Crucíferæ

rose de Jéricho

Nom. Le mot grec *anastasis* signifie résurrection. Une rose de Jéricho complètement desséchée ressuscite bel et bien quand on la met dans l'eau.
Origine. Une seule espèce, de la ceinture désertique qui s'étend du sud de la Perse jusqu'au Maroc. On confond souvent cette plante avec *Selaginélla lepidophýlla* qui lui ressemble beaucoup et croît en Amérique centrale.
Description. Cette plante, que l'on trouve chez certains grainetiers, se présente sous la forme d'une rosette sèche de tiges et feuilles griffues, qui peut avoir 8 cm de diamètre. En fait, on ramasse dans la nature des plantes fraîches que l'on fait sécher. Elles possèdent l'étonnante propriété de se revivifier dans l'eau : la rosette se déploie et laisse apparaître un cœur d'un joli vert frais.
Exposition. Cette plante pousse à l'état naturel dans des déserts où quelques rares pluies rendent la végétation encore possible. À ce moment, elle est verte. Lorsque vient la sécheresse, elle se roule en boule et le vent peut la transporter. Si elle atterrit dans un endroit humide, elle s'épanouit aussitôt.
Soins. L'*Anastática* est une plante annuelle qui, placée dans une coupe d'eau, s'épanouira un bon moment. Mais il est rare que l'on réussisse à lui faire prendre racine.
Multiplication. On pourrait multiplier l'*Anastática* à partir de graines semées en mars, sur chaleur de fond. Mais la difficulté consiste à se procurer les graines.

Anastática hierochúntica

○ ⊞ ∞ ◐ ▦

Plante annuelle, naine, aux feuilles disposées en rosette, à racine pivotante. Brune lorsqu'elle est sèche, vert frais lorsqu'elle s'ouvre dans l'eau.

Angrǽcum

Orchidáceæ

Nom. De *angurek*, nom malais de plusieurs espèces du genre.
Origine. Afrique, Madagascar.
Description. La plupart sont des plantes décoratives d'assez grande taille. Les fleurs, blanc ivoire ou blanc verdâtre, sont caractérisées par un éperon. Une graine d'*Angrǽcum* pèse 0,7 μ g (μ g = un millionième de g). Chaque fruit contient souvent des millions de graines et il ne s'agit là ni

Angrǽcum sesquipedále, plante de serre chaude.

Anthúrium scherzeriánum : on ne cultive que ses hybrides. Plante très prisée pour sa riche floraison.

de hasard, ni de vain gaspillage, car très rares sont celles qui auront la chance d'être déposées dans un milieu propice à la germination.

Exposition. Leurs exigences en matière de température et d'humidité ambiante ne pourront être satisfaites que dans une serre chaude. Une vitrine d'appartement leur conviendra naturellement aussi. Elles aiment l'ombre et, d'avril à septembre, il faut les protéger des rayons du soleil.

Soins. La température nocturne estivale ne doit pas descendre au-dessous, de 18-21 °C ; la température diurne doit se situer entre 21 et 28 °C et au-dessus, si le soleil brille. Température minimum hivernale : 16 °C.

Arrosage. Arroser copieusement l'été, surtout s'il fait chaud. Humidité ambiante élevée. Pulvériser finement le soir, avant d'aérer, et de nouveau

l'après-midi, quand les châssis sont fermés. Cesser les pulvérisations en hiver et adapter le degré d'humidité à la température ambiante. Un degré hygrométrique trop élevé favorise le développement de maladies sur les fleurs. Réduire l'humidité, même si la végétation de la plante n'entre pas dans un sommeil complet.

Fertilisation. En général, ces plantes réclament peu d'engrais, mais on peut leur administrer une solution fertilisante, de concentration normale, une fois tous les quinze jours durant l'été.

Rempotage. Mélanger des parties égales de racines de fougère ou de hêtre et de sphagnum : le tout finement broyé. Rempoter au printemps.

Multiplication. La multiplication est affaire de spécialiste, car il faut opérer en milieu parfaitement stérile.

Angrǽcum ebúrneum

Tiges assez longues. Feuilles étroites et longues. Grappes de 15 fleurs blanches, odorantes, aux longs éperons (8 cm).

Angrǽcum sesquipedále
Grappes de 6 fleurs blanches : de décembre à février. La pollinisation n'est possible que grâce à une unique espèce de papillon de nuit : le *Xanthopan morgani prædicta* dont la langue est assez longue pour pénétrer au fond de l'éperon de la fleur, qui mesure 30 cm.

Angrǽcum x **veítchii**
Issu du croisement des deux espèces précédentes.

Anthúrium

Aráceæ

anthurium

Nom. Du grec *anthos,* fleur, et *oura,* queue. L'inflorescence est composée d'une spathe et d'un spadice qui ressemble un peu à une queue.

Origine. Les 500 espèces répertoriées viennent des forêts tropicales humides d'Amérique centrale et du Sud. C'est le médecin et botaniste Von Scherzer qui, vers 1850, a découvert la première espèce appartenant à ce genre ; elle a reçu, en son honneur, le nom de *Anthúrium scherzeriánum.*

Description. Ces plantes, apparentées aux arums, sont cultivées tant pour la beauté de leur feuillage que

Anthúrium andreánum

Anthúrium magníficum, plante de serre chaude.

Aphelándra aurantíaca var. rœzlii.

Aphelándra
Acantháceæ

Nom. Du grec aphelês, simple, et anêr andros, homme. qui signifient simple et homme. Décrit l'anthère uniloculaire (à une seule poche).

Origine. On connaît 200 espèces originaires d'Amérique tropicale et subtropicale : Mexique, Brésil et Colombie. Plantes forestières.

Description. Arbustes ou plantes herbacées à feuillage persistant. Belles grandes feuilles brillantes aux nervures décoratives. Fleurs en épis simples ou paniculés, terminaux ou axillaires. Assez grandes bractées aux couleurs souvent très belles, et imbriquées comme des tuiles. Corolle bilabiée, jaune, orange ou rouge. Calice à 5 divisions, plus petit que les bractées. 4 étamines et 4 graines au maximum

Exposition. L'Aphelándra exige humidité, chaleur et mi-ombre. Résultats spectaculaires en serre chaude. Tiendra quelques mois en appartement, s'il est l'objet de soins attentifs.

Soins. Température idéale : entre 18 et 25 °C. En période de repos : 10 à 14 °C. La plante se ramifie peu naturellement. On peut la pincer, mais elle produira alors des fleurs plus petites. Éliminer les épis aussitôt après la floraison. À la sortie de la période de repos, qui dure 6 semaines à 2 mois, on peut tailler l'Aphelándra à 3 yeux, le rempoter, le mettre dans un endroit plus chaud et augmenter les arrosages.

Arrosage. Les grandes feuilles transpirent énormément, il faut donc arro-

---

pour celle de leurs fleurs. Depuis quelques années, elles sont de plus en plus vendues comme fleurs coupées chez les fleuristes. L'inflorescence, de couleur souvent éclatante, est composée d'une spathe et d'un spadice droit ou courbe, couvert de minuscules fleurettes. La spathe varie du rouge au rose, elle est parfois blanche ou maculée de taches bicolores. Les espèces dont la spathe est peu développée portent quelquefois de nombreux fruits bacciformes (baies) rouges. Il existe une grande diversité dans la forme et la couleur des feuilles. Certaines sont cordiformes, d'autres lancéolées. Elles sont vert foncé et épaisses, ou veloutées et traversées de remarquables nervures colorées. La plante a généralement un port dressé. Elle est caulescente (c'est-à-dire munie de tiges) ou acaule (sans tiges) et même épiphyte et grimpante : c'est le cas de l'Anthúrium scándens.

Exposition. L'Anthúrium réclame beaucoup de lumière mais craint un ensoleillement direct. On le placera, de préférence, derrière une fenêtre au nord ou à l'est. Les hybrides de Anthúrium scherzeriánum sont les variétés les plus solides et les mieux adaptées à l'appartement. Anthúrium andreánum se plaira dans une vitrine chauffée et Anthúrium crystállinum doit être réservé à la serre chaude ou à la vitrine pour plantes tropicales, où il retrouvera les conditions de son habitat d'origine.

Soins. Les Anthúrium hybrides exigent, en hiver, une température ambiante minimum de 15 °C. Chaleur de fond : 18 °C. Anthúrium crystállinum a besoin de 18-20 °C. En période de végétation on maintiendra 20 °C. Une température plus élevée est acceptée si le degré hygrométrique de l'air est satisfaisant. La plante est très sensible aux variations de température. Les variétés à feuillage réclament plus de chaleur et d'ombre que celles cultivées pour leurs fleurs.

Arrosage. Pour préparer une riche floraison, on réduira les arrosages pendant 6 à 8 semaines en hiver. Par contre, en période de végétation il faut arroser très abondamment, en se servant d'une eau parfaitement adoucie (pH 4-4,5) ou d'eau de pluie, toujours tiédies. L'atmosphère ambiante doit être très humide. On peut appliquer le procédé de la soucoupe renversée. Pulvériser de l'eau tiède sur le feuillage en évitant de mouiller les fleurs que l'on tacherait. On peut aussi placer le pot dans un cache-pot de taille nettement plus grande et remplir l'espace libre de sphagnum humide. Il faut assurer un bon drai-

nage. L'eau stagnante provoque rapidement la pourriture des racines. Les Anthúrium scherzeriánum hybrides se prêtent très bien à l'hydroculture.

Fertilisation. Pendant la période de végétation, on apportera, une fois par semaine, un engrais dépourvu de calcium, en solution très légère (la moitié de la concentration normale).

Rempotage. Rempoter tous les 2 ou 3 ans, au printemps, dans une terre spéciale pour Anthúrium, que l'on trouve dans le commerce. Cette plante ne tolère pas les sels minéraux. On peut préparer soi-même un mélange de terreau de feuilles, sapinette et tourbe, auquel on ajoute un peu de fumier bovin bien décomposé pour le rendre nutritif. Ne pas tasser trop fort, la terre doit rester très aérée.

Multiplication. Les grands sujets peuvent être divisés à l'occasion d'un rempotage. On peut aussi empoter séparément les pousses latérales prélevées avec leurs racines. Si l'on a affaire à un sujet un peu fatigué, on peut essayer de faire des boutures d'extrémités de rameaux. On enlève toutes les feuilles avec leur pétiole, en prenant garde de ne pas blesser les yeux invisibles qui se trouvent à l'aisselle des feuilles. Planter les boutures dans un mélange de parts égales de sable et de tourbe acide, en les enfonçant profondément : seule une petite partie doit rester apparente. Il faut une serre à multiplication chauffée, car la température de fond doit être maintenue entre 25 et 35 °C. Les feuilles et les racines se formeront au bout de quelques semaines.

On peut aussi procéder par semis, mais la technique est complexe. Les fleurs sont bissexuées et leurs stigmates mûrissent plus tôt que leurs étamines. Il faut donc pratiquer la fécondation croisée. Opérer au milieu d'une journée ensoleillée. À l'aide d'un coton ou d'un fin pinceau, prélever du pollen sur les fleurs du spadice et le transporter sur les stigmates mûrs — ils exudent à ce moment un suc gluant — d'un autre spadice. La graine met 9 mois à parvenir à maturité. Semer aussitôt sur un mélange de sable et de tourbe. Tasser, sans couvrir. Chaleur de fond : 25 °C. La germination intervient au bout de 2 à 3 semaines. Repiquer une première fois au bout de 4 mois et une deuxième fois, 4 mois plus tard. Attendre encore 3 à 4 mois avant d'empoter.

Maladies. Anguillules, pucerons, cochenilles à bouclier, acariens, limaces et thrips. Des conditions de culture inadéquates provoquent des taches foliaires et la décoloration du feuillage.

Anthúrium andreánum
On n'en cultive que les hybrides. Tiges courtes, longs pétioles, feuilles cordiformes. Spathe grande, brillante, du rouge au blanc en passant par toutes les teintes intermédiaires.

Anthúrium crystállinum
Grandes feuilles vert sombre velouté, nervures blanches.

Anthúrium magníficum
Feuilles pendantes, vert clair, nervures blanches. Serre chaude.

Anthúrium scherzeriánum
Seuls les hybrides sont cultivés. Feuilles lancéolées sur pétiole assez court. Riche floraison rouge ou orange. Spadice en spirale.

Aphelándra squarrósa

ser copieusement, à l'eau adoucie, dès qu'elles se développent et pendant toute la floraison. La motte ne doit jamais sécher. Pulvériser souvent ; bassiner les feuilles à l'eau tiède. Réduire arrosages et pulvérisations en période de repos.

Fertilisation. Fertiliser régulièrement, une fois par semaine, en période de végétation. Engrais liquide, concentration normale.

Rempotage. En mars, dans un mélange riche en humus et aéré : mélange prêt à l'emploi, allégé de tourbe.

Multiplication. Tête de tige ou bouture à un œil. Faire enraciner à 25 °C, dans un mélange de 4 parts de tourbe pour 1 part de sable. Placer sous châssis. Période favorable : de novembre à avril.

Maladies. Cochenilles à bouclier, cochenilles farineuses, thrips, acariens et anguillules. Trop de soleil ou une température trop basse occasionnent la chute des feuilles.

Aphelándra aurantíaca

Feuilles vert sombre, fleurs jaune orangé. La var. *rœzlii* est plus compacte et a des nervures gris argent.

Aphelándra blanchetiána

Syn. *Aphelándra amœna*. Feuille verte, nervure centrale et, en partie, nervures latérales blanches. Pétioles rougeâtres à l'articulation. Fleurs jaune foncé, bractées rouges.

Aphelándra chamissoniána

Syn. *Aphelándra punctáta*. Nervure médiane et nervures latérales entourées d'une bande argentée. Bractées jaunes, épineuses, à pointe verte.

Aphelándra fascinátor

Feuilles vert olive, nervures soulignées de blanc, revers violet. Remarquable inflorescence rouge.

Aphelándra liboniána

Bractées orange. Petites corolles jaunes. Feuillage panaché.

Aphelándra nítens

Feuilles couleur bronze, comme laquées. Bractées vertes et corolles rouges.

Aphelándra squarrósa

Inflorescence jaune. Feuilles de 30 cm, vert foncé, avec des nervures blanches. Sont mieux connues, les variétés *Leopoldii,* aux pétioles rouges, et *Louisæ :* toutes deux ont un feuillage aux nervures très décoratives. Les races les plus répandues sont 'Donia', 'Superdonia', 'Fritz Prinsler' et 'Uniflora Beauty'.

Aporocáctus flagellifórmis aux tiges retombantes.

Aporocáctus
Cactáceæ

Nom. Du grec *aporos,* confus.

Origine. Les 6 espèces connues viennent du Mexique où elles croissent jusqu'à haute altitude.

Description. Ces cactus sont peu exigeants et on peut les recommander aux débutants. Ce sont des cactus ramifiés, en cierges minces, pendants. On les utilise en suspension ou en petit arbuste greffé sur tige. Riche floraison rose ou rouge. Aiguillons très fins.

Exposition. Les petits sujets peuvent se poser sur une tablette de fenêtre, au soleil. Les grands sujets seront suspendus dans des paniers d'où ils pourront cascader à l'aise. On leur évitera, autant que possible, le plein soleil de midi. L'été, on peut les sortir au jardin. L'hiver, on les placera dans un endroit clair et frais.

Soins. Pendant la période de repos, température minimale : 5 °C. Ne jamais tourner le pot quand la plante est en boutons ou en fleurs : on provoquerait la chute des boutons.

Arrosage. Arroser copieusement en été. Maintenir au sec en hiver. Pulvérisations par temps chaud et sec. Tenir surtout humide quand les fleurs sont en bouton ou épanouies.

Fertilisation. Engrais riche en calcium, en concentration normale, une fois tous les 15 jours.

Rempotage. Mélange spécial pour cactus ou terreau de feuilles additionné de terre argileuse.

Multiplication. Semis ou bouturage.

Maladies. Cochenille farineuse, puceron des racines, araignée rouge.

Aporocáctus flagellifórmis

Syn. *Céreus flagellifórmis*. Fleurit au printemps. Fleurs roses, de 10 cm. Tiennent à peu près 4 jours. Les tiges font 12 mm de diamètre, elles sont vertes et couvertes d'aiguillons.

Aporocáctus flagrifórmis

Syn. *Céreus flagrifórmis*. Tiges et aiguillons plus forts. Boutons floraux orangés et longues fleurs (9 cm) écarlates, bordées de violet. Moins connu que le précédent.

Árachis
Leguminósæ

Nom. Ce nom désignait en grec une légumineuse différente de l'arachide.

Árachis hypogæa : c'est l'arachide.

Origine. Les 12 espèces connues viennent des régions tropicales d'Amérique du Sud et notamment du Brésil. Actuellement, on cultive *Árachis hypogæa*, l'arachide, dans de nombreux pays : Chine, Inde, Afrique tropicale, sud des U.S.A. et même en Europe : Italie, Espagne.

Description. Plantes herbacées, annuelles, tropicales, couchées près du sol. Feuilles vertes, composées. La mode est actuellement aux petits plants que l'on vend en pots de plastique aux couleurs criardes. Si on achète les cacahuètes fraîches, donc non décortiquées, on pourra obtenir des plants aussi valables, à moindre prix.

Exposition. Sur la tablette de fenêtre ou bien dans la serre, à une situation ensoleillée, aérée, modérément chaude.

Arrosage. Très sensible à l'humidité. Arroser modérément et surveiller la température. Degré d'hygrométrie modérément élevé : entre 50 et 60 %.

Multiplication. Au printemps, on sèmera trois graines par godet. Faire germer à 20 °C. Au bout de quelque trois mois, on aura des petites plantes épanouies.

Maladies. Facilement la proie de l'aleurode des serres. Surveiller l'envers des feuilles.

Árachis hypogæa

Arachide. Fait entre 25 et 45 cm de haut. Feuille composée de deux paires de folioles ovales. Les petites fleurs jaunâtres et très éphémères apparaissent au-dessus de la surface du sol. La hampe florale s'allonge après la fécondation, s'infléchit et se repique d'elle-même à quelques centimètres sous terre, où les fruits mûriront.

Araucária heterophýlla supporte d'être exposé en plein air.

Araucária
Araucariáceæ

araucaria

Nom. Doit son nom à une province méridionale du Chili, *Arauco,* ou au nom d'une tribu indienne de ce pays.

Origine. L'espèce la mieux connue, *Araucária heterophýlla*, vient de Norfolk et d'autres îles situées entre la côte orientale de l'Australie et la Nouvelle-Calédonie. On trouve aussi ces arbres majestueux dans les forêts du sud du Brésil et sur les pentes montagneuses du Chili.

Description. Ces conifères atteignent 60 m de haut dans leur pays d'origine. Leurs feuilles sont toujours disposées en spirale autour des branches.

Exposition. L'*Araucária,* planté en solitaire, s'adapte à la décoration de toutes sortes de locaux. Le placer, de préférence, isolé des autres plantes, dans un coin tranquille où il ne souffrira pas du passage. Il n'aime pas les expositions ensoleillées, mais il affectionne les endroits frais, bien aérés. L'été, on peut le sortir au jardin, à l'ombre des arbres. Le rentrer en octobre et le laisser hiverner dans un local assez clair, à l'abri du gel. Placé en permanence dans une serre froide, il prospérera si bien qu'il ne tardera pas à manquer de place.

Soins. Le passage de l'hivernage à la période de végétation, et vice-versa, doit se faire progressivement. Cette plante n'aime pas les contrastes. À partir d'octobre, il faut la maintenir à une température de 5 à 10 °C.

Arrosage. La bonne santé de l'*Araucária* dépend en grande partie de la régularité des arrosages. Si on laisse sécher la terre, on provoquera

le dessèchement des ramifications basses. Un arrosage trop copieux et une ambiance trop sèche, en période de repos, entraîneront les mêmes conséquences. L'*Araucária* est devenu beaucoup plus rare dans nos appartements depuis l'avènement du chauffage central. De plus en plus de gens s'équipent, fort heureusement, d'un humidificateur qui rend l'atmosphère plus vivable pour beaucoup de plantes. N'arroser qu'à l'eau tiède adoucie.
Fertilisation. Administrer, tous les quinze jours, un engrais liquide, pauvre en calcium, en respectant la dose prescrite par le fabricant.
Rempotage. Éviter de planter l'*Araucária* trop profondément. Les racines supérieures doivent se trouver juste sous la surface de la terre, sinon la plante souffre. Prendre un mélange de terreau de feuilles et terre de bruyère additionné de terreau de gazon et de sable grossier. Rempoter tous les deux à trois ans, pas plus souvent, pour freiner la croissance de la plante.
Multiplication. Boutures d'extrémités de rameaux, exclusivement. C'est un travail de professionnel et peu d'amateurs y réussissent.
Maladies. Cochenille farineuse. Rarement, le thrips. La mort ou le flétrissement de quelques branches, en hiver, sont la conséquence d'une température trop élevée, conjuguée avec un manque de lumière.

Araucária heterophýlla

Syn. *Araucária excélsa*. À l'état naturel, cet arbre imposant atteint facilement 40 m de haut. En appartement, c'est un arbrisseau aux branches disposées en couronnes régulières. Les feuilles ou aiguilles, vert clair, longues de 1,5 cm, sont tordues, pointues. La variété 'Glauca' a un feuillage glauque. 'Gracilis' a un port plus compact que l'espèce.

Ardísia
Myrsináceæ

Nom. Du grec *ardis,* pointe de flèche.
Origine. Il en existe autour de 250 espèces, originaires des régions tropicales de l'Asie du Sud et de l'Est. Elles croissent toutes dans des forêts profondes et des bois, dans les montagnes.
Description. Petits arbustes ou arbrisseaux buissonnants aux feuilles persistantes, étalées. Inflorescences terminales ou axillaires, unisexuées ou dioïques. Corolle généralement pentagonale ; cinq étamines. Les fruits sont des baies arrondies, renfermant une seule graine de couleur blanche, rouge, bleue ou noire.
Exposition. Emplacement clair et ensoleillé dans une pièce modérément chauffée. Tamiser la lumière du soleil en été. Aérer fréquemment pendant la floraison.
Soins. La température hivernale optimale se situe entre 12 et 16 °C. Une température plus élevée provoque la chute des fruits et une ambiance sèche les fait se ratatiner. Pendant la floraison, on prêtera main forte à la nature en pollinisant le stigmate à l'aide d'un petit pinceau. Laver régulièrement les feuilles. On trouvera assez fréquemment de petites aspérités sur le bord des feuilles. Elles renferment des bactéries. Il ne faut pas y

toucher ; les enlever nuirait au développement de la plante.
Arrosage. Maintenir la motte humide en été. En appartement chauffé, il faudra pratiquer des pulvérisations toute l'année, excepté au moment de la floraison, car on contrarierait alors la pollinisation et la fructification. Arroser et pratiquer des pulvérisations à l'eau tiède. Mouiller modérément en hiver.
Fertilisation. Fertiliser tous les quinze jours en période de végétation et de floraison : respecter le dosage recommandé par le fabricant.
Multiplication. Bouturage ou semis sur chaleur de fond. Les baies parviennent en général à maturité vers la fin décembre. Extraire les graines, les faire sécher et semer sur un support de tourbe et de sable, qui peut aussi servir au bouturage.

Maladies. Cochenille à bouclier, cochenille farineuse.

Ardísia crenáta

Syn. *Ardísia críspa.* Atteint 1 m en Asie du Sud et au Japon. Rameaux divergents. Feuilles de 10 cm, vert foncé, brillantes, coriaces, ayant de légers renflements sur les bords et le revers, les excroissances sont le refuge de bactéries, *Bacillus foliicola.* Les fleurs pendent en panicules terminales, blanches, parfois rosées, odorantes. Les magnifiques fruits rouges sont de longue durée. 'Albo-marginata' est panaché.

Aradísia malouiána

Syn. *Labísia malouiána.* Feuilles de 25 cm, lancéolées, pointues, vert

foncé velouté, nervure médiane bordée de blanc. Revers rouge. Fleurs rose pâle, fruits rouges.

Arequípa
Cactáceæ

Nom. Doit son nom à celui d'une ville dans le sud du Pérou : *Arequipa*.
Origine. On trouve 10 espèces différentes au Pérou et dans le nord du Chili.
Description. Cactus sphériques dans leur jeune âge, parfois bourgeonnants, devenant cylindriques et décombants avec le temps. Le sommet des plantes est souvent oblique et leur corps très épineux. Les fleurs sont zygomorphes, ce qui signifie qu'elles sont symétriques par rapport à un axe médian. Le tube de la fleur est généralement penché et extérieurement velu.
Exposition. Ces cactus se plaisent surtout en serre froide, où ils reçoivent beaucoup de lumière en été et jouissent d'une température fraîche en hiver. Le thermomètre peut descendre jusqu'à 5 °C sans causer le moindre dégât, bien au contraire : la

Arequípa paucicostáta

plante ne s'en portera que mieux et sa mise à fleurs sera favorisée.
Soins. Ces plantes apprécient la chaleur en été. Elles supportent le plein soleil sauf, peut être, au tout début du printemps, où elles doivent s'habituer à la lumière. On peut ventiler de temps à autre et on peut même placer ces cactus dans un coffre froid. Peu importe si les nuits sont froides, pourvu que la température monte en cours de journée.
Arrosage. Arroser très modérément en été, si possible à l'eau de pluie ou déminéralisée. L'hiver, lorsqu'il fait froid, on peut supprimer totalement l'arrosage.
Fertilisation. Pendant la période de végétation, on fertilise toutes les 3 semaines avec un engrais pour cactus, pauvre en azote.
Rempotage. Le mélange traditionnel pour cactus, composé de 50 % de mélange prêt à l'emploi et de 50 % de perlite, convient très bien. Les plantes ayant un certain âge sont rempotées tous les 2 ou 3 ans, au printemps, dans des pots en plastique.
Multiplication. Les espèces bourgeonnantes se propagent au moyen de boutures. On les plante directement en terre (après les avoir laissé sécher) ou on les greffe sur un porte-greffe (sans les avoir fait sécher). On

Cet *Ardísia crenáta* porte de nouveaux fruits alors qu'il en subsiste encore de l'année précédente.

peut aussi recourir au semis. On trouve d'excellentes graines d'importation. On sème sous verre, en février-mars. Chaleur de fond : 20-25 °C. La germination peut parfois être très lente à venir.

Maladies. Cochenille farineuse, puceron des racines : tels sont les principaux ravageurs. Une humidité trop prononcée cause la pourriture des racines en hiver.

Arequípa rettígii

○ ◔ ◔ ◑ ◎

Jeune cactus sphérique, devenant colonnaire, ayant au maximum 20 côtes. Vert cendré, entièrement couvert de piquants implantés dans des aréoles épaisses, jaune clair et velues. Les épines les plus longues font jusqu'à 5 cm. Fleurs rouge vermillon ou rouge carmin, longues de 7,5 cm. Pistil rouge clair, stigmate jaune.

Arequípa paucicostáta

Espèce à côtes moins nombreuses.

Arisǽma

Aráceæ

Nom. Du grec *aris*, de *aron*, arum, et *sêma*, signe, caractère distinctif.
Origine. Les 150 espèces ont leur patrie d'origine dans le sud-ouest de l'Asie, en Amérique du Nord et du Sud.
Description. Plantes herbacées, aux feuilles persistantes et à rhizome tubéreux épais. Les Américains appellent les espèces indigènes 'Jack-in-the-pulpit'. Le spadice figure Jack et la spathe, très semblable à une feuille, une chaire à prêcher surmontée d'un dais, telle qu'on peut en voir dans les vieilles églises. Les Indiens récoltaient les racines pour les consommer. Crues, elles ont un goût piquant désagréable. Pour éliminer les oxalates qu'elles renferment, les Indiens les faisaient bouillir, les pelaient, les séchaient, les réduisaient en farine qu'ils chauffaient et laissaient sécher des jours entiers à l'air libre.
Exposition. Une situation à mi-ombre, à l'abri des courants d'air, dans un endroit tempéré leur siéra à merveille.
Soins. Empoter en octobre et enterrer les pots. Les déterrer au printemps et les rentrer dans la maison.
Arrosage. Conserver la motte modérément humide. La terre retiendra mieux l'eau si on l'amende avec de la tourbe et du terreau de feuilles. Humidité ambiante modérée. Là où il y a

Arisǽma candidíssimum : la fleur.

le chauffage central, il faudra pulvériser une fois par jour.
Fertilisation. Pendant la période de végétation, on fera un apport d'engrais soluble, une fois tous les dix jours, en suivant les indications préconisées sur l'emballage.
Rempotage. En octobre, planter les rhizomes dans un mélange prêt à l'emploi allégé de tourbe et de terreau de feuilles.
Multiplication. En mars-avril, au moment de la reprise de la végétation, séparer les rejets de la plante et les empoter avec précaution.

Arisǽma candidíssimum

◑ ◔ ◔ ◑ ◎

La seule espèce cultivée chez nous. Grandes feuilles larges, vert foncé. L'inflorescence, qui fait 7,5 cm, se montre en juin. La photo donne une idée de sa délicate coloration blanche, rose et verte.

Aspáragus

Liliáceæ

Nom. Le mot grec *asparagos* désignait l'asperge comestible *(Aspáragus officinális).*
Origine. 300 espèces connues, originaires de différentes régions : Afrique orientale et occidentale, Afrique du Sud (le Cap, le Natal), Madagascar, Srī Lanka.
Description. Jolies plantes buissonnantes, grimpantes ou retombantes, dont certaines espèces peuvent être rustiques. Elles ont des racines épaisses ou tubéreuses. Leurs tiges sont plus ou moins ligneuses et souvent très ramifiées. Les feuilles, très caractéristiques, sont réduites à l'état d'écailles membraneuses, épineuses à la base. Les fausses feuilles ou phyllodes ont la forme d'aiguilles ou de feuilles étroites. Elles sont implantées isolément ou en bouquet, parfois en couronne autour de la tige. Les *Aspáragus* fleurissent généralement au début de l'été. Petites grappes axillaires de fleurs blanches, parfois suivies de baies.
Exposition. Les *Asparagus* se plaisent à la mi-ombre. La race *densiflórus* 'Sprengeri' supporte l'ombre. L'été, ils apprécient la fraîcheur. Quelques espèces sont intéressantes pour les corbeilles suspendues. Ce sont : *Aspáragus asparagoídes, A. crispus, A. densiflórus* et *A. scándens* var. *defléxus. Aspáragus falcátus* est une espèce vigoureuse qui peut atteindre plus d'1 mètre et se prête mal à la garniture des fenêtres. Ses fortes épines pourraient abîmer les voilages et les rideaux. Il ne faut pas se laisser décourager par les exigences de ces plantes, elles sont très robustes et ont une très grande valeur ornementale.
Soins. Les *Asparagus* se trouvent bien si on leur accorde une période de repos, à 8 ou 10 °C, en hiver, mais ils peuvent aussi s'en passer. Des pulvérisations régulières empêcheront la chute des feuilles.
Aspáragus setáceus réclame, l'hiver, une température de 12 à 15 °C.
Arrosage. L'été, le fin feuillage dense de l'*Aspáragus* a tendance à beaucoup transpirer. Il faut donc arroser généreusement. L'idéal est de lui accorder un repos hivernal pendant lequel on réduit les arrosages. L'*Aspáragus densiflórus* peut toutefois passer l'hiver dans une pièce chauffée,

Aspáragus densiflórus 'Meyeri'. Les fleurs à l'avant-plan sont celles d'un bégonia.

Aspáragus asparagoídes, anciennement *Medéola*.

Aspáragus densiflórus 'Sprengeri'.

pourvu que sa motte reste humide en permanence et que son feuillage soit régulièrement bassiné. Presque toutes les espèces ont des racines renflées qui emmagasinent l'humidité. Un arrosage oublié n'entraînera donc pas de conséquences désastreuses. Lorsqu'on laisse la motte se dessécher, la terre a une forte tendance à se rétracter. Au moment de l'arrosage, l'eau s'écoulera entre la paroi du pot et la terre sans imprégner la motte. À ce stade, il ne reste plus qu'à baigner longuement la plante, jusqu'à ce que la motte ait repris son volume initial.
Fertilisation. De mai à septembre, on fertilisera une fois par semaine les plantes qui sont bien enracinées. On se conformera au dosage préconisé sur l'emballage. Si la plante passe l'hiver dans un local chauffé, on continuera à lui administrer de l'engrais tous les quinze jours, mais on réduira la concentration de moitié. Si on utilise une cuiller à thé par litre d'eau en juillet, on n'utilisera plus qu'une demi-cuiller par litre en janvier.
Rempotage. Les jeunes sujets sont rempotés tous les ans, en avril ; les sujets plus âgés ne se rempotent que tous les deux ans. Quand les racines ont pris possession de toute la motte,

il arrive qu'elles exercent une telle pression qu'elles font éclater le pot. Au moment du rempotage, on pourra réduire un peu la motte. Veiller à déposer un bon lit de tessons au fond du pot pour empêcher les racines d'obstruer l'orifice de drainage. On peut se servir d'un mélange terreux prêt à l'emploi ou le préparer soi-même avec des parties égales de terreau de feuilles, de terre argileuse émiettée finement et de fumier bovin bien décomposé. *Aspáragus setáceus* aime un support très aéré : on ajoutera pour lui du terreau de feuilles et de la tourbe. *Aspáragus densiflórus* préfère une terre plus consistante : on mêlera un peu plus d'argile à la préparation.
Si au moment du rempotage la plante montre beaucoup de phyllodes jaunis, on en profitera pour la tailler un peu. Couper les rameaux malades à la base, la plante émettra très vite de nouvelles pousses.
Multiplication. Diviser les plantes en mars ou avril et repiquer les morceaux. Le mois d'avril est aussi un excellent moment pour semer. Lorsque les conditions sont favorables, *Aspáragus densiflórus* 'Sprengeri' fructifie parfois en appartement. La pulpe rouge des fruits contient des graines noires qui peuvent être semées à 16 °C.

Aspáragus setáceus (ou A. plumósus) : ses feuilles allègent les bouquets de fleurs coupées.

et vertes, portant des phyllodes de 2 cm, plans, vert clair, filiformes, recourbés. La var. *defléxus* a des tiges infléchies, croissant en zigzag.

Aspáragus setáceus
Syn. *Aspáragus plumósus*. Cette espèce ne devient grimpante qu'au stade adulte. Les ramifications terminales sont horizontales ou à peine infléchies, de même que les longs phyllodes (6 mm), vert clair, extrêmement grêles et filiformes. Son aspect se rapproche de celui de certaines fougères. Les fleurs sont blanches, les baies pourprées. La variété 'Nanus' présente les mêmes caractères sous forme naine. 'Cristatus' a le port du cyprès.

Aspidístra

Liliáceæ

Nom. Du grec *aspis*, bouclier et *astron*, étoile.
Origine. Les 8 espèces connues proviennent toutes d'Asie et, plus particulièrement, des régions orientales de l'Himàlaya, de Chine, du Japon et de Taïwan.

Aspidístra elátior 'Variegata'.

Description. Plantes herbacées, à feuillage persistant, acaules. Les feuilles naissent directement des racines. Elles ont été importées de Chine en Europe vers 1800 et appartiennent aux plus anciennes de nos plantes d'appartement. Elles figurent aussi au nombre des plus précieuses, car elles s'accommodent facilement de l'ombre et des variations de température.
Exposition. L'*Aspidístra* poussera aussi bien à la mi-ombre qu'au milieu d'une pièce, là où le soleil ne pénètre que rarement. Les espèces panachées réclament davantage de lumière. C'est une des très rares plantes à résister aux courants d'air.
Comme le montre la photographie ci-dessous, cette plante se prête au décor de pièces autres que la salle de séjour. On peut la mettre, sans crainte, dans la salle de bains, la cuisine, la chambre à coucher, pourvu que l'on respecte quelques règles de soins et d'arrosage.
Soins. La température hivernale optimale se situe entre 7 et 10 °C. Lorsque la plante est l'objet de soins irréguliers, ses feuilles les plus vieilles se fendent. Ceci dit, elle supporte tout, sauf un emplacement ensoleillé et des arrosages trop copieux.
Arrosage. Mouiller modérément. L'excès d'eau cause la pourriture des racines. Les feuilles ont une grande surface, mais elles sont assez coriaces et transpirent relativement peu, ce qui permet à la plante de supporter une ambiance sèche. On éliminera la

Aspáragus densiflórus 'Sprengeri'.

Aspáragus densiflórus 'Myriocladus'.

Aspáragus falcátus a une végétation généreuse.

Maladies. Pucerons, cochenilles à bouclier, thrips, araignées rouges et blancs mille-pieds. Les plantes saines, cultivées correctement, sont en général indemnes de maladies. Si la plante venait à être contaminée, il faut aussitôt prendre des mesures radicales, couper à ras du sol tous les rameaux atteints et les détruire.

Aspáragus asparagoídes

Syn. *Aspáragus medeoloídes*. Jolie plante volubile. Longues tiges ramifiées, de 2 m. Une des rares espèces à avoir des feuilles cordiformes, de 3 cm, assez minces et coriaces, vert luisant, solitaires. Les fleurettes blanc verdâtre dégagent un parfum d'orange. Les baies sont violettes. Cette plante, que l'on désignait autrefois du nom de *Medéola asparagoídes*, servait à tresser des couronnes de mariées et était très appréciée pour la décoration des tables, car elle conserve sa fraîcheur la journée entière.

Aspáragus críspus

Syn. *Aspáragus decúmbens*. Comme l'espèce précédente, elle a des racines tubéreuses. Rameaux tourmentés. Les phyllodes sont groupés par deux ou trois et incurvés en forme de faucille. Les fleurs, solitaires, blan-

ches et odorantes, sont longuement pédonculées. Les fruits sont blancs ou roses.

Aspáragus densiflórus

Cette espèce a fourni plusieurs races dont 'Sprengeri', dite autrefois *Aspáragus spréngeri*, est la mieux connue. Résiste particulièrement bien en appartement. Plante semi-ligneuse, aux rameaux souples, d'autant plus retombants que la plante est âgée. Les phyllodes sont toujours groupés par deux. Ils atteignent autour de 3 cm, sont d'un joli vert frais et, très souvent, légèrement recourbés. Les tiges rameuses portent en général des petites épines crochues. Aux fleurs rose pâle, délicieusement parfumées, succèdent des baies rouges qui contiennent des graines noires, propres au semis. 'Meyeri' est une variété érigée, plus compacte et d'une croissance plus lente. 'Myriocladus' est une variété au feuillage vert gai ; les phyllodes, en forme d'aiguille, sont groupés par petits bouquets denses.

Aspáragus falcátus

Espèce vigoureuse, dressée, pouvant atteindre 1 m. Les tiges souples portent de fortes épines et des feuilles linéaires ou incurvées en forme de faucille.

Aspáragus scándens

Espèce grimpante, aux tiges rondes

Aspidístra elátior trouve sa place partout dans la maison, tant il est résistant.

poussière des feuilles en douchant la plante ou en lavant les feuilles avec une éponge.

Fertilisation. Au printemps et en été, on arrosera la plante une fois par mois avec une solution d'engrais de concentration normale.

Rempotage. On peut laisser la plante dans le même pot plusieurs années de suite. La rempoter dans un pot de forme cylindrique, un peu plus grand. On ne donnera aucun engrais dans l'année qui suit le rempotage.

Multiplication. On divise les touffes en mars-avril. Secouer précautionneusement la terre autour des racines et diviser la souche en plusieurs morceaux, à l'aide d'un couteau très tranchant. Bien que cette plante soit d'une robustesse à toute épreuve, il faudra veiller à ne pas blesser ses racines.

Maladies. Les plantes peuvent subir des attaques d'araignées rouges ou de cochenilles à bouclier.

Aspidístra elátior
◍ ◍ ◔ ◔ ⊗ ◔ ◔ ▣
Feuilles vert foncé. Longueur 70 cm, largeur 10 cm. Leurs longs pétioles prennent directement naissance sur la souche. Les sujets âgés montrent parfois, l'hiver, des petites fleurs blanchâtres, au cœur légèrement teinté de pourpre, cristées, solitaires, qui s'épanouissent sur la souche, à la surface du sol ou en dessous. 'Variegata' a des feuilles vertes, striées longitudinalement de blanc crème.

Asplénium
Aspleniáceæ

Origine. Disséminé dans toutes les parties du monde. La plupart des espèces se trouvent cependant dans les forêts tropicales d'Asie, d'Afrique et d'Australie.

Description. Parmi les 700 espèces de fougères connues, certaines se cultivent dans le jardin de rocaille,

mais la plupart sont des plantes de serre ou d'appartement. Dans les forêts tropicales, on rencontre des espèces épiphytes qui poussent sur les arbres et recueillent leur nourriture dans l'entonnoir formé par leur rosette. D'autres croissent sur le sol. Les frondes varient du vert clair au vert foncé, elles sont entières, pennées ou finement divisées, souvent coriaces et raides. Les amas de spores (sores) à l'envers des frondes, chevauchent la nervure médiane ou s'agglomèrent d'un seul côté ou de part et d'autre des nervures latérales.

Exposition. C'est une espèce particulièrement destinée à la vitrine tropicale ou autres serres d'appartement chauffées au sol. Ces fougères exigent peu de lumière. Elles ne décevront pas dans une pièce bien chauffée, à condition qu'on y maintienne un degré hygrométrique suffisamment élevé.

Soins. L'*Asplénium* réclame, en hiver, une température modérée ne descendant pas au-dessous de 12 °C. *Asplénium nídus* exige au moins 16 °C en hiver et réclame quelques degrés de plus que les autres espèces en toutes saisons. Si le bord des feuilles se met à jaunir, multiplier les apports d'engrais et les pulvérisations. Le jaunissement peut aussi être causé par une température trop basse. On peut couper la partie abîmée, en prenant soin de ne pas entamer la partie verte des frondes qui risquerait alors de brunir à son tour.

Arrosage. Toutes les espèces exigent d'être arrosées à l'eau de pluie ou à l'eau adoucie.
Pendant la période de végétation, il faut les arroser et les baigner très régulièrement. Le reste du temps, on se contentera de conserver la motte humide. Les frondes doivent être dépoussiérées. Le feuillage ne conservera toute sa beauté que si l'humidité ambiante est élevée. Appliquer le procédé de la soucoupe renversée, bassiner le feuillage quotidiennement et s'équiper d'un humidificateur.

Fertilisation. Fertiliser à l'engrais liquide, une fois tous les quinze jours. Respecter le dosage recommandé sur l'emballage. Une plante fertilisée

régulièrement produira beaucoup de nouvelles frondes.

Rempotage. La plupart des espèces se satisfont d'une terre de rempotage vendue sûrement prête à l'emploi mais apprécieront sûrement davantage la préparation suivante : 1 part de terre argileuse meuble ou finement émiettée, 2 parts de terreau de feuilles de hêtre ou de tourbe, 1 part de sable de rivière lavé ou de perlite. *Asplénium nídus* est une espèce épiphyte qui réclame un support de culture très aéré, composé, par exemple, de tourbe fibreuse, de terreau de feuilles très décomposé et de vieux fumier bovin.
Les pots doivent être bien drainés, comme pour les orchidées. En serre ou en vitrine, *Asplénium nídus* pourra être cultivé sur un arbre porteur d'épiphytes.

Multiplication. Semer les spores en mars, en juillet ou en août. *Asplénium bulbíferum* et *Asplénium daucifólium* portent, sur les frondes les plus âgées, des plantules minuscules qui se prélèvent facilement pour être repiquées. Attendre, pour les détacher, qu'ils aient émis des racines et les empoter dans un mélange sableux, riche en humus.

Maladies. Cochenilles à bouclier, pucerons des racines et limaces. Les blattes s'attaquent parfois aux fougères de serre. On les détecte le soir, en allumant brusquement une lampe de poche : surprises par la lumière, elles s'enfuient en sautant.

Asplénium bulbíferum
◍ ◔ ⊗ ◔ ◔ ▣
Atteint parfois 1 mètre. Les tiges, un peu grisâtres, ont 15 à 30 cm de long. Les frondes ont une longueur qui varie entre 30 et 60 cm, et une largeur de 20 à 30 cm ; elles sont bi ou tripennées, vert foncé et gonflées de sève. De toutes petites plantes apparaissent sur la face supérieure des frondes ; on les recueille pour les repiquer. La var. 'Laxum', au feuillage plus arqué, est la plus cultivée.

Asplénium daucifólium
Syn. *Asplénium vivíparum*. Espèce exotique à cultiver en serre. La photo montre les petites plantules qui naissent sur les frondes les plus anciennes. On voit d'abord se former des bulbilles d'où sortent rapidement de minuscules frondes. Cette espèce a un port plus raide que la précédente. Ses frondes font 60 cm de long sur 20 cm de large et sont portées par des tiges assez courtes, gracieusement arquées. Plante peu répandue, qui se prête pourtant très bien à la culture en appartement.

Asplénium dimórphum
Dépasse la taille d'*Asplénium bulbíferum* : les frondes sont parfois longues de plus d'1 mètre et larges de 50 cm. Elles sont vert foncé, tripennées et d'une grande élégance. Les segments des frondes stériles font 4 cm sur 2, ils sont de forme rhomboïdale oblique, arrondis aux angles et doublement et irrégulièrement dentés. Les segments des frondes fertiles sont linéaires et portent chacun un sore le long du bord supérieur. Cette distinction très nette entre frondes stériles et frondes fertiles est inexistante chez les espèces tropicales.

Asplénium nídus
Fougère nid d'oiseau. Espèce épiphyte, à la souche courte, verticale. Recueille l'humus dans l'entonnoir formé par sa rosette. Diffère des autres fougères par ses frondes entières : longueur : 100 cm, largeur : 20 cm, mais nettement plus petites en

Asplénium daucifólium produit de minuscules plantules sur ses frondes.

Détail des plantules.

Asplénium nídus

culture. Elles sont d'un merveilleux vert frais et luisant. Le fond de l'entonnoir présente un amas de fibres sombres qui peut évoquer un nid d'oiseau. Nervure médiane saillante et sombre sur presque toute la longueur, au revers de la fronde. Les frondes les plus âgées portent à la face inférieure des sores disposés le long des nervures latérales. Les spores germent difficilement. La var. *Australásicum* a des frondes plus étroites et une nervure médiane noire.

Asplénium nídus supporte mal l'atmosphère sèche de l'appartement.

Astrophýtum myriostígma : un magnifique cactus en forme de mitre d'évêque.

Astróphytum
Cactáceæ

Nom. Du grec *astron,* étoile, et *phyton,* plante. Lorsqu'on regarde ce cactus par-dessus, on comprend l'allusion à l'étoile.
Origine. Les quatre espèces connues nous viennent du Mexique.
Description. Cactus à côtes, sphériques à cylindriques, avec ou sans piquants, souvent garnis de petites touffes de poils. Fleurs tubuleuses, jaunes à gorge rouge, gainées d'écailles. Fleurissent généralement l'été. On les voit souvent solitaires, car seuls les sujets très âgés émettent parfois des rejets.
Exposition. Les espèces laineuses et épineuses demandent une situation claire et chaude : il faut cependant éviter leur les rayons directs du soleil de midi. Les espèces vertes et dépourvues d'aiguillons se mettent à la mi-ombre. Hiverner dans un endroit clair, frais et sec, dans une serre froide, par exemple : c'est la seule façon d'obtenir une belle floraison.
Soins. L'été, on donnera à ces cactus une situation chaude. Température nocturne : entre 16 et 20 °C. Hivernage dans un local clair et frais : température de 5 à 10 °C.
Arrosage. Arroser avec parcimonie de début mars jusqu'à fin octobre et seulement quand la motte est sèche. Cesser pratiquement tout arrosage pendant l'hiver. Maintenir une atmosphère sèche. Le froid et l'humidité provoquent de vilaines taches jaunes et brunes et entraînent le pourrissement des plantes. *Astróphytum astérias* est particulièrement sensible sur ce point. Donc : degré d'hygrométrie peu élevé. Exceptionnellement, par temps de canicule, les sujets élevés en serre pourront profiter de pulvérisations.
Fertilisation. À peine nécessaire. Administrer, si l'on veut, un peu d'engrais spécial pour cactus toutes les 3 à 4 semaines, de mai en août. Respecter le dosage indiqué par le fabricant.

Astrophýtum astérias ressemble à un oursin.

Astrophýtum ornátum

Rempotage. Rempoter tous les ans dans un mélange spécial pour cactées prêt à l'emploi, ou faire un mélange soi-même : 2 parts de terre argileuse, 1 part de terreau de feuilles, 1 part de sable grossier. On ajoute un peu de poudre d'os et de gravier. La terre doit contenir plus de minéraux que d'humus. Les sujets de grande taille n'ont pas besoin d'être rempotés chaque année, surtout s'ils sont arrosés à l'eau douce.
Multiplication. Les *Astróphytum* ne produisant que très rarement des rejets, on les propage surtout par semis. Les graines, brun foncé, assez grandes, sont semées au printemps, avec chaleur de fond. Elles germent au bout de quelques jours mais sont très sensibles à la fonte des semis. On obtient un développement accéléré en les greffant assez rapidement sur

Pereskiópsis. Au bout de quelques années, on peut les séparer du porte-greffe et les cultiver sur leurs propres racines. *Astróphytum astérias* ne donne jamais de rejets. Sur d'autres espèces, on peut prélever des boutures et les repiquer dans du sable. Elles mettent environ trois mois à s'enraciner : à ce moment, on peut les rempoter.
Maladies. Pucerons des racines. Les plantes âgées se lignifient à la base : c'est un phénomène qui se produit aussi chez les espèces sauvages ; on le prévient en couvrant la surface du sol d'une fine couche de gravier.

Astróphytum astérias
Cactus ressemblant à un oursin. Tige de 4 cm, divisée en 8 côtes symétriques. Chaque côte, plane, est marquée par un sillon le long duquel se trouvent des aréoles assez espacées les unes des autres et portant des petits amas laineux blancs. Fleurs jaunes en forme de pâquerette. Végétation lente. Souvent cultivé sur porte-greffe.

Astróphytum capricórne
Tige globuleuse, devenant cylindrique avec l'âge. Ce cactus, aux aiguillons tordus, peut atteindre 25 cm de haut. 8 côtes saillantes, ponctuées d'un nombre indéterminé de touffettes blanches, laineuses. Les aréoles portent des piquants de 7 cm, brun noir, recourbés en forme de corne de bélier. Fleurs jaune brillant, intérieur rouge profond.

Astróphytum myriostígma
Ressemble à une mitre d'évêque. Hauteur : jusqu'à 15 cm. Cactus sphérique à cylindrique ayant, le plus souvent, 5 à 6 côtes. Il doit son nom aux innombrables points blancs, laineux qui le parsèment. Il fleurit facilement : fleurs soyeuses, jaune clair. Il existe une variété à 4 côtes, *quadricostátum.* La forme *nuda* est vert uni, sans points blancs. On connaît une grande quantité d'hybrides nés du croisement des espèces naturelles et des variétés.

Astróphytum ornátum
Sphérique devenant cylindrique, 8 côtes. Vert, strié de points blancs étalés en éventail. Longs aiguillons (5 cm) jaunes, puis bruns. Grandes fleurs jaunes. Il en existe aussi plusieurs variétés : *glabréscens,* sans taches ; *mirbéllii,* aux épines jaune d'or, est certainement l'une des plus belles formes.

Aucúba
Cornáceæ
aucuba

Nom. En japonais, cette plante porte le nom de *aokiba.*
Origine. On en connaît 3 espèces, originaires d'Asie orientale et de l'Hímàlaya.
Description. Arbustes au feuillage persistant. Feuilles opposées, pétiolées, à bord entier ou légèrement denté, parfois panachées de taches plus ou moins grandes. Plantes dioïques. Fleurs rougeâtres insignifiantes, parfois suivies de baies ressemblant à des cerises. Les *Aucúba* conviennent à la décoration des serres froides, jardins et appartements. Leur emploi si fréquent s'explique par leur robustesse, leur capacité d'adaptation et le peu de lumière qu'ils réclament pour prospérer. La valeur décorative de leurs feuilles et de leurs fruits ajoute encore à leur attrait.

Exposition. On choisira pour l'*Aucúba* un endroit frais de l'habitation. L'été, il se plaira dans la salle de séjour, mais l'hiver, la chaleur et l'air sec lui seront intolérables. On le déplacera dans un corridor frais, une chambre non chauffée, une pièce sous les combles ou un garage. Il se cultive aussi comme plante d'orangerie et se sort, l'été, sur la terrasse ou dans un endroit à mi-ombre au jardin. L'hiver, on le fait hiverner dans un local aéré et frais de la maison ou dans la serre froide.
Soins. Plante très facile à cultiver. Elle ne redoute que l'excès de chaleur. Les variétés d'appartement doivent hiverner à l'abri du gel. Les espèces panachées réclament un peu plus de lumière que les autres.
Arrosage. En été, on conservera la motte légèrement humide. Arroser très peu en hiver. L'abondance et la fréquence des arrosages dépendront de la température. Si l'air ambiant est assez chaud, on bassinera le feuillage de temps à autre au cours de l'hiver. La plante a des feuilles raides et coriaces qui transpirent peu, c'est pourquoi elle réclame si peu d'eau.
Fertilisation. Pendant la période de végétation, d'avril en août, on apportera un engrais liquide dilué, en concentration normale.
Rempotage. Au printemps, dans un mélange terreux nutritif, riche en humus. Profiter du rempotage pour tailler les rameaux abîmés.
Multiplication. Semis ou boutures. Prélever les boutures en février ou en août ; choisir des rameaux à moitié lignifiés. À 20 °C la bouture s'enracinera très rapidement, mais 15° peuvent suffire.
Maladies. Attaque de cochenilles à bouclier possible si la température hivernale est trop élevée.

Aucúba japónica
Arbuste de 2 m à l'état naturel, plus petit en culture d'appartement. Feuille ovoïde à lancéolée, vert foncé, coriace, grossièrement dentée. Longueur : 20 cm. Fleurs rougeâtres insignifiantes ; fruits rouges. Les variétés panachées prédominent en culture d'appartement. 'Crotonifolia' a des feuilles pointillées de jaune ; 'Limbata' a des grandes feuilles liserées de jaune ; 'Picturata' a des feuilles vertes avec une tache jaune au centre et des petits points tout autour ; 'Variegata' a des feuilles parsemées de nombreuses taches jaunes.

Aucúba japónica

Beaucárnea

Liliáceæ

Nom. Plante souvent désignée sous le nom de *Nolína*. La distinction entre les deux genres n'est pas claire et ils sont fréquemment confondus.

Origine. On trouve 20 espèces différentes au Texas, en Californie et au Mexique.

Description. Plante à tige renflée, tubéreuse à la base, et à feuilles étroites, disposées en rosette. Sa forme générale fait penser au *Yúcca*, qui est beaucoup mieux connu.

Exposition. Plantes d'orangerie. Tout comme les *Yúcca,* elles aiment passer l'été dehors et l'hiver dans un endroit frais, à l'abri des gelées.

Soins. Dès la fin de mai, on donnera au *Beaucárnea* un emplacement ensoleillé et bien abrité, à l'extérieur. À l'intérieur, on le placera près d'une fenêtre ensoleillée. En octobre, il sera mis en hivernage dans un local très frais, température minimum : 5 °C, afin de freiner sa croissance. Une entrée ou une cage d'escalier non chauffées pourront aussi lui convenir, pourvu qu'il y fasse clair. À l'état spontané, ces plantes peuvent atteindre plusieurs mètres de haut. À Los Angeles, par exemple, ce sont des arbres d'avenue.

Arrosage. Arroser très modérément en été et laisser sécher presque totalement pendant l'hiver.

Fertilisation. En période de végétation, la plante peut être fertilisée une fois toutes les trois semaines.

Rempotage. Mélange, à parties égales, de terre argileuse finement émiettée, de terreau de feuilles de hêtre et de sable grossier. Planter en caisse ou autres bacs munis d'un bon drainage.

Multiplication. Lorsqu'il se forme des ramifications, on peut s'en servir comme boutures. La méthode la plus pratique reste le semis.

Beaucárnea recurváta

○ ◐ ⑪

Syn. *Nolína stricta.* Les feuilles commencent par naître directement d'une épaisse base tubéreuse qui, par la suite, évolue en tige, se ramifie et produit des rosettes de feuilles vertes, infléchies.

Beaucárnea strícta

Syn. *Nolína strícta.* Ressemble beaucoup à l'espèce précédente. Feuilles plus raides, étalées, rugueuses sur les bords.

Un jeune specimen de *Beaucárnea recurváta.*

Begónia limmingheiána, aux tiges souples et pendantes, est l'une des plus belles espèces pour suspensions.

Begónia

Begoniáceæ

bégonia

Nom. Charles Plumier, moine français botaniste, qui, le premier, en 1690, a décrit le bégonia, a donné à ce genre le nom de son protecteur, Michel *Bégon* (1638-1710), qui fut d'abord intendant de Saint-Domingue, puis gouverneur du Canada et se montra un fidèle protecteur des botanistes.

Origine. On en connaît plus de 1 000 espèces, réparties dans les zones tropicales et subtropicales d'Asie, d'Afrique et d'Amérique. Chaque espèce se limite cependant à une région bien déterminée. Elles ne croissent pas seulement dans des contrées chaudes, humides et forestières comme l'Amazonie et l'ouest de l'Afrique tropicale, mais aussi à haute altitude, dans les forêts des Andes et de l'Himálaya où la température est plus basse et l'atmosphère plus sèche. Les racines tubéreuses et rhizomateuses de certaines espèces sont le signe de leur adaptation à un climat plus froid et plus sec. *Begónia mínor* (syn. *Begónia nítida*) fut sans doute la première espèce cultivée en Europe (1777). En 1880, le professeur Balfour, directeur du jardin botanique d'Édimbourg, importa de l'île Socotra un bégonia baptisé *Begónia socotrána* qui avait une particularité importante : il fleurissait l'hiver. C'est de lui que sont issus le bégonia 'Gloire de Lorraine' et tous les hybrides de *Begónia elátior.* On a vu apparaître, au cours des cent dernières années, d'innombrables variétés, importées ou obtenues par croisement. Les expériences dans ce domaine se poursuivent toujours.

Description. Ce genre comprend de très nombreuses espèces, très différentes les unes des autres, dont certaines sont adaptées à la culture au jardin, d'autres à la culture en appartement ou en serre. Aucune n'est rustique. Elles peuvent être annuelles ou vivaces, dressées ou retombantes, herbacées ou semi-ligneuses. Beaucoup ont un feuillage persistant. Elles diffèrent non seulement par la taille, le port, la couleur des fleurs et des feuilles, mais aussi par la forme des feuilles, bien que la plupart se signalent par leurs feuilles asymétriques. Celles-ci rappellent tour à tour la feuille du chêne, du lierre, de l'érable, du palmier, de l'orme, du nénuphar, des fougères, du houx et de bien d'autres végétaux. Toutes les espèces ont en commun leurs fleurs unisexuées. Très souvent, la plante porte à la fois des fleurs mâles et des fleurs femelles. Les fleurs femelles sont reconnaissables à leurs ovaires infères, souvent triangulaires et ailés, remplis d'innombrables ovules minuscules. Leur périanthe est formé de 5, 6 et même parfois 8 pièces libres, tandis que les fleurs mâles n'en ont que deux ou quatre mais possèdent, par contre, de nombreuses étamines. Les couleurs les plus fréquemment rencontrées sont le blanc, le rose, le rouge et le saumon. Les inflorescences, en cymes, naissent à l'aisselle des feuilles. Du point de vue botanique, on peut distinguer trois grands groupes de bégonias : les bégonias à racines fibreuses, les bégonias rhizomateux et les bégonias tubéreux. De nos jours, on les classe aussi suivant leur mode de culture ou leur aspect extérieur : on parle ainsi de bégonias à feuillage, dont l'attrait principal réside dans la forme et la couleur des feuilles ; de bégonias à floraison hivernale, auxquels on rattache aussi des espèces et variétés qui peuvent fleurir à un autre moment de l'année, tels les hybrides de *Begónia elátior* ; de bégonias tubéreux, dont on connaît des variétés à fleurs grandes, petites, simples ou doubles et qui englobent aussi les bégonias retombants ; il y a enfin tous les hybrides de *Begónia semperflórens* et les espèces botaniques.

Exposition. La plupart des bégonias réclament une situation claire, à l'abri des rayons directs du soleil. Le manque de lumière donne des plantes molles, sujettes aux attaques d'oïdium. Les bégonias à feuillage demandent une situation chaude et demi-ombragée ; les bégonias à fleurs ont besoin d'un peu plus de lumière et de beaucoup d'air frais. Les hybrides de *Begónia semperflórens* supportent le soleil. Parmi les espèces décrites ici, seul *Begónia venósa* exige du soleil pour prospérer. Tourner et déplacer le moins possible les potées de bégonias et les tenir en dehors des courants d'air. Lorsqu'on achète une variété à floraison hivernale, il faut l'acclimater

'Aphroditis' : un bégonia tubéreux à suspendre.

Begónia hydrocotylefólia

Begónia híspida var. cucullifera

Bégonia hybride 'Gloire de Lorraine'

Les hybrides de *Begónia semperflórens* s'utilisent beaucoup comme plantes de massif, mais aussi d'appartement. Les maintenir, l'été, à une température ne dépassant pas 20 °C. On les cultive généralement comme plantes annuelles. Les bégonias tubéreux réclament de la fraîcheur en toutes saisons : moins de 20 °C en été et autour de 10 °C en hiver. Pour empêcher que les tubercules ne se dessèchent pendant cette période fraîche et sèche, on humectera de temps à autre la tourbe dans laquelle ils sont enfouis. Si, au moment où on les déterre, on hésite à déterminer le haut et le bas des tubercules (le haut est théoriquement un peu creusé), on les mettra en végétation dans un endroit chaud et humide. On hâtera ainsi leur démarrage. Les bégonias à floraison hivernale réclament pendant leur floraison une température de 18-20 °C. Une température plus élevée abrège leur floraison. Il est difficile de les conserver d'une année à l'autre et généralement on les jette, une fois la floraison passée. On peut cependant faire un essai : après la floraison, on les tient relativement au sec pendant un mois et on les rabat assez sévèrement. Après ce traitement, on les rempote et on stimule leur végétation. Veiller à ce que, l'été, ils ne soient jamais soumis à une température inférieure à 15 °C, sinon ils réagissent comme des plantes de jours longs. Normalement, ce sont des plantes de jours courts, ce qui signifie qu'ils se mettent à fleurs lorsqu'ils bénéficient de moins de 12 heures d'éclairement d'affilée par jour. Il est évident qu'un éclairage ou obscurcissement artificiels peuvent forcer la plante à fleurir en dehors de la saison d'hiver. Les espèces buissonnantes, lorsqu'elles poussent trop en hauteur ou se dégarnissent, peuvent être rabattues au printemps, avant la reprise de la végétation et le rempotage. Elles se ramifieront à la base. On supprimera les tiges de 2 ou 3 ans de *Begónia álbopicta, Begónia corállina, Begónia maculáta.* Chez les espèces à croissance vigoureuse, comme *Begónia metállica,* on éliminera de temps à autre quelques pousses pour garder les plantes en bonne forme.

Arrosage. Pendant la période de végétation, arroser régulièrement à l'eau tiède adoucie (pH 4,5-5). La sécheresse est fatale à la plante. On cultivera les bégonias de préférence dans des pots en plastique, ce qui évite au maximum à la motte de se dessécher. Trop d'humidité entraîne la pourriture des racines. L'humidité de l'air ambiant doit être modérément élevée. Un air trop sec provoque la chute prématurée des fleurs mâles. Les bégonias à feuillage et les espèces botaniques exigent un degré hygrométrique de l'air plus élevé que les bégonias tubéreux et les hybrides de *B. semperflórens.* Ne jamais pratiquer de pulvérisations sur les feuilles et les fleurs, car on augmente ainsi les risques de voir apparaître le botrytis et l'oïdium. La plupart des espèces ont leur période de repos en hiver. Donner très peu d'eau aux espèces rhizomateuses ou à celles qui poussent sur un petit tronc. Les bégonias tubéreux verront leurs arrosages réduits, une fois la période de végétation terminée. On coupe les tiges dès qu'elles commencent à mourir. Les tubercules sont conservés tout l'hiver dans de la tourbe sèche. Les espèces à floraison hivernale sont entreposées dans un endroit frais après la floraison ; on réduit aussi les arrosages pour leur permettre de se reposer.

Fertilisation. Pendant la période de végétation et floraison, on administrera à toutes les espèces une solution d'engrais, pauvre en calcium, une fois par

À l'avant-plan : *Begónia imperiális.*

'Nigramarga' : c'est la forme la mieux connue de *Begónia bowéri.*

peu à peu à l'atmosphère de l'appartement, en la laissant séjourner d'abord quelque temps à une température de 12-15 °C.

Soins. Les bégonias qui traversent une période de repos en hiver se plairont à une chaleur modérée, maintenue autour de 15 °C. L'atmosphère de la salle de séjour est souvent trop chaude pour eux : leurs feuilles se tachent ou se recroquevillent, ils sont la proie des insectes. La température qui leur convient le mieux se situe entre 15 et 18 °C. Ils perdent, en cette saison, une grande partie de leur attrait. Ils cessent de produire de nouvelles feuilles et abandonnent en partie les anciennes. Leur végétation repart au printemps, après le rempotage. S'ils se trouvent en dehors du passage et ne subissent aucun frôlement, ils se regarnissent très rapidement.

semaine. Pour le dosage, se conformer aux indications fournies sur l'emballage.

Rempotage. On les cultive dans un mélange léger, riche en humus. Un mélange prêt à l'emploi, auquel on ajoute une partie égale de tourbe et un peu de sable, sera parfait. On peut, si on le désire, ajouter un peu de vieux fumier bovin. Toujours utiliser des pots plus larges que profonds et aménager un excellent drainage. Le rempotage a généralement lieu une fois par an, en avril. Les jeunes bégonias sont très sensibles aux sels minéraux. On veillera à ce que le mélange de rempotage n'en contienne pas trop.

Multiplication. Les bégonias ont la propriété de former des bourgeons adventifs sur les parties de la plante que l'on prélève : feuille, rameau, tubercule. À partir de là, on obtient de nouvelles plantes. Ceci est particulièrement intéressant pour les variétés obtenues par croisement, qui ne peuvent se reproduire fidèlement à partir de graines. Les bégonias tubéreux peuvent être semés en janvier ou février sur un terreau de semis très léger. Les tubercules peuvent aussi être divisés au printemps, au moment du rempotage. Les morceaux seront saupoudrés de poudre de charbon de bois après avoir un peu séché : ceci pour prévenir la pourriture. On peut également prélever des pousses de 5 à 6 cm sur des tubercules mis en végétation : on les plantera dans du sable. Si l'on désire multiplier un bégonia à feuillage, on prendra, en été, une feuille bien développée avec son pétiole. Sur l'envers de la feuille, on pratique quelques incisions aux endroits où les nervures principales se recoupent. Se servir d'un couteau très bien aiguisé. On plante alors le pétiole dans du terreau de bouturage et on applique la feuille bien à plat sur la terre. Il faut que les parties incisées soient intimement en contact avec la terre. Au besoin, on maintient la feuille en place avec quelques gravillons. Maintenir la température à 20 °C et la terre modérément humide. On voit bientôt se développer des plantules que l'on prélève lorsqu'elles ont 3 feuilles. Les espèces botaniques se propagent par boutures de tiges que l'on peut faire enraciner toute l'année dans de l'eau ou un mélange terreux de bouturage. On peut également les multiplier par boutures de feuilles ou semis. Les hybrides de *B. semperflórens* se sèment dans un mélange de sable grossier et de terreau de feuilles, à la température de 20 °C. Les graines sont d'une extrême finesse : un gramme contient 75 000 graines. Il ne faut pas les recouvrir de terre mais simplement les appuyer sur le sol. Les variétés à fleurs doubles se bouturent. Les hybrides de *B. lorraine* et les bégonias du type Rieger, à floraison hiver-

Begónia corállina

nale, se propagent par boutures de feuilles, les hybrides de *B. elátior* se multiplient par boutures de tête. Les boutures faites de novembre à janvier, dans un mélange de tourbe et de sable, à une température de 20-22 °C, s'enracinent facilement et émettent des pousses au bout de deux mois. Les jours courts aidant, ces pousses se mettent rapidement à fleurs. Leur végétation ne démarre vraiment qu'à partir de fin mars. Il

Begónia x *erythrophýlla*

est possible de prélever des boutures en été sur les hybrides de *B. lorraine*.

Maladies. Anguillules des feuilles et des racines, pucerons, acariens des bégonias, botrytis, fonte des semis, otiorrhynques, oïdium, thrips, pourriture des racines et maladies à virus. Les maladies bactériennes se manifestent par des taches humides et vitreuses sur le bord et l'envers des feuilles. Les feuilles contaminées brunissent et sèchent. Les

Begónia conchifólia

tiges deviennent ternes, grises et purulentes. Détruire immédiatement les plantes gravement atteintes. Ne jamais arroser la partie aérienne des plantes.

Begónia álbo-picta
Forme un petit arbuste de 1,50 m. Feuilles de 7 cm de long, étroites, vertes à taches argentées, petioles courts. Bouquets pendants de fleurs blanc verdâtre.

Begónia boliviénsis
Bégonia tubéreux à port dressé. Feuilles vert clair, portées par des tiges ramifiées très lisses. Fleurs pendantes, rouge orangé, campanulées, peu ouvertes.

Begónia bóweri
Petite plante à feuillage, trapue. Rhizome rouge brun sur lequel naissent des petites feuilles vert frais. Le bord des feuilles est brun, légèrement découpé et marginé de poils blancs. Chez la var. 'Nigramarga' la panachure brune s'étend le long des nervures. Des petites fleurs blanches, portées par de longues tiges tachées de rouge, apparaissent en hiver.

Begónia conchifólia
Feuilles luisantes, vert foncé, assez épaisses, peltées et découpées en pointes. L'envers est brun et velu. Fleurs rose clair sur des tiges poilues, de 25 cm de long.

Begónia corállina
Plante sarmenteuse atteignant 2 m de haut, ou buissonnante. Feuilles lancéolées, vert uni. Émet pratiquement tout au long de l'année des grappes pendantes de grandes fleurs rouges. On en connaît de nombreux hybrides : 'Lucerna' au feuillage vert bronze maculé de blanc, 'Bismarckiana' et 'Prés. Carnot' sont du nombre.

Begónia críspula
Touffe basse. Feuilles rondes à réniformes, vert gris, à l'aspect chiffonné. Fleurettes roses à l'extérieur, blanches à l'intérieur.

Begónia diadéma
Belle grande plante : 1 m de haut. Feuilles à 5 ou 7 lobes, profondément découpées, maculées de taches argentées. Envers rouge. Fleurs rose pâle en grappes.

Begónia drégei
Hauteur : 80 cm. Tiges charnues, rouges. Feuilles vert bronze, aux nervures pourprées. Fleurettes blanches, en grappes.

Begónia elátior (Hybrides de)
Résultat du croisement de *Begónia socotrána* et de bégonias tubéreux botaniques d'Amérique du Sud. Ces bégonias à grandes fleurs, à floraison hivernale, peuvent aussi fleurir à d'autres moments de l'année. Les plus répandus

Begónia heracleifólia aux feuilles profondément découpées.

Begónia foliósa, jolie plante pour suspensions.

Begónia masoniána 'Iron Cross'

Hybride de *Begónia elátior,* du type 'Rieger'

Begónia manicáta peut fleurir avec exubérance.

Begónia manicáta 'Aureomaculata'

sont : 'Nelly Visser', rouge orangé ; 'Exquisite', rose clair, fleurs peu nombreuses mais particulièrement grandes ; 'Man's Favorite', blanc. Les bégonias de Rieger appartiennent aux hybrides de *B. elátior* mais sont beaucoup moins sensibles à l'oïdium et à la chute des boutons. Parmi les races connues, on compte : 'Lachsorange', riche floraison saumon ; 'Schwabenland', grandes fleurs rouge orangé ; 'Aphrodite', fleurs doubles, rouge cerise.

Begónia × erythrophýlla

Issu du croisement de *Begónia mani-*

cáta et *Begónia hydrocotylefólia*. Le rhizome rampant sort parfois du pot. Feuilles ovales, peltées, luisantes, marginées de poils, au revers rouge ; pétioles rouges, écailleux. Le dessus des feuilles est vert olive, à nervures plus claires. Floraison rose.

Begónia foliósa

Avec l'âge, les tiges ramifiées en forme de penne deviennent souvent retombantes. Abondantes petites feuilles (1,5 cm) vertes, luisantes et denticulées, aux stipules persistants. Petites fleurs blanches insignifiantes à l'aisselle des feuilles.

Begónia fuchsioídes

Petit arbuste touffu, haut de 1 m. Rameaux légèrement arqués. Feuilles rouges devenant vert foncé, bords ciliés. Stipules caducs. Floraison rouge.

Begónia goegoénsis

Plante touffue, poussant sur une tige courte, épaisse, de couleur rougeâtre. Feuilles vertes, rondes à ovoïdes, tachetées de bronze. Nervures rouge brun au revers. Petites fleurs rose carné. Plante de serre chaude.

Begónia grándis

Syn. *Begónia díscolor*. Bégonia tubéreux qui produit des bulbilles à l'aisselle des feuilles. La var. *evansiána* a des feuilles ovales, vertes et luisantes, avec des

nervures rouges au revers. Grappes terminales de fleurs rose pâle.

Begónia heracleifólia

Feuilles profondément découpées, vert brun, parfois nuancées de rouge, nervures plus claires, pétioles charnus naissant directement d'un épais rhizome brun. L'envers des feuilles est rougeâtre, avec des bandes vertes le long des nervures. Les feuilles sont poilues sur leurs deux faces. Les fleurs, blanches ou roses, sont portées par de longs pédoncules. La var. 'Punctata' a des feuilles aux lobes moins profondément découpés.

Begónia híspida var. **cucullífera**

Feuilles assez grandes, ovales, vert pâle, poilues, portant le long des nervures principales des bourgeons adventifs ressemblant à des plantules. Fleurs blanches, en grappes.

Begónia hydrocotylefólia

Feuilles cordées, plutôt rondes ; dessus vert, glabre et luisant. Revers rouge et poilu. Nombreuses fleurs rouge pêche, en été.

Bégónia imperiális

Plante naine. Tige courte, rampante. Feuilles ovoïdes, larges, vert foncé à vert brun, très poilues. Nervures liserées de vert argent. Revers rouge, à nervures vertes. Fleurs blanches. 'Smaragdina' a des feuilles vert émeraude.

Begónia incána

Tiges épaisses, dressées et peu ramifiées, recouvertes d'un épais duvet blanc, tout comme les feuilles peltées. Ces feuilles, épaisses, se cassent très facilement. Les stipules sont petits et caducs. Fleurs blanches.

Begónia incarnáta

Espèce suffrutescente atteignant 1,5 m. Produit de l'automne au printemps une abondante floraison rose carné, en bouquets pendants.

Bégonias tubéreux

Le choix dont nous disposons aujourd'hui se compose d'hybrides issus du croisement de diverses espèces botaniques. Sont classés dans cette catégorie : tous les bégonias qui meurent en automne et dont les tubercules sont conservés au sec durant l'hiver. Parmi les espèces à grandes fleurs, on distingue celles à fleurs simples, semi-dou-

Begónia maculáta 'Picta'

Begónia metállica forme un petit arbuste pouvant atteindre 1 m de haut.

Hybride de Begónia rex : le bégonia à feuillage par excellence.

Begónia socotrána a des feuilles peltées.

Les feuilles de Begónia serratipétala.

qui lui a valu l'appellation 'Iron Cross'. Fleurs blanc verdâtre.

Begónia metállica
Buisson frutescent très ramifié, jusqu'à 1 m de haut. Feuilles vert foncé, cordiformes, obliques, velues, aux reflets métalliques, plus sombres le long des nervures, qui sont profondes et rouges au revers. Fleurs blanc rosé.

Begónia peárcei
◖ ◔ ⊛ ◕ ▦
Plante basse. Tiges légèrement velues. Feuilles aiguës, vertes dessus, nervures claires, rouge mal dessous. Le seul bégonia tubéreux à fleurs jaunes et, de ce fait, précieux pour les croisements.

Begónia rájah
◖ ◔ ⊛ ◕ ▦
Rhizome rampant. Feuilles gaufrées, vert brun avec des nervures vert clair. Grappes de fleurs rose pâle.

Begónia rex (Hybrides de)
Ce sont tous des variétés issues du Begónia rex, surtout cultivés pour leur merveilleux feuillage panaché de noir, de rose, de rouge, d'argent et de vert. Fleurs généralement roses.

Begónia schmidtiána
◖ ◔ ⊛ ◕ ▦
Plante touffue, assez large ; feuilles vert mat, velues. Floraison abondante, blanche ou rose.

Begónia semperflórens (Hybrides de)
Ils sont tous issus de Begónia semperflórens. Plantes compactes, aux feuilles charnues, luisantes, vertes ou rouge foncé. Fleurs blanches, roses ou rouges.

Begónia serratipétala
◖ ◔ ⊛ ◕ ▦
Bégonia frutescent. Feuilles doublement dentées, vert olive taché de rouge sang. Fleurs roses.

Begónia socotrána
Feuille peltée, déprimée au centre. Agglomérat de bulbilles à la base des tiges. Fleurit rose foncé en hiver et est, pour cette raison, très souvent utilisé en hybridation.

Begónia venósa
◯ ◖ ◔ ⊛ ◕ ▦
Feuille cordiforme-oblique, recouverte d'un duvet serré. Grands stipules veinés, persistants. Fleurs blanches, odorantes.

nue avait reçu le nom de 'Gloire de Lorraine'. Variétés à petites fleurs roses ou blanches ; floraison hivernale. Les feuilles sont souvent vert clair et marbrées.

Begónia luxúrians
◖ ◔ ⊛ ◕ ▦
Feuilles digitées, composées de 10 à 20 folioles lancéolées et dentées, vertes à rouges. Petites fleurs ivoire, odorantes.

Begónia maculáta
Syn. Begónia argyrostígma. Buisson frutescent, atteignant jusqu'à 2 m de haut. Feuilles lancéolées, de 25 cm de long, vertes, tachées d'argent, rouge pourpre au revers. Fleurs blanches ou rose pâle, en grappes pendantes. La var. 'Lucerna' a des feuilles plus larges et d'énormes bouquets de fleurs. 'Picta' a sur ses feuilles des taches blanches plus grandes.

Begónia manicáta
Les pétioles et le revers des feuilles vertes, sont partiellement couverts de petites écailles rouges ciliées, qui forment aussi un manchon sur la moitié supérieure du pétiole. Brouillard de petites fleurs roses en hiver. 'Aureomaculata' a des feuilles maculées de jaune et 'Crispa' est frisé sur les bords.

Begónia masoniána
Feuille vert clair, très gaufrée, marquée d'un dessin sombre, en forme de main,

bles et doubles. Il existe également des espèces à fleurs moyennes, petites et des espèces retombantes, comme 'Aphroditis', aux fleurs roses, pleines.

Begónia limmingheiána
◖ ◔ ⊛ ◕ ▦
Plante de 80 cm de haut, aux tiges souples qui en font un bégonia pour suspension. Grandes feuilles de 12 cm sur 5, assez symétriques. Bouquets pendants de fleurs rose carné.

Begónia lorraine (Hybrides de)
◖ ◔ ⊛ ◕ ▦
Croisement de Begónia socotrána et Begónia drégei. La première race obte-

Nom. Du grec belos, projectile ou flèche, et peronê, pointe ou aiguillon.
Origine. Mexique.
Description. Le genre comprend 60 espèces d'arbrisseaux et sous-arbrisseaux tropicaux dont une seule est en vente chez les fleuristes : il s'agit de Belopérone guttáta. Ses bractées vertes à rouge brun en font l'attrait principal. Les petites fleurs blanches sont très éphèmères.
Exposition. Emplacement clair, ensoleillé et aéré : la coloration des bractées en dépend. L'été, on prendra la précaution de tamiser les rayons vifs du soleil.
Soins. Maintenir une température de 15 à 25 °C en été. Hiverner à 12 - 15 °C. Pour conserver une touffe compacte, on rabattra les tiges aux 2/3 de leur hauteur au moment du rempotage.
Arrosage. Arroser généreusement dès la reprise de la végétation. Réduire les arrosages à partir de la mi-août, mais ne jamais laisser la motte sécher complètement. Entretenir une humidité ambiante modérément élevée.
Fertilisation. Apports d'engrais hebdomadaires, de mai à septembre.
Multiplication. Semer ou bouturer au printemps ou en été, sous verre, à 20 °C.
Maladies. Araignée rouge, aleurode des serres, pourriture du pied.

Belopérone guttáta
◯ ◖ ◔ ⊛ ◕ ▦
Tiges et feuilles velues. Les petites fleurs blanches, tachetées de pourpre sur la lèvre inférieure, pendent en épis. Elles sont entourées de bractées brun rouge, imbriquées comme des écailles. Les fruits, à deux loges, éclatent au soleil et projettent leurs graines à des mètres de distance.

Belopérone guttáta, dont les fleurs évoquent étrangement des crevettes, se plaît à une situation ensoleillée.

Bertolónia marmoráta 'Bruxellensis'.

Bertolónia marmoráta

Bertolónia
Melaslomatáceæ

Nom. Du nom de Antonio *Bertoloni* (1775-1869), botaniste italien.
Origine. Les 10 espèces que l'on connaît viennent toutes du sud du Brésil.
Description. Plantes herbacées ou suffrutescentes. Feuilles à 3-9 nervures — le plus souvent 5 —, panachées : ce sont elles qui font tout l'attrait de cette plante. Fleurs réunies par grappes de 5, blanches, roses ou rouges. Fruits à 3 loges.
Exposition. Serre chaude ou vitrine d'appartement, de préférence. Si on n'a pas de serre d'appartement, on plantera le *Bertolónia* dans une jardinière, parmi d'autres plantes, et on veillera à entretenir un haut degré d'humidité ambiante. Trouver un emplacement abrité du soleil. Température constante, autant que possible.
Soins. Maintenir la température entre 20 et 22 °C. En été, la plante appréciera jusqu'à 25 °C. Seuls les exemplaires jeunes sont beaux.
Arrosage. Arroser modérément toute l'année. Entretenir une forte humidité ambiante.
Fertilisation. Pratiquement superflue.
Rempotage. À peine nécessaire. Ces plantes se plaisent en terre de bruyère ou sapinette mélangées à de la tourbe.
Multiplication. Le *Bertolónia* produit beaucoup de graines que l'on peut utiliser pour le semis. Semer en serre à multiplication, sur chaleur de fond.

Bertolónia maculáta
Feuille vert velouté, panachée et velue. Bande blanche ou grise le long des nervures principales. Floraison rose.

Bertolónia marmoráta
Tiges courtes, couchées, portant des feuilles vertes aux nervures principales bordées de blanc. Revers pourpre. Fleurs rose lilas. 'Bruxellensis' a des feuilles argentées, avec des macules vertes disposées symétriquement entre les nervures principales.

Billbérgia
Bromeliáceæ

Nom. Du nom de Gustave Johannes *Billberg* (1772-1844), botaniste suédois.
Origine. 60 espèces, originaires des forêts vierges tropicales s'étendant du Mexique au sud du Brésil et au nord de l'Argentine.
Description. Le *Billbérgia* est une broméliacée terrestre. Ces plantes à feuillage et à fleurs se prêtent à la culture en appartement et en serre tempérée. Les deux espèces le plus communément répandues sont : *Billbérgia nútans* et *Billbérgia × wíndii*. La première de ces deux espèces est une plante d'une robustesse à toute épreuve. La photo montre qu'un sujet d'un certain âge peut former une touffe compacte de rosettes, généreusement fleurie. La date de la floraison dépend de la température à laquelle la plante hiverne : si elle est basse, la plante fleurira à la fin de l'été ; si la plante passe l'hiver dans l'appartement, la floraison se produira dès le printemps.
Exposition. Ce genre de plante supporte beaucoup de lumière et même le plein soleil, mais l'éclat de son feuillage sera mieux mis en valeur à la mi-ombre. On peut sortir le *Billbérgia* en été, à condition de lui trouver un coin très abrité, à l'écart des courants d'air.
Soins. Couper la hampe florale après la floraison. La température hivernale optimale tourne autour de 16 °C. Une température au-dessous de 12 °C peut occasionner des dégâts.
Arrosage. L'été, on arrosera la motte et l'entonnoir de la rosette. L'hiver, on se contentera de mouiller la motte, surtout si la plante est entreposée dans un local frais. Arrosages copieux en été, adaptés à la température de la pièce en hiver. Utiliser de l'eau tiède, il n'est pas nécessaire qu'elle soit douce. Le *Billbérgia* tolère assez bien une atmosphère sèche.
Fertilisation. Apport d'engrais liquide une fois tous les 10 jours. Concentration normale. Continuer à fertiliser après la floraison, car c'est à ce moment que la plante va émettre 4 ou 5 nouvelles pousses à sa base.

Rempotage. Utiliser un mélange terreux prêt à l'emploi ou mélanger soi-même 2 parts de terreau de feuilles, 1 part de fumier bovin bien décomposé et 1 part de sphagnum. Utiliser des pots plus larges que hauts et déposer au fond une bonne couche de tessons.
Multiplication. Multiplier en utilisant les rejets lorsqu'ils ont atteint la moitié de la taille de la plante-mère. Dépoter la plante entière, secouer la terre autour des racines et prélever les rejets avec quelques racines.
Maladies. Cochenilles à bouclier.

Billbérgia nútans
Longues feuilles étroites et épineuses formant une rosette tubuleuse. La hampe florale naît au centre de la rosette, droite, pour s'incliner au fur et à mesure de l'épanouissement de ses petites fleurs jaune verdâtre, bordées de bleu, groupées en épi et entourées de bractées roses.

Billbérgia × windii
Un des nombreux produits du croisement de *Billbérgia nútans* et *Billbérgia decóra*. Variété plus robuste à tous points de vue. Les feuilles, larges de 3 cm, sont striées transversalement et couvertes d'écailles grises. Corolles vert jaunâtre, bractées rouges.

Billbérgia × windii : détail de la fleur.

Billbérgia nútans : une broméliacée volontaire qui fleurit facilement.

Bléchnum
Blechnáceæ

Origine. La plupart des espèces proviennent des régions tempérées de l'hémisphère sud et surtout d'Amérique du Sud et de Nouvelle-Calédonie.
Description. Ces fougères ont un stipe arborescent ou restent basses et ont une souche rampante. Les frondes sont pennées ou pennatifides (découpures moins profondes que celles des feuilles pennées), la plupart sont vert brillant, coriaces et forment une rosette tubuleuse.
Exposition. Conviennent pour la garniture d'une « fenêtre fleurie » sans chaleur de fond. Bel élément ornemental pour une salle de séjour, à condition d'être l'objet de quelques soins particuliers. Ces fougères demandent une situation ombragée mais pas trop sombre, une température moyenne et beaucoup d'air frais.
Soins. Température de fond maximale en hiver : 16-18 °C. Température ambiante durant la même saison : entre 13 et 25 °C, et entre 20 et 35 °C en été.
Arrosage. De mars à juillet, alors que les plantes sont en pleine végétation, on arrosera copieusement. En dehors de cette période, arrosages modérés. Ne

Bléchnum gíbbum

jamais laisser sécher la motte. Maintenir un degré d'humidité ambiante modérément élevé : ne jamais faire de pulvérisations sur le feuillage.
Fertilisation. Engrais liquide très dilué, une fois par semaine. Compter le quart de la dose recommandée sur l'emballage.
Multiplication. Division des touffes ou semis des spores sur chaleur de fond.
Maladies. Lorsque les conditions de culture sont défavorables, les plantes sont sujettes aux attaques des pucerons, cochenilles à bouclier, cochenilles farineuses, anguillules des feuilles, thrips et araignées rouges.

Bléchnum brasiliénse
Stipe de 50 cm de haut. Jeunes frondes rouge brun, devenant vertes à l'âge adulte ; elles peuvent faire 1 m de long et sont pennées ; nervure centrale très marquée. 'Crispum' a des frondes aux bords ondulés.

Bléchnum gibbum
Le stipe peut atteindre 1 m de haut. Pétioles courts, garnis d'écailles noires. Frondes d'1 m de long, pinnules ondulées, très denses, longues de 10 cm.

Bléchnum occidentále
Frondes de 40 cm sur 10, coriaces, arquées et assez étalées.

Borzicáctus
Cactáceæ

Nom. Du nom d'Antonio *Borzi* (XXe siècle), directeur du jardin botanique de Palerme, Italie.
Origine. On trouve au moins 11 espèces entre l'Équateur et le nord du Pérou.
Description. Genre de toute beauté mais peu connu. Petits cactus colonnaires se ramifiant facilement et prenant alors un port rampant.
Exposition. Ce genre ne réclame pas une température hivernale aussi basse que ne le font la plupart des autres cactées. Les connaisseurs recommandent un minimum de 10 °C, ce qui est légèrement au-dessous de la température d'une serre tempérée. Une chambre fraîche peut convenir.
Soins. L'été, ces cactus doivent être bien exposés au soleil : soit dans une serre, soit dans un coffre non chauffé que l'on couvre par temps de pluie.
Arrosage. Arroser très modérément, en été. L'hiver, on se contentera d'empêcher la motte de sécher complètement : la température étant relativement élevée, les plantes continuent à transpirer.

Borzicáctus samaipátanus

Fertilisation. Engrais spécial pour cactus, toutes les 3 semaines, en été seulement.
Rempotage. Utiliser un mélange pour cactées, prêt à l'emploi. Y ajouter, de préférence, de la terre franche argileuse.
Multiplication. On peut bouturer les sujets âgés ramifiés, bien que ce soit péché d'y toucher. Les plantules de semis sont lentes à grandir, on les greffe en général sur *Pereskiópsis*, lorsqu'elles ont quelques mois, pour les aider à pousser plus vite. Quand les greffons deviennent trop importants pour le porte-greffe, on les repique ou on les greffe à nouveau sur *Trichocéreus spachiánus*. C'est la meilleure méthode pour obtenir de beaux plants fleuris, en un minimum de temps.

Borzicáctus samaipátanus
○ ○ ⊛ ○ ▣

Syn. *Bolivicéreus samaipátanus*. Petit cactus colonnaire, ramifié, pouvant atteindre 70 cm de haut. 8 à 10 côtes fournies de solides piquants blancs. Fleurit très tôt : grandes fleurs rouges aux étamines proéminentes.

Borzicáctus sépium.
Syn. *Cleistocáctus sépium*. Colonnes de 1,5 m, à 9-12 côtes peu marquées, arrondies, portant des aiguillons jaune d'or à brun rouge. Fleurs rouge carmin.

Bougainvíllea spectábilis 'Orange Queen'.

Bougainvíllea
Nyctagináceæ
bougainvillée

Nom. Cette plante a été découverte dans la seconde moitié du XVIIIe siècle, au cours d'une expédition menée par Louis Antoine de *Bougainville* (1729-1811), célèbre navigateur français.
Origine. Nous connaissons environ 15 espèces, originaires des régions tropicales et subtropicales de l'Amérique du Sud, surtout du Brésil. Elles ont été introduites en Europe dans la première moitié du XIXe siècle. Elles se sont surtout acclimatées dans les pays méditerranéens.
Description. Arbrisseaux sarmenteux ou plantes grimpantes herbacées à feuillage caduc ou persistant. Peuvent atteindre 4 m de haut à l'état sauvage. Rameaux épineux. Fleurs insignifiantes, entourées de bractées richement colorées qu'on croirait faites de papier et persistant longtemps sur les rameaux.
Exposition. Que ce soit en appartement ou en plein air, ces plantes exigent beaucoup de soleil, de lumière et d'air. Mêmes conditions de culture en hiver : c'est-à-dire qu'il faut les mettre en serre froide, ce qui a pour effet de stimuler leur floraison.
Soins. La plante doit hiverner à 8-10 °C. Les fleurs apparaissent sur les rameaux de plus d'un an : il faut donc tailler uniquement après la floraison.
Arrosage. Arroser généreusement en été. En hiver, si la plante perd beaucoup de feuilles, on arrosera, mais parcimonieusement. Veiller à ne pas laisser la motte sécher complètement. Pulvériser fréquemment pour empêcher la chute des feuilles et le dessèchement du bois. Il est une autre période pendant laquelle il ne faut arroser que rarement, c'est au printemps, lorsque les nouvelles pousses ont une trentaine de cm. Un arrosage trop généreux à ce moment contrarie la formation des boutons floraux.
Fertilisation. Apports d'engrais liquide hebdomadaires, en été. Concentration normale.
Rempotage. Tous les ans, quand la plante est jeune. Plus tard, on rempotera tous les deux ou trois ans.

Bougainvíllea spectábilis

Multiplication. Par bouturage, ce qui n'est malheureusement pas facile. Il faut une chaleur de fond de 30-35 °C. Utiliser de la poudre d'enracinement. Petite expérience à mener au printemps.
Maladies. Pucerons, araignées rouges, thrips, cochenilles farineuses. Le jaunissement des feuilles peut être dû à une carence de fer ou d'azote.

Bougainvíllea x *buttiána*
○ ○ ⊛⊛ ○ ▣
Hybride de *Bougainvíllea glábra* et *Bougainvíllea peruviána*. Le plus connu est 'Mrs Butt', aux bractées écarlates.
Bougainvíllea *glábra*
Espèce sarmenteuse, vigoureuse, aux rameaux épineux. Floraison rose vif en été. 'Sanderiana' a une végétation moins exubérante mais fleurit généralement dès son jeune âge. 'Alexandra' a des bractées rouge violacé clair ; 'Variegata' a un feuillage panaché.
Bougainvíllea *spectábilis*
Cette espèce sarmenteuse, garnie d'épines, est la plus vigoureuse de toutes. Feuilles vert foncé, ovales-arrondies. Les petites fleurs, blanc crème, tubuleuses, sont entourées de bractées rouge violacé. Il existe également des races à floraison blanche, saumon, rose et rouge, comme 'Orange Queen', représentée sur la photo.

Bouvárdia hybride 'Mary'.

Bouvárdia
Rubiáceæ

Nom. Du nom de Charles *Bouvard*, médecin de Louis XIII et responsable du Jardin du Roi à Paris.
Origine. Genre originaire de l'Amérique centrale et surtout du Mexique, et qui englobe quelques dizaines d'espèces.
Description. Plantes frutescentes, rarement herbacées, au feuillage persistant. Feuilles opposées ou verticillées par 3 ou 4, ovales ou lancéolées. Fleurs terminales, souvent délicieusement parfumées. Elles sont blanches, roses, rouges ou bicolores. Il existe, à côté des espèces, de nombreux hybrides d'une grande beauté, cultivés surtout pour la fleur coupée.
Exposition. Une situation claire, ensoleillée, aérée et modérément chaude. Peuvent être placées dehors, dans un endroit bien abrité, durant l'été. À l'intérieur, on tamisera les rayons vifs du soleil. Période de repos à 5-10 °C. Réussissent souvent mieux dans la serre que dans l'appartement, car elles réclament une atmosphère assez humide.
Soins. Maintenir, l'hiver, à une température de 5 à 10 °C. Rempoter en février, tailler la plante et l'acclimater progressivement à la chaleur. Pincer deux fois, entre avril et fin mai, les sujets adultes fleurissant en juillet et en août.
Arrosage. Arroser abondamment en cours de végétation et surtout pendant la floraison. En autres saisons, arroser modérément, veiller simplement à ne pas laisser se dessécher la motte. Entretenir dans le local l'ambiance la plus humide possible.
Fertilisation. Apports d'engrais hebdomadaires, de mai à septembre. Concentration normale.
Rempotage. Mélange terreux à base de tourbe ou terre de bruyère, avec du fumier bovin très décomposé.
Multiplication. Les plantes perdent de leur beauté après deux ou trois ans de culture. On prélèvera alors des boutures au printemps. Faire enraciner à 21 °C. Élever les plantes à une température de 12-15 °C. On peut aussi faire des boutures de souche.
Maladies. Cochenilles à bouclier et cochenilles farineuses.

Bouvárdia hybrides
○ ○ ⊛⊛ ○ ▣ ○
Fleurs simples : 'Mary', corolle blanche, tube rose vif, 'President Cleveland', corolle rouge, tube plus clair ; 'Rosalinde', corolle rose. Fleurs doubles : 'Alfred Neuner', blanc, parfum capiteux ; 'Bridesmaid', rose ; 'Thomas Meehan', écarlate.
Bouvárdia longiflóra
Peut atteindre 80 cm de haut. Grandes fleurs blanches, parfumées, jusqu'à 10 cm de long.

Brassávola perrínii

Brássia maculáta

Brósimum alicástrum

Brassávola
Orchidáceæ

Nom. Du nom d'Antonio M. *Brassavola* (1500-1555), médecin et botaniste italien.
Origine. Ce genre d'orchidées épiphytes est originaire d'Amérique centrale et des régions à climat tempéré du Mexique, du Venezuela, de la Colombie, du Brésil, de Suriname, de Costa Rica, de la Jamaïque et de l'Inde occidentale.
Description. Orchidées à pseudobulbes portant une seule feuille coriace, cylindrique ou plate. La forme de la fleur est très décorative ; les fleurs sont souvent délicieusement parfumées et de couleur blanc verdâtre.
Exposition. Ces orchidées exigent beaucoup de lumière mais craignent un ensoleillement direct. Elles sont tout indiquées pour la vitrine d'appartement ou la serre dont l'atmosphère humide leur conviendra beaucoup mieux que celle de l'appartement.
Soins. Température estivale diurne : entre 18 et 22 °C ; température nocturne : 16-18 °C. La chaleur peut être un peu plus forte lorsque le soleil brille. Température hivernale : de jour, 16-18 °C ; de nuit, 13-16 °C. S'il gèle fort, les orchidées toléreront une température nocturne pouvant descendre jusqu'à 5 °C.
Arrosage. Arroser abondamment durant la période de végétation ; si la température monte très fort, il ne faut pas craindre de détremper la motte. Arroser avec circonspection en hiver. Laisser sécher la motte entre deux arrosages. Des pulvérisations seront bénéfiques en été ; les supprimer en hiver.
Fertilisation. Utiliser un engrais spécial pour orchidées, une fois par mois, de mars à septembre.
Rempotage. On peut les fixer sur des racines de fougère ou des écorces d'arbre, ou les planter dans un mélange fait pour 2/3 d'osmonde et pour 1/3 de sphagnum : on peut éventuellement ajouter un peu de charbon de bois. Remplir le pot de tessons de drainage jusqu'à 1/3 de sa hauteur.
Multiplication. Par division des pseudobulbes ou en semant.

Brassávola cuculláta
◐ ◔ ⊗ ◔ ▭
Porte une feuille unique par pseudobulbe. Se pare de fleurs odorantes, blanc crème, de septembre à décembre.

Brassávola nodósa
Fleurs vert jaunâtre avec un labelle blanc, en automne et en hiver.

Brassávola perrínii
Fleurs vert pâle, labelle blanc, cordiforme.

Brássia
Orchidáceæ

Nom. Du nom de William *Brass*, botaniste ayant travaillé en Afrique de l'Ouest.
Origine. On en connaît une petite quarantaine d'espèces que l'on trouve en Amérique centrale. Leur patrie s'étale du Mexique au sud du Brésil. On les rencontre également à Costa Rica, en Jamaïque et en Inde occidentale.
Description. Toutes les espèces ont des pseudobulbes assez grands et serrés les uns contre les autres, dans lesquels elles stockent eau et nourriture. Chaque pseudobulbe donne naissance à deux feuilles coriaces. Ces épiphytes émettent des hampes florales garnies de petites fleurs très séduisantes. On les élève assez facilement en appartement, où elles apportent un élément de décor original.
Exposition. Se placent à la mi-ombre, dans l'appartement ou la serre tempérée. Les mettre de préférence à un endroit facilement accessible où l'on pourra les bassiner fréquemment.
Soins. Chaleur modérée en été. Température hivernale : 17 à 20 °C, nocturne : entre 13 et 17 °C.
Arrosage. Maintenir humide en été et faire des pulvérisations en toutes saisons : eau douce uniquement. Si les pseudobulbes se rident, c'est que la plante manque d'eau. En hiver, la plante se contentera de peu d'eau.
Fertilisation. En été, on administrera un engrais dépourvu de calcium, très dilué, à raison d'une fois tous les quinze jours. On divisera par 2 le dosage recommandé sur l'emballage.
Rempotage. Mélange d'osmonde et de sphagnum. De préférence en corbeille ajourée, pour permettre aux racines de rester en contact avec l'air. La plante doit pouvoir passer au moins deux ans dans le même pot.
Multiplication. Séparation des pseudobulbes ou semis.

Brássia maculáta
◐ ◔ ⊗ ◔ ▭
Syn. *Brássia guttáta*. Chaque pseudobulbe porte une feuille en forme de langue. Fleurs en grappe inclinée, vert jaunâtre, tachées de brun, à l'aspect cireux. Labelle blanc, maculé de brun rouge.

Brássia verrucósa
Pseudobulbes côtelés, de forme ovoïde, portant deux feuilles linéaires. Fleurs blanc verdâtre, avec des taches pourpres à la base. Labelle blanc, couvert de petites verrues sombres. L'espèce la plus répandue et la mieux adaptée à l'appartement.

Brosímum
Moráceæ

Nom. Du grec *brôsimos*, comestible. Les fruits de *B. alicástrum* sont comestibles ; le tronc de *B. galactodéndron* (arbre à la vache) donne par incision une sève laiteuse buvable analogue au lait animal.
Origine. Près de 50 espèces d'arbres d'Amérique tropicale.
Description. Une de ces plantes curieuses et un peu mystérieuses, mais pas forcément rares, car on la rencontre parfois dans les boutiques des petits fleuristes où elle est vendue en tant que *Fícus*, ce qu'elle n'est sûrement pas, même si elle lui est apparentée. Elle mène donc une existence cachée, privée de son nom que, pour notre part, nous lui restituons volontiers dans ce livre.
Exposition. Notre expérience nous incite à recommander pour cette plante une exposition identique à celle exigée par le *Fícus*. Le *Brosímum* se plaira dans une pièce chauffée et est capable de tolérer l'ombre. Nous l'avons cultivé pendant des années près d'une fenêtre privée de soleil.

Soins. Le *Brosímum* réclame peu d'attentions : on éliminera de temps à autre une feuille, on taillera les branches trop longues, il le supporte très bien, et c'est à peu près tout.
Arrosage. Le *Brosímum* doit être arrosé très modérément : trop d'eau fait jaunir les feuilles. La motte doit cependant toujours rester humide.
Fertilisation. À partir d'avril, époque où apparaissent les nouvelles pousses, on fera des apports d'engrais tous les quinze jours.
Rempotage. Un mélange ordinaire du commerce lui convient fort bien. Il n'est pas nécessaire de changer la terre tous les ans. Assurer un bon drainage au fond du pot.
Multiplication. Le bouturage est très facile et réussit à toutes les époques de l'année. Prélever des extrémités de tiges, donner une petite chaleur de fond et couvrir.

Brosímum alicástrum
◐ ◔ ⊗ ◔ ▭
Arbrisseau dressé, bien ramifié. Rameaux bruns, velus. Feuillage étalé, vert. Feuilles lancéolées, aiguës, longues de 25-30 cm, larges de 3-5 cm. Pétioles de 3 à 4 cm.

Browállia
Solanáceæ

Nom. Du nom de Johan *Browall* (1707-1755), évêque luthérien d'Åbo (auj. Turku, en Finlande), professeur de physique et de théologie, ami de Linné, avec qui il finit par entrer en conflit.
Origine. Amérique du Sud tropicale.
Description. On en connaît 8 espèces herbacées, annuelles, et une espèce semi-ligneuse : *Browállia speciósa*. Les fleurs, à 5 lobes, sont bleues, violettes ou blanches. Feuilles simples, entières, parfois visqueuses.
Exposition. Local assez frais, très lumineux, à l'abri d'un ensoleillement direct. Les *Browállia* sont peu sensibles à la température et supporteront aussi de se trouver dans une pièce

Browállia speciósa est une petite plante qu'on a l'habitude de semer.

normalement chauffée. On peut les sortir, l'été, dans un endroit abrité.
Soins. Éliminer au fur et à mesure les fleurs fanées.
Arrosage. Garder la motte modérément humide. Humidité ambiante : entre 50 et 60 %. Les *Browállia* sont plus résistants à une atmosphère sèche que leur aspect fragile ne le suggère.
Fertilisation. Faire un apport d'engrais tous les quinze jours. Se conformer au dosage indiqué sur l'emballage.
Rempotage. Mélange du commerce, prêt à l'emploi, mais aussi une bonne terre franche limoneuse, riche en humus.
Multiplication. Propagation par semis. Il faut compter 4 mois pour obtenir une plante prête à fleurir. Semer à chaud : 20-25 $^{\circ}$C. Repiquer les plantes par 4 dans un pot pour obtenir rapidement une touffe compacte. Pincer pour faire ramifier. On pratique aussi le bouturage.
Maladies. Pucerons.

Browállia speciósa
Ⓘ ⊕ ⊗ ◔ 🖩 ▭

Syn. *Browállia májor.* Plante semi-ligneuse, de 50 cm de haut. Feuilles vertes, ovoïdes. Fleurs solitaires, en forme de trompette, bleu pourpré à gorge blanche. La var. 'Major' a des fleurs plus grandes. Fleurit pratiquement toute l'année.

Brawállia viscósa
Plante annuelle, de 30 à 60 cm. Entièrement velue et visqueuse. Corolle violette, tachée de blanc au centre. 'Compacta Saphir', 30 cm, fleurit généreusement.

Brunfélsia
Solanáceæ

Nom. Du nom d'Otto *Brunfels* (1489-1534), médecin, théologien et botaniste allemand, compilateur du premier grand herbier.
Origine. Amérique centrale et du Sud.
Description. 30 espèces d'arbrisseaux et d'arbres à feuillage persistant, aux grandes fleurs blanches, jaunes ou bleu violacé formant une longue tubulure couronnée par des pétales étalés en coupe. Les graines, assez grosses, sont contenues dans un fruit charnu et coriace.
Exposition. Situation lumineuse toute l'année. En été, protéger de l'insolation. Se plaisent surtout dans une vitrine d'appartement ou une serre. Au besoin, on peut essayer de cultiver les *Brunfélsia* normalement en appartement. Une température constante est essentielle. Se mettent au jardin, en été.
Soins. Des températures basses favorisent la mise à fleurs. Accorder une période de repos à 10-12 $^{\circ}$C, de novembre à janvier. Mettre au chaud et augmenter les arrosages dès l'apparition des boutons floraux. Prévoir une deuxième période de repos après la floraison, en mai-juin. Tailler et rempoter quelques semaines plus tard.
Arrosage. Maintenir modérément humide par des arrosages réguliers pendant la période de végétation et de floraison. Réduire les arrosages en périodes de repos. Ces plantes réclament un haut degré d'hygrométrie de l'atmosphère.
Fertilisation. Administrer quelques rations d'engrais contenant du calcium pendant le repos hivernal, pour empêcher la décoloration du feuillage. En période de végétation et de floraison, on fertilisera chaque semaine, en se conformant aux indications de l'emballage.
Multiplication. Bouturer, à 30° et sous verre, des extrémités de tiges aoûtées. L'enracinement ne se produit pas facilement. La culture doit être menée en serre ou, en tout cas, sous abri vitré.
Maladies. Pucerons et araignées rouges.

Brunfélsia hopeána
Ⓘ ⊕ ⊗ ◔ 🖩

Syn. *Francíscea hopeána.* Feuilles vert foncé, lancéolées, au revers plus clair. De toutes les espèces, c'est celle qui porte les plus petites fleurs, mais elles sont très nombreuses et, comme chez toutes les espèces, elles passent du violet au blanc en s'épanouissant.

Brunfélsia pauciflóra var. calýcina
Petit arbrisseau de 60 cm, au port étalé. Feuilles lancéolées, vertes dessus, vert pâle dessous. Les fleurs ont une corolle violette, la gorge est cerclée de blanc.

Brunfélsia pauciflóra var. *calýcina*

Hybrides de *Caládium bicolor* : il en existe des dizaines de variétés.

Caládium
Aráceæ

Nom. Du malais *keladi,* signifiant plante aux racines comestibles. Ceci est vrai de nombreux membres de cette famille.
Origine. Zone tropicale de l'Amérique du Sud : Brésil et Amazonie. Croît dans les forêts vierges.
Description. 15 espèces de plantes à feuillage, à racines tubéreuses. Feuilles cordées ou sagittées, finement nervurées, aux couleurs brillantes : blanc, argent, vert, rose et rouge. Fleurs typiques mais insignifiantes : spathe et spadice portés par une hampe. Les plantes meurent en automne.
Exposition. Emplacement chaud et ombragé, de préférence dans une vitrine ou en serre, là où l'humidité ambiante est élevée. Si l'on veut garder la plante temporairement dans l'appartement, on mettra le pot dans un autre pot plus grand et on bourrera l'intervalle avec du sphagnum ou de la tourbe humides, de façon à créer un microclimat favorable autour de la plante.
Soins. À l'automne, les feuilles se flétrissent et meurent. La plante entre en dormance. Enterrer le tubercule, avec ou sans son pot, dans du sable sec et dans un endroit chaud : minimum 18 $^{\circ}$C. Si la température est trop basse, les tubercules pourriront ou deviendront liégeux. En février-mars, on les rempote dans un nouveau terreau, à 22-24 $^{\circ}$C, en atmosphère humide. Lorsque les feuilles se sont développées, on abaisse un peu la température pour les endurcir.

Arrosage. Arroser abondamment au printemps et en été, puis diminuer progressivement les arrosages. La plupart des espèces réclament un degré d'hygrométrie élevé ; ne jamais faire de pulvérisations sur les feuilles.
Fertilisation. Fertilisation hebdomadaire pendant la période de végétation. Respecter le dosage recommandé sur l'emballage.
Rempotage. Éliminer la vieille terre et les vieilles racines. Utiliser un mélange perméable et sableux : 3 parts de terreau, 2 parts de sable grossier, 1 part de sphagnum ou des parts égales de terreau de feuilles, de tourbe et de vieux fumier bovin.
Multiplication. Au sortir de l'hivernage, les souches peuvent être divisées en morceaux. On commence par les mettre en végétation pour repérer les yeux. Chaque segment doit en avoir au moins un. Saupoudrer les blessures de poudre de charbon de bois. Laisser sécher un peu et planter dans un mélange de tourbe et de sable grossier. Température : 22-25 $^{\circ}$C. Aussitôt que les racines se sont formées, on rempotera dans le mélange indiqué plus haut. La culture sera, bien sûr, menée sous abri vitré, dans une ambiance très humide.
La pollinisation artificielle permet d'obtenir des graines qui mettent 2 mois à mûrir.

Caládium bícolor (Hybrides de)
Ⓘ ⊕ ⊗ ◔ 🖩 ▭

Feuilles sagittées, de tailles diverses. Longs pétioles. Nombreuses races aux coloris brillants.

Caládium humbóldtii
Syn. *Caládium argyrítes.* Plante naine. Feuilles sagittées, vertes, parsemées de taches blanches transparentes. Convient très bien pour l'appartement.

Calánthe
Orchidáceæ

Nom. Du grec *kalos*, beau, et *anthos*, fleur.

Origine. 150 espèces connues, originaires d'Asie du Sud et de l'Est, d'Amérique centrale, d'Afrique tropicale et d'Australie.

Description. Ce genre comprend aussi bien des orchidées terrestres que des épiphytes. On peut aussi les classer en espèces à feuillage caduc, espèces à racines rhizomateuses, tige centrale feuillée, hampe florale prenant naissance sur le rhizome ou à la base des feuilles, et en espèces à feuillage persistant, aux pseudobulbes assez gros, portant chacun 2 à 4 feuilles à pétiole court, prenant naissance à la base des pseudobulbes.

Exposition. En serre tempérée ou chaude, ou en vitrine d'appartement. Les espèces à feuilles persistantes réclament plus d'ombrage en été que les espèces à feuillage caduc.

Soins. Température hivernale minimum pour les espèces à feuilles caduques : 13 °C ; pour les espèces à feuilles persistantes : 16 °C.

Arrosage. Bien arroser pendant la végétation. Tenir un peu plus sec pendant la

Calánthe hybride 'William Murray'.

floraison. Ne pas arroser les espèces à feuilles caduques en hiver ; arroser les autres modérément, bien qu'elles ne traversent pas une vraie période de dormance. Ambiance très humide pendant la végétation, un peu moins humide en hiver.

Fertilisation. Un peu d'engrais bovin dissous, tous les quinze jours, de mars à août.

Rempotage. Les espèces à feuilles caduques seront sorties de leur pot vers décembre-janvier, conservées au sec et remises en végétation en avril, dans un mélange de sphagnum, de sable et de terreau de feuilles, plus une part égale de tourbe fibreuse. Utiliser le même mélange pour les espèces à feuilles persistantes.

Multiplication. Jeunes rhizomes qu'on rempote, ou semis.

Maladies. Araignée rouge.

Calánthe triplicáta

Syn. *Calánthe veratrifólia*. Feuillage persistant. Tige de 1 m. Fleurs blanc neigeux, à gorge jaune orange. Fleurit l'été.

Calánthe vestíta

De culture plus facile que le précédent. Espèce à feuillage caduc. Fleurit blanc, en hiver ; tache jaune orangé sur le labelle. 'William Murray', l'un des nombreux hybrides, est blanc et carmin.

Caláthea
Marantáceæ

Nom. Les Indiens utilisaient les longues feuilles des *Caláthea* pour tresser des corbeilles. Le mot grec pour corbeille ou panier est *kalathos*.

Origine. 150 espèces connues, pour la plupart originaires d'Amérique du Sud. On les trouve aussi en Afrique tropicale et dans les îles situées entre l'Indonésie et l'Australie. Elles croissent dans les forêts tropicales humides, ce qui laisse deviner leur mode de culture.

Description. Belles plantes vivaces à feuilles persistantes et tiges radicales. Les pétioles, longs ou courts, portent des feuilles plus ou moins allongées. Elles ont des teintes variées et portent des stries caractéristiques. Les *Caláthea* se distinguent des *Maránta*, *Strománthe* et *Ctenánthe* par leurs fruits à 3 loges. Les *Caláthea* ont, en outre, un seul staminode (c'est-à-dire une étamine ne portant pas de pollen valable) tandis que les *Maránta* en ont deux. Leur feuillage n'est pas pareil, mais la distinction est difficile à faire. Au printemps ou au début de l'été, on voit apparaître les fleurs, groupées en petits épis. Une seule espèce porte des fleurs ayant une valeur ornementale : c'est *Caláthea crocáta*.

Exposition. En serre chaude, tropicale ou en vitrine d'appartement. Ces plantes posent des problèmes en appartement : la grande pierre d'achoppement étant, comme toujours, l'humidité de l'atmosphère. Les placer à un endroit lumineux mais non ensoleillé. Elles tolèrent bien l'ombre. Se prêtent très bien à orner des jardinières à plantations composées.

Soins. On leur donnera beaucoup de chaleur en été et 13 à 16 °C en hiver. Bassiner fréquemment les feuilles ou les laver à l'aide d'un coton imbibé d'eau ou de produit lustrant.

Arrosage. Au printemps et en été, on arrosera copieusement avec de l'eau douce tiède. La motte entière doit toujours être humide : une motte desséchée comme une motte détrempée

Caláthea ornáta 'Sanderiana' est une plante d'intérieur assez répandue.

Caláthea crocáta est connu pour ses fleurs.

sont nuisibles à la plante. Arroser modérément en hiver. Les *Caláthea* réclament une atmosphère très humide, surtout au moment de la sortie des feuilles. Le seul fait de pulvériser ne suffit pas. Placer les pots sur une soucoupe renversée dans une coupe pleine d'eau, ou les mettre dans un grand cache-pot et garnir l'intervalle de tourbe humide ou, encore, utiliser un humidificateur.

Fertilisation. Pendant la période de végétation, on servira à la plante une solution nutritive une fois tous les quinze jours. Diminuer de moitié la concentration recommandée sur l'emballage.

Rempotage. Rempoter chaque année, car ces plantes épuisent rapidement la terre. Leurs racines sont plutôt superficielles : on utilisera, en conséquence, des pots plus larges que hauts. Choisir un mélange de culture très aéré et acide, vendu prêt à l'emploi, et y rajouter de la tourbe acide, un peu de terre argileuse et du sable grossier.

Multiplication. On peut faire des boutures d'extrémités de rameaux, mais le procédé le plus facile reste la division des touffes ; elle se pratique au printemps. On trempe la plante dans un seau d'eau tiède et on divise la touffe de manière que chaque mor-

Caláthea lancifólia

ceau ait au moins quelques feuilles et des racines saines. L'enracinement et la repousse exigent une température de 18 °C.

Caláthea bachemiána

Syn. *Maránta bachemiána*. Hauteur : 50 cm. Feuilles de 25 cm de long sur 5 cm de large, lancéolées, terminées en pointe, dessus vert cendré pâle, liseré de vert foncé. Taches vert foncé en forme d'amande autour d'une nervure médiane également sombre. Dessous des feuilles vert.

Caláthea crocáta

L'unique espèce cultivée pour ses fleurs. Feuilles vertes aux reflets rouge sombre, ovales-arrondies. Remarquable épi de fleurs orange, d'excellente tenue.

Caláthea lancifólia

Syn. *Caláthea insígnis*. Feuilles de 50 cm de long, lancéolées, vert clair, à bord un rien plus sombre. Taches vert foncé, alternativement allongées et courtes, le long des nervures latérales. Revers brun à pourpre.

Caláthea leopardína

Feuille de forme obovale, longue de 20 cm, vert clair maculé de vert foncé. Revers bronze pourpré.

Caláthea liétzei

Syn. *Maránta liétzei*. Espèce curieuse qui émet des pousses dressées, porteuses de stolons. Feuilles oblongues de 16 cm, ondulées ; le dessus a des reflets métalliques. Bandes blanches s'étirant de la nervure médiane vers les nervures latérales. Revers pourpre.

Caláthea lindeniána

Feuilles oblongues à ovoïdes, longues de 15 cm, vert foncé, traversées de trois zones vert émeraude : une bande centrale s'étendant de part et d'autre de la nervure médiane, bordée elle-même de chaque côté d'une bande claire limitée par un bord foncé. Dessin identique au revers des feuilles, mais en pourpre.

Caláthea louísæ

Espèce ne produisant pas de rejets. Feuille ovale-large : 20 cm sur 10. Zébrures alternativement sombres et claires le long de la nervure médiane. Revers des feuilles vert ou rougeâtre.

Caláthea makoyána

Syn. *Maránta makoyána*. Hauteur : 60 cm. Feuilles de 20 cm, plus grandes encore sur les sujets adultes. Communément désigné sous le nom de *Maránta*. Dessin de taches et de zébrures s'étendant en éventail de la nervure médiane vers les bords de la feuille. Le fond de la feuille est vert pâle, le dessin, vert foncé. Le revers de la feuille présente le même dessin, mais en pourpre.

Caláthea makoyána : les panachures évoquent une plume de paon.

Caláthea médio-pícta
Plante aux feuilles oblongues, aiguës, de 20 cm de long sur 9 cm de large, vert foncé ; nervure médiane encadrée d'une large bande blanchâtre aux dentelures irrégulières. Revers vert clair. Pétiole de 4 cm.

Caláthea ornáta
Atteint, en culture, 1 m de haut. Les pétioles peuvent être très longs. Feuilles oblongues, lancéolées, vert foncé, lignées d'ivoire entre les nervures latérales : ces zébrures, dessinées par paires, sont roses sur les jeunes feuilles. Revers : pourpre foncé. 'Sanderiana' a des feuilles plus larges.

Caláthea picturáta
35 cm de haut. Feuilles ovales, irrégulières, aiguës, vert foncé, bandes blanches à vert jaunâtre le long de la nervure médiane et du bord. Revers pourpre. 'Van-den-heckei' a des feuilles au long pétiole ; bande blanc argent au centre de la feuille et sur les bords.

Caláthea róseo-pícta
Feuille de 20 cm sur 15, vert olive foncé, sur laquelle des zébrures roses, dans le sens des nervures latérales, créent l'illusion d'une seconde petite feuille en surimpression. Avec le temps, ces zébrures pâlissent et deviennent blanc argent. La nervure médiane est rouge.

Caláthea rotundifólia
Feuilles rondes à ovales-courtes : 9 cm. Vertes. La var. *fasciáta* est très attrayante avec ses feuilles vertes, épaisses et coriaces, parcourues dans le sens des nervures latérales de larges bandes gris argent. Revers gris avec un soupçon de pourpre.

Caláthea veitchiána
Espèce remarquable, de 80 cm de haut. Les feuilles font 40 cm sur 25. Elles sont ovoïdes à oblongues, raides, coriaces et luisantes. De chaque côté de la nervure médiane part un motif de bandes arquées de plus en plus courtes : jaunes, vert clair, vert foncé presque brun, vert pâle à blanc et enfin vert clair. Le même dessin est reproduit au revers, en pourpre et vert glauque.

Caláthea warscewíczii
Jusqu'à 1 m de haut. Feuille vert foncé velouté, oblongue. Bande jaune verdâtre le long de la nervure médiane, s'étalant quelque peu le long des nervures latérales. Revers rouge vineux.

Caláthea zebrína
Hauteur : jusqu'à 60 cm. Longues feuilles luisantes, veloutées, vert doux avec des zébrures vert foncé. Le revers est vert cendré, devenant parfois rougeâtre. La var. *binótii* est de taille plus réduite ; feuille vert clair à zébrures brun noir.

Calcéolaire hybride, une petite plante désuète.

Calceolária
Scrophulariáceæ
calcéolaire

Nom. Dérivé du latin *calceolus*, petite chaussure ou petite pantoufle.
Origine. 500 espèces, originaires des régions montagneuses tempérées-humides d'Amérique du Sud. Deux espèces viennent de Nouvelle-Zélande.
Description. Plantes annuelles ou vivaces, herbacées ou ligneuses. Elles ont en commun une fleur dont la partie inférieure affecte la forme d'une poche gonflée et arrondie. Nombreux coloris parmi lesquels dominent tous les tons allant du jaune au brun pourpre. Les fleurs sont terminales ou axillaires et généralement réunies en une sorte de panicule. Les feuilles sont opposées ou réunies en couronne autour de la tige. Les espèces annuelles hybrides sont offertes sur le marché de janvier à mai. On peut tranquillement les jeter après la floraison, car elles meurent.
Exposition. Emplacement clair mais à l'abri de l'insolation et des courants d'air, dans une pièce non chauffée. Faute de respecter ces conditions, on verra la plante rapidement envahie par les pucerons.
Soins. Les calcéolaires aiment une température fraîche, de 10-12 °C. Supprimer régulièrement les fleurs fanées.
Arrosage. Tenir la motte modérément humide en permanence. Il faut se souvenir que ces plantes ont leur patrie d'origine dans les montagnes et qu'elles réclament une atmosphère plutôt humide. Les bassiner de temps en temps ou les mettre dans un grand cache-pot et bourrer l'intervalle avec du sphagnum humide. Ne pas pulvériser directement sur la plante lorsqu'elle est en fleurs.
Fertilisation. Engrais liquide, une fois tous les quinze jours. Diminuer de moitié la concentration recommandée par le fabricant.
Rempotage. Utiliser un mélange très acide : terreau de feuilles, terre de bruyère ou tourbe et terre franche riche en humus.
Multiplication. Faire des boutures en juillet. Certaines races se propagent

Calcéolaire à fleurs jaunes.

par semis. Quel que soit le mode de propagation, elle doit se faire à une température fraîche, à l'abri du soleil. Ventiler beaucoup par beau temps. Les boutons floraux se forment en 4 à 6 semaines, à une température de 8 à 10 °C. On peut ensuite hâter la floraison en utilisant un éclairage aux tubes fluorescents.
Maladies. Anguillules des feuilles, pucerons, botrytis, fonte des semis, aleurodes des serres. Le jaunissement des feuilles est dû à un manque de fer (le mélange terreux utilisé ne convient pas) ou à une concentration de sels minéraux dans le pot. On observe également le flétrissement des feuilles dû à un virus ou à la pourriture du pied. Éviter l'excès d'humidité, ne pas enterrer la plante trop profondément et utiliser un mélange de rempotage parfaitement sain.

Calceolária hybrides
Syn. *Calceolária* x *herbeohýbrida*. Plante annuelle. La variété 'Grandiflora' a des fleurs de 6 cm de diamètre. Les fleurs de 'Multiflora' font 4 cm de diamètre. L'un et l'autre groupes présentent des fleurs unicolores, zébrées, tachetées et tigrées. Feuilles dentées.
Calceolária integrifólia
Sous-arbrisseau aux feuilles ridées.

Calliándra tweédyi

Petites panicules de fleurs jaunes, visqueuses, de 1,5 cm de diamètre. Se prête à la garniture des balcons.

Calliándra
Leguminósæ

Nom. Du grec *kallos*, beauté, et *aner andros*, homme.
Origine. Ce genre nous vient d'Amérique centrale (Mexique) et d'Amérique du Sud : sud et sud-est du Brésil, Bolivie, Équateur, Surinam.
Description. Arbustes à feuillage persistant très décoratif. Feuilles pennées ou bipennées. Fleurs brillantes, remarquables et très originales : il faut savoir que les longs filets dressés sont les étamines et non la corolle.
Exposition. Le *Calliándra* peut trouver sa place, durant l'automne et l'hiver, en appartement chauffé, près d'une fenêtre ensoleillée. Au printemps et en été, il faudra penser à tamiser les rayons du soleil. Cette plante se plaira naturellement dans une serre chauffée où elle trouvera une ambiance plus humide que dans l'appartement.
Soins. Température hivernale minimale : 15 °C. Les racines, lorsqu'elles sortent de la motte, peuvent être taillées au printemps.
Arrosage. Maintenir la motte modérément humide d'un bout à l'autre de l'année. Arroser généreusement l'été, quand il fait chaud. Veiller à maintenir une humidité ambiante de 50-60 %. En appartement, pulvériser au moins une fois par jour.
Fertilisation. Pendant la période de croissance, on apportera un engrais liquide, une fois tous les quinze jours, en se conformant aux indications données sur l'emballage.
Rempotage. Au printemps. Se servir de terre de rempotage ordinaire, prête à l'emploi. Ajouter éventuellement un peu d'humus.
Multiplication. Boutures sous châssis, avec chaleur de fond.
Maladies. Le feuillage, assez tendre, est facilement attaqué par l'aleurode des serres.

Calliándra tweédyi
La photo évoquera sans doute pour beaucoup le *Mimósa pudíca*, ce qui n'est pas tellement étonnant, car les deux appartiennent à la famille des *Leguminósæ*. Lorsqu'on passe la main dessus, les feuilles bipennées de ce *Calliándra* gardent leurs folioles écartées. Dans leur jeune âge, ces folioles, très nombreuses, sont pratiquement linéaires et soyeuses. Les longues étamines sont rouge pourpré, surmontées d'anthères jaunes.

Callísia élegans

Callísia

Commelinácew

Nom. Du grec *kallos*, beauté, et *lis*, lis.

Origine. Parmi les 12 espèces que l'on trouve en Amérique centrale et en Amérique du Sud, 3 seulement sont cultivées chez nous. *Callísia élegans*, qui a sa patrie dans le nord du Mexique et qui est introduite chez nous depuis 1943, est la plus connue.

Description. Plantes herbacées, au port dressé ou retombant, cultivées pour leur joli feuillage. Les fleurs sont souvent blanches, et tout à fait insignifiantes.

Exposition. Dans leur milieu naturel, ces plantes forment des couvre-sol dans les bois ; elles poussent donc en des lieux ombragés. Lorsqu'il y a trop de lumière, les feuilles deviennent ternes et s'amenuisent.

Soins. Au-dessus de 16 °C, les *Callísia* produisent une végétation exubérante. Si les pousses deviennent trop longues ou se dégarnissent, on rabattra sur la 2e ou 3e feuille.

Arrosage. Maintenir la motte assez humide pendant la période de végétation. En hiver, on laissera la terre se dessécher entre deux arrosages. Faire des pulvérisations de temps à autre pour entretenir une humidité ambiante de 50-60 %.

Fertilisation. Fertiliser régulièrement, une fois par semaine, au printemps et en été.

Multiplication. Prendre des extrémités de rameaux, de 7 cm de long. On peut les faire enraciner dans l'eau ou dans un mélange sableux, à une température de 20 °C. Couvrir d'un capuchon de plastique pour limiter la transpiration. Au bout de dix jours, quand les racines se sont formées, on découpera des petits trous dans le plastique pour acclimater la bouture à l'atmosphère sèche de la pièce. Enlever le plastique dès que les nouvelles feuilles commencent à se montrer.

Callísia élegans

Syn. *Setcreaséa striáta*. Tiges rampantes. Feuilles sessiles, ovales, vert mat rayé de blanc, légèrement velues. Fleurs blanches sur pédoncule dressé.

Callísia frágrans

Syn. *Spironéma frágrans*. Tiges dressées. Feuilles vertes. Petites fleurs blanches, odorantes.

Callistémon

Myrtácew

Nom. Du grec *kallos*, beauté, et *stêmôn*, fil, étamine.

Origine. On en connaît quelque 25 espèces, toutes en provenance d'Australie et de Tasmanie.

Description. En Australie, ces arbustes ou arbrisseaux à feuillage persistant atteignent 3 m de haut. Cultivés en pot ou comme plantes d'orangerie, ils atteignent environ le tiers de cette hauteur. La feuille, verte et lancéolée, est raide et coriace, terminée en pointe piquante et fortement nervurée. Ils produisent, en été, des épis floraux de 5 à 10 cm, de toute beauté. Ce que nous voyons, terminant les rameaux en un gros goupillon, ce sont les étamines écarlates ou, parfois, jaunes. Ces cylindres sont en fait formés de fleurs qui ont perdu leur périanthe au moment de l'épanouissement des boutons. Ces torches flamboyantes perdent leurs étamines au bout de 2 mois. Il se forme alors des petits fruits durs, ligneux, en forme de trièdre ou de cube, pressés contre la tige. Le rameau continue à se développer au-dessus de l'inflorescence et produit de nouvelles feuilles.

Exposition. Le *Callísia* a été de tous temps une plante de serre froide ou d'orangerie. On peut aussi le cultiver dans une pièce claire ou sur un balcon. La plante doit hiverner à 6 ou 8 °C, dans un local clair. L'été, on la sortira à un endroit ensoleillé. Sinon, on lui réservera l'emplacement le plus lumineux et le plus aéré de la maison. Le soleil et l'air frais sont des conditions déterminantes pour obtenir une plante saine et bien fleurie.

Soins. On conservera un buisson touffu en taillant la plante au printemps, avant le départ de la végétation ou, mieux encore, en été, après la floraison. Il faut se souvenir, lorsqu'on procède à la taille, que les fleurs apparaissent sur les rameaux de l'année précédente.

Arrosage. N'arroser qu'à l'eau douce. Arrosages réduits en hiver. Maintenir la motte humide à partir du printemps. Arroser régulièrement l'été, lorsque la plante est dehors. Veiller à ce que la plante ne subisse pas de températures élevées au moment où elle est boutonnée : il faudra pulvériser très régulièrement pour empêcher les boutons de sécher.

Fertilisation. Fertiliser d'avril à début août, une fois tous les quinze jours, avec un engrais liquide dépourvu de calcium.

Rempotage. Les jeunes plantes seront rempotées tous les 2-3 ans, les plus âgées tous les 5-6 ans, en mars, dans du terreau forestier riche en humus ; la sapinette convient parfaitement.

Multiplication. Prélever des boutures de 5 cm, entre août et mars, et les planter dans du sable, sur chaleur de fond (18-20 °C). Couvrir d'une plaque de verre ou de plastique. L'enracinement se produit en 5 semaines. On peut alors repiquer les boutures. Elles ne supportent pas le calcaire ; on prendra donc un mélange à base de terreau de feuilles ou de sapinette, de tourbe acide et de sable. Les maintenir un certain temps à 15 °C, sous abri vitré. On ne les sortira que la deuxième année. Pincer régulièrement et donner beaucoup de lumière, d'eau et d'engrais.

Callistémon citrínus est une plante d'orangerie extrêmement originale.

Caméllia japónica 'Beatrice Burns'

Callistémon citrínus

La seule espèce à produire des fleurs dès son jeune âge et, pour cette raison, la plus cultivée. Désignée autrefois sous le nom de *Callistémon lanceolátus,* qu'elle devait à ses feuilles lancéolées qui répandent une odeur de citron lorsqu'on les froisse.

Caméllia

Theácew

camélia

Nom. Dédié à Georges Joseph *Camelli* (1661-1706), qui fit paraître un livre de plantes illustré de dessins, où il rassemblait les végétaux qu'il avait rencontrés sur l'île de Luzon.

Origine. 82 espèces, originaires d'Asie orientale. La plus connue est *Caméllia sinénsis (Théa sinénsis).* La plante d'appartement, *Caméllia japónica,* a sa patrie dans les régions montagneuses à climat tempéré du Japon, de la Corée, de la Chine du Nord et de Taïwan. La culture proprement dite n'a démarré, à grande échelle, qu'après 1800. Depuis, on n'a cessé de produire des hybrides magnifiques.

Description. Arbuste à feuilles persistantes, luisantes et coriaces. Croissance lente. Les fleurs, en forme de coupe, sont rouges, roses, blanches ou bicolores. Elles varient aussi en taille et en duplicature. Elles peuvent faire de 5 à 12 cm. Elles sont simples, au cœur garni de nombreuses étamines, semi-doubles ou semi-pleines, doubles ou pleines ; les pétales sont imbriqués en écailles ou superposés. Les pétales, comme les étamines, sont soudés à la base. On dit que la fleur est gamopétale.

Exposition. On entend souvent dire que le camélia est une plante d'appartement difficile. On résoud beaucoup de problèmes en lui donnant une situation adéquate. L'été, il se plaira surtout dehors, à un endroit abrité, à mi-ombre. Si on désire le garder toute l'année à l'intérieur, on le placera près d'une fenêtre claire, orientée au nord, dans une ambiance assez fraîche. Il ne faut surtout jamais tourner le pot. Les boutons sont en effet orientés vers la lumière. Si on tourne le pot, ils chercheront à suivre la direction de la lumière, mais leur pédoncule, court et fragile, se rompra et le bouton tombera. Lorsque le camélia sera devenu trop encombrant pour l'appartement, on le plantera dans un endroit abrité du jardin. Bien couvrir par temps de gel.

Soins. Ce que nous venons de dire implique que le camélia exige avant tout une température régulière. Lorsqu'on rentre la plante, en septembre ou en octobre, il faut veiller à ce que l'adaptation au climat de l'appartement se fasse progressivement. Hiverner à 8-10 °C et conserver à 10-12 °C jusqu'à l'épanouissement des boutons. Ne pas dépasser 16 °C pendant tout le temps de la floraison. Après la floraison, maintenir une température de 6-10 °C jusqu'au moment de sortir la plante, en mai dans la région parisienne.

Arrosage. Tenir la motte régulièrement humide. Toujours arroser à l'eau douce car cette plante a horreur du calcaire. L'hiver, on versera de l'eau tiède dans la soucoupe et on jettera, après un quart d'heure, l'eau qui n'a pas été absorbée. Entretenir également une humidité ambiante constante. Les plantes qui passent directement du fleuriste à l'appartement, où l'air est chaud et sec, perdront immanquablement leurs boutons.

Fertilisation. Pendant la végétation, on donnera, tous les quinze jours, une ration d'engrais exempt de calcium. Cesser les fertilisations dès l'apparition des boutons : les nouvelles pousses risqueraient de les faire tomber.

Rempotage. Rempoter le moins souvent possible. Mieux vaut fertiliser souvent ou renouveler la couche superficielle de terre : prendre un mélange léger et riche en humus.

Multiplication. Prendre des extrémités de rameaux ayant 3 feuilles ou yeux, en janvier ou en août. Tremper dans de la poudre d'enracinement. Chaleur de fond : 22 °C. Support : mélange de sable et de tourbe.

Maladies. Pucerons, cochenilles à bouclier, cochenilles farineuses, chute des boutons, taches foliaires sont souvent la conséquence de conditions de culture défavorables.

Caméllia japónica

Feuilles de 10 cm, incurvées vers le bas. Floraison entre novembre et mars, selon les cultivars, qui sont extrêmement nombreux, 'Chandleri Élegans' étant l'un des plus robustes (fleurs rose carné, pleines).

Campánula

Campanuláceæ

campanule

Nom. Du latin *campanula,* clochette. Toutes les espèces appartenant à ce genre ont des fleurs en forme de clochette.

Origine. Croissent à l'état spontané dans les massifs montagneux calcaires d'Europe et d'Asie Mineure, de même que dans certaines régions méditerranéennes comme la Ligurie, dans le sud de l'Italie.

Description. La plupart des espèces se cultivent au jardin. Seules *Campánula frágilis* et *Campánula isophýlla* sont utilisées comme plantes d'intérieur. Jolies plantes pérennes, très faciles à soigner. Tiges molles et pendantes, très fragiles, renfermant un latex. Les fleurs, blanches ou bleu violacé, ont la forme de clochettes.

Exposition. Fleurit aussi bien près d'une fenêtre orientée au nord qu'auprès d'une fenêtre ensoleillée, pourvu qu'on la protège des rayons vifs du soleil. Dès le mois de mai, on peut mettre la campanule sur le balcon ou au jardin. Elle est très sensible à la gelée et il faudra penser à la rentrer à temps, avant l'hiver. Faire hiverner dans un endroit clair et frais. Fait de jolies corbeilles suspendues.

Soins. Avant l'hiver, on rabattra les vieilles tiges à quelques centimètres de leur point de départ. Laisser pas-

Campánula isophýlla 'Alba'

ser l'hiver à 6-8 °C. Éliminer régulièrement les fleurs fanées qui épuisent inutilement la plante.

Arrosage. Les arrosages dépendront de la température et de l'emplacement. Une potée placée près d'une fenêtre exposée au sud pourra réclamer 3 à 4 arrosages par jour l'été, lorsqu'il fait chaud. La même potée, dans une chambre au nord, se satisfaira de 3 à 4 arrosages par semaine. La campanule ne craint pas l'eau calcaire. Arroser peu en hiver. Humidité de l'atmosphère modérément élevée. L'humidité d'une serre peut être excessive et provoquer des taches noires sur le feuillage. *Campánula frágilis* souffrira si on laisse sa motte se dessécher.

Fertilisation. Distribuer un engrais liquide, en respectant le dosage normal, une fois par semaine, du printemps (au départ de la végétation) jusqu'à mi-août.

Rempotage. Au printemps, dans un mélange nutritif, riche en humus. On pourra mélanger, à parts égales, du terreau de feuilles, du vieux fumier bovin et de la terre argileuse.

Multiplication. *Campánula frágilis* se sème généralement de février à avril. La germination demande 10 à 14 jours. *Campánula isophýlla* se bouture au printemps. La plante mère, qui a été taillée et placée dans un endroit frais pendant l'hiver, est rempotée, mise à une température de 10-15 °C et arrosée. 15 °C est une température maximum. Trop de chaleur donne des pousses molles. On prélève des extrémités de tiges de 5 à 7 cm, que l'on fait enraciner dans un mélange de tourbe et de sable. L'enracinement est lent à se produire. On se servira avantageusement de poudre d'hormones.

Maladies. Araignée rouge et thrips. Taches foliaires et botrytis sont provoqués par une trop grande humidité ambiante et peuvent aussi atteindre les boutures. Les thrips transportent un virus qui occasionne des taches annulaires : celles-ci se manifestent par des cercles jaunes, des points ou des stries. Il faut détruire toutes les plantes contaminées.

Campánula frágilis

Plante retombante, aux longues tiges non ramifiées (30 cm), portant de petites feuilles vertes et lisses. Fleurit bleu, en juin-juillet.

Campánula isophýlla

Étoile de Marie. Tiges retombantes et rampantes. Fleurs bleu tendre, de juillet à septembre. 'Alba' a des fleurs blanches et 'Mayi', des fleurs mauves, un rien plus grandes.

Camélia japónica 'Yours Truly' est plutôt un arbuste de jardin, en climat doux.

Campánula isophýlla 'Mayi' aux jolies fleurs bleues en étoile.

Cánna

Cannáceæ

balisier

Origine. Tous les *Cánna* sont probablement d'origine tropicale ou subtropicale américaine.

Description. Plantes herbacées, gélives, à racines rhizomateuses. Les feuilles sont souvent larges et les fleurs brillamment colorées. On ne trouve dans le commerce que des hybrides.

Exposition. Les *Cánna* sont, en fait, des plantes de jardin, mais les variétés naines de *Cánna índica* se prêtent également à la culture en appartement, où elles réclament un emplacement en pleine lumière. Les *Cánna* ne redoutent pas le soleil. Ils aiment l'air frais et, l'été, on peut les mettre dehors. On leur donnera alors un petit coin bien abrité et très ensoleillé. Ils se développeront mieux si on les plante directement dans un bon sol nutritif plutôt que dans un pot. Rentrer à temps, en automne.

Soins. Ces plantes réclament beaucoup de chaleur pendant leur végétation. Diminuer les arrosages en automne. Le feuillage disparaît et les rhizomes sont conservés tout l'hiver dans de la tourbe légèrement humide, à 15 °C. On les rempote au début du printemps.

Cánna índica hybride 'Lucifer'

Arrosage. Arroser modérément, sauf s'il fait très chaud, car les larges feuilles transpirent beaucoup. Les *Cánna* supportent assez bien l'atmosphère sèche des appartements.

Fertilisation. Fertiliser à l'engrais liquide, dosé normalement, une fois par semaine pendant toute la période de végétation.

Multiplication. Les *Cánna* se reproduisent par semis, mais pas fidèlement. Laisser tremper les graines 24 heures ou les entailler. On peut aussi mettre les rhizomes en végétation au printemps et diviser ceux qui présentent plusieurs pousses.

Maladies. Pucerons, limaces, araignées rouges et maladies à virus.

Cánna índica (Hybrides de)

○ ⓙ ⓖ ⊛ ⓖ ▥

Les formes naines, adaptées à la culture en appartement, font 60 cm de haut. Racines tubéreuses. Assez grandes feuilles sessiles. Grandes fleurs disposées irrégulièrement sur la hampe, en épi serré. Les étamines donnent l'impression d'être des divisions du limbe de la corolle incomplètement développées. 'Lucifer' a des fleurs rouges, frangées de jaune ; 'Alberick' est saumon ; 'Puck' montre des fleurs jaunes.

Cápsicum ánnuum : le piment décoratif.

Cápsicum

Solanáceæ

piment

Nom. Probablement du latin *capsa*, boîte : allusion au fruit capsulaire.

Origine. Les 50 espèces que l'on connaît viennent d'Amérique centrale et d'Amérique du Sud.

Description. Plantes herbacées ou semi-ligneuses, non rustiques et cultivées comme annuelles, bien que certaines aient un feuillage persistant. Les fleurs sont petites et passent inaperçues. On les cultive essentiellement pour leurs fruits colorés et luisants, aux formes arrondies ou allongées. Les gros poivrons comestibles font partie de ce genre, de même que les petits piments brûlants qui servent de condiment. Les piments décoratifs sont surtout mis en vente vers Noël.

Exposition. Si l'on achète les plantes en automne, on leur donnera un maximum de lumière et de soleil pour permettre aux fruits de se colorer joliment. Les plantes que l'on obtient soi-même à partir de semis doivent être protégées des rayons vifs du soleil, au printemps et en été. Elles se plairont dans un endroit frais et aéré de la maison, à une température de 15 °C. L'été, on peut les placer dehors, à un endroit abrité et ensoleillé.

Soins. Lorsqu'il fait trop chaud ou trop sec, les fruits se rident. Un emplacement frais et raisonnablement humide prolonge la vie des plantes. On peut jeter les plantes dès que les derniers fruits se sont flétris. Vérifier, lors de l'achat, qu'il ne se cache pas de vermine à l'envers des feuilles.

Arrosage. Garder la motte modérément humide. Faire des pulvérisations régulières pendant la floraison, elles favoriseront la pollinisation. Les piments tolèrent assez bien l'air sec des appartements.

Fertilisation. Une solution d'engrais liquide de concentration normale, une fois toutes les 3 semaines, doit normalement suffire. Dès l'apparition des fruits, on arrosera à l'engrais une fois tous les dix jours, mais en réduisant la concentration de moitié : ceci jusqu'à la coloration des fruits.

Multiplication. On sème vers le mois de mars, à 15-18 °C. Premier repiquage après 3 à 4 semaines. Poursuivre la culture à 15 °C.

Maladies. Pucerons, cicadelles, araignées rouges, thrips et aleurodes. Le botrytis est causé par un excès d'humidité.

Cápsicum ánnuum

○ ⓖ ⊛ ⓖ ▥

À ne pas confondre avec *Solánum*. Piment commun, cultivé chez nous comme plante annuelle. Feuilles longues de 10 cm et larges de 4 cm, entières, ovales à lancéolées. Fleurs jaunâtres, solitaires ou réunies par deux. Les fruits affectent des formes diverses suivant les variétés : plus ou moins ronds ou plus ou moins coniques. Les couleurs aussi varient : on trouve toutes les nuances, du jaune au rouge ; certains sont crème ou aubergine.

Cárex

Cyperáceæ

laîche

Nom. Il s'agit d'un vieux nom romain dont on a perdu le sens exact.

Origine. Avec ses 1 100 espèces, le *Cárex* est le genre le plus riche de la famille ; il est présent dans toutes les parties du monde. *Cárex brúnnea*, la seule espèce qui puisse être cultivée en appartement, a son habitat dans le sud de l'Asie et en Australie.

Description. Plante herbacée, robuste, d'une très grande facilité de culture. Les variétés à feuillage vert et celles à feuillage panaché — les plus courantes dans le commerce — sont également décoratives. Il vaut la peine de les cultiver.

Emplacement. Lui donner un emplacement lumineux : il aime le soleil. Il se prête particulièrement bien à la décoration des grands bacs.

Soins. L'hiver, une température entre 8 et 16 °C lui conviendra. Le reste de l'année, il se contente d'une chaleur modérée. Craint les températures excessives.

Arrosage. Tout comme le *Cypérus*, le *Cárex* exige une terre constamment humide, sans être détrempée. Vider l'excédent d'eau du fond des soucoupes. Entretenir une humidité ambiante modérée par quelques pulvérisations.

Fertilisation. Fertiliser très peu : une solution d'engrais liquide, de concentration normale, une fois toutes les trois semaines suffit.

Multiplication. Les semis ne donnent que des variétés à feuillage vert. On propage généralement par division des touffes. Conserver le maximum de terre autour des racines.

Cárex brúnnea

① ⓖ ⊛ ⓖ ▥

On lui donne aussi le nom de *Cárex elegantíssima*. Plante gazonnante donnant des feuilles étroites et dressées, hautes de 30 cm. Émet des épis brun beige sur des hampes dépassant un peu du feuillage. 'Variegata' a des feuilles marginées de jaune.

Cárex brúnnea 'Variegata'. Les pots sont dissimulés dans les gravillons de marbre.

Catharánthus róseus, que l'on appelle encore souvent Vínca. La variété 'Ocellatus'.

Cattleÿa labiáta : l'une des plus belles orchidées.

Catharánthus
Apocynáceæ

Nom. Du grec *katharos*, pur, et *anthos*, fleur.
Origine. Ce genre comprend 5 espèces très communément répandues sous les tropiques. La seule espèce cultivée en appartement est *Catharánthus róseus*, originaire de Madagascar.
Description. Plantes herbacées, annuelles ou vivaces. *Catharánthus róseus*, vivace à l'état spontané, est cultivé comme plante annuelle. La fleur révèle une parenté indiscutable avec *Vínca*, mais la feuille de *Vínca* est différente, plus petite, et permet de faire la distinction. En outre, *Vínca* émet des stolons qui se repiquent d'eux-mêmes dans le sol et forment tapis, tandis que *Catharánthus* a un port dressé. Un dernier détail : la gorge de la fleur du *Catharánthus* est fermée par une touffe de poils.
Exposition. Un endroit clair et ensoleillé dans une pièce pas trop chauffée. Tamiser la lumière trop vive du soleil, au printemps et en été. Au jardin, par contre, le *Catharánthus* acceptera tout au long de l'été un petit coin abrité, en plein soleil.
Soins. Si on a l'intention de conserver une plante pour en prélever des boutures au printemps, on le fera hiverner à 12-18 °C. En règle générale, le *Catharánthus* donne de meilleurs résultats lorsqu'il est cultivé comme plante annuelle.
Arrosage. Arroser régulièrement de façon à conserver la motte humide en permanence. Réduire les arrosages en hiver. Le *Catharánthus* se plaît en atmosphère humide mais résiste aux conditions normales de l'appartement. Le mieux est de bassiner régulièrement son feuillage avec de l'eau tiède. On utilisera aussi de l'eau tiède pour arroser.
Fertilisation. Fertiliser à l'engrais liquide, une fois tous les quinze jours, en se conformant au dosage préconisé par le fabricant.
Multiplication. On a le choix entre le

Catharánthus róseus

semis et le bouturage. Le bouturage permet d'avoir des plantes fleuries plus rapidement. Le semis se pratique en février, sur chaleur de fond. On repique plusieurs plantules ensemble dans un pot.
Bouturer en août pour que l'enracinement se produise avant l'hiver. Si l'on dispose d'un espace suffisant, on conservera la plante mère et on fera ses boutures au printemps. Pincer au-dessus de la 6e feuille pour obtenir des plantes touffues.

Catharánthus róseus
○ ⊕ ⊗ ○ ▣
Syn. *Vínca rósea*. Pervenche de Madagascar. Plante buissonnante, dressée, charnue. Feuilles longues de 9 cm, larges de 3 cm, vertes avec une nervure blanche. Fleurs solitaires sur un pédoncule court. Elles font 3 cm de diamètre ; la corolle est plate, en forme de coupe, rose avec un œil plus foncé. 'Alba' a des fleurs toutes blanches et 'Ocellatus' a une corolle blanche avec un œil rouge. Toutes ces variétés fleurissent du début de l'été à la fin de l'automne.

Cattleÿa
Orchidáceæ
cattleya

Nom. Du nom de William *Cattley*, orchidophile anglais.
Origine. 60 espèces, originaires d'Amérique du Sud.
Description. Orchidées épiphytes aux pseudobulbes généralement fusiformes, cylindriques, épais ou minces, portant une ou deux feuilles plus ou moins allongées, ovales ou ensiformes (en forme d'épée) qui peuvent persister au-delà d'une saison. La hampe florale prend naissance dans la gaine de la feuille, à sa base. Le nombre de fleurs varie de 2 à 15, et même davantage chez les espèces à petites fleurs. De nombreuses espèces et variétés sont cultivées pour la fleur coupée. Les fleurs de *Cattleÿa* se distinguent par leurs couleurs brillantes et la forme de leur labelle, large et allongé, aux lobes latéraux parfois relevés ou ondulés sur les bords.
Exposition. Ces orchidées réclament un emplacement bien éclairé qui puisse être protégé du soleil ardent entre avril et septembre. On les cultive de préférence en serre tempérée ou chaude.
Soins. Température minimale nocturne pendant la période de végétation : 15 °C. Minimum hivernal : 12 °C. La période de repos se situe généralement après la floraison : à ce moment, la température peut descendre à 2-3 °C. Plus la température sera basse, plus le degré d'hygrométrie sera élevé.
Arrosage. Pendant la période de végétation, les *Cattleÿa* réclament beaucoup d'eau - douce. La fréquence des arrosages dépend de la température. Il est bon de les baigner régulièrement, attendre que la terre ait un peu séché avant d'arroser à nouveau. Réduire les arrosages en période de repos, tout en veillant à ce que les pseudobulbes ne se rident jamais. Assurer un bon drainage. Entretenir une atmosphère humide en pulvérisant, mais jamais directement sur les plantes, afin d'éviter les maladies sur les feuilles et les fleurs.
Fertilisation. Une fois par mois, en divisant par 3 la concentration indiquée sur l'emballage.

Rempotage. Après la floraison, dans un mélange de deux parties de fibres d'osmonde et une partie de sphagnum. Épaisse couche de tessons au fond du pot. La plus grande partie du rhizome doit rester apparente.
Multiplication. Division des rhizomes. Chaque segment doit comporter au moins deux pseudobulbes et un œil.
Maladies. Pucerons, cochenilles à bouclier, acariens, cloportes, limaces.

Cattleÿa bowringiána
① ⊕ ⊗ ○ ▣
Floraison automnale. Fleurs de 8 cm, mauve pâle rosé, avec un labelle plus foncé, blanc à la base et traversé d'une bande brune.

Cattleÿa dowiána
Cette variété fleurit en été. Pétales jaunes, revers parcouru de mauve ; labelle pourpre veiné de jaune. La variété *aúrea* fleurit plus tard : les pétales sont jaune pur et les veines jaunes du labelle sont plus accentuées. Serre chaude.

Cattleÿa gaskelliána
Fleurit en été. Pétales rose lilas, labelle rose avec une tache sombre, pourpre à l'avant.

Cattleÿa labiáta
Floraison automnale. Fleurs de 15 cm, pourpre rosé, labelle en forme de trompette, rose, jaune et pourpre. 'Candida' a des pétales blancs.

Cattleÿa mendélii
Fleurit en mai-juin, après la période de repos. Pétales variant du blanc au rose ; labelle frangé, pourpre, jaune et cramoisi.

Cattleÿa móssiæ
Fleurs odorantes, rose violacé, en mai-juin. Grand labelle aux bords ondulés, pourpre et jaune, marginé d'une bande très claire.

Cattleÿa skinneri
Fleurit au printemps, dans les tons violet pourpre. Le labelle est violet foncé avec une gorge blanche.

Cattleÿa trianæ
Produit en hiver des fleurs allant du rose tendre au pourpre. Labelle frisottant, pourpre, gorge jaune orangé.

Cattleÿa warscewiczii
Donne, en été, des fleurs parfumées, rose lilas, avec un grand labelle au bord frisé dont la couleur varie du cramoisi au pourpre ; deux taches jaunes sur la gorge.

Celósia

Amaranthácex

célosie

Nom. Du grec *kêlon*, morceau de bois sec, ou de *kêlis*, tache de sang. Dans le premier cas on ferait référence à l'aspect sec et membraneux du périanthe qui forme la fleur ; dans le second, ce serait une allusion à la tache rouge que l'on trouve sur les feuilles de certaines espèces.

Origine. Les 60 espèces proviennent d'Afrique tropicale, d'Amérique et d'Asie.

Description. Plantes annuelles, à floraison prolongée, utilisées comme plantes de massif ou d'appartement. Les inflorescences, souvent très remarquables, affectent la forme de panicules plumeuses ou de crêtes. Les couleurs se situent surtout dans les tons allant du jaune au

Celósia argéntea var. *cristáta*

rouge violacé. Si, après les avoir coupées, on les fait sécher très rapidement, mais à l'abri du soleil, elles conservent leurs couleurs pendant des années. Nous avons donc là une excellente fleur pour bouquets secs.

Exposition. Soleil ou mi-ombre.

Soins. Si l'on parvient à combiner un air ambiant pas trop chaud (16 °C), et une bonne chaleur de fond (20 °C) on obtient des fleurs richement colorées.

Arrosage. Arroser modérément. Des arrosages trop rapprochés provoquent la pourriture du collet. Des pulvérisations régulières sur le feuillage stimulent la croissance et permettent d'obtenir des fleurs plus grandes.

Fertilisation. Arroser à l'engrais liquide, une fois tous les quinze jours, en se conformant au dosage préconisé sur l'emballage.

Rempotage. Un mélange terreux trop riche, notamment en azote, nuit à la coloration des fleurs.

Multiplication. Semer de février à avril, à 20-25 °C. La nuit, la température ne doit pas descendre au-dessous de 18 °C ! Prévoir une chaleur de fond.

Maladies. Pourriture des racines et du collet. Pucerons.

Celósia argéntea

Ⓓ ⓐ ⓧ Ⓖ ⓔ

La var. *cristáta* est une plante touffue, au feuillage vert clair. Large inflorescence composée de grandes « crêtes de coq » tortueuses. Désignée aussi sous le nom de « amarante crête de coq ». Il en existe des cultivars bien connus : 'Jewelbox' et 'Nana' sont des formes naines de 30 cm de haut. La var. *plumósa* doit son nom à ses beaux panaches de forme pyramidale. De nombreuses races et parmi elles 'Thompson's Magnifica' font jusqu'à 60 cm ; 'Plume d'Or' et 'Plume de Feu' sont des variétés plus basses : 30 cm.

Cephalocéreus senílis : la populaire « tête de vieillard ».

Cephalocéreus

Cactácex

Nom. Composé du grec *kephalê*, tête, et du nom de genre *Céreus*.

Origine. Le Mexique est la patrie de ce cactus qui peut y atteindre jusqu'à 15 m de haut.

Description. Cactus cierges, peu ou pas ramifiés, parcourus de nombreuses côtes. Ils ne produisent pas de fleurs avant d'avoir atteint 5 à 6 m de haut. Leurs fleurs, généralement blanches, s'épanouissent la nuit. Cactus de grande valeur décorative, qui se couvrent d'une perruque de poils dès leur plus jeune âge.

Exposition. Ils exigent beaucoup de soleil. Une tablette de fenêtre ensoleillée leur convient parfaitement. Ils ne supportent pas les courants d'air.

Soins. Leur donner beaucoup de chaleur en été et leur accorder une période de repos en hiver, à une température ne descendant pas au-dessous de 15 °C.

Arrosage. Ils aiment une chaleur humide. Il faut donc pulvériser régulièrement. Arroser modérément en été, les maintenir secs en hiver.

Fertilisation. Pendant la période de végétation, on administrera un engrais spécial pour cactus une fois tous les 15 jours. Se conformer au dosage prescrit sur l'emballage.

Rempotage. Utiliser un bon mélange perméable contenant beaucoup de terre argileuse meuble, et des pots à peine plus grands que les précédents. Préserver au maximum la motte et soutenir quelque temps le cactus à l'aide de petits tuteurs.

Multiplication. Semer en enterrant à peine les graines dans une terre sableuse, finement criblée.

Maladies. Araignées rouges et cochenilles farineuses se manifestent, en été, lorsque l'atmosphère ambiante est trop sèche. Trop d'humidité en hiver provoque la mycose et la pourriture du collet.

Cephalocéreus chrysacánthus

Ⓞ ⓐ ⓧ Ⓖ ⓣ

Syn. *Pilocéreus chrysacánthus.* Atteint jusqu'à 4,50 m de haut. Corps vert, sommet jaune, laineux. 9 à 14 côtes portant des aiguillons jaune ambré ; ceux du pourtour sont criniformes et blancs. Fleurs rougeâtres.

Cephalocéreus senílis

Syn. *Cephalóphorus senílis.* « Cierge barbe de vieillard ». C'est l'espèce que nous connaissons le mieux. Tige cylindrique, rarement ramifiée sinon,

parfois, à la base. Couvert de poils blancs à gris, longs de 12 cm et légèrement frisés. Produit des fleurs roses dans son habitat d'origine.

Céreus

Cactácex

cierge

Nom. Le mot latin *cereus* signifie cierge ou flambeau de cire.

Origine. Les 25 à 30 espèces connues sont originaires d'Amérique du Sud, surtout du nord de l'Argentine, d'Uruguay, du Paraguay, de l'est et du sud du Brésil. Le genre *Céreus* était considéré autrefois comme le plus important de la famille et englobait, outre les cactus cierges colonnaires, les cactus ramifiés, rampants et retombants. Les botanistes ont sévèrement remanié cette classification et, actuellement, seuls les cactus colonnaires se rangent dans le genre *Céreus*.

Description. Ce sont des cactus d'appartement qui poussent facilement et se cultivent sans problème. Ils sont souvent recouverts d'une pellicule cireuse blanchâtre ou glauque qui limite leur transpiration. Leurs fleurs s'ouvrent la nuit. Le tube de la fleur est pratiquement dépourvu d'écailles. Le fruit est lisse. La facilité avec laquelle ils se développent les fait souvent employer comme porte-greffe.

Exposition. On stimulera leur croissance en leur donnant un emplacement clair et ensoleillé. L'été, on peut les transporter sur la terrasse ou au jardin, en compagnie d'autres plantes

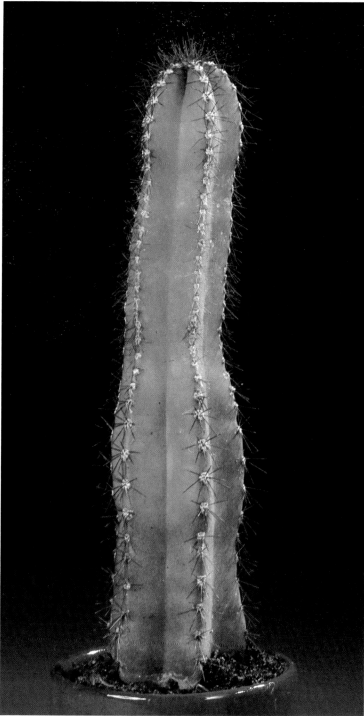

Céreus peruviánus : un specimen jeune. Il peut encore beaucoup grandir.

Céreus peruviánus 'Monstrosus' a la forme tourmentée d'un rocher.

d'orangerie. Ils s'utilisent avec bonheur en groupe, dans des petits jardins de cactus.

Soins. Voici enfin une plante d'appartement que l'on peut négliger sans que cela se remarque aussitôt. L'été, on la met au chaud, l'hiver on la met au frais avec les autres cactus et plantes d'orangerie. La température hivernale minimale est de 3 °C.

Arrosage. Arroser modérément l'été, pendant la période de croissance. Bassiner de temps à autre la plante pour la dépoussiérer et lui permettre de mieux respirer. En hiver, on arrosera très parcimonieusement pour empêcher la colonne de s'étirer. C'est une plante qui se plaît en atmosphère sèche, quelle que soit la saison.

Fertilisation. Elle est à peine nécessaire et certainement dans l'année qui suit le rempotage. En d'autres temps, on se contentera d'un apport occasionnel d'engrais spécial pour cactus, au cours de l'été.

Rempotage. Prendre un mélange standard et même riche en calcaire, mais surtout perméable. Il n'est pas nécessaire de rempoter tous les ans. Bien que la plupart des espèces se montrent assez indifférentes à la nature du mélange terreux dans lequel on les plante, on choisira un mélange un peu plus consistant (contenant de l'argile) pour les espèces à aiguillons décoratifs, car ceux-ci se développeront mieux.

Multiplication. La multiplication par semis et par bouturage ne présente aucune difficulté. On laissera les boutures sécher un peu avant de les planter.

Maladies. Cochenille farineuse et cochenille à bouclier.

Céreus azúreus
○ ◑ ⊕ ○ ◔ ▣ ◫

C'est la pellicule cireuse bleuâtre qui recouvre ces cactus qui leur a valu cette appellation. C'est une mince colonne, peu ramifiée, qui peut monter à 3 m et est couverte d'une pruine bleu vert. Les jeunes pousses sont résolument bleu ciel. Les colonnes ont 6 à 7 côtes plus ou moins accentuées et des aréoles couvertes d'un feutrage brun. Les fins aiguillons noirs sont réunis par 10 à 18. Les fleurs blanches, très longues (20 à 30 cm) s'ouvrent le jour. L'extérieur des fleurs est brun.

Céreus chalybǽus
Ce nom signifie que le cactus est bleu acier. Les connaisseurs le considèrent comme le plus bleu de tous les cactus. Il peut faire jusqu'à 3 m de haut et 10 cm d'épaisseur. Il a, en général, 6 côtes très saillantes. Les aréoles portent 7 à 9 aiguillons sur le

pourtour et 3 à 4 aiguillons plus rigides et noirs au centre. Les fleurs, longues de 20 cm, sont roses à rouges à l'extérieur et blanches à l'intérieur. Le fruit est jaune.

Céreus huntingtoniánus
Cette espèce se ramifie à la base et a des tiges cylindriques articulées. Elle atteint 2,5 m de haut ; les ramifications peuvent avoir 25 cm d'épaisseur ; lorsqu'elles sont jeunes, elles sont bleutées et presque dépourvues d'épines. Dans la suite, les aréoles se garnissent de trois aiguillons sur le pourtour et d'un fort piquant central. Ce cactus produit des fleurs rouges à gorge jaune qui s'épanouissent le jour.

Céreus jamacáru
Cactus à 4-6 côtes, de croissance rapide. Les colonnes sont bleutées au départ et pourvues de forts aiguillons allant du jaune au brun. Ses fleurs blanches s'ouvrent la nuit. Souvent utilisé comme porte-greffe en raison de sa forte végétation. La variété 'Monstrosus' paraît difforme à cause de ses ramifications irrégulières.

Céreus peruviánus
Cactus colonnaire à 6 ou 8 côtes bleutées : le plus connu de tous. Les aiguillons rigides et acérés, de couleur brune, sont réunis par 7 ou 8. Celui du centre fait 2 cm de long. Les spécimens d'un certain âge portent des fleurs de 12 cm, rouges à l'extérieur, blanches à l'intérieur. 'Monstrosus', le cierge rocher, émet des ramifications étranges aux formes torturées. Courts aiguillons bruns.

Céreus válidus
Colonnes bleues lorsqu'elles sont jeunes, présentant généralement 5 côtes. Les aréoles sont très rapprochées et les piquants, brun noir, s'entremêlent. Un aiguillon central de 4 cm et 5 piquants latéraux de 2 cm.

Ceropégia woódii subsp. woódii : les graines à leur maturité.

Ceropégia
Asclepiadáceæ

Nom. Du grec *kêros*, cire, et *pêgê*, source.

Origine. Les 160 espèces connues viennent de l'Asie du Sud-Est, de l'Inde, de Madagascar, des régions tropicales de l'Arabie, des îles Canaries et de différentes régions africaines. L'espèce est aussi représentée en Nouvelle-Guinée et dans le nord de l'Australie.

Description. Au sein de ce genre, on peut distinguer deux groupes principaux : l'un rassemble des espèces à tiges charnues dressées et souvent nues, l'autre comprend les espèces connues chez nous et dont les tiges grêles, pendantes portent, aux articula-

Ceropégia woódii : les fleurs.

tions, des feuilles opposées réunies par paire. De nombreux représentants de ce genre appartiennent à la catégorie des plantes grasses. Les racines charnues de la plupart des espèces sont tubéreuses. Les tubercules des espèces retombantes peuvent avoir un diamètre de 5 cm. Elles montrent aussi des bulbilles à l'aisselle des feuilles, mais celles-là restent petites. La photo montre la forme très particulière de la fleur qui a pu inspirer le nom. Elle est formée d'un long tube étroit terminé par cinq lobes soudés au sommet ou, plus rarement, recourbés. Lorsque les lobes sont étroits, la fleur ressemble à une petite lanterne, s'ils sont larges, elle a l'aspect d'un parasol. La base renflée de la fleur évoque aussi la forme d'une petite marmite. Les fleurs sont axillaires et, la plupart du temps, solitaires.

Exposition. Plantes faciles qui prospè-

Ceropégia bárkleyi : ses racines tubéreuses.

rent aussi bien au soleil qu'à la mi-ombre. On peut les laisser toute l'année dans l'appartement mais, comme les succulentes, elles apprécieront davantage un hiver passé dans la serre froide.

Soins. Laisser hiverner au soleil, à une température de 10 °C. Les tiges exagérément longues peuvent être raccourcies au printemps et les extrémités utilisées comme boutures.

Arrosage. Arroser peu toute l'année : une ou deux fois par semaine, moins encore si la plante hiverne au frais. Bonne résistance à l'air sec.

Fertilisation. On pourra donner un tout petit peu d'engrais, une fois tous les quinze jours en période de croissance.

Rempotage. On peut utiliser un mélange terreux aéré contenant beaucoup d'humus et un peu de calcaire ou une terre de rempotage ordinaire allégée d'une partie égale de sable grossier.

Multiplication. Semis, division des touffes, marcottage, bouturage. Pour bouturer, on choisira des segments de tiges munis de bulbilles. Laisser sécher la plaie occasionnée par la coupe avant de planter la bouture.

Ceropégia africána
○ ◑ ⊕ ⊕ ○ ◔ ◫

Étroitement apparenté à *Ceropégia bárkleyi*. Tiges volubiles aux petites feuilles charnues, glabres, ovales, elliptiques ou lancéolées. Les fleurs sont vertes ou pourpre foncé. Le tube de la fleur mesure 25 mm et les lobes, de 12 mm, sont soudés par le sommet.

Ceropégia bárkleyi
Tiges grêles, grimpantes ou pendantes, sans bulbilles. Petites feuilles vert clair aux nervures blanches, longues de 2,5 cm, charnues, ovales à lancéolées, aiguës, sessiles ou à pétioles courts. Les racines tubéreuses, rondes poussent à moitié hors de terre. Fleurs de

5 cm, réunies en bouquets, vertes avec du pourpre.

Ceropégia radicans

Tiges succulentes, assez épaisses, rampantes. Petites feuilles de 1 à 4 cm, presque rondes et terminées en pointe. Fleurs axillaires solitaires, de 10 cm. L'entonnoir, en forme de tube long et étroit, est légèrement renflé à la base. Les 5 lobes, striés de vert, de blanc et de pourpre, sont étroits et dressés.

Ceropégia sandersónii

Tiges volubiles portant des feuilles ovales à cordées. Le tube de la fleur est vert jaune et s'élargit en entonnoir au sommet. Avec ses lobes étalés, la fleur ressemble à un parachute.

Ceropégia stapeliifórmis

Tiges volubiles, épaisses et dressées, s'amincissant à leur extrémité. Feuilles rudimentaires. Fleurs en entonnoir, mesurant 6 cm de long, blanches avec des taches brun foncé. Elles sont groupées par 2 ou 4.

Ceropégia woódii

La sous-espèce débilis a des tiges extrêmement grêles et des feuilles linéaires, sessiles. La sous-espèce woódii a des feuilles de 1 à 2 cm, réniformes, marbrées, portées par de courts pétioles sur des tiges grêles. Fleurs rouge brun, lobes brun noir, poilus sur leur face interne.

Chamæcéreus silvéstrii : ses tiges font penser à des chenilles.

Chamæcéreus

Cactáceæ

Nom. Du grec *chamai*, à terre, et de *Céreus*, le nom du genre auquel ce cactus était autrefois rattaché.

Origine. Argentine. Ces cactées poussent sur les pentes des montagnes, parmi les broussailles, à une altitude bien déterminée où elles trouvent des conditions d'éclairement favorables.

Description. Ce genre est représenté par une seule espèce. C'est un cactus assez commun qui, correctement soigné, peut fleurir avec profusion. Sa croissance est rapide et il émet de nombreuses ramifications.

Exposition. Un emplacement clair, pas trop ensoleillé, est la condition essentielle qui permet à ce cactus de croître et de fleurir de façon satisfaisante. Lorsque la lumière est insuffisante, les pousses, qui ressemblent à des chenilles, s'allongent exagérément, s'amollissent et s'éclaircissent. Trop de soleil les fait au contraire brunir.

Soins. L'hivernage en local frais est indispensable. La température nocturne doit, pour bien faire, descendre de quelques degrés au-dessous de 0 °C. Le cactus se ride, mais il n'en fleurira que mieux.

Les fleurs légères de *Chamædórea élegans*.

Arrosage. L'été, on arrosera parcimonieusement mais régulièrement. Cesser tous les arrosages en hiver.

Fertilisation. D'avril en août, on apportera, tous les quinze jours, un peu d'engrais spécial pour cactus, pauvre en azote.

Rempotage. Mélange léger et nutritif : ceux du commerce spécialement préparés pour la culture des cactées conviennent parfaitement.

Multiplication. Sectionner une ramification, laisser la blessure de la coupe se cicatriser et planter la bouture dans un mélange sableux . l'enracinement se produit assez vite. La multiplication par semis est aussi très facile. Recouvrir les graines d'une mince couche de sable.

Maladies. Le manque d'air et de lumière en été peut favoriser l'apparition d'araignées rouges. L'excès de chaleur et d'humidité en hiver sont très néfastes.

Chamæcéreus silvéstrii

Syn. *Céreus silvéstrii*. Cactus cespiteux. Il émet une quantité de ramifications couchées et même pendantes, ayant la forme de doigts épais de 15 mm, cannelés (en général 8 côtes) et densément couverts d'aiguillons blancs. Fleurs rouge clair en forme d'entonnoir.

Chamædórea

Pálmæ

Nom. Du grec *chamai*, à terre et *dory*, lance.

Origine. Les 120 espèces sont originaires d'Amérique centrale et d'Amérique du Sud. L'espèce la plus connue, *C. élegans*, vient du Mexique.

Description. Palmiers de petite taille, très décoratifs. Stipe lisse, tubulaire, feuilles pennatiséquées, ou, exceptionnellement, entières et légèrement découpées au sommet. Fleurs dioïques. Les fleurs et les baies qui leur succèdent sont portées par des spadices aux allures capricieuses qui se forment sous ou entre les feuilles.

Exposition. Aiment la lumière mais redoutent les rayons directs du soleil.

Soins. Repos hivernal d'octobre à février, à une température qui, la nuit, ne doit pas dépasser 12-14 °C.

Arrosage. L'été, on arrosera copieusement et on baignera la plante une fois par semaine. L'hiver, on se contentera de maintenir la terre légèrement humide. Une atmosphère sèche, dans une pièce chauffée, entrave le développement de la plante. La sortir de temps à autre à la pluie ou la bassiner à l'eau douce.

Fertilisation. Engrais hebdomadaire, de mars à août : n'utiliser que le tiers de la dose prévue sur l'emballage.

Rempotage. Rempoter lorsque les racines dépassent de l'orifice de drainage du pot. Choisir un pot haut et étroit et un mélange terreux fait de terre argileuse, de terreau de feuilles, de vieux fumier bovin et de sable grossier.

Multiplication. Les plantes provenant de la division des touffes ont parfois de la peine à s'enraciner. La meilleure méthode est le semis, qui se pratique à 24-26 °C. La germination est lente et se manifester, car les graines sont dures et épaisses.

Maladies. Cochenille à bouclier et araignée rouge.

Chamædórea élegans

Hauteur : 1 m. Feuilles vert clair, arquées, pennées, à 12-15 paires de folioles, les deux du sommet sont le plus souvent soudées à la base. Les fleurs ont la forme de petites boules jaunes. 'Bella' est une variété de taille réduite.

Chamædóra metállica

Stipe court. Feuilles bifides, aux nervures très marquées. Fleurs orangées.

Chamærops

Pálmæ

Nom. Du grec *chamai*, à terre, et *rhops* plante buissonnante.

Origine. Il en existe 9 espèces qui croissent dans la partie occidentale du pourtour méditerranéen. C'est le seul palmier qui pousse à l'état spontané en Europe.

Description. Le *Chamærops* appar-

Chamærops húmilis : un sujet gigantesque photographié dans le sud de l'Allemagne.

tient à la catégorie des palmiers aux feuilles flabelliformes qui en font une plante d'appartement extrêmement ornementale. Il est particulièrement mis en valeur lorsqu'il se détache sur le fond neutre d'un intérieur moderne, aux lignes un peu sévères. L'espèce la mieux connue est *Chamærops húmilis,* qui peut atteindre 7 m. Cultivé comme plante d'orangerie, il ne dépassera guère 1 m de haut, mais prendra beaucoup d'ampleur.

Exposition. On peut sortir ce palmier de mai à septembre, en lui choisissant un endroit clair, pas trop ensoleillé. L'hiver, il se plaira à une situation relativement peu éclairée, mais la lumière ne le gênera pas. Veiller à lui fournir suffisamment d'air frais et à ne pas laisser la température descendre au-dessous de 0 °C. Si la terre est bien sèche, il résistera même à une légère gelée. Il se trouvera à l'aise dans une entrée fraîche et pourra même y séjourner l'été, s'il y fait suffisamment clair.

Soins. Il ressort de ce que nous venons de dire que le *Chamærops* doit hiverner dans un local frais, à une température pouvant varier de 0 à 10 °C. Il réclame beaucoup d'air frais en toutes saisons. La poussière entrave sa croissance. Il faut bassiner régulièrement son feuillage à l'eau douce.

Arrosage. En été, ce palmier réclame des arrosages copieux. En hiver, il sera tenu compte de la température ambiante. Si elle avoisine 0 °C, on cessera tout arrosage. Une humidité atmosphérique de 50 à 60 % est satisfaisante. Des pulvérisations régulières ne peuvent être que bénéfiques.

Fertilisation. Pendant la période de végétation, on distribuera chaque semaine une solution d'engrais, en respectant le dosage indiqué sur l'emballage.

Rempotage. Le mélange terreux devra, de préférence, être préparé longtemps à l'avance. Il se composera de limon substantiel, de terreau de feuilles et de sable grossier. On stimulera le départ de la végétation en donnant une chaleur de fond. Le pot doit être haut et étroit. On en garnira le fond d'une bonne couche de drainage. Le brunissement de l'extrémité des feuilles est souvent dû à un drainage défectueux. Il ne faut jamais éliminer complètement cette partie brune, mais toujours en laisser une frange mince, sinon le phénomène se reproduit et continue à entamer la partie verte des feuilles. Les sujets jeunes sont rempotés tous les deux à trois ans, les plus âgés, un peu moins souvent. Lors du rempotage on peut supprimer quelques racines de la base si elles sont gênantes. Après le rempotage la plante est assez vulnérable : il est conseillé de la loger pendant quelque temps dans un endroit humide, à l'atmosphère confinée. Avril est un excellent moment pour rempoter : le chauffage est réduit et l'atmosphère ambiante plus humide.

Multiplication. Par semis, de février à mars, dans une terre légère. Les jeunes plantes seront soustraites à l'action directe du soleil. De cette façon, on obtiendra des plantes valables au bout de 2 ans. Lorsqu'au bout de 3 ou 4 ans la plante aura rempli le pot, on pourra prélever les pousses latérales pour les empoter individuellement.

Maladies. Araignée rouge, cochenille farineuse, cochenille à bouclier et, exceptionnellement, thrips. Des taches jaunes, un peu huileuses, indiquent que la plante est atteinte de la

Chloróphytum comósum 'Variegatum' : un jeune spécimen.

maladie des taches foliaires. Le mieux est d'éliminer les feuilles contaminées : on les détache à la base des tiges, à l'aide de ciseaux ou d'un couteau bien aiguisé. De petites taches jaunes sur les feuilles sont le signe d'un manque de lumière ou d'un excès d'humidité de la terre ou de l'atmosphère.

Chamærops húmilis

Ⓘ Ⓦ Ⓢ ⊛ Ⓖ Ⓓ

À l'état sauvage, le stipe de ce palmier est enveloppé de membranes brunes. Du sommet jaillissent les feuilles flabelliformes, portées par des pétioles épineux. Fleurs jaunes, en grappes, entre les feuilles. Les formes cultivées sont pratiquement acaules.

Chloróphytum

Liliáceæ

Nom. Du grec *chloros,* vert, et *phyton,* plante.
Origine. Les 200 espèces sont d'origine tropicale. L'espèce verte, très communément répandue, vient d'Afrique du Sud.
Description. Plantes herbacées, basses, dont la plupart émettent des stolons. Les racines sont fibreuses ou charnues. Feuilles sessiles, rubannées. Fleurs en grappes plus ou moins denses, portées par des hampes tantôt longues, tantôt courtes, ramifiées ou non.
Exposition. Cette plante d'appartement très robuste supporte aussi bien le soleil que l'ombre. Elle prospère même dans les bureaux où les plantes sont souvent négligées. Les espèces panachées exigent pour conserver leur jolie panachure un peu plus de lumière que les espèces à feuillage vert.
Soins. S'adapte à n'importe quelles conditions de culture. Température hivernale minimale : 7 °C. N'exige pas de période de repos.
Arrosage. Pendant la période de végétation, on arrosera peu ou copieusement, selon la température. En de-

Les plantes âgées font de très nombreux stolons.

hors de cette période, on réduira les arrosages si la plante séjourne dans un endroit frais. Elle résiste à une atmosphère sèche, mais apprécie des pulvérisations.
Fertilisation. Solution d'engrais, de concentration normale, une fois par semaine, de mars à septembre.
Rempotage. Les racines assez épaisses retiennent beaucoup d'humidité et il arrive que le pot ne puisse plus les contenir. C'est le moment de rempoter dans des récipients larges et pas trop profonds, garnis d'un bon mélange limoneux.
Multiplication. Propagation des plantes par semis, division des touffes ou bouturage des stolons, qui s'enracinent avec une grande facilité.
Maladies. Le brunissement de l'extrémité des feuilles est dû à des arrosages insuffisants ou à des doses d'engrais excessives.

Chloróphytum capénse

○ ◑ Ⓘ Ⓢ ⊛ ⊛ Ⓖ Ⓓ

Syn. *Chloróphytum elátum.* Feuilles vertes linéaires, galbées en forme de gouttière et retombantes. Elles peuvent être larges de 4 cm. Tige florale peu ramifiée portant de-ci de-là une rosette. Fleurs blanches étoilées. 'Mediopictum' a une bande centrale crème, 'Variegatum' a le bord des feuilles marginé de crème.

Chloróphytum comósum

Syn. *Chloróphytum sternbergiánum.* Feuille verte, linéaire, large de 2 cm. La tige florale, d'abord courte et dressée, s'allonge et retombe au fur et à mesure de son développement et se couvre de nombreuses rosettes. 'Variegatum' a une bande centrale ou des bords blancs.

Chrysánthemum

Compósitæ

chrysanthème

Nom. Du grec *chrysos,* or, et *anthemon,* fleur : fleur jaune d'or.
Origine. Un genre très vaste comprenant plus de 200 espèces. Les chrysanthèmes cultivés en pot diffèrent sensiblement de la plupart des autres espèces. Ils appartiennent au groupe des hybrides du *Chrysánthemum índicum,* originaire de Chine.
Description. Le chrysanthème, autrefois symbole d'une longue existence, est maintenant vendu en toutes saisons comme plante à jeter une fois la floraison passée. Les horticulteurs, en exploitant leur caractère de plantes de jours courts, réussissent aujourd'hui à mettre en vente d'un bout à l'autre de l'année des chrysanthèmes fleuris. Normalement, ils ne doivent fleurir que lorsque les jours raccourcissent, c'est-à-dire en automne. En jouant artificiellement sur la répartition des périodes d'obscurcissement et d'éclairage, on parvient à les faire fleurir au moment que l'on choisit. De plus, on utilise des produits nanifiants pour limiter leur taille et renforcer la formation de fleurs. Ces plantes sont livrées dans les coloris blanc, jaune, rose, orange, rouge et mauve.
Exposition. Emplacement clair mais non ensoleillé. La chaleur abrège la floraison.
Soins. Éliminer régulièrement les fleurs fanées. Après la floraison, on ne peut que les jeter. Si on les transplante au jardin, ils reprennent leur taille normale et succombent aux premières gelées. Si on les fait hiverner à l'intérieur, à une température de 4 à 6 °C, il faut les tailler à 5 cm de la base. On les remet en végétation au printemps, mais ils ne méritent pas toute cette peine.

Hybride de *Chrysánthemum índicum,* en pot.

Arrosage. Arroser modérément, sans laisser pour autant la motte se dessécher. Les chrysanthèmes en pot tolèrent assez bien une atmosphère sèche.

Rempotage. Le problème ne se pose généralement pas. Sinon, utiliser une terre de rempotage ordinaire.

Multiplication. Les horticulteurs procèdent par bouturage.

Maladies. Anguillules, pucerons, botrytis, oïdium, araignées rouges, thrips, maladies bactériennes provoquant la flétrissure, punaises, aleurodes, pourriture des racines.

Chrysánthemum índicum (Hybrides de)
Ⓘ ⓖ ⊛ ⊖ ⊜
Les divers hybrides offrent une grande variété dans la forme et la couleur des fleurs.

Chýsis aúrea

Chýsis
Orchidáceæ

Nom. Du grec *chysis,* amalgame, fusion.

Origine. Ces orchidées viennent d'Amérique centrale, surtout du Mexique, mais on les trouve aussi au Guatemala, en Colombie et au Venezuela.

Description. Orchidées épiphytes, aux pseudobulbes fusiformes portant chacun deux feuilles. Fleurs en grappes assez denses, pendantes.

Exposition. Plantes de serre tempérée. S'acclimatent, l'été, en appartements dont la température avoisine 20 °C, et ceci d'autant plus facilement que leurs exigences en matière d'humidité ambiante sont très raisonnables.

Soins. Température hivernale nocturne : 13 à 16 °C, diurne : 16 à 18 °C. Tolèrent une température un peu plus basse lorsqu'il gèle. Tamiser la lumière ardente du soleil entre avril et septembre. Ne jamais pulvériser directement sur le feuillage : on provoquerait de vilaines taches.

Arrosage. Arroser abondamment pendant la période de végétation, surtout s'il fait chaud. La période de repos débute généralement en août : diminuer alors les arrosages et modérer la température. Humidité de l'atmosphère : 50 à 60 %.

Fertilisation. N'utiliser que des solutions d'engrais très peu concentrées. Préférer des engrais organiques ou des engrais spéciaux pour orchidées.

Rempotage. Utiliser un mélange de deux parties de racines de fougères grossièrement broyées et d'une partie de sphagnum. Couche de drainage épaisse au fond du pot. On cultive aussi ces orchidées sur des blocs de fougères arborescentes ou dans des paniers en lattes. Le rempotage a lieu en mars, lorsque de nouvelles racines se sont formées, et pour *Chýsis bractéscens*, dès janvier.

Multiplication. Semis.

Chýsis aúrea
Ⓘ ⓖ ⊛ ⊖ ⊜
Grappe pendante de 3 à 7 fleurs, large chacune de 4 cm, jaune d'or marqué de brun. Le labelle est jaune clair, strié de brun rouge. Fleurit en mai-juin.

Chýsis bractéscens
La hampe florale porte 3 à 8 fleurs blanc crème, très grandes (8 cm). Labelle blanc, intérieur jaune teinté de rouge. Floraison en mai-juin.

Císsus
Vitáceæ

Nom. Du grec *kissos*, lierre.

Origine. Les 350 espèces proviennent pratiquement toutes des tropiques. On les retrouve sur tout le globe. Quelques espèces croissent dans les régions subtropicales.

Description. Ce genre comprend une grande variété de formes. On y trouve non seulement des plantes grimpantes ligneuses, au feuillage vert ou panaché, mais aussi une dizaine d'espèces de plantes succulentes. Certaines de ces plantes grasses un peu particulières sont grimpantes, d'autres produisent une tige épaisse succulente pouvant atteindre 4 m de haut. Les plantes grasses retiennent surtout l'attention des collectionneurs à cause de leurs formes curieuses. Les espèces grimpantes, à allure de vignes, sont cultivées pour la magnificence de leur feuillage et quelques-unes, comme *Císsus rhombifólia,* sont appréciées en vertu de leur caractère indestructible. Toutes ont des fleurs à 4 pétales. Les feuilles sont entières ou composées de 3 à 5 lobes. Leurs fruits, contrairement à ceux de la vigne, ne sont pas comestibles.

Exposition. L'été, les succulentes aiment une situation ensoleillée. Les espèces grimpantes n'ont pas toutes les mêmes exigences. *Císsus antártica* apprécie la lumière, mais pas le soleil. *Císsus striáta* réclame une ombre légère. *Císsus rhombifólia* se contente aussi d'un coin légèrement ombragé, mais se comporte remarquablement en situation franchement sombre. *Císsus díscolor, C. gongylódes* et *C. njegérre* sont des plantes de serre chaude qui exigent beaucoup

Císsus rhombifólia 'Ellen Danica' : une variété horticole assez récente, aux feuilles découpées.

de lumière, mais doivent être protégées des rayons directs du soleil. Ces dernières espèces ont une végétation exubérante et réclament énormément d'espace pour s'épanouir à l'aise. *Císsus striáta* a une croissance limitée et convient aux petits appartements.

Soins. On conseille de laisser hiverner les *Císsus* au frais. Les succulentes réclament une température minimale de 5 °C, les *Císsus* d'appartement, 8 °C et les *Císsus* de serre chaude, 15 °C. Une fois par mois, on débarrassera *Císsus antártica* de toute trace de poussière et de calcaire.

Arrosage. En règle générale, on arrosera modérément en été, et l'hiver on adaptera les arrosages à la température ambiante. Les succulentes mises en hivernage seront tenues au sec.

Císsus díscolor exige assez d'eau en été. Une humidité ambiante de 50 à 60 % est très satisfaisante. L'hiver, on fera des pulvérisations sur *Císsus antártica* si on le garde en appartement chauffé, afin de prévenir les attaques d'araignées rouges.

Fertilisation. Dès le départ de la végétation et jusqu'à la mi-août, fertiliser chaque semaine avec une solution d'engrais de concentration normale.

Rempotage. Tout comme la vigne, les *Císsus* ont besoin d'une terre calcaire. Les terres de rempotage ordinaires sont trop acides. On fera un mélange de terreau de feuilles, de terreau de gazon ou de terre argileuse, de sable et de vieux fumier bovin.

Multiplication. On évitera de prélever des boutures sur les espèces succulentes, ce serait les abîmer, et

Císsus antártica

Císsus striáta

Císsus díscolor exige la serre chaude.

Císsus rhombifólia : l'espèce courante.

on les propagera par semis. Les autres espèces se bouturent sur chaleur de fond (25 à 30 °C). L'enracinement est rapide. On obtiendra des plantes plus fournies en repiquant plusieurs boutures ensemble dans un pot. On prélève généralement des extrémités de tiges bien aoûtées et on supprime la moitié de la feuille pour limiter la transpiration. On plante dans un mélange de tourbe et de sable.

Maladies. L'excès d'humidité provoque, surtout l'hiver, l'oïdium, la maladie des taches brunes et autres maladies cryptogamiques. Araignées rouges, acariens et thrips.

Císsus antárctica
Plante grimpante aux tiges ligneuses et poilues. Feuilles de 10 cm, vert foncé, luisantes et un peu coriaces, ovales et dentées.

Císsus díscolor
Tiges et vrilles rouges, feuilles de 15 cm, cordiformes, aiguës, veloutées, rouge pourpre taché de gris argent et de vert olive. Dessous des feuilles rouge pourpre.

Císsus gongylódes
Syn. *Vítis gongylódes*. Plante de croissance rapide, aux tiges anguleuses et aux longues racines aériennes rouges. Feuilles rugueuses, trilobées, de 30 cm de long.

Císsus njegérre
Plante grimpante vigoureuse, aux feuilles vertes, trilobées, couvertes de nombreux poils pourpres à rouges. Pétioles de 10 cm. Les feuilles sont elliptiques à rhomboïdales.

Císsus quadranguláris
Plante grimpante aux tiges charnues, quadrangulaires, ailées, contractées aux nœuds. Petites feuilles épaisses, trilobées, caduques.

Císsus rhombifólia
Syn. *Rhoicíssus rhomboídea*. Plante très vigoureuse, aux feuilles vert foncé, trilobées, portées par de longs pétioles. Le dessous des feuilles et les jeunes pousses sont rougeâtres et velus. Le lobe central est plus grand que les lobes latéraux qui ont une forme asymétrique. Les sujets âgés produisent de petites fleurs insignifiantes suivies de petites baies.

Císsus striáta
Petite plante vaguement sarmen-

teuse, aux fins rameaux pendants. Feuilles à cinq lobes.

Cítrus
Rutáceæ

Nom. Du latin *citrus*, citronnier.
Origine. La plupart des espèces sont originaires d'Asie orientale. Le pamplemousse nous vient de l'Inde occidentale. Les premiers exemplaires ont fait leur apparition en Europe occidentale à la Renaissance : les nobles en firent la parure de leurs résidences de campagne. L'été, ils agrémentaient les magnifiques jardins, l'hiver ils étaient rentrés dans les orangeries.
Description. Ce genre comprend 12 espèces d'arbres et d'arbustes à feuillage persistant, épineux. Leurs feuilles, ovales à elliptiques, sont d'un vert luisant. Ils portent des grappes de fleurs blanches délicieusement parfumées, à 5 longs pétales retroussés vers l'extérieur, laissant voir de longues étamines. De nombreuses espèces sont cultivées comme arbres fruitiers (mandarines, oranges, citrons, pamplemousses) dans les pays tropicaux et résistent également sur notre littoral méditerranéen, dans la région dite « zone de l'oranger ». Les graines des fruits donnent assez facilement de jolis petits arbustes qui ne fleurissent qu'exceptionnellement et ne produisent pas davantage de fruits, sauf si l'on greffe dessus une variété noble. La fleur de l'oranger était autrefois recherchée pour les bouquets de mariées.
L'espèce ornementale la plus cou-

rante dans le commerce est *Cítrus microcárpa*, qui fleurit dès son jeune âge et donne de petits fruits dont on peut faire de la confiture.
Exposition. Lorsqu'on achète une plante, il faut avoir soin de choisir un specimen dont les fruits commencent à prendre couleur et lui donner un emplacement clair, non ensoleillé et pas trop chaud. L'été, on peut la sortir au jardin ou sur le balcon sans plus redouter le soleil. Il est indispensable de laisser ces plantes hiverner dans un local clair et frais ou dans une serre froide.
Soins. Pendant le repos hivernal, la température ne dépassera pas 4 à 6 °C. La taille, si elle s'impose, se pratique au printemps : elle coûte forcément quelques boutons floraux.
Arrosage. Arroser très parcimonieusement au cours du repos hivernal. La motte doit juste être légèrement humide. L'été, on arrosera généreusement et on bassinera le feuillage en dehors de l'époque de floraison. Grâce à ses feuilles coriaces, le *Cítrus* résiste assez bien à une atmosphère sèche.
Fertilisation. Aucun engrais durant les 6 à 8 semaines qui suivent le rempotage, puis faire des apports d'engrais soluble (concentration indiquée sur l'emballage) jusqu'en août (une fois par semaine). Si les feuilles ont tendance à jaunir, on arrosera la plante avec une eau de macération de clous rouillés ou avec une solution de sulfate de fer (1 cuiller à thé par litre d'eau).
Rempotage. Mélange de terreau de feuilles, terreau de gazon, terre franche argileuse, sable grossier. Les racines sont très fragiles. On remplacera autant que possible le rempotage par un surfaçage sur 5 cm de

Cítrus límon : le citronnier.

Les fleurs de *Cítrus microcárpa*.

profondeur. Utiliser de la terre argileuse et du vieux fumier bovin.
Multiplication. Bouturer dans un mélange de tourbe et de sable modérément humide, dans un coffre chauffé. En semant des pépins on obtiendra de charmantes petites plantes, mais elles seront sauvages.
Maladies. Cochenilles à bouclier, cochenilles farineuses, araignées rouges, thrips n'attaquent les plantes que lorsque les conditions de culture sont défectueuses.

Cítrus aurántium
Produit des oranges acides et amères. La subsp. *aurántium* var. *myrtifólia*, le « bigaradier chinois », est aussi cultivée en pot. Petites feuilles vert soutenu, raides, longues de 2 cm, fleurs cireuses et petits fruits orangé clair.

Cítrus límon
Citronnier. Feuilles elliptiques à pétiole court, fleurs cireuses, teintées de rose violacé. Lorsque les conditions de culture sont favorables, il produit des citrons qui mettent un an à mûrir.

Cítrus microcárpa
Syn. *Cítrus mítis*. Floraison abondante et mise à fruits rapide. Feuilles lancéolées, vert foncé. Petites fleurs blanches, parfumées, réunies par bouquets de 3 ou 4. Fruits jaune orangé de 4 cm.

Cítrus sinénsis
Arbuste de taille plus importante, assez épineux. Feuilles ovales à oblongues. Grandes fleurs blanches parfumées.

Cítrus microcárpa produit de nombreux fruits dès son jeune âge.

Cleistocáctus

Cactáceæ

Nom. Du grec *cleistos*, fermé ; allusion aux fleurs qui ne paraissent jamais être tout à fait épanouies.
Origine. Amérique du Sud, surtout l'ouest de l'Argentine, le centre de la Bolivie, le Paraguay et le Pérou. On les trouve dans des endroits rocailleux où règne une forte humidité.
Description. Ce genre est représenté par 30 espèces de cactus. Ce sont des tiges cylindriques étroites qui se ramifient à la base et poussent lentement. Certaines espèces sont dressées, d'autres, rampantes. Les tiges sont cannelées, couvertes de poils ou hérissées de piquants. Les fleurs solitaires apparaissent sur les aréoles du sommet et tiennent 4 à 5 jours. Elles sont orange ou rouges, tubuleuses et souvent tordues en S. Les lobes des pétales ne se déploient pas complètement et la fleur donne l'impression de ne jamais s'ouvrir tout à fait. Les étamines dépassent souvent de la corolle.
Exposition. L'été, on leur donnera une exposition claire et ensoleillée,

Cleistocáctus donne des fleurs rouges tubuleuses.

dans l'appartement ou le jardin. On évitera cependant de les exposer à la pluie qui endommage surtout les espèces très poilues ou très épineuses. L'abri hivernal sera clair et frais.
Soins. Maintenir la température hivernale entre 10 et 12 °C. En tout cas, ne jamais dépasser 15 °C. Les plantes les plus hautes nécessitent un support.
Arrosage. Arroser modérément de février à octobre. Donner un peu plus d'eau lorsqu'il fait chaud. Ce cactus a un comportement un peu particulier en ce qui concerne le repos hivernal et l'humidité ambiante. Contrairement aux autres cactus, il a besoin qu'on humecte sa motte en hiver et résiste mal à une atmosphère sèche. Le printemps et l'été, il faudra le bassiner fréquemment, surtout le soir.
Fertilisation. Pendant la période de végétation, on apportera, tous les quinze jours, un engrais spécial pour cactées ou tout autre engrais pauvre en azote.
Rempotage. Mélange de terre argileuse, de terreau de feuilles, sable grossier, plâtras écrasés, dans les proportions 4-3-2-1. Ajouter une pincée de poudre d'os (2 g par litre de mélange terreux). Le rempotage se fait en mars-avril.
Multiplication. Semis ou bouturage.

Toujours laisser sécher les boutures un jour ou deux avant de les planter.

Cleistocáctus baumánnii

Syn. *Céreus baumánnii*. Mince colonne vert clair de 2 à 4 cm d'épaisseur. 14 à 16 cannelures. Les aréoles sont serrées les unes contre les autres et couronnées de piquants brun jaune : 15 à 20. Ceux du sommet font 2 à 4 cm de long. Les fleurs de 8 cm de long, aux coloris allant de l'orange au rouge écarlate, sont tordues en forme de S. Une plante de culture facile, qui fleurit à profusion à partir d'un certain âge.

Cleistocáctus smaragdiflórus

Tige cylindrique, non ramifiée, à 12 ou 14 cannelures. Les aréoles portent des amas de fins aiguillons avec, au centre, quelques piquants plus rigides, longs de 2 cm et de couleur brun foncé. Donne, en été, des fleurs longues de 6 cm dont la tubulure est rouge clair et les pétales vert émeraude. Elles sont suivies de fruits rouge clair, assez remarquables.

Cleistocáctus straúsii

Syn. *Céreus straúsii*. Cactus colonnaire à 25 cannelures au moins, peu ramifié. Les côtes disparaissent sous la profusion des aiguillons blancs. Les sujets un peu âgés ont des piquants centraux jaunes de 5 cm. Fleurs tubuleuses, rouge carmin, longues de 7,5 cm.

Clerodéndrum

Verbenáceæ

clérodendron

Nom. Du grec *klêros,* sort, destin, et *dendron,* arbre.

Clerodéndrum thomsóniæ : plante grimpante qui commence à fleurir très jeune.

Origine. 400 espèces, originaires des régions tropicales d'Afrique et d'Asie.
Description. Arbres ou arbustes dressés ou grimpants. Il en existe une espèce rustique, de jardin ; les autres sont toutes des plantes d'appartement ou de serre. Les feuilles sont opposées ou verticillées. Fleurs en bouquets terminaux. Calice campanulé, vivement coloré. Corolle tubuleuse à 4 ou 5 lobes, 4 étamines proéminentes. Fruits globuleux, à noyaux.
Exposition. Toutes les espèces que nous citons sont des plantes de serre qui réclament une légère protection contre les rayons les plus vifs du soleil. Seul *Clerodéndrum thomsóniæ* peut s'acclimater en appartement, où il réclame une exposition bien claire. Les longues tiges seront tuteurées.
Soins. Repos indispensable en hiver, à 10-12 °C. Il s'accompagne de la chute des feuilles. Rabattre fin février et remettre en végétation.
Arrosage. Conserver la motte humide en permanence. Tenir un peu plus sec en hiver. Bassiner souvent le feuillage, car la plante exige un degré d'hygrométrie élevé.
Fertilisation. Fertiliser à l'engrais liquide, dosage normal, une fois par semaine, pendant toute la période de végétation.
Rempotage. Rempoter avant la reprise de la végétation dans un mélange de parties égales de terreau de feuilles, terre argileuse et vieux fumier bovin.
Multiplication. Trois méthodes sont possibles : le semis, le bouturage de racines ou de pousses aoûtées. A pratiquer sous châssis, avec chaleur de fond.

Clerodéndrum speciosíssimum

Clerodéndrum thomsóniæ : les fleurs.

Cleýera japónica 'Tricolor'

Clerodéndrum philippínum

Facile à cultiver. Fleurit merveilleusement en toutes saisons. C'est un arbuste dressé et velu. Ses feuilles ovoïdes-larges font jusqu'à 25 cm de long et sont couvertes de poils au revers. Fleurs blanches ou marquées de rose, très odorantes, groupées en cymes.

Clerodéndrum speciosíssimum

Arbuste dressé. Tiges et pétioles couverts d'un feutrage blanc. Feuilles cordiformes, longues de 30 cm, poilues, aux nervures très marquées. Inflorescences dressées, rouge écarlate.

Clerodéndrum spléndens

Arbuste aux tiges glabres, dressées ou grimpantes. Feuilles de 15 cm, vert foncé, cordiformes, aiguës, 15 cm, à bord ondulé. Floraison principale de décembre à mai. Paniques denses de fleurs couvent pendantes, rouge clair. Le calice est très petit.

Clerodéndrum thomsóniæ

Arbuste sarmenteux aux tiges glabres. Feuilles opposées, vert foncé, ovoïdes, acuminées. Inflorescences terminales ou axillaires. Les fleurs sont composées d'un calice blanc qui reste longtemps sur la tige et d'une corolle rouge qui tombe rapidement.

Cleýera
Theáceæ

Nom. Du nom de Andreas *Cleyer*, médecin et botaniste hollandais qui vécut au XVIIe siècle.

Origine. Ce genre comprend quelque 20 espèces dont certaines croissent en Amérique centrale. L'unique espèce cultivée chez nous comme plante d'appartement, *Cleýera japónica,* a été importée d'Inde orientale par des navigateurs. Sans doute attendaient-ils de cette théacée autre chose qu'une plante ornementale. Cette espèce se trouve dans différentes parties de l'Asie : Himâlaya, Chine, Corée, Japon, Taïwan.

Description. Arbres et arbustes à feuillage persistant ; feuilles entières ou dentées. Les petites fleurs, bisexuées, pédonculées, sont axillaires. Elles peuvent être solitaires ou réunies en bouquets. Le calice est pentagonal. Les 5 pétales de la corolle sont libres, soudés uniquement à la base. Environ 25 étamines aux anthères rudimentaires. Les fruits sont de petites baies contenant de nombreuses graines et qui n'éclatent jamais.

Exposition. Plante particulièrement adaptée aux locaux frais. L'été, on peut la sortir, à condition de lui trouver un coin abrité. Aime la lumière mais pas le soleil. Lorsqu'on l'associe à d'autres plantes, pour égayer une jardinière, il faut s'assurer que leurs exigences concordent.

Soins. Le *Cleýera* se plaira toute l'année dans une pièce fraîche. Au printemps et en été, la température peut varier entre 8 et 18 °C. L'hiver, il s'accommodera de 10 à 12 °C.

Arrosage. Le *Cleýera* possède un système radiculaire très fin et très ramifié qui se dessèche très facilement. Il faudra donc l'arroser très régulièrement pour conserver la motte humide. N'utiliser que de l'eau de pluie ou adoucie. Cette plante doit rester humide, même en hiver. Laver régulièrement le feuillage en utilisant éventuellement un produit spécial lubrifiant. Ses feuilles plutôt coriaces lui permettent de résister assez bien à une sécheresse ambiante relative, mais il appréciera des pulvérisations.

Fertilisation. De janvier à août, arroser tous les quinze jours avec une solution d'engrais (dosage recommandé sur l'emballage) exempt de toute trace de calcium.

Rempotage. La plante croît si lentement qu'il est inutile de la rempoter chaque année. Lorsqu'on l'achète, elle a déjà au moins deux ou trois ans d'âge. On la rempote dans un mélange ordinaire, prêt à l'emploi, ou dans un mélange de vieille terre de bruyère ou terreau de feuilles et d'un rien de terreau de gazon. Tasser fortement la terre.

Multiplication. Boutures d'extrémités de rameaux, au printemps, sur chaleur de fond : 18 à 20 °C. Bouturer en atmosphère confinée, sous châssis de verre ou de plastique. Des vaporisations d'eau stimulent considérablement l'enracinement.

Maladies. Trop de chaleur en hiver et des conditions de culture inadéquates rendent la plante sensible aux attaques d'insectes.

Cleýera japónica
◐ ⊕ ⊖ ∞ ⊙ ⊞ ⊡
Sorte de petit arbuste à feuilles persistantes, pétiolées, elliptiques à obovales, aiguës, entières, longues de 10 cm et larges de 4 cm. Fleurs blanches à jaunes, solitaires, axillaires, délicieusement parfumées. Elles sont suivies de fruits rouges, globuleux à ovoïdes. 'Tricolor' a de jeunes feuilles marquées de rose. Le bord des feuilles est irrégulièrement marginé de jaune. Le centre de la feuille est marbré de vert.

Clívia
Amaryllidáceæ

Nom. Du nom de Lady Charlotte Florentina *Clive,* duchesse de Northumberland et gouvernante de la reine Victoria. C'est dans sa propriété de Almwick que fleurirent les premières espèces de ce genre.

Origine. Toutes les espèces sont originaires d'Afrique du Sud. La première importée, *Clívia miniáta,* vient du Natal où elle croît dans des vallées au sol riche en humus et en argile et au sous-sol perméable.

Description. Ce genre comprend 3 espèces. Elles appartiennent à la famille des *Amaríllis.* Elles n'ont pas un vrai bulbe. Leur tige est constituée de membranes superposées produi-

Clívia miniáta : inflorescence bien développée.

sant au centre des racines charnues. Les feuilles luisantes, vert foncé, sont rubannées et radicales. Le *Clívia* a des feuilles distiques : elles apparaissent deux par deux, disposées en éventail autour d'un axe central, et à force de se superposer, elles finissent par former une sorte de tige très épaisse. Elles sont longues de 60 cm. Les hampes florales, rigides, portent des ombelles terminales de 10-12 fleurs en forme de trompette.

Exposition. Il faut lui choisir son emplacement avec un soin particulier, car il déteste être déplacé. L'été, on peut l'enterrer dehors, dans un coin abrité, à mi-ombre, car il a besoin d'air frais. Dans la maison, on le placera de préférence derrière une fenêtre claire, orientée au soleil couchant. Trop de soleil fait jaunir les feuilles.

Soins. La période de repos se passera dans un endroit frais : 8 à 10 °C. Après la floraison, on coupera la hampe florale aussi près que possible de la base : ce qu'il en reste s'arrachera facilement une fois sec. Éviter la formation de graines qui épuisent la plante.

Arrosage. C'est de lui que dépend tous le succès de la culture du *Clívia.* Beaucoup de personnes obtiennent une hampe florale ridiculement courte, d'autres n'obtiennent pas de fleurs du tout. Un arrosage judicieux résout tous ces problèmes. Pour fleurir, le *Clívia* a besoin d'être stimulé. On y réussit en commençant par le soumettre, dès octobre, à une période de repos pendant laquelle on arrose très peu : juste de quoi conserver une légère humidité à la motte et empêcher les feuilles de sécher. Surtout, stopper tous les apports d'engrais. Éponger les feuilles de temps à autre. Dès le début de la nouvelle année, on verra se former une tige florale. Freinez votre enthousiasme : ne mettez pas encore la plante au chaud et gardez-vous d'augmenter les arrosages, sinon il faudra s'attendre à voir les fleurs s'épanouir à la base de la plante, entre les feuilles, avant que la tige ait eu le temps de s'allonger. Il faut attendre, pour arroser, que la tige fasse au moins 15 cm. À ce moment, et pendant toute la floraison, on

Clívia miniáta 'Citrina'

pourra arroser abondamment. Attention ! pas d'eau stagnante dans la soucoupe : les racines charnues sont sensibles à la pourriture et la plante peut mourir. Il faut attendre, pour arroser, que la terre ait séché en surface. Pulvériser lorsque de nouvelles feuilles ou de nouvelles hampes florales se manifestent. Des taches jaunes sur les feuilles sont la conséquence d'un arrosage trop copieux ou d'eau trop froide.

Fertilisation. De février en août, arroser tous les quinze jours avec une solution d'engrais, en respectant le dosage indiqué sur l'emballage. Puis ne plus fertiliser qu'une fois par mois, jusqu'au repos.

Rempotage. On peut rempoter immédiatement après la floraison. Procéder avec précaution : les racines charnues sont très fragiles. Éliminer les parties pourries et cicatriser avec de la poudre de charbon de bois. Les jeunes plantes sont rempotées chaque année, les sujets plus âgés peuvent attendre trois ans. Entre-temps, on fera un surfaçage. Le mélange idéal comportera du terreau de gazon bien décomposé, du terreau de feuilles de hêtre, du fumier bovin décomposé et deux cuillers à bouche d'un mélange de poudre de sang, de corne et d'os par pot.

Multiplication. Les jardiniers armés de patience procéderont au semis : il faut attendre 3 ans pour obtenir des plantes fleuries. L'oignon issu de la graine a besoin d'un an pour atteindre sa maturité. Il lui faut une chaleur de fond pour germer et trois à quatre ans de culture pour fleurir. On peut prélever avec précaution sur la plante mère des rejets ayant au moins 4 feuilles. Si l'on s'abstient de diviser les touffes, on obtient d'immenses plantes qui exigent beaucoup d'espace.

Maladies. Cochenille farineuse et cochenille à bouclier.

Clívia miniáta
◐ ⊕ ∞ ⊖ ⊡
Les feuilles poussent par paires, en éventail. Elles sont rubannées et font jusqu'à 6 cm de large. Fleurs orange à rouges, avec une spathe jaune. 'Citrina' est un hybride aux fleurs crème. 'Striata' a des feuilles striées de blanc.

Clívia nóbilis
Largeur de la feuille : 4 cm. Fleurit en été : grappes de fleurs rouges, pendantes, plus nombreuses et plus petites que chez *Clívia miniáta.*

Clívia miniáta : fleurs épanouies avant le développement de la hampe, à cause d'un arrosage prématuré.

Coccóloba uvífera

Coccóloba

Polygonáceæ

raisinier

Nom. Du grec *kokkos,* baie ou fruit, et *lobos,* lobe.
Origine. Régions tropicales et subtropicales d'Amérique centrale et d'Amérique du Sud. Également quelques groupes d'îles : Bahamas, Inde occidentale, Antilles.
Description. Ce genre comprend 125 espèces d'arbres, arbustes et lianes aux feuilles persistantes et coriaces. Périanthe soudé, devenant charnu et, chez certaines espèces, comestible au moment où le fruit arrive à maturité. On peut citer comme exemple *Coccóloba uvífera,* le raisinier qui croît dans le sable pur sur le littoral de l'Amérique Centrale. L'arbuste a de jolies feuilles cordiformes, si grandes qu'elles peuvent faire office d'assiettes pour pique-nique, et si solides qu'elles résistent aux embruns. Les fleurs pendent en épis lâches aux rameaux souples. Le périanthe se transforme en baie rouge de 2 cm. La population locale fait de ces fruits une délicieuse gelée rouge.
Exposition. Ces arbustes demandent une exposition bien éclairée mais abritée des rayons du soleil. Ils ont besoin de chaleur et d'espace. *Coccóloba pubéscens* peut devenir encombrant : à l'état spontané ses feuilles peuvent atteindre un diamètre de 110 cm ! C'est la raison pour laquelle on ne le trouve que dans les jardins botaniques. Un amateur intéressé peut aussi le cultiver sans problème s'il dispose de l'espace suffisant. Planté dans un pot, il produira des feuilles plus petites que si il était planté directement dans le sol. On peut aussi le rabattre lorsqu'il est devenu trop haut et cultiver des boutures pour n'avoir que de jeunes plantes.
Soins. Cet arbuste exige de la chaleur. L'hiver, il lui faut un minimum de 12 °C. En d'autres temps, il faut essayer de maintenir une température nocturne oscillant entre 14 et 18 °C.
Arrosage. La terre doit rester humide en permanence. Arroser copieuse-ment l'été, lorsque la température monte dans la serre. La nature coriace de leurs feuilles permet à de nombreuses espèces de résister à une atmosphère sèche. Des pulvérisations de temps à autre ne feront pas de tort.
Fertilisation. Pendant la période de végétation, arroser une fois par semaine avec une solution d'engrais. Respecter le dosage indiqué sur l'emballage. Ce sont surtout les exemplaires âgés qui ont besoin d'être fertilisés.
Rempotage. Un mélange à base de terre franche, nutritive, auquel on ajoute du sang séché et de la poudre de corne et d'os.
Multiplication. Prélever des extrémités de rameaux à demi aoûtés et les faire enraciner à l'étouffée, à 30-35 °C. On peut aussi semer à chaud ou marcotter. L'enracinement ne se produit qu'au bout de longues semaines.

Coccóloba pubéscens

Syn. *Coccóloba grandiflóra.* Énormes feuilles (110 cm) sessiles et légèrement velues, au revers rougeâtre.

Coccóloba uvífera

Raisinier à grappes. En pot, c'est un arbuste aux feuilles coriaces, rondes à réniformes, glabres, jaunes à vert olive, aux nervures rouges devenant ivoire. Fleurs blanches, fruits rouge pourpre. Ne fleurit jamais sous nos climats.

Cócculus

Ménispermáceæ

Nom. Du diminutif grec de *kokkos,* baie.
Origine. Ce genre comprend une bonne dizaine d'espèces. On les trouve dans les régions tropicales et subtropicales : Amérique du Nord, Asie orientale et occidentale, Afrique, Hawaii.
Description. Arbustes dressés ou grimpants aux feuilles persistantes ou caduques, parfois découpées. Les fleurs sont insignifiantes et les plantes sont surtout cultivées pour leur feuillage. Ce sont de fort jolies plantes d'intérieur, assez faciles à cultiver, pourvu qu'elles ne se trouvent pas dans des pièces trop chauffées.
Exposition. Ces arbustes supportent le soleil, mais un emplacement clair, mi-ombragé pendant une partie de la journée leur conviendra aussi. On les utilise aussi comme plantes d'orangerie et ils peuvent alors séjourner de mai à septembre dans un abri de jardin.
Soins. D'octobre à mars accorder une période de repos en serre froide (4-10 °C). Ventiler abondamment tout l'hiver.

Cócculus laurifólius

Arrosage. Arroser abondamment en été, par temps chaud et modérément en autres saisons. Limiter les arrosages pendant la période de repos. Un degré d'hygrométrie de 40 à 60 % suffit. Passer de temps à autre une éponge humide sur les feuilles, car la poussière empêche l'assimilation.
Fertilisation. Pendant toute la période de végétation, distribuer un engrais soluble une fois tous les quinze jours, en respectant le dosage indiqué sur l'emballage.
Multiplication. Semis, bouturage de racines et de tiges.
Maladies. Cochenille farineuse.

Cócculus laurifólius

Arbuste atteignant 5 m de haut à l'état spontané. Reste beaucoup plus petit en pot. C'est un arbuste à feuilles persistantes, très luisantes, oblongues à lancéolées ou elliptiques étroites, avec 3 nervures très saillantes. Fleurs insignifiantes en grappes, à l'aisselle des feuilles.

Cócos

Pálmæ

cocotier

Nom. Du grec *kokkos,* baie ou fruit.
Origine. Le genre est représenté par une espèce unique. On trouve le cocotier partout sous les tropiques, surtout sur le littoral. On ne sait pas exactement d'où il est originaire. Les fruits sont transportés sur de grandes distances par la mer et germent spontanément sur les rivages où ils échouent. On pense que leur berceau est la Polynésie.
Description. Ce palmier est un joyau des tropiques car toutes ses parties sont utilisables. On le cultive surtout pour son fruit précieux : la noix de coco.
Les plantations de cocotiers deviennent productives à partir de la 10e année et le restent pendant soixante ou même cent ans. Un cocotier fournit 300 à 450 noix par an. Il peut s'élever jusqu'à 30 m. La partie inférieure du tronc est souvent à moitié couchée sur le sol et forme un angle droit avec le sommet qui est dressé. Environ 7 mois après la pollinisation, la noix de coco fournit un lait buvable. Au fur et à mesure que l'écorce extérieure du fruit durcit, le lait, à l'intérieur, se transforme en une pulpe charnue de plus en plus épaisse. En deux mois elle a atteint son épaisseur maximale : c'est le moment de cueillir la noix qui, séchée et râpée, sera consommée en pâtisserie. Si l'on souhaite en extraire l'huile, on laisse les noix trois à quatre mois de plus sur l'arbre. Généralement, on attend qu'elles se détachent d'elles-mêmes et tombent sur le sol. L'huile, qui entre dans la composition de nombreuses huiles et graisses comestibles vendues dans le monde entier, est extraite de l'amande décortiquée (copra), les résidus sont utilisés pour la fabrication d'aliments pour le bétail. Les perles de coco, rondes et de couleur ivoire, à la surface légèrement granuleuse, sont une curiosité de la nature. On ignore tout de leur formation. Le cocotier a, tout au plus, la chance de résister deux ans en appartement. La germination s'étend sur six mois. Racines et première feuille naissent du même « bourgeon ». À l'intérieur de la noix se développe un tissu qui tire sa substance de la chair de l'amande pour nourrir le germe.
Exposition. Emplacement clair qui puisse, l'été, être protégé des rayons directs du soleil.
Soins. Maintenir la température entre 20 et 23 °C. Température hivernale minimale : 16 °C. Ventiler régulièrement, surtout l'été.
Arrosage. Arroser généreusement de mai à septembre, parcimonieusement en hiver. Les cocotiers exigent un degré d'hygrométrie élevé, difficile à obtenir en appartement. Pulvériser souvent de l'eau de pluie sur le feuillage.
Fertilisation. Apport d'engrais une fois tous les quinze jours, au printemps et en été. Réduire de moitié le dosage indiqué sur l'emballage.
Multiplication. On peut acheter une noix de coco fraîche et attendre qu'elle germe. Parfois, on trouve chez un marchand de produits exotiques une noix qui a traîné et est devenue invendable parce qu'elle est sur le point de germer. Déposer la noix sur du sphagnum humide, à une température de 20-25 °C et empoter lorsque les racines sont bien visibles.

Cócos nucífera

Palmier aux frondes pennées, atteignant 30 m et produisant une couronne de feuilles au sommet. Les pennes ont facilement 6 m de long. Les grappes de fleurs sont enveloppées de spathes jaunes. Les noix présentent 3 points tendres dans leur écorce.

Cócos nucífera avec sa noix.

Codiǽum

Euphorbiáceæ

croton

Nom. Selon certains, le nom de cette plante serait une corruption latine de *kodiho,* nom qui désigne une plante native de Ternate-Tidore, une île de l'archipel des Moluques. Selon d'autres, ce nom viendrait du grec *kôdeia,* mot qui désigne la tête (d'une plante).

Origine. On connaît 14 espèces, originaires de l'Asie du Sud-Est et surtout d'Indonésie et de Polynésie.

Description. Magnifiques arbustes au feuillage persistant qui, dans les régions tropicales d'Asie, atteignent 3 m de haut. Les feuilles sont parfois larges, parfois étroites, coriaces et brillamment colorées de rose, jaune, orange, rouge parfois presque noir et, bien entendu, de vert. Les taches de couleur suivent le dessin des nervures, soulignent le bord des feuilles ou se répartissent en macules. Les longues grappes de fleurs insignifiantes prennent naissance à l'aisselle des feuilles du sommet de la plante. Depuis leur introduction en Europe, les espèces ont été très souvent croisées. Les variétés obtenues sont groupées sous l'appellation *Codiæum variegátum* var. *píctum.*

Exposition. Les crotons sont, de par leur provenance, des plantes de serre, mais, à force de croisements et de sélections, on est parvenu à obtenir des variétés que l'amateur peut cultiver avec succès en appartement. Il faut leur donner le plus de lumière possible mais veiller cependant à ne pas les exposer à l'action directe du soleil. Mieux ils seront éclairés, plus leurs couleurs seront éclatantes. Une tablette de fenêtre orientée au sud-est

ou au sud-ouest est l'emplacement rêvé. Ils redoutent les courants d'air et les brusques changements de température. On s'efforcera donc de créer autour d'eux un climat aussi stable que possible.

Soins. La température, hiver comme été, doit se maintenir aux environs de 18-20 °C. Les espèces les plus robustes supporteront 16 °C et, à titre temporaire, quelques degrés de moins encore. Il est essentiel que la température subisse le moins de fluctuations possible.

Arrosage. Les crotons ont en général un feuillage abondant et transpirent donc beaucoup. Il faut empêcher la motte de se dessécher. De mars à septembre, on arrosera copieusement, de préférence à l'eau tiède. Vider l'excédent d'eau au bout d'une demi-heure. L'eau stagnante provoque la pourriture des racines. Le reste de l'année, les arrosages seront réduits, mais la motte devra rester humide.

Une atmosphère trop sèche peut causer la chute des feuilles et favoriser des attaques d'oïdium, d'araignées rouges et de thrips. Pulvériser régulièrement, surtout le matin et au début de l'après-midi, mais jamais après 16 h. On peut aussi appliquer la méthode de la soucoupe renversée et

faire fonctionner un humidificateur. Passer régulièrement sur le feuillage une éponge trempée dans de 'l'eau tiède.

Fertilisation. Les jeunes plantes recevront une ration d'engrais dilué (dosage normal) toutes les 2 à 3 semaines. Les spécimens plus forts pourront être fertilisés une fois par semaine. Débuter dès que la reprise de la croissance s'est nettement manifestée et que la plante a cessé de perdre des feuilles, et persévérer jusqu'en août.

Rempotage. Attendre que le pot soit devenu trop petit. Terreau de feuilles, vieux fumier bovin, terreau de gazon ou terre argileuse, dans les proportions de 2-2-1, feront un bon support de culture. Mettre une bonne couche de drainage au fond du pot.

Multiplication. Prélever des boutures de pousses bien aoûtées et les faire enraciner sur chaleur de fond : 25 à 30 °C, en milieu confiné, dans un mélange de sable grossier et de tourbe. L'enracinement se fait en trois semaines. Les crotons sont des euphorbiacées : lorsqu'on sectionne leurs tiges, il s'en échappe une sorte de latex, il faut aussitôt cautériser la blessure avec de la poudre de charbon de bois. On propage aussi ces plantes par semis ou marcottage.

Codiæum variegátum 'Spirale'

Inflorescence du *Codiæum*

Variétés à feuilles étroites et à feuilles larges.

Jeune feuillage d'un *Codiæum* à feuilles larges.

Maladies. Cochenilles à bouclier, cochenilles farineuses, acariens, thrips, araignées rouges. La sécheresse expose ces plantes aux attaques des ravageurs.

Codiæum variegátum var. *píctum*

Ⓘ ⓘ ⊚ ⊚ ⊙ ⊙

Syn. *Codiæum píctum.* Arbustes à feuilles larges ou étroites, coriaces, luisantes, présentant une grande variété de formes et de couleurs. Grappes de fleurs axillaires insignifiantes. Cette appellation s'applique aux innombrables cultivars mis sur le marché, et il y en a des centaines. Ils portent tous des noms spécifiques qui sont très rarement utilisés.

Codiæum variegátum var. *píctum* avec sa fleur (à gauche).

Codonánthe

Gesneriáceæ

Origine. Amérique centrale, surtout Costa Rica, Panama et le nord de l'Amérique du Sud.
Description. Acquisition intéressante pour enrichir une collection de plantes retombantes, surtout si l'expérience vous a appris que l'air ambiant manquait chez vous d'humidité.
Codonánthe crassifólia, seul représentant du genre, a, comme son nom l'indique, des feuilles qui rappellent celles des plantes succulentes et qui lui permettent de résister vaillamment aux atmosphères sèches. Malheureusement, on le trouve rarement chez les marchands de plantes.
Exposition. Un emplacement légèrement ombragé conviendra on ne peut mieux. Cette plante déteste un ensoleillement direct.
Arrosage. Arroser modérément pendant la période de végétation : attendre que la surface de la motte ait séché. Assurer un bon drainage : l'eau stagnante au fond du pot entraîne rapidement la pourriture des racines. Cette plante se satisfait

Codonánthe crassifólia

d'une humidité ambiante modérée à faible.
Fertilisation. Engrais dilué, une fois tous les quinze jours, pendant la période de végétation. Diviser par deux le dosage recommandé sur l'emballage.
Rempotage. Utiliser un mélange à base de sapinette.
Multiplication. Semis sur chaleur de fond. Le bouturage est aussi très facile. Diviser une longue tige en segments portant chacun 3 paires de feuilles. Enlever les 2 feuilles de la base et planter la bouture dans de la tourbe humide ; la mettre sous verre ou sous plastique et donner une petite chaleur de fond. Se multiplie aussi par division des touffes.

Codonánthe crassifólia

Plante herbacée, aux tiges assez grêles, ramifiées et rampantes s'enracinant facilement à l'endroit des nœuds. Petites feuilles elliptiques, raides et à l'aspect cireux, dont le revers est pointillé de rouge. Les fleurs blanches, en forme de trompette, à la gorge mouchetée de rouge se montrent à l'aisselle des feuilles. Elles sont suivies de petites baies rouges, de 1 cm.

Cœlógyne fláccida

Cœlógyne

Orchidáceæ

Nom. Du grec *koilos,* creux, et *gynê,* femme. Le pistil est creux.
Origine. Nous connaissons au moins 120 espèces que l'on trouve dans l'est et le sud de l'Asie.
Description. Le genre comprend des espèces épiphytes et terrestres. La plupart produisent des fleurs sans grand intérêt, qui se flétrissent aussitôt coupées et que l'on ne cultive donc pas. La seule qui se prête merveilleusement à la culture en appartement chauffé est *Cœlógyne cristáta,* une épiphyte. Les *Cœlógyne* sont des orchidées à racines rhizomateuses, produisant des pseudobulbes ovoïdes portant chacun 2 feuilles. Les hampes florales naissent à la base ou au sommet des pseudobulbes. Grosseurs et couleurs variées.
Exposition. Donner la préférence à un emplacement clair, facile à protéger du plein soleil à partir de mars. Ce sont des orchidées de serre tempérée. Certaines préfèrent la serre chaude. *Cœlógyne cristáta* se plaira à une fenêtre orientée à l'est.
Soins. Pour cette espèce, comme pour la majorité des orchidées de serre tempérée, la température nocturne ne doit jamais descendre au-dessous de 12 °C. La journée, on maintiendra le thermomètre entre 16 et 18 °C. Température nocturne requise pour les orchidées de serre chaude en hiver : 16-18 °C ; température diurne : 18 à 21 °C.
Arrosage. Ces orchidées sont très avides d'eau pendant leur végétation. L'eau d'arrosage doit être exempte de calcaire et de sels minéraux. *Cœlógyne cristáta* sera tenu un peu plus sec en décembre, juste avant la floraison. Après la floraison, la plante se repose pendant un mois ou deux : pendant ce temps on ne l'arrosera que modérément. Les espèces de serre tempérée ont généralement un repos hivernal de 6 à 8 semaines. Les orchidées de serre chaude ont une végétation continue, c'est à peine si elles font une pause en automne. On laissera les pseudobulbes se rider un peu pendant la période de repos ; on pourra cependant bassiner les plantes de temps à autre. Ne jamais pulvériser sur les fleurs : elles s'abîment facilement. Pendant le reste de l'année, on entretiendra autour de ces plantes une ambiance aussi humide que possible.
Fertilisation. Engrais spécial pour orchidées, pendant la période de vé-

gétation. Suivre les indications de l'emballage.
Rempotage. Ces orchidées, qui portent de longues hampes florales pendantes, se cultivent dans des corbeilles. On peut aussi les élever dans des pots remplis jusqu'au tiers de leur hauteur de tessons de drainage. Prendre un mélange composé de parties égales de sphagnum et d'osmonde, auquel on peut ajouter du terreau de gazon et du vieux fumier bovin. Les rempotages les éprouvent beaucoup.
Multiplication. Semis ou division des souches. Chaque segment de rhizome comportera au moins 3 pseudobulbes.
Maladies. Cochenille à bouclier et araignée rouge.

Cœlógyne cristáta

Pseudobulbes plus ou moins ovoïdes, portant 2 feuilles linéaires, lancéolées (3 cm de large). Grappes de fleurs pendantes, de janvier à mars : chaque hampe porte 5 à 7 fleurs odorantes. Corolle de 4 cm de diamètre, blanc crème. Labelle traversé au centre d'une crête frangée jaune.

Cœlógyne fláccida

Pseudobulbes plus minces, fusiformes. Floraison en mars-avril. Les hampes pendantes portent chacune 5 à 8 fleurs. Corolle blanc crème, de 4 cm de diamètre. Labelle maculé de jaune, orange et brun.

Cœlógyne massangeána

Pseudobulbes piriformes, portant 2 feuilles étroites, repliées. Hampes pendantes aux nombreuses fleurs odorantes, jaune ocre. Labelle blanc maculé de brun. Floraison principale : mai-juin.

Cóffea

Rubiáceæ

caféier

Nom. De l'arabe *khawa,* mot qui désigne la boisson tirée de la plante.
Origine. Le genre comprend une qua-

rantaine d'espèces, principalement originaires d'Afrique tropicale. *Cóffea arábica,* dont la patrie est l'Éthiopie, a été introduit très tôt en Arabie.
Description. Beaucoup de gens ignorent encore que le caféier est une excellente plante d'intérieur. C'est un arbuste au feuillage persistant qui, en appartement, atteint 2 m de haut et peut fleurir et même fructifier à partir de sa troisième ou quatrième année de culture. Ce qui ne signifie pas que l'on pourra se passer d'acheter du café, car les grains doivent d'abord être torréfiés et il n'est pas recommandé pour la santé de procéder soi-même à la torréfaction. Au cours de cette opération, le sucre contenu dans le fruit se caramélise et c'est ce qui donne aux grains leur couleur. C'est aussi la torréfaction qui permet aux graines du caféier de libérer leur merveilleux arôme.
Exposition. On donnera au caféier une situation claire et aérée et surtout bien chaude, mais protégée des rayons directs du soleil qui, en appartement, provoquent des brûlures sur les feuilles. La plante, en grandissant, réclame beaucoup d'espace.
Soins. Période de repos entre octobre et mars, à une température de 16 à 20 °C, ou 12 à 15 °C dans un local frais. Éviter les brusques variations de

Jeunes fruits verts du caféier.

Feuilles de Cóffea arábica.

température. Il faut également savoir que plus la plante est jeune, plus elle exige de chaleur.

Arrosage. Arroser abondamment à l'eau douce et tiède pendant l'été. Enlever l'excédent d'eau au bout d'une demi-heure. En hiver, on arrosera en fonction de la température ambiante. La motte doit toujours être légèrement humide. Entretenir une humidité ambiante aussi élevée que possible par des pulvérisations fréquentes à l'eau tiède. Une atmosphère sèche fera brunir le bord des feuilles.

Fertilisation. Apports hebdomadaires d'engrais pauvre en calcium. Respecter le dosage prescrit sur l'emballage.

Rempotage. Rempoter au début du printemps dans un mélange de terreau de gazon, de terreau de feuilles, de compost et d'un peu de sable grossier. Choisir un grand pot.

Multiplication. Semer très rapidement les graines que l'on a pu se procurer, car leur pouvoir germinatif est limité dans le temps. Chaleur de fond. Le bouturage réussit rarement.

Maladies. Cochenille à bouclier. Des feuilles jaunes indiquent une carence en fer ou en magnésium.

Cóffea arábica

On lui donne aussi les noms de safran bâtard, tue-chien, veillotte.

Caféier d'Arabie. Arbuste à feuillage persistant. Feuilles luisantes, vert foncé, elliptiques, longues de 15 cm et larges de 6 cm, plus ou moins ondulées. Grappes de fleurs blanches, parfumées, à l'aisselle des feuilles, suivies de fruits rouges, de 15 mm de long, contenant deux graines dont on extrait la caféine. 'Nana' est une forme naine.

Cólchicum

Liliáceæ

colchique

Nom. De son nom grec *kolchikon*, mot dérivé de Colchis, région située sur la côte est de la mer Noire.

Origine. Le genre englobe 50 espèces. Les espèces cultivées en appartement sont originaires d'Asie centrale et occidentale et d'Afrique septentrionale.

Description. Cette plante bulbeuse contient un poison violent : la colchicine, utilisée à faible dose, en médecine, dans le traitement de l'arthrite. Son action sur la division cellulaire est également mise à profit en agriculture où l'on s'en sert pour améliorer les races de végétaux. La fleur est proche du crocus mais le bulbe est plus gros et la feuille est plus large.

Exposition. Les colchiques peuvent se cultiver à sec. Il suffit de les déposer dans une coupe, au soleil, ou en tout cas à exposition claire, en août-septembre. Après la floraison, on peut les planter au jardin. Malheureusement la couleur des colchiques cultivés en appartement est beaucoup plus terne que lorsqu'ils sont cultivés en pleine terre.

Soins. Ils ne réclament aucun soin : ni arrosages, ni pulvérisations. Une fois la floraison passée, on plante les bulbes au jardin, à 10 cm de profondeur, de manière à ce qu'ils développent des racines avant l'hiver. Au printemps, ils produiront des feuilles qu'on laissera jaunir avant de les couper. On relève les bulbes vers le mois de juillet pour les faire refleurir à l'intérieur.

Les colchiques n'ont pas besoin d'eau pour fleurir.

Cólchicum autumnále

On lui donne aussi les noms de safran bâtard, tue-chien, veillotte. Petite plante de 20 cm de haut que l'on trouve aussi à l'état spontané en Europe. Fleurit à la fin de l'automne et au début du printemps. Fleurs de teintes pastel, ressemblant à celles des crocus. Les feuilles ne se montrent qu'au printemps suivant et meurent avant l'apparition des fleurs. Diverses races aux fleurs blanches, rouges et doubles.

Cóleus

Labiátæ

Nom. Du grec *koleos*, fourreau. Les filets des étamines sont réunis à la base et forment une sorte de gaine.

Origine. 200 espèces, provenant d'Asie et d'Afrique tropicales.

Description. Plantes tropicales, herbacées ou suffrutescentes, cultivées les unes pour leur beau feuillage, les autres pour leurs jolies fleurs.

Exposition. Les installer à une exposition très claire pour avoir un feuillage aux couleurs éclatantes. Les Cóleus ne redoutent que le soleil brûlant de midi. Leur beau feuillage coloré se ternit dès qu'il manque de lumière. Dans les régions à climat doux, le Cóleus peut se cultiver en plein air : il donne alors toute la mesure de sa splendeur. Dans le Nord, on se contentera de le mettre sur le balcon, sous l'abri d'un auvent qui les protège de la pluie.

Soins. Il ne sert à rien de conserver les plantes d'une année à l'autre car leur aspect se délabre rapidement. En automne, lorsqu'on remet le chauffage en route dans l'appartement et que la plante commence à perdre ses feuilles, on reléguera le Cóleus dans un réduit très clair et on attendra le printemps pour prélever des boutures. Cóleus púmilus doit être taillé avant la reprise de la végétation pour pouvoir produire de nouvelles pousses robus-

tes. Il faut supprimer les fleurs des espèces à feuillage.

Arrosage. Plus la plante sera ensoleillée et plus il faudra l'arroser pour compenser la transpiration. Dès qu'elle a soif, elle laisse pendre ses feuilles. N'arroser qu'à l'eau douce et baigner une fois par semaine. Utiliser tous les moyens dont on dispose pour augmenter l'humidité de l'atmosphère : soucoupe renversée, pulvérisations, humidificateur. Bassiner souvent par temps chaud. La période de végétation des espèces à feuillage se situe au printemps et en été : il faudra alors arroser abondamment. Les espèces à floraison hivernale réclament des soins différents. On les arrose modérément en été, car c'est alors qu'elles se reposent, et on multiplie arrosages et pulvérisations de novembre à avril. Ni les unes, ni les

Hybride de Cóleus blúmei : une des plus jolies variétés.

autres ne résisteront au dessèchement de leur motte.

Fertilisation. Apport hebdomadaire d'engrais pauvre en calcium, pendant la période de végétation. Dosage prescrit sur l'emballage.

Multiplication. Semer en mars, avec chaleur de fond. On obtiendra un riche mélange. Repiquer très tôt et placer les godets sous châssis. Les plus beaux spécimens peuvent être propagés par boutures. Peu de plantes d'appartement s'enracinent aussi facilement que le Cóleus. Boutures d'extrémités de tiges et boutures à un œil s'enracinent aussi facilement dans l'eau que dans un mélange terreux ordinaire. On renouvellera fréquemment cette opération, car seules les jeunes plantes sont vraiment belles.

Maladies. Pucerons, cochenilles farineuses, thrips, aleurodes, acariens, mosaïque.

Hybride de Cóleus blúmei.

Cóleus blúmei (Hybrides de)

L'espèce est un sous-arbrisseau qui pousse comme une mauvaise herbe sous les tropiques. Les hybrides ont des tiges anguleuses dressées et des feuilles décoratives dentées, ovales, acuminées et extraordinairement colorées. Grappes de fleurs bleues et blanches insignifiantes. 30 à 60 cm de haut, selon le cultivar.

Cóleus fredericii

Plante annuelle qui peut atteindre 1 m. Elle se ramifie bien. Feuilles vert clair. Longues grappes de fleurs bleu profond, en décembre.

Cóleus púmilus

Syn. *Cóleus rehneltiánus*. Petite plante de 20 cm, aux tiges couchées. Petites feuilles brun foncé, marginées de vert. Cette plante à suspendre fleurit de novembre à février : fleurs bleues en grappe de 20 cm. Elle peut durer plusieurs années.

Cóleus thyrsoídeus

1 m de haut. Tiges érigées, non ramifiées, poilues. Feuilles ovales de 15 cm, grossièrement dentées. Grappes florales terminales ramifiées, fleurs bleu clair.

Hybride de Cóleus blúmei.

Collétia

Rhamnáceæ

Nom. Du nom de Philibert *Collet* (1643-1718), botaniste français.
Origine. On connaît 17 espèces, originaires d'Amérique du Sud, surtout des régions non tropicales.
Description. Arbustes ne portant pas ou presque pas de feuilles (aphylles). Les rameaux, opposés, sont disposés en croix. Ils sont souvent épaissis ou aplatis à la base et remplissent le rôle des feuilles absentes. Celles-ci, quand il y en a, sont opposées et très petites. Fleurs solitaires ou groupées, sous les épines. Calice campanulé ou tubuleux, à 4 ou 6 parties. Pas de pétales. Les étamines sont au nombre de 4 ou 6. Le fruit éclate en 3 parties. Plante très caractéristique, pouvant être cultivée sans trop de problèmes en appartement. On la trouve très rarement dans le commerce. Il faut prélever des boutures chez des amis qui la possède ou faire ses propres semis.
Exposition. Faire hiverner, avec les autres plantes d'orangerie, dans un endroit clair et frais. On peut sortir le *Collétia* en mai. Lui choisir une exposition ensoleillée, devant un mur exposé au sud, par exemple. On peut rentrer le *Collétia*, à titre temporaire, lorsqu'il a sorti ses fleurs agréablement parfumées. Placer hors de la portée des enfants car la plante est épineuse.
Soins. Le *Collétia* est une vraie plante de serre froide. Il lui faut, en hiver, une température de 4 à 6 °C. Il supporte toutefois un peu plus de chaleur.
Arrosage. Arroser peu et seulement

Collétia cruciáta en fleurs.

Collétia cruciáta : détail.

quand il fait chaud. Il tolère très bien une atmosphère sèche.
Fertilisation. Superflue si la plante est rempotée tous les ans ou tous les deux ans.
Rempotage. Dans un mélange ordinaire, prêt à l'emploi, auquel on ajoute du terreau de gazon et de la terre franche.
Multiplication. Semer des graines prélevées sur des plantes d'un certain âge, ou prendre des boutures semi-aoûtées : l'esthétique de la plante en souffrira ; par conséquent, on se montrera plutôt chiche dans la distribution de boutures. Elles ne s'enracinent d'ailleurs que très lentement. Les jeunes plants seront pincés une ou deux fois de manière à obtenir un buisson bien ramifié.

Collétia cruciáta

Atteint 3 m de haut à l'état spontané. Arbuste épineux, vert gris. Rameaux plats, portant des épines plates, triangulaires, opposées, disposées en croix et qui sont, en fait, des rameaux secondaires. Les petites feuilles ne tiennent pas longtemps aux branches et sont suivies, en hiver, de fleurettes blanches, odorantes, qui ressemblent aux clochettes du muguet. Les plantes de semis et celles qui sont encore jeunes ne portent pas de rameaux aplatis mais seulement des épines arrondies et vertes.

Colúmnea

Gesneriáceæ

Nom. Du nom de Fabio *Colonna*, (1567-1640), botaniste italien.
Origine. Les 160 espèces connues sont principalement originaires des zones tropicales d'Amérique centrale. Elles croissent dans les forêts vierges humides.
Description. Arbrisseaux, sous-arbrisseaux ou plantes herbacées à feuillage persistant, vivaces, non rustiques, à port pendant, grimpant ou rampant, épiphytes. On les cultive en suspension pour leurs fleurs aux couleurs gaies et leur joli feuillage. Les espèces à feuilles glabres sont plus solides que celles à feuilles poilues. Les feuilles sont opposées et souvent de taille irrégulière : il n'est pas rare que deux feuilles appartenant à la même paire aient une taille différente. Fleurs solitaires ou groupées, aux aisselles des feuilles. Elles sont le plus souvent orange ou rouges, mais on en rencontre parfois des jaunes et des roses. Baies blanches.
Exposition. Plantes à poser ou à suspendre à une exposition claire ou semi-ombragée. Leur origine, la forêt vierge, ne les prédispose pas à supporter un ensoleillement direct. Trop de lumière provoque des taches jaunes sur *Colúmnea hírta*.
Soins. La température optimale se situe pour ces plantes entre 18 et 22 °C, excepté pendant la période de repos où 14-16 °C suffiront. On peut faire monter la température à 18-20 °C dès que les boutons deviennent visibles. *Colúmnea × bánksii* se satisfait de 10 à 15 °C en hiver. *Colúmnea microphýlla* 'Stavanger' réclame 18 °C. Les *Colúmnea* fleurissent sur les pousses de l'année, il faut donc les tailler immédiatement après la floraison. Si l'on néglige de les tailler, seules les extrémités de leurs tiges pendantes produiront des fleurs. La taille aide aussi la plante à se rami-

Colúmnea lineáris

fier. La repousse, après la taille, met un certain temps à se manifester. Il faudra, à ce moment, dorloter tout particulièrement la plante en lui donnant beaucoup de chaleur et en l'arrosant raisonnablement.
Arrosage. Tenir la motte constamment humide en arrosant avec de l'eau de pluie ou de l'eau adoucie tiédie. On arrosera abondamment au moment où la température est élevée et où la plante transpire beaucoup. Ne pas arroser aussi longtemps que la surface de la terre est humide. On stimulera la floraison en accordant à la plante une période de repos (décembre et janvier) pendant laquelle on la gardera au frais et on l'arrosera très peu. L'atmosphère ambiante devra cependant, comme pendant le reste de l'année, rester très humide. Si l'on tente d'obtenir le degré d'hygrométrie souhaité en pratiquant des pulvérisations, il faudra éviter de mouiller directement la plante : les boutons ou les fleurs seraient irrémédiablement endommagés. La même remarque vaut pour les espèces à

feuillage duveteux, dont les feuilles se couvriraient de taches annulaires jaunâtres. On peut cultiver les *Colúmnea* en les posant sur une soucoupe renversée dans une coupe remplie d'eau. En règle générale, ils prospèrent dans les cuisines dont l'atmosphère humide répond à leurs besoins.
Fertilisation. Pendant la période de végétation, on arrosera tous les 8 à 10 jours avec une solution d'engrais pauvre en calcium, en respectant le dosage recommandé par le fabricant.
Rempotage. Ces plantes sont des épiphytes et poussent dans un milieu léger, riche en humus : sapinette et terre de bruyère mélangées de sphagnum ou de racines de fougères broyées, plus un peu de fumier bovin et de charbon de bois. On les cultive sur des bûches ou dans des paniers à orchidées suspendus dans la serre. L'atmosphère de l'appartement est trop sèche pour elles.
Multiplication. Les extrémités que l'on taille peuvent servir à faire des boutures. On peut aussi prélever une longue tige et la couper en segments comportant chacun 3 paires de feuilles dont on enlève celle de la base, avant de les repiquer dans de la tourbe. Faire enraciner à 20 °C, avec chaleur de fond, sous feuille de verre ou de plastique. Le semis est possible, mais peu utilisé.
Maladies. Pucerons, thrips. Les courants d'air provoquent la chute des feuilles.

Colúmnea × bánksii

Solides tiges rampantes ou pendantes, couvertes de petites feuilles luisantes, vert foncé dessus, rougeâtres dessous. Fleurs orange, bilabiées,

Colúmnea microphýlla se cultive en pot ou en panier suspendus.

Colúmnea gloriósa

Colúmnea x bánksii

Colúmnea teúscheri : on voit ses graines.

Conóphytum
Aizoáceæ

Origine. On en connaît environ 300 espèces, toutes originaires d'Afrique du Sud et du Sud-Ouest.

Description. Plantes succulentes qui, on peut le voir, rappellent les *Líthops*. Elles ressemblent aux cailloux parmi lesquels elles poussent dans la nature. Elles n'ont pas de tige et les feuilles sont soudées en un corpuscule globuleux ayant, au centre, une petite fente par laquelle sortent les fleurs. Ces corpuscules sont ponctués ou diversement tachetés. Ils croissent en touffes. Peu d'espèces dépassent 5 cm de haut. La floraison a lieu entre août et novembre. Les fleurs, semblables à des pâquerettes, vont du blanc au jaune, au rose et au pourpre en passant par tous les tons intermédiaires. Les pousses des *Conóphytum* sont souvent plus petites et plus vertes que celles des *Líthops*.

Exposition. Emplacement derrière une fenêtre ensoleillée ou dans la serre tempérée.

Soins. L'hiver, on ne laissera pas le thermomètre descendre au-dessous de 5 °C.

Arrosage. À de très rares exceptions près, les *Conóphytum* sont en état de dormance de décembre à juillet. On évitera de leur donner de l'eau pendant cette période, si ce n'est, occasionnellement, un bon arrosage au printemps pour les empêcher de se ratatiner. De juillet à la fin de la floraison, on arrosera quand la terre paraîtra sèche en surface. Arroser parcimonieusement à partir de la fin d'octobre. Les vieilles plantes se ratatinent et c'est de leur enveloppe que surgissent les nouvelles pousses. Ces plantes supportent le froid et l'air frais leur convient.

Rempotage. Une fois tous les 3 ans, dans un mélange sableaux comportant beaucoup d'humus et un peu de terre argileuse finement émiettée.

Multiplication. Semer en mai, à 21 °C. Ne pas couvrir les graines qui sont très fines. Bouturer en juin : les boutures seront prélevées avec un fragment de la vieille plante. Faire enraciner à 20 °C, dans du sable. La méthode la plus simple consiste à diviser les plantes en été.

Maladies. Cochenilles farineuses et pucerons des racines. Une terre trop humide fait pourrir les plantes.

Conóphytum bílobum
○ ④ ⊙ ④ ⊙ ⑩
Corpuscules vert gris, hauts de 3 à 5 cm, larges de 2 cm. Se colorent petit à petit de rouge. Fleurs de 25 mm, jaunes, sur pédoncules courts, apparaissant en septembre et en octobre.

Conóphytum cálculus
Corpuscules globuleux, vert pâle, hauts de 5 cm, présentant au sommet une fente allongée, peu profonde. Fleurs jaunes, pointillées de brun.

Conóphytum múndum
Corpuscules globuleux, aplatis en disque au sommet, vert mat avec des taches plus foncées. Fleurit jaune.

Conóphytum scítulum
Corpuscules allongés, vert gris parcouru de rouge, stries rouges. Fleurs blanches de 2 cm de diamètre apparaissant en octobre-novembre.

Conóphytum wettsteínii
Boules assez grosses, aplaties au sommet, de couleur pâle, vert gris. Fleurs rouges, de 3 cm.

Conóphytum fleurit abondamment.

---

marquées dans la gorge de traits jaunes indistincts.

Colúmnea gloriósa
⑩ ⑪ ⊗ ⊙ ⑩
Longues tiges pendant mollement, couvertes de petites feuilles ovales, vertes, couvertes de poils rouges. Fleurs rouge écarlate, à la gorge maculée de jaune.

Colúmnea hírta
Tiges rampantes à pendantes, s'enracinant aux nœuds. La plante entière est couverte de poils courts et raides. Feuilles elliptiques à oblongues. Longues (10 cm) fleurs rouges, solitaires, au printemps.

Colúmnea hybrides
On a pratiqué de si nombreux croisements qu'il est bien difficile de savoir, aujourd'hui, si l'on a affaire à une espèce originale.

Colúmnea lineáris
⑩ ④ ④ ⊗ ⊙ ⑩
Plante épiphyte touffue, pendante ou dressée, aux longues feuilles étroites, vert foncé, luisantes. Fleurs tubuleuses, bilabiées, roses, à l'aisselle des feuilles.

Colúmnea microphýlla
⑩ ⑪ ⊗ ⊙ ⑩
Longues tiges poilues, pouvant mesurer 1 m, grêles et velues, couvertes de petites feuilles plutôt arrondies, revêtues de poils cuivrés. Fleurs bila-

biées, orangées, au printemps ou en été, 'Stavanger' est une variété plus grande, à la végétation plus forte. Il existe aussi une variété panachée.

Colúmnea schiedeána
Tiges érigées, poilues. Feuilles opposées, oblongues-lancéolées (10 cm de long), épaisses, vertes avec, très souvent, des nervures rouges. Fleurs solitaires ou réunies par deux, longues corolles de 4 à 6 cm, jaune orangé maculé et strié de jaune mat. Espèce de serre chaude.

Colúmnea teúscheri
Tiges grêles, ramifiées et poilues. Feuilles opposées, de taille différente. Fleurs caractéristiques : longuement pédiculées, velues, tubuleuses, brun violacé, pétales libres couverts de duvet rouge, gorge jaune. Floraison hivernale.

Colúmnea túlæ
Tiges dressées à retombantes. Feuilles opposées, vertes, ovales. Fleurs solitaires, rouges, longues de 5 cm. 'Flava' a des fleurs jaunes.

Conóphytum wettsteínii a de curieuses feuilles soudées et aplaties au sommet.

Convallária

Liliáceæ

muguet des bois

Nom. Le latin *convallis* signifie vallée profonde. On trouve en effet cette plante à profusion dans les vallées.
Origine. Zones tempérées d'Europe, d'Asie et d'Afrique.
Description. Genre qui ne compte qu'une seule espèce, herbacée et vivace, que l'on fait pousser en appartement aussi bien qu'au jardin. Ce n'est pas une véritable plante d'appartement, mais il est très agréable de la faire fleurir à l'intérieur à Noël.
Exposition. Emplacement clair et frais, abrité des rayons directs du soleil.
Soins. Pour obtenir des plantes fleuries à Noël, il faut acheter ou commander des griffes conservées en chambre froide : ce sont des griffes qui ont produit des feuilles pendant plusieurs années et ont atteint la maturité nécessaire pour fleurir. Elles auraient sans doute déjà pu fleurir à l'époque normale, mais leur floraison a été retardée artificiellement par un séjour en chambre froide où elles subissent un repos forcé. Dès qu'on les met au chaud, elles sortent leurs fleurs.

Convallária majális ou muguet des bois.

Si l'on prend des griffes au jardin, il faut choisir les plus grosses, ne les arracher qu'au début du printemps et les forcer en pot. On évite ainsi le séjour au réfrigérateur.
Planter dans un pot bien drainé et rempli d'un mélange de parties égales de terre argileuse et terreau de feuilles. Le sommet des griffes doit pointer hors de terre et être recouvert d'une couche de sphagnum humide. Commencer par entreposer les pots dans un endroit obscur, à 25 °C. On ne les mettra à la lumière que lorsque les pousses auront 9 cm. Dans une pièce normalement chauffée la floraison ne durera que quelques jours.
Multiplication. Division des souches et semis.
Maladies. Les griffes sortant des chambres froides moisissent facilement. Dès que l'on constate des traces de moisissure, il faut ventiler et réduire les arrosages.

Convallária majális

◐ ◔ ⊗ ◯ ⊡
Plante rhizomateuse médicinale. Les feuilles vont par deux ; elles sont radicales et elliptiques (20 cm de long). Épis de 5 à 8 petites fleurs blanches en forme de grelot. On cultive beaucoup la forme 'Fortin's Giant'.

Au premier plan, un *Coprósma baúeri* 'Marginata' aux feuilles panachées.

Coprósma

Rubiáceæ

Nom. Du grec *kopros*, excrément, fumier, et *osmê*, odeur. Il suffit de froisser une feuille pour saisir l'allusion.
Origine. Genre orginaire de Nouvelle-Zélande.
Description. Arbustes décoratifs, au feuillage persistant. Bien adaptés pour vivre en appartement chauffé modérément.
Exposition. Les espèces panachées exigent beaucoup de lumière. Aucune ne supporte un ensoleillement direct. Elles doivent séjourner dans un endroit très bien éclairé, même en période de repos.
Soins. Chaleur modérée toute l'année. Un peu plus frais en hiver, pendant la période de repos. Une température avoisinant 5 à 10 °C conviendra très bien. Maintenir une température de quelques degrés au-dessus de zéro.
Arrosage. Humidité modérée en été. Laisser la terre sécher entre deux arrosages. Augmenter les arrosages par temps chaud. Si le *Coprósma* passe l'hiver dans un endroit frais de la maison ou dans la serre froide, on arrosera très parcimonieusement. Il tolère assez bien une atmosphère sèche, mais préfère un air ambiant modérément à assez humide. Il appréciera des pulvérisations de temps à autre.
Fertilisation. Engrais dilué (dosage prescrit sur l'emballage), une fois tous les dix jours, en période de croissance.
Rempotage. Au printemps, à la sortie de la période de repos. Les sujets d'un certain âge ne seront rempotés que tous les deux ans dans un mélange ordinaire, prêt à l'emploi. Bien drainer les pots.
Multiplication. Boutures à talon de jeunes pousses, en mars. Mettre les godets dans une petite serre à multiplication, à une température de 20-25 °C. Se servir, pour planter, d'un mélange de sable grossier et de tourbe. En juillet ou en août, on peut faire enraciner, en serre froide, des boutures de courtes tiges latérales.
Maladies. L'apparition des maladies est favorisée par un excès de chaleur.

Coprósma baúeri

◐ ◔ ⊗ ◯ ⊡
Arbustes à feuillage persistant. Feuilles glabres, coriaces et luisantes, vert foncé, oblongues : longueur 7 cm, largeur 5 cm. Petites fleurs verdâtres, à l'aisselle des feuilles. Fruits rouge orange, de 1 cm au plus. 'Variegata' a des feuilles marginées ou maculées de blanc crème et 'Marginata' a des feuilles vertes, marginées de crème.

Coprósma répens

Plante aux branches couchées, radicantes. Feuilles vert clair, ovales. Fleurs blanc verdâtre, suivies de baies rouge orangé.

Cordýline

Agaváceæ

Nom. Du grec *kordylê*, bosse, massue. La racine de la plante émet en effet des bourgeons claviformes.
Origine. Les 20 espèces connues couvrent une vaste zone allant de l'Asie du Sud-Est à la Nouvelle-Zélande.
Description. Arbres, abrisseaux et sous-arbrisseaux des régions tropicales et subtropicales. Les espèces dépourvues de tige principale font 2 m de haut, celles qui ont un tronc peuvent atteindre 15 m. Ces plantes sont cultivées pour leur magnifique feuillage persistant. Leur allure évoque celle des palmiers. Certaines espèces ont des feuilles sans pétiole, aiguës, en forme de lame d'épée ; d'autres ont des feuilles pétiolées, plus larges et plus nettement panachées. À partir d'un certain âge, les *Cordýline* émettent des grappes de fleurs insignifiantes. Ils sont étroitement apparentés aux *Dracæna* et souvent confondus avec eux. La distinction est pourtant facile à faire : les racines des *Dracæna,* quand on les ouvre, sont jaunes, celles des *Cordýline* sont blanches. Autrefois, les Maoris se nourrissaient des racines du *Cordýline*.
Exposition. On donnera aux *Cordýline terminális* un emplacement clair, abrité des rayons directs du soleil. Leurs refuges préférés sont la serre ou la vitrine d'appartement, car ils aiment un air ambiant humide. Dans l'appartement, leurs feuilles roussissent facilement aux extrémités. Ils se prêtent admirablement aux plantations composées des grandes jardinières, qu'ils rehaussent de leurs couleurs originales. La plupart des espèces, notamment *C. austrális, C. rúbra* et *C. stricta,* ne s'adaptent pas au climat d'une habitation chauffée. Elles exigent une exposition très lumineuse, voire ensoleillée et peuvent être sorties en plein air, en été. Les spécimens âgés de *C. austrális* deviennent très hauts. Ils décorent admirablement les grands immeubles de bureaux.

Cordýline terminális en fleurs.

Cordýline terminális 'Tricolor'

Cordýline terminális : l'espèce sur tige, à feuillage vert.

Soins. Les espèces de serre froide doivent hiverner dans un local clair, à l'abri du gel, à une température avoisinant 4 à 7 °C. Les espèces de serre chaude demandent une température hivernale minimale de 10 à 13 °C.
Arrosage. Les espèces de serre chaude exigent impérativement un haut degré d'hygrométrie de l'air. En appartement, il faudra les bassiner au moins une fois par jour. Une atmosphère trop sèche entraîne la chute des feuilles. Les plantes dénudées peuvent se marcotter. On peut exposer ces plantes à la pluie. En été, il faut les arroser copieusement à l'eau tiède. La motte ne doit jamais être sèche. L'hiver, on arrose modérément, selon la température ambiante. Les espèces de serre froide sont arrosées généreusement en été, mais l'hiver, quand leur croissance s'arrête, on se contente de maintenir la terre du pot humide. Une humidité de l'atmosphère de 50 à 60 % leur suffit.
Fertilisation. Les espèces de serre froide se contentent d'une fertilisation par mois, les autres seront fertilisées tous les quinze jours. Se conformer au dosage indiqué sur l'emballage.
Rempotage. Attendre que le rempotage s'impose et utiliser un mélange terreux standard. Pour *Cordýline aus-*

trális on ajoutera un peu de terre limoneuse. *Cordýline terminális* pousse très bien dans de la sapinette.
Multiplication. Semis, bouturage de tête ou de rejets. On peut également bouturer des segments de tronc comportant au moins 3 yeux. *Cordýline terminális* se propage par bouturage de tête ; l'enracinement se produit en milieu confiné, avec une chaleur de fond de 30-35 °C.
Maladies. Maladies à virus.

Cordýline austrális
○ ◐ ◔ ◑ ⊗ ◓ ▣
Syn. *Dracǽna austrális*. Plante atteignant 2 m mais dont la croissance est lente. Tige ramifiée, aux feuilles vert gris, en forme de lame d'épée : largeur 2-4 cm, longueur 1 m. Certains cultivars ont des feuilles striées de jaune et de rouge. Fleurs en panicules terminales.
Cordýline indivísa
Atteint 6 m à l'état spontané, 1,5 m en pot. Tige non ramifiée. Feuilles groupées en rosettes denses ; elles sont étroites, lancéolées, épaisses, coriaces, terminées par une pointe aiguë. Forte nervure médiane, rouge ou jaune. Revers glauque.
Cordýline rúbra
4 m à l'état spontané. Feuille raide, vert foncé, élargie à la partie supérieure. Longueur 40 cm, largeur 4 cm. Pétiole de 15 cm. Panicules de fleurs lilas, penchées, à l'aisselle des feuilles.
Cordýline strícta
Plante d'appartement basse et non ramifiée. Rosettes lâches de feuilles élargies à la base, fortement arquées, longues de 50 cm et larges de 3 cm. Nervures peu marquées. Panicules de fleurs violettes.
Cordýline terminális
Lorsque les plantes sont jeunes, les feuilles naissent en spirale à partir du centre. Ce n'est que plus tard que la plante étale son feuillage à la façon d'un palmier. Feuilles lancéolées, vertes, longues de 50 cm, larges de 10 cm, devenant rouges avec l'âge. Inflorescences lilas et baies rouges. Nombreux cultivars au feuillage merveilleusement coloré. 'Amabilis' a des feuilles ovales-larges, d'un vert foncé

brillant taché de blanc et de rose. 'Firebrand' a des feuilles arquées, ovales, rouge pourpre, aux nervures claires. 'Tricolor' a des feuilles maculées de vert, jaune et rouge.

Corynocárpus
Corynocarpáceæ

Nom. Du grec *korynê*, bosse, massure, et *karpos*, fruit.
Origine. Ce genre compte 5 espèces que l'on trouve à l'état spontané en Nouvelle-Zélande et dans quelques îles moins importantes de l'océan Pacifique.
Description. Arbres glabres qui peuvent atteindre 30 m de haut, mais qui restent beaucoup plus petits sous leur forme cultivée. Ils ont une écorce d'un brun grisâtre et des branches et rameaux ronds. Feuilles entières, étalées, oblongues à obovales. Petites fleurs suivies de drupes. Arbrisseaux décoratifs pour la serre froide ou autres locaux frais. Ils ont l'avantage d'être résistants aux attaques des parasites.
Exposition. Peuvent prospérer à une exposition ensoleillée aussi bien qu'à mi-ombre. Il faut les traiter comme des plantes d'orangerie, c'est-à-dire qu'à partir de fin mai (dans les régions où les gelées tardives sont à redouter), on peut les sortir au jardin où ils passeront tout l'été. On les rentrera en serre froide dès qu'il y a risque de gelée nocturne. Il faut aussi veiller à ce qu'ils bénéficient d'un bon éclairement pendant le repos hivernal.
Soins. La température hivernale doit se maintenir entre 3 et 14 °C. Les jeunes plantes doivent être tuteurées pour se développer harmonieusement. Les specimens âgés et dégingandés peuvent être taillés au printemps.
Arrosage. Arroser copieusement en été, lorsque le temps est chaud. Arroser modérément le reste du temps. L'arrosage peut même être superflu en hiver, si la température ne dépasse pas 6 °C. Au-dessus de cette température, on vérifiera si la motte reste humide. Il suffit de l'empêcher de se dessécher. Air ambiant modérément humide.
Fertilisation. Engrais dilué, tous les dix jours, pendant la période de végétation. Dosage normal.
Rempotage. Mélange terreux prêt à l'emploi, auquel on ajoute du fumier de vache bien décomposé et un peu de terre limoneuse.
Multiplication. Boutures semi-aoûtées, au printemps ou en été. Chaleur de fond : 18-20 °C.

Corynocárpus lævigátus

Corynocárpus lævigátus
○ ◔ ⊗ ◑ ◓ ▣
Petit arbrisseau aux grosses feuilles persistantes, coriaces, vert luisant, longues de 20 cm. Drupes amères et très toxiques.

Coryphánta
Cactáceæ

Nom. Du grec *coryphê*, sommet, et *anthos*, fleur. Les fleurs apparaissent effectivement au sommet de la plante.
Origine. 60 à 70 espèces. Amérique du Nord et Mexique : régions sèches et herbages.
Description. Petits cactus globuleux, proches des *Mammillária*, qui donnent d'énormes fleurs rouges dès leur plus jeune âge.
Exposition. Serre froide. Plein soleil en été et température basse en hiver. Supportent jusqu'à 0 °C.
Soins. On distingue dans ce genre deux groupes différents. Il y a ceux qui croissent dans le désert : ils sont abondamment couverts d'épines et exigent une grande sécheresse ; et ceux que l'on trouve dans les pâturages : ils sont plus charnus, moins épineux et réclament un sol plus humide et plus riche en humus.
Arrosage. En été, on les arrosera très peu à modérément, suivant la catégorie à laquelle ils appartiennent. S'ils sont hivernés au froid, on les laissera absolument secs pendant tout le repos. Toujours arroser à l'eau de pluie.
Fertilisation. L'été, apport mensuel d'engrais spécial, en solution.
Rempotage. Les espèces désertiques aiment un mélange perméable et sableux. Utiliser beaucoup de perlite. Pour les autres espèces, on ajoutera un peu de terre argileuse et de terreau de feuilles. Après le rempotage, couvrir la surface de la terre avec du fin gravier.
Multiplication. Semis ou greffe.

Coryphánta cornífera
○ ◔ ⊗ ◑ ▣
Cactus subglobuleux, vert gris ; larges mamelons portant des aiguillons périphériques jaunâtres et un aiguillon central de 15 mm, rouge brun. Fleurs jaune citron, aux étamines rouges. Espèce d'herbages.
Coryphánta elephántidens
Grand cactus cylindrique aux très larges mamelons couronnés de 6 à 8 aiguillons crochus. Fleurs rose carné, maculées de brun ; 10 cm.

Coryphántha cornífera

Coryphánta pseudonickelsæ

Cactus oviforme, disparaissant sous ses longs aiguillons : les latéraux sont blancs, ceux du centre, noirs. Fleur jaune pâle, de 3 à 4 cm de diamètre. Espèce désertique.

Cóstus

Zingiberáceæ

Nom. *Cóstus* est un nom de plante connu depuis l'Antiquité.

Origine. On en a répertorié 140 espèces, réparties dans les zones tropicales du monde entier.

Description. Genre peu connu de plantes herbacées aux épaisses racines tubéreuses. Tiges souvent spiralées, feuilles sessiles ou à pétiole court. Quelques espèces ont des fleurs remarquablement belles, mais éphémères.

Exposition. Plantes de serre chaude et tempérée. Elles connaissent, l'hiver, une période de demi-repos. Les espèces à joli feuillage panaché conviennent très bien à la décoration des serres d'appartement. Il faut leur éviter un ensoleillement direct.

Soins. La température de 18-22 °C doit s'accompagner d'une humidité relative ambiante élevée. Dans la mesure du possible, on plantera directement ces plantes dans la tablette de la serre, elles s'y développeront beaucoup mieux qu'en pot. En hiver, on pourra laisser le thermomètre descendre jusqu'à 12 °C. L'aspect de la plante se dégradera beaucoup, mais une taille sévère au printemps permet de réparer les dégâts. La plupart des espèces ont l'inconvénient d'atteindre un grand développement. Si l'on dispose d'une petite serre, le choix se limitera à *Cóstus igneus*.

Arrosage. L'été, on conservera la motte modérément humide en l'arrosant à l'eau de pluie. La tenir un peu plus sèche en hiver.

Fertilisation. Ne fertiliser qu'occasionnellement, en période de croissance. Les plantes n'ont que trop tendance à se développer.

Rempotage. Le *Cóstus* pousse bien dans un mélange ordinaire, vendu prêt à l'emploi, que l'on peut encore améliorer en y mêlant de la terre argileuse. Prendre de grands pots ou planter directement dans la tablette. Assurer un bon drainage.

Multiplication. Boutures d'extrémités de tiges ou boutures d'œil. Donner une chaleur de fond et couvrir d'une feuille de verre ou de plastique pendant quelques semaines. Les plantes très développées se multiplient par division des souches.

Cóstus ígneus

Plante érigée. Tiges rougeâtres, feuilles massées sur la partie supérieure. Elles sont ovales-lancéolées (longueur 15 cm, largeur 5 cm), aiguës, charnues, glabres et de couleur vert foncé. Elles sont insérées en spirale le long des tiges. Épis de fleurs denses, entourés de bractées pointues. Les fleurs ont un diamètre de 4 à 6 cm. Elles sont rouge orangé, leurs pétales sont étalés à l'horizontale : on dirait de minuscules parasols japonais.

Cóstus lucanusiánus

Plante atteignant 2 m de haut. Feuilles de 30 cm sur 10, vert gris dessus, blanc argent dessous. Grandes fleurs odorantes, en épis de 9 cm, pédoncules courts. Pétales blancs, aux lobes rouge carmin maculé de jaune.

Cóstus malortieánus

Feuilles rondes à obovales, vert velouté panaché de vert plus sombre entre les nervures, poilues. Fleurs en épis de 6 cm, calice vert, corolle jaune, striée irrégulièrement de rouge orangé.

Cóstus speciósus

Feuilles lancéolées, de 20 cm de long, vertes, poilues au revers. Épis de 12 cm ; bractées rouges, ciliées ; fleurs de 10 cm de diamètre, calice rouge, corolle blanche, lobe taché de jaune à la base.

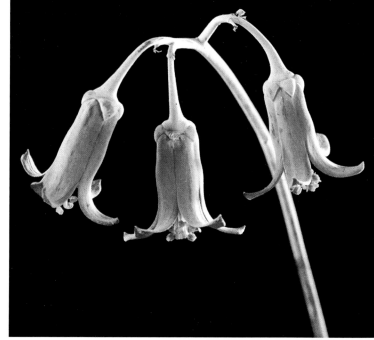

Cotylédon unduláta : détail de l'inflorescence.

Cotylédon

Crassuláceæ

Nom. Du grec *kotylê,* écuelle ou ombilic. On rattachait autrefois à ce genre l'*Hydrocotyle vulgaris,* écuelle d'eau, classé aujourd'hui parmi les ombellifères.

Origine. Il existe une cinquantaine d'espèces originaires pour la plupart d'Afrique du Sud, auxquelles on peut ajouter une espèce propre à l'Erythrée et au sud de l'Arabie.

Description. On peut diviser ce genre en deux groupes : l'un comprend des arbrisseaux aux feuilles persistantes, opposées ; l'autre est représenté par des herbes à la tige épaisse et charnue, portant des feuilles éparses qui tombent une fois par an. Certaines de ces succulentes sont cultivées pour leurs jolies feuilles colorées, d'autres pour leurs fleurs en grappes pendantes qui ne se montrent qu'au bout de 2 à 3 ans de culture.

Exposition. Se cultivent sans problème, au soleil, derrière une fenêtre ou dans une serre tempérée.

Soins. Éviter de toucher les feuilles de crainte d'endommager la pruine blanche qui les recouvre. L'hiver il faut les garder au frais et au sec : température minimale 10 °C.

Arrosage. Arroser avec beaucoup de circonspection. Éviter de mouiller les feuilles. Arrosages légers tout au long de l'année. Les espèces à feuillage caduc seront totalement privées d'eau dès la chute des feuilles. On ne reprendra les arrosages qu'à l'apparition des nouvelles feuilles. Une humidité ambiante basse à modérée suffit pleinement.

Fertilisation. Donner un peu d'engrais une fois tous les quinze jours, pendant la végétation. Concentration normale.

Rempotage. Quand il s'impose, on le pratique au printemps. Terre poreuse : mélange de sable, de terre argileuse et de terreau de feuilles, en parties égales.

Multiplication. Semis, ou bouturage

Cotylédon unduláta : le feuillage.

de tiges pas trop aoûtées, ce qui est encore plus facile. Laisser se cicatriser la plaie avant de planter. *Cotylédon unduláta* se propage par boutures de feuille.

Maladies. Cochenille farineuse.

Cotylédon orbiculáta

Arbrisseau buissonnant, érigé, à feuillage persistant. Feuilles pruineuses, blanc gris, liserées de rouge. Montre en été, des fleurs tubuleuses de 2 cm, jaunes et rouges.

Cotylédon paniculáta

Syn. *Cotylédon fasciculáris.* Feuillage caduc. Végétation lente. Tige brune, charnue, renflée à la base. Les ramifications portent à leur extrémité seulement des feuilles vert clair en forme de cuiller (spatulées). Fleurs rouges, striées de vert, en été.

Cotylédon reticuláta

Ressemble à l'espèce précédente, feuillage également caduc, mais très ramifié dès la base. Fleurs tubuleuses jaune vert, droséées, se montrant en été.

Cotylédon unduláta

Sous-arbrisseau. Feuilles persistantes, épaisses et charnues, à l'aspect cireux et pruineux, bords très ondulés, se colorant parfois de rouge au soleil. En été apparaissent des fleurs tubuleuses, jaune orange.

Cóstus ígneus : une belle plante de serre que l'on rencontre assez rarement.

Crássula portulácea, une espèce extrêmement robuste.

Crássula
Crassuláceæ

Nom. Du latin *crassus*, épais ou charnu. Les espèces appartenant à ce genre ont, en général, des feuilles épaisses et charnues.

Origine. Le Cap est la patrie de la plupart des espèces (on en compte 300) de ce genre. On en trouve aussi en Afrique tropicale et à Madagascar. On leur associe quelques plantes aquatiques et de marécages que l'on trouve partout sur le globe.

Description. On rencontre dans cette catégorie de plantes grasses une énorme variété de formes, depuis les espèces arborescentes, qui peuvent atteindre plusieurs mètres de haut, jusqu'aux plantes gazonnantes, en passant par tous les stades intermédiaires. Il est possible, pour ces raisons, d'en composer de magnifiques jardinières. Certaines espèces ne fleurissent qu'une fois, mais beaucoup, que ce soient des arbrisseaux, des sous-arbrisseaux ou des espèces herbacées vivaces, refleurissent chaque année. Les feuilles sont souvent opposées, poudrées ou poilues. Les fleurs, réunies en inflorescences terminales, sont généralement à 5 lobes. Toutes les espèces sont appréciées et recherchées par les collectionneurs.

Exposition. Claire et ensoleillée. L'été, on enterrera les pots dans un coin abrité du jardin : ils y resteront de la mi-mai à la mi-octobre. On peut aussi fort bien les laisser sur la tablette de fenêtre, à condition de ventiler fréquemment. Les espèces aux feuilles pruineuses ou vert pâle seront protégées des rayons vifs du soleil. On peut les faire hiverner dans la serre froide ou dans la maison.

Soins. Pendant leur période de repos, qui chez nous se situe en hiver, les plantes doivent bénéficier d'une température basse : 6-10 °C, dans un lieu très bien éclairé. Une température trop élevée est cause de l'étirement des tiges, de la chute des feuilles et de l'apparition des pucerons. En outre, il faut savoir qu'une température basse favorise la floraison. Une humidité ambiante trop accentuée provoque l'oïdium. Éviter de tailler les plantes, ce serait gâcher leur port.

Arrosage. Les *Crássula* doivent toujours être arrosés avec parcimonie. En période de repos, les arrosages varieront selon la température ; ils pourront même être totalement supprimés si le thermomètre se maintient à 5 °C. Dans un appartement modérément chauffé, on pourra arroser un peu, une fois par semaine. Seules les très petites plantes, incapables de stocker une réserve d'eau suffisante, seront arrosées un peu plus généreusement. Toutes les espèces sont faites pour résister à la sécheresse ambiante. Seules les plantes très poussiéreuses seront bassinées.

Fertilisation. Un apport d'engrais par mois est suffisant. Utiliser une solution très diluée : diviser par deux le dosage recommandé sur l'emballage.

Rempotage. Rempoter chaque année après le repos hivernal. Éliminer le plus de terre possible autour des racines, en prenant beaucoup de précautions, et rempoter dans des coupes ou terrines plus larges que profondes. Utiliser un mélange de terreau de feuilles, terre argileuse ou limoneuse, sans oublier une bonne quantité de sable grossier qui assurera la perméabilité. Arroser le moins possible après le rempotage pour ne pas provoquer la pourriture des racines.

Multiplication. Le semis donne un mélange très varié. À moins qu'on ne désire obtenir de nouvelles espèces, on pratiquera plutôt le bouturage d'extrémités de rameaux ou de feuilles. Toujours laisser la plaie de la coupe se cicatriser avant de planter dans un mélange de sable et de tourbe. On peut aussi prélever des rejets.

Maladies. Des conditions de culture défectueuses exposent les plantes aux attaques des pucerons, cochenilles farineuses, araignées rouges et thrips.

Crássula arboréscens
○ ⊙ ⊙ ○ ⊡
Syn. *Cotylédon arboréscens.*

Crássula tetragóna

Crássula falcáta

Arbrisseau de 2 m, aux feuilles épaisses. Tige épaisse, ramifiée ; gros rameaux annelés. Feuilles assez plates, pruineuses, gris blanc, ponctuées de points sombres et finement bordées de pourpre. Fleurit en juin-juillet ; fleurs blanches passant graduellement au rose.

Crássula barbáta
Plante vivace. Feuilles sessiles, superposées sur 4 rangs disposés en

Crássula conjúncta

Crássula turríta

Crássula arboréscens peut former un arbrisseau de 2 m de haut.

Crássula rupéstris

Crássula rupéstris : inflorescences.

Crássula perforáta

rosette, ciliées de poils blancs déployés par temps humide, recourbés vers l'intérieur par temps sec. Capitules de fleurs blanches sur tiges flasques.

Crássula columnáris
○ ⊕ ⊙ ⊖ ⑪
Plante charnue, dressée. Forme une tige grisâtre, ovoïde, plus ou moins allongée suivant l'humidité de l'atmosphère. Petites feuilles charnues, obtuses, aux bords incurvés. Elles sont superposées en couches si serrées que leur bord extérieur donne l'impression d'une boursouflure résultant de la compression.

Crássula coóperi
Syn. *Crássula bolúsii.* Feuilles opposées, lancéolées à spatulées, formant une rosette à la base. Riche floraison printanière : fleurs blanches ou rose clair.

Crássula cordáta
Espèce charnue. Sous-arbrisseau atteignant presque 1 m. Feuilles pétiolées, entières, cordiformes à réniformes, très pruineuses et bordées de rouge. Fleurs blanches ou rougeâtres en cymes paniculées, sur de longs pédoncules, persistant parfois tout l'été. Les inflorescences portent parfois de minuscules plantules.

Crássula falcáta
Syn. *Róchea falcáta.* Plante à feuilles charnues, falciformes. Sous-arbrisseau atteignant jusqu'à 1 m. Curieuses feuilles en forme de faucille, épaisses, vertes, pruineuses, superposées sur deux rangs, de chaque côté de la tige. Corymbes denses de fleurs écarlates à rouge orangé, en été. On gagne à ne pas le laisser devenir trop haut.

Crássula lycopodioídes var. lycopodioídes
Petite plante de 25 cm de haut. Les tiges sont entièrement masquées par de minuscules feuilles en forme d'écaille, très étroitement imbriquées sur plusieurs rangs. Fleurs blanches, insignifiantes, dont l'odeur n'est pas précisément agréable.

Crássula obliqua
Syn. *Crássula argéntea.* Ressemble à *Crássula arboréscens,* mais la feuille, vert luisant, n'est pas élargie à la base. Fleurs roses.

Crássula perforáta
Syn. *Crássula perfóssa.* Plante vivace, de 60 cm de haut. Tiges érigées, couvertes de paires de feuilles vert cendré, triangulaires, perfoliées à la base. On les dirait enfilées sur la tige. Fleurs blanches, en corymbes lâches, en avril-mai.

Crássula pyramidális
Plante vivace, basse. Feuilles triangulaires, oviformes, vert foncé, étroitement imbriquées sur 4 rangs de façon à cacher complètement la tige. La base des feuilles est couverte de poils qui, en une nuit, emmagasinent plus de rosée que la plante ne peut en exsuder en une semaine. En cas de sécheresse, les feuilles se referment de manière à isoler totalement les poils de l'air extérieur et à les empêcher de transpirer.

Crássula rupéstris
Ressemble à *Crássula perforáta,* mais a des fleurs jaunâtres réunies en corymbe.

Crássula schmídtii
Syn. *Crássula impréssa.* Plante gazonnante, aux feuilles vertes, parfois rougeâtres. Petites fleurs rose vif, fleurissant pendant des mois.

Crínum
Amaryllidáceæ

Nom. Du grec *krinon,* lis. Les fleurs ont en effet la forme de lis.
Origine. Ce genre englobe 130 espèces que l'on retrouve dans toutes les régions tropicales et subtropicales, surtout dans les zones littorales. Les espèces qui nous intéressent viennent du Cap et sont des plantes de serre froide.
Description. Les *Crínum* ont des bulbes en forme de carafe, qui peuvent devenir énormes et peser jusqu'à 10 kg. Le « col » de la « carafe » peut mesurer 50 cm de long. Les feuilles, vertes, linéaires, sont disposées en rosette. Du centre de cette rosette jaillit une tige dressée, solide, qui

Crínum × powéllii

porte des fleurs gracieuses, souvent délicieusement parfumées et dont la forme est très proche de celle des lis.
Exposition. L'hiver, à une exposition très bien éclairée, dans la serre froide ; l'été, en plein air, dans un coin abrité et ensoleillé.
Soins. Il faut laisser la plante au repos en serre froide, l'hiver.
Arrosage. Commencer à arroser graduellement au printemps. Donner un peu plus d'eau au fur et à mesure que la plante se développe et diminuer progressivement les arrosages après la floraison. Arroser très peu en hiver.
Fertilisation. Pendant la période de végétation, on fera, tous les quinze jours, un apport d'engrais dilué, en respectant le dosage recommandé sur l'emballage.
Rempotage. Tous les 3 ans, en mars. Faire très attention de ne pas endommager les racines charnues. Entre-temps, on se contentera d'un surfaçage. Il faut absolument que le « col » du bulbe soit en grande partie enterré.
Multiplication. Semis. La germination se produit à une température de 21 °C. On peut aussi diviser et empoter séparément, au printemps, les bulbes qui se forment autour du bulbe-mère. Ils donneront des fleurs après 3 ans de culture. Le semis donne des bulbes qui fleuriront au bout de cinq ans.
Maladies. Rhizoglyphe commun.

Crínum × powéllii
○ ⊕ ⊗ ⊖ ⊙
Bulbe ovoïde à col assez court. Feuilles vert clair, en lame d'épée, mesurant jusqu'à 1 m de long et 10 cm de large à la base. Les hampes florales portent environ 8 fleurs roses, un peu pendantes.

Crócus
Iridáceæ

crocus

Nom. Du grec *krokos,* safran. Ce sont les stigmates de *Crócus satívus* qui

Crócus neapolitánus : culture forcée.

donnent le vrai safran rouille avec lequel on assaisonne le riz.

Origine. On compte 80 espèces, originaires des pays au nord et à l'est de la Méditerranée, d'Asie Mineure, du sud de la Russie et de Perse.

Description. Le crocus est une plante bulbeuse, aux feuilles linéaires, rayées au centre d'une bande blanche. Les espèces se différencient les unes des autres par la couleur des fleurs et l'époque de floraison. La fleur est formée d'un long tube qui naît directement du bulbe et déploie six pétales ovoïdes. La moitié du tube reste cachée sous terre. On distingue deux groupes : les espèces à floraison automnale et celles à floraison printanière. Les espèces qui fleurissent à sec appartiennent au premier de ces groupes.

Exposition. Il faut les exposer à la lumière, mais non au soleil qui fait rapidement pâlir leurs couleurs, ce qui est dommage.

Soins. Les espèces qui fleurissent à sec se cultivent dans du gravier ou du sable sec. Si les bulbes sont de bonne qualité, ils donneront des fleurs en leur saison. Voici comment on procède avec les espèces à floraison printanière : on plante les bulbes en octobre, dans des pots que l'on enterre complètement. On recouvre soigneusement de terre, pour les récupérer en janvier, quand les pousses auront 7 à 8 cm. On peut également entreposer les pots dans une cave sombre. Arroser modérément. On peut les exposer à la lumière dès janvier, mais il faut les garder au frais jusqu'à ce que le bouton ait atteint un bon tiers de sa taille. Maintenir humide par des pulvérisations ou un petit capuchon de plastique qu'il ne faut pas refermer hermétiquement. On peut planter les bulbes dans de la terre ou les poser sur du gravier mouillé.

Arrosage. Arroser modérément, car il faut craindre la pourriture des racines. Par contre, s'ils sont trop secs, les bulbes ne fleuriront pas.

Multiplication. Par semis ou séparation des caïeux qui apparaissent autour du vieux bulbe.

Maladies. Pucerons, maladies microbiennes ou d'entreposage.

Crócus neapolitánus

Syn. *Crócus vérnus*. Une espèce printanière précoce, la mieux adaptée à la culture en appartement. Fleurs aux couleurs variées, sauf le jaune. Races à gros bulbes : 'Jeanne d'Arc', blanc ; 'Queen of the Blues', bleu doux ; 'Vanguard', blanc strié de mauve.

Crócus speciósus

Fleurit l'automne. Longues fleurs

Crossándra infundibulifórmis

(jusqu'à 12,5 cm) violet clair, étamines jaunes et stigmate rouge. 'Albus' est blanc ; 'Cassiope', bleu à gorge jaune ; 'Oxonian', violet foncé.

Crossándra

Acanthácaæ

Nom. Du grec *krossos*, frange ou éraillure, et *aner, andros*, homme.

Origine. Il existe environ 50 espèces, originaires d'Amérique du Sud.

Description. Petits arbustes tropicaux à feuillage persistant. Feuilles glabres, entières. Magnifiques fleurs blanches, jaunes, orange, rouge orangé, en épi quadrangulaire : elles tiennent très longtemps. Plantes difficiles à cultiver en appartement car elles exigent un degré d'hygrométrie élevé.

Exposition. Situation à mi-ombre en été, la plus claire possible en hiver, mais à l'abri d'un ensoleillement direct. C'est une plante de serre chaude que l'on peut transporter à titre temporaire dans l'appartement. La vitrine d'appartement lui convient particulièrement bien, mais elle réussit aussi en bacs à plantations composées qui dégagent toujours assez d'humidité.

Soins. La plante doit passer toute l'année au chaud, à l'intérieur. L'hiver, la température ne doit pas descendre au-dessous de 13 °C. Lors de

Crossándra infundibulifórmis 'Mona Wallhed'.

l'achat, vérifier qu'il n'y a pas de parasites au revers des feuilles. Après la floraison, on jettera la plante et on en conservera des boutures. Les sujets âgés sont la proie des pucerons.

Arrosage. Arroser généreusement en période de végétation : la motte doit toujours être humide. N'arroser qu'à l'eau de pluie ou adoucie, tiédie. D'octobre à février, ce qui correspond à la période de repos, on arrosera modérément. Ainsi que nous venons de le remarquer, cette plante exige, pour prospérer, une atmosphère très humide. Pulvériser souvent de l'eau douce, tiède, poser la plante dans une coupe pleine d'eau en interposant une soucoupe renversée et faire éventuellement fonctionner un humidificateur. Ne pas pulvériser d'eau sur les fleurs : elles s'abîment facilement. Une atmosphère trop sèche amène les feuilles à s'enrouler et empêche la plante de fleurir. Se rappeler que le degré d'hygrométrie dans la boutique du fleuriste est plus élevé que dans l'appartement.

Fertilisation. Du début à la fin de la floraison on fera, tous les dix jours, un apport d'engrais dilué, pauvre en calcium, en respectant le dosage indiqué sur l'emballage.

Rempotage. Au printemps, dans une terre humifère, légère et plutôt acide. Les mélanges terreux prêts à l'emploi peuvent convenir.

Multiplication. Le semis, à 16 °C, réussit assez aisément. On peut aussi prélever, en mai-juin, des boutures

non aoûtées dont on trempe la base dans de la poudre de bouturage. Pincer les jeunes plantes pour les forcer à se ramifier. Planter 3 à 5 boutures ensemble dans un pot. On rééquilibre aussi le port des plantes âgées en les taillant.

Maladies. Pucerons, araignées rouges, aleurodes des serres.

Crossándra fláva

Plante vivace à feuilles persistantes, vertes, entières. Floraison principale de décembre à juin, mais la plante émet aussi des fleurs à d'autres moments de l'année.

Crossándra infundibulifórmis

Sous-arbrisseau herbacé à feuillage persistant : 30-50 cm de hauteur. Feuilles opposées, longues de 7 à 12 cm, ovales à lancéolées, acuminées, légèrement gaufrées, vert sombre luisant, bords ondulés. Elles sont glabres ou le deviennent. Le limbe se rétrécit brusquement du côté du pétiole. Épis fleuris quadrangulaires, axillaires, de 10 cm de long, accompagnés de bractées vertes très nombreuses. La floraison commence en avril et se prolonge jusqu'en automne. Les fleurs, jaunes, saumon, rouge orangé, sont en forme de trompette à longue tubulure : 3 cm ; elles se terminent par un limbe de 3 cm, à 5 lobes irréguliers. Les graines sont recouvertes d'écailles plumeuses. 'Mona Wallhed' est une race suédoise à la végétation plus compacte

Devant : *Cryptánthus lacérdæ*. Derrière : *Cryptánthus zonátus* 'Zebrinus'.

et plus vigoureuse ; ses feuilles sont vert très foncé et ses épis très denses sont rouge brique.

Crossándra nilótica

Ⓘ Ⓖ Ⓧ Ⓢ Ⓔ Ⓔ

Sous-arbrisseau à feuillage persistant, atteignant 60 cm. Feuilles poilues, elliptiques, de 10 cm de long, obtuses, rétrécies aux deux extrémités. Pétioles poilus. Hampes florales axillaires portant des épis de 6 cm de fleurs rouge clair ou orange. Bractées légèrement velues. Tube de la corolle ne dépassant pas 2 cm ; les 3 lobes inférieurs forment une lèvre. Floraison principale de mai à août.

Cryptánthus

Bromeliáceæ

Cryptánthus beúckeri

Nom. Du grec *kryptos*, caché, et *anthos*, fleur.
Origine. On connaît 22 espèces appartenant à ce genre, toutes originaires du Brésil et de Guyane.
Description. À l'état spontané, il est épiphyte ou terrestre. La plupart des espèces se cultivent chez nous dans des coupes ou des terrines peu profondes. Elles forment des rosettes aplaties qui, contrairement aux autres broméliacées, ne peuvent contenir une réserve d'eau. Les feuilles ont de très belles couleurs et leurs panachures sont souvent remarquables. Comme le nom de la plante l'indique, les fleurs restent dissimulées au cœur du feuillage. Elles sont très petites, insignifiantes et généralement blanches. La plante meurt après la floraison. Certaines espèces sont des couvre-sol de terrains secs. Ceci nous indique que ce sont des plantes solides, faciles à soigner.
Exposition. Emplacement lumineux, voire ensoleillé. Un éclairement défectueux fait perdre aux feuilles leurs jolies couleurs et panachures.
Soins. Température d'hivernage élevée. Pour les espèces panachées, elle se situe entre 20 et 22 °C ; les autres se satisfont de 18 °C.
Arrosage. Arroser régulièrement en

période de végétation, de manière à garder la motte humide en permanence. N'arroser le cœur de la rosette qu'en été. L'hiver, on arrosera parcimonieusement, tout en veillant à conserver de l'humidité dans le pot. Toujours arroser et bassiner à l'eau tiède. Degré d'hygrométrie de l'atmosphère : entre 60 et 70 %.
Fertilisation. Solution d'engrais très légère, tous les quinze jours, en période de végétation. Ne compter que la moitié de la dose normale : on en arrosera la terre ou le feuillage (engrais foliaire).
Rempotage. Le *Cryptánthus* a un tout petit système radiculaire. On le plante dans des pots ou des terrines peu profonds. Un mélange de rempotage prêt à l'emploi convient. On peut l'améliorer en lui ajoutant du sphagnum et du terreau de feuilles, plus un peu de sable pour améliorer la porosité. Déposer un bon lit de drainage au fond du pot. On peut aussi cultiver ces plantes en épiphytes, dans des paniers ou sur des bûches.
Multiplication. Au moment de la floraison, alors qu'elle se prépare à mourir, la plante assure sa descendance en produisant des jeunes rosettes. On peut les séparer de la plante-mère, mais on attendra de préférence qu'elles se détachent d'el-

les-mêmes. On les empote alors dans des récipients plats, remplis de sapinette pure.

Cryptánthus acaúlis

Ⓘ Ⓖ Ⓧ Ⓢ Ⓔ Ⓔ

Petites rosettes de feuilles de 15 cm de long, étroites, pointues, très ondulées, aux bords épineux. Le dessus de la feuille est vert, le dessous est couvert d'écailles grises. Fleurs blanches.

Cryptánthus beúckeri

Rosettes assez aplaties. Feuilles de 15 cm, étalées, acuminées, bord denticulé. La feuille se rétrécit très nettement à la base pour former le pétiole. Elle est verte, marbrée de blanc et couverte d'une pellicule rosée.

Cryptánthus bromelioídes

Grandes rosettes, hautes de 40 cm, ne produisant pas de rejets. Feuille vert foncé, allongée, légèrement ondulée, pointue. 'Tricolor' a des feuilles plus étroites, striées de bandes crème et maculées de rouge et de rose à la base.

Cryptánthus fosteriánus

Grandes rosettes aux feuilles étalées à l'horizontale, longues, épaisses, charnues, dentées, cuivrées, avec des zébrures grises irrégulières, constituées d'écailles.

Cryptánthus lacérdæ

Rosettes faisant à peine 10 cm de diamètre. Feuille vert foncé, traversée sur toute sa longueur de 2 bandes argentées. Revers couvert d'écailles blanches. Fleurs blanchâtres.

Cryptánthus zonátus

Rosettes assez plates de feuilles longues de 20 cm et larges de 4 cm. Elles sont très ondulées et portent de fines épines sur les bords. Fond vert sombre, zébré de rayures gris argent, irrégulières. Revers blanc, poudré.

Ctenánthe

Marantáceæ

Nom. Du grec *kteis*, *ktenos*, peigne, et *anthos*, fleur.
Origine. Les 20 espèces connues croissent à l'état naturel dans les forêts tropicales d'Amérique du Sud. La plupart sont originaires du Brésil.
Description. Les *Ctenánthe* sont cultivés pour leur merveilleux feuillage panaché qui les apparente aux *Caláthea*. Le revers de la feuille est pourpre ou vert. Leurs fleurs nous intéressent peu, mais il est amusant de savoir que la spécificité de leur structure n'est surpassée que par celle des orchidées et des graminées, du moins si l'on s'en tient aux monocotylédones.
Exposition. Ils ont besoin, pour prospérer, d'une atmosphère tropicale que l'on parvient à recréer au mieux dans une serre chaude ou une vitrine d'appartement. On réussit cependant à obtenir des plantes florissantes lorsqu'elles sont cultivées dans des bacs, en appartement bien chauffé, jouissant d'une ambiance humide. Pour conserver l'éclatante coloration de leur feuillage, il faut leur donner un maximum de lumière, sans ensoleillement direct. Le manque de luminosité ne les empêche pas de croître, mais fait perdre au feuillage l'éclat qui fait tout son intérêt.
Soins. On recommande, en hiver, une température diurne de 18-20 °C, et nocturne de 16 °C.
Arrosage. Il est très important d'arroser uniquement à l'eau de pluie ou adoucie, tiède. Les arrosages doivent

Ctenánthe lubbersiána

Cténánthe oppenheimiána 'Variegata'.

Cténánthe rúbra

être réguliers. S'abstenir d'arroser aussi longtemps que la surface de la terre est encore humide. En hiver, on se contentera de conserver la motte légèrement humide. Il est indispensable que l'atmosphère soit, elle aussi, très humide. Si la plante se trouve dans une pièce équipée du chauffage central, on la bassinera ou on fera des pulvérisations plusieurs fois par jour, de préférence à l'eau douce, tiédie. Si elle est plantée en solitaire, on la posera dans une coupe pleine d'eau, avec soucoupe interposée.

Fertilisation. Apport d'engrais pauvre en calcium tous les quinze jours, en période de végétation. Appliquer le dosage prescrit sur l'emballage.

Rempotage. Le *Cténánthe* a un système radiculaire très étalé et sera planté en pleine terre ou dans une vasque ou une terrine de faible profondeur. Ses racines trouveront aussi l'espace nécessaire s'il est planté dans un grand bac à plantations composées. Assurer un très bon drainage car il a horreur de l'eau stagnante. On plante dans un mélange de terreau de feuilles non criblé et de tourbe fibreuse, auquel on ajoute du vieux fumier bovin mêlé à un peu de sable grossier. Ne rempoter que tous les deux à trois ans.

Multiplication. La plante émet des rejets que l'on peut séparer du piedmère et empoter à part. Assurer une atmosphère très humide au départ, pour éviter aux plantes de transpirer.

Maladies. L'enroulement et le brunissement des feuilles est dû à un degré d'hygrométrie trop bas.

Cténánthe compréssa

Plante touffue aux feuilles vertes, oblongues, irrégulières et coriaces, à l'aspect cireux et dont le revers est vert cendré. Elles sont insérées à angle aigu ou obtus sur des pétioles minces. La plante a la particularité d'émettre des tiges nues, portant à leur sommet 2 à 4 plantules.

Cténánthe kummeriána

Syn. *Maránta kummeriána*. Plante touffue, de 40-60 cm de haut. Les feuilles sont blanches, striées de vert

foncé. Le revers de la feuille est pourpré. La gaine de la tige est poilue.

Cténánthe lubbersiána

Syn. *Phrýnium lubbersiánum*. Atteint 60 à 80 cm. Les pétioles sont engainants. La feuille fait jusqu'à 20 cm de long, elle est oblongue et se termine brusquement en pointe. Le dessus est marbré de jaune et de vert foncé, le revers est vert clair. Espèce particulièrement décorative et résistante.

Cténánthe oppenheimiána

Arbuste au feuillage très dense, qui peut atteindre 1 m de haut. Les pétioles sont partiellement enveloppés d'une gaine rouge. La feuille fait 40 cm de long sur 12 cm de large ; elle est oblongue, coriace, le dessus est vert foncé, traversé de bandes blanc argent, obliques par rapport à la nervure centrale ; la base des rayures est parfois grignotée de vert. Le dessous de la feuille est pourpre. C'est l'espèce la plus robuste.

Cuphéa

Lythráceæ

Nom. Du grec *kyphos*, courbure, bosse. Le tube de la fleur est souvent gibbeux.

Origine. On trouve quelque 250 espèces en Amérique du Nord et du Sud.

Description. Ce genre est représenté par des plantes herbacées annuelles ou vivaces, des sous-arbrisseaux ou des arbustes, selon les espèces. Tiges souvent rondes, feuilles opposées ou verticillées. Fleurs axillaires pédonculées, parfois dépourvues de pétales. Le tube de la fleur est souvent vivement coloré, courbe ou gibbeux, à bords irréguliers.

Exposition. Situation claire et ensoleillée. Lorsque la plante passe l'été dans l'appartement, il est nécessaire de tamiser la lumière trop vive du soleil qui provoquerait le jaunissement du feuillage. La plante est moins sensible au soleil lorsqu'elle séjourne au jardin. Les *Cuphéa* aiment l'air frais.

Soins. Si on souhaite les conserver d'une année à l'autre, il faut les faire hiverner à 7 °C. Rabattre les tiges en fin d'automne. Ils survivent rarement à deux saisons.

Arrosage. Arroser régulièrement en période de végétation. L'hiver, s'ils reposent au froid, on les arrosera modérément. Un degré d'humidité de l'air moyennement élevé est suffisant.

Fertilisation. Apport d'engrais hebdomadaire, en période de croissance.

Cúphéa ígnea

Multiplication. Bouturage en mars ou avril. Semer en février à 13-16 °C. Pincer à une ou deux reprises pour obtenir des plantes bien touffues.

Cuphéa ígnea

Syn. *Cuphéa platycéntra*. Petite plante au feuillage persistant, faisant jusqu'à 30 cm de haut. Feuilles de 5 cm, lisses, lancéolées. D'avril à novembre, fleurs tubuleuses de 25 mm de long, rouge vif, lèvres pourpre foncé, gorge blanche.

Cussónia

Araliáceæ

Nom. Du nom de Pierre *Cusson* (1727-1783), jésuite, médecin et botaniste français de Montpellier.

Origine. Ce genre comprend 25 espèces venant des zones tropicales et du sud de l'Afrique. On en trouve également à Madagascar et aux Comores.

Description. Petits arbres ou arbustes à feuillage persistant. Feuilles digitées, sur de longs pétioles. Ne fleurissent généralement pas sous nos climats.

Exposition. Ces plantes tolèrent beaucoup d'ombre. Elles prospèrent dans des pièces fraîches ou modérément chauffées, comme des entrées, des dégagements d'escalier. Veiller à les préserver des courants d'air. En été, elles peuvent séjourner au jardin ou sur la terrasse, en un endroit abrité.

Soins. Le *Cussónia* peut être traité comme une plante d'orangerie. On le fera, autant que possible, hiverner dans une serre froide, à une température maintenue entre 3 et 10 °C. La période de repos va d'octobre à mars. Il réclame, en toutes saisons, un degré hygrométrique modérément élevé. Il a naturellement un port très gracieux, mais on peut aussi le façonner en le taillant au printemps.

Arrosage. Pendant la période de végétation, on arrosera abondamment, surtout par temps chaud. Arroser très modérément pendant l'hivernage.

Fertilisation. Donner un engrais dilué selon le dosage recommandé sur l'emballage, tous les 10 à 15 jours, en période de végétation.

Rempotage. Les jeunes plantes sont rempotées tous les ans, les plus âgées tous les 2 à 3 ans, dans un mélange riche et humifère fait de terreau prêt à l'emploi, terreau de gazon et d'un peu de vieux fumier bovin.

Multiplication. Semer. Les graines germent à 13 °C.

Maladies. Cochenille à bouclier, araignée rouge.

Cussónia spicáta

Arbuste à feuillage persistant. Feuilles larges de 40 cm, digitées, composées de 5 à 9 folioles.

Cussónia spicáta ne peut séjourner en appartement qu'à titre temporaire.

Cýcas

Cycadáceæ

Nom. Du grec *kyïx, kyïkos*, sorte de palmier, ou de *kykeoon*, nom d'une boisson que les indigènes fabriquaient à partir de la fécule extraite de la moelle comestible du palmier.

Origine. Ces végétaux sont apparus sur terre dès l'époque carbonifère. Beaucoup d'espèces ont totalement disparu au cours des âges, mais quelques-unes ont bravé le temps. Leur patrie se situe dans l'est et le sud-est de l'Asie.

Description. Bien que les *Cýcas* ressemblent fort aux palmiers, ils en sont, du point de vue botanique, fort éloignés. Ils appartiennent à l'embranchement des gymnospermes (plantes à ovules nus) et sont donc apparentés aux conifères et aux fougères. Souvent, ils n'atteignent que quelques mètres de hauteur, rarement, 20 m. Tous les ans ou tous les deux ans, ils forment une nouvelle couronne de feuilles qui se déroulent exactement comme les frondes des fougères. Aussi bien la nervure médiane que chacune des folioles se déroulent de la base vers le sommet. Elles sont extrêmement fragiles et facilement endommagées. Les grandes palmes adultes étaient beaucoup utilisées autrefois dans la composition des couronnes mortuaires ou comme rameaux de Pâques, car elles ne se flétrissent pas vite, même par temps de canicule. Ceci est dû au fait que les stomates sont enfoncés profondément dans le limbe des feuilles, la feuille elle-même est protégée par une pellicule imperméable et le pétiole est irrigué par des canaux contenant un mucilage et capables de resserrer leurs tissus de façon à empêcher tout écoulement de liquide. Les plantes sont unisexuées, dioïques ; leur floraison est capricieuse. Les troncs sont aussi bien souterrains qu'aériens, souvent rugueux car formés par les bases pétiolées d'anciennes couronnes de feuilles. La moelle fibreuse du tronc contient une

fécule, mais il faut, pour pouvoir l'utiliser, laver d'abord la moelle à grandes eaux : elle contient en effet un élément toxique qui éloigne les animaux. Cette fécule, sorte de sagou, n'a jamais joué un rôle économique important, car le *Cýcas* croît très lentement et il faut le détruire pour recueillir la farine.

Exposition. Les *Cýcas* réclament un emplacement clair, ensoleillé et une température modérée, chaude en été. Il faut tamiser la lumière lorsqu'elle est très vive, en été.

Soins. L'hiver, le *Cýcas* doit séjourner dans un local frais où la température ne dépasse pas 12 à 15 °C. L'été, il accepte des températures nettement plus élevées si on lui procure un peu d'ombre et un degré d'hygrométrie plus poussé.

Arrosage. Le *Cýcas* se contente de peu d'eau. Il faut surtout le tenir sec en hiver si on le place dans un endroit frais. On augmente les arrosages au moment où de nouvelles feuilles se forment. Amener l'eau à la température de la pièce.
Il se plaît dans l'atmosphère des bureaux, ce qui est le signe qu'il se satisfait d'une ambiance modérément humide. Des pulvérisations de temps en temps ne lui feront toutefois aucun tort. Laver de temps à autre les feuilles à l'aide d'une éponge pour enlever la poussière.

Fertilisation. Au moment où une nouvelle couronne de feuilles se déploie, la plante a besoin d'un peu plus d'eau et d'un apport d'engrais dilué (dosage normal), une fois tous les dix jours.

Rempotage. On le pratique tous les 2 à 3 ans. On peut utiliser un mélange terreux prêt à l'emploi, ou en préparer un soi-même avec des parties égales de terre franche argileuse et de terreau de feuilles et un peu de vieux fumier bovin. Les sujets âgés forment sur la souche des bourgeons auxquels il ne faut pas toucher.

Multiplication. Les graines, généralement importées, doivent être semées aussitôt qu'elles arrivent à maturité. Température de fond : 25-30 °C. La germination peut se faire attendre plusieurs mois.

Cýclamen pérsicum à fleurs frangées.

Maladies. Cochenilles à bouclier.

Cýcas revolúta

◖ ◗ ⊚ ⊛ ◌ ◉

Le tronc, épais, peut monter jusqu'à 3 m. Les feuilles, pinnatiséquées, ont une longueur qui varie de 50 à 200 cm. Les folioles, par rapport à la longueur totale de la palme, sont plutôt petites ; elles sont étroites, raides et vert foncé.

Cýclamen

Primuláceæ

cyclamen

Nom. Du grec *kyklos*, cercle. Le tubercule, lorsqu'il est jeune, est sphérique. Plus tard, il s'aplatit mais reste rond.

Origine. Les 15 espèces connues croissent dans les régions méditerranéennes, en Asie Mineure et en Perse.

Description. Toutes les espèces appartenant à ce genre se ressemblent beaucoup et sont facilement reconnaissables. Racine tubéreuse arrondie émettant la majorité de ses radicelles au centre de sa face inférieure. Les feuilles, à long pétiole, naissent de la face supérieure. Elles sont cordiformes ou réniformes, vert foncé, veinées de gris blanc sur le dessus et rougeâtres dessous. Les fleurs dominent le feuillage. Leur forme évoque celle d'un volant de badmington, le petit bouchon de caoutchouc en moins. Elles ont généralement 5 pétales, dont l'un est pendant, et dégagent parfois un parfum léger mais suave. On a produit un grand nombre de cultivars et il existe aujourd'hui un choix infini de formes et de couleurs : pétales à bords lisses ou frangés, striés, variétés à petites fleurs aux tons pastel, mais aussi blanc neigeux et rouge éclatant.

Exposition. On obtiendra d'excellents résultats en leur donnant une situation légèrement ombragée. Mais on rencontre aussi des cyclamens qui, défiant toutes les règles, fleurissent abondamment toute l'année der-

rière une fenêtre exposée plein sud. Ils redoutent surtout la chaleur. L'horticulteur les cultive dans des locaux frais. Lorsque, subitement, ils se retrouvent dans l'ambiance chaude d'un appartement, ils laissent pendre leurs feuilles et retrouvent rarement leur vigueur.

Soins. La température idéale pour un cyclamen fleuri se situe entre 10 et 16 °C. Les fleurs fanées et les feuilles jaunies s'arrachent d'un petit mouvement sec, en tordant la tige ; si elle ne vient pas, il faut la couper au ras du tubercule, à l'aide d'un petit couteau bien aiguisé : les moignons entraînent la pourriture. On conserve les cyclamens d'une saison à l'autre. Après la floraison, on diminue progressivement les arrosages. La sève contenue dans les feuilles est absorbée par le tubercule et le feuillage sèche. Le tubercule laissé dans son pot passera l'hiver sous un châssis : l'hivernage dure de 1 à 2 mois, à l'issue desquels on rempote le tubercule et on commence à l'arroser, en le conservant toujours au frais. Pendant la période de repos, on arrosera de temps à autre le tubercule pour l'empêcher de se dessécher. Les cyclamens défleuris peuvent passer l'été au jardin.

Arrosage. Les cyclamens réclament surtout des arrosages pendant leur floraison. Lorsqu'ils séjournent dans une pièce bien chauffée, il vaut mieux leur donner un peu d'eau plusieurs fois par jour que de leur donner toute leur ration en une fois. Avoir bien soin de vider l'eau de la soucoupe au bout d'une demi-heure. S'il fait frais, 2 à 4 arrosages par semaine suffiront. Si le tubercule est planté profondément dans le pot, on arrosera par la soucoupe. Dans les autres cas, on verse l'eau normalement par-dessus, en faisant bien attention de ne pas mouiller le cœur de la plante, afin d'éviter la pourriture.
On peut baigner le pot une fois par semaine. N'utiliser que de l'eau douce ou de l'eau de pluie, à bonne température.
L'air ambiant doit être modérément humide. Trop d'humidité fait pourrir les fleurs. Si la plante refuse de fleurir,

Cýcas revolúta est une plante particulièrement décorative qui exige une température basse en hiver.

Cýclamen pérsicum à grandes fleurs blanches.

Variété de cyclamen à petites fleurs, dite 'Wellensiek'.

Cýclamen pérsicum à grandes fleurs : 'Vuurbaak'

'Vuurbaak' est une race à fleurs rouges, très répandue.

2. *Les races à petites fleurs.* Wellensiek a croisé des variétés à grandes fleurs avec des espèces botaniques et a obtenu de nouvelles variétés à petites fleurs odorantes, comme 'Sonja', blanc à œil rouge, ou d'autres, de teintes pastel.

3. *Les races à pétales frangés.* À côté des variétés à pétales entiers, il existe des variétés dont les pétales sont finement découpés. De nombreuses races du groupe 1 existent également en version frangée.

4. *Races 'Rococo'.* Leurs pétales sont toujours frangés mais au lieu d'être retroussés, ils sont étalés à l'horizontale.

5. *Races 'Victoria'.* L'œil et le bord de la frange sont de la même couleur.

6. *Races 'Cristata'.* Races beaucoup moins cultivées. Les pétales sont partiellement couverts d'une barbe penniforme.

7. *Races à fleurs doubles,* comme 'Vermillon' et 'Mauve'.

Cycnóches
Orchidáceæ

Nom. Du grec *kyknos,* cygne, et *aychên,* cou. Le gynostème de la fleur mâle est long et courbé comme le cou du cygne.

Origine. On les trouve dans les régions tropicales d'Amérique centrale et du Sud.

Description. Font partie de ce genre des espèces épiphytes aux pseudobulbes allongés, portant chacun 3 ou 4 feuilles repliées, caduques. Les *Cycnóches* ont une fleur dont la forme tout à fait originale est due à la façon dont le labelle est redressé et le pistil arqué. Les fleurs sont unisexuées, mâles et femelles étant distinctes les unes des autres. Chaque tige porte au moins 4 à 10 fleurs.

Exposition. Que ce soit dans la serre ou en appartement, cette orchidée exige énormément de lumière. C'est une plante de serre chaude ou tempérée, qui trouvera aussi sa place dans la vitrine d'appartement. On pourra la cultiver à l'air libre, dans l'appartement, à condition que l'atmosphère y soit suffisamment humide. Au printemps et en été, on préservera cette orchidée des rayons directs du soleil.

Soins. Lorsqu'il est l'objet de soins appropriés, le *Cycnóches* peut fleurir deux fois par an. La température minimale hivernale se situe à 14 °C. Pour sortir la plante de son état de dormance, on augmente les arrosages dès le mois de mars et on lui donne en même temps un peu plus de chaleur. On voit alors apparaître une pousse à la base du pseudobulbe, c'est signe que la végétation a redémarré.

Arrosage. On arrose généreusement dès le mois de mars, au départ de la végétation. Les pulvérisations sont superflues. La période de repos commence au moment où les feuilles sèchent et tombent : on réduit alors les arrosages au minimum. Les pseudobulbes ne doivent jamais se rider.

Fertilisation. Aussitôt que l'orchidée donne des signes de croissance, on peut commencer à lui donner un engrais spécial, en se conformant au dosage recommandé sur l'emballage, et ceci pendant 3 mois.

Rempotage. On rempote au printemps, lorsque les nouvelles pousses

il faut pratiquer régulièrement des pulvérisations directes ou indirectes.

Fertilisation. En période de végétation et de floraison, on administrera tous les quinze jours une solution d'engrais de concentration normale.

Rempotage. Éliminer toute la terre et les racines mortes et planter le tubercule dans un mélange substantiel : terre franche argileuse et terreau de feuilles, en parties égales, plus un peu de vieux fumier bovin. Un mélange prêt à l'emploi, auquel on ajoute un peu d'argile, convient aussi. Les tubercules d'un certain âge n'ont pas besoin d'être rempotés chaque année. Ne pas enterrer complètement le tubercule : la face supérieure doit affleurer le sol. Plusieurs petits tubercules de cyclamen 'Wellensiek' réunis font de charmantes potées fleuries.

Multiplication. Semis. On peut essayer de laisser monter en graines une plante exceptionnellement saine, mais en général on obtient de cette façon des plantes passablement dégénérées. Semer à une température de 16-18 °C, en janvier-février ou août-septembre. Les graines mettent un mois à germer. La culture des petites plantes se fait à une température de 12 à 14 °C.

Maladies. Pucerons, pourriture des feuilles et du cœur, botrytis, fonte des semis, oïdium, tarsonème, araignée rouge, thrips, maladies à virus, anguillule des racines. Le jaunissement prématuré des feuilles est la conséquence d'un excès d'arrosage ou d'une eau trop froide ou encore d'une exposition trop sombre. La liste des maladies possibles est impressionnante, mais il ne faut pas s'en effrayer outre mesure. Bien soigné, un cyclamen échappe généralement à toutes ces catastrophes.

Cýclamen pérsicum

Cyclamen de Perse. Plante herbacée, glabre, mesurant jusqu'à 25 cm de haut. Feuilles oviformes à cordiformes, vert foncé, panachées de gris ou de blanc, revers souvent rougeâtre, longs pétioles. Fleurs portées par un long pédoncule, solitaires, blanches ou roses, avec ou sans œil. C'est de cette espèce que sont issus les cultivars modernes que l'on classe surtout selon la couleur, la forme et la grosseur des fleurs. On distingue un certain nombre de groupes.

1. *Les races à pétales entiers* : c'est le groupe le plus important. Il comprend des variétés à grandes fleurs, aux couleurs très diverses : rose vif, saumon, rouge pur, rouge violacé.

Cycnóches chlorochílum. Les fleurs de cette orchidée ont la grâce des cygnes.

ont 5 cm. On prépare un mélange de 2 parts d'osmonde, 1 part de sphagnum, un peu de tourbe acide, quelques tessons ou morceaux de charbon de bois. On utilise des pots, des paniers, ou des bûches sur lesquelles on attache les plantes.

Multiplication. Semis.
Maladies. Araignée rouge.

Cycnóches chlorochílum

Ⓘ ⊕ ⊛ ⊖ ⊙ ⊡

Pseudobulbes très allongés, jusqu'à 20 cm, portant 5 à 8 feuilles elliptiques. Chaque hampe porte 3 à 5 fleurs de 15 cm de diamètre. Labelle taché d'une macule verte.

Cycnóches pentadáctylum

Espèce intéressante, aux pseudobulbes fusiformes et aux feuilles galbées en forme de gouttière. Les grandes fleurs sont vert jaune strié de brun et le labelle, en forme de maìn, est blanchâtre, tacheté de rouge.

Cymbídium à petites fleurs : 'Zuma Beach'.

Cymbídium

Orchidáceæ

Nom. On peut penser que le nom de cette orchidée vient du grec *kymbos*, vase, petite barque, car le labelle du *Cymbídium* a une forme carénée.

Origine. Les 50 espèces connues sont en grande partie originaires d'Asie et d'Australie. Les espèces de serre froide viennent des régions montagneuses s'étendant de l'Inde au Vietnam ; les espèces de serre tempérée croissent en Chine, au Japon, à Taïwan et en Australie. Les espèces de serre chaude ont leur patrie en Indonésie et aux Philippines.

Description. Ce sont, pour la plupart, des orchidées à feuillage persistant, épiphytes et semi-terrestres. Rhizome rampant, aux gros pseudobulbes enveloppés de spathes. Longue feuille étroite et souple. Inflorescence dressée ou pendante. Il existe de nombreux hybrides dans une grande variété de tons doux. On distingue, entre autres, les *Cymbídium* à grandes fleurs et à fleurs miniatures. Les fleurs tiennent longtemps en vase.

Exposition. On leur donnera beaucoup de lumière, d'air et d'espace. Les espèces de serre froide peuvent être sorties en plein air en été. Les rentrer sitôt que la température nocturne menace de descendre au-dessous de 8 °C.

Soins. On accordera une période de repos hivernal aux espèces de serre froide, à une température nocturne de 7 à 12 °C et diurne de 13 à 16 °C.

Arrosage. Arroser abondamment en période de végétation : eau douce

Cymbídium hybride 'Norma Talmadge' : l'une des très nombreuses formes que l'on trouve en culture.

déminéralisée et amenée à bonne température. Réduire les arrosages après la floraison et se contenter d'empêcher les pseudobulbes de se rider pendant le repos hivernal. Maintenir une humidité ambiante modérément élevée.

Fertilisation. Fertiliser tous les quinze jours, pendant la croissance, avec un engrais spécial pour orchidées.

Rempotage. Le mélange terreux dépend en partie de la provenance des plantes. Nous conseillons : de l'osmonde, du sphagnum, de l'écorce de pin et du terreau de feuilles de hêtre, dans les proportions 3-2-2-1. Ou bien : de la tourbe, du terreau de feuilles de hêtre et du sable grossier. Les *Cymbídium* adultes sont rempotés tous les 3 ans, quand les jeunes pousses ont envahi tout le pot.

Multiplication. Semis.
Maladies. Araignée rouge, cochenille à bouclier.

Cymbídium lowiánum

Ⓘ ☺ ⊛ ☺ ⊡

Orchidée à forte croissance. Fleurit de février à mai : fleurs jaune vert, labelle crème, maculé de rouge.

Cymbídium x tracyánum

Floraison hivernale. Grandes fleurs jaune vert, rayées de brun. Labelle poilu, strié de jaune, macules rouges.

Cypérus

Cyperáceæ

souchet

Nom. Du grec *kypeiros*, souchet rond (*C. rotúndus*) ou souchet long (*C. lóngus*).

Origine. Plus de 600 espèces font partie de ce genre. La plupart se trouvent dans les pays tropicaux et subtropicaux. Quelques espèces croissent également dans les régions tempérées. Le *Cypérus papýrus* était déjà connu des Égyptiens, 2 700 ans av. J.-C. Ils s'en servaient non seulement pour fabriquer leurs papyrus, mais aussi des nattes, des cordages et des sandales. Le *Cypérus esculéntus* (souchet comestible) et le *Cypérus rotúndus* (souchet rond) d'Indonésie sont également des végétaux utilitaires, dont la souche est comestible.

Description. Touffes d'herbes très décoratives évoquant la silhouette des joncs. Longues tiges surmontées d'un bouquet de feuilles parfois extrêmement fines, étalées en parapluie. Les espèces tendres de ces plantes d'eau sont utilisées chez nous comme plantes d'appartement. Épillets de petites fleurs insignifiantes, disposées en capitules symétriques entourés de bractées follacées.

Exposition. On leur donnera un emplacement très clair où l'on pourra les

Cypérus diffúsus

Cypérus háspan : une version miniaturisée de Cypérus papýrus qui atteint plusieurs mètres de haut.

Cypérus papýrus : l'authentique papyrus qui atteint facilement 2 m de haut en appartement.

Cyrtómium falcátum : une fougère aux frondes rigides.

protéger des rayons les plus vifs du soleil au printemps et en été. Ils se plaisent dans une ambiance modérément chaude. Ils se prêtent exceptionnellement bien à la décoration des appartements modernes, plantés dans des bacs transparents remplis de gravier ou de galets de rivière.

Soins. Bien que ces plantes puissent passer l'hiver sans trop de problèmes dans une pièce chauffée, il est préférable de leur accorder un temps de repos entre octobre et mars. *Cypérus alternifólius*, *C. argenteostriátus* et *C. háspan* réclament un minimum de 12 °C, les autres espèces exigent quelques degrés supplémentaires. Les espèces panachées redeviennent facilement vertes. On peut essayer de leur conserver leurs panachures en les plantant en sol pauvre et en réduisant un peu les arrosages. Les vieilles tiges abîmées seront éliminées. Il ne faut jamais enlever complètement les pointes roussies. Si l'on entame la partie verte, elle roussira à son tour. Les personnes qui ont un chat auront sûrement remarqué que certaines espèces de papyrus constituent pour lui un mets de premier choix. Que faire ? sinon tenir les chats à distance... ou renouveler souvent ses plantes.

Le véritable *Cypérus papýrus* est extraordinairement décoratif mais survit difficilement à l'hiver, car il a un énorme besoin de lumière. *Cypérus háspan*, qui a l'air d'un papyrus miniature, est, sous ce rapport, plus accommodant. À partir de novembre, on le placera près d'une fenêtre au sud et on le transportera, en avril, dans un endroit légèrement ombragé.

Arrosage. *Cypérus alternifólius* et *Cypérus papýrus* appartiennent tous deux aux rares espèces qui ne posent jamais de problème d'arrosage : ils réclament un bain de pieds permanent. L'eau peut recouvrir la motte, mais ne doit jamais toucher les tiges. D'autres espèces aiment un sol humide mais ont horreur de l'eau stagnante. Arroser à l'eau tiède. Vaporiser régulièrement par temps chaud, afin de créer une atmosphère humide aux abords immédiats de la plante.

Fertilisation. Ces plantes sont avides

Cypérus alternifólius

de nourriture pendant la période de végétation. D'avril à septembre, on fera des apports d'engrais hebdomadaires, dosés normalement. On remplacera de temps à autre l'engrais chimique par un engrais organique.

Rempotage. Tous les ans, au printemps. Si on prépare soi-même le mélange de rempotage, on prendra des parties égales de terre franche argileuse et de terreau de feuilles, plus du vieux fumier bovin et du sable grossier. Si on souhaite utiliser un bac transparent, on y déposera la plante avec son pot et on remplira l'intervalle entre le bac et le pot avec du gravier, des galets ou des éclats de marbre.

Multiplication. Toutes les espèces se propagent par division des touffes ou par semis. *Cypérus alternifólius* et *Cypérus háspan* se multiplient par bouturage. La dernière espèce citée produit des rejets après la floraison. Prélever des bouquets de feuilles bien développés, raccourcir les feuilles de moitié pour limiter la transpiration et conserver 5 à 10 cm de la tige. Les plonger dans l'eau, tête en bas, et, au bout de quelques semaines, on verra se former des petites racines et de nouvelles petites feuilles. Les mêmes boutures peuvent aussi se planter dans du sable humide, en laissant juste dépasser la pointe des feuilles.

On obtient des résultats rapides, surtout si l'on maintient une température constante de 20 °C.

Cypérus alternifólius

Plante haute et fine (100 cm), très décorative. Tiges rigides portant au sommet des feuilles linéaires, pointues, de 25 cm. 'Variegata' a des feuilles striées de blanc.

Cypérus argenteostriátus

Feuilles radicales plus nombreuses, serrées, mesurant jusqu'à 50 cm. Fleurit plus facilement que l'espèce précédente. Son nom fait allusion à ses trois nervures longitudinales blanches. Espèce très robuste.

Cypérus diffúsus

Nombreuses feuilles radicales et peu de tiges. Fait jusqu'à 50 cm. Feuille assez large. Fleurit facilement.

Cypérus grácilis

Forme réduite de *Cypérus alternifólius*. Dépasse rarement 40 cm.

Cypérus háspan

C'est le papyrus, en plus petit : 50 cm. Tiges rigides couronnées d'une courte touffe de feuilles raides et filiformes. Réclame plus de lumière que les autres espèces. Capitules de fleurs duveteuses, en été.

Cypérus papýrus

Souchet à papier. Le papyrus égyptien. En appartement, il atteint 2 à 3 m de haut. Tiges triangulaires surmontées de touffes de feuilles linéaires et d'épillets retombant en rayons.

Cyrtómium

Aspidiáceæ

Nom. Du grec *kyrtos*, courbe. Ces fougères doivent leur nom à leurs frondes légèrement ondulées.

Origine. La plupart des espèces viennent de Chine et du Japon. À l'origine, on les trouvait aussi en Afrique du Sud, en Indonésie, à Hawaii et à Srî Lanka (autrefois Ceylan).

Description. Fougères aux frondes souvent simplement pinnées, vert

foncé, luisantes et coriaces. Se propagent facilement par leurs spores. Elles tolèrent très bien l'ombre. Ce sont d'excellentes plantes d'appartement, décoratives et solides.

Exposition. Plantes de tout premier ordre pour la garniture des jardinières placées dans des endroits peu chauffés : entrées, corridors, dégagements d'escalier. Une température basse et la compagnie d'autres plantes dans la jardinière contribuent à créer une atmosphère humide, favorable à leur développement. Elles ne sont pas pointilleuses sur le chapitre de la lumière. Elles réussissent à prospérer jusque sous les tablettes de la serre. Si l'on estime que leur feuillage est trop clair, on leur donnera un emplacement encore plus sombre.

Soins. Ces fougères hivernent de préférence à basse température : 7-10 °C. La période de repos s'étend du mois d'octobre au mois de février. Il faut s'efforcer de leur trouver un local frais, comme un garage où il ne gèle pas, une chambre non chauffée. L'idéal est, bien sûr, une serre froide ou tempérée.

Arrosage. Arroser abondamment en été, de préférence à l'eau de pluie ; les exposer de temps en temps à la pluie et les bassiner régulièrement. Elles profiteront beaucoup d'un bain mensuel auquel on ajoutera un peu d'engrais chimique ou organique, faisant ainsi d'une pierre deux coups. Arroser parcimonieusement les fougères qui hivernent en local froid.

Fertilisation. En été, on apportera régulièrement à la plante une solution d'engrais (diviser par 3 le dosage recommandé sur l'emballage). Si la plante produit beaucoup de frondes, on pourra éliminer celles qui portent beaucoup de spores : la végétation n'en sera que plus active.

Rempotage. Dans un mélange prêt à l'emploi, auquel on ajoute du sable et de la tourbe ou, mieux encore, dans un mélange de terreau de feuilles ou de sapinette et d'un peu de vieux fumier bovin. Bien drainer les pots.

Multiplication. Semis de spores dans de la tourbe humide et chaude. On divise aussi les touffes.

Maladies. Ces plantes ne sont attaquées que si elles souffrent d'un excès de chaleur ou de sécheresse. Pucerons, cochenilles à bouclier, cochenilles farineuses, thrips et, rarement, anguillules.

Cyrtómium caryotídeum

Syn. *Aspídium caryotídeum.* Frondes simplement pinnées, gracieusement arquées au sommet ; vert frais, alors que les autres espèces sont vert foncé. Pinnules crénelées à la base et dentées au sommet.

Cyrtómium falcátum

Syn. *Aspídium falcátum ; Polýstichum falcátum.* À l'état spontané, les frondes atteignent 60 cm de long et 25 cm de large. Les formes cultivées sont nettement plus modestes. Chaque fronde compte 11 à 25 pinnules coriaces, vaguement dentées, généralement vert foncé luisant et entières au sommet. Les pétioles sont recouverts à la base d'écailles brunes. 'Rochefordianum' est encore plus beau et plus vigoureux que l'espèce. Il a des frondes pennées, aux pinnules vertes et luisantes, profondément échancrées en forme de faucille.

Cyrtómium fortúnei

A des frondes plus larges que *C. falcátum* et 15 à 45 pinnules plus étroites, vert mat, dentées au sommet et

Cýtisus × *racemósus,* le genêt d'appartement.

souvent même falciformes. Le pétiole est couvert d'écailles brunes sur toute sa longueur. C'est également une plante de serre et d'appartement de tout premier ordre, mais on la trouve rarement.

Cýtisus

Leguminósæ

cytise

Nom. Du grec *kytisos*, arbuste de la famille des légumineuses.
Origine. Ce genre comprend environ 60 espèces, que l'on trouve communément dans les régions méditerranéennes et en Europe centrale ainsi qu'aux Canaries.
Description. Chacun connaît le genêt à balais (*C. scopárius*) pour l'avoir rencontré dans la nature ou un jardin. Les espèces non rustiques se prêtent très bien à la culture en appartement, si ce n'est qu'elles craignent les pièces trop chauffées, à l'atmosphère sèche. Il s'en vend beaucoup en Hollande, au moment de la fête des mères. On aime le genêt pour la gaieté de ses jolies fleurs jaunes papilionacées et le peu de soins qu'il réclame. On peut essayer de le garder

dans un endroit chauffé en pratiquant de fréquentes vaporisations, mais généralement il y perd rapidement ses feuilles et ses fleurs. En été, on peut enterrer le pot au jardin, dans un coin ensoleillé.
Soins. Pendant la floraison, la température doit se maintenir entre 12 et 18 °C. Une fois la floraison terminée, on peut remodeler la plante en la taillant. C'est aussi le moment où l'on peut la rempoter. Fin septembre, on rentre les genêts qui ont séjourné dehors et on les laisse hiverner à 4-8 °C.
Arrosage. Arroser copieusement pendant la floraison. En hiver, les arrosages dépendront de la température ambiante : arroser très peu si le local est froid. Un degré d'hygrométrie se situant entre 50 et 60 % est satisfaisant.
Fertilisation. Apport d'engrais dosé normalement, tous les quinze jours, pendant la croissance et la floraison.
Multiplication. Boutures mi-aoûtées, sous châssis, à 17 °C, au printemps et en été.
Maladies. Pucerons et araignées rouges.

Cýtisus × racemósus

Arbustes aux petites feuilles persistantes, trifoliées. Fleurs jaunes, en grappes terminales de 10 cm. 'Everestianus' fleurit plus abondamment et donne des fleurs au coloris plus intense.

Darlingtónia

Sarraceniáceæ

Nom. Du nom de W. *Darlington* (1782-1863), botaniste américain.
Origine. On trouve ce genre dans les pâturages de montagne du nord de la Californie et du sud de l'Orégon.
Description. Avec un peu d'imagination, on peut comprendre pourquoi cette plante carnivore est surnommée « plante-cobra » dans son pays natal. La feuille, en forme de cornet, se termine au sommet par un renflement

Darlingtónia califórnica est une plante carnivore.

portant un opercule constitué de deux lobes pendants, qui fait irrésistiblement penser à la tête d'un serpent. L'intérieur du cornet est garni de poils dont la pointe est dirigée vers le bas et qui empêchent les insectes pris au piège de s'échapper.
Exposition. Serre froide où la température est égale et où règnent l'ombre et l'humidité. En appartement, on ne pourra conserver cette plante qu'en vitrine.
Arrosage. Plus la plante est âgée, plus elle réclame d'eau.
Rempotage. Rempoter tous les deux ans, au moment où les plantes sont le moins actives, ce qui se passe généralement en juillet. Prendre un mélange de tourbe, sphagnum, sable grossier et charbon de bois.
Multiplication. Bouturer ou semer sur un lit de sphagnum, sous verre.

Darlingtónia califórnica

Plante carnivore de marécages, haute de 30 à 50 cm. Feuilles en cornet, vert émeraude, recourbées au sommet, de sorte que l'opercule est dirigé vers le bas. Ceci empêche la pluie de pénétrer dans le cornet et de diluer les sucs digestifs. L'opercule est muni de 2 lobes brun foncé, pourpres et verts. Chaque année, il naît une nouvelle rosette de feuilles à l'extrémité du court rhizome. Les fleurs sont vert jaune à rouge brun.

Dasylírion

Agaváceæ

Nom. Du grec *dasys*, rugueux, et *leirion*, lis. L'allusion à la rugosité de la plante vient de ses feuilles épineuses qui empêchent pratiquement de la toucher.
Origine. On trouve 15 espèces, dans le sud des U.S.A. : Arizona, Texas, et au Mexique.
Description. Leurs feuilles radicales, étalées, rigides, bordées d'épines agressives forment, chez les adultes, des sphères ou demi-sphères absolument inapprochables. Le *Dasylírion*

Dasylírion acrótichum : une plante d'orangerie de taille imposante, aux feuilles épineuses.

rappelle le *Yúcca,* mais ses feuilles sont beaucoup plus étroites et moins pointues.
Exposition. Ces plantes sont acclimatées sur la Côte d'Azur ; ailleurs on les cultive en orangerie. Comme pour les *Yúcca,* on leur ménage un temps de repos, en local frais, ce qui les préserve des attaques de nombreux insectes en été. On s'en sert aussi pour décorer de vastes halls d'entrée ou des paliers d'escalier, en particulier s'il s'y trouve de grandes cloisons vitrées, dont on signale ainsi la présence aux distraits. Personne ne s'y frotte deux fois !
Soins. En dehors des régions méditerranéennes, on sortira cette plante dès la fin mai pour la mettre sur une terrasse ou un balcon, au soleil. Si elle n'est pas plantée en caisse, on enterre le pot au jardin, ce qui lui évitera de mourir de soif lorsqu'on part en vacances. Il faut la rentrer dès que les premières gelées nocturnes sont à craindre, ce qui, dans certaines régions, peut se produire dès le mois d'octobre. Laisser hiverner dans un local froid et parfaitement aéré. La température peut descendre jusqu'à 0 °C car ces plantes sont robustes et résistantes. Les feuilles sont terminées par une petite houppe sèche qu'il ne faut pas enlever. Elle est d'ailleurs décorative. Si la plante est sale ou poussiéreuse, on la nettoiera au jet, la dépoussiérer au chiffon est tout à fait impensable. Pour déplacer un *Dasylírion,* on redresse les feuilles du pourtour et on les attache avec des ficelles : c'est la seule façon possible d'approcher la plante.
Arrosage. L'été, la motte doit rester modérément humide en permanence. Arroser de préférence à l'eau de pluie. Il n'est pas nécessaire de bassiner les feuilles, mais si on décide de le faire, il faut se servir d'eau douce, sinon la plante se couvre de taches inesthétiques. On arrose très peu en hiver, même pas du tout si la température est très basse.
Fertilisation. Le seul procédé applicable est le semis. Se pratique sous châssis, avec une chaleur de fond de 20-25 °C. Les graines sont importées et difficiles à se procurer.

Dasylírion acrótichum

○ ⊕ ∞ ⊖ ⊡

Syn. *Dasylírion grácile.* Plante au tronc court et épais, portant de nombreuses feuilles étroites, longues de 1 m et larges de 10 mm, vertes à gris vert, bordées de fines dentelures que terminent des épines légèrement crochues, à la pointe brune. Le sommet de la feuille est surmonté d'une houppette décorative. Les épis floraux, hauts de 2 à 4 m, n'apparaissent pas sur les sujets cultivés en dehors des climats chauds.

Datúra

Solanáceæ

datura

Nom. Du hindī *dhatūra,* hérité du sanskrit *dhattūra,* qui désignait *D. métel,* aux fruits épineux.
Origine. Ce genre englobe quelque 25 espèces que l'on trouve dans toutes les régions chaudes et tempérées. Les espèces ligneuses, buissonnantes ou arborescentes sont spontanées en Amérique centrale et du Sud, les espèces herbacées croissent dans les régions tempérées d'Europe et d'Asie.

Datúra cándida 'Plena' : un jeune sujet.

Description. Ce qui vient d'être dit laisse deviner que ce genre se manifeste par une grande diversité de formes. La plupart des espèces ont de grandes feuilles, d'énormes fleurs en entonnoir, au parfum pénétrant et des fruits épineux. Sur les arbustes et les arbres, les fleurs sont pendantes, sur les plantes herbacées, elles sont dressées. Toutes les parties de ces plantes sont très toxiques, puissamment hallucinogènes. Ceux qui ont lu « les Leçons de Don Juan » de Carlos Castaneda sauront de quoi il retourne. En médecine, on utilise les propriétés narcotiques de cette plante dans le traitement des maladies nerveuses. Placer hors d'atteinte des enfants.
Exposition. Ils n'atteignent leur plénitude que plantés en pleine terre dans la serre, mais ils sont le plus souvent traités en plantes d'orangerie. L'été, on les sort à un endroit abrité et ensoleillé. L'automne, on les rentre en même temps que les autres plantes d'orangerie pour les faire hiverner.
Soins. Les *Datúra* hivernent en serre froide, à 7 °C. On les taille sévèrement après la floraison.
Arrosage. Arrosages copieux pendant la floraison et toute la période de végétation. Une humidité ambiante de 50 à 60 % est satisfaisante. Arrosages très réduits en hiver.
Fertilisation. Fertiliser chaque semaine, pendant toute la période de croissance. Suivre les indications du fabricant.
Rempotage. Ils aiment une terre riche et perméable. Ajouter de la terre argileuse, du vieux fumier bovin et du sable à un mélange standard du commerce.
Multiplication. Les plus belles plantes s'obtiennent de boutures faites sur chaleur de fond, au début du printemps. Elles peuvent fleurir la même année, dès octobre-novembre.
Maladies. Araignée rouge. Maladies à virus.

Datúra cándida

○ ⊕ ∞ ⊖ ⊡

Datúra arborescent, aux magnifiques fleurs blanches faisant jusqu'à 20 cm de long. 'Plena' est une variété pour l'appartement, ses fleurs sont doubles.

Datúra sanguínea : ce bel exemplaire se trouve dans l'île de Mainau.

Dendróbium supérbiens

Datúra sanguínea

Espèce arborescente, au feuillage très dense. Donne, surtout en hiver, des fleurs nombreuses, rouge orangé, de 20 cm de long.

Datúra suavéolens

Datúra arborescent atteignant jusqu'à 5 m. Feuilles de 15 à 30 cm, oblongues à oviformes, au revers couvert de poils clairsemés. Fleurs pendantes, mesurant jusqu'à 25 cm, blanches et odorantes, à 5 lobes courts. Il existe une variété 'Plena' à fleurs doubles.

Dendróbium

Orchidáceæ

Nom. Du grec *dendron,* arbre, et *bios,* vie. Ces orchidées sont épiphytes.
Origine. Genre incroyablement vaste : au moins 1 000 espèces, sans compter d'innombrables hybrides. Répandu en Asie tropicale et jusqu'en Nouvelle-Zélande.
Description. On trouve à l'intérieur de ce genre une grande diversité de tailles et de formes. Les plus petites espèces ne font que quelques centimètres de haut et ont un tout petit pseudobulbe qui ne produit qu'1 à 2 fleurs. Les espèces les plus grandes atteignent 2 m et émettent des tiges très épaisses pouvant porter des centaines de fleurs. Chez elles, les pseudobulbes sont des organes de réserve affectant la forme de longues tiges cylindriques. Les feuilles sont oblongues à ovoïdes. Les fleurs ont toutes la même structure. Les sépales sont d'égale longueur et les deux sépales latéraux sont soudés à la base au gynostème. Les pétales ont la même longueur que les sépales mais sont souvent un peu plus larges. L'aspect du labelle est variable, mais il est généralement caréné. Lorsqu'on cultive ces orchidées, il ne faut jamais perdre de vue leur origine géographique : les espèces des montagnes tropicales se cultivent en serre froide ; les espèces des plaines se cultivent en serre chaude et celles qui proviennent des régions intermédiaires sont destinées à la serre tempérée.
Exposition. Ces orchidées exigent beaucoup de lumière, mais jamais un ensoleillement direct. Les espèces les plus robustes, comme *Dendróbium nóbile* et *Dendróbium thyrsiflórum,* peuvent séjourner à titre temporaire dans l'appartement.
Soins. Les espèces de serre froide hivernent à une température minimale de 8 à 12 °C ; celles de serre

Dendróbium phalænópsis 'Schrœderianum'

chaude exigent un minimum nocturne de 16 °C.
Arrosage. Les espèces à feuillage caduc requièrent une période de repos pendant laquelle on suspend les arrosages. Les espèces à feuillage persistant recevront des arrosages légers tout l'hiver. On arrose modérément en été, sauf si la température monte très fort et que l'air est sec : on donne alors de l'eau douce à satiété.
Fertilisation. Les espèces à forte végétation seront fertilisées tous les quinze jours avec un engrais spécial pour orchidées, dilué dans les proportions indiquées sur l'emballage. Les autres recevront une solution beaucoup moins concentrée : la moitié de la concentration normale.
Rempotage. On se sert de récipients relativement petits. Les espèces de petite taille s'élèvent sur des blocs de fougère. Préparer un mélange très perméable de racines de fougère ou de hêtre et de sphagnum, dans les proportions 2-1.
Multiplication. Elle se pratique par division des souches, peu après la fin de la floraison.
Maladies. Pucerons.

Dendróbium aggregátum

① ⊕ ∞ ⊖ ⊡

Fleurit de mars à mai : grappes de 5 à 15 fleurs jaune d'or, de 3 cm de diamètre ; labelle blanc, velu, macule orange à la gorge.

Dendróbium chrysánthum

Syn. *Dendróbium paxtónii.* Fleurs jaune d'or, à la fin de l'été. Labelle marqué de 2 taches rouges.

Dendróbium chrysotóxum

① ⊕ ∞ ⊖ ⊡

Floraison en mars-avril. Fleurs jaune d'or ; disque brun sur le labelle.

Dendróbium fimbriátum

① ⊕ ∞ ⊖ ⊡

Floraison printanière. Grappes pendantes de 8 à 15 fleurs larges de 5 à 6 cm, jaune orangé vif. Labelle frangé, jaune clair et jaune orangé.

Dendróbium nóbile

① ⊕ ∞ ∞ ⊖ ⊡

Fleurit en hiver et au début du printemps. Fleurs roses à pourpres, un peu plus claires à la base. Labelle blanc et pourpre, bordé de blanc jaunâtre, disque améthyste. Serre tempérée en période de végétation, serre froide en période de repos.

Dendróbium phalænópsis

Orchidée de serre chaude. Fleurs rose carné à rouge cerise, larges de 8 cm, groupées par 4 à 12 sur une même hampe. Labelle veiné de pourpre sombre, gorge foncée.

Dendróbium x supérbiens

① ⊕ ∞ ⊖ ⊡

Hauteur : jusqu'à 70 cm. Les fleurs,

rose pourpre à rouges, se montrent de mars à mai. Labelle un peu plus foncé, avec des bandes blanches.

Dendróbium thyrsiflórum

Floraison abondante de mars à mai. Grappes pendantes, multiflores, de fleurs blanches à labelle jaune orangé. Fleurs de 2 à 5 cm.

Dendróbium wardiánum

Fleurit de janvier à mars. Tiges nues portant généralement 2 fleurs de 8 à 10 cm de large. Elles sont blanc et pourpre. Labelle blanc à disque pourpre, gorge jaune ocre, marquée de 2 macules pourpres.

Dichorisándra

Commelináceæ

Nom. Du grec *dis,* deux fois, *chôrizein,* diviser et *anêr, andros,* homme. Les anthères de ces plantes sont effectivement biloculaires.
Origine. Les quelque 30 espèces connues viennent des régions tropicales d'Amérique.
Description. Plantes herbacées, vivaces, intéressantes par leurs jolies grappes de fleurs, mais cultivées

Dichorisándia regínæ

aussi pour leur feuillage panaché. Les tiges sont dressées ou retombantes et souvent ramifiées. Les fleurs ont 3 sépales verts ou colorés, souvent de taille égale et 3 pétales étalés. Ce sont des plantes à croissance assez rapide.
Exposition. Le *Dichorisándra* se plaît à mi-ombre, dans une serre où règne une température et un degré d'hygrométrie élevés. N'engendre que des problèmes dans un appartement à l'atmosphère sèche.
Soins. Ne jamais exposer ces plantes à des températures basses. Les espèces panachées exigent plus de lumière que les vertes.
Arrosage. Arroser normalement en été ; l'hiver, cette plante se contente de moins d'eau.
Fertilisation. Fertiliser tous les quinze jours, de mai à septembre : 1 cuiller à thé d'engrais liquide pour 3 litres d'eau.
Rempotage. Faire un mélange de parties égales de tourbe, terre argileuse et terreau de feuilles ; y ajouter un peu de sable grossier.
Multiplication. Division, bouturage ou semis.

Dichorisándra regínæ

Plante aux tiges érigées ; feuilles vert

Didymochlǽna truncátula

foncé, lancéolées, traversées dans leur longueur de deux bandes blanc argent et d'une nervure médiane violette. Espèce panachée offrant beaucoup d'attrait. Fleurs bleu lavande. Croît assez lentement. Se propage facilement par bouturage.

Dichorisándra thyrsiflóra

Variété verte la mieux connue. Se cultive notamment pour ses jolies fleurs bleu foncé qui se montrent en fin d'été. Lui ménager un repos en hiver en supprimant les arrosages et en la maintenant à une température de 15 à 18 °C. Rempoter tous les 3 à 4 ans, quand la plante commence à se dégrader.

Didymochlǽna

Aspidiáceæ

Nom. Du grec *didymos,* double, et *chlaina,* manteau, cape.
Origine. Cette fougère — le genre n'est représenté que par une espèce unique — se rencontre dans toutes les régions tropicales du globe.
Description. Une très belle fougère aux frondes bipennées, vert foncé, parfois un peu brunâtres, luisantes et coriaces.
Exposition. Cette fougère exige un degré élevé d'humidité ambiante. Mieux vaut ne pas la cultiver en solitaire. Elle se plaira dans une vaste jardinière, au milieu d'autres fougères, ou dans un bac à plantations composées. Une ombre assez dense ne l'empêche pas de prospérer. Une chaleur modérée est ce qui lui convient le mieux.
Soins. Son repos se situe entre octobre et février. Il faut qu'à ce moment elle séjourne dans un local à la température assez fraîche : 12-14 °C. Si elle perd une partie de ses feuilles en été, c'est qu'elle a manqué d'eau.
Arrosage. En période de croissance, on l'arrosera souvent à l'eau de pluie ou adoucie, tiède. La motte doit rester humide en permanence, sans à coups. Il faut réduire les arrosages pendant le repos et cesser les pulvérisations. Hiver comme été, il lui faut une ambiance humide. Il faudrait même vaporiser de l'eau tiède sur son feuillage plusieurs fois par jour, au moment où elle déroule ses nouvelles frondes.
Fertilisation. En période de végétation, fertiliser tous les quinze jours avec un engrais très dilué : diviser par 3 la concentration indiquée sur l'emballage.
Rempotage. Tailler et rempoter en

même temps, à la sortie de l'hiver. Se servir d'un mélange terreux prêt à l'emploi, additionné de terreau de feuilles.
Multiplication. Semis de spores mûries en appartement. Chaleur de fond : 24 à 26 °C. On peut aussi diviser.

Didymochlǽna truncátula

Grandes frondes bipennées, coriaces, vert foncé, luisantes. Les pinnules sont obtuses et très rapprochées ; elles portent 5 ou 6 sores elliptiques sur leur bord extérieur.

Dieffenbáchia

Aráceæ

Nom. Du nom de Joseph *Dieffenbach* (XIXe siècle), jardinier en chef du jardin botanique de Schönbrunn, près de Vienne, dont le directeur était Heinrich Wilhelm Schott (1794-1865), auteur de cette appellation.
Origine. Ce genre comprend une trentaine d'espèces, originaires des régions tropicales d'Amérique centrale et du Sud.

Dieffenbáchia maculáta

Dieffenbáchia bowmánnii 'Arvida'

Description. Plantes herbacées vivaces, que l'on cultive pour leur merveilleux feuillage. Les feuilles sont portées par une forte tige, généralement droite, et ont un long pétiole solide. Elles sont grandes et vertes, panachées de macules ou de bandes crème au dessin irrégulier. On reconnaît facilement à leurs inflorescences leur appartenance à la famille des aracées. Toutes les parties de cette plante sont toxiques et provoquent des irritations de la peau et surtout des muqueuses. La sève contient des enzymes qui désagrègent les protéines, des cristaux aciculaires d'oxalate de calcium, et d'autres éléments qui déclenchent des algies et causent des empoisonnements. Il se peut également que la plante secrète un enzyme protéolytique qui exerce une action semblable à celle de la trypsine : c'est du moins ce qu'il ressort d'un article paru en 1977 dans une revue médicale néerlandaise (« Het Ned. Tijdschr. voor Geneesk. » 121. nr. 50, 1977). Cette réaction libérerait de l'histamine. Il n'y a cependant aucune raison sérieuse de s'alarmer. On rapporte 206 cas d'intoxication causée par le *Dieffenbáchia* aux Pays-Bas, de 1977 à 1981 : aucun patient n'a succombé, si ce n'est deux chats qui avaient mâchouillé des feuilles.

Dieffenbáchia X báusei

Dieffenbáchia amœna 'Tropic Snow'.

Dieffenbáchia amœna

Très grandes feuilles sur une tige principale épaisse qui peut atteindre 1 m de haut. Les feuilles allongées (elles peuvent faire jusqu'à 60 cm) se montrent l'une après l'autre au sommet de la tige qui, avec l'âge, prend véritablement l'aspect d'un tronc. Elles sont vert foncé, marbrées de blanc ou de crème le long des nervures latérales. Il existe plusieurs races. 'Tropic Snow' est couvert de taches blanches très nombreuses.

Dieffenbáchia x baúsei

Tiges vert foncé ; pétioles panachés, de 20 cm ; feuilles de 30 cm, de couleur vert jaunâtre, parsemées de taches vert foncé et blanches. La lisière des feuilles est également vert foncé.

Dieffenbáchia bowmánnii

Syn. Dieffenbáchia regínæ. L'espèce la plus imposante. Ses feuilles font jusqu'à 70 cm de long. Tiges vert clair, pétioles verts et feuilles vert mat avec de nombreuses macules vert foncé et quelques taches blanches. 'Arvida' a également des feuilles vert mat avec des taches plus nombreuses et irrégulières sur la face supérieure.

Dieffenbáchia húmilis

Espèce à feuillage vert uni, qui réussit à croître à l'ombre la plus dense.

Dieffenbáchia imperiális

Espèce vigoureuse, à 3 ou 4 tiges épaisses, hautes de 60 cm. Pétioles également épais : 1 cm. Les feuilles font jusqu'à 60 cm de long et 30 cm de large. Elles sont épaisses et coriaces, vert foncé, marbrées de taches vert jaunâtre irrégulières.

Dieffenbáchia leopóldii

Tige courte. Pétioles vert clair, tachés de lilas. Feuilles de 25 cm sur 6, vert foncé, avec une bande blanche le long de la nervure médiane.

Dieffenbáchia maculáta

Syn. Dieffenbáchia pícta. Petit tronc solide pouvant atteindre 1 m. Feuilles cordées à la base, de 10 à 60 cm de long sur 20 cm de large. Il en existe de nombreuses races diversement maculées et striées. 'Jenmannii' a des bandes blanches entre les nervures latérales ; 'Memoria' est strié de blanc le long des nervures latérales et tacheté de blanc et de vert cendré.

Dieffenbáchia seguine

Forme une tige verte solide. Les pétioles verts, tachés ou striés de blanc, sont engainants. Feuilles ovales à oblongues, diversement panachées. 'Lineata' est strié de blanc ; 'Liturata' a une nervure médiane blanche ; 'Nobilis' est taché de vert.

Dionæa

Droseráceæ

dionée

Nom. De Dionê, Dioné, déesse grecque de la grâce.

Origine. Cette petite plante carnivore (une seule espèce) croît à l'état spontané dans les tourbières, près des côtes de Caroline, aux U.S.A. Elle est actuellement menacée de disparition par des marchands sans scrupules qui arrachent les plantes à leur milieu pour les mettre dans des godets en plastique et les vendre dans le monde entier. Nous souhaiterions que tous ceux qui ne peuvent offrir à ces plantes des conditions écologiques adéquates s'abstiennent de les acheter.

Description. Petites feuilles radicales insérées en rosettes. Elles sont formées d'un limbe bilobé, très sensible

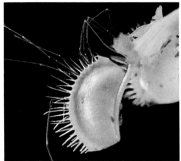

Dionǽa : une araignée vient d'être prise au piège.

au toucher. Chaque lobe est garni de poils raides. Au moindre effleurement, les deux lobes se replient, la nervure médiane jouant le rôle de charnière, et les cils marginaux s'engrènent les uns dans les autres. Si une proie vivante a été prise au piège, les lobes ne s'ouvriront qu'une fois qu'elle aura été digérée. Sinon, ils se détendront au bout d'une demi-heure.

Emplacement. L'endroit le plus clair possible. Ces petites plantes ne redoutent pas le soleil, si ce n'est en été, aux heures les plus brûlantes de la journée. Il faudra s'arranger pour leur donner de la lumière, même pen-

Dionǽa muscípula : une plante attrape-mouches.

dant les sombres mois d'hiver : 10 à 12 heures d'éclairement leur sont nécessaires. Utiliser un éclairage d'appoint.

Soins. Cette plante réclame la fraîcheur. Elle ne résiste pas très longtemps à la chaleur. Hiverner à une température de 3 à 10 °C. La meilleure solution consiste à garder la plante toute l'année en serre froide.

Arrosage. Arroser surtout en été. La motte doit toujours être humide. Un degré d'hygrométrie de 80 % est absolument indispensable. On ne l'obtiendra en appartement qu'en plaçant le pot dans une coupe d'eau avec soucoupe renversée interposée, en bourrant du sphagnum entre le pot et le cache-pot et en emballant le tout dans du plastique. Il est beaucoup plus simple de cultiver cette plante en serre.

Fertilisation. Ne donner aucun engrais.

Rempotage. Dans un mélange de tourbe, terre de bruyère et beaucoup de sphagnum, qu'il faut laver abondamment pour en éliminer les sels minéraux. Recouvrir encore la surface du pot de sphagnum humide. Le rempotage se fait en mars-avril.

Multiplication. Division des touffes, boutures de feuille ou semis.

On s'efforcera, toutefois, de placer cette plante hors d'atteinte des animaux qui ont l'habitude de tout mordiller et d'en éloigner les personnes qui souffrent de troubles psychiques. Un enfant qui aurait porté à la bouche une feuille de Dieffenbáchia doit aussitôt être emmené à l'hôpital. On a dit que cette plante contenait de la strychnine : c'est, semble-t-il, heureusement faux.

Exposition. Là où ils poussent à l'état spontané, les Dieffenbáchia sont habitués à beaucoup d'humidité, de chaleur et à une lumière filtrée. Si on parvient à réunir toutes ces conditions à la fois chez soi, on tirera de ces plantes un plaisir infini. Il faut leur donner un emplacement à mi-ombre, là où elles n'auront jamais à souffrir des rayons directs du soleil. Lorsque la plante manque de lumière, elle perd rapidement l'éclat de ses belles panachures.

Soins. L'hiver, le thermomètre ne doit pas descendre au-dessous de 15-18 °C. Exposée aux courants d'air, la plante ne tardera pas à devenir la proie des parasites. La période de repos se situe de septembre à février : pendant tout ce temps, il faudra l'arroser très modérément et ne lui donner aucun engrais afin de limiter au maximum l'émission de nouvelles feuilles. La lumière, pendant ces mois d'hiver, est insuffisante pour que la plante se développe dans des conditions satisfaisantes.

Arrosage. Pendant la période de végétation, il faut arroser abondamment à l'eau douce, tiédie ; le mieux est d'utiliser de l'eau de pluie. De septembre à mars, période de repos, on arrosera modérément, sans toutefois jamais laisser la motte se dessécher, car le bord des feuilles se mettrait alors à

roussir. Le procédé de la coupe remplie d'eau avec soucoupe renversée interposée lui réussit très bien, car elle lui procure, toute l'année, une humidité ambiante qui lui est favorable. Bassiner fréquemment le feuillage. Lui enlever régulièrement la poussière. Prendre, pour cela, de l'eau tiède ou un produit spécial pour plantes, qui permet d'éviter les taches de calcaire.

Fertilisation. Apport d'engrais pauvre en calcium, tous les quinze jours, de mars à août. Concentration normale de la solution.

Rempotage. Rempoter tous les ans, au printemps, dans un pot chaque fois un peu plus grand. Préparer un mélange terreux à la fois riche et aéré : terreau de feuilles, terre franche argileuse et vieux fumier bovin, dans les proportions 3-1-1. On peut ajouter un peu de tourbe. Quelques morceaux de charbon de bois ne gâcheront rien.

Multiplication. Les vieilles plantes, dénudées à la base, peuvent être rajeunies si on les rabat à 10-15 cm du sol. Les moignons des sujets sains émettront, au bout de quelque temps, de nouvelles pousses. Les grosses tiges supprimées, coupées en tronçons de 8 cm, et le sommet feuillu serviront à faire des boutures que l'on fait enraciner sous châssis, à 24-26 °C. On limitera la transpiration des boutures feuillées en coupant une partie des feuilles ou en enroulant les feuilles sur elles-mêmes. Les boutures seront plantées dans de la tourbe, éventuellement mêlée de sphagnum. On rajeunit aussi les Dieffenbáchia en pratiquant le marcottage aérien.

Maladies. Pucerons, cochenilles farineuses et à bouclier, araignées rouges, thrips, pourriture des racines. Peu de problème quand les conditions de culture sont bonnes.

Dionæa muscípula

Plante carnivore formant des rosettes de feuilles en forme de cœur renversé, dont chacun des deux lobes est muni de 3 poils et frangé de longs cils. Fleurs blanches.

Dipladénia

Apocynáceæ

Nom. Du grec *diploos*, double, et *adên*, glande.
Origine. Nous en connaissons une quarantaine d'espèces, spontanées en Amérique tropicale.
Description. Arbrisseaux ou sous-arbrisseaux qui, en vieillissant, deviennent sarmenteux. Leurs feuilles sont opposées ; leurs grandes fleurs en forme de trompette sont blanches, roses ou pourpres.
Exposition. Ils réclament un emplacement clair, en serre tempérée ou chaude, quoique beaucoup d'amateurs réussissent à obtenir d'excellents résultats en appartement. Ils ne supportent pas le plein soleil.
Soins. Lorsque la plante commence à émettre moins de pousses, c'est le signe qu'elle va entrer en dormance et ne se réveillera qu'en mars. Pen-

Dipladénia atropurpúrea

dant tout ce temps, on la gardera à une température de 13 °C. Il ne faut l'arroser que si ses tiges deviennent flasques. En mars, on amènera la température à 16 °C, pour la laisser ensuite monter progressivement. Il faudra beaucoup ventiler pendant toute la période de végétation. La plante fleurissant sur des pousses de un an, on la taillera en automne. On taille généralement à 5 cm au-dessus des pousses de l'année précédente.
Arrosage. L'hiver, pendant le repos, les arrosages seront très modérés. On augmente les arrosages à partir de mars et on arrose généreusement par temps chaud. Il est bien difficile de fournir à cette plante l'humidité ambiante dont elle a besoin, lorsqu'elle est cultivée en appartement. Il faut avoir recours à l'humidificateur et aux vaporisations en brouillard. Bien des personnes arrivent ainsi à faire fleurir abondamment leurs plantes. Tant pour les arrosages que pour les pulvérisations, on utilisera de l'eau tiède. Après la floraison, on diminuera progressivement les arrosages jusqu'à la période de repos.
Fertilisation. D'avril à août, on fera chaque semaine un apport d'engrais dilué selon le dosage indiqué sur l'emballage. Lorsqu'on prolonge les fertilisations au-delà de la période in-

Dipladénia sánderi 'Rosea' : l'espèce la plus répandue dans le commerce.

diquée, les tiges se lignifient mal et la floraison future en est affectée.
Rempotage. Rempoter tous les ans, en mars, dans un pot légèrement plus grand que le précédent. Déposer une couche de drainage au fond du pot et remplir avec un bon mélange nutritif et perméable : deux parties de terreau de feuilles, deux parties de vieux fumier bovin bien décomposé, une partie de terre argileuse, une partie de tourbe et un peu de sable grossier.
Multiplication. En mars-avril, on peut prélever des boutures à talon sur de jeunes pousses latérales. En juin-juillet, on bouture des segments de tiges légèrement aoûtées et portant chacun deux feuilles. Il faut qu'ils aient 7 à 8 cm. Faire enraciner à 25 °C, dans un mélange de terreau de feuilles finement criblé et de sable grossier. Tremper la base des boutures dans de la poudre d'enracinement.
Les boutures doivent être élevées en serre chaude. La température et l'humidité ambiantes de l'appartement ne conviennent pas.
Maladies. Lorsque les feuilles s'enroulent, cela signifie que l'air est trop sec ou l'emplacement trop clair. Cochenilles à bouclier, araignées rouges, cochenilles farineuses.

Dipladénia atropurpúrea

Plante grimpante, glabre, aux feuilles vertes, ovales, pointues, longues de 5 cm. Fleurs axillaires groupées par deux. Les pédoncules sont légèrement plus longs que les feuilles. Fleurs pourpre foncé, à long tube (5 cm). Hélas, seules les plantes âgées fleurissent en culture.

Dipladénia boliviénsis

Plante sarmenteuse, aux tiges glabres, fleurissant en été. Les feuilles vertes, luisantes, font de 5 à 9 cm de long. Grandes fleurs en entonnoir, de 5 cm, blanches à gorge jaune, parfumées. Elles se montrent aussi au printemps et au début de l'automne.

Dipladénia exímia

Plante grimpante, aux tiges rougeâtres et glabres. Feuilles de 3 à 4 cm, ovales à elliptiques ; pétioles courts. Fleurs rose vif, larges de 6 à 8 cm, avec un tube crème long de 5 cm. Elles sont réunies par grappes de 6 à 8.

Dipladénia hybrides

On a produit de nombreuses races. Nous en citerons quelques-unes : 'Amœna', à fleurs rose vif, au cœur légèrement plus foncé et à la gorge jaune ; 'Rosacea', pétales rose doux bordés d'un rose plus soutenu, gorge jaune ; 'Rubiniana', corolle large de 8 cm, rose foncé, feuilles un rien gaufrées.

Dipladénia sánderi

Ressemble beaucoup à *Dipladénia exímia*, mais ses feuilles sont plus épaisses et leur pointe est plus allongée.
Les fleurs font au moins 7 cm de diamètre ; elles sont roses, à gorge jaune. 'Rosea' est un hybride d'obtention récente et très robuste ; ses grandes fleurs en forme d'entonnoir sont rose saumon à gorge jaune.

Dipladénia spléndens

Comme l'espèce précédente, il fleurit en été. Tiges glabres. Feuilles presque sessiles, longues de 10 à 12 cm, elliptiques, aiguës, cordées à la base et velues, surtout au revers. Nervures prononcées. Fleurs roses, de 10 cm de diamètre, réunies par 4 à 6 en grappes axillaires plus longues que les feuilles. La gorge est rose soutenu et l'extérieur blanc. La var. *profúsa* a des fleurs encore plus grandes, rose vif, à la gorge striée de jaune.

Dipteracánthus

Acantháceæ

Nom. Du grec *dipteros*, diptère ; allusion aux deux grandes bractées qui se trouvent à la base du calice.
Origine. Amérique du Sud tropicale et, plus spécialement, le Brésil.
Description. Petite plante herbacée tropicale aux feuilles veloutées, joliment panachées, qui en font le principal attrait. Ses petites fleurs ne manquent cependant pas de charme.
Exposition. Dans leurs forêts natales, ces plantes forment des couvre-sol. C'est aussi comme petites plantes rampantes qu'on les utilise dans les serres et les bacs à fleurs. Plantées seules dans des petites pots et placées dans l'appartement, elles se défendent mal contre l'air sec. Mêlées à des groupes de plantes, elles profitent d'un microclimat humide qui favorise beaucoup leur croissance. Ce sont aussi des plantes qui conviennent très bien à la garniture des bonbonnes et des terrariums. Elles se plaisent à la mi-ombre.
Soins. Elles réclament de la chaleur d'un bout à l'autre de l'année. Dès qu'elles perdent de leur beauté, il faut penser à faire des boutures pour assurer la relève.
Arrosage. Arroser régulièrement pendant la période de croissance, afin de conserver la motte toujours humide. Le reste de l'année, on réduira les arrosages, sans toutefois jamais laisser la motte se dessécher. Ces plantes ont besoin d'une atmosphère très humide. Il faut faire des pulvérisations indirectes afin de ne pas tacher leur feuillage.
Fertilisation. Pendant la période de végétation, on fertilisera tous les quinze jours avec un engrais dilué dans les proportions indiquées sur l'emballage.
Multiplication. Faire des boutures sous abri vitré, avec une chaleur de fond pour obtenir un enracinement rapide. On peut aussi semer.
Maladies. Aleurodes des serres.

Dipteracánthus devosiánus

Syn. *Ruéllia devosiána*. Tiges plus ou moins couchées, portant des feuilles de 6 cm, vert foncé, à nervure médiane crème. Revers pourpre. Corolle des fleurs blanche, rayée de lilas.

Dipteracánthus makoyána

Syn. *Ruéllia makoyána*. Tiges molles, portant des feuilles de 7 cm, vert olive, souvent violacées. Large bande centrale crème se ramifiant obliquement. Fleurs rose carminé.

Dipteracánthus makoyána

Dizygothéca
Araliáceæ

Nom. Du grec *dizyx, dizygos*, double, et *thêkê*, anthère.

Origine. Ce genre comprend une petite vingtaine d'arbustes et de petits arbres que l'on trouve en Australie et dans quelques îles du Pacifique.

Description. Arbres et arbustes aux feuilles digitées, persistantes. Calice et corolle à 5 divisions. On les cultive pour leur robustesse et la forme originale de leurs feuilles.

Exposition. On leur donnera, toute l'année, un emplacement bien éclairé mais sans ensoleillement direct, si ce n'est le matin et le soir. Ils sont de toute beauté plantés en solitaires, mais s'intègrent aussi parfaitement aux plantations en groupe.

Soins. Pendant la période de repos, qui dure du mois d'octobre au mois de février, le thermomètre ne devra pas descendre au-dessous de 15 °C. La température de fond doit se maintenir de façon aussi constante que possible entre 18 et 20 °C. Une motte froide et humide entraîne souvent la mort des plantes, surtout des plus jeunes qui n'ont pas encore pu s'acclimater à leur nouveau milieu. Les plantes dégarnies peuvent être rabattues à 10 cm de leur point de départ : elles referont de nouvelles feuilles. Les parties coupées ne sont bonnes qu'à être jetées, on ne peut pas les bouturer.

Arrosage. Arroser modérément à l'eau adoucie et tiède pendant la période de végétation. Réduire les arrosages pendant le repos, sans laisser sécher la motte. Entretenir une ambiance aussi humide que possible en faisant fonctionner un humidificateur, en vaporisant de l'eau sur la plante ou en la posant dans une coupe d'eau avec soucoupe interposée. C'est surtout le jeune feuillage qui réclame des pulvérisations. Si la plante se repose dans un endroit frais, on la bassinera moins souvent.

Fertilisation. Fertiliser une fois toutes les 3 semaines avec un engrais dilué selon le dosage normal, pendant toute la période de végétation, c'est-à-dire d'avril à la mi-août.

Rempotage. Les jeunes plantes sont rempotées tous les ans, les sujets plus âgés, tous les deux à trois ans. Utiliser chaque fois des pots d'une taille légèrement supérieure et un mélange terreux prêt à l'emploi ou de la sapinette.

Multiplication. La propagation de ces plantes n'est pas chose aisée pour un amateur. Le semis avec chaleur de fond donne de bons résultats, à condition de disposer de graines très fraîches. On procède également par greffage sur *Méryta denhámii*, mais c'est un travail de spécialiste. Le bouturage ne vaut guère la peine d'être tenté, car les boutures s'enracinent rarement.

Maladies. Un ensoleillement direct et une atmosphère trop sèche favorisent l'apparition des araignées rouges et des cochenilles à bouclier. C'est également à la sécheresse de l'atmosphère qu'il faut souvent attribuer la chute des feuilles de la base.

Dizygothéca elegantíssima

Syn. *Arália elegantíssima*. Feuilles digitées, à 7-11 folioles étroites, longues de 11 cm et larges de 1 cm, un peu retombantes, vert-brun foncé, nervure médiane blanche à rouge, bord denté à crénelé. Taches blanches très apparentes sur les pétioles. Il s'agit vraisemblablement d'une forme jeune de l'espèce *veítchii*. On constate qu'il y a des formes aux feuilles plus ou moins étroites. Au fur et à mesure que la plante vieillit, ses folioles s'élargissent et la forme générale de la feuille apparaît totalement différente, car la longueur des folioles, elle, ne varie pas en conséquence.

Dizygothéca kerchóvei

Syn. *Arália kerchóvei*. Arbuste à feuillage persistant. Feuille digitée, à 9-11 folioles ovales à lancéolées, longues de 8 cm, larges de 2-3 cm, vert clair, nervure médiane plus pâle, grossièrement et irrégulièrement dentées. Le pétiole est à peine maculé. Le revers des feuilles est rougeâtre.

Dizygothéca veítchii

Arbuste à feuillage persistant, à la tige érigée, brun clair. Au sommet de pétioles de 10-15 cm les feuilles étalent leurs 9 à 11 folioles de 15 cm sur 5, qui se touchent ; elles sont vert clair dessus et rougeâtres ou vertes, finement veinées de brun au revers ; bords entiers et ondulés. La nervure médiane est claire. Bractées dressées à la base des pétioles.

C'est vraisemblablement à cette espèce qu'il faut rattacher le cultivar 'Castor', une toute petite plante à la végétation très dense et aux folioles dentées. 'Gracillima' est un autre cultivar aux folioles linéaires, qui ressemble très fort à un très jeune *Dizygothéca elegantíssima*. Il règne encore une assez grande confusion dans la nomenclature de ces plantes et nous n'avons aucune certitude quant à leur classification exacte.

Dizygothéca veítchii 'Gracillima'

Dizygothéca veítchii 'Castor'

Un semis de *Dolichothéle longimámma*.

Dolichothéle
Cactáceæ

Nom. Du grec *dolichos*, long, et *thêlê*, mamelon : deux mots qui décrivent bien la plante.

Origine. Ce genre comprend 6 espèces qui croissent au Texas et au Mexique.

Description. Mamelons tendres et charnus. Très prolifères. Fleurs à long tube, généralement jaunes.

Exposition. Il leur faut un maximum de lumière toute l'année. Ils supportent bien le soleil et l'exigent même pour un bon développement. Leurs formes amusantes en font des garnitures intéressantes pour les minijardins de cactées, auxquels ils ajoutent une note de contraste. Ils sont aussi charmants lorsqu'ils sont plantés seuls.

Soins. Après avoir passé le printemps et l'été dans une pièce modérément chauffée, ils auront droit à un repos en serre froide, à 5-10 °C. Ils réclament beaucoup d'air frais, en toutes saisons.

Arrosage. Arroser peu toute l'année et surtout en période de repos, car ils sont alors très sensibles à la pourriture. On arrosera juste ce qu'il faut pour les empêcher de se rider. On pourra les bassiner exceptionnellement l'été, s'il fait vraiment très chaud, mais ce n'est pas indispensable.

Fertilisation. Ces cactées réclament peu de nourriture. On pourra leur donner une ou deux fois par mois, en période de végétation, un peu d'engrais spécial pour cactus, dilué dans les proportions indiquées sur l'emballage.

Rempotage. Chaque année, de préférence au printemps. Faire un mélange de terreau ordinaire prêt à l'emploi, de sable grossier et de terre argileuse. Il existe des mélanges spéciaux pour cactées.

Multiplication. Semis.

Dolichothéle camptotrícha

Cactus cespiteux formant une boule aplatie au sommet ; aiguillons mous et tordus ; mamelons allongés. Fleurs blanches, de 1,5 cm de diamètre.

Dolichothéle longimámma

Syn. *Mammillária longimámma*. Cactus original. Forme un cylindre de 10 cm de haut, aplati au sommet. Ses mamelons verts sont allongés et portent des aiguillons jaunes. Grandes fleurs jaune canari.

Dizygothéca veítchii : l'espèce commune, à larges feuilles.

Doryópteris palmáta

Dracæna refléxa 'Song of India'.

Doryópteris
Sinopteridáceæ

Nom. Du grec *dory*, javelot, et *pteris*, fougère.

Origine. Ce genre englobe environ 35 espèces que l'on trouve dans tous les pays tropicaux.

Description. Fougères aux frondes petites, découpées ou bifides, lisses et coriaces. Les sores forment un rang continu, généralement placé à l'extrême bord des frondes. Charmantes petites plantes pour plantations composées en bac.

Exposition. Mettre ces petites fougères à l'ombre, dans une pièce modérément à bien chauffée. Elles se plairont surtout en bacs et jardinières, en compagnie d'autres plantes qui leur fourniront l'humidité dont elles ont tant besoin. La plantation en groupe est toujours bénéfique aux plantes exigeant un degré hygrométrique élevé.

Soins. L'hiver, on s'efforcera de conserver ces plantes à une température de 12 °C. On peut également les garder en appartement chauffé, sans qu'elles souffrent, à condition de les bassiner fréquemment.

Arrosage. L'été, on les arrose copieusement si elles sont exposées à la chaleur, moins si la température est modérée. La motte doit toujours demeurer humide au toucher. Elles exigent un degré d'humidité de l'air de 60 % au moins. Il faudra donc faire des vaporisations répétées, placer les pots dans des coupes d'eau avec soucoupe interposée ou faire fonctionner un humidificateur. Tenir ces plantes modérément humides en hiver.

Fertilisation. Donner un engrais dilué à la concentration recommandée sur l'emballage, tous les quinze jours pendant la période végétative.

Rempotage. Utiliser un mélange acide ; ce peut être, par exemple, un mélange terreux standard additionné de tourbe et de terreau forestier. Empoter en pots de plastique, dont l'évaporation est moindre.

Multiplication. Semis de spores.

Doryópteris palmáta

Fougère de petite taille, aux frondes assez épaisses et coriaces. Les frondes stériles et fertiles sont très distinctes. Formation de plantules sur les frondes.

Doryópteris pedáta

Petite fougère aux frondes coriaces, minces, vert clair, digitées. Les pinnules sont à leur tour incisées, ce qui donne à la fronde une forme très décorative. Cette fougère et la précédente ont des pétioles minces et noirs.

Dracæna
Agaváccæ

Nom. Du grec *drakaina*, dragon femelle, serpent.

Origine. Les 40 espèces appartenant à ce genre croissent aux îles Canaries, en Afrique tropicale et subtropicale, en Asie et dans les îles qui s'étirent entre l'Asie et l'Australie.

Description. Ce genre est composé de plantes extrêmement robustes, exigeant peu de soins, pratiquement indemnes d'attaques de parasites et dotées d'une grande valeur décorative. Ce sont des plantes arborescentes, au feuillage persistant. À l'état spontané ce sont parfois de très grands arbres. Très souvent ils ont l'allure de palmiers. Ils ne produisent pas de rejets. Leurs feuilles sont lancéolées et, suivant l'espèce, dressées ou retombantes. Il existe des espèces à feuillage vert, d'autres au feuillage merveilleusement panaché et des cultivars aux feuilles striées ou maculées. La plupart des *Dracæna* ne fleurissent que lorsqu'ils sont âgés. Ils produisent alors des panicules lâches de fleurs blanc verdâtre ou crème, qui sont parfois agréablement parfumées. La hampe florale prend naissance à l'extérieur du point de croissance de la plante qui, pour cette raison, ne meurt pas après la floraison. Beaucoup de gens confondent les *Dracæna* avec les *Cordýline*. Voici quelques détails qui éviteront désormais toute confusion à nos lecteurs. Les *Dracæna* ont des rhizomes jaunes à orangés, non épaissis, qui ne drageonnent pas. Les *Cordýline*, eux, forment des pousses souterraines et leurs racines sont blanches. En outre, les *Dracæna* ont 1 seul ovule par ovaire, les *Cordýline* en ont 3. Les tronçons de tiges sèches sur lesquels naissent les feuilles s'appellent des « totems ». À l'origine, les Dracæna étaient considérés comme des plantes de serre chaude. Aujourd'hui, on les cultive sans problème en appartement et dans des bureaux aussi bien que dans la serre.

Exposition. On peut les placer à 3 m d'une fenêtre bien éclairée. Ils n'aiment pas être exposés aux rayons directs d'un soleil vif, surtout entre mars et septembre. Ils supportent bien le soleil du matin et du soir. Les espèces à feuillage panaché réclament plus de lumière que les autres pour conserver leurs couleurs. Ces plantes sont si résistantes qu'elles supportent l'ombre dense sans péricliter.

Soins. Bien que la plupart des espèces puissent conserver le même emplacement pendant des années, il est cependant conseillé de leur ménager un repos hivernal annuel. La température hivernale minimale diffère suivant les espèces. *Dracæna deremensis* et *Dracæna frágrans* réclament 13 °C ; *Dracæna godseffiána* et *Dracæna sanderiána,* 10 °C, et *Dracæna dráco* exige 7 °C. Des pointes roussies sont la conséquence de courants d'air, d'arrosages insuffisants ou irréguliers ou d'un excès d'engrais.

Arrosage. On s'efforcera de respecter un juste milieu. La plante n'accepte ni l'excès, ni le manque d'eau. Si la motte est trop humide, les racines charnues ne tarderont pas à pourrir. Il faut donc bien drainer le pot. Ce sont surtout les variétés panachées qui souffrent du dessèchement de la motte. Arroser copieusement de mai à septembre. S'ils hivernent au froid, on les gardera plutôt secs pendant la période de repos. Arroser modérément pendant les périodes intermédiaires, de mars à mai et de septembre à fin novembre. Une plante bien endurcie se satisfaira d'une humidité ambiante moyenne. Si elle sort directement de chez l'horticulteur, elle est habituée à une atmosphère très humide. Transportée dans l'atmosphère sèche d'un appartement chauffé, elle perdra certainement une partie de ses feuilles et sera source de déception. On peut réduire les risques en achetant son *Dracæna* au printemps et jamais en automne. Avec l'allongement des jours et la réduction progressive du chauffage, les conditions de culture vont en s'améliorant, alors qu'il se passe exactement le contraire en automne.

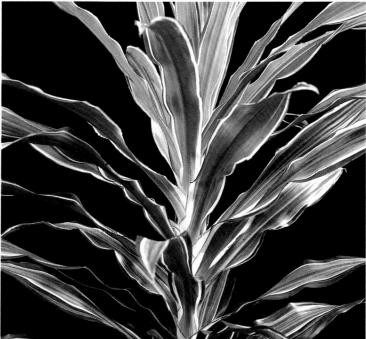

Dracæna deremensis 'Warneckii'.

Dracæna margináta

Dracæna frágrans 'Massangeana' : un « totem » surmonté de sa rosette de feuilles.

Dracæna godseffiána

Dracæna sanderiána

bouture des variétés panachées, il ne faut pas s'étonner de voir se développer d'abord des feuilles vertes. Les feuilles colorées n'apparaissent qu'au bout de plusieurs mois. Le *Dracæna dráco* se multiplie aussi par semis. La germination exige un laps de temps très variable.

Maladies. Lorsqu'elle se trouve dans des conditions défavorables, cette plante est facilement attaquée par l'araignée rouge, le thrips, les cochenilles farineuses et à bouclier. Elle est rarement malade lorsqu'elle est cultivée correctement.

Dracæna cantleyi
Cette espèce ressemble à première vue au *Sansevièria*. Les feuilles lancéolées et coriaces sont vert frais et marquées de taches jaunâtres. Elles naissent directement sur la souche et sont enroulées lorsqu'elles sont jeunes. Il est regrettable que cette belle espèce se rencontre si rarement.

Dracæna dereménsis
Peut monter jusqu'à 5 m. Les feuilles font 50 cm de long et 5 cm de large. Elles sont sessiles et apparaissent le long d'une tige dressée. Ce sont de longues feuilles vert foncé brillant, en forme d'épée. 'Bausei' a des feuilles vertes avec une bande longitudinale blanche. 'Warneckii' a une bande centrale blanc verdâtre et de fines striures blanches sur les bords.

Dracæna dráco
Forme un véritable tronc portant des rosettes de feuilles sessiles, vert foncé, allongées comme des glaives. Les feuilles de la base sont horizontales ou légèrement retombantes. Espèce très vigoureuse.

Dracæna frágrans
Ressemble à *Dracæna dereménsis* mais avec des feuilles plus longues et plus larges. Il forme également un tronc. Ses feuilles assez souples sont retombantes. 'Lindenii' a des striures longitudinales blanc crème et de larges bords vert jaune. 'Massangeana' a des striures vert jaune au centre de la feuille. 'Victoria', avec ses feuilles striées de jaune clair, est l'une des plus belles espèces. À l'âge adulte, il produit des fleurs très agréablement parfumées.

Dracæna godseffiána
Est sensiblement différent des autres espèces. Port arbusif avec de fins rameaux. Feuilles ovoïdes, cuspidées, vert brillant, avec de nombreuses taches crème aux contours mal définis. Produit assez rapidement des fleurs odorantes, jaune verdâtre, suivies de baies rouges.

Dracæna goldieána
Plante de serre chaude. Mince tige rigide portant des feuilles pétiolées, disposées à distance régulière l'une de l'autre. Elles font jusqu'à 20 cm de long sur 12 cm de large. Elles sont vertes, luisantes, avec des zébrures et des macules blanches très prononcées.

Dracæna hookeriána
Forme un tronc solide. Feuilles vertes, étroites, mesurant jusqu'à 80 cm de long. 'Latifolia' et 'Variegata' ont un feuillage panaché.

Dracæna margináta
Espèce très vigoureuse. Feuilles étroites, marginées de brun rouge, longues de 40 cm. 'Tricolor' a des feuilles panachées de vert, crème et rouge.

Dracæna refléxa
Pousse sur plusieurs tiges ou se ramifie facilement. Espèce très décorative. 'Song of India' est une variété

panachée de blanc, particulièrement séduisante.

Dracæna sanderiána
Feuilles ovales à lancéolées, acuminées, vert clair, couvertes de striures longitudinales blanc pur, jaunes et gris argenté.

Dracæna thalioídes
Espèce peu connue, remarquable par ses feuilles striées, longues et pointues, portées par de longs pétioles.

Dracæna umbraculífera
Tige pouvant atteindre 175 cm, au sommet de laquelle se forme une rosette de 100 à 200 feuilles. Elles sont ensiformes (en forme d'épée), peuvent faire 1 m de long et 6 cm de large au centre. Plante de serre chaude.

Une inflorescence de *Dracæna*.

Dracæna frágrans 'Victoria'

Dracæna dráco

Veiller à maintenir un degró d'hygrométrie élevé en pratiquant de fréquentes pulvérisations, de préférence à l'eau de pluie. Il n'est pas mauvais d'exposer la plante de temps à autre à une averse au cours de l'été. On évitera de noyer le pot en le couvrant d'une feuille de plastique. Placer le pot sur une soucoupe renversée dans une coupe d'eau, faire fonctionner un humidificateur : toutes ces méthodes sont valables. Laver les feuilles une fois par mois à l'aide d'une éponge humide. Si elles sont très sales, utiliser un produit spécial qui nettoie et fait briller : ne recourir à ce produit qu'à bon escient, car il donne un brillant peu naturel.

Fertilisation. Les plantes ayant une forte croissance seront fertilisées tous les quinze jours, d'avril à août, avec un engrais dilué à la concentra-

tion indiquée sur l'emballage. Les plantes d'un certain âge pourront même recevoir un apport d'engrais tous les 8 à 10 jours. Arrêter la fertilisation à temps, afin que la plante puisse se préparer à entrer en repos.

Rempotage. La meilleure période pour le rempotage se situe en avril. Les jeunes plantes sont rempotées tous les ans. Pour les plus âgées, on attendra que les racines sortent par l'orifice de drainage. Utiliser un mélange substantiel fait de terreau de feuilles, fumier de vache et tourbe, dans les proportions 2-1-1. Ajouter un peu de sable grossier.

Multiplication. Bouturage ou semis. On utilise des boutures de tête ou des segments de tige ayant 2 ou 3 yeux. Les planter dans un mélange de parties égales de tourbe et de sable et faire enraciner à 21-24 °C. Lorsqu'on

Duchésnea índica ressemble au fraisier.

Duchésnea
Rosáceæ

Nom. Du nom d'Antoine Nicolas *Duchesne* (1747-1827), botaniste français.

Origine. Une seule espèce, originaire d'Indonésie et du Japon.

Description. Cette plante ressemble beaucoup au fraisier (en latin : *Fragária* x *ananássa*), mais elle fleurit jaune et non blanc. Elle émet de nombreux stolons et convient très bien à la garniture des paniers suspendus ou fait un excellent couvre-sol dans les bacs. On la cultive aussi sur les balcons. À toutes ces qualités s'ajoute une très jolie fructification rouge qui en fait une plante d'appartement irrésistible.

Exposition. Pour fleurir, le *Dusché-nea* exige une exposition très claire. Il faut toutefois le protéger des rayons les plus vifs du soleil qui font jaunir ses feuilles. Il est très à l'aise suspendu dans une pièce modérément chauffée. En été, on peut le mettre au jardin ou sur le balcon.
Il est très résistant au froid et peut passer l'hiver au jardin, sous une couverture de paille ou de feuilles.

Soins. Tenir, l'hiver, à une température de 10-12 °C. Les vieilles plantes meurent facilement, mais il se forme tant de rejets qu'il n'y a pas lieu de s'en inquiéter.

Arrosage. Arroser généreusement en été. Conserver la motte humide en permanence. L'humidité ambiante doit être modérément à très élevée.

Fertilisation. Pendant la période de végétation, on fera tous les quinze jours des apports d'engrais dilué, dosé normalement.

Multiplication. Semis. Recueillir les graines sur les faux fruits et semer en avril, sur légère chaleur de fond. La germination se manifeste après un mois. On peut aussi planter les stolons.

Maladies. La coloration rouge des feuilles est due à un manque d'eau ou de nourriture.

Duchésnea índica
Ⓒ Ⓖ Ⓚ Ⓢ Ⓦ
Plante stolonifère, aux feuilles trilobées, vertes. Fleurs jaunes ; faux fruits rouges.

Echevéria
Crassuláceæ

Nom. Du nom d'Atanasio *Echeverria* (XIXe siècle), dessinateur de plantes mexicain.

Origine. Environ 150 espèces, principalement dans la région qui s'étend du nord de la Californie au sud du Pérou, en passant par le Mexique.

Description. Ces plantes grasses, qui demandent des soins très simples, se cultivent surtout pour la jolie couleur de leurs rosettes de feuilles. Certaines espèces ajoutent à cet attrait celui d'une floraison aux couleurs très vives. Toutes ont en commun des feuilles charnues, imbriquées en spirale et formant une rosette. Certaines espèces produisent des rejets à la base. Les feuilles sont rarement vert franc ; elles sont le plus souvent pruineuses ou velues. Les *Echevéria* se présentent sous forme de plantes vivaces acaules, mais aussi sous forme de sous-arbrisseaux et de buissons aux tiges rameuses ou non. Les hampes florales n'apparaissent généralement pas au centre de la rosette. Les fleurs, en forme de grelot ou d'urne, sont blanches, jaunes, roses, orangées ou rouges ou de plusieurs de ces couleurs à la fois. Elles sont réunies en épi, en grappe ou en cyme. La floraison a généralement lieu en hiver ou au printemps.

Exposition. Exposition le plus éclairée possible toute l'année. Plein soleil en été. De mai à fin septembre, on peut enterrer les pots dans un coin abrité et ensoleillé du jardin. Plus la plante recevra de soleil, plus ses feuilles seront colorées et mieux elle fleurira.

Soins. Pour bien se développer, les *Echevéria* doivent passer par un repos annuel. Les espèces ne fleurissant pas l'hiver se reposent à une température de 5 à 10 °C. Elles perdent, à cette époque, une partie de leurs feuilles. Lorsqu'elles sont vraiment trop dégarnies à la base, on a la possibilité de faire des boutures de tête. On utilise même les vieilles tiges. (voir : multiplication)

Arrosage. En période de végétation, les *Echevéria* sont assez assoiffés. Mais il n'y a pas de mal à les oublier de temps à autre. Les feuilles contiennent une bonne réserve d'eau et les racines absorbent davantage d'oxygène si la motte n'est pas humide en permanence. Lorsqu'on les entrepose en local frais, l'hiver, on arrosera juste assez pour empêcher les feuilles de se rider. Ne pas arroser sur le feuillage. L'eau abîme la pellicule cireuse qui le recouvre et l'eau stagnante dans les rosettes provoque la pourriture. De même, une motte qui ne sécherait jamais pourrirait facilement. L'atmosphère sèche de l'appartement ne les gêne nullement.

Fertilisation. Apport d'engrais spécial pour cactus, une fois par mois, de mars en août.

Rempotage. Au printemps. Les jeunes plantes sont rempotées tous les ans, les plus âgées, tous les 2 à 3 ans. Utiliser une terre très perméable : mélange standard, plus sable.

Multiplication. On prélève le haut des tiges des plantes délabrées, on les laisse sécher deux jours et on les plante dans un sol sableux, humide. Les vieilles tiges peuvent émettre de nouvelles pousses là où il y a eu des feuilles. Lorsque les pousses ont acquis une taille suffisante, on les détache avec précaution et on les empote. On peut aussi propager les espèces par semis ou bien, lorsqu'il s'en forme, prélever les rosettes nées au pied de la plante-mère. Et enfin, on peut faire des boutures de feuille. Choisir des feuilles saines, bien charnues et les détacher sans en endommager la base d'où naîtront les nouvelles pousses. Les laisser d'abord

Echevéria hármsii : les petites fleurs des *Echevéria* sont généralement portées par de longues hampes.

Echevéria setósa

Echevéria agavoídes

Echinocáctus grusónii, le « coussin de belle-mère ».

Echevéria agavoídes 'Cristata'

sécher et les planter en milieu sableux, à une température minimum de 16 °C.

Echevéria affínis

○ ⊕ ⊛ ⑤ ◑ ⑩

Espèce aux rosettes compactes, composées de feuilles longues de 5 cm et larges de 2 cm, brunes à verdâtres, arrondies à la base, rectilignes au sommet. Fleurs en panicule ; corolle rouge.

Echevéria agavoídes

Les rosettes, faisant jusqu'à 20 cm, ont des allures d'agaves. Feuilles vert gris, longues de 6 cm, se terminant en pointe brune, acérée. Panicules de fleurs rouge et jaune, en mai-juin.

Echevéria carnícolor

Rosettes vert gris, de 8 cm de diamètre, souvent lavées de bleu ou de rouge. Produit tant de rejets qu'on peut l'utiliser en suspension. Abondante floraison rouge orangé, sur de longues hampes.

Echevéria derenbérgii

Rosettes compactes, diamètre : 7 cm ; feuilles grisâtres se refermant par temps de sécheresse et transformant la rosette en une boule. Elles sont marginées de rouge et se terminent par une pointe rouge acérée. Fleurs orange.

Echevéria élegans

Syn. *Echevéria perélegans*. Rosettes ayant jusqu'à 15 cm de large. Feuilles charnues, blanc bleuté parfois lavé de violet. Hampes roses, pruineuses, portant des fleurs rose et jaune de mars à juillet.

Echevéria gibbiflóra

Grandes rosettes sur des tiges de 50 cm. Feuilles charnues, vert gris parfois lavé de bleu ou de rouge. Fleurit rouge clair en automne. En culture on ne trouve que des cultivars : 'Metallica' a des feuilles plus larges, rose lilas clair avec de jolis reflets métalliques ; 'Perle von Nürnberg' a des rosettes rose lilas, très régulières.

Echevéria hármsii

Rosettes de 7 cm de large, sur des tiges ramifiées. Feuilles vertes, rougeâtres au sommet, couvertes de poils courts. Grandes fleurs rouge et jaune ; elles sont peu nombreuses (1-3) sur la hampe, mais mesurent 3 cm.

Echevéria peacóckii

Rosettes blanc bleuté, mesurant jusqu'à 10 cm de large. Le bord de la feuille est souvent légèrement rougeâtre. Fleurs rouges, en cyme bipare, d'avril à juillet.

Echevéria pulvináta

Il s'agit sans doute de la même espèce que *Echevéria leucótricha*. Rosettes de 15 cm, assez lâches. Feuilles obovales, larges de 4 cm au sommet, obtuses, terminées par une petite pointe raide, vert clair, couvertes d'un épais duvet blanc, marginées de rouge. Fleurs rouges.

Echevéria purpusórum

Rosettes de 10 cm de large, feuilles longues de 4 cm, larges de 3 cm, vert gris aux reflets rouges. Longue hampe portant 6 fleurs rouge et jaune.

Echevéria secúnda

Rosettes de 15 cm, très pruineuses. Feuilles blanc bleuté, terminées par une petite pointe raide au sommet. Espèce fleurissant très abondamment : chaque hampe porte une vingtaine de petites fleurs rouge et jaune, en avril-mai.

Echevéria setósa

Rosettes denses, acaules ou sur courte tige. Largeur : jusqu'à 10 cm. La feuille verte est couverte sur ses deux faces de soies blanches recourbées. Fleurs rouges, bordées de jaune, d'avril à juillet.

Echinocáctus

Cactáceæ

Nom. Du grec *echinos*, hérisson, et de *cactus* (du grec *cactos*, artichaut épineux ou cardon). Avec ses aiguillons dressés, ce cactus ressemble bien à un hérisson roulé en boule.

Origine. À la suite d'un remaniement important dans la classification des cactacées, 7 espèces seulement se retrouvent rattachées à ce genre, toutes originaires du Mexique.

Description. Cactus globuleux à cylindriques, à croissance très lente. À l'état spontané, ils peuvent atteindre un diamètre de un mètre. On les cultive pour leurs remarquables aiguillons. À l'état spontané, les fleurs apparaissent sur le sommet couvert d'un épais coussin de poils entrelacés. Les fleurs, généralement jaunes, sont extérieurement couvertes d'écailles et de poils laineux. Il est rare qu'elles se montrent sous nos climats.

Exposition. Les *Echinocáctus* exigent toute l'année un maximum de lumière et de soleil. Il ne faudra les protéger des rayons ardents du soleil qu'au printemps, au moment du départ de la végétation. Il faut aussi veiller à bien ventiler en été.

Soins. Il est important d'accorder à ces cactus une période de repos entre octobre et mars. Il faut les placer dans un local frais, à l'abri du gel, à une température oscillant entre 5 et 10 °C et surtout ne pas les arroser.

Arrosage. On les arrose modérément en période de végétation. Ils ne doivent jamais avoir le pied dans l'eau. On commence à réduire les arrosages dès la mi-août et, s'ils hivernent dans un endroit très frais, on cesse pratiquement de leur donner de l'eau. Une humidité excessive engendre la pourriture. Ils aiment l'atmosphère sèche des habitations.

Fertilisation. Pendant la période de végétation, jusqu'à la mi-août, on distribuera tous les dix jours un engrais pour cactus, normalement dosé.

Rempotage. Pour développer leurs beaux aiguillons, il leur faut une terre lourde, substantielle et en même temps perméable. On utilisera un mélange spécial pour cactus ou un mélange terreux standard auquel on ajoutera du sable et de l'argile. Attention ! Les racines sont très fragiles.

Multiplication. On peut semer en avril, à 21 °C. Recouvrir les graines d'une très fine couche de terre. Comme terreau de semis, on peut prendre un mélange pour cactus ou mélanger soi-même des parties égales de sable, de tourbe et de terreau de feuilles. Les problèmes surgissent au moment du repiquage : prendre les mêmes précautions que pour le rempotage.

Maladies. Cochenilles farineuses et pucerons des racines.

Echinocáctus grusónii

○ ⊕ ⊛ ◐ ◑ ⑩

Coussin de belle-mère. Cactus sphérique pouvant devenir légèrement cylindrique. Vit très longtemps et peut atteindre un diamètre de un mètre. Le corps du cactus est vert foncé et très côtelé : il n'est pas rare qu'il ait 20 à 37 côtes très prononcées. Il est tout couvert de piquants jaune d'or, très acérés et son sommet est laineux. Les aréoles ont chacune 4 aiguillons au centre et 8 à 10 aiguillons périphériques. Lorsqu'il croît en pleine nature, il montre, au printemps, des fleurs jaunes, tubuleuses, de 5 cm de long, réparties en cercle sur le sommet.

Echinocáctus horizonthalónius

C'est l'espèce la plus susceptible de fleurir en appartement. Il est sphérique aplati, vert glauque, avec 8 à 13 côtes. Il est pruiné de blanc grisâtre. Diamètre : jusqu'à 30 cm. Magnifiques piquants jaunes, faisant jusqu'à 4 cm de long, droits ou légèrement crochus. Fleurs rose carné, tubuleuses, longues de 5 cm.

Echinocáctus íngens

Syn. *Echinocáctus grándis* ; *Echinocáctus pálmeri*. C'est un cactus glauque, aux nombreuses côtes et au sommet laineux. Il a la forme d'un tonneau et peut devenir énorme. Les aréoles portent 8 aiguillons rigides, de 2 à 3 cm de long, sur le pourtour, et un aiguillon central. Les jeunes sujets sont souvent zébrés de bandes rouges. Les fleurs sont jaunes. Un certain nombre de variétés, et parmi elles var. *íngens* et var. *pálmeri*, sont considérées par certains comme étant des espèces.

Echinocéreus procúmbens : ce modeste cactus donne de jolies fleurs.

Echinocéreus
Cactáceæ

Nom. Du grec *echinos*, hérisson, et de *Céreus*, nom de genre (du grec *cêros*, cierge).
Origine. Les 60 espèces connues sont originaires du sud-ouest des U.S.A. et du nord et du centre du Mexique.
Description. Cactus cylindriques, à tige unique ou ramifiés à la base ; tiges charnues, dressées ou couchées. Certaines espèces ont un corps vert et glabre ; d'autres sont densément couvertes d'aiguillons ou de poils et exigent alors des soins différents. Ils portent des fleurs en forme d'entonnoir, éphémères, aux couleurs souvent éclatantes et au stigmate vert. Ce genre offre des espèces à la floraison spectaculaire mais néanmoins faciles à cultiver.
Exposition. Quelle que soit l'espèce, il leur faut, 365 jours par an, un maximum de lumière et de soleil. Les espèces vertes peuvent séjourner en été dans un coin abrité et bien ensoleillé du jardin, pourvu qu'elles soient arrosées régulièrement. Les espèces velues et épineuses restent toute l'année à l'intérieur : il leur faut de la chaleur, du soleil et de l'air.
Soins. Les espèces velues passent l'été au chaud dans la maison, les espèces vertes le passent au jardin. En octobre, elles entrent toutes en repos. Les espèces vertes se contentent de 5 à 10 °C. Les velues sont un peu plus frileuses : 10-12 °C.
Arrosage. Tous ces cactus doivent hiverner au froid et au sec : arrosages pratiquement nuls. L'été, les verts réclament plus d'eau que les velus et les épineux. On doit les bassiner régulièrement pour les protéger des araignées rouges. Dans l'ensemble, ils exigent une ambiance modérément humide.
Fertilisation. Donner de l'engrais spécial pour cactus une fois par mois, en période de végétation.
Rempotage. Les espèces qui se ramifient exigent une terre plus lourde que les autres. On ajoutera un peu de terre argileuse à un mélange spécial pour cactus.
Multiplication. Chez ceux qui en produisent, on prélève des pousses latérales ; on les laisse un peu sécher et on les plante dans un mélange de sable et de tourbe (2-1). Les autres espèces sont reproduites par semis pratiqué en avril, dans un mélange de sable grossier et de terreau de feuilles, à 21 °C.
Maladies. Araignée rouge et pourriture.

Echinocéreus berlandiéri
○ ⬡ ⊗ ○ ▣
Cactus cespiteux. Tiges de 1 à 2 cm d'épaisseur, présentant 5 à 6 cannelures. 6 à 8 aiguillons périphériques sétiformes, 1 aiguillon central brun jaune. Fleurs rose violacé, au cœur plus clair.

Echinocéreus knippeliánus
Tige vert foncé, luisante, de 5 cm de diamètre ; 5 cannelures ; de 1 à 3 aiguillons fins. Fleurs rose carminé, de 4 cm de long.

Echinocéreus pectinátus
Tige plutôt globuleuse, de couleur glauque ; 12 à 13 cannelures ; piquants jaunes devenant gris, réunis par 3 ou 4. Fleurit généreusement. Fleurs blanches à rose carné. Il en existe différentes formes : form. *rigidíssimus* est l'une d'entre elles. Elle est couverte d'aiguillons très rapprochés, colorées par zones en jaune, rouge, brun, blanc.

Echinocéreus procúmbens
Espèce ayant de nombreuses ramifications. Tige à 5 cannelures ; mamelons protubérants ; aréoles laineuses. Aiguillons couchés, brun foncé. Aiguillon central de 2 cm. Fleurs violacées.

Echinocéreus purpúreus
Cactus à tige cylindrique, se ramifiant. Aiguillons blancs, à la pointe pourpre foncé. Fleurs pourpres.

Echinocéreus salm-dyckiánus
Vert foncé, ramifié à la base ; végétation étalée. Piquants jaunâtres, à la pointe rouge. Riche floraison orange.

Echinocéreus scheérii
Tiges plus minces et plus longues que celles de l'espèce précédente ; aiguillons plus abondants. Les fleurs rose foncé tiennent longtemps.

Echinópsis
Cactáceæ

Nom. Du grec *echinos*, hérisson, et *opsis*, apparence, aspect.
Origine. Une quarantaine d'espèces en Amérique du Sud, principalement en Argentine et en Uruguay.
Description. Cactus globuleux, devenant quelque peu cylindrique et souvent très prolifère. Côtes continues ou discontinues. Nombreux aiguillons sur les aréoles. Les fleurs, en forme d'entonnoir, sont souvent étonnamment grandes par rapport à la taille du cactus. Elles apparaissent sur le pourtour du sommet. Elles s'épanouissent largement. Elles sont blanches, le plus souvent, et parfumées.
Exposition. La plus claire possible. En été, ils resteront à l'intérieur, dans un endroit bien aéré, ou ils iront au Jardin. Au printemps et en été, on les protègera de la lumière très vive du soleil. Éviter de tourner le cactus : les fleurs naissent généralement du côté exposé à l'ombre. On pourra le tourner après la floraison.
Soins. Repos hivernal à 5-10 °C. Une floraison pauvre est la conséquence d'arrosages trop copieux, d'un excès d'azote, d'une carence en phosphore ou d'une mauvaise reprise.
Arrosage. Arroser très peu pendant le repos et modérément en été.
Fertilisation. Apport d'engrais spécial pour cactus, tous les 10 jours, en période de végétation.
Rempotage. Terre pour cactus, substantielle.
Multiplication. Bouturage ou semis.

Echinópsis eyriésii
◑ ⬡ ⊗ ○ ▣
Cactus globuleux, devenant oblong avec l'âge. 11 à 18 côtes saillantes. Courts piquants brun foncé. Fleurs blanc verdâtre, parfumées, de 20 cm sur 12.

Echinópsis mamillósa
Tige globuleuse, vert jaunâtre, haute de 25 à 30 cm. 21 à 22 côtes discontinues ; aiguillons jaunes, de 1 cm. Fleurs blanc pur, mesurant jusqu'à 18 cm de long.

Echinópsis obrepánda
Tige globuleuse, vert foncé. 16 à 25 côtes. Aiguillons brun foncé, plus clairs à la base. Fleurs blanches, rouges à l'intérieur.

Echinópsis tubiflóra
Tige plus ou moins cylindrique, à 12-13 côtes, vert foncé. Aiguillons brun clair. Fleurs faisant jusqu'à 24 cm de long sur 10 cm de large,

Echinópsis mamillósa

Echinópsis
Cactáceæ

brun vert à l'extérieur, blanches à l'intérieur.

Elettária
Zingiberáceæ

Nom. On a repris le nom donné à cette plante sur la côte de Malabar.
Origine. Peut-être 6 espèces, originaires de Srī Lanka (Ceylan), de l'Inde et de l'Indonésie. Plante très cultivée en Amérique latine.
Description. Plantes pérennes, à la tige rhizomáteuse épaisse. Assimilée dans son pays natal à la même famille que le gingembre. Les tiges feuillées sont stériles. La feuille froissée dégage une forte odeur aromatique, épicée. La hampe florale ne porte pas de feuilles, mais de petites écailles. Fleurs en cyme, à petit stigmate. Les graines séchées sont utilisées par les gens du pays dans la préparation du curry, mais on les mastique aussi, pures, après le repas. Elles passent pour avoir des propriétés digestives et rafraîchissent la bouche. On fait aussi entrer ces graines dans la préparation de diverses saucisses, dans la fabri-

Elettária cardamómum

cation de produits pharmaceutiques, de parfums et d'encens.
Exposition. Très claire toute l'année. Tamiser la lumière vive du soleil au printemps et en été. Ces plantes se plaisent en serre chaude et en appartement.
Soins. L'hiver, quand la lumière est rare, on les gardera à une température minimale de 14-16 °C.
Arrosage. La motte doit rester modérément humide. Arroser régulièrement. Lorsque la motte se dessèche, le bout des feuilles roussit. Les feuilles sont plutôt coriaces et résistent raisonnablement à l'atmosphère sèche des habitations.
Fertilisation. Pendant la végétation, on apporte, tous les dix jours, un peu d'engrais dilué selon le dosage normal.
Multiplication. Semis et boutures de tête.

Elettária cardamómum
◑ ⬡ ⊗ ○ ▣
Cardamome. Rhizome charnu, horizontal, portant 3 tiges très feuillues pouvant atteindre 3 m de haut. Feuille à court pétiole, glabre sur la face supérieure, légèrement velue au revers. Fleur blanche avec une lèvre blanc bleuté, marginée de jaune.

Eliséna longipétala

Eliséna
Amaryllidáceæ

Nom. Son nom lui vient de la princesse *Élise*, sœur de Napoléon Ier.
Origine. Au Pérou, dans la Cordillère des Andes, on en trouve trois espèces qui se ressemblent beaucoup.
Description. Cette plante est très proche de l'*Hymenocállis* (voir ce nom), mais l'entonnoir de sa fleur est plus court.
Exposition. Les bulbes fleurissent en été et peuvent donc facilement être cultivés en appartement.
Soins. Il faut commander les bulbes chez un spécialiste et les empoter en février-mars. La culture est identique à celle de l'*Hippeástrum* (amaryllis), à la différence que le feuillage ne disparaît pas complètement en hiver. Une partie reste bien verte, même si la plante marque un temps d'arrêt dans sa végétation entre octobre et le tout début du printemps. Durant cette période, on observera une température de 15 °C au minimum.
Arrosage. Arroser de façon à avoir une motte modérément humide pendant tout l'été. Arroser très parcimonieusement en hiver : il faut que la plus grande partie du feuillage jaunisse. Il est recommandé d'utiliser de l'eau de pluie.
Fertilisation. Un peu d'engrais liquide tous les quinze jours, en été, surtout si la plante n'a pas été rempotée au printemps.
Rempotage. Il n'est pas indispensable de rempoter tous les ans, mais il faut au moins faire un surfaçage au printemps. On utilisera un mélange standard prêt à l'emploi, enrichi d'argile finement émiettée ou on mélangera soi-même 1/3 de terre argileuse, 1/3 de terreau de feuilles, 1/6e de sable grossier et 1/6e de fumier de vache bien décomposé. Mettre un gros tesson au fond du pot pour en assurer le drainage.
Multiplication. Au cours des années, il se forme autour du bulbe principal des caïeux que l'on peut enlever, car ils épuisent le bulbe-mère. On les cultive à part jusqu'à ce qu'ils soient prêts à fleurir, ce qui dure plusieurs années.

Eliséna longipétala
○ ◔ ◷ ◌ ▣
D'apparence très proche de *Hymenocállis*. Hampe bi-angulaire, haute de 1 m, avec 6 fleurs. Chaque fleur fait jusqu'à 7 cm, elle est blanche et composée de segments ondulés, aux lobes recourbés.

Epidéndrum
Orchidáceæ

Nom. Du grec *epi*, sur, et *dendron*, arbre. Ces orchidées sont épiphytes.
Origine. Entre 500 et 1 000 espèces, toutes originaires d'Amérique tropicale et subtropicale.
Description. Il existe une grande diversité dans la taille et la forme des plantes, la couleur et l'aspect des fleurs. Certaines espèces ont des pseudobulbes portant des feuilles coriaces ; d'autres montrent, entre les feuilles, des tiges ligneuses semblables à des roseaux. Inflorescences terminales, dressées ou pendantes ; fleurs solitaires, en grappe ou en épi. Labelle plus important que les sépales ou les pétales. La plupart fleurissent entre février et novembre.
Exposition. Beaucoup d'*Epidéndrum* exigent un éclairement important et même le soleil pour produire des fleurs. Ventiler fréquemment. Disons qu'en gros, on peut s'en tenir à la règle suivante : les espèces à pseudobulbes allongés réclament une ambiance fraîche à modérément chaude ; celles à pseudobulbes arrondis ou ovales trouvent leur place

Epidéndrum 'Rainbow' : un hybride.

Epidéndrum radicans 'Cross of Christ'

en serre tempérée ou en appartement ; les *Epidéndrum* à feuilles radicales ont besoin de beaucoup d'espace et d'une température moyenne à élevée. Toutes ces orchidées se prêtent à la culture en serre ou vitrine d'appartement, mais avec un peu de chance, on obtient aussi de bons résultats en les élevant tout simplement dans l'appartement.
Soins. Les conseils de culture énoncés ci-dessus tiennent compte des besoins des diverses espèces en matière de température. On peut ajouter que les espèces aux pseudobulbes gros et durs doivent observer, de novembre à mars, une période de repos pendant laquelle on les arrosera aussi peu que possible. Les espèces de serre chaude réclament à ce moment un minimum de 18 °C, celles de serre tempérée, 12 °C. Les espèces aux

Epidéndrum ciliáre

pseudobulbes plus tendres et aux tiges épaisses doivent conserver une certaine humidité toute l'année.
Arrosage. Dans l'ensemble, on arrose peu : deux fois par semaine, les plantes cultivées en pot de terre, une fois par semaine, celles cultivées en pot de plastique. On arrosera carrément plus lorsque le temps est ensoleillé et que les plantes sont en pleine période de croissance. En période de repos, par contre, on arrosera juste assez pour empêcher les bulbes de se dessécher. Une humidité atmosphérique de 50 % est satisfaisante en hiver ; l'été, elle doit être supérieure à 60 %. Pulvériser lorsqu'il fait soleil. Bassinages et arrosages se feront, de préférence, à l'eau douce.
Rempotage. On cultive ces orchidées sur des bûches, dans des paniers ou dans des pots. Elles se développent bien dans un mélange d'osmonde, de sphagnum et de feuilles de hêtre : proportions 4-2-1.
Multiplication. Semis ou division. Les espèces à tiges épaisses se bouturent.
Maladies. Cochenilles à bouclier.

Epidéndrum ciliáre
◐ ◔ ◌ ◷ ▣
Pseudobulbes fusiformes, à 2 feuilles. Ils font jusqu'à 25 cm de haut. Grappe lâche de 4 à 8 fleurs, se montrant en hiver. Bractées souvent gluantes. Pétales et sépales étroits, vert jaune ; labelle blanc, aux lobes latéraux profondément frangés.
Epidéndrum cochleátum
Pseudobulbes oblongs, de 12 cm, portant 2 feuilles pointues. Floraison de novembre à février. Les grappes de 5 à 8 fleurs odorantes dépassent du feuillage. Pétales et sépales vert très pâle ; labelle violet foncé, marqué de jaune.
Epidéndrum × obrieniánum
Croisement de *Epidéndrum evéctum* et *E. ibaguénse*. Les longues tiges, solides et grimpantes, sont couvertes de feuilles. Nombreuses fleurs rouge carmin, de 3 cm, en ombelle compacte. C'est de cette espèce que sont issus les hybrides 'Rainbow', dont la gamme des couleurs s'étend du blanc au violet foncé.

Epidéndrum cochleátum

Epidéndrum radiátum
Pseudobulbes mesurant jusqu'à 10 cm de haut et portant 2-3 feuilles. Floraison de mai à juillet. Grappes de fleurs fournies, érigées ou pendantes. Pétales et sépales blancs ; labelle veiné de pourpre.
Epidéndrum radicans
○ ◔ ◌ ◵ ◷ ▣
Tige épaisse, feuillue, atteignant au moins 1 m de haut. Feuille vert clair, oblongue, charnue. Longue hampe florale. Inflorescence dense, composée de nombreuses fleurs rouge orangé au labelle frangé, marqué de jaune. Floraison principale de février à mai.
Epidéndrum stamfordiánum
◐ ◔ ◌ ◷ ▣
Pseudobulbes durs, fusiformes, à 2-4 feuilles. Fleurit en mars et en avril. Inflorescences en grappes axillaires bien fournies, fleurs odorantes, larges de 4 cm, jaunes à macules brun pourpre, avec un labelle variant du jaune au blanc.
Epidéndrum vitellínum
◐ ◔ ◌ ◷ ▣
Pseudobulbes oviformes, longs de 9 cm, à 2 feuilles. Fleurit d'octobre à décembre. Grappes de fleurs terminales, rouge orangé, avec un labelle blanc. 'Majus' a des grappes plus compactes et des fleurs plus grandes, aux couleurs plus claires.

Epiphýllum
Cactáceæ

Nom. Du grec *epi*, sur, et *phyllon*, feuille. Les fleurs de ces cactus naissent sur le bord des feuilles.

Origine. On les trouve en Amérique centrale et du Sud et surtout au Mexique. Ils y poussent sur les arbres, en compagnie d'autres épiphytes, dans les forêts pluvieuses des tropiques, et réclament un milieu plus humide et moins de soleil que la plupart des autres cactus.

Description. Les rameaux de ces cactus épiphytes sont cylindriques à la base et forment des tiges allongées, aplaties, crénelées, semblables à des feuilles. Des vraies feuilles il ne reste que des touffes de poils courts, insérés à l'articulation des articles. Les fleurs, superbes, n'apparaissent que sur des tiges âgées au moins de 2 ans. Bien qu'ils produisent une floraison spectaculaire et réclament peu de soins, on ne les voit que rarement aux vitrines des fleuristes, sans doute parce qu'il est difficile de transporter ces plantes en fleurs et qu'en dehors de l'époque de floraison, elles ne sont pas précisément attrayantes. Ces derniers temps, le choix s'est enrichi d'un grand nombre d'hybrides de toutes sortes de couleurs, allant du blanc au rose saumon et au rouge carmin. Les variétés à fleurs bicolores sont appelées « orchid cacti » aux U.S.A.

Exposition. Ces cactus aiment la lumière mais redoutent un ensoleillement direct. Lorsque le temps est beau, on peut les sortir au jardin, à un endroit chaud et abrité, dès la fin du mois de mai. Si on les laisse à l'intérieur durant l'été, il faudra beaucoup ventiler. On les rentre au début de l'automne, avant qu'ils n'entrent en dormance. Lorsqu'un *Epiphýllum* a trouvé sa place, il faut à tout prix éviter de tourner le pot ou de le déplacer afin de ne pas provoquer la chute des boutons floraux. Lorsque la plante reçoit trop de soleil ou de lumière, ses feuilles rougissent.

Epiphýllum hybride 'Pride of Bell'

Epiphýllum crenátum

Fruit mûr. Les graines sont en train de germer.

Soins. Une bonne température hivernale se situe entre 8 et 10 °C, mais les *Epiphýllum* peuvent supporter moins. Le repos s'étend de novembre à février. Il est bon aussi de leur ménager une courte halte après chaque floraison. Le pincement des tiges les plus longues favorise la floraison, au même titre que le repos. Les vieilles tiges et celles qui sont grêles sont éliminées au printemps. Les rameaux les plus longs doivent être tuteurés pour éviter que les pots ne se renversent. De forts écarts de température entre le jour et la nuit occasionnent la chute des boutons floraux.

Arrosage. Les racines demandent à se développer dans un milieu léger et humide. Arroser copieusement en période de végétation, avec de l'eau de pluie ou adoucie, tiède. Pendant le repos, l'importance des arrosages dépendra de la température. En périodes intermédiaires, on augmentera progressivement les rations d'eau au printemps et on les réduira en automne. L'atmosphère devra être assez humide pendant la période de végétation. Lorsque le degré d'hygrométrie est satisfaisant, la plante le signale en émettant de petites racines aériennes. Elle est indifférente à la sécheresse de l'air en période de repos. L'été, le manque d'eau et la séche-

resse ambiante se traduisent par le rougissement des feuilles.

Fertilisation. Bien fertiliser au printemps et en été, avec un engrais spécial pour cactus, dosé normalement. Trop concentré, l'engrais provoque une coloration rouge des feuilles ; trop dilué, il sera cause de la chute des boutons.

Rempotage. Rempoter le moins souvent possible. Le rempotage contrarie la floraison. Utiliser un mélange aéré, humifère et nutritif comme, par exemple, un mélange standard enrichi de terre argileuse, de sable, de sphagnum et de tourbe.

Multiplication. Semis ou bouturage de segments de tiges de 10 cm. On fait une coupe en biais, juste sous une aréole. Les morceaux sont mis à sécher pendant une semaine avant d'être empotés dans un mélange de sable et de tourbe : la tige doit être enfoncée de 1 à 2 cm. Pas de chaleur de fond, peu d'arrosages.

Maladies. Araignée rouge et cochenille farineuse, en été, quand l'atmosphère est trop sèche. Trop d'humidité en hiver provoque la pourriture des racines.

Epiphýllum crenátum
Syn. *Phyllocáctus crenátus*. Jusqu'à

60 cm de haut. Rameaux charnus, rigides, aplatis, aux articulations très marquées, très amincis vers la base jusqu'à former une tige mince. Lorsqu'on examine un rameau à contre-jour ou qu'on le coupe en travers, on peut en observer la structure : au centre se trouve la tige proprement dite qui, à intervalles réguliers, émet des pousses latérales se terminant par des aréoles visibles au bord des rameaux. Le tout est enrobé d'un limbe charnu qui donne au rameau l'apparence d'une feuille. C'est sur les aréoles que naissent les immenses fleurs à long tube étroit ; elles peuvent avoir jusqu'à 22 cm de long. L'extérieur des fleurs est vert jaunâtre, l'intérieur, blanc crème. Il existe de très nombreux hybrides aux couleurs infiniment variées.

Epiphýllum hybrides
Issus du croisement des *Epiphýllum* et de *Nopalxóchia, Heliocéreus, Selenicéreus*, etc. Les tiges sont généralement érigées, parfois triangulaires, parfois aplaties ; le bord est crénelé ou sinueux. Les grandes fleurs ont un long tube et s'épanouissent souvent en trompette. Il y a des centaines d'hybrides dont beaucoup ont reçu des appellations spécifiques. Ils sont lilas, rouges, orange et blanc pur.

Epíscia

Gesneriáceæ

Nom. Du grec *episkios*, ombragé. Les espèces appartenant à ce genre affectionnent les lieux ombragés.

Origine. Il existe quelque 40 espèces qui se rencontrent principalement dans des régions tropicales d'Amérique centrale et du Sud. Elles croissent à l'ombre des arbres, dans les forêts chaudes et humides.

Description. Plantes herbacées vivaces ou petits arbustes aux feuilles velues et, plus rarement, glabres, à tige centrale courte et épaisse. Elles sont très stolonifères. Les feuilles sont opposées. Les fleurs sont axillaires, solitaires ou groupées ; elles sont

Epíscia réptans

Epíscia cupreáta 'Silver Queen'

Epíscia lilacína

blanches, bleutées ou rouges. Leurs pétales sont entiers ou frangés. On cultive ces plantes tant pour leur joli feuillage que pour leurs fleurs aux couleurs quelquefois très brillantes.

Exposition. Claire, sans ensoleillement direct, et même relativement ombragée. Leurs exigences en matière de chaleur et d'hygrométrie en font surtout des plantes de serre chaude, de vitrine d'appartement ou de bac à plantations en groupe. Elles servent de couvre-sol, mais il est également possible de les cultiver en paniers suspendus. L'été, on peut les cultiver sans trop de peine dans l'appartement, les difficultés commencent quand on met le chauffage en marche. On peut avoir recours au procédé de la soucoupe renversée ou à l'humidificateur. Les pulvérisations tachent les feuilles velues.

Soins. L'hiver, la température ne doit pas descendre au-dessous de 16 °C. La plante doit être tenue au chaud toute l'année. Enlever régulièrement les fleurs fanées.

Arrosage. Arroser régulièrement de façon que la motte soit humide en permanence. L'atmosphère doit être d'autant plus humide que la température est élevée.

Fertilisation. Fertiliser tous les quinze jours en période de croissance. Doser l'engrais suivant les indications données sur l'emballage.

Rempotage. En terreau forestier, aéré et perméable : sapinette additionnée de vieux fumier de vache. Ou bien : mélange terreux prêt à l'emploi, allégé de tourbe.

Multiplication. Elle est très facile et se pratique selon différentes méthodes : boutures de feuille, boutures de tige ou prélèvement des plantules qui se forment si facilement sur les nœuds des stolons. Température minimum : 20 °C.

Epíscia cupreáta
Longues tiges ramifiées portant des feuilles ovales-arrondies ou légèrement elliptiques. Face supérieure des feuilles grossièrement velue, vert foncé brunâtre à cuivrée, bande blanchâtre le long de la nervure médiane. Revers très nervuré et rougeâtre. Fleurs rouge écarlate, en été. 'Emerald Queen', 'Silver Queen', 'Acajou', 'Frosty' et 'Metallica' diffèrent de l'espèce par la taille de la plante et la couleur des feuilles.

Epíscia dianthiflóra
Plante rampante, émettant de longs stolons. Feuilles ovales, dentées, de 3-4 cm de long. L'été, fleurs blanches à bords frangés, restant parfois cachées par le feuillage.

Epíscia punctáta
Syn. *Drymónia punctáta*. Sous-arbrisseau aux tiges turgescentes et dressées. Feuilles rhomboïdales à oviformes, aiguës, vert franc, grossièrement dentées. Fleurs axillaires solitaires, longuement pédonculées, jaune crème taché de violet, velues et frangées.

Epíscia réptans
Syn. *Epíscia fúlgida*. Longues tiges ramifiées portant des feuilles elliptiques, de 8 cm de long, vert foncé ou brunâtres, gaufrées. Nervure médiane vert argenté. Les nervures latérales perdent leur couleur brillante vers le bord des feuilles. Revers rougeâtre. Fleurs rouge clair, en été.

Eríca grácilis fleurit en plein air de septembre à décembre.

Eríca

Ericáceæ

bruyère

Nom. Du grec ereikê ou *erikê*, sorte de bruyère (*E. arbórea*).

Origine. Il existe 500 à 600 espèces connues, la plupart originaires d'Afrique du Sud. Certaines espèces sont plus particulières aux hautes montagnes africaines et aux régions méditerranéennes. En Europe, on compte 16 espèces, en majorité rustiques.

Description. Arbrisseaux ou sous-arbrisseaux au feuillage persistant, dont certains sont utilisés pour la décoration du jardin et d'autres pour celles des appartements. Leurs feuilles aciculaires sont disposées en couronne autour des tiges. Leurs fleurs campanulées, tubuleuses ou orbiculaires sont réunies en grappe terminale. Elles sont blanches, roses, pourpres ou bicolores. Le calice à 4 lobes est généralement beaucoup plus court que la corolle.

Exposition. On leur donnera une exposition claire mais pas ensoleillée. L'été, il vaut mieux les sortir. Les bruyères aiment l'air frais : c'est pourquoi on les met facilement sur les balcons et sur les terrasses. *Eríca grácilis* se prête tout particulièrement à cet usage et ses couleurs égaient le jardin, même après les gelées. Il faut se dire que plus on leur donne d'air frais, plus on prolonge leur floraison.

Soins. Faire hiverner les bruyères à 6-8 °C. Après la floraison, on coupe les fleurs et on taille légèrement les tiges : ne jamais supprimer plus d'un tiers de leur longueur. Il ne vaut guère la peine de faire hiverner *Eríca grácilis*, il est beaucoup trop sensible à l'oïdium qui le détruit sans rémission. Les autres espèces citées réservent aussi beaucoup de déboires lorsqu'on essaie de les conserver.

Arrosage. Arroser modérément à l'eau de pluie ou à l'eau adoucie. Si on n'en a pas à sa disposition, il faudra rempoter tous les ans pour éviter les brûlures. Arroser parcimonieusement au cours de la période de repos. Bassiner souvent en été.

Fertilisation. Elle n'est pas nécessaire, mais un peu d'engrais très dilué (prendre la moitié de la dose normale recommandée), tous les quinze jours, pendant la période de végétation, ne pourra pas faire de tort.

Rempotage. Les bruyères ont horreur d'une terre calcaire. On les rempotera en terre acide : terre de bruyère ou sapinette additionnées de tourbe et de sable de rivière.

Eríca × *willmórei*

Multiplication. Bouturer en juillet-août ou entre janvier et mars, à 16 °C, dans un mélange de sable et de tourbe. Placer les boutures sous châssis.

Maladies. Oïdium.

Eríca grácilis
Fleurit en hiver : petits grelots blancs ou rose carné. Petit buisson : jusqu'à 50 cm de haut.

Eríca hyemális
Fleurit à partir de février. Fleurs blanches, rose saumon ou rose carné. Petits tubes s'élargissant au sommet.

Eríca ventricósa
Floraison estivale, blanche ou lilas.

Eríca × willmórei
Grappes de fleurs rouges, tubulées, au printemps.

Erythrína crísta-gálli, parfois appelé 'Coral Tree', peut séjourner en plein air en été.

Erythrína

Leguminósæ

érythrine

Nom. Du grec *erythros*, rouge.
Origine. Une bonne centaine d'espèces que l'on retrouve dans toutes les régions tropicales et subtropicales.
Description. Arbres, arbustes ou sous-arbrisseaux pérennes, non rustiques, aux branches épaisses, épineuses. Feuilles triséquées à pennées, caduques. Fleurs rouge brillant, en grappes denses, réunies par bouquets ou par paires. Contrairement à ce qui se passe chez de nombreuses plantes de cette famille, l'étendard est placé à la partie inférieure de la fleur ; les ailes manquent souvent et la carène est incurvée dans le sens de l'étendard. Les fleurs sont pollinisées par les oiseaux : les américaines par les colibris, les africaines par les nectarinies.
Exposition. L'érythrine crête de coq se cultive surtout comme plante d'orangerie. Pendant les mois chauds de l'été, on l'expose au jardin, sur la terrasse ou sur le balcon s'il n'y a pas de courant d'air. D'octobre à avril, période de dormance, on la met en serre froide, dans le jardin d'hiver ou le garage. On lui donnera le plus de lumière possible ; il supporte très bien le soleil.
Bien soignées, ces plantes vivent très longtemps et il n'est pas rare qu'elles fassent partie de l'héritage d'une vieille amie, amateur de plantes. La taille printanière annuelle permet de leur conserver des proportions raisonnables.
Soins. La plante donne des tubercules que l'on peut planter en pleine terre. On les relève au début de l'automne et on les conserve au sec, dans la serre froide, pendant tout l'hiver. Il est plus commode encore de les planter dans des paniers à mailles en plastique : on peut les déterrer plus facilement, sans endommager les racines. J'ai, personnellement, une érythrine crête de coq plantée dans une énorme jarre en terre et elle y fait très bel effet. Elle passe l'hiver avec les autres plantes d'orangerie, à 4-7 °C. Au printemps, on rabat les pousses à 15 cm de leur point de départ. En avril, on tire la plante de son sommeil

en élevant la température, en arrosant un peu et en donnant, éventuellement, une petite chaleur de fond. Dès la mi-mai, les plantes endurcies peuvent être sorties. Les nouvelles pousses se développent incroyablement vite. On les rentre à nouveau avant les premières gelées.
Arrosage. Les arrosages doivent être complètement suspendus pendant la période de repos. On les reprend en avril, en même temps que l'on fait monter la température. On arrose généreusement tout au long de la période de végétation et de floraison. On réduit les arrosages après la floraison et on les supprime à partir d'octobre. Si la plante passe l'été dans la serre, il faudra bassiner le feuillage de temps en temps et veiller à bien ventiler. Ombrer quand il fait très chaud.
Fertilisation. Ces plantes ont besoin d'être bien nourries pendant leur période de végétation. On fera des apports d'engrais hebdomadaires, en respectant le dosage recommandé sur l'emballage. Arrêter la fertilisation dès le début d'août.
Rempotage. Utiliser une terre substantielle, sableuse comme, par exemple, un mélange terreux prêt à l'emploi auquel on ajoute un peu de terre argileuse et du sable.
Multiplication. Le semis est facile, mais il faut 3 à 5 ans pour obtenir une plante prête à fleurir. On peut également diviser, ou prélever des boutures à talon sur des jeunes pousses du printemps et les faire enraciner à 20-25 °C, dans un mélange de parties égales de sable et de tourbe.
Maladies. Araignée rouge.

Erythrína crísta-gálli
○ ⊕ ⊗ ○ 🖫

Érythrine crête de coq. Sous-arbrisseau atteignant chez nous 1,50 m. Ses branches meurent en automne. Au printemps, la souche ligneuse émet de nouvelles tiges portant des épines crochues. Les feuilles vert clair, triséquées, sont étalées horizontalement. Fleurs rouge corail, en grappes lâches. 'Compacta' a un port ramassé.

Espostóa

Cactáceæ

Nom. Du nom de Nicholas E. *Esposto* (XXᵉ siècle), botaniste péruvien.
Origine. Leur habitat s'étend du nord du Pérou au sud de l'Équateur : on y trouve 3 à 4 espèces.
Description. Ces cactus appartiennent à la famille des cactus soyeux qui compte aussi le fameux cactus « tête de vieillard ». *Espostóa* forme des tiges qui peuvent atteindre 4 mètres de hauteur, ou bien il se ramifie à la base et prend l'allure d'un candélabre. Les tiges ont de nombreuses côtes et sont abondamment couvertes de poils. Les fleurs sont campanulées ou en forme d'entonnoir et se montrent aux parois latérales des pousses.
Exposition. Il faut leur donner beaucoup de chaleur et de soleil. Leurs poils soyeux leur servent à se protéger du soleil ardent de leur pays natal : Ils sont donc parfaitement armés de ce côté.
Soins. L'hiver, ces cactus réclament plus de chaleur que n'en exigent les autres membres de la famille. 15 °C est un minimum. Si leur végétation manque de vigueur, on peut les greffer sur *Thricocéreus spachiánus*.
Arrosage. Arroser modérément en période de végétation et parcimonieusement pendant l'hiver. Ils tolèrent un degré d'humidité assez bas, mais lorsqu'ils se trouvent en appartement bien chauffé, on aura avantage à pratiquer de temps en temps des pulvérisations.
Rempotage. Prendre un mélange substantiel et perméable. Un mélange spécial pour cactus est parfaitement satisfaisant.
Multiplication. Semis.

Espostóa guéntheri
○ ⊕ ⊗ ○ ○ 🖫

Syn. *Cephalocéreus guéntheri*. Ramifié à la base. Tige couverte d'aiguillons jaunes à rougeâtres. Lorsque le cactus prend de l'âge, ses poils laineux s'enroulent en anneaux autour de la tige et il se forme des piquants sétiformes, rouge brun, ayant jusqu'à 6 cm de long.

Espostóa lanáta
Syn. *Pilocéreus lanátus*. Ne se ramifie pas en culture et monte jusqu'à 1 mètre. Densément couvert de poils blancs, plaqués sur la tige : c'est à peine si les aiguillons se devinent.

Espostóa melanostéle
Syn. *Cephalocéreus melanostéle ; Céreus melanostéle*. Ramifié dès la base ; port buissonnant. D'abord couvert de poils cotonneux blancs. Plus tard, ces poils tournent au brun noir.

Espostóa lanáta

Eúcharis

Amaryllidáceæ

Nom. Du grec *eucharis*, gracieux, séduisant. Cette plante doit son nom à ses charmantes fleurs blanches.
Origine. Les 10 espèces connues ont leur habitat en Colombie, principalement dans les montagnes des Andes.
Description. Outre leur bulbe, toutes les espèces ont en commun une coronule formée par les filets des étamines élargis en pétales et soudés. La fleur ressemble un peu à un narcisse. Chez beaucoup d'espèces, elle est parfumée. À la fin du siècle passé, on cultivait beaucoup l'*Eúcharis* pour la fleur coupée. Aujourd'hui, il apparaît sporadiquement à l'étalage des fleuristes comme plante d'appartement. Les fleurs sont portées à la boutonnière aux cérémonies de mariage, à la place des sempiternels œillets. On en fait des bouquets de mariées.
Exposition. On lui donne une situation claire, facile à protéger des rayons du soleil.
Soins. Planté à même la tablette de la serre chaude, avec une chaleur de fond, l'*Eúcharis* a trois floraisons dans l'année. Cultivé en pot, il pousse moins vite

Eúcharis grandiflóra

et fleurit moins, mais donne encore des résultats valables.
Arrosage. Planter en mars ou en août et arroser très peu au départ. Quand la végétation a bien démarré, on augmente les arrosages et on fait des apports d'engrais hebdomadaires. Créer une ambiance très humide en vaporisant souvent de l'eau sur les plantes. Température nocturne : 18 °C, température diurne : 20 °C. Baisser un peu la température pendant la floraison. Accorder un mois de repos après la floraison en arrosant très peu. Dès la reprise de la végétation, hausser d'abord la température, augmenter les arrosages un peu plus tard.
Rempotage. Une fois tous les 3 ans. Enterrer le bulbe à 4 ou 5 cm de profondeur. Utiliser un mélange de terreau de feuilles, terreau de gazon, sable grossier et vieux fumier bovin, dans le rapport 3-2-1-1.
Multiplication. En général, il se forme beaucoup de caïeux. On peut les séparer et les empoter à part. Après quelques années de culture avec chaleur de fond, ils sont prêts à fleurir.

Eúcharis grandiflóra
◐ ⊕ ⊗ ○ 🖫

Syn. *Eúcharis amazónica*. Plante vivace qui peut faire jusqu'à 50 cm de hauteur. Des bulbes ronds, à peau brune, naissent des feuilles longues d'au moins 30 cm et larges de 12 à 16 cm, vert frais, légèrement ondulées, aiguës. Ils peuvent fleurir 3 fois dans l'année : en hiver, au printemps et en été. Pétales blanc pur, coronule blanc verdâtre.

Eúcomis bícolor est une plante bulbeuse à floraison estivale.

Eúcomis

Liliáceæ

Nom. Du grec *eu*, beau, bien, et *komé*, chevelure, houppe.
Origine. Nous connaissons 10 espèces environ, toutes originaires d'Afrique du Sud.
Description. Plantes bulbeuses. Les bulbes sont généralement de forte taille. Feuilles radicales, en lanière ; fleurs verdâtres, en grappe dense surmontée d'un toupet de feuilles vertes, comme on a l'habitude d'en voir sur les ananas.
Exposition. Emplacement ensoleillé sur la terrasse, le balcon ou au jardin.
Soins. Empoter en février et faire démarrer la végétation en donnant une petite chaleur de fond. Conserver les plantes au frais (8-10 °C) jusqu'à la mi-mai, en aérant souvent. On peut ensuite les sortir, en se rappelant qu'elles poussent bien mieux en pleine terre qu'en pot.
Arrosage. Arroser généreusement en été. Diminuer progressivement les arrosages après la floraison. L'hiver est passé au sec, dans l'orangerie.
Fertilisation. En cours de végétation et de floraison, distribuer tous les dix jours un engrais dilué normalement dosé.
Rempotage. Mélange de terre limoneuse finement émiettée, terreau de feuilles et fumier de vache bien décomposé.
Multiplication. Plantation des caïeux ou semis. Ce dernier procédé demande 2 à 3 ans pour obtenir des plantes pouvant fleurir.

Eúcomis bícolor
○ ◐ ⊗ ○ ⊞
Rosettes de 5 à 6 feuilles en lanière, au bord ondulé, longues de 60 cm, larges de 10 cm. La hampe, haute de 50 cm, porte un épi de petites fleurs vert clair, accompagnées de bractées bordées de pourpre. Il est surmonté d'une touffe de feuilles vertes.

Eugénia

Myrtáceæ

Nom. Du prénom du prince *Eugène* de Savoie (1663-1736).
Origine. Il existe un petit millier d'espèces que l'on retrouve sous les climats tropicaux et subtropicaux de tout le globe.
Description. Arbres et arbustes au feuillage persistant. Feuilles opposées ou, plus rarement, alternes, coriaces, dégageant une odeur aromatique lorsqu'on les froisse. Fleurs axillaires, solitaires ou en bouquet, à 4 ou 5 pétales, blanches ou crème. Le fruit est souvent une baie juteuse ou une drupe.
Exposition. L'hiver, en serre froide. L'été, dehors, au jardin, à un endroit ensoleillé et abrité du vent, car ces plantes sont extrêmement sensibles aux courants d'air. Elles garnissent aussi très bien les terrasses et les balcons. Les espèces de serre chaude passent l'hiver en serre chaude et l'été de même, ou dans l'appartement.
Soins. Les espèces de serre froide sont cultivées comme plantes d'orangerie. On les laisse hiverner à 5 °C dans une serre froide, une véranda, un jardin d'hiver ou une orangerie, afin de favoriser la formation des boutons floraux. Si le développement est particulièrement rapide, il faudra soutenir les branches lourdes. On pratique une petite taille après la floraison. Les espèces de serre chaude exigent lumière et chaleur toute l'année ; température hivernale minimale : 14 °C.
Arrosage. N'utiliser que de l'eau douce. L'hiver, il faut conserver une légère humidité aux espèces de serre froide, sinon elles perdent beaucoup de feuilles. Les espèces de serre froide comme celles de serre chaude doivent être arrosées copieusement en été. Elles réclament un degré d'humidité de l'atmosphère modérément élevé. Dépoussiérer régulièrement les feuilles pour faciliter l'assimilation.
Fertilisation. Fertiliser tous les dix jours pendant la période de végétation et la floraison, environ jusqu'à la mi-août. Engrais dilué selon le dosage recommandé sur l'emballage.
Rempotage. Mélange de terreau de gazon, terreau de feuilles, sable plus un peu de terre de bruyère et de fumier. Les jeunes plantes doivent être rempotées tous les ans, les sujets plus âgés, tous les deux ans.
Multiplication. Les espèces de serre froide se propagent, au printemps, de boutures de pousses mi-aoûtées que l'on fait enraciner à 12-16 °C. On peut aussi essayer de prélever des boutures en automne, mais elles passent difficilement l'hiver. Les espèces de serre chaude se bouturent en mars, sur chaleur de fond de 25 à 35 °C : l'enracinement est long. Comme terre de bouturage on se sert d'un mélange de parties égales de sable et de tourbe.
Maladies. Cochenilles à bouclier et cochenilles farineuses, thrips, aleurodes.

Eugénia myriophýlla
○ ⊕ ⊗ ○ ⊞
Petit arbuste très ramifié, poussant lentement. Les feuilles étroites, linéaires, sont alternes, réunies par trois, ou opposées. Elles sont vert foncé, longues de 4 cm, larges de 3 cm, à pétiole court. Les jeunes rameaux sont couverts d'un duvet.
Eugénia paniculáta
○ ◐ ⊗ ○ ⊞
Grand arbuste ou arbre pouvant dépasser les 10 m. Les jeunes feuilles et rameaux sont d'un beau rouge. Les feuilles adultes font jusqu'à 7 cm de long. Elles sont vert foncé, luisantes, oblongues à lancéolées ; leur pétiole est court. Au printemps, les fleurs blanches, larges de 2 cm, se montrent au-dessus du feuillage. Elles sont suivies de fruits ovoïdes, rose carné. On cultive surtout la var. *austrális* qui reste plus petite.
Eugénia uniflóra
○ ◐ ⊗ ○ ⊞
Arbuste ou petit arbre. Feuilles longues de 5 à 10 cm, ovales à lancéolées, presque sessiles, arrondies à la base, pointues au sommet. Fleurs solitaires, blanches, odorantes, à long pédoncule, suivies de fruits de 1 à 2 cm de long, rouges, comestibles. Rare.

Eugénia paniculáta

Euónymus

Celastráceæ

fusain

Nom. Du grec *euônymos*, fusain d'Europe (*E. europǽus*).
Origine. Les 170 espèces viennent surtout d'Asie, d'Europe, d'Amérique centrale et du Nord et de Madagascar. La plante d'appartement, *Euónymus japónicus,* est originaire du Japon.
Description. Ce genre fournit de nombreux arbrisseaux et arbustes que l'on plante au jardin pour leur beau feuillage, leurs superbes teintes d'automne ou leurs fruits amusants. La plante d'appartement est surtout appréciée pour ses belles feuilles luisantes, quoique ses petites fleurs, lorsqu'elles sont nombreuses, ne soient pas à dédaigner.
Exposition. Ils tolèrent le soleil comme la mi-ombre. Il faut, de toute façon, leur donner un emplacement bien éclairé si l'on tient à ce que le feuillage garde ses panachures. Les mettre, autant que possible, dans un endroit frais. La chaleur leur fait perdre leurs feuilles.
Soins. Leur ménager une période de repos à 4-6 °C, d'octobre à février. On peut ensuite faire monter la tempéra-

Euónymus japónicus 'Argenteovariegatus'

ture. On peut les sortir dès avril, car ils résistent à de légères gelées nocturnes. Tailler assez sévèrement au printemps.
Arrosage. Arroser régulièrement de façon à toujours conserver la motte moyennement humide. Arroser un peu plus au début de l'été. Réduire les arrosages à partir d'août, mais ne jamais laisser sécher : les feuilles tomberaient ! Maintenir une ambiance modérément humide. Dépoussiérer de temps en temps les feuilles.
Fertilisation. Tous les quinze jours, d'avril à août. Solution d'engrais de concentration normale.
Multiplication. Boutures de tête.
Maladies. Oïdium, cochenilles à bouclier : surtout si les plantes passent l'hiver au chaud.

Euónymus japónicus
○ ◐ ○ ⊗ ○ ⊞
Fusain du Japon. Arbuste érigé, vert foncé, aux branches anguleuses. Feuilles de 3 à 7 cm, obovales, grossièrement dentées. Dessus vert luisant, dessous un peu plus clair. 'Argenteovariegatus' a un feuillage panaché de blanc ; 'Albomarginatus' a des feuilles marginées de blanc ; 'Aureovariegatus' a des feuilles vert foncé au centre jaune d'or ; 'Microphyllus' a des feuilles de 2 cm de long.

Euphórbia pseudocáctus

Euphórbia trigóna

Euphórbia grandicórnis

Euphórbia melofórmis

Euphórbia
Euphorbiáceæ
euphorbe

Nom. L'origine de ce nom est restée assez obscure. Selon Backer, c'est *Euphorbos*, médecin personnel du roi Juba II de Numidie, qui aurait découvert les vertus médicinales de *Euphórbia resinífera* et lui aurait donné son nom.

Origine. Ce genre comprend quelque 2 000 espèces, répandues dans les régions tropicales, subtropicales et tempérées en Europe, Afrique, Asie et Amérique. *Euphórbia mílii* est originaire de Madagascar. *Euphórbia pulchérrima* (le poinsettia des fleuristes) croît dans les contrées montagneuses humides d'Amérique centrale et du Mexique. Les espèces cactiformes, à tige charnue, viennent en grande partie d'Afrique.

Description. Les différentes espèces revêtent les formes les plus diverses. On trouve parmi elles des plantes herbacées, des arbustes, des arbres, mais aussi 400 espèces succulentes. Elles sont bisannuelles ou vivaces, à feuillage caduc ou persistant. Ce sont des plantes aquatiques, des plantes grimpantes, cespiteuses ou arbustives. Elles ont évidemment aussi quelques traits communs : en particulier, leur latex laiteux et leurs inflorescences très caractéristiques. Toutes contiennent une sorte de suc blanc, visqueux qui, chez certaines espèces, est très toxique : il provoque une irritation de la peau ou des ampoules. Les fleurs, quant à elles, passeraient tout à fait inaperçues n'étaient leurs bractées extraordinaires. Chez *Euphórbia fúlgens*, qui donne des fleurs à couper, elles sont flamboyantes et soudées par deux. Il en est de même chez *Euphórbia mílii*. Les fleurs femelles et mâles ont une structure très simple. Suivant l'espèce, elles sont monoïques ou dioïques.

Exposition. Les euphorbes réclament, en règle générale, une exposition ensoleillée et surtout très claire. Seul le poinsettia, lorsqu'il est en fleurs, ne supporte pas les rayons directs du soleil. L'été, on peut les mettre dehors, à un emplacement chaud et abrité, à l'exception de certaines succulentes qui ont besoin de beaucoup de chaleur toute l'année. Dans les régions froides et pluvieuses du pays, on les gardera de préférence à l'intérieur. Les espèces épineuses seront placées hors de portée des enfants. Essayer de déplacer *Euphórbia mílii* le moins possible, car il perd assez facilement ses feuilles dès qu'on le déménage.

Soins. Les bractées des poinsettia conservent très longtemps leur couleur, mais finissent pourtant par verdir et s'assimilent aux feuilles ou tombent. Après la floraison, on rabat les tiges de moitié. Saupoudrer les plaies avec des cendres ou de la poudre de charbon de bois. Mettre la plante au frais : 12-15 °C. Elle redémarrera rapidement. On peut la retailler deux ou trois mois plus tard, si on le juge nécessaire. Rempoter après la taille pour éviter le jaunissement des feuilles. Si elle a été sortie au jardin, on la rentrera vers la mi-septembre et on lui donnera une température de 17 °C. Pour refleurir, elle doit être exposée pendant deux mois d'affilée à un maximum de 10 heures d'éclairement quotidien en alternance avec 14 heures d'obscurité totale. Le poinsettia est en effet une plante de jours courts. La floraison et la coloration des bractées débutent environ au bout de 3 semaines de ce traitement. Pour le conserver longtemps fleuri, il ne faut pas dépasser une température de 18 à 20 °C. *Euphórbia fúlgens*

est également une plante de jours courts, de même que *Euphórbia mílii* qui exige, lui, un minimum de 20 °C. Le fait qu'il fleurisse aussi en été indique qu'il réagit à d'autres facteurs qu'à la longueur des jours. L'hiver, on accordera aux euphorbes une période de repos, bien que ce ne soit pas absolument indispensable. Les conditions d'hivernage doivent tenir compte de la provenance des espèces impliquées. Celles qui viennent des climats tropicaux ne doivent jamais être soumises à des températures inférieures à 12-14 °C. Les autres hivernent à 8-10 °C ; beaucoup tolèrent jusqu'à 5 °C. Plus il fait froid, moins il faut d'eau et plus la plante a besoin de lumière. Se rappeler, lorsqu'on transporte ou qu'on rempote des euphorbes, que ce sont des plantes toxiques. Si on ne veut pas prendre de risque, il faut mettre des gants.

Arrosage. Le poinsettia s'arrose régulièrement pendant sa floraison, et toujours à l'eau tiède. Par la suite, on réduit les arrosages et on le met en lieu frais. Cette plante réclame un degré d'hygrométrie modérément élevé. En appartement chauffé, il faut pratiquer de temps en temps des pulvérisations à l'eau tiède. Les succulentes demandent peu d'eau et se satisfont d'un degré d'hygrométrie peu élevé. En hiver, pendant la période de repos, on arrosera parcimonieusement ou pas du tout, selon la température. *Euphórbia mílii* n'a pas besoin de repos ; il peut passer toute l'année en appartement où on l'arrosera modérément en période de végétation, et juste assez pour empêcher la motte de se dessécher le reste du temps. Des arrosages excessifs provoquent la chute des feuilles. L'atmosphère sèche de l'appartement est exactement ce qu'il lui faut.

Euphórbia tirucálli : un spécimen d'importation.

Euphórbia pulchérrima 'Anette Hegg' aux magnifiques bractées rose vif.

Euphórbia mílii ou « épine du Christ »

Fertilisation. Le poinsettia a besoin d'une bonne fertilisation pendant sa période de végétation. De juin à la mi-septembre, on lui donnera une solution d'engrais de concentration normale, une fois par semaine. Euphórbia mílii sera fertilisé tous les quinze jours, d'avril à septembre, avec un engrais spécial pour cactus, dilué selon le dosage normal. Les euphorbes à tige succulente recevront le même type d'engrais, mais seulement de mai à la mi-août.

Rempotage. Euphórbia mílii doit être rempoté tous les ans ou tous les deux ans, tant qu'il est jeune. Plus tard, un rempotage tous les 3 ou 4 ans, dans un mélange sableux, suffira. Les succulentes se rempotent dans un mélange spécial pour cactus ou dans une terre de rempotage ordinaire du commerce, allégée de sable.

Multiplication. Le poinsettia se propage de boutures de tête faites au printemps ou en été. On les trempe dans de la poudre de charbon de bois ou de la poudre d'enracinement pour stopper l'écoulement du latex. Les planter dans un mélange de tourbe et de sable, à une température de 18-21 °C. Euphórbia mílii se bouture au printemps. Choisir des extrémités de tiges aoûtées, elles pourriront moins facilement. Les laisser sécher une journée avant de les planter dans un mélange de tourbe et de sable. Lorsqu'elles se développeront, il faudra les pincer pour obtenir de belles plantes bien ramifiées. Le semis est également possible. Les succulentes se sèment très facilement. Elles se resèment souvent d'elles-mêmes. Lorsqu'elles sont mûres, les capsules des fruits éclatent, les graines se répandent et vont souvent germer dans les pots voisins. On reconnaît très aisément la nature des jeunes plantules : il n'y a pas moyen de les confondre avec des mauvaises herbes. Le bouturage est souvent difficile. Il faut laisser les boutures sécher pendant une semaine avant de les empoter dans un mélange de 2 parties de sable pour 1 partie de tourbe. Elles pourrissent facilement et ne s'enracinent que très difficilement.

Maladies. Le poinsettia peut être attaqué par les cochenilles à bouclier et cochenilles farineuses et parfois par l'araignée rouge lorsqu'il séjourne dans une atmosphère trop sèche. Il peut aussi être ravagé par le botrytis, le thrips, la déformation des feuilles, la pourriture des racines et des boutures. L'Euphórbia mílii est parfois envahi par les cochenilles farineuses. Des changements brusques dans la température ou l'humidité ambiante entraînent la chute des feuilles. Il est aussi sujet à la pourriture du pied. Les succulentes sont la proie des cochenilles à bouclier.

Euphórbia abyssínica
○ ◑ ○ ○ ▣
Spontané en Éthiopie et en Érythrée où il devient un arbre haut de plusieurs mètres. Ses rameaux charnus, à 8 côtes, sont vert olive panaché de vert plus clair et plus foncé. Les côtes sont saillantes, ondulées, découpées et abondamment recouvertes de tubercules liégeux et de paires d'épines brun clair dont la pointe est dirigée vers le bas.

Euphórbia canariénsis
Cette espèce croît surtout sur la côte sud des îles Canaries, qui est la plus sèche. Elle y devient un grand arbuste aux nombreuses tiges dressées, colonnaires et souvent non ramifiées, à 4-5 ou 6 côtes angulaires. Les petites fleurs sont rouge brunâtre.

Euphórbia cáput-medúsæ
Silhouette très particulière qui l'a fait surnommer « tête de méduse ». Tronc court d'où partent des branches étalées presque à l'horizontale. Elles s'infléchissent légèrement pour se redresser ensuite. Involucres au bout des branches latérales. Les fleurs sont vertes.

Euphórbia cœruléscens
Port étalé, diffus, ramifié. Couleur gris bleuté très typique. Branches à 5 angles et côtes plates. Petites fleurs jaunes.

Euphórbia fúlgens
○ ◑ ⊗ ○ ▣
Arbuste atteignant 1,25 m de haut, aux branches gracieusement arquées. Feuilles vert foncé, elliptiques à lancéolées. Les rameaux grêles portent, de l'automne au printemps, des petites fleurs dressées, orangé vif ou blanches. Culture difficile. Belles fleurs à couper. Tremper la base des branches dans de l'eau bouillante pour stopper l'écoulement du latex.

Euphórbia globósa
○ ◑ ○ ○ ▣

Poinsettia aux bractées rouges : la forme la plus courante.

Plante de petite taille, facile à cultiver, ayant à la base des nodosités globuleuses prolongées par d'autres nœuds étirés, de forme obovale. La plante a l'aspect d'un amas de petits tubercules et œufs de toutes formes. Les fleurs, longues de 10 cm, vertes et frangées, naissent au sommet des nœuds. La plante entière, d'abord vert foncé, tourne au gris, puis au blanc grisâtre. Elle fleurit pratiquement tout l'été. Le Cap

Euphórbia grandicórnis
Originaire d'Afrique tropicale. Arbuste de croissance assez rapide. Tige à 3 angles sinués. Ramifications étagées. Les côtes, robustes, s'élargissent, à intervalles irréguliers, en larges ailerons minces, très découpés. Longues épines mesurant jusqu'à 7 cm, jaune clair devenant grises. Les rameaux glauques prennent avec l'âge une teinte gris plomb.

Euphórbia lophogóna
Syn. Euphórbia fourniéri. Espèce remarquable dont les tiges à 4 ou 5 angles, parfois ramifiées, se lignifient avec l'âge. Au sommet se dresse un panache de feuilles vert clair, spatulées, qui tombent assez rapidement, laissant derrière elles une cicatrice foliaire en forme de croissant. Petites fausses fleurs produisant des graines qui se projettent partout.

Euphórbia melofórmis
Plante basse, globuleuse, au sommet concave. Elle n'a pas de feuilles et ressemble fort à un cactus. Elle atteint la taille d'une grosse pomme. Corps vert à gris vert, un peu rougeâtre quand il est exposé au soleil. Fleurs jaune verdâtre.

Euphórbia mílii
Épine du Christ. Arbuste à tige succulente, portant de vraies feuilles. Il peut mesurer plus d'1 mètre de haut. Les rameaux, cylindriques, ligneux, sont parcourus de légers sillons et couverts d'épines tendues horizontalement. Feuilles vertes, obovales à spatulées, obtuses. Les fleurs ont des pédoncules visqueux et des bractées rouge clair. Plante d'une robustesse à toute épreuve. Lui donner un mois de repos après la chute des feuilles.

Euphórbia obésa
Afrique du Sud. Les jeunes plantes sont sphériques — aplaties à globuleuses ; plus tard, elles deviennent obovales. 8 côtes plates, vert pâle, couvertes de taches brunes très nombreuses, semblables à de minuscules coraux, qui divisent la plante du haut en bas en bandes régulières. Les fleurs vertes se montrent au sommet. Elles sont dioïques.

Euphórbia pseudocáctus
Arbuste ramifié dès la base. Branches à 4 angles, panachées de vert jaune. Arêtes légèrement sinuées, cornées et bordées d'épines grises.

Euphórbia pulchérrima
◐ ◑ ⊗ ○ ▣
Syn. Poinséttia pulchérrima. Poinsettia ou étoile de Noël. Grand arbuste érigé, aux feuilles mesurant jusqu'à 10 cm de long, ovales parfois rétrécies au centre, portées par de longs pétioles. Les feuilles autour des fleurs sont rouge éclatant, blanches ou saumon.

Euphórbia tirucálli
○ ◑ ○ ○ ▣
Originaire d'Asie, où il atteint jusqu'à 10 m de haut. Branches cylindriques ; rameaux vert luisant, en forme de crayon ; feuilles très étroites et fugaces.

Euphórbia trigóna
Plante succulente, en forme de candélabre. Tiges triangulaires à ailées, arêtes crénelées, panachures vert pâle ; feuilles ovales, fugaces.

Éxacum

Gentianáceæ

Nom. Du latin *exacum* ou *exacon*, employé par Pline pour désigner une centaurée (?) purgative (de *ex*, hors de, et *agere*, tirer ; ou mot gaulois ?).
Origine. Environ 40 espèces, originaires des régions tropicales et subtropicales : Asie, Madagascar, Afrique. *Éxacum affíne* a été découvert au début de ce siècle, à Socotra.
Description. Plantes herbacées annuelles, bisannuelles ou vivaces et sous-arbrisseaux aux tiges quadrangulaires. Feuilles opposées, entières, glabres, à 3 ou 5 nervures. Fleurs en cymes, donnant de très nombreuses petites graines. *Éxacum affíne* est la seule espèce répandue chez nous. C'est une bisannuelle que nous traitons comme une annuelle. Charmante petite plante, de culture facile.
Exposition. On donnera à ces cousines des gentianes un emplacement clair, pas trop chaud. Tamiser la lumière vive du soleil. Cette plante aime l'air frais : bien aérer la pièce où elle se trouve. Là où les étés sont chauds et pas trop pluvieux, elle se plaira sur le balcon ou dans un coin du jardin, chaud, clair et bien abrité. Elle redoute les courants d'air.
Soins. La température qui lui convient se situe entre 15 et 23 °C. Éliminer au fur et à mesure les fleurs fanées qui épuisent la plante. Jeter la plante après la floraison : on en rachètera une autre ou on fera un semis l'année suivante. La conservation des plantes est difficile et donne de médiocres résultats.
Arrosage. Tenir bien humide pendant tout le temps de la végétation. Lorsque la motte manque d'eau, les fleurs se dessèchent. Arroser de préférence à l'eau de pluie ou adoucie. L'atmosphère normale de l'appartement lui convient, il est donc superflu de pratiquer des vaporisations.
Fertilisation. Lorsqu'elles ont été empotées au printemps dans une terre substantielle, ces plantes se passent de fertilisation. Sinon, on fera tous les 10 à 15 jours un apport d'engrais dilué selon le dosage indiqué sur l'emballage.
Rempotage. Si la plante que l'on vient d'acheter se trouve dans un pot exigu et que ses racines occupent toute la motte, on fera bien de la rempoter aussitôt. Se servir d'une terre de rempotage vendue prête à l'emploi, et lui ajoutant un peu de tourbe et de sable.
Multiplication. En février ou mars, semer très clair les graines fines sur de la terre finement tamisée. Faire germer à l'étouffée, à 18 °C. Les plantules sont repiquées deux fois avant d'être définitivement empotées dans un terreau de rempotage du commerce ou dans un mélange de parties égales de terreau de feuilles, terre argileuse et vieux fumier bovin. Pincer plusieurs fois et planter plusieurs pieds par pot pour obtenir des potées bien fournies. Les plantes fleurissent environ 6 mois après le semis. On peut aussi semer en août. Les graines seront recueillies sur des plantes particulièrement bien colorées.

Éxacum affíne

Ⓘ Ⓢ ⊗ Ⓖ Ⓣ

Petite plante bisannuelle aux tiges glabres, érigées et très ramifiées. Feuilles opposées, ovales, vert frais, à 3 ou 5 nervures, et mesurant de 2 à

Éxacum affíne

4 cm de long. Les petites fleurs étoilées, bleu violacé, odorantes, aux étamines jaunes ressemblent beaucoup à celles de la pomme de terre. C'est pourtant une parente des gentianes. 'Atrocœruleum' a des fleurs lilas foncé et est plus beau que l'espèce.

X *Fatshédera*

Araliáceæ

Nom. X *Fatshédera* est un hybride. C'est le résultat du croisement de *Fátsia japónica* 'Moseri' et *Hédera hélix* 'Hibernica', le lierre.
Origine. Ce sont les frères Lizé, horticulteurs à Nantes qui, en 1912, réussirent cette création.
Description. Belle plante à feuillage persistant, de croissance rapide, capable de monter à 5 m si on lui donne un support. Les sujets d'un certain âge fleurissent si on les fait hiverner en local frais.
Exposition. Lui réserver un endroit frais de la maison (température nocturne : 16 °C), faute de quoi il perd les feuilles de la base. Les variétés panachées réclament quelques degrés de plus et davantage de lumière que les vertes, qui réussissent même à l'ombre. L'été, on peut aussi les exposer à l'ombre, au jardin.
Soins. Ces plantes ont tendance à se lancer à l'assaut du plafond sur une tige unique, sans ramifications. Ceux que ce trait de caractère ne séduit pas outre mesure pourront obtenir une plante touffue en effectuant des pincements. Faire hiverner en un en-

X *Fatshédera lízei*

X *Fatshédera lízei* 'Variegata'

droit assez clair, à une température d'environ 9 °C.
Arrosage. Arroser modérément, mais veiller à ne pas laisser la motte se dessécher car les jeunes feuilles en pâtiraient. Trop d'eau est également néfaste : un bain de pied intempestif se paie par la chute des feuilles de la base. Lorsque la plante passe l'hiver dans l'appartement chauffé, il faut bassiner régulièrement le feuillage afin qu'elle ne souffre pas de la sécheresse de l'air ambiant.
Fertilisation. Pendant la période de végétation, on fertilisera tous les quinze jours à l'engrais liquide foliaire ou à l'engrais spécial pour plantes d'appartement.
Rempotage. Des rempotages réguliers dans un mélange de sapinette et de vieux fumier bovin assureront la bonne croissance de la plante.
Multiplication. En août, on peut prélever des boutures de 10 cm, bien aoûtées, sur les extrémités des tiges principales ou sur les tiges latérales. Enlever les feuilles de la base et réduire les autres de moitié pour limiter la transpiration. Planter les boutures dans un mélange de terreau de feuilles ou tourbe et de sable grossier et mettre sous châssis. Elles s'enracinent avec une chaleur de fond de 18-20°. On peut aussi tremper simplement les boutures dans l'eau. Élever la température pour les variétés panachées. X *Fatshédera lízei* se propage aussi par semis effectué à la fin de mars, avec chaleur de fond.
Maladies. Thrips et araignées rouges n'attaquent les plantes que lorsqu'il y a excès de chaleur.

X *Fatshédera lízei*

Ⓘ Ⓢ Ⓢ ⊗ Ⓖ Ⓣ

Plante semi-grimpante, à feuillage persistant. Feuilles à 3 ou 5 lobes, sur des branches souples, écailleuses. Les pousses, d'abord dressées, se couchent en s'allongeant. Produit parfois, vers le mois d'octobre, des ombelles de fleurs verdâtres. La variété 'Variegata', aux panachures blanches ou jaunes, pousse plus lentement que l'espèce.

Fátsia

Araliáceæ

Nom. Probablement du japonais *hachi*, qui signifie huit, et servait aussi à désigner la plante au Japon.
Origine. Une seule espèce, d'Asie orientale.
Description. Plante ornementale de tout

Fátsia japónica

premier ordre. Ses feuilles à 7 ou 9 lobes, brunes et tomenteuses lorsqu'elles viennent de se déployer, deviennent par la suite glabres et coriaces. Les *Fátsia* sont doués d'une résistance à toute épreuve : on a le plaisir de les conserver longtemps. Les sujets d'un certain âge émettent parfois des ombelles de fleurs jaune verdâtre, insignifiantes qui, lorsqu'elles sont pollinisées, se transforment en baies de couleur sombre.
Exposition. À placer, toute l'année, en un endroit frais, non exposé au soleil, par exemple auprès d'une fenêtre claire, orientéc au nord. C'est une plante idéale pour les entrées, dégagements, vérandas ou jardins d'hiver peu chauffés. L'été, on peut la sortir à l'ombre, au jardin. Bien qu'ils ne soient pas rustiques, avec une bonne couverture les *Fátsia* peuvent même passer l'hiver dehors.
Soins. Le *Fátsia* aime qu'on lui lave les feuilles une fois par mois. Si ses feuilles jaunissent, c'est qu'il réclame un emplacement plus frais (température hivernale : 14 à 16 °C pour les variétés panachées, 12 °C pour les variétés vertes), moins de lumière, une humidité atmosphérique plus élevée et des arrosages plus équilibrés. Il est très sensible aux émanations de gaz.
Arrosage. Accorder beaucoup d'attention aux arrosages, qui doivent être copieux au moment où la plante sort de nouvelles feuilles (généralement 5 à 6 à la fois). Réduire les arrosages à partir du mois d'août. Pendant la période de repos, il faut doser les arrosages selon la température de la pièce où la plante se trouve. Ne pas laisser la motte se dessécher, mais éviter tout autant de donner un bain de pied.
Fertilisation. Fertiliser toutes les semaines, d'avril à fin août.
Rempotage. Utiliser un mélange substantiel et humifère qui soit très aéré. Par exemple : 2 parties de terreau de feuilles, 2 parties de vieux fumier bovin, 1 partie de sable grossier. Une terre de rempotage standard convient également.
Multiplication. Les variétés vertes et panachées se bouturent. Lorsque les tiges sont lignifiées, on peut également pratiquer le marcottage. La variété verte se propage de semis.
Maladies. Beaucoup de maladies, et en particulier celles qui atteignent les feuilles, sont dues à un emplacement inapproprié. Attaques d'insectes, surtout d'araignées rouges, thrips et cochenilles à bouclier.

Fátsia japónica
◑ ◔ ∞ ◔ ▣ ▣
Syn. *Arália japónica.* Arbuste à feuillage persistant, à fort développement, se ramifiant peu. Les feuilles mesurent de 20 à 40 cm de diamètre. Elles sont vert foncé et ont de longs pétioles. Ombelles composées, en octobre. 'Moseri' a un port plus ramassé et des feuilles plus

Fátsia japónica 'Variegata'

grandes. *Fátsia japónica* 'Variegata', 'Albomarginata' et 'Reticulata' sont des races panachées qui croissent plus lentement que l'espèce. Elles sont plus fragiles que les variétés à feuillage vert et réclament plus de chaleur.

Faucária
Aizoáceæ

Nom. Du latin *fauces,* gosier. Les feuilles, opposées par paire, sont disposées de telle façon que, vues de loin, elles évoquent un gosier.
Origine. L'Afrique du Sud, surtout la partie orientale de la province du Cap, en offre plus de 35 espèces.
Description. Petites plantes grasses cespiteuses, aux feuilles charnues, sessiles, superposées en croix, par paire. Les feuilles sont souvent dentées et leur surface est ponctuée d'irrégularités. Les fleurs ligulées se montrent à partir de la fin d'août. Elles sont généralement jaunes.
Exposition. Au soleil, sur un appui de fenêtre ou dehors en été.
Soins. Lorsqu'en automne les feuilles commencent à se rider, il faut accorder à cette plante une période de repos, à 5 °C, dans un endroit sec, car ses tissus sont sujets à la pourriture.

Faucária tigrína

Arrosage. En été, lorsque la plante est en pleine croissance, elle réclame beaucoup d'eau. Cesser les arrosages pendant la période de repos pour les reprendre au début de mai.
Rempotage. Rempoter tous les 3 ans, en avril, dans une terre légère composée, par exemple, de deux parties de terre de rempotage standard et d'une partie de sable grossier ou de plâtras écrasés.
Multiplication. Semer au printemps, à 21 °C ou faire des boutures de juin à août. Avoir soin de laisser sécher les boutures pendant 2 jours, pour éviter la pourriture.
Maladies. Cochenilles farineuses, pucerons des racines.

Faucária bosscheána
◯ ⊕ ∞ ◔ ◔ ◔ ▣
Feuilles vertes, luisantes, aux bords blancs, dressés, légèrement dentés. Fleurs jaunes.
Faucária felína
Feuilles gris vert, ponctuées de blanc. Fleurs jaunes à orange.
Faucária tigrína
Espèce la mieux connue. Feuilles vertes, couvertes de petits points blancs et bordées de longues dents. Mesure jusqu'à 5 cm de haut. Fleurs jaune d'or.
Faucária tuberculósa
Feuilles vert foncé, à la surface couverte de petits tubercules blancs. Hauteur : jusqu'à 7,5 cm. Fleurs jaunes.

Ferocáctus recúrvus aux aiguillons crochus, caractéristiques du genre.

Ferocáctus
Cactáceæ

Nom. Le préfixe *fero* vient du latin *ferus* qui signifie sauvage ou cruel. Ses nombreux aiguillons solides et durs confèrent à ce cactus son aspect caractéristique.
Origine. Dans les régions désertiques du sud-ouest des U.S.A. et du Mexique, ces cactus, dont on connaît 35 espèces, dressent leurs énormes tiges cylindriques sur le fond bleu du ciel.
Description. En culture, on trouve en général de jeunes exemplaires en forme de tonnelet, aux côtes très prononcées. Les aiguillons colorés sont presque toujours crochus. Les fleurs se montrent, selon l'espèce, au printemps ou en été.
Exposition. L'été, on leur donne une place en plein soleil, près d'une fenêtre orientée au sud ou à un endroit chaud du jardin : on favorisera ainsi la belle coloration des piquants. L'hiver, il leur faut un emplacement clair et frais.
Soins. Leur accorder, en hiver, une période de repos, à 5 °C : c'est essentiel pour la floraison.
Arrosage. Les garder secs de fin octobre à début mars. Après le rempotage, on peut reprendre des arrosages nor-

Ferocáctus latispínus

maux à l'eau de pluie ou adoucie. Laisser sécher la terre entre deux arrosages. Bassiner lorsqu'il fait très chaud.
Rempotage. En mars. Utiliser un mélange de rempotage spécial pour cactus. Il faut, pour la formation des aiguillons, un support de culture riche en sels minéraux. Éviter de rempoter tous les ans les sujets qui ne sont pas greffés.
Multiplication. On sème en avril, à 21 °C. Les plantules de semis devront être légèrement arrosées pendant le premier hiver. On sépare aussi les jeunes rejets.
Maladies. La pourriture s'installe l'hiver, quand les plantes sont trop arrosées. Elles sont attaquées par l'araignée rouge et la cochenille farineuse l'été, quand elles manquent d'eau.

Ferocáctus acanthódes
◯ ⊕ ⊕ ◔ ◔ ◔ ◔
Syn. *Echinocáctus acanthódes.* Densément couvert d'aiguillons roses ou rouges. Les piquants du centre mesurent jusqu'à 12 cm de long. Ils sont aplatis et tordus. Fleurs jaune orangé.
Ferocáctus latispínus
Syn. *Echinocáctus córniger.* Aiguillon central rouge vif, crochu. La tige du cactus est vert glauque et marquée d'une vingtaine de côtes. Les fleurs, rouges, ne se montrent que rarement.
Ferocáctus melocactifórmis
Syn. *Echinocáctus electracánthus.* En culture, cela reste un cactus globuleux, vert glauque, ayant au maximum 25 côtes. À l'état spontané, il se ramifie. Aiguillons fortement crochus, de couleur ambrée. Fleurs jaune clair, en juin et juillet.
Ferocáctus recúrvus
Cactus globuleux, vert frais, ayant environ 13 côtes. Aiguillons jaunâtres, celui du centre est rouge et crochu. Fleurs rose carminé, se montrant rarement.
Ferocáctus stainésii
Syn. *Echinocáctus stainésii.* Cactus sphérique, devenant cylindrique, à 15-20 côtes. Les 4 à 6 aiguillons du centre sont d'abord rouges, se ternissent à la longue et deviennent gris jaunâtre. Les aréoles portent des soies blanches. À l'inverse de *Ferocáctus latispínus,* celui-ci montre facilement ses fleurs orange.

Fícus elástica 'Schrijveriana'

Fícus austrális

Fícus

Moráceæ

Nom. Du latin *ficus*, figue.

Origine. Ce genre compte plus d'un millier d'espèces, originaires pour la plupart d'Asie et d'Afrique. On en trouve également en Amérique centrale, en Amérique du Sud et en Australie. Les pays méridionaux d'Europe ont de tout temps connu le figuier. Les espèces cultivées aujourd'hui comme plantes d'appartement viennent principalement du Sud-Est asiatique. Parfois le nom indique le pays natal de l'espèce : *Fícus austrális* (aujourd'hui *Fícus rubiginósa*) et *Fícus bengalénsis*.

Description. Peu d'espèces ont connu une expansion aussi formidable que le *Fícus* sur le marché des plantes d'intérieur. Quelle maison, quel bureau n'a pas son ou ses *Fícus* ? Il en est de toutes les formes : arbres tropicaux érigés, arbustes, épiphytes grimpants ou pendants, lianes. La majorité des espèces ont des feuilles lobées. Cette riche diversité cache des traits communs : la fleur, la forme du fruit, le latex qui ressemble à une sève blanche. *Fícus elástica* a été très longtemps la principale source du latex utilisé pour la fabrication du caoutchouc. Depuis que le caoutchouc brésilien *(Hévea),* plus productif, l'a supplanté, il n'est plus guère exploité qu'en tant que plante d'appartement. Le mode selon lequel le *Fícus* fleurit, est pollinisé et fructifié, est unique dans le monde des plantes : il n'a de comparable que le cas du *Yúcca*. À la base épaissie et charnue de la fleur naît une poche à l'intérieur de laquelle les petites fleurs unisexuées s'épanouissent : les fleurs mâles dans la partie supérieure, les fleurs femelles dans la partie inférieure. Seule une ouverture minuscule donne accès aux insectes qui se chargent de la pollinisation. *Fícus deltoídea* et *Fícus cyathistípula* sont les seules espèces du genre à fructifier en appartement, même au stade junévile.

Exposition. Le *Fícus* est une plante que l'on rencontre le plus souvent cultivée en solitaire, mais on peut l'associer à des plantations en groupe dans des grands bacs, en décorer des vitrines d'appartement ou des bureaux-paysagers. L'hydroculture lui réussit très bien. Certaines personnes utilisent même *Fícus púmila* comme rideau végétal. Le *Fícus* déteste déménager. Il faut lui choisir, une fois pour toutes, un emplacement bien éclairé, mais pas trop ensoleillé et ne plus changer d'avis. S'il montre une tendance à trop se développer dans une direction, on pourra le tourner, mais très progressivement. Il est très sensible aux courants d'air et demande une température constante. *Fícus deltoída, F. púmila* et *F. radícans* tolèrent assez bien l'ombre.

Soins. Le *Fícus* redoute les brusques changements de température et n'aime pas davantage avoir le pied mouillé ou froid (pas de température de fond inférieure à 12-15 °C). L'hiver, il devra faire ni trop chaud, ni trop froid. Pendant la période de repos, la plupart des espèces à feuillage vert se satisfont d'une température de 12 à 15 °C. Une plante saine tolérera quelques degrés de plus et pourra passer l'hiver dans l'appartement. Une température inférieure à 12 °C, si elle se prolonge, endommage la plante, surtout si elle reçoit en même temps des arrosages trop copieux. *Fícus macrophýlla* et *Fícus rubiginósa* sont des exceptions à la règle : ils préfèrent une température de 10 °C. *Fícus púmila* est moins exigeant et supporte d'être hiverné aussi bien à 5 °C qu'à 18 °C. Il faudra simplement bassiner son feuillage s'il séjourne dans une pièce chaude, sinon il se recroqueville. *Fícus áspera* et *Fícus dryepondtiána* réclament au moins 18 °C. Les espèces panachées exigent un peu plus de chaleur que les vertes. Elles sont un peu plus délicates, elles ont besoin de davantage de lumière et d'une atmosphère plus humide. *Fícus religiósa* est une espèce qui exige beaucoup de lumière.

Arrosage. Pendant la période de repos, d'octobre à février, il faut arroser peu et toujours à l'eau tiède. La fréquence des arrosages doit tenir compte de la température ambiante. Augmenter les arrosages au moment de la reprise de la végétation. Les sujets de grande taille consomment une quantité d'eau étonnante. Une règle d'or, valable à tout moment de l'année : ne jamais arroser quand la surface de la terre est encore humide et ne jamais laisser la motte se dessécher complètement. N'utiliser que de l'eau douce. Certaines espèces, c'est le cas de *Fícus lyráta* et *Fícus púmila,* exigent une ambiance plus humide que d'autres. En général, leurs feuilles coriaces leur permettent de bien résister à l'atmosphère sèche des habitations, mais toutes les espèces profitent beaucoup de bassinages réguliers.

L'été, on peut les exposer dehors, à la pluie. Les désordres auxquels les *Fícus* sont sujets n'ont généralement d'autres causes que des soins inadéquats. Il faut donc prêter une attention constante à l'arrosage, au drainage et à la température. Les *Fícus* qui ont des feuilles lisses doivent être dépoussiérés à l'aide d'une éponge, d'un chiffon ou d'un tampon de coton humides. En place d'eau, on peut utiliser un produit spécial à lustrer les feuilles.

Fertilisation. Faire des apports d'engrais dilué, de concentration normale, tous les 10 jours, à partir du moment où les jeunes feuilles s'épanouissent jusqu'à mi-août.

Rempotage. Les grands sujets ne doivent être rempotés que tous les 2 à 3 ans. Parfois, un simple surfaçage suffit. Lorsqu'on rempote, généralement en février ou en mars, il faut choisir un nouveau pot au maximum de deux tailles immédiatement supérieures, même si cela paraît petit par rapport à la plante. Mettre un tesson sur l'orifice de drainage, côté bombé dessus, pour que l'excédent d'eau puisse être facilement évacué. On peut, à la rigueur, utiliser un terreau de rempotage du commerce mais le mélange suivant est préférable : terre franche limoneuse ou terreau de gazon et argile avec adjonction d'un tiers de terreau de feuilles et, éventuellement, un peu de sable et de tourbe. Les espèces qui se ramifient naturellement peuvent être taillées : c'est le cas de *Fícus deltoídea, F. púmila* et *F. radícans*. La taille ne fera que favoriser leur ramification. Elle permet aussi de les modeler.

Multiplication. Bouturage, marcottage ou semis. Le semis, praticable en principe, est cependant difficile à réussir, car les graines importées d'Australie ou d'Indonésie ne sont pas très fiables. Semer dès réception des graines, de préférence en juin-juillet. Faire germer à la lumière, à une température de 25 °C.

On a recours au marcottage lorsqu'on a affaire à une espèce qui se bouture difficilement, lorsque les tiges de la plante se sont lignifiées, quand la plante s'est dégarnie à la base ou lorsqu'on décide d'amputer de la tête une plante d'un certain âge qui refuse de se ramifier et se rue sur une tige unique à l'as-

Fícus púmila

Fícus áspera 'Parcelli' : l'une des rares espèces à porter des fruits.

Ficus lyráta : une plante originale, à feuillage persistant, qui convient à la décoration des vastes locaux chauffés en permanence.

Fícus deltoídea portant ses fruits

bouclier. Il peut aussi avoir à souffrir des anguillules, des acariens, des pucerons des racines, de la pourriture des racines. La maladie des taches foliaires, *Glomerella cingulata*, se manifeste surtout lorsque la plante a à supporter des sautes de température importantes ou des arrosages excessifs pendant la période de repos. Cette maladie prend la forme de taches brun jaune qui creusent les feuilles et sont couvertes de petits amas de spores. Enlever immédiatement les feuilles atteintes et traiter toute la plante, à titre préventif, avec un produit fongicide. Lorsque le pied de la plante souffre du froid ou de l'humidité, le bord des feuilles se couvre de taches brun jaunâtre. Des feuilles flasques et pendantes indiquent que la plante hiverne dans un local trop chaud ou que l'arrosage laisse à désirer. Lorsque le pot est mal drainé ou que la plante reçoit trop d'eau, l'air ne peut plus pénétrer jusqu'aux racines, qui meurent. La sève ne monte plus jusqu'aux feuilles, elles deviennent molles et se mettent à pendre. En rempotant rapidement la plante dans un pot de même dimension et en éliminant les racines pourries, on parviendra peut-être à sauver la situation.

Ficus áspera

Petit arbuste aux grandes feuilles vert cendré, marbrées et velues, portant, dès son jeune âge, des figues veinées de rouge et de blanc et ressemblant à des cerises. Le cultivar le plus connu est le nommé 'Parcelli'.

Ficus bengalénsis

Syn. *Fícus índica*. Banian ou figuier banian. Ressemble à *Fícus elástica*, avec la différence que ses jeunes feuilles sont couvertes dessous de poils brunâtres. Les feuilles adultes mesurent jusqu'à 20 cm de long, elles sont velues sur les deux faces, oblongues, coriaces et vert foncé. Dans la nature, cet arbre commence souvent son existence sur d'autres arbres. Il s'ancre ensuite au sol en lançant des racines aériennes jusqu'à former, tout autour de son hôte, un cercle complet de tiges plus ou moins hautes qui, au cours des siècles, continuent à proliférer dans tous les sens jusqu'à former d'immenses couverts. En Inde et en Indonésie, les marchés, « baniyans », se tiennent souvent à l'ombre de ces arbres extraordinaires que l'on appelle aussi figuiers des banians. On raconte, à propos de Krishna, que pour permettre à la divinité altérée d'étancher sa soif, cet arbre incurva ses feuilles de façon à recueillir la rosée. Les branches grisâtres portent des feuilles vert foncé, coriaces, parcourues de nervures ivoire saillantes et affectant la forme d'une coupe irrégulière.

saut du plafond. La meilleure période se situe entre mai et août. Le marcottage s'applique surtout à *Fícus elástica* et *Fícus lyráta*. Pour la manière de procéder, consulter l'introduction générale.

Le bouturage se pratique au printemps. Prendre des boutures de tête ou des portions de tiges latérales ayant au maximum 3 à 4 feuilles. Stopper l'écoulement du latex en trempant la base de la bouture dans de l'eau ou dans de la poudre de charbon de bois. Il est très difficile de faire enraciner les boutures dans de l'eau et, lorsqu'on y réussit, le passage en milieu terreux pose de nouveaux problèmes. Les résultats les meilleurs seront obtenus par tous ceux qui possèdent une mini-serre à multiplication et qui pourront élever leurs boutures avec une chaleur de fond de 25 à 35 °C. Ceux-là pourront aussi essayer les boutures à un œil. On procède de la façon

suivante : prélever un segment de tige en coupant à 1 cm au-dessus et en dessous d'une feuille. On a une petite bouture qui comporte un bourgeon (c'est-à-dire un œil), un pétiole et une feuille. Lorsque la feuille est très grande (c'est le cas de *Fícus elástica*), on réduira les effets de la transpiration en enroulant la feuille sur elle-même et en la maintenant roulée avec un élastique. L'utilisation de poudre de croissance peut accélérer la formation de racines et empêche l'écoulement du latex. Les boutures sont plantées dans un mélange de parties égales de sable et de tourbe. Bien arroser et exposer à la lumière, mais pas au soleil. On peut aussi planter les boutures dans de la perlite pure. L'enracinement se produit en 4 ou 5 semaines. On commence alors à endurcir la plante, petit à petit, en laissant le couvercle de la serre légèrement sou-

levé pendant la journée. À l'apparition de la première nouvelle feuille, on peut éliminer avec précaution la vieille feuille et son pétiole. La nouvelle petite plante doit apprendre à se nourrir par elle-même et on la repique dans un milieu plus nutritif, composé de 50 % de terreau de feuilles et 50 % de sable grossier. Les premières semaines, on la maintient encore à l'étouffée, sous verre ou sous plastique, et on la bassine régulièrement pour créer autour d'elle une ambiance humide. Ombrer et donner un peu d'engrais une fois tous les quinze jours.

Maladies. Araignée rouge et thrips, lorsque la plante reçoit trop de soleil ou se trouve exposée aux courants d'air. Si le *Fícus* séjourne dans une pièce chaude, à l'atmosphère sèche et confinée, il pourra subir des attaques de cochenilles farineuses et cochenilles à

Fícus benjamína

Syn. *Fícus nítida.* En Inde, c'est un très grand arbre à la cime étalée et aux branches pendantes. La version pour appartement doit son port élégant à ses rameaux pleureurs et ses feuilles pendantes, mais elle ne dépasse guère 2,5 m de hauteur. Ce *Fícus* a une croissance rapide et se ramifie abondamment. Ses feuilles ne mesurent pas plus de 12 cm; elles sont vert foncé, luisantes, coriaces et sont pointues au sommet. Leur surface est souvent légèrement gondolée. Les toutes jeunes feuilles sont vert clair. *Fícus benjamína,* tout comme *Fícus religiósa,* est un parasite. Il va germer sur d'autres arbres et envoie tout autour de lui ses longues racines aériennes qui emprisonnent l'arbre qui lui a donné asile. En se développant, il étouffe complètement son hôte et usurpe sa place.

Fícus cyathistípula

Fícus rubiginósa 'Variegata'.

Fícus bengalénsis

Fícus buxifólia

Feuilles coriaces, cunéiformes, mesurant jusqu'à 6 cm de long, portées par des rameaux arqués.

Fícus cannónii

Forme un arbrisseau qui peut atteindre 3 m de haut. Feuilles de 10 à 25 cm de long, très minces et de forme variable, sur des pétioles courts. Elles peuvent être cordées, trilobées et parfois profondément découpées. Leur face supérieure est toujours brun violacé et le revers est rouge veineux. La nervure médiane et le pétiole sont rouges.

Fícus cárica

Figuier, figuier commun. Arbre au feuillage persistant, largement étalé qui, dans les régions méditerranéennes, peut facilement atteindre 10 m de haut. Les feuilles épaisses et coriaces sont palmées et leur face supérieure est rude au toucher. On le cultive en plein air jusqu'en Belgique et en Hollande, à condition de le protéger sérieusement en hiver. Les fruits apparaissent au bout de peu d'années.

Fícus cyathistípula

Plante frutescente, très ramifiée, aux feuilles vert mat, obovées, aiguës. La feuille mesure jusqu'à 25 cm de long et a des stipules vert foncé à la base. Porte des fruits dès son jeune âge. Même en culture elle produit parfois de faux fruits sphériques, de 3 à 4 cm d'épaisseur.

Fícus deltoídea

Syn. *Fícus diversifólia.* Croît en épiphyte sur d'autres arbres. Sous nos climats, c'est un petit arbuste buissonnant mesurant jusqu'à 80 cm de haut. Feuilles coriaces, mesurant jusqu'à 7 cm de long, obtuses au sommet, rétrécies à la base ; la face supérieure est vert foncé parfois taché de brun, la face inférieure est vert clair. Les faux fruits, vert jaunâtre, ont la grosseur d'un petit pois : on les voit toute l'année et déjà sur les jeunes plantes. Croissance lente.

Fícus dryepondtiána

Feuille ondulée, pointue au sommet, mesurant jusqu'à 30 cm de long. Face supérieure vert olive, envers rouge.

Fícus édulis

Petit arbuste peu ramifié, aux feuilles

Fícus elástica 'Decora'.

ovoïdes, assez minces, qui ont une teinte rouge clair au moment où elles se déploient. Au bas de la tige apparaissent des grappes de petites figues grosses comme des petits pois et qui sont comestibles.

Fícus elástica

Caoutchouc. Plante très populaire. Se ramifie difficilement. Feuille ovale, vert foncé, luisante, coriace, mesurant jusqu'à 30 cm de long. Les jeunes feuilles sont enveloppées d'une spathe rouge qu'elles perdent en se développant. Dans le commerce on trouve surtout des cultivars. Variétés à feuillage vert : 'Decora', feuille très luisante et assez large ; 'La France', feuille plus petite au sommet contourné ; 'Robusta', feuille très large. Les bourgeons foliaires sont très rapprochés, ce qui donne à la plante un port ramassé. Variétés à feuillage panaché : 'Dœscheri', feuille aux panachures très marquées, bordée de blanc, nervure médiane et pétiole rougeâtres. 'Schrijveriana' a des feuilles plus étroites aux fines marbrures vert clair, vert foncé et crème. Les parties claires ont la forme de mouchetures. 'Tricolor' a des macules irrégulières vert clair, vert foncé et crème.

Fícus lyráta

Syn. *Fícus panduráta.* Ses énormes feuilles cireuses, mesurant jusqu'à 50 cm de long, en forme de boîte à violon lui ont valu le surnom de caoutchouc-violon. Elles sont vert foncé et traversées de nervures saillantes plus claires. Leur bord est ondulé. Elles ont à leur base des stipules foncées qui persistent longtemps. La plante atteint une taille imposante, mais se ramifie difficilement.

Fícus macrophýlla

Feuilles oblongues, coriaces, au sommet obtus, mesurant jusqu'à 25 cm de long, cordées à la base, vert luisant, nervures ivoire.

Fícus montána

Syn. *Fícus quercifólia.* Arbuste rampant ou dressé en un petit buisson aux rameaux arqués. Les feuilles font environ 12 cm de long et sont assez semblables à celles du chêne. Toutes petites figues insignifiantes.

Fícus neckbúdu

Syn. *Fícus útilis.* Les feuilles ovales, de 30 cm de long, vert frais, au sommet arrondi et aux nervures blanchâtres, sont épaisses et tendues à l'horizontale.

Fícus púmila

Syn. *Fícus répens.* Tiges molles et rampantes, s'accrochant, pour grimper, au moyen de racines aériennes. On l'utilise en suspension ou comme plante rampante. Dans le commerce, on trouve le

Fícus buxifólia

plus souvent des spécimens juvéniles, aux feuilles cordées mesurant 3 cm de long et 2 cm de large et disposées de biais, sur deux rangs, le long des tiges stériles. L'arbuste adulte a un tout autre aspect : ses feuilles plus épaisses, rétrécies à la base et mesurant jusqu'à 10 cm de long sont disposées sur les rameaux fertiles qui, souvent, s'écartent des rameaux jeunes. Le cultivar 'Minima' a des feuilles minces qui font à peine 1,5 cm de long. Les feuilles de 'Serpillifolia' sont encore plus petites et oblongues. 'Variegata' a des feuilles marbrées de blanc qui verdissent facilement. Croissance lente.

Fícus radicans

Les tiges flexibles s'enracinent facilement aux nœuds, d'où le nom de la plante (*radix* = racine). Feuilles lancéolées-larges, sommet pointu, mesurant jusqu'à 10 cm de large. 'Variegata' a des feuilles plus étroites et panachées de blanc. À utiliser comme plante couvre-sol, plante grimpante ou en suspension.

Fícus religiósa

Figuier des pagodes. Les bouddhistes croient que c'est à l'ombre de cet arbre que Bouddha reçut la révélation de la Sagesse Suprême. Les feuilles, vert mat, se terminent au sommet par un appendice en forme de queue.

Fícus rubiginósa

Syn. *Fícus austrális.* Arbuste couché, s'enracinant aux endroits où les tiges touchent le sol. Feuilles oblongues, vert foncé, mesurant au moins 10 cm de long. Le dessous des jeunes feuilles est brun et velu. Plus tard, le duvet ne subsiste que sur les nervures. On cultive surtout 'Variegata', aux feuilles ovales, maculées de blanc jaunâtre.

Fícus sycómorus

Figuier sycomore. Feuilles oblongues, de 7 à 9 cm de long, cordées à la base, obtuses au sommet. Vert olive clair à foncé. Les Égyptiens utilisaient son bois pour fabriquer des sarcophages.

Fícus trianguláris

Feuilles vert foncé, de 6 à 10 cm de long, ayant la forme d'un triangle équilatéral. Elles sont attachées au pétiole par un sommet, les angles de la base sont arrondis.

Fittónia

Acantháceæ

Nom. Du nom d'Elizabeth et Sarah Mary *Fitton*, auteurs d'un livre intitulé « Conversations on Botany ».

Origine. Forêts tropicales du Pérou.

Description. Ces plantes herbacées basses sont cultivées pour leur joli feuillage panaché. Leur port peut être rampant ou dressé. Les petites fleurs jaunâtres se montrent généralement au printemps ; elles sont insignifiantes et n'ont aucune valeur décorative. Ce sont des plantes de serre chaude, que l'on utilise aussi parfois comme couvre-sol dans les grandes jardinières.

Exposition. C'est un couvre-sol idéal pour une serre ou une vitrine d'appar-

Fittónia verschafféltii 'Argyroneura'

tement. On peut le cultiver avec succès dans l'ambiance normale d'une pièce, à condition de lui trouver un emplacement clair mais non ensoleillé ou à mi-ombre, et d'entretenir un degré d'hygrométrie élevé. Les feuilles des sujets plantés en pot restent plus petites que celles des sujets plantés à même les bacs ou les tablettes.

Soins. La température idéale se situe à 20 °C. Le cultivar *Fittónia verschafféltii* 'Argyroneura' ne tolère pas une température inférieure à 16 °C ; les autres espèces supporteront un minimum de 13 °C.

Arrosage. Humidité constante et régulière, du printemps à l'automne. Tenir un peu plus sec, lorsque le temps est froid et couvert et en hiver. Arroser à l'eau tiède, adoucie : pH 4-4,5. Maintenir toute l'année une ambiance très humide autour de la plante en pratiquant de fréquentes pulvérisations. La culture du *Fittónia* pose surtout des problèmes en hiver. On parvient à créer un microclimat favorable autour de la plante en la plaçant dans un sac de plastique ou en la posant sur une soucoupe renversée dans une coupe d'eau.

Fertilisation. Mis à part les mois les plus sombres de l'hiver, on fertilisera tous les quinze jours avec un engrais fortement dilué et ne contenant pas de calcium.

Rempotage. Le *Fittónia* a un système radiculaire étalé et superficiel, c'est pourquoi on le cultive dans des récipients larges et peu profonds. On utilise un support de culture aéré et nutritif, à base de tourbe, sable grossier, argile fine ou vieux fumier de vache. Déposer une couche de drainage au fond du pot.

Multiplication. Bouturage sur chaleur de fond, au printemps. Température de la terre : 20 °C. Les rejets enracinés peuvent servir de boutures. On pince les jeunes plantes pour leur permettre de s'étoffer. Terre de bouturage : 4 parties de terre de rempotage du commerce, 1 part de sable grossier, 1 part de tourbe.

Maladies. Le *Fittónia* fait le régal des limaces.

Fittónia gigantéa

Rameaux dressés, jusqu'à 60 cm de haut. Feuilles vert foncé, à nervures rouges. Tiges rouge violacé, couvertes de 4 rangs de poils blancs.

Fittónia verschafféltii

Rameaux rampants. Feuilles ovales, vert mat, veinées de rouge carmin, mesurant de 7 à 10 cm de long. Petites fleurs jaunes en épi dressé. Assez grandes bractées. Le cultivar 'Argyroneura' a des feuilles vertes, luisantes, aux nervures blanc argenté. Chez 'Pearcei' les nervures sont encore plus rouges que chez l'espèce.

Fúchsia 'Temptation' sur tige.

Fúchsia

Onagráceæ

fuchsia

Nom. Du nom de Leonard *Fuchs* (1501-1566), botaniste et médecin allemand, auteur d'un des premiers traités de botanique.

Origine. On connaît une centaine d'espèces, originaires d'Amérique centrale et du Sud, des îles Malouines, de Tahiti et de Nouvelle-Zélande. La plupart se rencontrent dans les forêts de montagne (jusqu'à 3 000 m), autour de l'équateur. Vers 1700, Charles Plumier, explorateur français, découvrit le fuchsia en Amérique centrale. Un bon siècle plus tard, cette plante était largement cultivée en Europe.

Description. Ce genre offre une telle diversité d'espèces qu'on peut pratiquement l'adopter pour tous les usages. Les espèces rustiques sont des plantes décoratives de jardin. Les espèces tendres peuvent garnir la serre, l'appartement, le jardin d'hiver et le balcon. Les espèces érigées se cultivent en buisson ou sur tige. Les espèces pendantes ou rampantes font de belles corbeilles suspendues. Tous ces fuchsias sont admirés pour leurs magnifiques fleurs en clochettes simples ou doubles, compo-

sées d'un calice tubuleux terminé par 4 sépales étalés et d'une corolle constituée de 4 pétales partiellement superposés pour former une clochette de couleur distincte de celle du calice. Floraison principale en août-septembre, se poursuivant souvent jusqu'à fin octobre. Fruits bacciformes. La richesse des variétés suscite l'intérêt de nombreux collectionneurs, d'autant plus que ces plantes se bouturent facilement, fleurissent à profusion et répondent aux soins qu'on leur prodigue. On ne s'étonnera pas que des sociétés d'amateurs de fuchsias se soient créées dans de nombreux pays, notamment en Angleterre, en Amérique et aux Pays-Bas.

Exposition. Qu'on se rappelle que le fuchsia nous vient de forêts humides et fraîches situées en altitude, et qu'on lui donne dans la maison un emplacement pas trop chaud, à l'abri d'une insolation directe. Le faire hiverner dans un local clair et frais. Dès la mi-mai, on peut le mettre dehors, à un endroit abrité, bien qu'on puisse même le faire fleurir contre un mur orienté au nord.

Soins. Pendant le gros de l'hiver, le fuchsia se repose, en situation claire, à 6-10 °C. Le tailler légèrement au préalable. Lorsqu'on a l'intention de le bouturer au printemps, on le taille sévèrement au début de janvier, on le met à une température de 20 °C et on augmente un

Fittónia verschafféltii 'Pearcei'

peu les arrosages. Sinon, on attendra fin février pour remettre en forme les sujets dégingandés. Rabattre les rameaux à 8-10 cm de la tige principale. Si on manque de place, on pourra faire hiverner les fuchsias dehors. Creuser une tranchée de 50 cm de profondeur, déposer au fond une couche de feuilles mortes, y déposer les fuchsias avec leur pot et recouvrir de paille et de feuilles mortes. Ajouter par-dessus une petite couche de terre, c'est tout. Au printemps, on les déterre avec précaution, on les rempote et on les habitue progressivement à une température plus élevée.

Arrosage. Pour les fuchsias qui séjournent en plein air, les arrosages dépendent du temps qu'il fait. La motte doit rester humide en permanence. Utiliser de préférence des pots en plastique, qui conservent mieux l'humidité. L'hiver, on tiendra les fuchsias un peu plus secs, sans jamais laisser sécher la motte. Les fuchsias réclament une atmosphère plutôt très humide (entre 50 et 60 %), la sécheresse fait tomber les boutons floraux. C'est ce qui se passe lorsqu'on fait passer une plante directement des serres de l'horticulteur à l'appartement. Si le contraste est trop grand la plante perd ses boutons et ses feuilles au bout de quelques jours.

Fertilisation. Fertiliser tous les dix jours, de début mai à fin août. Les fuchsias qui sont cultivés en plein air apprécieront un peu de purin.

Rempotage. Après la taille, on rempote les plantes dans un mélange du commerce ou un mélange maison fait de terreau de feuilles, fumier bovin décomposé, terre argileuse et poudre de sang séché. Prendre des pots à peine plus grands.

Multiplication. Semer lorsqu'on souhaite obtenir de nouvelles variétés. Les cultivars ne se reproduisent pas fidèlement par semis. Début août, on récolte les graines et on les sème aussitôt dans un mélange de terreau de feuilles, de tourbe et de sable, sous verre. On pince une ou deux fois les jeunes plantes au cours de leur développement pour obtenir de belles touffes. Ne pas accorder de repos hivernal, mais poursuivre la culture à 10-13 °C. Un an après le semis, les nouvelles plantes sont prêtes à

Fúchsia 'El Camino'

fleurir — les résultats se concrétisent donc relativement vite.

Le bouturage réussit toute l'année, mais en général on y procède de mai à septembre pour obtenir des plantes qui fleuriront au printemps suivant, ou en février-mars si l'on veut avoir une floraison estivale : les plantes resteront alors plus petites. Début février, on commence à donner un peu de chaleur et d'eau aux plantes mères qui ont hiverné dans un local clair et frais : elles émettront bientôt des pousses tendres qui pourront servir de boutures lorsqu'elles auront atteint environ 8 cm de long. Enlever avec précaution les deux paires de feuilles à la base de la bouture et, à l'aide d'un couteau bien aiguisé, trancher la tige horizontalement, juste sous le premier œil de la base. Ces boutures s'enracinent dans l'eau ou dans un mélange de parties égales de tourbe et de sable grossier ; température de fond : 15-20 °C. On hâtera d'une dizaine de jours l'enracinement en milieu terreux en trempant la base des boutures dans de la poudre de bouturage : cette méthode permet aussi d'obtenir un système radiculaire mieux développé. Lorsque les boutures se sont bien enracinées, on les repique dans un mélange de terreau de feuilles, tourbe, terre argileuse et sable et on poursuit la culture en milieu humide et frais. Tamiser la lumière vive du

Fúchsia 'La Campanella'

soleil. Pincer à plusieurs reprises pour faire se ramifier les plantes. Si tout se passe normalement, elles fleuriront début juin. En prolongeant les pincements, on peut reculer la date de la floraison. Pincer à peine ou pas du tout les fuchsias retombants, car chez eux le but est d'obtenir de longues tiges. Planter plutôt ensemble 3 boutures dans un pot pour avoir une plante bien fournie. En mai ou juin, presque toutes les pousses auront des boutons. Choisir comme boutures des extrémités de tige ayant 5 ou 6 paires de feuilles, éliminer les boutons floraux et procéder comme nous venons de l'indiquer plus haut. On peut donner aux fuchsias retombants toutes les formes que l'on veut en pinçant, en attachant et en tordant les tiges.

Le fuchsia élevé sur un petit tronc mérite une attention spéciale. On commence par prélever des boutures en septembre. Dès qu'elles sont enracinées, on sélectionne une tige vigoureuse que l'on conduit verticalement Les rameaux latéraux sont pincés sous la première paire de feuilles. Généralement les boutures sont rempotées en décembre et février — la terre ne doit pas être sèche ! Si on désire obtenir un arbuste de 1 m de haut, on enfonce dans le pot un tuteur d'1 m. Lorsque la tige sélectionnée atteint le sommet du tuteur, on la pince. En avril-mai, il se développera à cet endroit une couronne de pousses que l'on pincera à leur tour, au-dessus de la 6e paire de feuilles. Ces pousses vont, elles aussi, se ramifier et les tiges qu'elles produiront seront pincées lorsqu'elles auront formé 5 ou 6 paires de feuilles. On renouvelle ce processus à volonté jusqu'à ce qu'on ait obtenu la forme souhaitée ; on laisse alors se former les boutons floraux. On peut, de cette façon, obtenir un petit arbre en fleurs en l'espace d'un an.

Maladies. Pucerons, botrytis, araignées rouges, mouches blanches. La rouille, *Pucciniastrum epilobii*, est provoquée par des champignons qui forment de petits amas bruns sur les feuilles. Les feuilles attaquées tombent prématurément. Éliminer toutes les parties atteintes et pulvériser une solution du Zinèbe (350 g pour 100 litres) sur les plantes. Ne jamais utiliser de substrat contenant des aiguilles d'*Abies*.

Fúchsia hybrides

L'origine des formes cultivées aujourd'hui est souvent obscure, c'est pourquoi nous parlerons de fuchsias hybrides, de façon générale. On ne trouve plus guère les espèces originales que dans les collections botaniques. Les variétés modernes peuvent être classées comme suit :
1. *Fuchsias à fleurs simples.* 'Tolling

Fúchsia 'Wassernymph'

Bell', calice rouge carmin, corolle blanche. 'Winston Churchill', grand calice rouge, corolle bleu violacé.
2. *Fuchsias à fleurs doubles.* L'un des plus connus est 'Dollar-prinzessin', calice rouge, corolle rouge et bleue.
3. *Fuchsias à tiges pendantes.* 'Mrs Rundle', long tube rose, corolle orangé vif. 'Pink Galore' aux fleurs doubles, entièrement vieux rose, est l'une des plus belles variétés.
4. Les hybrides de *F. triphýlla.* Issus de croisements avec *F. triphýlla* entrepris par l'Allemand Bondstedt. 'Gartenmeister Bondsedt', qui porte son nom, a un calice grêle orange saumoné, et un feuillage sombre, rougeâtre. Le feuillage vert olive et les calices rouge clair de 'Leverkusen' forment une ravissante harmonie.

Gardénia

Rubiáceæ

gardénia

Nom. Du nom d'Alexander *Garden* (1730-1791), médecin et naturaliste nord-américain.

Origine. Ce genre comprend environ 60 espèces, originaires des régions tropicales et subtropicales d'Asie et

Fúchsia 'Gartenmeister Bonstedt'

Fúchsia 'Pink Galore'

Fúchsia 'Cover Girl'

d'Afrique. On en trouve aussi de nombreuses espèces en Chine.

Description. Arbustes ou petits arbres à feuillage persistant ou semi-persistant, non rustiques. L'unique espèce cultivée chez nous, *Gardénia jasminoïdes,* était autrefois très recherchée pour ses fleurs coupées au parfum enivrant : on s'en servait pour la décoration des tables ou comme fleur de boutonnière. La floraison principale se produit en été.

Exposition. Les gardénias réclament toute l'année beaucoup de lumière et même un peu de soleil. Il n'y a que l'été qu'il faille les protéger du soleil ardent. À partir du début de juillet, on peut les sortir en plein air pour les rentrer au début du mois de septembre.

Soins. Les espèces à floraison estivale réclament une période de repos en hiver, à 12-15 °C. Celles qui fleurissent l'hiver exigent une température de 16 à 18 °C. Il faut éviter, dans la mesure du possible, toute variation de température. L'été, il faudra 20 à 22° pendant la journée et un minimum de 16 °C pendant la nuit. Les boutons floraux se forment à une température supérieure à 17 °C, mais leur épanouissement exige une température nocturne inférieure à 17 °C. Le gardénia redoute énormément le froid au

l'hiver, de boutures de tête non boutonnées, de 7 à 8 cm et de préférence à talon. Faire enraciner à l'étouffée, à 24-26 °C. Pincer à plusieurs reprises pour obtenir des plantes bien touffues. Le semis est possible mais beaucoup plus complexe.

Maladies. Araignée rouge, thrips, cochenille farineuse, chute des boutons, chlorose.

Gardénia jasminoïdes

Syn. *Gardénia flórida.* Petit arbuste glabre, au feuillage persistant, pouvant atteindre 1,5 m. Feuilles mesurant jusqu'à 10 cm, vert foncé, luisantes. Fleurs pleines, solitaires, blanc crème, odorantes. Fleurit l'été. 'Fortunei' a des feuilles et des fleurs plus grandes. 'Veitekii' fleurit l'hiver.

Gastéria
Liliáceæ

Nom. Du grec *gastêr*, ventre. Le tube de la corolle est ventru à la base. C'est l'une des caractéristiques qui distinguent le *Gastéria* de l'*Áloe*.

Gastéria cæspitósa

Gardénia jasminoïdes

pied. L'idéal est d'obtenir une température de fond constante de 18-20 °C pendant toute la période de végétation. Les sujets âgés peuvent être sévèrement rabattus au début du printemps, après quoi on les rempote et on augmente progressivement la température. Les plantes fleurissent surtout bien lorsqu'elles sont jeunes, il faut donc penser à les renouveler souvent.

Arrosage. Pendant la période de végétation et la floraison, on maintiendra la motte humide en l'arrosant à l'eau tiède, adoucie. Une terre trop mouillée et trop froide fait jaunir les feuilles. L'atmosphère doit être assez humide. Plus l'emplacement sera chaud et ensoleillé, plus les pulvérisations seront fréquentes.

Fertilisation. Pendant la végétation et la floraison on fera, tous les quinze jours, un apport d'engrais exempt de calcium, en respectant le dosage recommandé sur l'emballage.

Rempotage. Rempoter au printemps dans un mélange acide composé, par exemple, de terreau de feuilles, terreau de gazon et sable grossier. Les sujets d'un certain âge ne doivent être rempotés que tous les 3 à 4 ans. Attention aux racines, elles sont fragiles !

Multiplication. Bouturage, à la fin de

Origine. Les 75 espèces sont toutes originaires de l'Afrique du Sud-Ouest et du Cap.

Description. Plantes succulentes, à tige très courte ou acaules et aux feuilles distiques. Elles croissent souvent par petits groupes. Les feuilles sont planes ou trigones, épaisses, ensiformes ou linguiformes, vert foncé, vert clair ou vert cendré, couvertes de taches ou de points blancs. Grappes étroites de petites fleurs gracieuses, sur de longues hampes. Leur croissance est plus vigoureuse que celle des *Hawórthia*. Elles se distinguent encore de l'*Áloe* par le bord lisse de leurs feuilles. Ce sont des plantes de culture facile, appréciées pour leur beau feuillage.

Exposition. Ils supportent le soleil de même que l'ombre légère. L'été, on peut les faire séjourner en toute sécurité en plein air, à un emplacement chaud et abrité. A l'intérieur, ils se plaisent également dans les pièces chaudes, tempérées ou fraîches. La disposition de leurs feuilles superposées sur deux rangs leur permet de trouver refuge sur un rebord de fenêtre même très étroit.

Soins. Une période de repos favorise la floraison. D'octobre à mars, on tiendra les *Gastéria* assez secs, à une température allant de 6 à 12 °C, minimum 5 °C. Ne pas laisser les feuilles se ratatiner.

Arrosage. Ils ne demandent pas à être beaucoup arrosés, mais en période de végétation il ne faudra tout de même pas se montrer trop chiche sur l'eau. Elle leur est néfaste quand il fait froid et pendant la période de repos, car elle provoque alors la pourriture. S'ils passent l'été dans une pièce assez chaude, il faudra veiller à ce que l'atmosphère ne soit pas trop sèche : les parasites auraient tôt fait de s'attaquer à eux.

Fertilisation. Distribuer un engrais spécial pour cactées, tous les quinze jours, pendant la période de végétation. Diviser par 3 le dosage recommandé sur l'emballage.

Rempotage. Préparer un mélange lourd et perméable de terre argileuse, de terreau de feuilles et de sable grossier.

Multiplication. Le semis est possible en principe, mais les plantes s'abâtardissent rapidement et les graines ne reproduisent pas fidèlement les espèces. Les plantes qui émettent des rejets latéraux pourront être divisées ; les autres se multiplient par boutures de feuilles. Laisser sécher quelques jours et planter la base de la feuille dans du sable pur.

Maladies. Dans de mauvaises conditions de culture, les *Gastéria* peuvent être envahis par les pucerons, les cochenilles farineuses et à bouclier, les pucerons des racines, les araignées rouges et les thrips. En plein air, ils sont guettés par les cloportes et les limaces. Trop d'humidité engendre la pourriture.

Gastéria maculáta

Gastéria anguláta

Feuilles strictement distiques, charnues, mesurant jusqu'à 25 cm de long et 5 cm de large, vertes à petits points blancs incrustés en bandes transversales, surtout sur le dessus. Fleurs rouge minium.

Gastéria armstrôngii
Plante basse, à croissance lente. Feuilles vert foncé, linguiformes, rugueuses, mesurant jusqu'à 5 cm de long sur 3 cm de large. Les feuilles les plus vieilles sont arquées pointe en bas. D'abord distiques, elles forment par la suite des rosettes.

Gastéria cæspitósa
Espèce très prolifère à la base. Feuilles distiques, mesurant 10 à 14 cm de long et jusqu'à 2 cm de large, un peu renflées sur les deux faces, vert foncé, aux nombreuses taches blanc glauque formant des bandes transversales irrégulières. Fleurs rougeâtres ou rose carné.

Gastéria liliputána
L'espèce la plus naine. Feuilles vertes, tachées de blanc, mesurant jusqu'à 5 cm de long, carénées en dessous. Elles sont disposées en spirale sur une courte tige. Petites grappes de fleurs rose carné, au printemps.

Gastéria maculáta
Feuilles presque distiques, linguiformes, trigones à côtés inégaux, vertes avec des taches blanches, bord corné. Fleurit rouge.

Gastéria púlchra
Plante au feuillage dense, mesurant jusqu'à 25 cm de haut. Feuilles presque distiques, ensiformes, trigones à côtés inégaux, très aiguës, vert foncé avec des taches blanches. Fleurs rouge clair, striées de vert.

Gastéria trigóna
Feuilles mesurant jusqu'à 20 cm de long, spiralées, vertes à points blancs. Fleurs rouge minium, au tube vert.

Gastéria verrucósa
Feuilles distiques, mesurant jusqu'à 15 cm de long et 2 cm de large, concaves dessus, renflées dessous, couvertes de nombreux tubercules blancs. Fleurs rouges aux pointes vertes, en longues grappes.

Gérbera

Compósitæ

gerbéra

Nom. Du nom de Traugott *Gerber* (mort en 1743), naturaliste allemand.

Origine. Ce genre comprend environ 45 espèces qui sont originaires d'Afrique australe et d'Asie.

Description. Plantes herbacées, vivaces mais non rustiques, aux feuilles velues, lancéolées, profondément découpées et insérées en rosette. Les fleurs, semblables à des marguerites, ont des couleurs somptueuses et variées : crème, jaune, rouge feu, pourpre, etc. Elles sont de très bonne tenue en fleurs coupées.

Exposition. La meilleure façon de les cultiver est de les planter en pleine terre, en serre tempérée. On peut aussi les élever en pot, mais la floraison sera moins abondante.

Soins. Pour la plantation en pot, il faut choisir l'espèce originale, *Gérbera jamesónii,* aux fleurs simples ou doubles (ces dernières étant nettement plus belles) : elle ne donne pas de ces tiges ridiculement longues. Prendre des pots de 20 cm. Trouver un emplacement bien ensoleillé dans la serre ou près d'une fenêtre. La température ambiante ne doit pas descendre au-dessous de 16 °C en été. La température de fond doit être de quelques degrés supérieure : 22 à 25 °C. On peut l'assurer au moyen des câbles chauffants spécialement conçus pour cet usage. Un thermostat à contacteur permet de régler la température exactement selon les besoins.

Arroser les plantes quotidiennement à l'eau tiède. La floraison s'étend de juin à l'automne. L'hiver, le *Gérbera* réclame une température fraîche : 12 °C, dans une serre tempérée. Au bout de quelques années, la floraison s'appauvrit. Il faut donc prévoir le renouvellement des plantes.

Arrosage. On peut arroser copieusement en été. Il faut surtout que la motte reste humide en permanence. L'hiver, les plantes seront tenues un peu plus sèches.

Fertilisation. Une fois tous les quinze jours on ajoutera un peu d'engrais à l'eau d'arrosage.

Rempotage. En serre, le *Gérbera* est cultivé dans du sable grossier et de la terre franche argileuse. Pour la culture en pot, on préparera un mélange composé d'1 partie de terre argileuse, 1 partie de terreau de feuilles et 1 partie de fumier de vache bien décomposé. Il y a aussi des partisans des mélanges terreux, prêts à l'emploi, du commerce. Se servir, en tout cas, de pots en plastique qui limitent l'évaporation et la perte de chaleur et assurer un bon drainage. Les jeunes plantes empotées au printemps dans des pots de 20 cm peuvent y rester au moins deux ans. Après cela, on renouvelle les plantes. Le rempotage est donc pratiquement superflu.

Multiplication. Plusieurs procédés permettent la multiplication des *Gérbera.* Le semis est le mode le plus souvent appliqué par les amateurs. On le pratique en février, sur une chaleur de fond de 15-20 °C et à l'étouffée. Les plantes d'un certain âge peuvent être divisées. Le bouturage est également possible. On prend des plantes de deux ans que l'on rabat complètement et que l'on butte. Il apparaît de jeunes pousses que l'on fait enraciner sur chaleur de fond et avec le concours de brumisations.

Gérbera jamesónii

○ ◐ ☀ ⊡ ⊡

Plante vivace à racine pivotante, feuilles de 15 à 25 cm de long et 5 à 7 cm de large, plus ou moins découpées et grossièrement dentées, tomenteuses en dessous. Pétiole de 15 à 20 cm. Fleurs en capitule composé d'une trentaine de ligules, dans des teintes très variées. Hampe rigide, de 25 à 45 cm de long. 'Florepleno' est une race aux fleurs doubles. Les horticulteurs cultivent les variétés à fleurs simples, qui tiennent plus longtemps en vase. Les formes pleines sont cependant plus belles.

Glechóma hederácea

Glechóma

Labiátæ

Nom. Du grec *glêchôn*, menthe pouliot.

Origine. Ce genre comprend quelque 6 espèces qui croissent dans l'hémisphère Nord.

Description. Plantes herbacées, vivaces, aux longues tiges rampantes s'enracinant facilement aux nœuds. Feuilles rondes à réniformes, crénelées. Le cultivar panaché de *Glechóma hederácea* est utilisé comme plante d'appartement. C'est une plante très robuste, pour suspensions, que l'on cultivera avec plaisir et dont on pourra faire profiter de nombreux amis, car elle se bouture très facilement.

Exposition. Emplacement clair, abrité du soleil en milieu de journée. La panachure régresse lorsque la plante manque de lumière.

Soins. Il est conseillé de renouveler les plantes tous les ans ou de les tailler sévèrement au printemps. Faire hiverner en serre froide, à 6-10 °C.

Arrosage. Conserver la motte humide en été. L'hiver, si la plante est placée dans un local froid, on arrosera très peu. Humidité ambiante de 50 à 60 %.

Fertilisation. Apport d'engrais soluble normalement dosé, tous les 10 jours, en période de végétation.

Multiplication. Lorsqu'on laisse ramper la plante, elle émet des racines aux nœuds des tiges. Il suffit de couper la tige de part et d'autre d'un nœud pour obtenir une nouvelle plante. On peut aussi diviser des tiges non racinées en segments comportant 2 nœuds. Éliminer la paire de feuilles inférieure et planter le nœud dans un mélange de sable et de tourbe.

Maladies. Mouche blanche.

Glechóma hederácea

◑ ◐ ☀ ◐ ◐ ⊟

Syn. *Népeta hederácea.* Lierre terrestre. Plante rampante ou retombante. Feuilles velues, très odorantes au toucher, réniformes, vert frais, bordées de blanc. Fleurs bleu clair.

Gloriósa

Liliáceæ

Nom. Du latin *gloriosus*, illustre, fameux.

Origine. Afrique tropicale et Asie.

Description. Plantes grimpantes, à tubercules, vivaces, non rustiques. Elles émettent des tiges d'abord solitaires, se ramifiant par la suite et

Gloriósa rothschildiána : la fleur.

atteignent 2 m de haut. Le sommet des feuilles se termine par des vrilles au moyen desquelles les plantes, dans les bois, s'accrochent aux autres végétaux. On les cultive pour leurs magnifiques fleurs aux couleurs vives, portées par de long pédoncules, à l'aisselle des feuilles du sommet des tiges. Elles ont 6 pétales retroussés, aux bords ondulés ou plissés. On les a beaucoup cultivées pour la vente des fleurs coupées. Depuis quelques années, elles sont aussi disponibles en plantes en pot.

Exposition. Lorsqu'on reçoit une plante en fleurs, il faut lui donner une

Gloriósa rothschildiána : la plante entière.

exposition la mieux éclairée possible. Il n'est pas nécessaire de tamiser la lumière du soleil. On hiverne les tubercules dans un coffre ou dans la serre.

Soins. Éliminer les fleurs au fur et à mesure qu'elles se fanent. En automne, les feuilles jaunissent, la plante se prépare à entrer en dormance. On suspend les arrosages et on remise la plante telle quelle, avec son pot, dans une serre tempérée ou dans un coffre, à la température de 10-12 °C.

Arrosage. Motte bien humide tout le temps de la végétation et de la floraison. Arroser à l'eau tiède, utiliser de préférence de l'eau de pluie. Réduire les arrosages après la floraison et les supprimer pendant le repos. L'atmosphère sèche de l'appartement pose souvent des problèmes. Pratiquer de fréquentes pulvérisations.

Fertilisation. Fertiliser une fois par semaine, de mars en août. Diminuer de moitié la concentration recommandée sur l'emballage.

Rempotage. Éliminer la vieille terre au printemps et rempoter dans des récipients larges et peu profonds. Utiliser un mélange de terre argileuse, de terreau de feuilles et de sable grossier. Procéder avec précaution, le bourgeon est extrêmement fragile. Un tubercule produit 1 à 3 tiges par sai-

Gérbera jamesónii : l'espèce originale, à fleurs doubles.

son et disparaît, mais il est remplacé par 2 tubercules nouveaux. Pour ne pas entraver leur développement, il faut toujours planter le tubercule avec le nez le plus éloigné possible des parois du pot. Après le rempotage, donner une chaleur de fond de 20 °C. Fournir des points de support aux vrilles.
Multiplication. Semis sur couche : il faut attendre longtemps pour obtenir des plantes fleuries. La division des tubercules est une opération risquée.
Maladies. Les courants d'air et le manque de chaleur favorisent l'apparition des pucerons.

Gloriósa rothschildiána

○ ◐ ◑ ⊛ ⊙ ⊡

Floraison estivale. Fleurs rouge foncé, aux bords jaunes, ondulés. Nombreux cultivars de toute beauté.

Gloriósa supérba

Ressemble beaucoup à l'espèce précédente, mais le bord des pétales est plus plissé et les fleurs, d'abord vert-jaune, évoluent vers l'orange, puis vers le rouge écarlate.

Graptopétalum

Crassuláceæ

Nom. D'un mot grec signifiant : aux pétales peints.
Origine. On connaît 12 espèces, toutes originaires de l'Arizona et du Mexique.
Description. Genre restreint mais point dépourvu de diversité : rosettes basses, plantes frutescentes, grimpantes ou pendantes. On les cultive pour leur feuillage décoratif, leurs jolies fleurettes et peut-être aussi en raison de leur bon caractère. Inflorescence en cyme de 1 à 10 axes. Fleurs dressées, assez petites, pétales soudés sur la moitié de leur limbe, lobes étalés.
Exposition. Le plus de lumière possible toute l'année. Les *Graptopétalum* aiment le plein soleil qui accentue la coloration de leur feuillage et stimule leur floraison. En été, on peut les mettre dans un coin abrité du jardin.
Soins. Période de repos d'octobre à mars, à 5-10 °C.
Arrosage. Ces succulentes se contentent de peu d'eau. Les arroser parcimonieusement, surtout en période de dormance.
Fertilisation. Administrer un engrais très dilué (1/3 de la concentration normale) une fois toutes les 3 semaines, en période de végétation.
Rempotage. Au printemps, dans un mélange très poreux : terreau de rempotage du commerce plus sable, par exemple.
Multiplication. Boutures de tête ou de feuille. Rarement par semis.
Maladies. Pucerons, pourriture des boutures et des racines, oïdium.

Graptopétalum amethýstinum

○ ◔ ◑ ◕ ⊡

Syn. *Pachýphytum amethýstinum.* Les rosettes sont insérées au sommet de tiges couchées ou retombantes. La feuille est épaisse, pruineuse, obovale, de couleur améthyste à grise. Floraison rouge, plutôt insignifiante.

Graptopétalum paraguayénse

Syn. *Sédum weinbérgii.* Les fleurs, couleur d'opale, sont insérées en petites rosettes au sommet de tiges couchées ou retombantes, très ramifiées. Fleurs crème avec des mouchetures rouges à violettes.

Grevíllea

Proteáceæ

Nom. Du nom de Chas.F. *Greville* (1749-1809) l'un des fondateurs de la Royal Horticultural Society.
Origine. 190 espèces, originaires d'Australie. Certaines d'entre elles ont aussi leur habitat en Tasmanie, Nouvelle-Calédonie et autres îles de la Mélanésie.
Description. Arbres et arbustes au feuillage persistant et étalé. Nous ne connaissons d'eux que leurs feuilles, car sous nos climats ils ne vivent pas assez longtemps pour nous prouver qu'ils sont aussi capables de fleurir somptueusement. Les fleurs sont généralement réunies en grappes axillaires ou terminales. Le style émerge en général très nettement de la corolle et confère à la fleur son caractère particulier. On les voit parfois à l'étalage des fleuristes, vendues en fleurs coupées ou d'autres protéacées. Dans leur patrie, les *Grevíllea* peuvent devenir des arbres de 50 m de haut.
Exposition. En culture, on obtient du *Grevíllea* un port arborescent ou buissonnant, selon qu'on le taille ou non. Il mérite d'être cultivé en solitaire pour ses qualités hautement décoratives. On lui donnera un emplacement clair, où il sera à l'abri des rayons directs du soleil au printemps et en été. Une entrée claire ou une serre, où la température ne dépasse jamais 20 °C, lui conviendront particulièrement bien. Plus la température sera modérée, plus le feuillage du *Grevíllea* sera beau et compact. L'été, on peut le mettre dehors.
Soins. En hiver, les *Grevíllea* apprécient une période de repos, à 6-10 °C. S'ils se montrent particulièrement exubérants et se heurtent au plafond, on peut les rabattre : ils se ramifieront sans problème.
Arrosage. Faire des pulvérisations en été, lorsqu'il fait très chaud, pour conserver le feuillage en bonne santé. Par température moyenne, un degré d'humidité de l'atmosphère de 50-60 % est suffisant. Arroser copieusement pendant la croissance. N'arroser que modérément pendant l'hivernage.
Fertilisation. Elle est tout à fait superflue. Ces arbustes ne se développent

Grevíllea robústa : pour un bel effet, planter plusieurs pieds par pot.

que trop vite, sans que l'on ait à les encourager.
Rempotage. Les jeunes plantes se rempotent tous les ans, mais les sujets plus âgés ne sont rempotés que lorsque le pot devient trop exigu pour contenir les racines. Utiliser un terreau de rempotage du commerce que l'on additionne de sable et de terre argileuse, ou préparer un mélange de parties égales de terreau de feuilles et terre argileuse, auquel on peut ajouter un peu de vieux fumier bovin.
Multiplication. Le bouturage est assez difficile mais vaut la peine d'être tenté. Prélever, au printemps, une bouture à talon, de 8 cm, à demi-aoûtée. Faire enraciner sous châssis, avec une chaleur de fond de 18-20 °C. L'enracinement demande plusieurs mois. Le semis est plus facile. Il se pratique en janvier-février, à 18-20 °C.
Maladies. Pucerons, lorsque la température hivernale est trop élevée. Aleurodes des serres.

Grevíllea robústa

◐ ⊙ ◔ ⊛ ⊙ ⊡

Très bel arbre. En culture, c'est un arbuste. Les feuilles sont bi- ou tripennées. Les jeunes feuilles sont couvertes d'un duvet soyeux qui leur donne un reflet argenté. Plus tard, elles deviennent vert assez foncé et peuvent atteindre 45 cm. On ne voit jamais les fleurs.

Guzmánia

Bromeliáceæ

Nom. Du nom de A. *Guzman* (XVIIIe siècle), pharmacien et collectionneur de plantes espagnol.
Origine. Les 120 espèces appartenant à ce genre croissent en Amérique centrale et du Sud, plus exactement, dans les forêts tropicales du nord de l'Amérique australe.
Description. Ce genre englobe des espèces épiphytes et terrestres. Leurs feuilles, entières, forment généralement des rosettes qui recueillent des réserves d'eau. Les bractées sont vivement colorées et constituent la partie la plus décorative de la plante. Les fleurs, blanches ou jaunes, ont des pétales soudés en tube et 3 bractées. Elles apparaissent au cœur de la rosette ou sur une hampe et sont très éphémères, tandis que les bractées conservent leur couleur pendant des mois. Ces plantes fleurissent généralement de novembre à janvier.
Exposition. Étant donné le degré d'humidité de l'atmosphère qu'ils exigent, les *Guzmánia* se prêtent surtout à la culture en vitrine d'appartement et en serre chaude. L'été, on les place

Graptopétalum amethýstinum

Grevíllea. Détail : la feuille.

Guzmánia mínor 'Orange Variegata'

à un endroit légèrement ombragé et l'hiver, on leur donne le plus de lumière possible.

Soins. Le printemps et l'été, ils réclament de la chaleur. L'hiver, le thermomètre ne doit pas descendre au-dessous de 16-18 °C. Les rosettes meurent après la floraison. On les multiplie au moyen des rejets qui apparaissent au pied de la plante-mère et que l'on sépare au moment où cette dernière se flétrit.

Grâce à l'utilisation de régulateurs de croissance, on parvient à mettre toute l'année sur le marché des *Guzmánia* en fleurs.

Arrosage. Dans une pièce normalement chauffée, de fréquentes pulvérisations s'imposent. On applique également le procédé de la soucoupe renversée dans une coupe d'eau ou on se procure un humidificateur. Il faut toujours arroser à l'eau tiède (eau de pluie ou adoucie). Arroser généreusement en période de végétation, mais tenir un peu plus sec pendant l'hiver. La rosette ne sera remplie d'eau qu'en été, sauf si le *Guzmánia* passe l'hiver dans une pièce chauffée. Veiller à ce que le cœur de la rosette ne se mette pas à moisir. De toute façon, il faut s'abstenir d'y verser de l'eau à partir du moment où la fleur commence à se montrer. Bassiner souvent pendant la période de végétation, en particulier à l'apparition de nouvelles feuilles. Suspendre les pulvérisations en hiver.

Fertilisation. Pendant la période de végétation, on fertilisera tous les quinze jours avec une solution d'engrais très peu concentrée (la moitié de la concentration recommandée sur l'emballage). Verser la solution dans l'entonnoir de la rosette ou utiliser un engrais foliaire.

Rempotage. Rempoter les jeunes plantes dans un mélange acide et léger de racines de fougère, de sphagnum, de terreau de feuilles de hêtre et d'un peu de sable grossier. Utiliser des pots de plastique bien drainés.

Multiplication. Séparer de la plante mère les jeunes pousses enracinées et les empoter. On peut aussi semer à une température minimum de 15 °C.

Guzmánia angustifólia
🄸 🄶 ∞ 🄶 🄣
Plante cespiteuse, aux feuilles mesurant 8 à 12 cm de long et un bon centimètre de large, parcourues de vert et de rouge. Inflorescence portée sur une hampe courte, bractées rouge clair, plus foncées vers le sommet, fleurs jaune clair.

Guzmánia hybrides
C'est à cette catégorie qu'appartiennent, entre autres, les hybrides très connus que sont 'Intermedia' et 'Magnifica' : ce dernier conserve ses magnifiques bractées rouge écarlate pendant au moins 6 mois. Fleurs blanches ; feuilles vert tendre, panachées de rouge.

Guzmánia lindénii
Plante acaule qui forme une grande rosette en entonnoir. Son inflorescence peut atteindre 2 m de haut. La feuille peut mesurer jusqu'à 70 cm de long et 5 à 7 cm de large, elle est aiguë, vert jaunâtre et marquée de petits traits vert brun formant des bandes transversales.

Guzmánia lingulàta
Rosette mesurant jusqu'à 80 cm de large et 30 cm de haut. Les feuilles sont vert clair, luisantes, étroites, nervurées. La base est striée de traits rouge vineux. Épi de fleurs blanc jaunâtre, entouré de bractées rouge

feu, longues de 65 mm, triangulaires, étalées. Hampe de 30 cm. 'Splendens' a des feuilles aux striures rouges plus prononcées.

Guzmánia mínor
Petites rosettes compactes, ne dépassant pas 20 cm de haut. Les feuilles ont 12 cm de large et sont souvent parcourues de rouge. L'inflorescence ne dépasse généralement pas du feuillage et est enveloppée de bractées rouge clair. Petites fleurs blanches.

Guzmánia monostáchya
Syn. *Guzmánia trícolor*. Fait jusqu'à 45 cm de haut. Les feuilles, vertes, étroites, légèrement concaves, forment une rosette mesurant parfois jusqu'à 75 cm de diamètre. La hampe florale se dresse au-dessus des feuilles et est entourée de bractées ovales-larges, aiguës, brun vert, presque noires à la base. Les bractées du sommet sont rouge vermillon. Les fleurs, blanches, dépassent à peine des bractées. On cultive surtout 'Variegata' qui a des feuilles striées longitudinalement de blanc.

Guzmánia záhnii
Rosettes lâches de feuilles linguiformes, aiguës, vert jaunâtre à vert rougeâtre, rayées de rouge longitudinalement. La hampe atteint jusqu'à 40 cm. Elle est couverte de haut en bas de feuilles caulinaires. Bractées et fleurs jaunes.

Gymnocalýcium
Cactáceæ

Nom. Du grec *gymnos*, nu, et *kalyx*, calice. Le tube de la fleur est entièrement nu et entouré de larges écailles à bord blanc.

Origine. Ce genre comporte plus de 50 espèces, toutes originaires d'Amérique du Sud. On rencontre surtout de nombreuses espèces en Argentine.

Description. Cactus à tige solitaire ou prolifère, généralement globuleux-aplatis ou légèrement cylindriques. Leurs côtes sont plus ou moins couvertes de gibbosités. Ils n'ont pas de poils, mais possèdent, par contre, des aiguillons souvent remarquablement décoratifs et comme appuyés contre la tige. Les fleurs en entonnoir naissent autour du sommet. Elles sont blanches, jaunes, verdâtres ou rouges. Elles sont pourvues d'un long tube couvert extérieurement d'écailles en forme de demi-lune. La plupart des espèces fleurissent très jeunes. Le genre est devenu très populaire

depuis que les Japonais ont inondé le marché des cultivars spectaculaires de *Gymnocalýcium mihanovíchii* var. *friedríchii*. On les achète dans les supermarchés comme petites plantes de durée éphémère. Ils sont commercialisés sous toutes sortes de noms fantaisistes comme 'Yellow Cap', 'Orange Cap', 'Red Cap', 'Black Cap', 'Oprima Rubra'. Ces petites calottes sont dépourvues de chlorophylle et ne peuvent survivre que greffées sur d'autres cactus verts. Ces pompons colorés peuvent aussi produire des fleurs.

Exposition. Un emplacement clair, à l'abri des rayons directs du soleil au printemps et en été. Pour l'appartement ou la serre.

Soins. Observer une période de repos d'octobre à mars, à 6-10 °C.

Arrosage. Arroser modérément en été. Arroser très parcimonieusement pendant l'hivernage, juste assez pour empêcher les tiges de se ratatiner. Ces cactus tolèrent parfaitement l'atmosphère sèche de l'appartement. En été, lorsqu'il fait très chaud, quelques pulvérisations pourront leur être bénéfiques.

Fertilisation. Il n'est pas indispensable de fertiliser. On peut faire un petit apport d'engrais spécial pour cactus, tous les quinze jours, en se conformant aux indications fournies sur l'emballage.

Rempotage. Une terre substantielle, très perméable. Une terre spéciale pour cactus est parfaite.

Multiplication. La plupart des espèces émettent des rejets. On peut les séparer avec précaution de la plante-mère et les bouturer. Les variétés colorées doivent être greffées. On taille transversalement le greffon et le porte-greffe et on les fixe fermement l'un sur l'autre. *Trichocéreus spachiánus* et *Eriocéreus jusbértii* sont d'excellents porte-greffe.

Gymnocalýcium andréæ
🄸 🄶 ∞ 🄾 🄶 🄣
Syn. *Echinocáctus andréæ*. Espèce naine, tige globuleuse-aplatie, glauque foncé, mesurant jusqu'à 40 mm de diamètre. Environ 8 côtes légèrement tuberculées, courts aiguillons brun noir, légèrement aplatis contre la tige. Les fleurs font jusqu'à 45 mm de long ; elles sont jaune verdâtre à l'extérieur et jaune soufré à l'intérieur

Gymnocalýcium baldiánum
Syn. *Echinocáctus baldiánus*. Contrairement à l'espèce précédente, ce cactus n'est pas prolifère. Tige globuleuse-aplatie, glauque, de 7 cm de diamètre ; 9 à 12 côtes tuberculées, aiguillons par 5, jaunâtres, appuyés contre la tige. Donne

Guzmánia záhnii

Gymnocalýcium denudátum

Guzmánia lingulàta

Quelques échantillons de *Gymnocalýcium* : les pompons colorés doivent toujours être greffés.

assez rapidement des fleurs rouge pourpre.

Gymnocalýcium brúchii
Syn. *Gymnocalýcium lafaldénse*. Espèce très prolifère, de 2 cm de diamètre, à 8-12 côtes interrompues ; aiguillons blancs, crochus. Fleurs rose tendre avec une bande sombre au centre.

Gymnocalýcium denudátum
Mesure jusqu'à 20 cm de haut, sphérique, vert foncé luisant. 5 larges côtes planes. Les aréoles portent des aiguillons jaunes, crochus, appuyés contre la tige. Fleurs de 5 à 8 cm de long, blanches ou roses. Il en exite divers hybrides.

Gymnocalýcium gibbósum
Syn. *Echinocáctus gibbósus*. Espèce à tige haute de 20 cm, glauque, à 9-12 côtes tuberculées et 7 à 10 aiguillons brun clair. Fleurs blanc rosé.

Gymnocalýcium mihanovíchii
Syn. *Echinocáctus mihanovíchii*. Tige de 3 à 5 cm de diamètre, vert gris lavé de rouge, à bandes transversales. Petits aiguillons crochus et fleurs vert jaunâtre. La var. *friedríchii* a des fleurs roses. Les deux ne prospèrent chez nous qu'en étant greffés.

Gymnocalýcium multiflórum
Syn. *Echinocáctus multiflórus*. Tige globuleuse-aplatie, glauque, à 10-15 côtes tuberculées, mesure jusqu'à 15 cm de diamètre. Aiguillons jaunes, mesurant jusqu'à 3 cm de long, dressés, souvent teintés de rouge à la base. Fleurs blanc rosé.

Gymnocalýcium quehliánum
Syn. *Echinocáctus quehliánus*. Tige globuleuse-écrasée, vert gris, devenant brune au soleil, 8-13 côtes tuberculées, aiguillons crochus par 5. Fleurs blanches à gorge carmin, mesurant jusqu'à 7 cm de long.

Gynúra aurantíaca

Gynúra
Compósitæ

Nom. Du grec *gynê*, femme, et *oura*, queue.

Origine. Ce genre comprend environ 25 espèces, originaires des zones tropicales de l'Asie.

Description. Plantes herbacées ou frutescentes, aux feuilles opposées. Les fleurs sont jaunes, orangées, bleues ou pourpres et le calice est tubuleux à campanulé. En culture, nous ne connaissons que les espèces aux feuilles vertes, couvertes d'un duvet violet qui leur donne un aspect velouté. Ce sont d'excellentes plantes, à port rampant ou dressé, qui se laissent facilement bouturer. On tire parti de leur couleur originale pour animer les plantations en groupe dans les grandes jardinières.

Exposition. Leur donner toute l'année une exposition aussi claire que possible. Protéger les plantes du soleil ardent au printemps et en été, car il peut provoquer des brûlures sur les jeunes feuilles. Il faut beaucoup de lumière pour conserver au duvet sa jolie coloration. Placés trop à l'ombre, les *Gynúra* sont envahis par les pucerons, les feuilles verdissent et les fleurs se font rares. Les courants d'air leur sont tout aussi intolérables. L'été, ils peuvent séjourner indifféremment dans la maison ou le jardin.

Soins. En hiver, l'aspect des *Gynúra* se dégrade à cause du manque de lumière. En fait, seules les jeunes plantes sont très belles et il faut penser à faire fréquemment des boutures. Si on souhaite les faire hiverner,

on leur ménagera une température diurne de 15-18 °C. La nuit, le thermomètre ne doit pas descendre au-dessous de 12 °C. Arroser juste assez pour empêcher les tiges de devenir flasques.

Arrosage. En période de végétation, le *Gynúra* réclame des arrosages très copieux. Ne jamais mouiller le feuillage, ni par arrosages, ni par pulvérisations : il se couvrirait de taches. Arroser modérément en hiver. Un degré hygrométrique ambiant de 50 à 60 % est suffisant.

Fertilisation. En période de végétation, administrer, une fois toutes les 3 semaines, une solution d'engrais très légère (diviser par deux la concentration recommandée par le fabricant). Une croissance trop vigoureuse atténue la coloration du feuillage.

Rempotage. Empoter les toutes jeu-

Gynúra aurantíaca. Détail : les fleurs.

nes plantes dans un mélange de terreau de feuilles, de terre argileuse et d'un peu de vieux fumier bovin.

Multiplication. Prélever, au printemps et en automne, des boutures de tête de 10 cm. Elles s'enracinent très facilement dans l'eau ou dans un mélange de tourbe et de sable, avec une légère chaleur de fond.

Maladies. Pucerons.

Gynúra aurantíaca
Hauteur : 50 à 100 cm. Plante entièrement couverte d'un duvet violet. Feuilles vert foncé, triangulaires à ovoïdes, de 15 cm de long, souvent peu découpées. Capitules de fleurs orange.

Gynúra procúmbens
Syn. *Gynúra sarmentósa*. Semblable à l'espèce précédente, mais les tiges sont rampantes ou pendantes et les feuilles plus profondément découpées. Fleurs jaune orangé ayant, au début, une odeur désagréable. Elles évoluent en petites clochettes au duvet argenté, contenant les graines.

Hæmánthus multiflórus : l'inflorescence.

Hæmánthus

Amaryllidáceæ

Nom. Du grec *haima*, sang, et *anthos*, fleur. L'espèce la plus connue a des fleurs rouge sang.

Origine. Environ 50 espèces, d'aspect très divers, croissent en Afrique, d'Abyssinie au Cap.

Description. Plantes bulbeuses, aux formes diverses. Parmi les mieux connues, l'une a des feuilles épaisses et larges, semblables à celles du *Clívia* et des fleurs blanches, l'autre, des feuilles plus minces et une grande fleur rouge.

Exposition. Toutes s'accommodent d'un emplacement éclairé dans l'appartement.

Soins. *Hæmánthus álbiflos* est une plante d'appartement vivace, robuste, qui ne perd jamais complètement ses feuilles. Il supporte le plein soleil mais tolère également un peu d'ombre. L'hiver, il réclame une température assez fraîche se situant entre 12 et 15 °C. C'est une plante qui ressemble au *Clívia* et qui, malheureusement, est devenue assez rare. *Hæmánthus katharínæ* conserve aussi partiellement ses feuilles. Pour les autres espèces, qui ont un feuillage totalement caduc, on réduit très fort les arrosages dès l'automne. Le bulbe est conservé dans son pot, à une température minimale de 12 °C. On le rempote au printemps et on le remet en végétation, exactement comme pour l'*Hippeástrum*.

Arrosage. La terre doit être modérément humide, sans plus. L'hiver, on laisse sécher les espèces à feuillage caduc ; on conserve une humidité légère aux autres. Au printemps, on débute par des arrosages très parcimonieux que l'on augmente très progressivement.

Fertilisation. L'été, on peut fertiliser toutes les espèces deux fois par semaine, jusqu'à fin juillet.

Rempotage. Le meilleur mélange est constitué de parties égales de terreau de feuilles, terre argileuse et fumier de vache décomposé. Les plantes supportent assez mal le rempotage, c'est pourquoi on se contente souvent de remplacer la couche de terre superficielle. Un rempotage au cours duquel la motte reste intacte n'endommagera pas la plante. Assurer un bon drainage. Ne pas enterrer le haut du bulbe.

Multiplication. Il est possible de diviser *Hæmánthus álbiflos*, mais il est conseillé de ne pas le faire aussi longtemps que ce n'est pas absolument indispensable. Les feuilles que l'on coupe et qu'on laisse reposer dans une pièce à l'atmosphère sèche produisent souvent des plantules le long de la plaie : on peut les prélever et les empoter séparément. Les autres espèces se propagent par division des caïeux, que l'on sépare du bulbe au moment du rempotage. Enfin, on peut aussi semer.

Hæmánthus álbiflos

○ ⊕ ⊗ ◷ ▣

Bulbe épais de 7 cm. Pas de pétioles. 2 à 6 feuilles assez épaisses, de 15 à 20 cm de long et de 8 cm de large, vert foncé, disposées sur 2 rangs. Fleurs blanches en capitule de 5 cm de diamètre, formant une houppette. Bractées blanches veinées de vert. La var. *pubéscens* a des feuilles velues.

Hæmánthus x hybridus

Croisement de *Hæmánthus katharínæ*

et *Hæmánthus puníceus*. Chaque bulbe donne 5 à 10 feuilles vertes, ovales, mesurant jusqu'à 30 cm de long et 15 cm de large. Long pétiole dressé et spathe abondamment tachée de violet. Hampes plus longues que les feuilles, portant une fausse ombelle de 25 cm de diamètre, aux fleurs très nombreuses. L'inflorescence est entourée de 6 bractées vertes, étalées. Les fleurs ont un tube et des lobes rouges. Désigné sous le nom de 'Prince Albert'.

Hæmánthus katharínæ

Espèce proche de l'espèce citée ci-après, mais les feuilles se montrent pendant la floraison et les divisions de la corolle sont aussi longues que le tube.

Hæmánthus multiflórus

3 à 5 feuilles portées par un faux pétiole court ; elles sont ovales, mesurent jusqu'à 25 cm de long et apparaissent après la floraison. La spathe est souvent marquée de quelques taches. Les fleurs forment de fausses ombelles globuleuses, de 20 cm de diamètre ; elles sont accompagnées de 4 bractées vert clair, maculées de violet. Les fleurs sont rouges et les divisions de la corolle, deux fois plus longues que le tube. Le cultivar 'Superbus' a des fleurs encore plus grandes et d'un rouge plus prononcé.

L'inflorescence de *Hæmánthus álbiflos*.

Hamatocáctus setispínus

Hamatocáctus

Cactáceæ

Nom. Du latin *hamatus*, muni de crochets.

Origine. On en trouve 3 espèces au Mexique.

Description. Cactus globuleux ou légèrement cylindriques. Grand aiguillon central recourbé en forme de crochet. Plantes faciles, donnant à profusion des fleurs énormes.

Exposition. Comme les autres succulentes, ces cactus donnent toute leur mesure dans une serre froide, où ils bénéficient du soleil et de la chaleur en été et d'une température proche de 0 °C en hiver. Dans ces conditions, ils fleuriront abondamment.

Soins. On peut aussi, si on le souhaite, cultiver ces cactus sur un appui de fenêtre ensoleillé. On commencera par les sortir des petits pots dans lesquels ils sont vendus, pour les rempoter dans des pots en plastique qui conservent mieux l'humidité de la motte et permettent aux racines de se constituer une réserve. Dès que l'hiver s'annonce, la collection doit émigrer vers des lieux plus frais où leur sera assurée une température minimum de 5 °C, jusqu'à l'arrivée du printemps. Au retour des beaux jours, on protègera les plantes du soleil jusqu'à ce qu'elles s'y soient de nouveau acclimatées et que leur végétation redémarre.

Arrosage. Tenir la terre modérément humide en été, la laisser pratiquement sécher en hiver.

Fertilisation. Ne donner de l'engrais qu'en été et le choisir pauvre en azote.

Rempotage. Utiliser le mélange standard pour cactus, qui se compose de 50 % de terre de rempotage ordinaire et de 50 % de perlite. Il a le pH requis, et est drainant tout en retenant ce qu'il faut d'humidité. Les jeunes plantes sont rempotées tous les ans, les plus âgées, tous les 2 ou 3 ans.

Multiplication. Semer au printemps, sous châssis. Utiliser un terreau stérilisé. La germination se fait parfois attendre. Repiquer les plantules séparément. Les premiers mois, il faudra protéger les petits cactus contre l'insolation.

Hamatocáctus hamatacánthus

○ ⊕ ⊗ ◷ ▣

Tiges globuleuses, mesurant jusqu'à 30 cm de diamètre ; environ 13 côtes garnies d'aiguillons blancs. Les aiguillons du centre, au nombre de 1 à 4, sont rougeâtres, crochus et mesurent jusqu'à 12 cm. Les fleurs, qui font jusqu'à 7 cm de long, sont jaune clair à gorge rouge. On le classe aussi parmi les *Ferocáctus*.

Hamatocáctus setispínus

Cactus sphérique, pouvant faire 10 cm de diamètre et s'allongeant, avec l'âge, jusqu'à 15 cm. 12 à 15 côtes, aiguillons blancs ou brunâtres, 1 à 3 piquants bruns et crochus au centre. Fleurs de 7 cm de diamètre, jaunes, rouges à la base.

Hamatocáctus uncinátus

Cylindre court, mesurant jusqu'à 20 cm de haut, de couleur glauque foncé. 9 à 13 côtes tuberculeuses, pourvues d'aiguillons crochus, rouges au départ. Fleurs rouge brun.

Harpephýllum

Anacardiáceæ

Nom. Du grec *harpê*, faucille, et *phyllon*, feuille. Les folioles sont en effet falciformes.

Origine. À notre connaissance il existe 2 espèces en Afrique australe.

Description. Plante d'appartement assez peu répandue. En fait, c'est un véritable arbrisseau d'intérieur et il commence à susciter quelque intérêt. Ses feuilles sont pennées et massées à l'extrémité des rameaux. Il produit des fruits à noyau comestibles qui ressemblent à de grosses olives, mais nous sont inconnus à ce jour.

Exposition. Nous avons, ici, de nouveau affaire à une plante d'orangerie qui doit normalement hiverner au froid et que l'on essaie de nous vendre comme plante d'appartement. Il ne faut pas pour autant en tenir rigueur au fleuriste : la même expérience a été tentée avec d'autres plantes... et a parfois abouti à une réussite : que l'on songe à l'*Hibíscus.*

Soins. Cette plante n'est certes pas rare dans les jardins botaniques, mais on connaît encore assez mal son comportement en tant que plante d'intérieur. Normalement, il faudrait la traiter de la manière suivante : à partir de début mai, on la sort en plein air, à un endroit ensoleillé ou, tout au moins, très clair et abrité, où elle passe tout l'été. À l'automne, on la rentre en serre froide avant les premières gelées nocturnes et on veille, l'hiver, à ne pas laisser le thermomètre descendre au-dessous de 5 °C. Au printemps, on s'efforce de maintenir la température de la serre aussi bas que possible, en aérant souvent, pour retarder au maximum le départ de la végétation. Aussitôt que tout risque de gel est définitivement écarté, la plante reprend sa place dehors. Si on essaie d'acclimater l'*Harpephýllum* à l'intérieur, il est évident que les problèmes seront plus difficiles à résoudre en hiver qu'en été. Il faudra lui donner un éclairement maximum en l'approchant le plus près possible d'une fenêtre, quitte à tamiser la lumière entre 11 h et 14 h. En hiver, il faudra lui trouver un local aussi frais que possible : un garage clair, où il ne gèle pas, pourra convenir. Faire de fréquentes pulvérisations.

Arrosage. En été, conserver à la plante une humidité modérée et constante. L'hiver, quand la température est basse, il faut laisser la terre sécher, mais la plante doit conserver son feuillage. On peut arroser à l'eau du robinet.

Fertilisation. Apports d'engrais une fois tous les quinze jours, en été.

Rempotage. Utiliser un mélange contenant de l'argile ou essayer une terre de rempotage ordinaire. Les caisses et les pots (surtout ceux en plastique) doivent être bien drainés.

Multiplication. On propage l'*Harpephýllum* de graines importées. Elles germent sur chaleur de fond. On cultive les plantes pendant deux ans dans la serre chaude, puis on commence à les endurcir.

Harpephýllum cáffrum

Dans son habitat naturel, c'est un arbre de 10 m. Feuilles persistantes, coriaces, luisantes, pennées, à 11-15 folioles lancéolées, légèrement falciformes, à nervure médiane peu apparente.

Hatióra cylíndrica

Hatióra

Cactáceæ

Nom. Anagramme du nom de Thomas *Hariot* (XVIe siècle), botaniste anglais.

Origine. On trouve 4 espèces dans le sud-ouest du Brésil.

Description. Petites plantes très curieuses, aux très nombreux rameaux cylindriques, articulés. Elles rappellent beaucoup certaines espèces de *Rhípsalis,* mais leurs articles sont plus ronds, plus claviformes.

Exposition. L'été, on cultive les *Hatióra* en plein air ou dans la serre ; l'hiver, dans la serre ou dans l'appartement.

Soins. On leur prodigue les mêmes soins qu'aux *Zygocáctus.* L'été, on les laisse se développer à l'ombre. Les pots peuvent fort bien être suspendus aux branches basses d'un arbre. L'important, c'est de faire reposer la plante au frais avant la floraison. On lui accordera ce repos de préférence en septembre-octobre, à l'abri du gel. On cesse complètement de les arroser pendant 6 à 8 semaines. Il faut attendre l'apparition des boutons floraux pour reprendre progressivement les arrosages. Ménager une seconde période de repos, à basse température, et sortir au jardin en mai.

Arrosage. Pendant la période de végétation, on conservera à la plante une humidité modérée et constante, surtout en la baignant. Ne pas arroser du tout au cours de la première période de repos et à peine pendant la seconde. Toujours utiliser de l'eau de pluie.

Fertilisation. Fertiliser deux fois par semaine en été.

Rempotage. Le meilleur des mélanges est constitué de terreau de feuilles, sphagnum et fumier de vache décomposé. Planter en petites corbeilles à suspendre.

Multiplication. Bouturer des articles que l'on a d'abord laissé sécher, ou semer.

Hatióra cylíndrica

Cactus épiphyte, très ramifié, aux articles vert pâle, tachés de rouge, longs de 2 à 3 cm et de section circulaire. Fleurs rouge orangé.

Hatióra salicornioídes

Syn. *Rhípsalis salicornioídes.* Rameaux articulés, formés d'articles longs de 3 cm, insérés en couronne par 3 ou 5, rétrécis à la base, à section circulaire de 1 cm, jaunes, devenant rose carné.

Harpephýllum cáffrum s'intègre avec bonheur à un intérieur moderne. Luminaires de Martinelli.

Hawórthia

Liliáceæ

Nom. Du nom de Adrian Hardy *Haworth* (1768-1833), botaniste anglais.

Origine. Les 160 espèces connues croissent surtout dans la province du Cap.

Description. Plantes succulentes, aux feuilles insérées en rosette, ressemblant à l'*Áloe* et au *Gastéria*. Certaines espèces ont de petites fenêtres sur leurs feuilles. Dans leur pays d'origine, ces plantes sont presqu'entièrement souterraines, seules les petites fenêtres au sommet des feuilles interceptent la lumière.

Exposition. Les espèces à feuilles non transparentes sont des plantes d'appartement faciles, que l'on tient un peu à l'abri de l'insolation. Les espèces à fenêtres sont des spécimens de collectionneurs, qu'il faut cultiver en serre tempérée.

Soins. On trouve assez couramment les espèces aux feuilles opaques, souvent couvertes de petits tubercules blancs. Elles se plaisent en appartement, pourvu qu'elles ne reçoivent pas trop de soleil. Leur période de repos tombe en hiver et dès octobre, il leur faut des températures basses ne dépassant pas 10 à 12 °C. On les met dans une pièce fraîche, à proximité d'une fenêtre au vitrage simple et on réduit les arrosages.

Les espèces translucides se reposent pendant notre été et leur végétation reprend généralement en octobre. L'hiver, elles ont donc besoin d'un peu de chaleur : 16 °C, et d'humidité. La lumière leur est indispensable en toutes saisons et on les expose en plein soleil. En observant strictement l'alternance de leurs périodes de repos et de croissance, on peut réussir leur culture en appartement chauffé modérément. Mais ce sont des plantes rares. On ne se les procure que chez des spécialistes de plantes grasses. Les espèces non translucides, par contre, peuvent s'acheter partout.

Arrosage. Aucune de ces espèces ne résiste à une sécheresse totale, même si les plantes à fenêtres se contentent de très peu d'eau en été et que les autres ont des feuilles si coriaces qu'elles sont capables de survivre à quelques hivers plus froids et plus secs que la normale. Nous avons tenté l'expérience en en conservant quelques-unes complètement au sec, à une température avoisinant 0 °C : la plupart ont résisté jusqu'au printemps.

Fertilisation. En période de croissance (hiver ou été, selon l'espèce), on administrera un peu d'engrais spécial pour cactus.

Rempotage. Les espèces à feuilles opaques prospèrent dans un mélange standard pour succulentes (moitié terre de rempotage ordinaire, moitié perlite). Les espèces à fenêtres aiment une terre un peu plus lourde, contenant un peu d'argile ou de limon. Rempoter au printemps, dans des pots en plastique bien drainés.

Multiplication. Presque toutes les espèces émettent des pousses latérales à la base. On peut les séparer, les faire sécher un jour ou deux et les planter dans une terre sableuse. On pratique également le semis.

Hawórthia attenuáta
Fines rosettes de feuilles charnues, étroites, couvertes de minuscules tubercules blancs formant une bande centrale sur le dessus des feuilles, et des raies transversales sur le dessous. Petites fleurs blanches sur des hampes arquées.

Hawórthia cuspidáta
Rosette dense de feuilles charnues, vert gris, de 2,5 cm de long, se terminant en oblique par une pointe raide. Le sommet des feuilles est rayé de vert et transparent.

Hawórthia fasciáta
Rosette de feuilles épaisses, incurvées, vertes et luisantes, couvertes à l'extérieur de petits tubercules blancs pareils à des perles et disposés en lignes transversales. Espèce la plus répandue.

Hawórthia margaritífera
Espèce voisine de *H. attenuáta* et *H. fasciáta*, mais les rosettes sont plus larges et les petites perles ne forment pas de lignes.

Hawórthia obtúsa
Rosette de petites feuilles charnues, dont la partie supérieure est claire, transparente et garnie d'une sorte de petite brosse.

Hawórthia reinwárdtii
Les feuilles charnues, triangulaires sont abondamment couvertes de perles blanches formant des lignes. Elles sont insérées en spirale sur une tige médiane et forment une rosette dense, cylindrique, mesurant jusqu'à 20 cm de haut et 8 cm de large.

Hawórthia tesseláta
Rosette de petites feuilles charnues, triangulaires, recourbées en crochet vers l'extérieur et couvertes d'une résille de petits traits blancs.

Hawórthia truncáta
Feuilles disposées sur deux rangs opposés. Elles mesurent 2 à 3 cm de long sur 1,5 à 3 cm de large. Leur sommet tronqué et aplati est pourvu de petites fenêtres claires, chargées de recueillir pour le limbe la lumière indispensable au processus d'assimilation. C'est un spécimen pour collectionneur. À l'état spontané, cette espèce croît presque totalement enfouie dans le sable.

Hawórthia attenuáta, avec une petite fleur.

Hébe speciósa

Hébe

Scrophulariáceæ

Nom. *Hébé*, déesse de toute beauté, était la fille de Zeus et d'Héra ; elle servait d'échanson aux dieux. Ces plantes sont souvent appelées à tort véroniques. Mais les véroniques sont des plantes herbacées tandis que les *Hébé* sont frutescents.

Origine. On trouve une bonne centaine d'espèces en Australie, en Nouvelle-Zélande et en Tasmanie.

Description. Arbustes à feuillage persistant. Feuilles coriaces. Fleurs blanches, violettes ou rouges, en épi.

Exposition. Exception faite des régions à climat doux, ces plantes ne sont pas suffisamment rustiques pour séjourner dehors, mais elles ne tolèrent pas davantage la chaleur de l'appartement. En automne, on les mettra sur une terrasse ou un balcon et on les fera hiverner dans un local frais.

Soins. Ce ne sont pas vraiment des plantes à garder en appartement, mais leur floraison automnale est si attrayante qu'elles continuent à se vendre comme telles. Transportées dans une pièce chauffée, elles ne tardent pas à perdre feuilles et fleurs. On prolonge quelque peu leur existence en pratiquant des vaporisations. Mieux vaut cependant placer ces plantes dans des endroits non chauffés : entrée, dégagement, balcon abrité. Les *Hébé* supportent le plein soleil. Après la floraison, on les conserve à basse température, en arrosant un peu pour empêcher la chute des feuilles. Les sortir au jardin vers la mi-mai.

Arrosage. La motte doit rester humide toute l'année. N'utiliser que de l'eau de pluie, ces plantes haïssent le calcaire.

Fertilisation. Fertiliser tous les 15 jours, en été.

Rempotage. Terre acide et humifère : sapinette mêlée de tourbe et de fumier décomposé. Rempoter tous les ans, au printemps.

Multiplication. On peut faire enraciner toute l'année, à 20-25 °C et sous châssis, des boutures d'extrémité de tige.

Hébe andersónii (Hybrides d')
Croisement de *Hébe salicifólia* et *Hébe speciósa*. Feuilles vertes, luisantes, obovales, opposées, mesurant 5 à 10 cm de long. Fleurs en épi. 'Albertine' a des fleurs rose violacé ; 'Imperial Blue', a des fleurs bleu lavande ; les fleurs de 'Snowflake' sont blanches. 'Variegata' a des feuilles marginées de blanc.

En période de repos les feuilles de *Hawórthia fasciáta* se referment et la plante forme une boule.

Hawórthia rugósa, avec une hampe florale.

Hédera hélix peut se cultiver en appartement.

Hédera hélix 'Garland'

Hédera canariénsis

◖ ⊕ ⊙ ⊙ ⊛ ⊝ ⊞ ⊡

Liane aux rameaux et aux pétioles rouge mat. Les feuilles sont peu découpées et chez 'Variegata' (souvent appelé 'Gloire de Marengo') elles sont marginées de blanc.

Hédera hélix

◖ ⊕ ⊙ ⊙ ⊛ ⊝ ⊞ ⊡

Liane aux feuilles à 3 à 5 lobes. L'espèce botanique ordinaire est une plante de jardin, rustique. Les formes des plantes d'appartement sont plus ou moins tendres. 'Garland' est un cultivar non grimpant, aux feuilles profondément échancrées. 'Gavotte' a des petites feuilles vertes, étroites et pointues, à un lobe. 'Goldherz', également répandu sous l'appellation de 'Goldheart' ou 'Jubilee', a des petites feuilles à tache jaune d'or au centre. 'Glacier' produit des feuilles argentées à vert gris, bordées de blanc. 'Green Ripple' a des petites feuilles cunéiformes, luisantes, vertes, veinées de vert clair. 'Hahn's Variegated', connu également sous le nom de 'Hanny', a des petites feuilles à 5 lobes, fortement panachées de vert clair et de blanc. 'Harald', 'Herold' ou 'Herald' a d'assez grandes feuilles panachées de blanc et de différents tons de vert. 'Pittsburg' a des petites feuilles entièrement vert clair. 'Sha-

Hédera canariénsis 'Variegata'

Hédera hélix 'Glacier'

Hédera

Araliáceæ

lierre

Nom. D'un ancien nom de plante latin dont le sens est vraisemblablement agripper. La plante s'agrippe aux murs à l'aide de racines aériennes.

Origine. On connaît 7 espèces, répandues en Europe et en Asie.

Description. Les espèces botaniques et les cultivars que l'on rencontre en culture sont des plantes grimpantes au feuillage persistant, souvent panaché.

Exposition. Toutes les formes de *Hédera hélix* réclament des températures basses, surtout en hiver. Seule la forme panachée de *Hédera canariénsis* peut passer l'hiver comme l'été en appartement chauffé. Toutes les formes panachées exigent beaucoup de lumière mais redoutent l'insolation. Les races et les espèces à feuillage vert se satisfont d'un éclairement plus faible.

Soins. Le lierre le plus vendu, *Hédera canariénsis* 'Variegata', aux feuilles panachées, mieux connu sous l'appellation de 'Gloire de Marengo', doit être cultivé à une température supérieure à 10 °C, à une exposition claire.

L'hiver, il est préférable que le thermomètre ne dépasse pas 18 °C, une chaleur supérieure prédispose la plante, printemps comme été, aux attaques des pucerons. Elle profitera beaucoup de pulvérisations, qui contribuent à abaisser la température. Les nombreuses formes vertes et panachées de *Hédera hélix* exigent des températures encore plus basses. Beaucoup résistent à de légères gelées et peuvent pratiquement passer tout l'hiver dehors, sur un balcon. Elles en souffriront de toute façon moins que de rester en appartement chauffé, trop de chaleur les rendant extrêmement vulnérables aux attaques des parasites. *Hédera hélix* s'utilisera avec bonheur pour égayer des vestibules, des dégagements d'escalier et autres lieux modérément chauffés. Il prospérera partout si la température se maintient entre 3 et 15 °C. Il parvient quelquefois à s'accrocher tout seul aux murs s'ils ne sont pas lisses, mais généralement il lui faut un support : fils tendus, treillis, etc.

Arrosage. Il faut surtout veiller à ce que la motte ne soit jamais sèche. L'été, il faut arroser modérément, l'hiver, si la température ambiante est basse, beaucoup moins. Utiliser autant que possible de l'eau douce.

Fertilisation. Fertiliser tous les quinze jours, en période de végétation.

Rempotage. Il est bon de changer la terre chaque année, au printemps. Se servir de pots en plastique bien drainés. Le meilleur des mélanges consiste en 2 parties de terreau de feuilles et 1 partie de fumier de vache bien décomposé. En place de terreau de feuilles on peut utiliser de la sapinette. Les plantes se satisfont aussi, en général, d'une terre de rempotage ordinaire du commerce.

Multiplication. On procède toujours par bouturage. Les boutures de tête peuvent être faites à tout moment, mais l'époque la plus favorable est l'automne. Il n'est pas besoin d'une chaleur de fond ; les racines se formeront au printemps. Les résultats seront différents selon que l'on utilise comme boutures des segments de vieilles tiges aoûtées ou des extrémités de jeunes pousses aux petites feuilles. Dans le premier cas, on obtiendra des plantes étalées, peu sarmenteuses, dans le second cas c'est la forme juvénile qui sera fixée et l'on aura une liane vigoureuse aux petites feuilles.

Maladies. Araignée rouge, thrips, cochenille à bouclier sont les principaux parasites qui envahissent le lierre qui passe l'hiver dans une atmosphère trop chaude.

mrock' a des feuilles vert uni, à bords frisottants.

Helicónia

Musáceæ

Nom. *Helicôn* était, chez les anciens Grecs, la montagne consacrée aux Muses.

Origine. 150 espèces ont leur habitat en Amérique tropicale.

Description. Ces plantes au beau feuillage panaché sont beaucoup mieux connues pour leurs fleurs coupées, cultivées ou importées, voisines des *Strelítzia*.

Exposition. Plante pour la serre chaude et, à la rigueur, pour l'appartement chauffé, à exposition très claire.

Soins. On possède encore peu d'expérience en ce qui concerne la culture de cette plante. On peut essayer de la placer à proximité d'une fenêtre ensoleillée, en la protégeant aux heures les plus chaudes de la journée. La température diurne ne doit pas descendre au-dessous de 20 °C en hiver. Sur ce point, une salle de séjour bien chauffée remplit les

Helicónia índica 'Aureostriata'

conditions de façon idéale. Vaporiser de l'eau de pluie tiède sur le feuillage, deux fois par jour. On posera le pot de préférence sur une tablette de fenêtre, au-dessus d'un radiateur, afin d'obtenir une chaleur de fond d'environ 20 °C.

Arrosage. Arroser à l'eau de pluie pure. La motte doit rester modérément humide, été comme hiver. Amener l'eau à bonne température avant d'arroser.

Fertilisation. Fertiliser tous les quinze jours, en période de végétation.

Rempotage. Le mélange convenant le mieux est composé de terreau de feuilles ou de sapinette, de fumier de vache bien décomposé et de sable grossier. Prendre des pots de plastique, pas trop petits et bien drainés. Selon l'avis d'amateurs expérimentés, l'espèce citée ci-dessous, *Helicónia índica*, se développe mieux plantée directement dans la tablette d'une serre ou dans une vitrine d'appartement.

Multiplication. L'espèce décrite ne se propage que par division des touffes âgées. Les morceaux replantés doivent être conservés quelque temps en serre chaude.

Helicónia índica

○ ◑ ⊕ ⊛ ◗ ▣

Syn. *Helicónia illústris-rubricaúlis*. Les spathes enroulées forment, comme chez le bananier, une fausse tige. Les feuilles sont ovales, oblongues, avec

Helléborus níger, la vraie rose de Noël, devenue aujourd'hui une plante rare.

une nervure médiane profonde. Le limbe est rose le long des nervures et les pétioles sont rouges. La forme 'Aureostriata' a des feuilles striées de jaune d'or dans le sens des nervures et des pétioles également lignés de vert et de jaune. Certains la considèrent comme un cultivar de *Helicónia biháí*.

Helléborus

Ranunculáceæ

hellébore

Nom. Du grec *helleboros*, nom de *H. níger*, plante toxique employée contre la folie. Ce sont surtout les racines qui contiennent une sève toxique.

Origine. On trouve une vingtaine d'espèces sur le pourtour méditerranéen, en Europe centrale et en Asie de l'Est.

Description. Plante herbacée vivace, au feuillage persistant, cultivée au jardin. Jusqu'à la fin des années 60, on a surtout pratiqué la culture forcée de *Helléborus níger*, qui était vendu comme plante d'appartement. Malheureusement cette très jolie espèce se fait de plus en plus rare. Elle a été supplantée par le poinsettia, autre fleur de Noël, aux couleurs plus fracassantes.

Exposition. Ce sont donc des plantes de jardin que l'on peut rentrer dans la maison, à titre temporaire, au moment de leur floraison.

Soins. Le forçage s'opère comme suit : au début de novembre, on lève les plantes au jardin, on les empote et on les place dans un coffre ou dans la serre. Les arroser copieusement pour les nettoyer. Provisoirement, on ne touche pas aux vieilles feuilles. Vers la mi-novembre, on amène la température à 5-7 °C. Deux à trois semaines après le rempotage (donc vers la mi-novembre), on élimine toutes les vieilles feuilles et on plonge les plantes dans une obscurité totale. Les premières fleurs font leur apparition vers le 10 décembre. Si elles sont nombreuses, on maintient l'obscurité,

s'il y en a peu, on donne de la lumière quelques heures par jour.

Les plantes fleuries seront installées dans l'endroit le plus frais de l'appartement. Faire de fréquentes vaporisations. Les remettre au froid après la floraison et les replanter au jardin en avril. Le forçage épuise les plantes. Il vaut donc mieux attendre quelques années avant de recommencer l'opération : pendant ce temps, les plantes récupèrent au jardin. Dans la pratique, on fait des semis tous les ans et on obtient des plantes prêtes à être forcées après 2 ou 3 ans de culture. Mais partout où l'on peut acheter des plantes vivaces, on trouvera, au printemps, des petites hellébores que l'on pourra forcer dès le mois de novembre de la même année. C'est un cadeau original à faire à Noël.

Arrosage. La rose de Noël aime une terre humide en permanence. Il faut lui trouver au jardin un endroit ombragé et abrité et l'arroser, au besoin, à l'eau de pluie.

Fertilisation. En été, on apportera un peu d'engrais chimique ou organique, tous les quinze jours.

Rempotage. Au jardin, il faut faire un trou que l'on remplit de tourbe. Lorsqu'on déterrera la plante, on la lèvera avec toute sa motte.

Multiplication. Les graines sont semées, aussitôt après la récolte, dans des terrines remplies de terreau de semis. On couvre d'une feuille de verre et on les laisse dehors. Les graines doivent pouvoir subir l'effet du gel. On peut aussi entreposer les terrines une quinzaine de jours dans le réfrigérateur. De cette façon, les graines germent facilement. La culture se poursuit en plein air. On peut également diviser de grosses touffes.

Helléborus níger

◑ ◐ ○ ⊛ ◗ ▣

Rose de Noël. Plante vivace au feuillage persistant. Feuilles radicales, composées. Folioles ovales à cunéiformes. Fleurs blanches devenant violacées. Pour les plantes d'appartement, on cultive des races spéciales aux fleurs plus grandes.

Hemigráphis

Acantháceæ

Nom. Du grec *hêmi*, demi, et *graphis*, pinceau.

Origine. On trouve une vingtaine d'espèces en Asie de l'Est et du Sud-Est. Elles croissent dans des endroits ombragés et humides.

Description. Petites plantes discrètes, aux tiges couchées. Feuilles vertes ou brunâtres. Petites fleurs.

Exposition. Ces plantes exigent une hygrométrie atmosphérique très élevée et se cultivent dans la serre, la vitrine d'appartement, etc. Elles craignent beaucoup le soleil.

Soins. Lorsqu'on tient absolument à les acclimater en appartement, il faut

Hemigráphis alternáta

pratiquer des vaporisations à tout moment ou placer les pots au-dessus d'une coupe pleine d'eau. Il est peut-être plus intéressant de les cultiver en bonbonne ou en aquarium. Pour leur conserver la jolie couleur de leurs feuilles, il faut leur donner une lumière abondante, mais les protéger du soleil. Le repos hivernal est à déconseiller. La végétation ne subit aucune interruption ; elle se poursuit d'un bout à l'autre de l'année à 20 °C, au minimum. La température nocturne peut être inférieure de 5 °.

C'est un couvre-sol idéal pour la serre chaude, à planter directement à même les tablettes ou même dessous.

Arrosage. Arroser avec régularité : la motte ne doit jamais sécher. Veiller à bien faire évacuer l'excédent d'eau. Utiliser de l'eau parfaitement adoucie, comme de l'eau de pluie pure, et l'amener à température. Vaporiser régulièrement de l'eau douce sur le feuillage.

Fertilisation. Au moment où la plante émet de nouvelles feuilles, on la fertilisera tous les 15 jours avec un engrais ordinaire du commerce, en respectant scrupuleusement le dosage recommandé sur l'emballage.

Rempotage. Un bon mélange devra se composer de terre argileuse finement émiettée (1/3), de terreau de feuilles (1/3), de tourbe grossière (1/3). Utiliser des pots larges, peu profonds et bien drainés. Rempoter au moins une fois par an.

Multiplication. Les boutures de tête s'enracinent toute l'année, avec une chaleur de fond.

Hemigráphis alternáta

Syn. *Hemigráphis coloráta*. Tiges couchées, légèrement velues. Feuilles ovales à oviformes, de 8 cm de long, gris argent et gaufrées sur le dessus, pourpres au revers. Épis de fleurettes blanches.

Hemigráphis repánda

Syn. *Ruéllia repánda*. Feuilles plus lancéolées, aux bords assez profondément dentés. Le dessus est vert, le dessous rougeâtre.

Hibíscus

Malváceæ

hibiscus ou ketmie

Nom. Du grec *hibiscos*, guimauve (*Althǽa officinális*, famille des *Malváceæ*).

Origine. On connaît quelque 200 espèces, répandues dans tous les pays tropicaux. Dans les pays subtropicaux l'*Hibíscus* est une plante de jardin très commune.

Description. Arbrisseau aux feuilles ovales et dentées portant, à l'origine, des fleurs rouges, simples, en forme d'entonnoir. L'espèce botanique a presque totalement disparu du commerce en tant que plante d'intérieur. Elle a été remplacée par des hybrides aux grandes fleurs doubles, assez molles, jaunes, rose saumoné et rouges, qui n'ont pas la vigueur de l'espèce. Autrefois, il n'était pas rare de rencontrer l'espèce originale, en buisson d'1 m de haut, qui pouvait orner somptueusement une terrasse. Quiconque a la nostalgie de cette plante pourra se procurer dans le Midi un *Hibíscus* de jardin ordinaire.

Soins. Beaucoup de gens considèrent aujourd'hui que la période de repos est superflue. Il n'y a qu'à voir : lorsqu'il reste au chaud, l'*Hibíscus*

produit des fleurs sans interruption, même jusqu'en décembre. Cela est vrai, mais au bout de 2 ou 3 années de ce régime, la plante est complètement épuisée. Après avoir passé l'hiver au chaud, les feuilles deviennent si vulnérables aux attaques des insectes que bientôt toute la plante en est infestée. Ceci explique en partie pourquoi on voit si peu de sujets âgés, de grande taille.

Au printemps, les branches sont un peu rabattues (ceci peut aussi être fait en automne), la plante est rempotée et mise au chaud, de préférence à une exposition ensoleillée. Éviter les courants d'air. Les fleurs fanées doivent être enlevées au fur et à mesure. Ne pas tourner le pot si l'arbuste est boutonné. Des variations dans l'incidence de la lumière provoquent la chute des boutons. C'est un accident qui se produit assez fréquemment lorsqu'on acquiert une nouvelle plante. Marquer l'orientation habituelle de la plante à l'aide d'une allumette et ne plus toucher au pot.

Les variétés hybrides doivent rester à l'intérieur de la maison, même en été, ce qui paraît contredire ce qui a été écrit plus haut. Ces races sont beaucoup plus fragiles que l'espèce et ne résistent ni au froid, ni à la pluie. La vieille espèce, aux fleurs rouges sim-

Hibíscus rósa-sinénsis 'Cooperi' à petites fleurs rouges : l'unique variété à feuillage panaché.

Hibíscus rósa-sinénsis : variété à fleurs saumon.

Hibíscus rósa-sinénsis : variété à fleurs doubles.

Hibíscus rósa-sinénsis : fleurs simples, jaune orangé.

ples, est beaucoup plus résistante. Elle supportera de se trouver sur un balcon abrité ou sur une terrasse. Il faudrait se servir de pots en plastique ou de caisses en bois, qui conservent bien l'humidité. Les pots en terre seront enterrés. Ne pas oublier d'arroser régulièrement. Plus l'été sera chaud et ensoleillé et plus l'emplacement sera abrité, plus riche sera la floraison. On rentre l'*Hibíscus* vers la mi-septembre, dans les régions où le froid vient tôt. La période de repos commence vers octobre-novembre. Peu importe si la plante perd des feuilles, pourvu qu'elle en conserve quelques-unes. Elle peut passer l'hiver dans une pièce fraîche, chambre inoccupée par exemple ou, mieux encore, dans une serre tempérée. Elle doit s'arrêter de croître.

Arrosage. On peut arroser l'*Hibíscus* à l'eau du robinet. Il est bon de le bassiner au moment où il sort ses nouvelles feuilles et en été. Baigner le pot de temps à autre pour renouveler l'air autour des racines. Réduire très fort les arrosages en hiver, mais ne pas laisser sécher la motte.

Fertilisation. L'*Hibíscus* apprécie, en été, quelques apports d'engrais. Commencer à fertiliser aussitôt que la plante a épuisé les réserves contenues dans le pot, environ vers la

mi-juin. Un peu de fumier de vache séché ou, mieux encore, bien décomposé, est l'idéal, mais elle se satisfera aussi d'un engrais chimique. Opération à renouveler tous les 15 jours. Arrêter à la mi-août pour laisser au bois le temps de se lignifier avant l'hiver.

Rempotage. L'*Hibíscus* croît sans problème dans une terre de rempotage du commerce, mais on peut avoir envie de préparer un mélange tout spécialement conçu pour lui. Prendre 1/3 de terre argileuse, 1/3 de terreau de feuilles et 1/3 de fumier de vache décomposé. Bien drainer les pots. Rempoter tous les ans, au printemps.

Multiplication. D'avril en août, on peut prélever des extrémités de tige que l'on fait enraciner sous châssis, avec une légère chaleur de fond. Ne pas sortir les jeunes plantes en plein air la première année et les protéger du soleil. Repiquer une ou deux fois au cours de la saison. Lorsqu'on peut se procurer des graines de l'espèce botanique, *Hibíscus rósa-sinénsis,* on les sème au printemps, sur chaleur de fond. À notre connaissance, la réussite est difficile.

Maladies. La chute des boutons survient lorsqu'on tourne le pot. Elle peut aussi être due à un manque d'arrosa-

ges ou à de trop grandes variations de température et/ou d'hygrométrie. On note par ailleurs des attaques de pucerons et de cochenilles farineuses, et parfois d'araignées rouges.

Hibíscus rósa-sinénsis

Rose de Chine. Arbuste érigé, aux branches étalées. Feuilles ovoïdes, très aiguës, luisantes, vertes, aux bords entiers à la base et grossièrement dentés au sommet. Fleurs axillaires, solitaires, mesurant jusqu'à 12 cm de diamètre. Longs pédoncules. Corolle aux pétales entiers, tendus. Anthères groupées au sommet des filets des étamines qui sont soudés en un tube.

Nombreux hybrides aux fleurs pleines ou semi-doubles, rouges, jaunes, rose saumoné, etc. Les différentes races ne portent généralement pas de nom spécifique. On connaît surtout 'Anita Buis', aux fleurs jaunes. Le cultivar 'Cooperi' a des feuilles plus petites, joliment maculées de blanc et de rose et marginées de rose. 'Albovariegata' a des feuilles panachées de blanc et de vert, sans taches roses.

Hippeástrum

Amaryllidáceæ

amaryllis

Nom. Du grec *hippeus*, cavalier, et *astron*, astre. On l'appelle communément amaryllis, ce qui est troublant, car il existe un genre *Amaryllis* dont l'espèce *belladónna* fleurit en été.

Origine. On a répertorié environ 70 espèces en Amérique tropicale et subtropicale, où elles croissent dans les savanes et les régions boisées soumises à un régime de saison sèche périodique pendant laquelle leur feuillage disparaît complètement.

Description. Gros bulbe que l'on fait fleurir l'hiver dans la maison. Sur les marchés, par correspondance, dans les jardineries, partout, l'automne, on peut acheter des bulbes de différentes grosseurs, désignés par leur couleur. Bien plus belles sont les variétés aux noms définis, mises en vente par les spécialistes pour un prix légèrement supérieur.

Exposition. On parvient très facilement à faire fleurir l'amaryllis en appartement, l'hiver. Il n'a nul besoin, contrairement à la tulipe et à la jacinthe, d'une période d'obscurité.

Soins. Le bulbe est mis en pot entre novembre et février. (Voir plus loin). N'acheter que des bulbes pourvus d'une belle touffe de racines saines. Les bulbes ne présentant que de courtes racines ou pas de racines du tout sont de qualité inférieure. Répartir la terre soigneusement entre les racines et laisser le haut du bulbe apparent. Mouiller légèrement et placer le pot à un endroit chaud, au besoin sur un radiateur, à condition qu'il ne soit pas brûlant. La hampe florale ne tarde pas à se montrer. Les deux seules erreurs à ne pas commettre sont a) de laisser la motte sécher, b) de l'arroser trop copieusement et de faire pourrir le bulbe. Dès que la hampe atteint 15-20 cm, on place le pot auprès d'une fenêtre bien éclairée, s'il ne s'y trouve déjà. La chaleur de fond n'est plus indispensable et les arrosages augmentent à mesure que la tige croît. Suivant sa grosseur, le bulbe émet une ou plusieurs tiges. Les bulbes de 15 cm de diamètre peuvent donner jusqu'à 6 ou 7 tiges.

Les feuilles apparaissent un peu après les hampes. Les pulvérisations sont très bénéfiques aux plantes à ce stade de leur développement. Elles commencent à transpirer et il faut arroser en conséquence.

Une température un peu plus fraîche prolonge la durée des fleurs. Après la

Hippeástrum hybride 'Fire Dance'

floraison, on coupe les hampes (sauf si on désire recueillir les graines) et on continue à soigner la plante. À partir du 15 mai, l'amaryllis est placé dans la serre ou en plein air.

Les arrosages sont suspendus dès le début de septembre et on laisse mourir le feuillage. Le bulbe est conservé dans son pot, à une température minimale de 16 °C. On peut hâter la floraison en supprimant l'arrosage en août. On reprend la culture en septembre : 4 à 5 semaines à 17 °C, suivies de 4 semaines à 23 °C, rempoter et donner une chaleur de fond de 20 °C. Traités de cette façon, les bulbes peuvent fleurir avant Noël.

Arrosage. Eau de pluie, si possible.

Fertilisation. Fertiliser tous les 15 jours, aussi longtemps que le feuillage se développe.

Rempotage. On ne renouvelle la terre entièrement que tous les deux ou trois ans, en utilisant un mélange ordinaire du commerce. Entre-temps, on se contente de remplacer la couche superficielle du pot. Préférer des pots en plastique. Déposer au fond un bon lit de tessons.

Multiplication. Séparer les caïeux munis de racines, les empoter à part et les cultiver, autant que possible, en serre, en respectant les périodes de repos. Ils seront prêts à fleurir au bout

de 3 ans. On peut obtenir des graines en pollinisant les plantes artificiellement (on peut croiser les races). Semer les graines parvenues à maturité sur une chaleur de fond de 22 °C.

Maladies. Araignées rouges, thrips, pucerons, cochenilles farineuses, feu bactérien, etc. ne se manifestent que si les conditions de culture sont mauvaises.

Hippeástrum hybrides

Syn. *Amaryllis* hybrides ; *Hippeástrum* x *hortórum*. Plante bulbeuse, aux feuilles vertes, en lanière, longues de 50 cm. 2 à 4 grandes fleurs en forme d'entonnoir, étalées à l'horizontale au sommet d'une haute hampe creuse. Très longues étamines aux anthères jaunes, projetées hors de la corolle. On trouve d'innombrables hybrides aux fleurs uni- ou bicolores. Les races dites 'Picotee' ont des fleurs très originales, avec un liseré de ton opposé sur le pourtour des pétales.

Homalocládium platýcladum

Homalocládium

Polygonáceæ

Nom. Du grec *homalos*, plan, égal, et *klados*, pousse.

Origine. Une seule espèce, aux îles Salomon.

Description. Plante extrêmement curieuse, aux tiges en lanière aplatie assurant partiellement les fonctions des feuilles. Ce ne sont pas de simples phyllodes, comme chez le *Phyllánthus* (voir plus loin), mais des phyllo-cladodes. Au sommet des tiges aplaties on trouve encore des feuilles normales, lancéolées. Ce sont des plantes rares, mais ici et là, on les voit aux vitrines des fleuristes.

Exposition. Plantes d'appartement de culture facile, qui peuvent séjourner en plein air, en été.

Soins. Les *Homalocládium* réclament beaucoup de lumière et se plaisent en plein soleil. Dès la fin mai, on peut les mettre dehors, dans un coin chaud et bien abrité.

Les petites feuilles qui se montrent à l'extrémité des tiges aplaties ont tendance à tomber très vite, comme si leur présence était superflue. C'est tout à fait normal. L'hiver, cette plante n'aime pas avoir trop chaud : 16 °C lui suffisent. Elle supporte un minimum de 8 °C.

Arrosage. La motte doit rester régulièrement humide, sauf en hiver, où on la tiendra un peu plus au sec.

Fertilisation. En période de végétation, on fertilise la plante une fois par mois.

Rempotage. Ajouter un peu de terre argileuse ou limoneuse et finement émiettée à une terre de rempotage standard. Les pots doivent être soigneusement drainés.

Multiplication. On prélève des segments de tige en coupant juste sous un nœud (là où naissent les feuilles). Ils s'enracinent avec une petite chaleur de fond. Le semis est également possible.

Homalocládium platýcladum

Syn. *Muehlenbéckia platýclados*. Buisson érigé, aux tiges vertes, aplaties, larges de 15 mm, articulées. Feuilles lancéolées, mesurant de 1,5 à 6 cm, très fugaces. Petites fleurs blanches en bouquets sessiles. Petits fruits roses, devenant rouge pourpre.

Hippeástrum 'Picotee'

Collection d'hybrides modernes dans une serre.

Hówea

Pálmæ

kentia

Nom. Du nom des îles *Lord Howe*, à l'est de l'Australie. La capitale de la plus grande de ces îles est Kentia. On écrit aussi parfois *Hóweia*, avec un *i*.

Origine. Deux espèces croissent dans les îles nommées ci-dessus.

Description. Palmiers bien connus, aux larges feuilles pennatiséquées, composées de nombreuses folioles en lanière, élégamment arquées.

Exposition. Se plaisent en appartement, à l'abri des rayons directs du soleil.

Soins. On recommande toujours de donner aux palmiers une exposition ombragée. Et cependant ne croissent-ils pas en plein soleil dans leur pays natal ? Cette contradiction, toute apparente, s'explique facilement. Les jeunes plantes grandissent dans la forêt vierge, au milieu d'arbres de haute taille : elles ne reçoivent donc qu'une lumière tamisée. Les palmiers qui sont cultivés en appartement sont précisément de très jeunes sujets, c'est pourquoi ils ne tolèrent pas le plein soleil. Il ne faut pas non plus trop les éloigner d'une fenêtre : ils cesseraient de se développer et finiraient par périr. L'été, il faut laver régulièrement les feuilles à l'eau de pluie. On peut même les sortir sous une averse, en protégeant le pot avec une feuille de plastique ou d'aluminium pour ne pas noyer le pied. Si on ne possède ni jardin, ni balcon, on mettra tout simplement son palmier sous la douche. L'hiver, l'*Hówea* réclame une température de 14 à 18 °C. Autrefois, 18 °C était la température normale des appartements. Beaucoup de personnes règlent aujourd'hui leur thermostat sur 22 °C. C'est trop pour la plupart des plantes et en particulier pour ce palmier. On peut remédier à la sécheresse de l'air en vaporisant quotidiennement de l'eau sur le feuillage.

Arrosage. Les palmiers ne transpirent pas énormément. Il est bon cependant de baigner les pots de temps à autre, en été. Utiliser de préférence des pots qui ont un orifice de drainage. On diminue les arrosages en hiver. Utiliser, autant que possible, de l'eau de pluie pas trop froide.

Fertilisation. L'été, il faut faire, tous les 15 jours, un apport d'engrais chimique ou organique.

Rempotage. Les palmiers se cultivent en pots profonds. Les cylindres modernes seraient parfaits s'ils étaient pourvus d'un orifice de drainage. On choisira des pots en plastique dont le fond est percé de petits trous et on y déposera un mince lit de drainage avant de les remplir de terre. Un excellent mélange de culture pourra se composer de terreau de feuilles (ou sapinette), de fumier de vache décomposé et d'un peu de sable grossier. Il n'est pas nécessaire de rempoter tous les ans. Il suffit de remplacer la couche superficielle de terre qui est saturée de sels minéraux.

Multiplication. Le seul mode de propagation est le semis de graines fraîches, en mars, à la température de 25-30 °C. La levée se fait attendre plusieurs mois. Les jeunes plantes sont élevées en serre et repiquées par 2 ou 3 dans un pot.

Maladies. Les *Hówea* sont souvent la proie des cochenilles à bouclier. Ils sont parfois envahis par les araignées rouges, les thrips et les cochenilles farineuses.

Quelques jeunes pieds de *Hówea forsteriána* réunis dans un pot.

Hóya carnósa aux grandes fleurs de cire.

Hówea belmoreána

Syn. *Kéntia belmoreána*. Tronc haut et mince, de couleur verte. Pétioles courts, légèrement rougeâtres. Feuilles pennées, arquées. Très nombreuses folioles dressées, aux bords très velus, sans écailles sur l'envers et formant entre elles, par rapport à la nervure médiane, un angle de 90°. Espèce moins robuste que la suivante.

Hówea forsteriána

Syn. *Kéntia forsteriána*. Feuilles moins arquées. Folioles plus larges, horizontales ou légèrement pendantes, avec de fines écailles sur le revers, opposées et étalées pratiquement sur le même plan de part et d'autre de la nervure médiane.

Hóya

Asclepiadáceæ

Nom. Du nom de Thomas *Hoy*, jardinier du duc de Northumberland (fin du XVIIIᵉ, début du XIXᵉ siècle).

Origine. Environ 200 espèces, répandues en Chine du Sud, dans l'Archipel Indien et en Australie. Trois espèces seulement ont été acclimatées à la culture en appartement.

Description. Plantes grimpantes, à feuillage persistant. Feuilles épaisses, charnues. Fleurs à l'aspect cireux, en ombelles pendantes.

Exposition. *Hóya carnósa* et *Hóya austrális* sont d'excellentes plantes d'appartement, qui doivent toutefois passer l'hiver au froid. *Hóya bélla* est une plante de serre chaude.

Soins. Les deux premières espèces, aux grandes fleurs d'apparence cireuse, demandent à être exposées en pleine lumière et ne réclament qu'une légère protection en cas de soleil très ardent. L'abondance de la floraison, qui se produit en été, dépend de la qualité de l'éclairement. En appartement, les longues tiges sarmenteuses sont enroulées sur des arceaux. Dans la serre, on les attache aux chevrons. Il ne faut pas tourner le pot pendant la formation des boutons. Les fleurs se forment du côté de la lumière.

Les espèces à grand développement sont conservées en local frais (10 à 14 °C) pendant l'hiver. Cesser pratiquement les arrosages. Dans une pièce chauffée, il y aura des problèmes. Il faut absolument trouver un endroit frais et clair où remiser les plantes. L'espèce naine est plus frileuse, elle exige moins de lumière mais un degré d'hygrométrie plus élevé. Sa température hivernale minimale est de 18 °C. On obtient une magnifique floraison en la greffant sur les espèces à grand développement. Les boutures donnent des plantes qui fleurissent beaucoup moins.

Arrosage. L'été, la motte doit rester humide en permanence. Les espèces à grand développement reçoivent aussi peu d'eau que possible en hiver.

Fertilisation. Se montrer très avare. Trop d'engrais a un effet négatif sur la floraison. Fertiliser environ toutes les 3 semaines, lorsque la plante est en fleurs.

Rempotage. Le meilleur mélange que l'on puisse faire se compose d'1/3 de terre argileuse, 1/3 de terreau de feuilles, 1/6ᵉ de fumier de vache décomposé et 1/6ᵉ de sable grossier ou de perlite. Les espèces à grand développement se contentent aussi de terre de rempotage ordinaire du commerce. L'espèce naine préfère une terre plus légère, contenant du sphagnum et de la terre de bruyère. Les grandes plantes n'ont pas besoin d'être rempotées tous les ans, un surfaçage suffit.

Multiplication. Bouturage d'extrémités de tiges à demi aoûtées, en été, ou boutures d'yeux. Chaleur de fond de 20 à 25 °C. *Hóya bélla* se greffe sur *Hóya carnósa*.

Maladies. Cochenilles farineuses et à bouclier, araignées rouges sont la rançon d'un hiver passé au chaud. L'espèce naine est sujette à la pourriture des racines Veiller tout spécialement au drainage.

Hóya austrális

○ ◑ ⊙ ⊗ ⊙ ▣ ▥

Espèce vigoureuse. Plante sarmenteuse, aux feuilles vert foncé, charnues, assez rondes, mesurant jusqu'à 7 cm de diamètre. Fleurs blanches, odorantes, en ombelles pendantes.

Hóya bélla

◑ ⊙ ⊗ ⊙ ▥

Espèce naine. Tiges retombantes, puis couchées. Feuilles charnues, ovoïdes à lancéolées, ne dépassant pas 2,5 cm. Ombelles pendantes de 8 à 12 fleurs, qu'il faut regarder pardessous pour bien les admirer : elles sont blanc pur avec un cœur (couronne staminale) rouge pourpre.

Hóya bélla à petites fleurs.

Hóya carnósa

○ ◑ ⊙ ⊗ ⊙ ▣ ▥

Syn. *Asclépias carnósa.* Espèce à grand développement. Très proche de *H. austrális,* mais les feuilles sont ovoïdes à lancéolées et mesurent jusqu'à 8 cm de long. Fleurs un peu plus grandes, crème à rose doux. 'Variegata' a des feuilles marginées de blanc crème.

Hyacínthus

Liliáceæ

jacinthe

Nom. *Hyacinthos* était un jeune garçon d'une grande beauté qui fut aimé d'Apollon et périt accidentellement.

Origine. On trouve une trentaine d'espèces, répandues dans les pays méditerranéens et en Asie Mineure.

Description. Plante bulbeuse très populaire. On la plante généralement au jardin, mais on peut la forcer en appartement. Son parfum est suave.

Exposition. On expose les jacinthes fleuries en appartement, en recherchant pour elles un endroit aussi frais que possible.

Soins. Les bulbes sont empotés, puis enterrés au jardin au début d'octobre

Hyacínthus orientális 'Amethyst' cultivés sur gravier.

pour une floraison précoce ou normale. On peut aussi les enfermer dans une caisse sur le balcon, à condition que la température ne dépasse pas 12 °C, sinon les bulbes ne formeraient pas de racines. On plante jusqu'au début de décembre pour une floraison tardive. Les pots sont exposés à la lumière à partir du moment où les bourgeons floraux sont visibles. On les met dans un endroit pas trop chaud et on les couvre d'un capuchon en plastique, pendant quelques jours, pour limiter la transpiration.

On peut également forcer les bulbes dans un placard bien froid ou dans la cave, en les couvrant d'un plastique noir. Si on désire cultiver les jacinthes sur carafe spéciale, il faut veiller à ce que l'eau arrive à 2 mm au-dessous de la base du bulbe. Les bulbes que l'on force ont subi un traitement spécial préalable.

Arrosage. La motte doit être modérément humide en permanence.

Fertilisation. Elle est inutile. Les bulbes sont jetés après la floraison.

Rempotage. Les bulbes sont empotés dans de la terre sableuse. On peut se contenter d'une terre franche prélevée dans le jardin, mais un mélange de 50 % de tourbe et de 50 % de sable grossier est préférable. Vérifier qu'il y a bien un orifice de drainage au fond du pot. Les bulbes ne doivent jamais être inondés.

Multiplication. On pourrait multiplier les jacinthes par division des caïeux, mais il vaut mieux se procurer de nouveaux bulbes chaque année.

Maladies. Si la fleur ne grandit pas, c'est que le pot a été prématurément tiré de l'obscurité. On fera bien de le couvrir d'un sac en plastique noir pendant la première semaine passée dans l'appartement.

Hyacínthus orientális

◑ ⊙ ⊗ ⊙ ▥

Bulbe à écailles blanchâtres ou bleuâtres. Feuilles longues de 4 à 7 cm, étroites, en forme de gouttière. Fleurs en grappe, sur une hampe raide. Innombrables cultivars aux divers coloris et portant des noms spécifiques. 'Multiflora' est une charmante variété qui donne plusieurs fleurs par bulbe.

Hydrangéa

Saxifragáceæ

hydrangée

Nom. Du grec *hydôr*, eau, et *aggeion*, récipient. Le fruit éclaté évoque par sa forme une tonne à eau.

Origine. On connaît au moins 90 espèces, qui croissent en Chine, en Asie du Sud-Est, en Amérique du Nord et du Sud.

Description. Plante d'appartement archi-connue, offrant au printemps d'énormes bouquets de fleurs roses ou bleues.

Exposition. Le chauffage central et les grandes baies ensoleillées de nos appartements modernes ont certainement contribué à faire baisser les ventes de l'hortensia. C'est une

Hyacínthus orientális 'Carnegie' cultivé sur carafe.

Hydrangéa macrophýlla teinté de bleu.

plante qui résiste très mal à la chaleur. Elle préfère se trouver dans une entrée fraîche ou une pièce peu chauffée qui ne reçoit pas de soleil. L'été, il faut la mettre au jardin.

Soins. Les plantes fleuries sont habituellement mises en vente au printemps. Dans la maison, il faut les placer à l'ombre et à la fraîcheur. Faire des pulvérisations sur le feuillage plusieurs fois par jour. Continuer à arroser et à maintenir à basse température après la floraison, jusqu'au moment de les planter dans un coin ombragé du jardin, vers la fin mai.

La taille doit avoir lieu avant la fin de juin, car les fleurs se forment sur le bois de l'année précédente. En taillant plus tôt ou plus tard, on compromet la floraison. Sur les tiges défleuries on distingue très nettement une partie foncée et une partie plus claire. On taille exactement au-dessus de la 2e paire d'yeux qui se trouve au-dessus de la partie sombre de la tige. On réduit les arrosages jusqu'à ce que de nouvelles pousses fassent leur apparition : c'est alors le moment d'augmenter les arrosages et de faire quelques apports d'engrais. Diminuer ensuite progressivement les arrosages et les engrais à partir de fin août jusqu'en octobre, quand les feuilles tombent. Les plantes sont alors remisées dans un local frais, à l'abri des risques de gel (minimum : 4 à 6 °C), jusqu'en février. L'emplacement idéal est à maintenir dans une serre froide, que l'on aère abondamment par les belles journées d'automne et d'hiver. En l'absence de serre, on laisse les plantes dehors et on les emballe à l'arrivée des grands froids. On peut même les enterrer complètement. Toutes les variétés dites rustiques n'ont pas la même résistance au froid. Les tiges tiennent bon, mais les bourgeons gèlent. Si l'hiver est doux, on a des fleurs, s'il est rude, elles avortent. En février, on peut rentrer l'hortensia dans une pièce chauffée à 18 °C, auprès d'une fenêtre claire. Faire des pulvérisations sur le feuillage, dès son apparition.

Arrosage. Les hortensias sont calcifuges et s'arrosent à l'eau de pluie. Dans une pièce chauffée, l'eau s'évapore rapidement et il arrive que les feuilles tout à coup deviennent flasques et pendantes. La seule façon de les sauver est de baigner longuement les pots dans une grande bassine d'eau, jusqu'à ce que la motte se soit bien imbibée.

Fertilisation. L'hortensia est avide d'engrais et il faut le fertiliser dès le départ de la végétation, au printemps. On observe une courte période de repos après la taille mais, en juin-juillet, aussitôt que la plante sort de nouvelles pousses, il faut recommencer à la fertiliser.

Rempotage. Le moment idéal pour le rempotage se situe tout de suite après la taille d'été. Les plantes aiment les terres acides, et le mélange devra contenir beaucoup de tourbe à laquelle on ajoute du fumier de vache décomposé. La sapinette ou la terre de bruyère conviennent également bien. La présence de fer ou d'aluminium dans un sol au pH très bas fait bleuir les hortensias. C'est pourquoi les hortensias à fleurs bleues doivent être plantés dans un sol particulièrement acide. On peut augmenter la teneur en fer de la terre en y enfonçant des clous rouillés. Une méthode plus élégante consiste à se procurer de l'alun ammonium chez le droguiste. En août-septembre, on en administrera, à trois reprises, un tiers de cuiller à bouche par pot. Les cultivars rose carminé sont ceux qui se prêtent le mieux au bleuissement. Le même traitement doit être renouvelé tous les ans, après le rempotage. Lorsqu'on plante les hortensias en pleine terre, au jardin, il faut faire un grand trou et remplacer la terre par de la terre de bruyère ou de la tourbe acide.

Multiplication. Les coupes de la taille d'été s'utilisent parfaitement comme boutures. Les extrémités de tiges ne doivent être ni trop tendres, ni trop ligneuses, on les choisit semi-aoûtées. Pas besoin de chaleur de fond, les boutures s'enracinent très facilement, même dans un verre d'eau. Dès qu'elles ont émis des pousses, on les pince une ou deux fois. La 3e année de culture, on a de belles potées que l'on peut faire fleurir.

Maladies. Les plantes exposées aux courants d'air sont facilement envahies de pucerons. Elles sont aussi attaquées par les araignées rouges. Les fleurs vertes ou mal formées sont dues à une maladie à virus pour laquelle il n'existe pas de remède. Le jaunissement des feuilles est un signe de chlorose, conséquence d'une terre trop calcaire ou d'arrosages à l'eau trop dure. Les ions fer sont fixés par le calcaire et les feuilles jaunissent.

Hydrangéa macrophýlla

Hortensia. Arbuste à tiges épaisses. Feuilles ovales-larges, grossièrement dentées, jusqu'à 15 cm de long, vertes, luisantes. Inflorescence globuleuse aux grandes fleurs marginales stériles, sépales blancs ou roses, que l'on peut faire bleuir par des traitements. Les cultivars vendus en pots et forcés pour l'appartement appartiennent à la sousespèce *macrophýlla* forma *otáksa*.

Hymenocállis speciósa

Hymenocállis
Amaryllidáceæ

Nom. Du grec *hymên*, membrane, et *kallos*, beauté. Les étamines de ces très belles fleurs sont soudées à la base par une membrane.

Origine. On compte une quarantaine d'espèces, dont beaucoup sont littorales, en Amérique centrale et tropicale.

Description. Plante bulbeuse, aux fleurs généralement blanches, odorantes, composées d'un périanthe à longs segments et d'une coronule un peu semblable à la « trompette » des narcisses.

Exposition. Ce sont des bulbeuses d'été qui se cultivent fort bien en appartement.

Soins. Les bulbes, que l'on se procure par correspondance ou chez tout spécialiste, doivent être empotés en février-mars. La culture est semblable à celle de l'*Hippeástrum* (amaryllis), à cette différence près que toutes les espèces ne perdent pas leurs feuilles en hiver. On leur donne cependant une période de repos, à une température minimale de 15 °C.

Arrosage. Motte modérément humide en permanence pendant l'été, légèrement humide l'hiver pour les espèces qui conservent leur feuillage, tout à fait sèche pour les autres.

Fertilisation. Fertiliser tous les 15 jours pendant la période de végétation.

Rempotage. Mélange de rempotage du commerce additionné d'un peu de terre argileuse émiettée. Rempoter tous les deux ans, remplacer la terre en surface entre temps.

Multiplication. Séparer les caïeux et les rempoter séparément.

Hymenocállis x festális

Syn. *Isméne* x *festális*. En fait, un croisement de *Hymenocállis narcissiflóra* et *Eliséna longipétala*. Très grandes fleurs blanches, aux segments recourbés. Espèce connue, au feuillage caduc.

Hydrangéa macrophýlla subsp. *macrophýlla* form. *otáksa*, variétés rouge et blanche.

Hymenocállis narcissiflóra

Syn. *Hymenocállis caláthina ; Isméne caláthina ; Pancrátium narcissiflórum.* Feuilles réunies par 5 à 8, mesurant 50 cm sur 6, engainant chacune la base de la tige. Fleurs pendantes, réunies par 3 à 6, de couleur blanche, odorantes ; coronule en forme d'entonnoir, frangée ; segments lancéolés. Perd ses feuilles en automne.

Hymenocállis speciósa

Syn. *Pancrátium speciósum.* Feuilles nombreuses, mesurant jusqu'à 50 cm de long et 12 cm de large. Fleurs réunies par 6 à 12 ; segments longs de 12 cm, recourbés ; coronule faisant 3 à 5 cm de long. La fleur entière est blanche. Feuillage persistant.

Hypocýrta

Gesneriáceæ

Nom. Du grec *hypo*, en dessous, et *kyrtos*, courbe ; le nom décrit la forme de la corolle.
Origine. 9 espèces, presque toutes originaires du Brésil.
Description. L'unique espèce cultivée pour l'appartement a des petites feuilles luisantes, coriaces et des petites fleurs très curieuses, renflées comme de minuscules outres et de couleur orangée.
Exposition. La plante peut séjourner en permanence en appartement, mais elle ne fleurira que si on lui accorde une période de repos, à température basse.
Soins. L'*Hypocýrta* se met auprès d'une fenêtre bien éclairée et même ensoleillée, pourvu que la lumière soit tamisée au cœur de l'été. A partir de la fin du mois de mai, on pourra même lui trouver une petite place bien chaude en plein air. Pour le faire refleurir, il faut le tailler légèrement après la floraison et continuer à le soigner normalement tout au long de l'été. De décembre à février, il faudra le laisser au repos, à une température de 10 à 14 °C, dans un endroit clair et si possible ensoleillé.

Il se prête bien à la culture en petit panier suspendu.
Arrosage. Arroser modérément en été et très peu en hiver.
Fertilisation. Fertiliser tous les 15 jours, en été.
Rempotage. Le meilleur des mélanges se composera de terreau de feuilles, sphagnum et charbon de bois écrasé. Rempoter tous les ans, après la période de repos ou la floraison. Prendre des pots bien drainés ou des petites corbeilles spéciales pour suspensions.
Multiplication. Les boutures de tête s'enracinent très facilement tout l'été. Planter plusieurs boutures ensemble pour avoir des potées bien fournies. Les vieilles touffes se divisent. On peut même semer.

Hypocýrta glábra

Petite plante aux tiges dressées à retombantes ; feuilles coriaces, charnues, vert foncé, luisantes, elliptiques, mesurant jusqu'à 4 cm de long. Fleurs axillaires, orange, à l'aspect cireux ; la partie inférieure des pétales est soudée en une sorte de tube court et ventru.

Hypoéstes

Acantháceæ

Nom. Du grec *hypo*, en dessous, et *hestia*, maison.
Origine. Les quelque 150 espèces connues croissent à Madagascar et en Amérique du Sud.
Description. Petite plante à feuillage, peu connue. Feuilles à macules ou nervures rouges. Port érigé.
Exposition. L'*Hypoéstes* exige une ambiance très humide et se cultive, pour cette raison, en serre chaude.
Soins. Si on tient cependant à l'acclimater en appartement, il faudra faire de fréquentes pulvérisations à l'eau tiède. Les feuilles exigent beaucoup de lumière pour conserver leurs si jolies couleurs, mais elles ne supportent pas le plein soleil en été.
Le repos hivernal ne s'impose pas. La

Hypoéstes phyllostáchya

plante ralentira de toute façon sa croissance à cause du manque de lumière. En conséquence, il faudra réduire les arrosages et tailler légèrement à la sortie de l'hiver.
Arrosage. La motte doit rester modérément humide en permanence. Même en hiver, elle ne doit pas sécher.
Fertilisation. Donner un peu d'engrais soluble une fois toutes les 3 semaines, pendant la période de végétation.
Rempotage. On utilisera une terre de rempotage ordinaire ou, mieux, on fera un mélange de terre argileuse émiettée, de terreau de feuilles et de fumier de vache décomposé. Bien drainer les pots.
Multiplication. En serre, la plante forme des graines qui se répandent et germent un peu partout. On multiplie aussi de boutures de tête plantées sous châssis, avec une chaleur de fond.

Hypoéstes phyllostáchya

Syn. *Hypoéstes sanguinolénta ; Hypoéstes tæniáta.* Plante aux tiges ramifiées. Feuilles ovoïdes, très pointues, mesurant jusqu'à 7 cm de long, vertes à taches rouge clair. Fleurs axillaires, corolle rose carné, gorge blanche. Espèce la plus répandue.

Hypoéstes sanguinolénta

Syn. *Eránthemum sanguinoléntum.* Se distingue de l'espèce précédente par ses feuilles à nervures rouges, sans taches.

Illícium

Illiciáceæ

Nom. Du latin *illicere*, attirer, séduire. La feuille d'*I. vérum* répand une odeur agréable.
Origine. On connaît une bonne quarantaine d'espèces, qui croissent en Asie du Sud-Est, en Amérique du Nord et aux Caraïbes.
Description. Arbustes assez rares, presque rustiques, au feuillage persistant, vert. Fleurs jaunes, aux grandes étamines.
Exposition. Plantes de serre froide que l'on sort en plein air en été.
Soins. Placer les arbustes en serre froide pendant l'hiver. Température minimum : 5 °C.
Arrosage. Motte modérément humide en permanence, même en hiver.
Fertilisation. Fertiliser tous les 15 jours pendant la période de végétation, jusqu'à environ la mi-août.
Rempotage. Ces plantes redoutent le

Illícium vérum

calcaire. On utilisera un mélange de sapinette et de fumier de vache décomposé. La terre de bruyère peut remplacer la sapinette.
Multiplication. Les extrémités de tige s'enracinent au printemps ou à la fin de l'été, sur chaleur de fond. On peut également semer.

Illícium vérum

Anis étoilé. Les feuilles dégagent une odeur d'anis lorsqu'on les froisse. Fleurs globuleuses. Périanthe formé de 10 divisions. Autant d'étamines.

Impátiens

Balsamináceæ

balsamine

Nom. Du latin *impatiens*, sensible. Les fruits mûrs, lorsqu'on les touche, éclatent en projetant les graines.
Origine. La plupart des 400 espèces connues sont répandues en Asie tropicale et subtropicale, en Afrique tropicale et dans les îles à l'est de l'Afrique. 8 espèces seulement ont leur habitat dans les régions tempérées d'Asie, d'Europe et d'Amérique.
Description. La balsamine est une plante d'appartement fort connue, aux tiges succulentes et aux fleurs simples ou doubles, de coloris variés.
Exposition. Ces plantes réclament beaucoup de lumière pour fleurir. L'été, on peut les mettre dehors.
Soins. La balsamine, placée dans de bonnes conditions d'éclairement (elle supporte le soleil), déçoit rarement. Par contre, les hybrides récents, créés pour la garniture des jardins et des balcons, doivent se planter à l'ombre, ce qui ne signifie nullement qu'on peut les reléguer au fond d'une pièce. La balsamine hiverne en appartement. Au bout d'un an de culture, elle a produit de longues tiges disgracieuses que l'on taille au printemps pour en faire des boutures.
Arrosage. Placée au soleil, durant l'été, la balsamine se montre avide d'eau. Il faut arroser beaucoup moins en hiver. Utiliser de l'eau de pluie.
Fertilisation. Prendre une terre de rempotage ordinaire du commerce et des pots de plastique munis d'un orifice de drainage.
Multiplication. Les extrémités de tige s'enracinent très facilement toute l'année, même dans l'eau. Il faut prévoir le renouvellement annuel des plantes. On les multiplie aussi très facilement de semis, à une température de 18-20 °C.
Maladies. Pucerons, aleurodes et

Hypocýrta glábra

Ixóra hybride

Impátiens walleriána à fleurs simples et Impátiens balsámina à fleurs doubles.

Impátiens hybride 'Confetti'

Iresíne hérbstii

Iresíne hérbstii 'Aureoreticulata'.

Cette espèce supporte l'atmosphère d'une pièce normalement chauffée, même si elle préfère une température hivernale de 15 °C. Elle perd évidemment une grande partie de son attrait ; au printemps, elle n'a plus que de longues tiges étiolées et flasques. Mais rien n'est perdu. Il suffit de faire des boutures et le feu d'artifice recommence.

Arrosage. Le feuillage transpire énormément et il faut beaucoup arroser en été. Réduire les arrosages en hiver.

Fertilisation. Fertiliser tous les 15 jours en période de végétation, avec un engrais courant.

Rempotage. Les *Iresíne* prospèrent parfaitement dans une terre de rempotage ordinaire. Les planter en pots de plastique pour limiter l'évaporation.

Multiplication. Les extrémités de tiges s'enracinent facilement dans un mélange de tourbe et de sable grossier. Elles émettent des racines, même placées dans un verre d'eau. Aussitôt enracinées, les boutures sont pincées : elles pourront ainsi se ramifier. Les extrémités coupées peuvent éventuellement servir à faire d'autres boutures. Empoter plusieurs sujets ensemble afin d'obtenir de belles touffes.

Ixóra

Rubiáceæ

Nom. Dérivé d'un mot sanskrit signifiant seigneur. C'est aussi le nom d'une divinité de Srî Lanka.

Origine. On connaît 400 espèces appartenant à ce genre. Elles sont répandues dans toutes les régions tropicales du globe.

Description. Les plantes cultivées sont toutes des hybrides obtenus par croisement des espèces botaniques. Remarquables corymbes de fleurs orange.

Exposition. Ce sont des plantes de serre chaude. Elles résistent mal en appartement chauffé : c'est sans doute la raison pour laquelle on en voit si peu. Elles ont connu un certain succès dans les années 60.

Soins. Les fleurs se montrent de mai à septembre. Exposer la plante en pleine lumière, mais éviter le soleil. Faire de fréquentes vaporisations d'eau de pluie tiède sur le feuillage. Tailler les rameaux après la floraison et faire hiverner en serre chaude, à 18 °C. Les plantes nouvellement transférées en appartement perdent souvent leurs fleurs à cause de l'incidence de la lumière. Il faut donc éviter de changer les pots de place.

Arrosage. N'arroser qu'à l'eau de pluie pure ou à l'eau déminéralisée. Tenir la motte humide en permanence, en été ; arroser moins en hiver, pour permettre à la plante de se reposer.

Fertilisation. Fertiliser tous les 15 jours en période de végétation.

Rempotage. Terre légère, riche en humus. Un mélange de sapinette et de fumier décomposé sera celui qui conviendra le mieux. Utiliser des pots en plastique avec un bon orifice de drainage. Changer la terre tous les ans.

Multiplication. Au printemps, on peut faire des boutures de tête sur chaleur de fond : 25 à 30 °C. L'enracinement se produit au bout de 3 à 4 semaines.

Maladies. Plantes très sensibles aux cochenilles à bouclier. Intervenir rapidement.

Ixóra hybrides

Ⓘ ⓘ ∞ ⓒ ⓘ

Arbustes érigés. Feuilles ovoïdes-allongées, vertes, solides et coriaces. Fleurs en corymbes terminaux denses, corolle mesurant 1 cm de diamètre, tube étroit, de 3 cm de long. Coloris : jaune, orange, rouge orangé.

araignées rouges se manifestent lorsque les plantes manquent de nourriture ou que l'atmosphère est trop sèche. Ne pas mouiller les fleurs, elles se tachent facilement.

Impátiens balsámina

Ⓞ ⓘ ∞ ⓒ ⓘ

Syn. *Balsámina horténsis*. Balsamine des jardins. Plante de jardin aux tiges charnues, souvent teintées de rouge. Feuilles lancéolées. Fleurs pleines, aux tons rose vif, lilas, blanc, etc. Les races naines et compactes sont souvent vendues comme plantes d'appartement. Espèce annuelle.

Impátiens mariánæ

Plante aux tiges rampantes. Feuilles ovoïdes-larges, au bord finement denté, nervures soulignées de blanc. Fleurit rarement. Espèce vivace.

Impátiens walleriána

Syn. *Impátiens hólstii* ; *Impátiens sultáni*. Balsamine de Zanzibar. Plante érigée, aux tiges succulentes, et aux feuilles elliptiques, vert clair, alternes à la base, verticillées au sommet. Corolle plate, de 3 à 5 cm de diamètre, tube étroit, éperon long et fin. Coloris très variés. La variété 'Petersiana' est teintée de rouge dans toutes ses parties. Espèce vivace.

Iresíne

Amarantháceæ

Nom. Du grec *eiros* ou *eirion*, laine. Certaines espèces ont des fleurs velues.

Origine. On connaît environ 70 espèces, que l'on trouve en Amérique du Nord et du Sud, aux Antilles, en Australie et dans les îles Galapagos.

Description. Petites plantes aqueuses au feuillage très coloré et aux fleurs peu nombreuses et insignifiantes.

Exposition. Les *Iresíne* doivent se mettre au soleil pour conserver la coloration de leur feuillage. Excellentes plantes pour la décoration des massifs dans les parcs, en été.

Soins. Aucune exposition n'est trop chaude pour l'*Iresíne*, même pas une fenêtre orientée plein sud, sans le moindre voilage : ses feuilles recherchent le soleil, auquel elles doivent l'éclat de leur beauté. Il n'est pas rustique, mais de fin mai à fin septembre, on peut le laisser séjourner sur le balcon ou la terrasse, sans le moindre inconvénient. L'hiver, on laissera la plante auprès d'une fenêtre bien orientée au soleil.

Maladies. On note parfois des pucerons. Pour le traitement, voir le chapitre consacré à ce sujet.

Iresíne hérbstii

Ⓞ ⓘ ∞ ⓒ ⓘ

Syn. *Achyránthes verschafféltii*. Plante dressée, aux rameaux rouges, anguleux, translucides. Feuilles généralement spatulées, cloquées, échancrées au sommet, parfois aiguës. Le dessus du limbe est brun rouge assez foncé ; les principales nervures latérales sont soulignées de rouge carmin. Fleurs verdâtres, en panicule. 'Aureoreticulata' a des feuilles avec des panachures et même des striures jaune d'or ; 'Brillantissima' a des feuilles concaves, brun acajou, aux nervures rouge clair ; 'Wallisii' a des petites feuilles rondes à réniformes, au sommet recourbé et aux bords pourprés, redressés.

Iresíne lindénii

Syn. *Achyránthes lindénii*. La plante est entièrement rougeâtre. Feuilles oblongues-lancéolées, mesurant jusqu'à 6 cm de long, aiguës, rouge sang. La nervure médiane est bordée de rouge. 'Formosa' a des feuilles jaune clair, ponctuées de vert, aux nervures rouges.

Jacaránda mimosifólia. Détail : la feuille.

Jacaránda

Bignoniáceæ

jacaranda

Nom. *Jacaranda* est le nom populaire d'une espèce au Brésil.

Origine. Des 50 espèces que l'on trouve en Amérique du Sud, une seulement est cultivée en appartement et en orangerie.

Description. Au Brésil, c'est un grand arbre qui fournit un bois réputé, assimilé au palissandre. En culture, c'est un arbuste qui, à première vue, fait penser à une fougère. Son feuillage rappelle beaucoup celui de *Mimósa pudíca.*

Exposition. Les jeunes plantes réclament beaucoup de chaleur et se trouvent bien en appartement. Les sujets plus âgés sont traitées comme des plantes d'orangerie.

Soins. On évitera de placer les jeunes exemplaires en plein soleil, mais on leur donnera un emplacement très bien éclairé, c'est essentiel pour leur croissance. Il faut pratiquer des pulvérisations au moins une fois par jour sur le fin feuillage, qui est très avide d'humidité. Si la plante fait mine de péricliter, il faut la transférer dans la serre. Les quatre premières années, la température hivernale ne devra pas descendre au-dessous de 12 °C. Lorsqu'elles prennent de l'âge, ces plantes sont cultivées en caisse ; on les sort en plein air, en été, et on les rentre en serre froide ou en orangerie, en hiver.

Arrosage. Tenir la motte modérément humide en été. Réduire les arrosages en hiver. N'utiliser que de l'eau de pluie.

Fertilisation. Apport d'engrais tous les 15 jours, en été.

Rempotage. Le mélange ne doit pas contenir de calcaire. On utilisera donc de la sapinette ou de la terre de bruyère enrichies d'un peu de fumier bovin décomposé. Rempoter tous les ans. au printemps.

Multiplication. On propage cette espèce par semis. Pour germer, les graines ont besoin d'une température de 25 °C environ.

Jacaránda mimosifólia

Ⓘ ☺ ☺ Ⓖ ⊞

Syn. *Jacaránda ovalifólia.* Arbre perdant son feuillage au printemps. Les feuilles, opposées, sont bipennées comme chez les fougères. Nombreuses folioles trapézoïdales à oblongues, duveteuses. Panicules de fleurs bleu violacé : ne se montrent pas en culture.

Jacaránda mimosifólia ressemble étrangement à une fougère. C'est cependant un véritable arbuste.

Jacobínia pauciflóra

Jacobínia

Acantháceæ

Nom. De *Jacobina*, nom d'une localité au nord-ouest de Salvador, capitale de l'État de Bahia (Brésil).

Origine. On trouve une quarantaine d'espèces répandues dans les régions chaudes d'Amérique.

Description. On ne rencontre guère que deux espèces en culture, et elles sont de forme sensiblement différente. L'une ressemble au *Cyphéa* (voir ce nom) et l'autre a des inflorescences en thyrses, composées de petites fleurs tubuleuses, vivement colorées.

Exposition. Ce sont des plantes de serre tempérée. *Jacobínia pauciflóra* peut séjourner en plein air, en été.

Soins. Des deux espèces cultivées en appartement, *Jacobínia pauciflóra* est la plus résistante. À partir de fin mai, il peut se mettre dehors, à un endroit très bien abrité et ensoleillé. On attendra la fin de septembre pour le rentrer dans un local clair et frais, serre tempérée ou même serre froide. La floraison aura lieu de décembre à février. *Jacobínia cárnea* ne doit pas quitter la serre de tout l'été ; éventuellement on peut le mettre dans l'appartement. À protéger de l'ardeur du soleil. La floraison intervient généralement en août-septembre. Dès qu'elle est passée, les plantes sont taillées et mises au repos dans une serre tempérée ou dans une pièce fraîche où la température ne dépassera pas 12 °C.

Arrosage. Arroser plutôt copieusement et surtout régulièrement. *Jaco-*

Jacobínia cárnea

bína pauciflóra est tout particulièrement sensible à la sécheresse. Aussitôt qu'il a soif, il laisse pendre ses feuilles. On restreindra bien entendu les arrosages en hiver, par basse température, mais la terre devra malgré tout conserver une certaine humidité.

Fertilisation. Les deux espèces repertoriées ci-dessous peuvent recevoir une dose d'engrais hebdomadaire en période de végétation.

Rempotage. *Jacobínia pauciflóra* se rempote après la floraison, c'est-à-dire au printemps, dans des pots pas trop grands. On le plante dans un mélange de terreau de gazon, terre argileuse et terreau de feuilles, auquel on ajoute du fumier bovin décomposé. À la rigueur, on peut se servir de terre de rempotage standard du commerce. Prendre des pots en plastique : la motte y conserve mieux son humidité.

Jacobínia cárnea peut également se rempoter au printemps, dans le même type de mélange terreux ou dans un mélange vendu prêt à l'emploi. Choisir des pots assez grands : cette espèce émet beaucoup de racines et il faut parfois la rempoter à nouveau au cours de l'été. Pots de plastique, de préférence, avec un bon orifice de drainage.

Multiplication. *Jacobínia pauciflóra* se bouture en janvier-février, pendant la floraison. On prélève des extrémités de tiges tendres, non fleuries. Placées sous châssis, avec une chaleur de fond, elles s'enracinent assez rapidement. On garde les jeunes plantes en serre pendant quelques mois et on les endurcit progressivement avant de les sortir en plein air. On pince les jeunes pousses à plusieurs reprises.

Jacobínia cárnea se propage de boutures de tête, à partir de février. Une petite chaleur de fond leur permet de former rapidement des racines. La floraison a lieu en juin. Lorsqu'on bouture en mars-avril, les fleurs apparaissent en septembre-octobre. On rempote dès que l'on constate que les racines ont envahi toute la motte. Pincées deux ou trois fois, les plantes produisent davantage d'inflorescences. Une autre méthode consiste à ne pas pincer les plantes, mais à en planter plusieurs dans un même pot.

Jacobínia cárnea

Syn. *Justícia cárnea* ; *Cyrtanthéra magnífica* ; *Cyrtanthéra cárnea*. Plante aux tiges dressées. Feuilles ovoïdes, mesurant jusqu'à 15 cm de long, un peu rugueuses, long pétiole : 8 cm. Fleurs en thyrses denses avec bractées pourprées, corolle de 6 cm de long, étroite, bilabiée, rose mauve.

Jacobínia pauciflóra

Syn. *Libónia floribúnda, Sericográphis pauciflóra*. Plante aux tiges très ramifiées, couvertes de poils courts. Feuilles opposées, oblongues, d'inégale grandeur. Fleurs solitaires, nombreuses, rouges, teintées de jaune ; corolle longue de 2 à 3 cm.

Jasmínum

Oleáceæ

jasmin

Nom. De l'arabe *yàsmin*, du persan *yàsimin*.

Origine. On trouve environ 200 espèces, qui croissent dans les régions tropicales d'Afrique, d'Asie et d'Australie. Une seule espèce croît en Amérique.

Description. Lianes aux fleurs blanches ou rougeâtres, apparentées à *Jasmínum nudiflórum* ou jasmin d'hiver, plante de jardin bien connue qui produit des fleurs jaunes en décembre. C'est de *Jasmínum officinále* ou jasmin blanc, aux fleurs blanches, délicieusement parfumées, que l'on extrait, dans le Midi, l'essence de jasmin, produit de base en parfumerie.

Exposition. Plantes de serre froide ou de serre tempérée. L'été, on peut soit les sortir en plein air, soit les garder dans la maison.

Soins. Toutes les espèces réclament le soleil en été. À partir de fin mai, on peut les mettre dehors, à un endroit bien abrité. Elles donnent toute leur mesure, plantées en pleine terre,

Jasmínum officinále 'Grandiflorum' : un beau jasmin pour la serre.

dans la serre froide. Les longs rameaux peuvent être conduits tout le long du toit. Si on plante dans des pots, il faudra les choisir de bonne taille et prévoir un lattis ou des arceaux de fer pour y attacher les tiges. Les jasmins ne fleurissent qu'à condition d'avoir subi l'effet du froid hivernal. Ils résistent jusqu'à une température de 2 à 8 °C. La végétation repart très tôt au printemps. Ventiler abondamment pour empêcher qu'ils ne démarrent trop rapidement et ne produisent des tiges grêles et faibles, exagérément allongées qui, par la suite, seront facilement attaquées par les pucerons. Dans le nord, on attendra mi mai pour les sortir en plein air. De temps à autre, il faut pincer les tiges pour favoriser la floraison de la saison suivante.

Arrosage. Arroser assez abondamment en période de végétation. L'hiver, il suffit d'empêcher la plante de mourir de soif. Il est recommandé d'arroser et de pulvériser à l'eau douce, à l'eau de pluie si possible.

Fertilisation. En période de végétation, ces grandes lianes sont avides de nourriture. Si les plantes sont rempotées au printemps, on attendra 6 semaines, puis on ajoutera une petite dose d'engrais à l'eau, chaque fois que l'on arrose, et ceci jusqu'en septembre.

Rempotage. Procéder très tôt au printemps, car le départ de la végétation est précoce. Les fleurs se forment sur le bois de l'année précédente : toute taille au moment du rempotage signifie une perte de boutons floraux.

On obtiendra une bonne terre de rempotage en mélangeant 1/3 de terre argileuse finement émiettée ou de limon, 1/3 de terreau de feuilles de hêtre, 1/6 de fumier de vache bien décomposé et 1/6 de sable grossier ou de perlite. On utilise aussi parfois un mélange du commerce.

Multiplication. Dès le printemps et jusqu'à la fin de l'été, on peut faire enraciner des pousses mi-aoûtées en donnant une légère chaleur de fond. Placer sous châssis de verre ou de plastique. Pincer à plusieurs reprises, dès que la plante émet des pousses,

pour obtenir des potées touffues. Il est possible de séparer des rejets. Les plantes que l'on butte en hiver émettent de nombreuses pousses à leur pied : on peut les utiliser comme boutures au printemps.

Maladies. Les pucerons peuvent occasionner des dégâts sur les plantes qui ont hiverné dans une atmosphère trop chaude ou qui ont démarré prématurément au printemps. Il arrive aussi que les pousses trop proches du vitrage de la serre souffrent du gel. Se servir des claies d'ombrage en guise de protection contre les fortes gelées.

Jasmínum mésnyi

Syn. *Jasmínum primulínum*. Arbuste à feuillage persistant, aux rameaux anguleux et aux feuilles composées, à 3 folioles lancéolées, longues de 3 à 7 cm. Fleurs solitaires, de 3 à 5 cm de diamètre, corolle à 6 lobes ou plus, de couleur jaune clair.

Jasmínum officinále

Jasmin blanc. Arbuste au feuillage caduc. Feuilles composées, à 5-9 folioles, chacune mesurant 3 cm de long et celle du sommet étant beaucoup plus longue. Fleurit en cymes peu fournies, corolle de 2,5 cm de diamètre, blanche, lobes de même longueur que le tube. On cultive généralement la forme 'Grandiflora', aux fleurs beaucoup plus grandes : 4 cm de diamètre.

Jasmínum polyánthum

Ressemble beaucoup à l'espèce précédente, mais ses fleurs sont réunies en panicule. La corolle mesure 4 cm de diamètre ; elle est blanche à l'intérieur et rougeâtre à l'extérieur. Les lobes font la moitié de la longueur du tube.

Jasmínum sámbac

Jasmin d'Arabie. Arbuste au feuillage persistant, aux rameaux parfois grimpants. Feuille apparemment simple, elliptique-large, mesurant jusqu'à 7 cm de long sur 5 cm de large, de couleur vert foncé. Pétiole court, dressé verticalement. Fleurs très odorantes, réunies en bouquets peu fournis. Elles sont blanches et généralement doubles.

Játropha

Euphorbiáceæ

Nom. Du grec *iatros*, médecin, et *trophê*, nourriture ; d'où le sens de remède. Ce qui est sûr, c'est que le latex aussi bien que les graines de ces plantes sont généralement très toxiques.

Origine. On trouve environ 160 espèces, en Afrique et en Amérique tropicales.

Description. Plantes à tige épaisse en forme de bouteille, produisant sporadiquement quelques feuilles au long pétiole et des fleurs rouge minium.

Exposition. C'est, en quelque sorte, une succulente qui peut passer tout l'hiver dans une pièce chauffée.

Soins. Il est rare qu'une plante aussi singulière exige aussi peu de soins. Elle ne réclame même pas une période de repos à basse température en hiver, et s'accommode toute l'année de l'atmosphère de l'appartement. À l'automne, ses feuilles jaunissent tout doucement et tombent. C'est le moment de suspendre les arrosages : faute d'observer cette règle, on fait pourrir cette charmante plante. En mars, le *Játropha* reprend vie et accepte d'être arrosé très légèrement.

Arrosage. Il faut peu d'eau à cette plante, surtout l'hiver.

Fertilisation. Elle est totalement superflue. Le *Játropha* est un ascète.

Rempotage. Un mélange de terre argileuse et de terreau de feuilles est exactement ce qu'il faut. Il n'est pas indispensable de renouveler la terre tous les ans.

Játropha podágrica

Multiplication. On parvient à obtenir des graines en pollinisant les fleurs à l'aide d'un pinceau. Quand les fruits arrivent à maturité, ils éclatent en projetant les graines : nouer un petit capuchon de tissu sur les fruits pour pouvoir les recueillir et les semer aussitôt.

Játropha podágrica

Arbuste succulent, à tige épaisse, tubéreuse. Feuilles peltées, à 3 ou 5 lobes, sur de longs pétioles. Ombelles de fleurs rouge minium, également portées par de longues hampes. Les fleurs se montrent à la fin de la période de repos, avant les feuilles.

Kalánchoe
Crassuláceæ

Nom. On pense que ce nom est la forme latinisée d'un nom populaire chinois.

Origine. On a répertorié plus de 200 espèces, dont la plupart sont originaires de Madagascar.

Description. L'espèce la mieux connue est *Kalánchoe blossfeldiána* ; elle a donné naissance à de très nombreux hybrides aux fleurs brillamment colorées et vendus par centaines de milliers. Le genre compte aussi des succulentes beaucoup plus rares et originales ; on y rattache même, aujourd'hui, les *Bryophýllum*, qui se distinguent par les bulbilles qu'ils portent sur leurs feuilles et leurs inflorescences.

Exposition. Toutes les espèces citées ci-dessous doivent, en principe, hiverner en serre froide, mais celles qui produisent des bulbilles sur le bord de leurs feuilles sont suffisamment résistantes pour passer tout l'hiver dans une pièce chauffée.

Soins. Occupons-nous, pour commencer, de *Kalánchoe blossfeldiána.* Voilà une plante qui a des feuilles succulentes, certes, mais moins charnues que celles d'autres plantes grasses. Il faut cependant la traiter comme une succulente pour réussir à la faire fleurir. Donc : une exposition très claire au printemps et en été, avec une légère protection contre le soleil de midi, lorsqu'il est très ardent. Dès que les feuilles se colorent de rouge, cela signifie que la plante reçoit trop de soleil. On élimine toutes les inflorescences fanées et à la fin de

Kalánchoe mangínii

Kalánchoe blossfeldiána 'Kuiper's Orange'

Kalánchoe laxiflóra 'Fedschenko'

longe bien sûr exagérément, elle atteint parfois 1 m de haut, mais le mal n'est pas très grand, puisqu'au printemps on pourra récupérer des plantules et se débarrasser du vieux pied. Les autres *Kalánchoe*, et en particulier ceux aux tiges et au feuillage très charnus, ne tolèrent pas des températures hivernales aussi élevées. On ne les bouture pas non plus tous les ans, et il vaut mieux essayer de leur conserver leur caractère en les faisant hiverner au froid. Leurs fleurs sont insignifiantes, mais leur feuillage est souvent très attrayant. Ils trouveront des conditions d'hivernage idéales dans une serre tempérée où la température minimum se situe à 12 °C. Beaucoup de soleil en été, mais pas de températures trop élevées.

Arrosage. Toutes les espèces, sans exception, sont succulentes : elles ne réclament donc pas des arrosages très abondants. Il va de soi que les espèces ayant une surface foliaire importante exigent aussi plus d'eau que les autres. De toutes, c'est *Kalánchoe blossfeldiána,* l'espèce à fleurs, qui demande à être le plus arrosée : sa motte doit conserver une humidité permanente tout au long de l'été. Tenir un peu plus au sec en hiver. Les espèces à bulbilles et les autres recevront des arrosages modérés à parcimonieux, en été. L'hiver, on les arrosera d'autant moins que l'ambiance sera plus fraîche. À 5 °C on cessera tout arrosage. Il est recommandé d'utiliser de l'eau de pluie ou adoucie.

Fertilisation. *Kalánchoe blossfeldiána* accepte avec reconnaissance une petite ration d'engrais pendant sa période de végétation. Un apport toutes les trois semaines suffit largement. Les espèces à bulbilles deviennent énormes lorsqu'on leur administre beaucoup d'engrais : les amateurs intéressés devraient tenter l'expérience. Sans engrais, elles demeurent compactes.

Les autres espèces peuvent être fertilisées l'été à l'engrais spécial pour cactées. Des engrais trop azotés les dénaturent.

Rempotage. *Kalánchoe blossfeldiána* se plaît dans une terre de rempotage

l'automne, on met la plante dans un endroit un peu plus frais, mais moins froid que pour les autres espèces. La température minimum se situe aux alentours de 16 °C. Il suffit parfois de rapprocher la plante de la fenêtre.

Le *Kalánchoe* est une plante de jours courts. Il ne forme ses boutons floraux qu'à partir du moment où la durée du jour est inférieure à 12 heures. S'il suit son cours naturel, ses fleurs commenceront à se former en novembre et ne s'épanouiront qu'au printemps. En intervenant artificiellement sur la durée de l'éclairage, les horticulteurs le font fleurir à leur guise. C'est une expérience amusante à tenter soi-même. On prend des plantes bien développées et on commence à réduire la durée du jour à partir de fin août. Le jour court idéal compte 9 à 10 heures. On pourra, par

exemple, plonger les plantes dans l'obscurité totale à partir de 17 heures jusqu'à 8 heures, en les rangeant dans un local sans fenêtre, en les couvrant d'un plastique noir opaque ou d'un seau, etc. On poursuit ce traitement pendant 3 à 4 semaines. Les premiers boutons devront être éliminés dès qu'on peut les saisir avec les doigts : ceci, pour obtenir par la suite une floraison plus riche. Il faut environ 12 à 15 semaines pour avoir des potées en pleine floraison.

Les espèces qui produisent des bulbilles sont cultivées différemment. Leurs fleurs sont sans intérêt. Ce qui importe, c'est le feuillage et les mignonnes plantules qui apparaissent très nombreuses sur le bord des feuilles. Elles se détachent d'elles-mêmes et se répandent partout, jusque dans les pots avoisinants où elles ne tardent

pas à former des colonies denses. Ce type de plante doit être exposé en plein soleil et exige une période de repos en local froid, autant que possible dans une serre, à une température minimale de 5 °C, avec arrêt complet des arrosages. Dans ces conditions, ces espèces restent belles et fournies. En pratique, on s'aperçoit qu'elles résistent à un hiver passé en appartement chauffé. La plante s'al-

Kalánchoe tomentósa à la toison blanche.

Kalánchoe blossfeldiána à fleurs rouges.

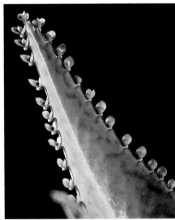

Kalánchoe daigremontiána aux feuilles bulbillifères.

additionnée de terre argileuse. Les espèces à bulbilles se rempotent dans un mélange ordinaire du commerce. Les autres espèces s'accommodent également d'un mélange standard allégé de sable ou de perlite.

Multiplication. Les professionnels multiplient les *K. blossfeldiána* en semant, l'amateur aura avantage à prélever des boutures de tige, qui s'enracinent assez promptement à 20-25 °C. Éviter de trop mouiller la terre.

Les espèces à bulbilles n'offrent aucun problème de multiplication : elles nous offrent les plantules sur un plateau. On les détache de la feuille et on les empote, même toutes petites. Les autres espèces se propagent de boutures de tête ou de feuille. On fera sécher quelques jours les feuilles charnues.

Espèces à fleurs :
Kalánchoe blossfeldiána
○ ◐ ◉ ◎ ◑ ⑪
Sous-arbrisseau aux tiges cylindriques et aux feuilles ovoïdes, grossièrement crénelées, dessus luisant ou mat. Bouquets de fleurs sur hampe assez courte, corolle rouge à rouge orangé, rétrécie à la base. On ne trouve en culture que des hybrides aux fleurs rouges, jaunes, orange ou lilas.
Kalánchoe longiflóra
Semblable à l'espèce précédente, mais les tiges sont plus hautes et quadrangulaires. Les fleurs, jaunes, réunies en bouquets, sont portées par de longues hampes, la corolle est élargie à la base. 'Coccinea' a des feuilles concaves.
Kalánchoe manginii
Petite plante aux tiges dressées à la partie inférieure et arquées au sommet. Feuilles lancéolées à spatulées, longues de 2 à 4 cm, larges de 5 à 15 mm. Fleurs pendantes, solitaires ou en petits bouquets, longues de 2 cm, rouges.

Espèces à bulbilles :
Kalánchoe daigremontiána
○ ⑪ ◉ ◒ ⑪
Syn. *Bryophýllum daigremontiána*. Plante érigée, aux feuilles triangulaires-allongées, de couleur verte, tachées de violet au revers, lobes de la base redressés, bord couvert de bulbilles violets donnnant naissance à de nombreuses plantules.
Kalánchoe laxiflóra
Syn. *Bryophýllum crenátum ; Kalánchoe crenáta*. Ressemble à l'espèce ci-dessus, mais est entièrement couvert d'une pruine bleuâtre. Feuilles ovoïdes, crénelées, les bords portent souvent des bulbilles. 'Fedschenko'

Kalánchoe tubiflóra : les bulbilles sont groupées au sommet des feuilles.

est un hybride aux feuilles plus petites. Il existe également une forme aux feuilles marginées de blanc, dite 'Marginata'.
Kalánchoe tubiflóra
Syn. *Bryophýllum tubiflórum*. Plante érigée, aux feuilles cylindriques, d'un vert pâle rougeâtre ponctué de taches sombres, canaliculées au-dessus. Au sommet de la feuille se trouvent quelques dents où se logent les bulbilles, qui se détachent très facilement.

Autres espèces :
Kalánchoe marmoráta
○ ◐ ◉ ◎ ◒ ⑪
Syn. *Kalánchoe grandiflóra ; Kalánchoe macrántha*. Plante érigée, aux feuilles obovales, rétrécies à la base, vertes, pruinées de bleu, avec des macules brunes irrégulières sur les deux faces.
Kalánchoe tomentósa
Plante aux tiges dressées, ramifiées. Feuilles épaisses, en forme de cuiller, en rosettes lâches, couvertes d'un épais duvet laineux, sommet vaguement crénelé et tâché de brun.

Kohléria
Gesneriáceæ

Nom. Du nom de Michael *Kohler* (XIXe siècle), professeur de sciences naturelles dans un institut pédagogiques à Zurich.

Origine. On connaît quelque 65 espèces, répandues dans les régions montagneuses du Mexique et dans la partie nord de l'Amérique du Sud.
Description. Ces plantes rappellent beaucoup les *Smithiántha* ou *Rechsteinéria* que l'on connaît mieux ; leurs fleurs ont simplement des taches plus prononcées.
Exposition. Plantes de serre exigeant une atmosphère humide et un hivernage en local froid.
Soins. On commence souvent par planter sous châssis quelques segments de leurs rhizomes écailleux, qui s'enracinent promptement en milieu humide et chaud. La culture se poursuit en serre chauffée et très claire. On restreint les arrosages en automne, sans toutefois laisser mourir totalement le feuillage, c'est-à-dire que l'on procède exactement comme pour les *Achímenes*. Température minimum en hiver : 10-12 °C.
Arrosage. Arroser modérément en été. L'hiver, on se contentera de maintenir le feuillage en vie. Ne jamais pulvériser d'eau sur les feuilles.
Fertilisation. On peut faire un apport d'engrais tous les 15 jours, en période de végétation.
Rempotage. On divise les rhizomes au printemps. On peut aussi faire enraciner des boutures de tête en automne, sur chaleur de fond. Le semis est également possible.

Kohléria hybrides
◐ ⑪ ◉ ◒ ⑪
Syn. *Isolóma* hybrides ; *Tydǽa* hybrides. Petites plantes aux tiges dressées ou couchées et aux feuilles ovoïdes à oblongues, poilues, vert velouté, brunâtres ou marbrées le long des nervures. Les fleurs sont tubuleuses, colorées dans les tons orange : orange, rouge orangé, jaune orangé, et tachetées à l'intérieur. Cette description très générale s'applique aux hybrides de *Kohléria amábilis*, *Kohléria bogoténsis*, *Kohléria eriántha* et *Kohléria sciadotýdæa*, qui se différencient les uns des autres par des détails spécifiques.

Hybride de *Kohléria eriántha*.

Lachenália

Liliáceæ

lachénale

Nom. Du nom de Werner von *Lachenal* (1736-1800), professeur de botanique à l'université de Bâle.

Origine. Une cinquantaine d'espèces croissent en Afrique du Sud. Les bulbes y observent une période de repos très stricte, en été.

Description. Le *Lachenália* est une bulbeuse qui n'a pas su adapter son rythme à l'hémisphère nord. Feuilles charnues et grappes de fleurs tubuleuses, jaunes ou orange.

Exposition. L'été, en plein air. L'hiver, dans un local clair et frais. Plante de plein air dans les régions à climat doux.

Soins. La culture commence par la plantation, en septembre, de bulbes neufs que l'on peut se procurer par correspondance. On en plante plusieurs ensemble dans un même récipient. On place les pots dans la serre tempérée ou dans une pièce fraîche et on arrose peu. Température : 10 à 14 °C. On peut aussi laisser les bulbes en coffre froid jusqu'à fin octobre et les garder ensuite en serre froide, à une température de 5 à 10 °C. Les bulbes fleurissent de février à fin mars. On les conserve à la même température jusqu'à la disparition du feuillage. De mai à septembre, on stocke les bulbes restés dans leur pot dans un endroit sec et bien ensoleillé.

Arrosage. Cette plante réclame peu d'eau. Tenir modérément humide en cours de végétation. À partir de mai, cesser complètement d'arroser.

Fertilisation. Faire des apports d'engrais hebdomadaires au cours des dernières semaines qui précèdent la floraison, pendant la floraison et une ou deux semaines après la floraison.

Rempotage. Rempoter tous les ans, en septembre, dans un mélange ordinaire du commerce auquel on mêle de la terre argileuse finement émiettée.

Multiplication. Séparer les caïeux et les élever à part. Ils fleurissent parfois déjà au bout de 2 ans.

Lachenália aloídes

○ ○ ○ ○ ∞ ○ ▣ ▣

Syn. *Phórmium aloídes*. Les bulbes, de 1 cm de diamètre, émettent chacun 2 à 3 feuilles de 30 cm de long sur 5 cm de large, arquées, charnues et la plupart du temps tachetées. Grappes de fleurs jaune clair, souvent vertes au sommet. Les pétales externes sont jaune orangé, les pétales internes sont rougeâtres et deux fois plus long. En culture on dispose surtout

Lachenália bulbífera

Lælia púmila : s'acclimate parfois en appartement.

d'hybrides aux fleurs jaunes, orange ou rougeâtres.

Lachenália bulbífera

Syn. *Lachenália péndula*. Proche de l'espèce précédente, mais les feuilles sont dressées et rarement tachées. La hampe florale est brun violacé ; grappes de fleurs d'abord légèrement inclinées, puis franchement pendantes, rouge orangé ; les pétales internes sont à peine plus longs que les externes.

Lælia

Orchidáceæ

Nom. On pense que ce genre a emprunté son nom à Caius *Lælius* (env. 140 av. J.-C.), orateur et philosophe romain, mais l'auteur de l'appellation (Lindley) a tout aussi bien pu être inspiré par le prénom féminin romain, *Lælia*.

Origine. Environ 35 espèces, du Mexique au Brésil.

Description. Orchidées épiphytes, aux pseudobulbes allongés portant une ou deux feuilles charnues. La hampe florale, rigide, surmontée de grosses fleurs, naît au sommet du pseudobulbe.

Exposition. Les espèces en provenance du Mexique, du sud du Brésil et de la côte Atlantique sont cultivées à des températures hivernales minimales de 10-12 °C. Les autres sont légèrement plus frileuses et exigent une température nocturne hivernale minimale de 12-15 °C.

Soins. Ces orchidées, un peu moins fragiles que leurs sœurs, les *Cattléya*, réclament tout l'été une exposition très claire, mais abritée des rayons vifs du soleil. Par temps chaud, il faut beaucoup ventiler, de nuit comme de jour, tout en s'efforçant de maintenir dans la serre un degré d'hygrométrie assez élevé. On y parvient en mouillant régulièrement le sol et en pratiquant des vaporisations sur les plantes elles-mêmes.

Les espèces qui ne fleurissent pas l'hiver marquent un temps de repos à cette époque : on les arrose très peu, on n'ombre plus et on règle la température selon les indications données plus haut, à la rubrique exposition.

Arrosage. Arroser copieusement en été. L'hiver, on se contentera d'empêcher les bulbes de se rider. N'utiliser que de l'eau de pluie ou déminéralisée.

Fertilisation. Fertiliser une fois par mois en période de végétation.

Rempotage. Le mélange standard pour orchidées se compose de parties égales de sphagnum et d'osmonde. On peut préparer un autre type de mélange léger comprenant de la tourbe acide (4 parts), des granulés de polystyrène (1 part), des racines de fougère broyées (3 parts), auquel on ajoute 3 g de Dolokol par litre de tourbe. Les racines doivent être étalées en surface. Ne pas utiliser de pots ou de paniers trop grands.

Multiplication. On divise les plantes au moment du rempotage qui a lieu tous les 2 ans, au printemps.

Espèces pour température hivernale minimale de 10-12 °C.

Lælia ánceps

◐ ◐ ○ ○ ▣

Pseudobulbes ovoïdes, aplatis. Fleurs

Hybride de *Lachenália aloídes* à la floraison blanche hivernale : une plante de tout premier ordre pour la serre froide.

x *Læliocattleýa* 'Hugo de Groot', un hybride à grandes fleurs.

Lampránthus blándus : pour exposition ensoleillée.

de 12 cm de diamètre, pétales mauve pâle, labelle pourpre vif et jaune. Nombreux hybrides. Fleurit de décembre à janvier.

Lælia gouldiána
Pseudobulbes ovoïdes-allongés. Fleurs mesurant jusqu'à 10 cm de diamètre, odorantes, entièrement mauves avec des crêtes jaunes sur le labelle. Fleurit en décembre-janvier.

Lælia púmila
Pseudobulbes cylindriques mesurant jusqu'à 7 cm de long. Petites feuilles. Fleurs généralement solitaires, mauve clair avec une tache rouge sur le labelle. Se cultive parfois avec succès en appartement, près d'une fenêtre orientée à l'est. Nombreuses variétés. Fleurit en septembre-octobre.

Espèces pour température hivernale minimale de 12-15 °C
Lælia cinnabárina
Pseudobulbes cylindriques-étroits portant une seule feuille. Tiges portant de 5 à 15 fleurs rouge orangé, labelle denté, rouge orangé teinté de jaune. Floraison en février-mai.

Lælia purpuráta
Pseudobulbes très forts, mesurant jusqu'à 60 cm de haut, portant au sommet une feuille unique, obtuse, coriace et charnue. La tige porte de 3 à 5 fleurs dont chacune peut atteindre 20 cm ; elles sont blanches, teintées de rose vif. Le labelle, en forme d'entonnoir, est rouge pourpre, veiné de sombre et à gorge jaune. Floraison en mai-juin.

x Læliocattleýa
Croisement de *Cattleýa* et de *Lælia*. Très nombreuses races à grandes fleurs. Elles exigent une période de repos moins stricte, à une température minimum de 15 °C.

Lagerstrǿmia
Lythráceæ

Nom. Du nom de Magnus von *Lagerstrœm* (1691-1759), directeur de la Compagnie suédoise des Indes Orientales, qui collectionna de nombreuses plantes pour Linné.
Origine. Quelque 30 espèces en Australie, Asie du Sud et de l'Est.
Description. Arbuste décoratif très répandu sous les tropiques. Fleurs rouge sombre, rose vif ou blanches. Se cultive assez rarement en appartement et en serre.
Exposition. Plante de serre froide ou d'orangerie.
Soins. À partir de fin mai (dans le nord), le *Lagerstrǿmia* peut être sorti

Lagerstrǿmia índica, rare en appartement.

en plein air, à un emplacement abrité et ensoleillé. La floraison commence en août et se prolonge jusqu'aux gelées. Il faut alors le rentrer en serre froide ou, à défaut, dans un local clair et peu chauffé où la température, en hiver, ne descend pas au-dessous de 2 à 5 °C : une remise ou une chambre inoccupée pourront convenir. Il ne faut pas qu'au printemps la température y monte trop vite : la plante entrerait prématurément en végétation, or, le redémarrage ne doit pas avoir lieu avant avril. Les plantes, surtout si elles sont vieilles, seront préalablement taillées assez sévèrement. Les fleurs apparaissent sur le bois de l'année.
Arrosage. L'été, on entretiendra une humidité moyenne et régulière. Arroser très peu en hiver, si la température est basse.
Fertilisation. Fertiliser deux fois par semaine en période de végétation.
Rempotage. Les jeunes plantes seront rempotées tous les ans, les plus âgées, tous les deux ans, dans une terre de rempotage ordinaire. Ajouter, si possible, un peu de terre argileuse.
Multiplication. Les graines — lorsqu'on peut se les procurer — mettent longtemps à germer. On bouture des pousses aoûtées en août-septembre, sur chaleur de fond.

Lagerstrǿmia índica
Arbre ou arbuste à feuillage caduc, aux rameaux à section quadrangulaire. Feuilles sessiles ou à pétiole très court, elliptiques, longues de 2 à 7 cm, larges de 1 à 3 cm. Belles panicules terminales de grandes fleurs mesurant environ 4 cm de diamètre, corolle à 6 pétales onguiculés, à large limbe fripé et frangé. Couleurs variant du blanc au rouge foncé.

Lampránthus
Aizoáceæ

Nom. Du grec *lampros,* brillant, magnifique, et *anthos,* fleur.
Origine. On connaît au moins 100 espèces, originaires pour la plupart d'Afrique du Sud.
Description. Petites plantes aux tiges couchées et aux feuilles charnues, presque cylindriques. Les petites fleurs rayonnantes, soyeuses et luisantes s'ouvrent au soleil.
Exposition. À mettre auprès d'une fenêtre ensoleillée ou dehors, quand les étés sont chauds.
Soins. Il est curieux que l'on rencontre si rarement ces petites plantes faciles. Il leur suffit d'être posées sur une tablette de fenêtre ensoleillée, en plein sud. Il n'est même pas nécessaire de tamiser la lumière, leur caractère de succulentes leur évite de se dessécher. Là où les étés sont beaux et chauds, on peut les planter directement dans une jardinière, sur un balcon ou une terrasse : on sera surpris de la profusion et de la durée de leur floraison. Les fleurs restent fermées lorsque le temps est couvert. Cette plante hiverne au frais ; elle supporte un minimum de 5 °C. Elle survit cependant à un hiver passé en appartement chauffé.
Arrosage. Arroser modérément en été, très peu en hiver si la plante séjourne en local frais. Ne jamais donner beaucoup d'eau à la fois.
Fertilisation. On peut fertiliser tous les 15 jours en période de végétation.
Rempotage. Une terre de rempotage ordinaire, à laquelle on mêle du sable ou de la perlite. Rempoter et tailler au printemps.
Multiplication. Les boutures d'extrémités de tiges s'enracinent facilement en fin d'été ou en automne. On peut aussi semer au début du printemps.

Lampránthus blándus
Petit arbrisseau aux tiges couchées et aux feuilles vertes et charnues, longues de 5 à 7 cm, larges de 3 à 5 mm, cylindriques, aplaties au sommet. Fleurs rouge violacé ou blanches.

Lampránthus brównii
Se distingue de l'espèce précédente par ses feuilles plus petites : 5 à 15 mm de long, 1 mm de large. Elles sont aussi couvertes d'une pruine grise. Les fleurs, solitaires, ont 2,5 cm de diamètre ; elles sont orangées à rouges.

Lapeiroúsia : l'une des rares espèces à fleurs blanches. Floraison printanière très originale.

La tige de ce *Laúrus nóbilis* est le fruit d'un patient travail.

Lapeiroúsia

Iridáceæ

Nom. Du nom de Jean-François de Galaup, comte de *La Pérouse* (1741-1788), navigateur et explorateur français.
Origine. 50 espèces, en Afrique tropicale et du Sud.
Description. Plantes bulbeuses aux feuilles en lame d'épée et aux petites fleurs en forme d'entonnoir ou presque cupuliformes, de couleur rouge ; longues étamines.
Exposition. Plantes de serre froide, qui se cultivent également avec succès dans une pièce fraîche.
Soins. Les bulbes se commandent en août (souvent par correspondance) et sont plantés en septembre (8 à 12 par pot). Bien mouiller la terre et ne plus arroser jusqu'à l'apparition de la végétation. Placer les pots à proximité d'une fenêtre très claire. La température ne doit pas être très élevée : 12 °C suffisent. On peut cependant très bien forcer les bulbes en appartement normalement chauffé, en approchant les pots au maximum de la fenêtre. La floraison a lieu au printemps.

Après la floraison, on restreint progressivement les arrosages jusqu'à ce que le feuillage ait complètement jauni. Les bulbes se conservent secs, à une température minimale de 5 °C. En septembre, on renouvelle la terre et on recommence.
Arrosage. On commence à arroser sérieusement quand le feuillage se montre. Ne pas arroser du tout pendant la période de repos.
Fertilisation. Dès que les feuilles se développent, on donnera une petite ration d'engrais une fois tous les 15 jours.
Rempotage. Changer la terre tous les ans, en septembre. Une terre de rempotage ordinaire suffit.
Multiplication. Séparation des caïeux, ou semis, en mars, sur chaleur de fond.

Lapeiroúsia láxa

Syn. *Gladíolus láxus* ; *Anomathéca cruénta*. Longues feuilles ensiformes, aiguës, à nervure médiane prononcée, longues de 15 à 20 cm, larges de 6 à 10 mm. Mince tige florale, plus longue que les feuilles, portant un épi de fleurs rouge orangé à bord rouge, disposées d'un seul côté de la tige ; tube de 3 cm, pétales écartés. Plusieurs variétés en culture.

Laúrus

Lauráceæ

laurier

Nom. Du latin *laurus*, laurier.
Origine. On ne connaît que 2 espèces, originaires toutes deux du pourtour méditerranéen.
Description. Dans les pays froids, c'est une plante d'orangerie très populaire que l'on taille en pyramide, en colonne ou en boule. En région parisienne, il peut être planté en pleine terre, à une exposition très abritée au sud et dans un sol léger. Ses feuilles aromatiques sont utilisées en cuisine.
Exposition. Le laurier cultivé en orangerie est sorti, à partir de la mi-mai, à un endroit ensoleillé et bien protégé. Il doit impérativement passer l'hiver dans un local très frais, autrement il devient excessivement sensible aux maladies.
Soins. Le laurier est un fort arbuste qui se prête mieux à la culture en orangerie qu'en appartement. Il faut lui faire passer l'été en plein air. Dans la maison, il a trop chaud et manque d'air frais.
L'hivernage pose de réels problèmes. Suivant les régions, il peut commencer dès octobre, à l'approche des premiers risques de gel, et dure jusqu'au début de mai. La température du local doit être basse. La serre froide n'est pas la meilleure solution, car la température y monte souvent très fort en février-mars, quand le soleil luit et elle incite le laurier à entrer en végétation. On peut se tirer d'affaire en plaçant l'arbuste dans une pièce au nord et en laissant la fenêtre ouverte en permanence, sauf quand il gèle. La tempérture minimale tolérée est de 2 °C. Une autre solution consiste à sortir les plantes chaque fois qu'il ne gèle pas, mais c'est un travail qui devient vite fastidieux. Le laurier n'aime pas avoir froid au pied. S'il doit reposer sur un sol de pierre, on aura soin de glisser des cales en bois sous la caisse.
La taille de formation se pratique en août. Un tronc de fantaisie, comme celui qui est représenté sur la photo, s'obtient en guidant les pousses d'une très jeune plante et en les soudant éventuellement au moyen de la greffe. En prenant de l'épaisseur, les tiges se transforment en un véritable tronc, dont elles remplissent les fonctions. Il faut constamment supprimer les petites pousses latérales qui peuvent apparaître.
Arrosage. Arroser abondamment en été. L'hiver, on donnera juste assez d'eau pour empêcher la chute des feuilles. Utiliser de l'eau de pluie, qui, l'hiver, doit être amenée à bonne température.
Fertilisation. En été, on pourra fertiliser une fois toutes les 3 semaines avec de l'engrais chimique, du sang séché, etc.
Rempotage. On obtient une excellente terre de rempotage pour lauriers en mélangeant 1/3 de limon ou de terre argileuse (prendre de la terre finement émiettée, comme celle des taupinières fraîches ; elle ne se vend pas dans le commerce et il faudra aller la chercher soi-même dans la nature), 1/3 de terreau de feuilles ou de sapinette (en principe, il est interdit d'en ramasser en forêt, mais c'est un excellent substrat !), 1/6e de fumier de vache décomposé (que l'on conservera encore un an avant de l'utiliser) et 1/6e de sable grossier. Les plantes de grande taille ne sont rempotées que tous les deux ans.
Multiplication. On prélève des boutures de tête en septembre et on les plante dans du sable, à un emplacement abrité des gelées (coffre froid). Les boutures s'enracinent au printemps.
Maladies. Les lauriers qui hivernent dans des locaux trop chauds sont la proie des cochenilles farineuses et à bouclier, et des araignées rouges.

Quelques variétés de lis propres au forçage.

Laúrus nóbilis

○ ◔ ◎ ◔ ⓣ

Laurier-sauce. Arbuste au feuillage persistant. Feuilles ovales à lancéolées, vert foncé, coriaces, au bord ondulé, et dégageant une forte odeur aromatique lorsqu'on les écrase. Fleurs verdâtres insignifiantes.

Lílium

Liliáceæ

lis

Nom. Du latin *lilium*, lis.
Origine. On trouve au moins une centaine d'espèces spontanées dans les régions tempérées de l'hémisphère nord.
Description. Plante bulbeuse que tout le monde connaît en tant que plante de jardin. Ce que beaucoup ignorent, c'est que quantité de lis peuvent se forcer en appartement.
Exposition. On peut pratiquer le forçage des lis à l'intérieur. À partir de la mi-mai, les pots peuvent être mis au jardin.
Soins. Les bulbes de lis préparés au forçage s'obtiennent dans des maisons qui pratiquent la vente par correspondance ou chez un spécialiste

quelconque. Ils sont livrés en hiver. On peut commencer à les empoter dès janvier. Les bulbes de petit calibre sont empotés par 3 à 5, les gros bulbes sont plantés individuellement. La plupart des lis produisent des racines non seulement à la base du bulbe, mais aussi à la base des tiges, au-dessus du bulbe, qui doit être recouvert d'environ 10 cm de terre. Il faut qu'il se trouve au moins 5 cm de terre sous le bulbe, plus une couche de tessons de 3 cm. Cela fait en tout 18 cm, auxquels il faut ajouter la hauteur du bulbe pour avoir la hauteur du pot à employer (25 cm, en général). Planter soigneusement le bulbe, bien tasser la terre tout autour et arroser de façon à imbiber modérément toute la motte.

Placer ensuite les pots dans un endroit frais : dans un coffre froid, par exemple, ou dans une cave obscure. Il faut attendre que les pousses aient atteint une certaine hauteur avant de sortir les pots de l'obscurité. Pendant tout ce temps, on arrosera assez peu ; il suffit que la terre soit très modérément humide.

Dès que les bourgeons floraux apparaissent nettement au sommet des pousses, on donnera aux lis un peu plus de chaleur : 10-12 °C : ceci se passe vers février-mars. Les pots sont amenés à la lumière. On intensifie les arrosages pour répondre aux besoins de la plante qui, en raison de son développement et de la température ambiante, commence à transpirer beaucoup. Deux semaines après les avoir tirés de l'obscurité, on laisse monter la température à 16-18 °C : c'est le maximum toléré par les lis. Les fleurs s'épanouiront en avril-mai. Lorsque la température est à peu près pareille à l'intérieur et à l'extérieur, les lis peuvent être placés à un endroit mi-ombragé, sur le balcon ou au jardin.

Les bulbes entrent en dormance à l'approche de l'automne. Les feuilles jaunissent et meurent ; on suspend les arrosages et on laisse reposer les bulbes dans leur pot jusqu'au prochain forçage : celui-ci ne réussira que si les bulbes ont reçu un maximum de soins en été. Si on est hési-

tant, mieux vaut racheter de nouveaux bulbes et planter les vieux au jardin où ils récupèrent des forces. Les bulbes traités en chambre froide pour fleurir en automne ne peuvent être forcés deux fois.
Arrosage. Les lis sont arrosés avec modération, en période de végétation uniquement. Utiliser de préférence de l'eau de pluie.
Fertilisation. Fertiliser tous les quinze jours en période de végétation.
Rempotage. Le meilleur des mélanges pour les lis se compose d'une partie de terre argileuse finement émiettée (terre de taupinière), d'une partie de fumier de ferme bien décomposé et d'une partie de sable de rivière ou de perlite. À ceci on peut encore ajouter quelques morceaux de charbon de bois.
Prendre des pots profonds de 25 cm. Déposer au fond une couche de drainage de 3 cm, puis un lit de sphagnum (qui empêchera la terre de s'infiltrer dans le drainage) et planter le bulbe en suivant les indications données plus haut. Lorsque les bulbes sont forcés à plusieurs reprises, il est indispensable de renouveler chaque fois le mélange. S'ils sont jetés ou plantés au jardin après le premier forçage, on pourra se contenter d'utiliser un mélange de rempotage ordinaire du commerce, dont on abaissera le pH en ajoutant une part égale de tourbe acide.
Multiplication. On peut multiplier les lis en utilisant les caïeux, mais leur culture en appartement est une opération difficile, les lis étant en fait des plantes de jardin.

Lílium hybrides 'Mid-Century'

○ ◖ ◔ ◔ ◎ ◔ ⓣ

Ce groupe se prête particulièrement bien à la culture en pot. On dispose de diverses variétés dont nous ne citerons que quelques-unes : 'Destiny', jaune pointillé de brun ; 'Enchantement' rouge cerise ; 'Joan Evans', jaune clair. D'autres espèces et hybrides peuvent également se cultiver en serre ou en appartement, notamment : *Lílium aurátum*, *L. longiflórum*, *L. régale*, *L. speciósum* et l'hybride américain 'Golden splendour'.

Liríope muscári

Liríope

Liliáceæ

Nom. Du grec *leirion*, lis, et *opsis*, aspect. Théoriquement, la fleur devrait se rapprocher du lis. En fait, et la photo le montre, il n'en est rien : on penserait plutôt au *Muscári* bleu.
Origine. On connaît 3 ou 4 espèces en provenance du Japon et de la Chine.
Description. La plante fleurie ressemble beaucoup à un *Muscári* bleu qui aurait des feuilles striées de jaune. On la confond aussi très facilement avec une autre plante : l'*Ophiopógon* (voir à ce nom ce qui les distingue). L'une et l'autre se voient rarement dans le commerce : c'est surprenant, car leur culture est extrêmement facile.
Exposition. Plante pour appartement chauffé, qui aime passer l'hiver au frais.
Soins. L'espèce à feuillage vert se satisfait d'un éclairement moyen. Celle, beaucoup plus belle, à feuillage panaché réclame au contraire beaucoup de lumière pour conserver ses panachures. Éviter toutefois le plein soleil. Une ambiance humide n'est pas nécessaire, elle n'est même pas souhaitable. Couper les inflorescences lorsqu'elles sont fanées, à moins que l'on ne désire voir la fructification (petites baies noires). La température hivernale peut descendre jusqu'à 5 °C, mais la plante ne périra pas si le thermomètre marque 18 °C : on la placera, dans ce cas, le plus près possible d'une fenêtre.
Arrosage. Entretenir une légère humidité en permanence. Ne laisser sécher un peu la terre que l'hiver, par température très basse.
Fertilisation. Fertiliser tous les quinze jours en période de végétation.
Rempotage. Une terre de rempotage du commerce, ou un mélange à base d'argile ou de limon.
Multiplication. On ne peut multiplier les *Liríope* que par semis ou division des touffes.

Liríope muscári

◖ ◖ ◔ ◔ ◔ ◉

Syn. *Ophiopógon muscári*. Plante herbacée acaule, aux feuilles persistantes, rubannées et dressées, mesurant jusqu'à 30 cm de long et 12 mm de large, aux nervures très marquées. Fleurs pourpres à violettes en grappes denses ne dépassant pas des feuilles. Les fruits sont de petites baies noires. La variété de culture a des feuilles striées de jaune.

Lílium speciósum est souvent cultivé pour la fleur coupée.

'Fire King' : autre variété se prêtant au forçage.

193

Líthops ruschiórum, véritable petit caillou vivant.

Líthops

Aizoáceæ

plante-caillou

Nom. Du grec *lithos*, pierre, et *opsis*, aspect. Tout le monde conviendra que ces petites plantes ressemblent à des cailloux.

Origine. On connaît au moins 50 espèces, toutes d'Afrique du Sud.

Description. Plantes grasses, très curieuses, qui se confondent avec leur environnement. Ce mimétisme les protège contre leurs prédateurs naturels. Leurs deux feuilles, extrêmement épaisses, soudées l'une à l'autre, ne sont séparées que par une fente au sommet. C'est dans cette fente que naît la nouvelle paire de feuilles qui, l'hiver, se nourrissent de la sève des vieilles feuilles qu'elles remplacent. Certaines espèces vivent à moitié enterrées et ne reçoivent la lumière que par une sorte de petite fenêtre.

Exposition. Ces plantes ont leur place dans une serre pour plantes grasses où elles reçoivent un maximum de lumière et bénéficient d'une température ne descendant jamais au-dessous de 8-10 °C.

Soins. On peut s'amuser à composer à l'aide de ces plantes des mini-paysages où elles sont mêlées à de vrais galets. Qui n'est pas au courant sera incapable de discerner la différence. Il est totalement superflu de donner de l'ombre et de faire des pulvérisations sur les plantes.

Arrosage. Le peu d'eau dont ces plantes ont besoin pour survivre leur sera servi dans la soucoupe, car il faut éviter de les mouiller, sous peine de les voir pourrir. D'octobre au printemps, quand se forment les nouvelles feuilles, on s'abstiendra de leur donner la moindre goutte d'eau. Et surtout ne jamais verser d'eau dans la fente des feuilles.

Fertilisation. Exceptionnellement et seulement après de nombreuses années passées dans la même terre, ces plantes pourront recevoir une petite ration d'engrais spécial pour cactus, peu azoté.

Rempotage. Le meilleur des mélanges consistera en une part de terre argileuse finement émiettée, une part de terreau de feuilles et une part de perlite. Utiliser des coupes ou des terrines peu profondes, parfaitement drainées et capables d'absorber l'eau par le fond. N'enterrer les plantes que très superficiellement. Pour prévenir les risques de pourriture, on peut encore recouvrir la surface de la terre de fins gravillons.

Multiplication. Il est possible de recueillir soi-même des graines sur les plantes. La plupart des espèces fleurissent en automne. Elles sont toutes autostériles, ce qui signifie qu'il faut au minimum une seconde plante pour faire fructifier la première. La pollinisation s'opère à l'aide d'un fin pinceau. Les différentes espèces se croisent facilement. Les graines parvenues à maturité sont semées au printemps. Le repiquage exige une grande minutie. Les jeunes plantes ont tendance à s'enfoncer dans le sol et il faut parfois les ramener plusieurs fois de suite à la surface.

Lithops bélla
○ ⊕ ○ ○ ⊡
Petites feuilles gris jaunâtre avec une panachure sombre, comme incrustée. Fleurs blanc brillant.

Lithops óptica
Petites feuilles gris terreux, bombées sur la face supérieure et pourvues d'une grande fenêtre claire. Fleurs blanches, un peu rosées.

Lithops pseudotruncatélla
Espèce aux couleurs variables. Feuilles grises, roses, brunes, jaunâtres ou glauques. Fleurs jaunes, à partir de juillet.

Lithops turbinifórmis
Espèce aux panachures profondément incrustées dans les feuilles grises.

Lithops ruschiórum
Les deux petites feuilles sont exceptionnellement écartées l'une de l'autre. La couleur varie du gris au jaune et au rougeâtre.

Littónia

Liliáceæ

Nom. Du nom du Dr Samuel *Litton*, professeur de botanique à Dublin.

Origine. 7 espèces croissent en Afrique tropicale et en Afrique du Sud. On n'en cultive qu'une seule.

Description. Plante sarmenteuse peu commune, à racines tubéreuses, pour la culture en serre. Fleurs campanulées, très originales.

Exposition. Les tubercules peuvent s'acheter sur commande, par correspondance, et sont empotés en mars. La terre est légèrement humidifiée et les pots placés au chaud : on peut les poser sur un radiateur, à condition qu'il ne soit pas brûlant. Au fur et à mesure que les pousses se développent, il faut les palisser dans l'embrasure de la fenêtre ou le long du toit de la serre : les fleurs naîtront en été. Il doit même être possible de transplanter en pleine terre, dans un endroit parfaitement abrité du jardin, à partir de fin mai.
Les feuilles commencent à jaunir en septembre et les arrosages sont alors supprimés.
Les tubercules hivernent à une température minimum de 12 °C, dans une terre tout à fait sèche.

Arrosage. Les arrosages ne deviennent abondants qu'au moment où les plantes sont en plein développement. Utiliser de préférence de l'eau de pluie.

Fertilisation. Engrais dilué, dosé normalement, tous les 15 jours en période de végétation.

Rempotage. Le mélange doit contenir de la terre argileuse finement émiettée, du terreau de feuilles et du fumier de vache décomposé. Bien drainer les pots et rempoter tous les ans.

Littónia modésta 'Keitii'

Multiplication. On divise les vieux tubercules quand les bourgeons sont apparents. Le semis se pratique également.

Littónia modésta
○ ○ ∞ ○ ⊡
Plante grimpante, aux feuilles ovales-lancéolées terminées par une vrille au sommet. Fleurs orangées, de 2 à 3 cm de diamètre, inclinées, sur des pédicelles de 5 cm ; les pétales forment une clochette. On cultive surtout la var. 'Keitii', plus ramifiée et aux fleurs plus grandes.

Lobívia

Cactáceæ

Nom. Anagramme de *Bolivia*, pays d'origine de la plupart des espèces.

Origine. Quelque 70 espèces différentes croissent sur les hauts plateaux de la cordillère des Andes, en Bolivie, mais aussi dans le nord de l'Argentine et au Pérou.

Description. Cactus globuleux à cylindriques, aux côtes tuberculées, pourvus de beaux aiguillons et couverts de poils. Ils fleurissent dès leur plus jeune âge et leur culture est si facile qu'on peut la recommander aux débutants.

Exposition. Le meilleur emplacement est la serre froide. On ne peut obtenir des plantes saines qu'en les soumettant à un hivernage à basse température.

Soins. Ces cactus exigent, l'été, non seulement le plein soleil mais aussi beaucoup d'air frais. Plus ils seront ensoleillés, plus leurs aiguillons seront beaux. Les fleurs apparaissent au début de l'été, elles sont plutôt fugaces, mais elles se succèdent assez nombreuses.
À partir d'octobre, le *Lobívia* doit pratiquement être tenu au sec, à une température variant de 5 à 8 °C. Aérer abondamment la serre quand le temps est ensoleillé et qu'il ne gèle pas. Tout autre endroit que la serre conviendra, pourvu qu'il y fasse clair et très frais.

Arrosage. Le *Lobívia* s'arrose un peu plus copieusement que la plupart des autres cactées. L'été, lorsqu'il fait chaud, on peut sans crainte lui verser

Variété de *Lobívia famatiménsis*, aux fleurs énormes.

de l'eau sur la tête. L'essentiel est de s'arrêter fin octobre, quand il a besoin de repos. L'eau ne doit pas être trop calcaire. Il vaut mieux utiliser de l'eau de pluie pure.

Fertilisation. Donner un engrais spécial pour cactus, une fois par semaine.

Rempotage. On peut rempoter au printemps, dans des pots en plastique pas trop petits, en utilisant une préparation de 70 % de mélange du commerce et 30 % de perlite. Les plantes ayant atteint une certaine taille n'ont pas besoin d'être rempotées tous les ans.

Multiplication. Plusieurs espèces émettent des rejets parfois pourvus de leurs propres racines. On peut les séparer au moment du rempotage. Les rejets démunis de racines se bouturent. Lorsqu'on coupe le sommet de

Lobívia hertrichiána

la plante, il se forme à la surface de la section quantité de petites pousses qui peuvent servir de boutures. Le semis est possible en mars, sur chaleur de fond de 20 à 25 °C.

Lobívia boliviénsis
○ ☺ ⊙ ☉ ⑤
Cactus cespiteux, gris-vert, à 12-20 côtes, aiguillons extérieurs par 10 à 12, de couleur brune, 1 aiguillon central de 8 cm, recourbé vers le haut. Fleurs assez petites, rouge orangé, de bonne durée.

Lobívia densispína
Syn. *Echinópsis densispína.* Cactus peu prolifère, à tige souvent solitaire, cylindrique-court, très épineux, avec 18 à 24 côtes rectilignes. Aiguillons blanchâtres de 15 mm de long, sétiformes. Fleurs en forme de large entonnoir, jaunes, rouges ou orange, mesurant jusqu'à 6 cm de diamètre.

Lobívia famatiménsis
Syn. *Lobívia pectinífera.* Cactus cylindrique, à 20 côtes. Piquants jaunâtres, insérés en crête ; pas d'aiguillon central. Fleurs jaunes à gorge verte. Variétés aux fleurs de divers coloris.

Lobívia hertrichiána
Cactus globuleux, vert frais, à 11 côtes tuberculées, couvert de courts piquants jaunes, recourbés. Grandes fleurs rouge clair.

Lobívia pentlándii
Cactus subglobuleux, vert foncé, à 12-15 côtes tuberculées, aiguillons brunâtres, celui du centre mesure jusqu'à 4 cm. Fleurs rouge orangé. Il en existe diverses variétés, aux fleurs blanches ou jaunâtres.

Lophóphora
Cactáceæ

Nom. Du grec *lophos,* aigrette, panache, et *phoreus,* porteur.

Origine. Deux espèces très proches croissent au Mexique et dans le sud du Texas.

Description. Cactus à tige cylindrique, vert gris, à longue racine pivotante. Depuis des siècles, les Indiens tirent de *L. williámsii* un hallucinogène : la mescaline. Ils donnent à cette plante le nom de peyotl ou peyote. Une absorption inconsidérée de cette drogue peut entraîner une paralysie totale.

Exposition. Plante de serre froide exigeant un repos hivernal très strict.

Soins. La plante peut se cultiver sur ses propres racines, mais il lui faut alors un pot très profond, car elle possède une racine pivotante particulièrement longue. On obtient de bons résultats en la greffant sur un porte-greffe adéquat.
On la placera en plein soleil, en été. Au printemps, au moment du passage des jours sombres à la lumière vive, on prendra soin de lui donner un léger ombrage. L'hiver, elle sera exposée à une température allant jusqu'à 5 °C, condition *sine qua non* pour une floraison l'année suivante.

Arrosage. Arroser sans excès en été, et de préférence à l'eau de pluie. Tenir la plante au sec à partir d'octobre.

Fertilisation. Donner un engrais pour cactus une fois par mois, en été.

Rempotage. On composera un mélange de 50 % de terre argileuse et

Lophóphora williámsii : c'est le peyotl.

de 50 % de terreau de feuilles. Utiliser des pots profonds et changer la terre tous les deux ans.

Multiplication. Les plantes bien soignées et correctement pollinisées produisent chaque année des fruits roses, allongés, contenant des graines que l'on sème au printemps, sur chaleur de fond de 20-25 °C. Lorsque les plantes émettent des rejets, on peut les détacher et les bouturer ou les greffer.

Lophóphora williámsii
○ ☺ ⊙ ☉ ⑤
Syn. *Anhalónium williámsii.* Peyotl. Cactus globuleux, vert gris, à tige unique au départ ; 12 côtes tuberculées, chaque tubercule porte une aréole couverte de poils blancs. Fleurs crème ou rose pâle.

Lycáste
Orchidáceæ

Nom. De *Lycastê,* prénom féminin grec.

Origine. On trouve ces plantes dans les montagnes des Andes et celles de l'Inde occidentale.

Description. Orchidée épiphyte (elle croît sur les arbres et les rochers), aux feuilles minces et à pseudobulbes ovoïdes. Culture facile.

Exposition. Orchidées pour la serre froide ou tempérée, cultivées parfois avec succès en appartement.

Soins. À partir d'avril, il est bon de mettre en place un dispositif d'ombrage dans la serre. En appartement, on choisira une fenêtre orientée à

Lycáste lasioglóssa

Lycáste virginális

l'est ou à l'ouest. Ces plantes n'aiment pas une ombre dense. Supprimer l'ombrage à partir d'octobre et fournir une température minimum de 12 °C aux espèces de serre tempérée, et de 5 °C à celles de serre froide. Les espèces les plus résistantes acceptent un peu plus de chaleur ; lorsqu'on les cultive en appartement, il faut les placer le plus près possible d'une fenêtre (aux vitrages simples), là où il fait le moins chaud.

Arrosage. N'utiliser que de l'eau de pluie. Veiller à ce que les feuilles soient bien sèches avant la nuit, pour éviter les pourritures. En période de repos, on arrosera juste assez pour empêcher les pseudobulbes de se rider.

Fertilisation. Fertiliser tous les 15 jours en période de végétation.

Rempotage. Composer un mélange de racines de fougères, sphagnum, terreau de feuilles, terreau de gazon, terre argileuse et granulés de polystyrène. Il existe d'autres mélanges valables. Rempoter au printemps, après le repos hivernal.

Multiplication. Diviser les touffes au moment du rempotage.

Lycáste aromática
⑩ ☺ ⊛ ☉ ⑤
Feuilles d'environ 25 cm de long, plissées. Fleurs en avril-mai, petites, jaune d'or avec un labelle taché de rouge. Elles répandent un parfum de cannelle. Chaque bulbe peut donner jusqu'à 20 fleurs.

Lycáste cándida
⑩ ☺ ⊛ ☉ ⑤
Syn. *Lycáste brevispátha.* Feuilles plissées, mesurant jusqu'à 30 cm de long. Fleurs de 5 cm de diamètre, sépales blancs tachés de vert, pétales blancs ponctués de rose clair. Labelle maculé de rose pourpre. Floraison de décembre à mars.

Lycáste cruénta
⑩ ☺ ⊛ ☉ ⑤
Ressemble à la première espèce ci-

tée. Fleurs de 5 cm de diamètre, jaune orangé à jaune vert, labelle jaune à macules rouge clair. Floraison de mars à mai. Peut se cultiver en appartement.

Lycáste virginális

Syn. *Lycáste skínneri*. Feuilles mesurant jusqu'à 60 cm de long. Fleurs de 15 cm de diamètre, sépales blancs à rose vif, pétales rose vif. Labelle charnu, blanc ponctué de rouge. Floraison : de novembre à mars. Espèce robuste pour l'appartement.

Malvástrum

Malváceæ

Nom. De *Malva*, nom de genre (du latin *malva*, la mauve), et du latin *astrum*, astre. Ces plantes ressemblent aux mauves (*Malva*) sans en être.
Origine. On trouve au moins 75 espèces en Afrique du Sud et en Amérique.
Description. Plante désuète et assez rare, aux ramifications nombreuses et aux abondantes petites fleurs rouge foncé.
Exposition. Peut séjourner dehors en été. Réclame en hiver la température d'une serre tempérée.
Soins. Plante difficile à se procurer. Heureusement, elle se bouture avec une grande facilité. L'été, on peut la cultiver auprès d'une fenêtre claire ; à partir de fin mai, on peut aussi l'exposer en plein air, sur une terrasse abritée ou un balcon. Les petites fleurs sont extrêmement nombreuses : en Allemagne, on l'assimile souvent aux *Impátiens*. Il ne faut pas les confondre. Cette plante n'est pas rustique, elle doit être rentrée avant les premières gelées nocturnes,

Malvástrum capénse : plante plutôt rare.

dans un local où la température se maintient, l'hiver, autour de 8 °C : l'idéal est une serre froide, mais une chambre peu chauffée pourra également faire l'affaire. Autrefois, on rentrait cette plante dans la véranda.
Arrosage. Arroser modérément tout au long de l'été. Réduire les arrosages en hiver.
Fertilisation. Fertiliser tous les 15 jours en période de végétation.
Rempotage. Une terre de rempotage du commerce est pleinement satisfaisante. On peut y mêler un peu de terre argileuse.
Multiplication. Les boutures de tête s'enracinent facilement toute l'année, même dans un verre d'eau. Le semis est relativement simple.

Malvástrum capénse

Petite plante au port érigé, branchue,

velue et un rien gluante, aux feuilles longues de 2 à 5 cm et larges de 1 à 3 cm, de forme variable, rétrécies au sommet. Fleurs axillaires, solitaires ou par paire, sur un long pédicelle ; elles sont rose vif et mesurent 2 cm de diamètre.

Mammillária

Cactáceæ

mammillaire

Nom. Du latin *mamilla*, mamelle, mamelon.
Origine. La plupart des 200 espèces connues sont répandues au Mexique, les autres se trouvant dans les îles de l'Inde occidentale et dans le sud des U.S.A.
Description. Cactus globuleux à cylindriques, souvent très prolifères et formant des colonies denses. Tige couverte de tubercules en forme de mamelons, disposés en spirales. Les fleurs apparaissent souvent en couronne au sommet de la tige. Elles sont généralement assez petites.
Exposition. Tous, à l'exception de *Mammillária plumósa*, qui fleurit l'hiver et réclame un peu plus de chaleur, sont des plantes de serre froide.
Soins. Toutes les espèces se plaisent en plein soleil en été. Il ne faut les ombrager légèrement qu'au tout début du printemps. Les espèces à tige vert clair, qui ont des tissus fragiles, aiment aussi une lumière tamisée en été. Les sujets plus âgés, aux formes cylindriques, ont une propension à pousser en oblique, dans la direction de la lumière. On corrige cette tendance en tournant les pots. Comme beaucoup d'autres cactus, ils sont sujets à la fasciation. Pour des raisons partiellement encore inexpliquées, la plante s'aplatit à son point de croissance, donnant naissance à toutes sortes de formes étranges (voir la photo p. 197). Le bouturage et le greffage permettent de fixer ces bizarreries.
Arrosage. La forme même de ces cactus fait qu'ils retiennent facilement de l'eau entre leurs mamelons, ce qui peut leur être néfaste. Les espèces pileuses ne supportent absolument pas la moindre averse. Il vaut mieux les arroser tous par capillarité. On simplifie l'opération en rassemblant toute sa collection dans une coupe ou une terrine plate que l'on remplit d'1 ou de 2 cm d'eau. Au bout d'une heure, on enlève les petits pots et on jette l'excédent d'eau. L'engrais peut être distribué selon le même procédé. Personnellement, j'ai rassemblé ma collection de cactus dans une gouttière en aluminium suspen-

Mammillária sheldónii

Mammillária zeilmanniána

Mammillária denmósa 'Erytrocephala'.

due contre le vitrage de la serre. Une fois par semaine, ou tous les 15 jours si le temps est couvert, la gouttière est remplie d'eau. Un petit clapet permet d'évacuer facilement l'excédent d'eau. On évite de cette façon la pourriture et les malformations sur les tiges. Les cactus réagissent mal au calcaire. N'utiliser que de l'eau de pluie ou déminéralisée. Tous les arrosages sont suspendus dès octobre, à moins que la température ne soit élevée et que les cactus paraissent se dessécher, ce qui ne se produit pas facilement.
Fertilisation. En période de végétation on fera, une fois par mois, un apport d'engrais spécial pour cactus.
Rempotage. Toutes les espèces se développent bien dans le mélange pour cactus que nous préconisons au chapitre général consacré aux terres

de rempotage. On pourra y ajouter un peu de terre argileuse finement émiettée qui rendra le mélange plus substantiel. Si vos cactus se trouvent dans des pots miniatures, hâtez-vous de les transplanter dans des pots en plastique pas trop petits. Si la collection est importante, il est préférable de choisir des pots carrés ou rectangulaires, il y a moins de perte de place.
Multiplication. Les espèces prolifères peuvent être bouturées ou greffées. La greffe se pratique assez peu chez les mammillaires. Les boutures doivent sécher quelques jours avant d'être plantées. On propage souvent les espèces en semant sur chaleur de fond de 20-25 °C.
Maladies. Les mammillaires souffrent parfois d'attaques de cochenilles farineuses et de pucerons des racines.

Spécimens de *Mammillária* d'un certain âge : plusieurs portent une couronne dense de fruits.

Mammillária bocasána

○ ○ ⊙ ○ ▥

Globuleux à cylindrique, cespiteux, abondamment couvert de poils blancs, aiguillons crochus. Nombreuses fleurs blanches, rayées de rouge à l'intérieur, rougeâtres à l'extérieur.

Mammillária grácilis

Cylindrique-court à claviforme, cespiteux. Corps vert clair, couvert de piquants blancs. Mamelons très écartés les uns des autres ; aiguillons par 12 à 16, raides ou légèrement courbes, blancs. Fleurs en forme d'entonnoir, longues de 1 cm, jaune clair.

Mammillária hahniána

Cactus globuleux, cespiteux, entièrement recouvert d'aiguillons blancs et de longs poils. Fleurs en forme d'entonnoir, en couronne au sommet de la tige.

Mammillária magnimámma

Cactus globuleux aplati, à croissance prolifère ; tige grise à glauque ; aisselles laineuses ; aiguillons par 3 à 5, brunâtres à jaune clair avec une pointe sombre, celui du dessous étant le plus long (1,5 cm). Fleurs mesurant jusqu'à 2,5 cm de diamètre, rouges ou blanches avec une bande centrale rose.

Mammillária plumósa

Cactus très prolifère, au tissu tendre. Piquants réunis par 40, soyeux, de couleur blanche ou jaunâtre, recouvrant entièrement la tige. Fleurs modestes, jaunâtres ou blanc verdâtre, se montrant en hiver, ce qui explique pourquoi ce cactus réclame une température un peu plus élevée que les autres espèces.

Mammillária prolífera

Globuleux à cylindrique-court, de couleur gris vert foncé, longs poils aux aisselles ; aiguillons périphériques longs de 5 mm, groupés par 30 à 50 ;

Mammillária guelzowiána

Mammillária rhodántha

6 à 12 aiguillons de 8 mm, jaune rougeâtre, au centre. Fleurs en entonnoir, verdâtres avec du rose et du jaune. La var. *múlticeps*, parfois décrite sous l'appellation *Mammillária múlticeps*, est issue de cette espèce.

Mammillária rhodántha

Tige globuleuse généralement solitaire, abondamment couverte d'aiguillons jaunes, brun rouge ou bruns ; aisselles laineuses garnies de petits

piquants raides ; 16 à 20 aiguillons extérieurs, fins, de 1 cm de long ; 4 à 7 aiguillons intérieurs, généralement jaunes, longs de 3 cm. Fleurs rose foncé, à 3-4 stigmates rouges.

Mammillária spinosissima

Ne se distingue de l'espèce précédente que par ses aiguillons intérieurs bien droits et les 7-8 stigmates verts de ses fleurs.

Mammillária vaupélii

Petit cactus globuleux à tige solitaire, tout couvert de mamelons et garni d'aiguillons extérieurs jaunâtres et de longs aiguillons centraux translucides. Fleurs jaunes. La forme 'Cristata' se présente sous l'aspect d'un amas de petites saucisses épineuses étroitement entortillées les unes dans les autres. On a l'habitude de la greffer, bien qu'elle soit parfaitement capable de survivre par ses propres moyens.

Mammillária verhærtiána

Forme une tige globuleuse de 5 cm de diamètre, aux mamelons largement espacés, pourvus de tins aiguillons blanc jaunâtre disposés en rayons et de 3 à 4 piquants intérieurs de teinte sombre. Fleurs blanches, longues de 2 cm.

Mammillária wildii

Cactus colonnaire, ramifié et cespiteux, aux longs poils diffus et aux mamelons tendres. 8 à 10 aiguillons extérieurs, droits, longs de 8 mm et disposés en rayons ; 3 à 4 aiguillons centraux, jaune clair devenant brunâtre et poilus, celui du bas étant crochu et les autres droits.

Mammillária zeilmanniána

Cactus cylindrique court, prolifère, abondamment couvert de piquants, aux mamelons tendres et aux aiguillons duveteux. Les 15 à 18 aiguillons périphériques sont fins, blancs, droits et disposés en rayons : ils s'entremêlent souvent aux voisins. Les aiguillons du centre sont au nombre de 3-4, de couleur brun rouge, celui du bas est crochu. Fleurs campanulées, violettes ou blanches.

Maránta

Marantáceæ

Nom. Du nom de Bartolomeo *Maranta* (?-1574), médecin et botaniste italien.
Origine. On a trouvé 25 espèces en Amérique tropicale.
Description. Petites plantes herbacées aux racines tubéreuses et au très beau feuillage panaché.
Exposition. Ce sont des plantes de serre chaude, mais on peut également les cultiver en vitrine et serre d'appartement, en bonbonne et éventuellement en jardinière.
Soins. Ces petites plantes ne tolèrent pas le soleil, mais lorsque l'éclairement laisse à désirer, elles perdent l'éclat de leur feuillage. Il faut prêter une attention toute particulière au degré d'hygrométrie, car là réside le point le plus critique de la culture en appartement. Les plantes sont si menues qu'on peut aisément les disposer sur une coupe peu profonde, au fond de laquelle on verse de l'eau. La température, en période de végétation, doit se maintenir entre 18 et 22 °C. En hiver, la température nocturne peut descendre jusqu'à 14 °C. Une chaleur de fond est très bénéfique à la plante.
Arrosage. N'arroser qu'à l'eau de pluie tiédie. Vaporiser fréquemment de l'eau sur le feuillage.
Fertilisation. Fertiliser tous les 15 jours en été.
Rempotage. Une terre de rempotage du

Maránta leuconeúra 'Kerchoveana'

commerce peut suffire, mais un mélange de sapinette et fumier de vache décomposé est préférable. Éviter de planter le *Maránta* dans des pots : il se développe beaucoup mieux, planté dans des bacs larges ou à même la tablette de la serre.
Multiplication. On procède de préférence par division des touffes.

Maránta bícolor

▥ ⊕ ⊗ ○ ▥ ▥

Syn. *Caláthea bícolor*. Pas de racines tubéreuses. Feuilles ovales-arrondies mesurant jusqu'à 15 cm de long, dessus vert bleuté, vert clair le long de la nervure médiane, 6 à 8 macules brunes transversales symétriques entre la nervure centrale et les bords de la feuille ; revers pourpré. Épi étroit de petites fleurs blanches.

Maránta leuconeúra

Espèce à racines tubéreuses. Feuilles un rien plus petites, vert clair avec des striures blanches le long des nervures. On ne cultive que les variétés : 'Fascinator', aux nervures latérales rouges ; 'Kerchoveana', avec ses 4 à 5 taches pourpre foncé ou vert foncé entre la nervure médiane et les bords des feuilles, la feuille elle-même étant vert frais sur la face supérieure, vert bleuté clair en dessous ; 'Massangeana', aux feuilles vert foncé, nervures et aisselles des nervures blanc brillant, dessous des feuilles pourpre clair.

Maránta leuconeúra 'Fascinator'

Maránta bícolor

Mammillária vaupélii 'Cristata' forme de curieux entrelacs.

Medinílla magnífica. Grand arbuste de serre chaude.

Medinílla
Melastomatáceæ

Nom. Du nom de José de *Medinilla y Pineda* qui fut, vers 1820, gouverneur des îles Mariannes, alors possession espagnole.

Origine. On trouve au moins 125 espèces dans les îles et sur le pourtour de l'océan Indien.

Description. L'unique espèce cultivée en serre sous nos climats a des rameaux à section angulaire, de grandes feuilles plissées et des fleurs en longues panicules pendantes, entourées de grandes bractées roses.

Exposition. La culture de cette plante en appartement est presque toujours un échec. Par contre, elle ne pose pas le moindre problème en serre chaude.

Soins. L'été, le *Medinilla* réclame un bon 18-22 °C ou plus, quand il fait soleil, mais il faut alors donner un peu d'ombre. De novembre à février, s'installe une période de repos pendant laquelle il faut entretenir une température nocturne minimale de 15 °C. Lorsque cette norme n'est pas respectée, la plante continue à croître et ne forme pas de boutons floraux. Aussitôt que ces derniers sont apparents, on augmente les arrosages et la température.

Lorsque la plante est cultivée en appartement, il faut faire des vaporisations sur le feuillage très régulièrement et respecter à la lettre les normes de température.

Arrosage. Il faut que, l'été, la motte soit modérément humide en permanence. L'hiver, on arrose juste ce qu'il faut pour empêcher le feuillage de se flétrir. Utiliser, autant que possible, de l'eau de pluie amenée à température douce.

Fertilisation. Fertiliser tous les 15 jours pendant l'été et, si possible, à l'engrais naturel. Arrêter en septembre.

Rempotage. Le meilleur des mélanges est composé de : 1/3 de terre argileuse friable (terre de taupinière ou séchée et finement émiettée), 1/3

La fleur du *Medinilla.*

de terreau de feuilles, 1/6ᵉ de fumier de vache décomposé et 1/6ᵉ de sable grossier lavé. Rempoter au printemps, tous les deux ans pour les spécimens âgés. Utiliser de grands récipients percés d'orifices de drainage et déposer sur le fond un bon lit de tessons.

Multiplication. Lorsque la plante a envahi tout le pot, le moment est venu de la tailler. On le fait à l'occasion du rempotage. Les pousses éliminées peuvent servir de boutures. On leur enlève les grandes feuilles de la base, on entaille le bas de la tige et on la trempe dans de la poudre de croissance (hormones de bouturage), puis on plante sous châssis chauffé, à 30-35 °C. Les boutures, lorsqu'elles réussissent, s'enracinent au bout de 5 semaines.

Medinilla magnífica
Ⓘ ⓘ ∞ Ⓖ ⓣ

Arbuste érigé, aux branches ailées, couvertes de poils dressés sur les nœuds. Feuilles opposées, sessiles, ovales, coriaces, aux nervures saillantes, pliées en forme de gouttière et mesurant jusqu'à 30 cm de long. Fleurs en longues panicules (40 cm) pendantes, rose vif, entourées de remarquables bractées de la même couleur ; étamines violettes.

Melocáctus
Cactáceae

Nom. Du latin *melo*, melon, et *cactus*, cactus. Les spécimens âgés ressemblent par leur forme à des melons.

Origine. On connaît environ 30 espèces, répandues du Mexique au Brésil, ainsi que dans les Antilles.

Description. Les spécimens âgés, en état de fleurir, ont, au sommet de leur tige, comme un pompon de poils laineux dressés : le céphalium. Il s'agit en quelque sorte d'une tige florale terminale, formée de mamelons insérés en spirales croisées. Les fleurs naissent sur les aréoles non épineuses et étroitement serrées les unes contre les autres.

Exposition. Plantes pour la serre tempérée ou froide. Température hivernale minimale : 10 °C. La plupart des espèces tiennent bon jusqu'à 5 °C, en atmosphère bien sèche.

Soins. Autrefois, on importait, entre autres des Antilles, des exemplaires dépourvus de racines. Ces exportations seraient, semble-t-il, aujourd'hui réglementées. C'est une excellente initiative car, parvenus chez nous, la plupart de ces cactus périssaient, alors que les sujets issus de semis réussissent fort bien. Il vaut donc mieux ne pas se laisser tenter par un de ces beaux vieux spécimens au céphalium magnifiquement développé. En semant, on obtient, au bout de sept ans, un sujet prêt à fleurir. La réussite est assurée si les jeunes plantes sont greffées. Avec le temps, le céphalium peut devenir plus important que le cactus lui-même.

Arrosage. Ces plantes réclament de bons arrosages à l'eau de pluie, en été. Mais il faut pratiquement stopper complètement l'arrosage d'octobre à début avril.

Fertilisation. Pendant la période de croissance (à partir de mai), on fera, tous les 15 jours, un apport d'engrais spécial pour cactus. La fertilisation régulière est surtout importante lorsqu'il s'agit de vieux spécimens qui ne peuvent plus être rempotés. Cesser les fertilisations en octobre.

Rempotage. À l'état spontané, ces cactus développent un système radiculaire important qui s'infiltre dans les fentes des rochers. C'est donc plantés à même la tablette de la serre qu'ils se plairont le mieux. Ce n'est malheureusement pas toujours possible. Il faudra de toute façon les planter dans des pots en plastique assez grands : ils ne doivent pas être très profonds, il suffit qu'ils soient larges. À l'apparition du céphalium, la croissance des racines est fortement ralentie, c'est la raison pour laquelle il est risqué de rempoter des sujets adultes. On supplée généralement à l'épuisement de la terre par des apports d'engrais. Là n'est donc pas le vrai problème. Ce qui guette souvent les plantes âgées, c'est l'asphyxie des racines, conséquence d'arrosages répétés à l'eau calcaire.

Un bon mélange de rempotage comprendra 1/3 de terreau de feuilles de hêtre, 1/3 de fumier de vache décomposé et 1/3 de perlite.

Multiplication. Semis de graines importées, sur chaleur de fond et à l'étouffée. Greffer éventuellement les jeunes plantes.

Melocáctus bahiénsis
○ ⊕ ⊙ Ⓖ ⓣ

Tige globuleuse écrasée, à 9-11 côtes, de couleur vert foncé. Aiguillons par 8-9, rougeâtres devenant gris.

Melocáctus intórtus

Cactus en forme de tonnelet, à 14-20 côtes et aux aiguillons jaunes ou bruns. Les exemplaires âgés sont surmontés d'un épais céphalium lalneux qui, avec ses épines rouges dressées, fait penser à un bonnet de Turc.

Melocáctus maxónii

Cactus à 12 côtes saillantes, couvertes de forts piquants rougeâtres à jaunes, groupés par 9. Le céphalium est brunâtre.

Melocáctus peruviánus

Cactus globuleux à 12-14 côtes. 10 aiguillons extérieurs de 1 à 3 cm de long et, généralement, un aiguillon central un peu plus long: tous sont teintés de brun rougeâtre. Le céphalium est couvert de poils rougeâtres.

Toutes les espèces produisent, à l'âge adulte, des petites fleurs discrètes et des fruits rouges allongés.

Petit groupe de *Melocáctus bahiénsis.* On voit très bien le céphalium qui les caractérise.

Microcœlum

Pálmæ

Nom. Du grec *mikros*, petit, et *koilos*, creux.

Origine. On ne rencontre guère que 2 espèces dans les forêts vierges brésiliennes.

Description. Palmier de petite taille (même dans son pays d'origine), aux feuilles pennées, gracieusement arquées.

Exposition. Contrairement aux autres palmiers, celui-ci doit séjourner d'un bout à l'autre de l'année dans un local à la fois chaud et à l'atmosphère très humide. L'idéal est une serre chaude. On remarque tout de même qu'il parvient à résister un an ou deux dans l'appartement.

Soins. La température minimale doit se situer toute l'année à 18 °C. En appartement, on le cultivera de préférence dans un grand bac, en compagnie d'autres plantes. On l'enterrera cependant avec son propre pot, car il boit énormément, mais il profitera en même temps de l'ambiance humide créée par le voisinage des autres végétaux. Il faudra, en outre, faire des pulvérisations à l'eau douce (l'eau du ro-

binet tache) plusieurs fois par jour sur son feuillage. L'hiver, on le rapprochera d'une fenêtre, où il fait généralement plus frais. Éviter la proximité d'un radiateur qui fait roussir l'extrémité des feuilles.

Arrosage. On placera sous le pot une soucoupe remplie d'eau en permanence : c'est une nécessité absolue. N'utiliser que de l'eau de pluie : le *Microcœlum* craint beaucoup le calcaire.

Fertilisation. Fertiliser tous les 15 jours en été. L'engrais pourra être dilué dans l'eau qui sert à baigner la plante. On peut administrer des engrais chimiques ordinaires, mais on ne peut que recommander quelques apports de fumier de vache.

Rempotage. Le pot, sur la photo, est fort joli mais n'est pas exactement celui qui convient. Pour le bien de la plante, il vaut mieux fixer son choix sur un pot en plastique étroit et haut, percé d'un orifice de drainage et pourvu d'une soucoupe en plastique assez profonde. Utiliser un mélange de sapinette et de fumier de vache décomposé. Prendre beaucoup de précautions en rempotant : les racines endommagées compromettent la vie du palmier. Les orifices de drainage doivent être recouverts de quelques gros tessons qui empêcheront les racines de passer au travers.

Multiplication. Elle se fait uniquement par semis de graines importées. Les faire tremper un jour ou deux dans l'eau chaude pour les ramollir avant de les semer à chaud : 25 à 30 °C. Les jeunes plantes doivent être élevées en serre chaude et repiquées à plusieurs reprises dans des pots choisis pas trop grands.

Maladies. Le jaunissement des feuilles est dû à une température trop basse ou à des lacunes au niveau de l'arrosage. Des pointes rousses sont la conséquence de courants d'air ou d'une atmosphère trop sèche. Cochenilles à bouclier, araignées rouges et thrips peuvent aussi causer des dégâts.

Microcœlum weddeliánum

Syn. *Cócos weddeliána ; Sýagrus weddeliána ; Microcœlum martiánum.* Communément appelé cocotier. Stipe mesurant jusqu'à 1,50 m de haut et 3 cm d'épaisseur, entièrement recouvert de membranes brunes. Feuilles pennées de 1 m de long, arquées. Pennes longues et très étroites, vert foncé sur le dessus, grisâtres au revers. Il peut y en avoir 50 de chaque côté de l'axe de la feuille dont l'extrémité est filiforme et enveloppée d'une pellicule brune.

Microlépia spelúncæ

Microlépia

Dennstædtiáceæ

Nom. Du grec *mikros*, petit, et *lepis*, écaille.

Origine. On trouve environ 45 espèces dans les régions tropicales d'Asie et d'Afrique.

Description. Fougère aux frondes pennées, vert clair, tendres, naissant sur un rhizome rampant. Plante peu répandue, sans doute en raison de sa faible résistance en appartement.

Exposition. La texture très mince des frondes indique que cette fougère ne peut guère se trouver à l'aise dans une atmosphère sèche. Sa place est dans la serre ou bien dans une vitrine d'appartement.

Soins. Cette plante tiendra cependant un moment en appartement, surtout l'été, où l'humidité relative est plus élevée qu'en hiver. Elle tolère bien l'ombre et on pourra l'utiliser pour garnir le fond des jardinières à plantations en groupe. Il faut se résoudre à l'idée qu'elle ne durera guère plus d'un an. Faire de fréquentes pulvérisations à l'eau de pluie. Repos hivernal à une température minimum de 15 °C.

Arrosage. Arrosages copieux en été. Les bacs à réservoir d'eau sont ici tout indiqués. Limiter les arrosages en hiver.

Fertilisation. Fertiliser tous les 15 jours, en diluant l'engrais dans l'eau qui sert à baigner la plante.

Rempotage. Utiliser des pots profonds en plastique et rempoter tous les ans, au printemps (si la plante a survécu), dans un mélange substantiel composé de : 3 parties de terreau de feuilles, 2 parties de fumier de vache décomposé et 1 partie de sable grossier.

Multiplication. Les grosses plantes peuvent se diviser au moment du rempotage. On sème aussi des spores en mars, à l'étouffée, sur une chaleur de fond de 20 °C.

Microlépia spelúncæ

Pétioles de 30 à 50 cm. Frondes triangulaires, tri- et quadripennées ; rachis poilu ; pinnules découpées, tendres, vert clair. La var. 'Cristata' a des pinnules élargies à l'extrémité, ce qui est assez fréquent chez les fougères.

Microcœlum weddeliánum, communément appelé cocotier.

Mikánia
Compósitæ

Nom. Du nom de Joseph Gottfried *Mikan* (1743-1814), professeur d'université à Prague, auteur d'un répertoire de toutes les plantes connues à son époque.

Origine. La plupart des 200 espèces connues croissent au Brésil, mais l'espèce reprise dans cet ouvrage se trouve à l'état spontané en Floride.

Description. Plante grimpante, aux petites feuilles couleur bronze, qui croît comme une mauvaise herbe sous les tropiques.

Exposition. L'été, on peut exposer ces petites plantes en plein air. Elles devraient passer l'hiver en serre tempérée, mais on peut aussi les laisser dans une chambre non chauffée.

Soins. A cause de la couleur originale de leur feuillage, ces petites plantes s'achètent beaucoup pour mettre une note contrastante dans les jardinières à plantations composées. Il n'est pas sûr qu'elles survivent très longtemps. Elles supportent bien le soleil si, au printemps, on prend soin de les habituer progressivement à la lumière. Elles affectionnent aussi une am-

Mikánia ternáta

biance humide. Il faut toutefois renoncer à vaporiser directement de l'eau sur leur feuillage duveteux qui se tacherait.

Un hivernage en serre tempérée, à 12 °C, est l'idéal. Bien soignées, ces plantes peuvent également passer tout l'hiver en appartement.

Arrosage. Maintenir la motte modérément humide, été comme hiver.

Fertilisation. Apport d'engrais tous les 15 jours en été.

Rempotage. On conseille d'utiliser un mélange à base de terre argileuse, de fumier de vache décomposé, de terreau de feuilles et de sable. Les plantes vieillissent rapidement ; il faut penser au renouvellement en divisant et en bouturant souvent.

Multiplication. Division des touffes, semis, et boutures prélevées au printemps et plantées sur chaleur de fond. Les jeunes plantules ne prospèrent que si elles sont cultivées à l'étouffée.

Mikánia ternáta
○ ◐ ◔ ◉ ◯ ▢

Plante entièrement velue, aux tiges rampantes, pendantes ou légèrement grimpantes, de couleur rouge violacé. Feuilles digitées, gris-vert, aux reflets violet pourpre et aux nervures violettes. On vend parfois cette plante sous l'appellation de *Mikánia apiifólia*.

L'un des nombreux hybrides du *Miltónia* à fleurs de violette.

Miltónia
Orchidáceæ

Nom. Du nom du vicomte *Milton*, devenu par la suite le comte Fitzwilliam (1786-1857), homme d'État anglais qui possédait une brillante collection d'orchidées.

Origine. Les quelque 20 espèces répertoriées sont dispersées au Brésil et en Colombie.

Description. Les fleurs de ces jolies orchidées ressemblent assez à des violettes. Les plantes sont pourvues de pseudobulbes mais n'exigent pas un repos marqué.

Exposition. En été, les *Miltónia* recherchent la fraîcheur. On peut les conserver en appartement, plantées en pot ou en panier suspendu. L'hiver, il faut les mettre dans une serre froide ou tempérée. A la rigueur, on pourrait les garder dans une pièce peu chauffée, mais ils risquent d'y souffrir de la sécheresse de l'atmosphère.

Soins. La culture est à peu près la même que celle des *Odontoglóssum*. Les *Miltónia* demandent simplement un peu plus de chaleur et de lumière. Leur faut un léger chauffage jusqu'en avril pour compenser le froid de l'extérieur, mais à partir de mai, ils se plaisent à la fraîcheur. Leur période de végétation se termine en juin. À partir de ce moment, il est bon de les protéger de la chaleur et de la lumière. La floraison s'achève en août-septembre. On réduit les arrosages. On continue à isoler les plantes de la chaleur, la protection contre l'insolation devient moins importante ; à partir de fin octobre, elle devient superflue, on commence même à chauffer de façon à maintenir une température minimum variant entre 6 et 10 °C.

Arrosage. Arroser abondamment à par-

tir de mai et compléter les arrosages par des vaporisations quotidiennes sur le feuillage. Restreindre les arrosages en septembre, tout en conservant la motte humide. Utiliser de l'eau de pluie.

Fertilisation. Faire des apports d'engrais de mai à juin, en utilisant la moitié de la dose recommandée par le fabricant (1 g par litre).

Rempotage. Ces orchidées se cultivent dans des pots de plastique dont on a rempli le fond d'une épaisse couche de tessons, ou en corbeilles suspendues. Le mélange peut se composer de 4 parts de tourbe acide, 1 part de granulés de polystyrène, 3 parts de polypode, plus 3 g de Dolokol par litre de tourbe. Ou bien encore : 2 parts d'osmonde, 1 part de sphagnum et un peu de granulés d'argile expansée. Rempoter après la floraison.

Multiplication. Il y a parfois moyen de diviser les touffes au moment du rempo-

tage, mais le semis est beaucoup plus avantageux : c'est hélas l'affaire de spécialistes.

Maladies. L'ennemi n° 1 du *Miltónia* est le thrips. On le combat efficacement en pratiquant des vaporisations répétées sur le feuillage, de façon à le maintenir humide en permanence.

Miltónia cándida
◐ ◑ ◔ ◉ ◯ ▢

Pseudobulbes ovoïdes-étroits, donnant chacun naissance à deux feuilles linéaires mesurant jusqu'à 30 cm de long. Fleurs larges de 9 cm, jaunes à macules brun acajou. Labelle blanc, ondulé sur les bords. Floraison : août-novembre.

Miltónia phalænópsis
Pseudobulbes ovales portant chacun une feuille linéaire, vert clair. 2 à 4 fleurs sur une hampe de 15 cm : elles sont blanches, la moitié inférieure du labelle est violet foncé. Floraison d'août à novembre.

Miltónia spectábilis
Pseudobulbes de 7 cm de long portant chacun 2 feuilles linguiformes, de couleur vert jaune. Fleurs dressées, isolées, mesurant jusqu'à 10 cm de diamètre, blanches avec un labelle rouge violacé, plus sombre au centre, veines foncées à la base, avec 3 crêtes bordées de jaune. Ces espèces ont donné énormément d'hybrides, on les a aussi beaucoup croisées avec d'autres types d'orchidées.

Mimósa
Leguminósæ

Nom. Du grec *mimos*, imitateur, imitation, mime. Les feuilles de cette plante, lorsqu'on les effleure, font mine de se flétrir. Il ne faut pas la confondre avec l'*Acácia* (voir ce nom) communément appelé mimosa.

Origine. On dénombre environ 500 espèces des régions tropicales et subtropicales d'Amérique.

Description. L'unique espèce connue en tant que plante d'appartement a des feuilles pennées qui se replient lorsqu'on les touche. Ce phénomène ne se produit qu'à une température supérieure à 18 °C. Au bout d'un certain temps, les feuilles reprennent leur position initiale. La même réaction peut être observée au moment où la lumière disparaît.

Exposition. Cette petite plante ne se sent parfaitement à l'aise que dans la serre chaude, ou à l'abri d'une vitrine ou d'une cloche de verre dans l'appartement.

Soins. On parvient à conserver le *Mimósa* en le plaçant l'hiver en serre tempérée. Cependant, il régresse beaucoup une fois que l'été est passé. Le mieux est de faire de nouveaux semis tous les ans.

Miltónia hybride.

Mimósa pudíca en fleurs.

Ces plantes recherchent une atmosphère humide et doivent être protégées contre une insolation directe. On pourra les sortir en plein air si l'on a quelque part un petit coin chaud et bien abrité.

Arrosage. Maintenir la motte modérément humide au cours de l'été. Utiliser autant que possible de l'eau de pluie.

Fertilisation. Apports d'engrais tous les 15 jours en période de végétation.

Rempotage. Le mélange doit se composer de terreau de feuilles, de terre argileuse finement émiettée, de fumier de vache décomposé et d'un peu de sable. Rempoter au printemps les sujets ayant survécu à l'hiver.

Multiplication. Faire ses semis en mars-avril, sous châssis, avec une chaleur de fond de 20-25 °C. Élever les jeunes plantules en coffre chauffé. On fait souvent, en automne, une récolte de graines qui se conservent jusqu'au printemps suivant. Les semences s'achètent dans le commerce.

Mimósa pudíca

Sensitive. Sous-arbrisseau cultivé en plante annuelle. Tiges épineuses. Feuilles composées, pennées. Le pétiole porte à son sommet 4 pinnules dont les folioles se replient au toucher. Petites inflorescences globuleuses de fleurettes rose violacé.

Mónstera

Aráceæ

philodendron

Nom. Probablement du latin *monstrum*, être difforme. Ce pourrait être une allusion aux feuilles fortement laciniées.

Origine. On connaît 27 espèces d'Amérique tropicale et la plupart croissent dans des arbres.

Description. Plante d'appartement robuste et extrêmement populaire, aux feuilles profondément et largement échancrées, portant de longues racines adventives sur les tiges.

Exposition. Cette plante se sent parfaitement à l'aise dans une pièce chauffée, mais il faut la voir dans une serre pour se rendre compte de la taille que peuvent atteindre ses feuilles sous l'effet d'une atmosphère humide.

Soins. Ces plantes font preuve d'une telle santé qu'on est souvent tenté de leur donner un emplacement peu éclairé, ce qui, au bout d'un certain temps, a pour effet de stopper leur développement. Mais le plus souvent, leurs longues tiges forment de joyeuses guirlandes autour des fenêtres. On peut, sans aucun doute, garder un philodendron toute une vie.

Mónstera deliciósa 'Variegata'

Mónstera oblíqua 'Leichtlinii'

Plus la lumière est abondante et plus les feuilles seront grandes et découpées. Les longues racines adventives, pendantes, peuvent être guidées vers le pot où elles se transforment rapidement en racines souterraines et contribuent à nourrir la plante. On peut les faire enraciner dans des pots voisins, les attacher à un tuteur moussu et même les couper sans nuire pour autant à la plante. Ces racines aériennes ne s'accrochent jamais d'elles-mêmes en culture d'appartement, il faut donc obligatoirement attacher les tiges.

Les sujets âgés émettent parfois un long spadice de couleur jaunâtre. Les fleurs sont suivies de baies violettes, hexagonales, à odeur d'ananas et qui sont comestibles. Personnellement, je ne les apprécie guère, car elles emportent la bouche. Température hivernale minimum : ± 12 °C.

Arrosage. Arroser méticuleusement et sans excès, toujours à l'eau tiède et surtout pas trop dure. Le calcaire ne fera pas mourir votre philodendron, mais il ne lui fera aucun bien. Il faut essayer de recueillir de l'eau de pluie ou déminéraliser l'eau du robinet. La plante profitera beaucoup de bassinages fréquents en hiver. Lorsqu'elle hiverne en local frais (ce qui n'est pas obligatoire), il faut évidemment réduire arrosages et bassinages.

Fertilisation. Les feuilles du *Mónstera* restent parfois anormalement petites, faute de nourriture suffisante. Lorsque les plantes atteignent une certaine taille, il faut laisser les racines adventives remplir leur rôle de nourrices. En outre, il faut, à partir de juin, faire des apports d'engrais solubles, chimiques ou organiques, régulièrement tous les 15 jours. Si le *Mónstera* est planté dans un pot muni d'un orifice de drainage, on aura intérêt à le baigner une fois par mois, en plongeant le pot dans un grand seau d'eau de pluie tiède. Cette opération permet de chasser l'air autour des racines et de le remplacer par de l'air frais, chargé d'oxygène, quand la terre est ressuyée. On peut fort bien diluer de l'engrais dans l'eau du bain.

Rempotage. Qui veut bichonner son philodendron, lui préparera un mélange de parties égales de terreau de feuilles, de fumier de vache parfaitement décomposé et de sable grossier. La plante se satisfait aussi d'un mélange standard. Prendre des pots pas trop petits, les drainer soigneusement et renouveler la terre, autant que possible, tous les ans.

Multiplication. Les plantes âgées, dégarnies à la base peuvent se marcotter avec succès. On fait également des boutures de tête. Pour avoir un grand nombre de nouvelles plantes, il faut s'y prendre autrement : on prélève des boutures à un œil, qui s'enracinent facilement avec une chaleur de fond de 25-30 °C. Il faut enrouler la feuille sur elle-même. Le bouturage se pratique toujours sous châssis de verre ou de plastique. Le semis marche aussi très bien. Les graines doivent être très fraîches ; elles germent en 2 ou 4 semaines (sur chaleur de fond).

Mónstera deliciósa photographié dans une vieille maison patricienne d'Amsterdam.

Murraýa paniculáta : fleurs et fruits.

Jeune spécimen de *Músa* x *paradisíaca*.

Mónstera deliciósa

Syn. *Philodéndron pertúsum*. Plante grimpante aux tiges très grosses et aux nombreuses racines adventives. Feuilles d'abord entières et cordées, plus tard découpées sur les bords en lanières profondes de 60 cm et perforées tout le long de la nervure médiane. En culture, on rencontre souvent la var. 'Borsigiana', de taille plus modeste et dont les feuilles font jusqu'à 30 cm de large. La var. 'Variegata' a des panachures blanc crème irrégulières.

Mónstera obliqua 'Leichtlinii'

Forme juvénile, aux feuilles simplement perforées. Plante à croissance faible.

Murraýa

Rutáceæ

Nom. Du nom de Johann Andreas *Murray* (1740-1791), professeur de botanique à l'université de Göttingen.
Origine. 10 espèces connues, en Malaisie.
Description. Le *Murraýa* fait partie de la même famille que l'oranger. Comme lui, il a des feuilles luisantes et des fleurs blanches délicieusement odorantes.
Exposition. Le meilleur des emplacements est la serre tempérée où les plantes peuvent bénéficier d'une ambiance très humide. L'été, la plante peut être sortie en plein air.
Soins. L'espèce cultivée chez nous est une plante des îles du Pacifique sud où, chacun le sait, il fait toujours agréablement chaud et humide. On essayera donc de recréer ce climat en appartement, en faisant de très fréquentes vaporisations. Il faut éviter à la plante la lumière directe du plein soleil, mais ne pas trop l'éloigner de la fenêtre. Si l'on dispose d'une terrasse très abritée, on pourra tenter de la sortir en plein air à partir de fin mai. L'hiver, il faudra trouver un local où la température se maintient vers les 12 °C : une pièce peu chauffée peut très bien convenir.
Arrosage. Arroser régulièrement et modérément en été, réduire un peu les arrosages en hiver.
Fertilisation. Apport d'engrais tous les 15 jours en période de végétation.
Rempotage. Le meilleur des mélanges se compose de parties égales de sapinette, de fumier bovin décomposé et de sable grossier ou de perlite. Renouveler la terre tous les ans, utiliser des pots en plastique, bien drainés.
Multiplication. Les graines fraîches germent à 30 °C. Les boutures de tête s'enracinent à la même température, sous châssis.

Murraýa paniculáta

Arbuste toujours vert, aux branches très ramifiées et aux feuilles pennées. Les folioles, au nombre de 3 à 9, vert luisant, longues de 3 à 5 cm et larges de 2-3 cm, ont des pétioles courts. Fleurs blanches, campanulée, très odorantes, en corymbes terminaux très fournis. Les fruits sont des baies rouges et rondes.

Músa

Musáceæ

bananier

Nom. Du nom d'Antonius *Musa* (63-14 av. J.-C.), médecin personnel de l'empereur Auguste.
Origine. 70 à 80 espèces naturelles sont répandues dans les zones tropicales de l'ancien monde. La culture du bananier est pratiquée sur tout le globe.
Description. Plante herbacée arborescente, dont la tige (stipe) est formée par la superposition des pétioles engainants des feuilles. Celles-ci, entières au départ, sont lacérées par le vent et déchirées le long des nervures à partir du moment où elles se déploient.
Exposition. Les plantes cultivées chez nous, à partir de graines, deviennent hélas trop encombrantes pour un appartement. Elles ne trouvent un espace suffisant que dans les serres des jardins botaniques.

Soins. Le bananier exige énormément de lumière, même en hiver, saison pendant laquelle il périclite souvent faute d'un éclairement adéquat. On a tout intérêt, dans son cas, à faire intervenir un système d'éclairage artificiel d'appoint (voir p. 47). On ne peut le sortir en plein air, l'été, que dans les régions les plus favorisées du pays (Midi, Sud-Ouest), ailleurs il fait trop froid et il doit passer toute l'année sous abri vitré. La température hivernale minimale est de 12 °C. Il peut fort bien, par contre, séjourner en permanence dans une pièce chauffée, sans arrêt marqué dans sa végétation, pourvu que le degré d'hygrométrie soit supérieur à 50 %.
Arrosage. Le bananier transpire abondamment. Des feuilles qui brunissent indiquent que les arrosages sont insuffisants. Il est fortement recommandé d'utiliser des bacs à réservoir d'eau, de grande capacité.
Fertilisation. Le bananier ne marque pas d'arrêt de végétation l'hiver, il faut donc le fertiliser même en cette saison : environ une fois par mois. L'été, il faut lui servir de l'engrais une fois par semaine ou tous les quinze jours.
Rempotage. La végétation est vigoureuse : les jeunes plantes ont besoin d'être rempotées assez souvent jusqu'à ce qu'elles se trouvent enfin dans de grands pots de plastique confortables. On utilise alors un mélange composé de : 1/3 de terre argileuse, 1/3 de terreau de feuilles ou de sapinette et 1/3 de fumier de vache décomposé. Les pots ou caisses doivent avoir un bon orifice de drainage.
Multiplication. Les bananiers obtenus à partir de graines (il s'agit généralement de *Músa ensète*) sont beaucoup trop grands pour l'appartement. Les variétés de culture conviennent beaucoup mieux mais ne produisent pas de graines. On ne peut les multiplier qu'à partir des drageons qui apparaissent au pied de la vieille tige lorsqu'elle meurt. Il est très difficile de se procurer ces rejets. Ceux qui passent leurs vacances aux Canaries ont parfois l'occasion d'en rapporter de là-bas.

Músa acumináta

Syn. *Músa cavendíshii* ; *Músa nána*. Bananier nain. Hauteur : environ 2 m. Feuilles elliptiques, longueur : 60-90 cm, largeur : 30 cm. Fleurs accompagnées de bractées coriaces, rouge violacé, se transformant en régimes de fruits comestibles. Il existe une variété spéciale dite 'Dwarf Cavendish'. Variété proche du bananier des plantations.

Músa ensète

Bananier d'Abyssinie. Espèce ne produisant pas de drageons. Atteint 10 m de haut. Feuilles mesurant jusqu'à 5 m de long et 1 m de large ; nervure médiane rouge. Bananier de semis, souvent offert comme plante d'appartement, bien que sa taille s'y prête mal.

Músa x paradisíaca

Bananier commun. Groupe de bananiers obtenus par croisement et qui sont utilisés dans les plantations fruitières. Hauteur 2-6 m. Feuilles mesurant jusqu'à 3 m. Fruits grands, comestibles, dépourvus de graines. Ce sont les bananes que l'on voit le plus souvent dans les pays exotiques où l'on va passer les vacances. *Músa acumináta* est probablement aussi une des innombrables variétés de culture. Il existe des races de bananiers décoratifs, aux feuilles panachées, mais on les voit rarement en plantes d'appartement.

Myrtillocáctus

Cactáceæ

Nom. Dans son pays natal, la tige de ce cactus se couvre de petits fruits en forme de baies qui rappellent beaucoup la myrtille des bois : *Vaccínium myrtíllus*.
Origine. On trouve 3 ou 4 espèces au Mexique et en Amérique du Sud.
Description. Dans leur patrie, ces cactus forment des colonnes ramifiées, parfois hautes de 4 m. En culture, on ne connaît que de très jeunes plantes non encore ramifiées.

Exposition. L'espèce la mieux connue, *Myrtillocáctus geométrizans*, est surtout une plante de serre tempérée. Les autres espèces s'élèvent aussi en serre froide. On peut même les garder toute l'année en appartement chauffé car sous nos climats, il est vain d'en attendre une floraison : donc pas besoin d'hivernage.

Soins. Le très beau cactus bleu représenté sur la photo est l'une des rares espèces qui supportent une certaine chaleur en hiver. C'est donc un cactus d'appartement particulièrement intéressant, qui n'a pas besoin d'un repos marqué. Respecter une température minimale de 12 °C et surtout placer le cactus le plus près possible de la fenêtre, car il lui faut beaucoup de lumière pour conserver sa remarquable coloration. L'été, il supporte le plein soleil.

Arrosage. Arroser régulièrement, mais sans excès. C'est un cactus assez avide d'eau et sa motte doit toujours conserver une certaine humidité, même en hiver. Utiliser de l'eau de pluie préalablement tiédie.

Fertilisation. Administrer un peu d'engrais pour cactées une fois par mois, en période de végétation.

Rempotage. Le mélange doit être substantiel : une partie de terre argileuse bien effritée, une partie de terreau de feuilles et une partie de perlite ; on peut ajouter un peu de poudre de sang séché et de corne torréfiée. Prendre des pots de plastique pas trop petits et munis d'un orifice de drainage. Ces cactus se plairont surtout placés sur la tablette de la serre.

Multiplication. Le *Myrtillocáctus* ne fleurissant pas, on est obligé d'importer des graines. On les sème au printemps, sur une chaleur de fond de 20 °C. Les sujets âgés qui ont eu le temps de se ramifier peuvent être bouturés. On fera sécher les boutures quelques jours avant de planter.

Myrtillocáctus cóchal
○ ☺ ⊗ ○ ⑪

Cactus colonnaire ramifié, aux articles claviformes très bleutés. La tige est formé de 6 à 8 côtes pourvues d'aréoles noires, garnies chacune d'un fort aiguillon gris. C'est l'espèce

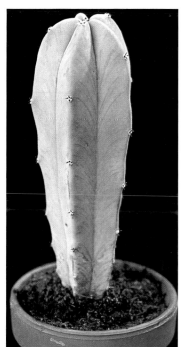

Myrtillocáctus geométrizans

Fleurs de *Mýrtus commúnis*

qui porte (mais pas en appartement) les petites fleurs pourpres suivies des petites baies rouges comestibles.

Myrtillocáctus geométrizans
Cactus à 5-6 côtes, magnifiquement pruiné de bleu et orné de légères panachures en forme de V. Les aiguillons sont très discrets. C'est l'espèce la mieux connue.

Myrtillocáctus schénckii
Cactus colonnaire vert foncé, à 7-8 côtes ; les aréoles sont garnies de petites touffes d'épines fines et courtes.

Mýrtus
Myrtáceæ

myrte

Nom. *Myrtos*, en grec, et *myrtus*, en latin, désignent tous deux le myrte commun.

Origine. On a recensé une centaine d'espèces, dont la plupart sont dispersées dans les zones tropicales et subtropicales d'Amérique ; huit croissent en Australie, quatre en Nouvelle-Zélande et une, celle dont il est question ici, sur le pourtour méditerranéen.

Description. Arbuste aux feuilles persistantes, coriaces et luisantes, et aux fleurs blanches, odorantes, qui se distinguent par leurs étamines dressées très apparentes.

Exposition. Plante de jardin dans le Midi. Elle aime le plein soleil et se plaît dehors, en été. L'hiver, il faut la loger au frais.

Soins. Le myrte est une plante d'orangerie peu cultivée et dont l'attrait principal réside dans ses fleurs parfumées. On l'élève en buisson ou sur tige. Dans la maison, on le placera près d'une fenêtre orientée au sud. Tourner le pot de temps en temps pour que la plante se développe harmonieusement. Si l'on dispose d'une terrasse ou d'un balcon abrités, on pourra y mettre le myrte dès la fin mai. On taille la plante après la floraison et on la rentre fin septembre, dans un local clair où elle passera l'hiver à une température qui peut varier de 4 à 12 °C. Bien ventiler s'il fait chaud.

Arrosage. N'arroser qu'à l'eau douce (eau de pluie) et veiller à maintenir la motte constamment humide.

Fertilisation. Fertiliser tous les 15 jours en période de végétation.

Rempotage. Plante calcifuge. La planter en milieu acide : sapinette ou terre de bruyère et fumier de vache décomposé. Rempoter tous les ans.

Multiplication. L'été, on prélève des

boutures de tête avec talon sur des pousses non fleuries. Elles s'enracinent à 15-20 °C, sous châssis. Le semis est possible, mais il faut attendre longtemps avant d'avoir des plantes.

Mýrtus commúnis
○ ☺ ⊗ ○ ⑪

Myrte commun. Arbuste érigé à feuilles persistantes, lancéolées, mesurant jusqu'à 5 cm de long. Fleurs solitaires, de 2 cm de diamètre, blanches, odorantes, avec de nombreuses étamines proéminentes. Elles sont parfois suivies de fruits noir pourpré.

Narcíssus
Amaryllidáceæ

narcisse

Nom. Du grec *narkissos*, narcisse, qui vient de *narkô*, je suis engourdi (par le parfum enivrant de la fleur, bien entendu), ou du nom de *Narkissos*, Narcisse, demi-dieu de la mythologie grecque, qui tomba amoureux de sa propre image.

Origine. On trouve une trentaine d'espèces, répandues dans les régions méditerranéennes et en Europe centrale. En appartement, on ne cultive que des hybrides.

Description. Tout le monde connaît le narcisse aux fleurs si délicieusement parfumées. Le forçage des bulbes est très facile et on y a recours pour la culture en appartement.

Exposition. Forcer signifie fournir un supplément de chaleur, et le narcisse tolère raisonnablement une température confortable, pourvu qu'elle ne soit pas trop élevée : elle ne devra en tout cas pas dépasser 15-20 °C pendant tout le forçage.

Soins. Un bon catalogue (de vente par correspondance, entre autres) contient en général une liste des bulbes propres au forçage. Les races qui se prêtent le mieux à ce traitement sont 'Grand Soleil d'Or' et 'Paperwhite'. Les bulbes de ces 2 variétés n'ont même pas besoin d'être mis à l'obscurité. On les plante souvent

Narcisse 'Grand Soleil d'Or'

dans des coupes remplies de gravier ou de terre, à n'importe quel moment entre septembre et février, et on les place directement dans l'appartement.

Les autres narcisses doivent d'abord faire un séjour à l'obscurité, dans un lieu frais (8-10 °C), pour former leurs racines. La meilleure façon de procéder est d'enterrer complètement les pots au jardin, vers le mois d'octobre. Couvrir la terre de paillassons pour l'empêcher de geler. Fin janvier, on vérifie le stade de la croissance. Les pots ne seront tirés de l'obscurité que lorsque les boutons floraux sont nettement apparents. Lorsqu'on ne dispose pas d'un jardin, on enferme les pots dans une caisse protégée du gel, sur le balcon ou encore dans une cave obscure.

Arrosage. Lorsqu'on élève les narcisses sur du gravier, on court facilement le risque de faire monter trop haut le niveau de l'eau dans les coupes. L'eau ne doit jamais toucher les bulbes. Bassiner souvent les jeunes pousses à partir du moment où les pots sont rentrés dans l'appartement.

Fertilisation. Il est inutile de donner de l'engrais. Les bulbes se jettent généralement après la floraison.

Rempotage. On plante les bulbes dans du gravier ou dans une terre

Le narcisse 'Paperwhite' n'a pas besoin d'être forcé à l'obscurité.

Nautilócalyx lýnchii a un feuillage pourpre presque noir, tout à fait remarquable.

s'enracinent assez facilement sur une chaleur de fond de 20-25 °C, si on prend soin de couvrir la caisse à multiplication d'une feuille de verre. Renouveler fréquemment les boutures car les plantes se dégradent vite en vieillissant. Le semis est également possible.

Nautilócalyx bullátus

Ⓘ ⓘ ⓘ ⓘ ⓘ

Syn. *Centrosolénia bulláta* ; *Epíscia tesseláta*. Petite plante aux tiges poilues et charnues et aux feuilles ovoïdes-lancéolées, mesurant au minimum 20 cm de long et 8 cm de large, face supérieure gaufrée, velue, vert olive foncé à reflet bronzé, revers rouge vineux. Fleurs jaunes, sessiles, en bouquet à l'aisselle des feuilles ; corolle tubuleuse, à court éperon, longue de 5 cm, bord étroit à 5 lobes.

Nautilócalyx forgétii

Feuille vert clair, luisante, panachée de brun foncé ou de rouge le long des nervures qui sont également soulignées de rouge sur l'envers. Bord des feuilles ondulé.

Nautilócalyx lýnchii

Syn. *Allopléctus lýnchii*. Feuilles elliptiques, glabres, mesurant jusqu'à 15 cm de long, rétrécies à la base, vert foncé luisant lavé de rouge, duvet sur les nervures. Fleurs blanc jaunâtre, à gorge rouge clair, court pétiole.

Neoportéria

Cactáceæ

Nom. Du grec *neo*, nouveau, et du nom de Charles E. *Porter* (XXᵉ siècle), entomologiste chilien.
Origine. 30 à 35 espèces croissent au Chili et dans le nord de l'Argentine. Autrefois, on les assimilait à différents genres.
Description. Petits cactus globuleux devenant légèrement cylindriques. Les aréoles peuvent produire plusieurs fleurs à la fois. Ces cactus sont surtout remarquables par leurs aiguillons. Ils ne se cultivent pas tous avec la même facilité.

légère, composée de 50 % de mélange ordinaire du commerce et de 50 % de sable grossier.
Multiplication. On ne multiplie pas les bulbes forcés pour la culture en appartement.

Narcissus hybrides

Ⓘ ⓘ ⓘ ⓘ ⓘ

Presque tous les narcisses ont fourni des races qui se prêtent au forçage, à part peut-être *Narcíssus poéticus*, le narcisse des poètes. Le mieux est de se conformer aux indications d'un bon catalogue.

Nautilócalyx

Gesneriáceæ

Nom. Du grec *nautilos*, marin, et *kalyx*, calice.
Origine. On rencontre environ 11 espèces dans la partie nord de l'Amérique du Sud.
Description. Petites plantes étroitement apparentées aux *Epíscia*, auxquels elles ressemblent beaucoup. Les feuilles ont une belle couleur ou de jolies panachures ; les pétioles sont assez épais.

Exposition. Petite plante à feuillage pour la serre chaude, la vitrine d'appartement ou les bonbonnes.
Soins. Éviter le soleil direct et les températures inférieures à 16 °C. Pas de période de repos. Pour réussir la culture du *Nautilócalyx* en appartement, il faut y entretenir une humidité ambiante assez élevée : poser la plante au-dessus d'une coupe remplie d'eau ou faire fonctionner un humidificateur ou, tout au moins, bassiner le feuillage plusieurs fois par jour. Mêlé à d'autres plantes dans un grand bac, le *Nautilócalyx* jouira d'un micro-climat qui lui permettra de tenir de six mois à un an.
Arrosage. Terre modérément mouillée en permanence. Arroser toujours à l'eau de pluie ou déminéralisée, tiédie. le *Nautilócalyx* est calcifuge.
Fertilisation. Pendant la période de végétation, entre mai et octobre, on donnera un peu d'engrais dilué, tous les 15 jours.
Rempotage. Utiliser un mélange léger et humifère, très perméable : terreau de feuilles ou tourbe, plus du vieux fumier de vache décomposé et du sable grossier ou de la perlite. Rempoter chaque année, au printemps, dans des coupes larges et peu profondes.
Multiplication. Les boutures de tête

Neoportéria. Cactus sphériques très épineux. Culture plus ou moins délicate suivant les espèces.

Exposition. C'est le type de cactus réservé aux amateurs sérieux, possesseurs d'une serre froide ou tempérée.

Soins. Les cactus en provenance du Chili entrent en végétation au début de notre hiver, il faut donc les mettre au repos très tôt (septembre) et augmenter un peu la température en janvier. Entre-temps, ils se satisferont des 5 °C qui règnent habituellement l'hiver dans une serre froide. Dès la mi-janvier, le minimum sera porté à 12-14 °C. Au printemps, on habitue progressivement les plantes au soleil, après quoi on leur donne un maximum de lumière. Très souvent, on greffe ces cactus sur *Eriocéreus jusbértii*, surtout lorsqu'on les élève en appartement.

Arrosage. On commence par arroser au goutte à goutte au printemps, quand le temps se met à se réchauffer, et on augmente progressivement les arrosages pour arriver à la cadence normale d'un arrosage par semaine. La mise au repos des *Neoportéria* (sécheresse et fraîcheur) devance, en automne, celle des autres cactus. N'utiliser que de l'eau de pluie.

Fertilisation. Lorsque les plantes ne sont pas rempotées tous les ans, il est important de leur administrer toutes

Les fleurs bleues du *Neoregélia* restent blotties au creux de la rosette.

Neoportéria paucicostáta

les 3 semaines une ration d'engrais spécial pour cactées.

Rempotage. Le rempotage (annuel pour les jeunes plantes) a lieu au printemps, dans un mélange de terre argileuse finement émiettée, de terreau de feuilles et de perlite (un tiers de chaque).

Multiplication. Le *Neoportéria* se propage de semis fait à l'étouffée, en mars. On pratique aussi la greffe, qui donne des plantes plus robustes.

Neoportéria nápina

Syn. *Malacocárpus nápinus ; Neochilénia nápina.* Cactus gris-vert ou rouge noirâtre, à 14 côtes divisées en tubercules ronds, ornés chacun de longs aiguillons noirs (3 mm). Fleurs jaune clair marquées de rouge.

Neoportéria nidus

Syn. *Echinocáctus nídus.* Cactus devenant cylindrique avec l'âge, entièrement couvert de longs piquants jaunâtres ou gris. Fleurs rougeâtres.

Neoportéria nigrihórrida

Syn. *Chilénia nigrihórrida.* Sphère aplatie, à 16-18 côtes de couleur gris-vert foncé. Longs aiguillons gris, devenant tout noirs lorsqu'ils sont humides.

Neoportéria senílis

Syn. *Echinocáctus senílis.* Ressemble

Neoregélia carolínæ

à l'espèce *nídus*, seuls les piquants sont fins comme des cheveux, tordus, longs et nombreux, si bien que le cactus tout entier ressemble à une barbe grise.

Neoportéria villósa

Syn. *Echinocáctus villósus.* En vieillissant il devient cylindrique. Tige violet foncé à noire, á 13-15 côtes. Les aiguillons, longs de 2-3 cm, sont brun clair ou gris. Fleurs rose pâle ou blanches.

Neoregélia

Bromeliáceæ

Nom. Du grec *neo*, nouveau, et du nom d'Eduard August von *Regel* (1815-1892), directeur du jardin botanique de Saint-Pétersbourg (aujourd'hui Leningrad).

Origine. 33 espèces croissent au Brésil, une seule en Guyane. On les trouve perchées sur les arbres, dans la forêt vierge. Chez beaucoup d'espèces, les feuilles se parent de belles teintes au moment de la floraison.

Exposition. Pour les élever, il faut une serre chaude. Par la suite, les plantes peuvent séjourner assez longuement en appartement.

Soins. Faut-il le répéter ? Une broméliacée en train de fleurir est une broméliacée en train de mourir. Généralement on achète la plante en pleine floraison, peu importe donc les soins qu'on lui prodiguera. Une température basse (12 °C) prolongera un peu la vie de la plante. Elle n'aura pas besoin de beaucoup de lumière car la coloration du feuillage est déjà acquise et la plante, à ce stade, n'assimile plus beaucoup. Les fleurs apparaissent au fond de l'entonnoir et restent cachées. Il ne faut pas s'attendre à voir leur tige s'allonger.

Au bout de 3 à 6 mois, la plante perd de son éclat et on peut s'en débarrasser, car chaque rosette ne fleurit qu'une seule fois. Entre-temps, des rejets seront nés à la base : parfois un seul, parfois plusieurs. Leur culture exige des conditions particulières. Pour se développer il leur faut beaucoup de lumière, sans insolation directe. De mars à août, la température doit se maintenir entre 22 et 25 °C. En hiver, 15 à 18 °C suffisent. L'humidité relative doit être très élevée pendant l'été, un peu moindre en hiver. Toutes ces conditions ne peuvent être réunies que dans une serre. Qui donc entretient une température de 25 °C dans un appartement, en plein mois de mai ? La vitrine ne donne pas entière satisfaction au point de vue éclairement. La « fenêtre fleurie » est peut-être plus favorable, à condition d'être bien orientée. Lorsque tout se passe bien, les rejets peuvent fleurir au bout de 2 à 3 ans de culture. Le feuillage ne se colore de rouge et de panachures qu'à l'approche de la floraison.

Arrosage. Dans la mesure du possible, les plantes ne seront arrosées qu'à l'eau de pluie tiédie. La motte doit être imprégnée d'humidité en permanence et l'entonnoir de la rosette doit toujours être plein d'eau, même s'il y a des fleurs. Bassiner le feuillage aussi souvent que l'on peut.

Fertilisation. Pendant la période de végétation, on peut fertiliser tous les 15 jours. L'engrais dilué est versé sur la terre ou dans l'entonnoir. De temps à autre, on videra et on rincera l'entonnoir pour le débarrasser des rési-

dus d'engrais qui ont pu s'y accumuler.

Rempotage. On plante généralement ces broméliacées dans des pots, mais rien n'empêche de les cultiver en panier suspendu ou en épiphytes sur un tronc d'arbre. Elles apprécieront un mélange composé de terreau de feuilles, fumier de vache décomposé et sphagnum. Bannir tout substrat susceptible de contenir du calcaire. Si on plante en pot, surveiller le drainage.

Multiplication. À la rubrique « Soins », nous avons expliqué que la propagation des espèces se faisait par la séparation et la culture des rejets nés au pied de la plante mère. Surtout ne pas se hâter. Il faut attendre que les jeunes plantes aient acquis un système radiculaire autonome. Opérer en s'aidant d'un couteau bien aiguisé.

Le *Neoregélia* peut se semer, mais on n'obtiendra que des plantes à feuillage vert uni. Les espèces panachées ne se perpétuent que par bouturage des rejets.

Maladies. Lorsque les conditions de culture sont défectueuses, les plantes sont parfois envahies par les cochenilles à bouclier et les thrips. Des arrosages excessifs ou à l'eau trop froide provoquent la pourriture.

Neoregélia carolínæ

Syn. *Aregélia carolínæ ; Nidulárium meyendórffii.* Les feuilles imbriquées en une rosette étalée et basse sont légèrement élargies à la base ; elles mesurent jusqu'à 40 cm de long et 5 cm de large, elles sont finement dentées sur les bords, vertes et luisantes sur les deux faces. Pendant la floraison, elles se colorent d'un beau rouge autour de l'inflorescence. On ne cultive que des variétés comme, par exemple : 'Meyendorffii', dont les feuilles vert olive, formant entonnoir, mesurent 4 cm de large, et 'Tricolor', aux feuilles étroites, striées de bandes jaunes sur toute leur longueur.

Neoregélia concéntrica

Syn. *Aregélia concéntrica ; Nidulárium acanthócrater.* Grandes rosettes étalées. Feuilles de 30 cm sur 12, dents

Neoregélia carolínæ 'Tricolor'

Nepénthes hybride.

Détail : la petite urne, ou ascidie, surmontée de son couvercle.

courtes et brunes sur les bords, face supérieure verte avec des taches irrégulières, feuilles du centre plus courtes et teintées de violet. Divers cultivars.

Nepénthes

Nepentháceæ

népenthès

Nom. Du grec *népenthês*, qui dissipe la douleur, de *nê*, préfixe négatif, et *penthos*, douleur. Le nectar contenu dans les urnes encore fermées est buvable et passe, chez Homère, pour être un remontant.
Origine. Environ 70 espèces sont répandues en Asie tropicale, aux Seychelles, à Madagascar, en Australie et dans l'Archipel Indien.
Description. Genre en grande partie épiphyte. Les feuilles se prolongent par une vrille qui peut se transformer en une sorte d'urne contenant un liquide et initialement fermée hermétiquement par un opercule. Ce dernier finit par s'ouvrir : les insectes attirés par le nectar tombent au fond de l'urne et sont digérés par le liquide.
Exposition. Plante de serre chaude où règne une humidité relative élevée. Quelques espèces se laissent cultiver en appartement si la température n'y est pas très élevée en hiver.
Soins. Il faut que la température de la serre ne descende jamais au-dessous de 18 °C si l'on veut éviter les problèmes. En appartement, on sera forcé de pratiquer de fréquentes vaporisations d'eau sur le feuillage. L'hiver, les plantes seront accrochées à proximité d'une fenêtre et on surveillera le degré d'hygrométrie de la pièce. Pro-

téger les plantes du soleil direct, quelle que soit la saison.
Arrosage. En période de végétation, la plante consomme beaucoup d'eau : celle-ci peut lui être fournie sous forme de bain. N'utiliser que de l'eau douce.
Fertilisation. En période de végétation, on servira de temps en temps quelques insectes à la plante. Les urnes les digèrent et la plante se nourrit par leur intermédiaire.
Rempotage. Le *Nepénthes* est pourvu d'un système radiculaire extrêmement frêle et fragile : il faut rempoter les plantes tous les ans, avec d'infinies précautions, dans un mélange de racines de fougères, terreau de feuilles, sphagnum et fumier de vache décomposé. Les suspendre dans des paniers ou des pots soigneusement drainés.
Multiplication. En hiver ou au printemps, on prend des boutures de feuilles que l'on plante dans des godets renversés dont on a agrandi l'orifice du fond. Maintenir la bouture en place avec du sphagnum et poser les godets sur un lit de sphagnum. La tranche de la feuille sectionnée doit se trouver suspendue et nue. Chaleur de fond : 35 °C. Il faut 8 semaines pour qu'apparaissent les racines. Bassiner très régulièrement les feuilles pour les empêcher de se flétrir.

Nepénthes hybrides

Plantes épiphytes aux feuilles composées de trois éléments : un premier limbe large et souvent lancéolé, à l'aspect foliaire, se prolongeant par une tige plus ou moins longue, terminée elle-même par un organe en forme d'urne qui remplace le limbe de la feuille proprement dite. Les urnes pendantes sont généralement vertes avec de jolies panachures rouges. Il existe d'innombrables races.

Nephrólepis

Oleandráceæ

Nom. Du grec *nephros*, rein, et *lepis*, écaille.
Origine. Une trentaine d'espèces naturelles se répartissent dans les régions tropicales du globe. Elles sont épiphytes ou terrestres. Il existe une incroyable quantité de races cultivées.
Description. *Nephrólepis exaltáta* est la plus connue et la plus robuste des fougères d'appartement, et sans doute aussi la plus belle. Ses longues frondes sont gracieusement arquées ;

chaque plante atteint facilement un diamètre de 50 à 60 cm. Encore faut-il trouver un horticulteur qui vous fournisse de beaux exemplaires, bien développés, car les avortons à bas prix que l'on trouve sur les marchés ne sont pas tout ce qu'il y a de plus décoratif. Quelle dommage qu'une telle plante coûte le prix de deux bouteilles de bon champagne. Enfin ! il faut se dire qu'elle fera aussi un plus long usage.
Exposition. De par leur nature, ce sont des plantes faites pour vivre dans une serre chaude ou tempérée où elles pourront baigner dans une atmosphère très humide. On constate cependant qu'elles parviennent à résister une année entière en appartement chauffé au chauffage central. Elles ne s'y développent plus guère, mais elles restent belles longtemps.
Soins. Nous avons donc affaire ici à ce que nous avons décidé d'appeler une plante « à jeter », qui a l'avantage d'être particulièrement décorative et tout de même assez résistante. En principe il faut compter pouvoir la conserver trois ou quatre mois. Tout dépend du moment auquel on l'achète : juste avant l'hiver, quand les jours raccourcissent et que le chauffage fonctionne à plein, ou en avril, quand on baisse le chauffage,

Nephrólepis exaltáta 'Rooseveltii' prospère même à l'ombre.

Nephrólepis exaltáta 'Teddy Junior'

Nephrólepis exaltáta se plaît dans l'atmosphère humide de la salle de bains.

pées, les pinnules du sommet sont arrondies.

Neríne

Amaryllidáceæ

Nom. Il faut sans doute y voir les *Néréides*, nymphes de la mer dans la mythologie grecque.

Origine. On connaît 15 espèces en Afrique du Sud.

Description. Plante bulbeuse aux longues feuilles en lanière et aux jolies fleurs en ombelle, vendues en fleurs coupées.

Exposition. Les bulbes se développent en hiver et se reposent pendant notre été, ce qui complique la culture.

Soins. L'espèce *sarniénsis* est celle qui se prête le mieux à la culture en pot. En septembre, on plante 3 à 5 bulbes dans un même pot que l'on met dehors. Les fleurs apparaissent en premier, bientôt suivies par les feuilles. La plante n'est pas rustique, il faut donc veiller à la rentrer à temps en serre froide ou tempérée, où le feuillage doit poursuivre son développement : c'est indispensable si l'on veut voir le bulbe refleurir l'année

que les jours deviennent plus longs et que le degré d'humidité relative de l'atmosphère s'élève. Tout dépend aussi de la fréquence des bassinages et de la température qui règne dans l'appartement : 18 ° c'est parfait, mais à 23 ° (comme c'est le cas dans certaines salles de séjour) l'humidité relative de l'atmosphère baisse d'au moins 10 %. Si on dispose d'un humidificateur, il faut le faire fonctionner dans le voisinage de la plante. Le *Nephrólepis* n'exige pas beaucoup de lumière et craint même le soleil, mais si on le relègue dans un coin très sombre, il perdra rapidement ses feuilles. Un petit éclairage d'appoint peut lui être bénéfique. La durée du jour a également son importance.

On peut toutefois essayer de requinquer une plante qui se dégrade parce que ses feuilles jaunissent et tombent. On la transporte dans un endroit où la température est inférieure de quelques degrés et où l'atmosphère est plus sèche. On élimine les vieilles feuilles et on la laisse reposer un à deux mois. Ensuite on la rempote et on stimule sa végétation. Très souvent, la fougère retrouve toute sa vigueur au bout de quelques mois, surtout si elle a pu faire un petit séjour dans une serre.

Arrosage. Il est très difficile de fournir à un *Nephrólepis* une humidité satisfaisante, il est très sensible à l'excès comme au défaut d'humidité. Le mieux est de le planter dans un pot à réservoir d'eau : on élimine ainsi toute erreur dans l'arrosage. Ce réservoir devra toujours être rempli et la plante restera belle, même dans une pièce chauffée. Il est recommandé d'utiliser de l'eau de pluie pour l'arrosage et même pour les bassinages : on évitera ainsi les taches de calcaire sur le feuillage.

Fertilisation. Les fougères sont des plantes à la fois voraces et délicates. Elles réclament beaucoup d'engrais, mais il doit être très dilué (la moitié ou le quart de la concentration recommandée par le fabricant). On pourra l'incorporer à l'eau d'arrosage. Ne pas fertiliser en hiver et en période de repos, quand la croissance s'arrête.

Rempotage. Le mélange ne doit pas contenir trop de calcaire. Il se composera d'une partie de terreau de feuilles (ou sapinette ou terre de bruyère), d'une partie de fumier de vache décomposé et d'une partie de perlite ou de sable grossier. Rempoter tous les ans.

Multiplication. Ces fougères émettent des stolons sur lesquels se développent des plantules que l'on sépare et que l'on plante en été. Le semis de

spores n'est possible que pour les espèces-types.

Maladies. Pucerons, cochenilles à bouclier et thrips, lorsque les conditions de culture sont défectueuses.

Nephrólepis cordifólia
◎ ⓖ ⊘ ◌ ▣

Syn. *Nephrólepsis tuberósa*. La plante émet des stolons munis de bulbilles de 2 à 5 cm. Frondes pennées, de 30 à 60 cm de long et de 5-6 cm de large. Pétiole sombre et écailleux, de 5-8 cm de long. Pinnules nombreuses, de 3 cm sur 1,5. Chez 'Plumosa' les pinnules du sommet sont bipennées.

Nephrólepis exaltáta

Pas de bulbilles. Frondes pennées mesurant jusqu'à 70 cm de long et 10 cm de large. Pétiole vert et lisse. Parmi les races à feuilles pennées une fois nous citerons : 'Maassii', végétation dense, pinnules ondulées ; 'Rooseveltii', pinnules lobées et 'Teddy Junior', pinnules crispées et ondulées. Races à frondes bipennées : 'Rooseveltii Plumosa', pinnules du sommet profondément découpées ou pennées et 'Whitmannii', végétation étalée, frondes de 40 cm de long, arquées, toutes les pinnules sont profondément découpées, pennées ou bipennées. Enfin 'Bornstedt' a des frondes encore plus finement décou-

Neríne sarniénsis 'Corusca Major'

suivante. Un éclairage d'appoint sera très bénéfique. Les feuilles meurent au printemps et les pots sont rangés dans un endroit sec sans que les bulbes soient déterrés.

Arrosage. La plante accomplissant sa végétation à basse température, elle réclame très peu d'eau. Un arrosage excessif ferait pourrir les bulbes.

Fertilisation. Les bulbes ne sont pas souvent rempotés, il faut donc, en hiver, les fertiliser tous les 15 jours.

Rempotage. Les bulbes supportent mal le rempotage. On se contentera le plus souvent d'un surfaçage annuel. Utiliser du mélange du commerce enrichi d'un peu de terre argileuse.

Multiplication. On peut séparer les caïeux à l'occasion d'un rempotage ou semer, au printemps, des graines bien mûres.

Neríne sarniénsis
○ ♨ ◌ ▣ ▣ ▣

Amaryllis de Guernesey. Feuilles de 30 cm sur 1,5 cm se montrant après la floraison. Ombelle de 8 à 12 fleurs rouges, odorantes, pétales mesurant 4 à 10 mm de large, incurvés, légèrement frisés et plus courts que les étamines. On cultive surtout la var. 'Corusa Major', aux fleurs plus grandes, rouge orangé clair.

Nephrólepis cordifólia 'Plumosa'

Nephrólepis exaltáta 'Maassii'

Nérium

Apocynáceæ

Nom. Utilisé par Dioscoride pour désigner le *Nérium oleánder.* Appliqué plus tard à tout le genre.

Origine. On connaît deux espèces, répandues principalement dans les régions méditerranéennes et en Asie.

Description. Arbuste très apprécié des amateurs de plantes. Ses feuilles coriaces ressemblent aux feuilles du saule. Cultivé en plein air dans le Midi. Les fleurs, simples ou doubles, blanches, rose vif, ou rose violacé, ou encore striées, se montrent en été.

Exposition. Au temps où les maisons étaient construites avec des vérandas et où le chauffage central était rare, le laurier-rose était une plante d'appartement très répandue. On l'aura deviné : cette plante ne fleurit d'année en année et ne reste saine que si elle est soumise à un repos hivernal en local froid.

Soins. On peut placer le laurier-rose près d'une fenêtre ensoleillée, mais il se plaira davantage sur une terrasse ou un balcon abrités, car l'air frais lui fait du bien. Il faut toujours le mettre en plein soleil. À l'approche des ge-

Nérium oleánder à fleurs doubles.

lées, on le rentre dans un local clair et très frais (minimum 5 °C, maximum 10 °C) ou dans la serre froide. Aérer abondamment par beau temps pour empêcher la température de monter. Pas de bassinages pendant cette periode. La plante peut être remise en plein air dès le début du printemps : une petite gelée nocturne lui sera moins néfaste qu'un démarrage prématuré. Attention ! la plante entière est **extrêmement toxique** : ne porter aucune de ses parties à la bouche, veiller sur les enfants et ne pas la placer près de la niche du chien. À son contact, l'eau devient empoisonnée.

Arrosage. Le laurier-rose boit énormément. On peut sans crainte laisser de l'eau au fond de la soucoupe lorsqu'il fait chaud. Beaucoup de personnes l'arrosent trop peu, c'est pourquoi leur laurier-rose se développe mal et fleurit peu. Utiliser de préférence de l'eau de pluie.
Réduire fortement les arrosages en hiver, mais ne pas laisser la motte se dessécher. Cet arbuste aime avoir le pied au chaud. Autrefois, on plaçait les caisses sur une étuve. Pour l'arroser, on versera de l'eau chaude dans la soucoupe et on jettera au bout de quelques heures ce que la plante n'a pas absorbé.

Nérium oleánder à fleurs blanches simples.

Fertilisation. En été, on fera tous les 15 jours un apport d'engrais, si possible organique. Arrêter en août pour laisser le bois se lignifier avant l'hiver.

Rempotage. Étant donné la quantité d'eau réclamée par cette plante, on ne la mettra jamais dans un pot de terre d'où l'eau s'évapore trop vite. Prendre un bac en plastique ou, mieux, offrez-vous une de ces magnifiques caisses en teck : vos enfants en hériteront. Les récipients doivent toujours être parfaitement drainés. Le laurier-rose aime à être arrosé par dessous. On commencera donc par déposer au fond du récipient une couche de 2 cm de débris de poterie que l'on recouvrira d'un mélange de terreau de feuilles, terre argileuse et fumier de vache décomposé, plus 50 g de poudre de sang, d'os et de corne par 10 litres de terre. Poser la plante et continuer de remplir avec le mélange ordinaire. Les grands sujets ne doivent pas être rempotés tous les ans.

Multiplication. Le bouturage des jeunes pousses, en juin-juillet, est très facile, elles s'enracinent même dans un verre d'eau. C'est aussi la seule façon de propager les cultivars (variétés à fleurs doubles, etc.). Le semis est possible, mais reproduit souvent l'espèce type. Profitez des vacances pour ramener des petites boutures dans un sac de plastique.

Maladies. Apparition de cochenilles à bouclier et de cochenilles farineuses à l'issue d'un hivernage à trop haute température.

Nérium oleánder

○ ☺ ▦ ☺ ▥

Laurier-rose. Arbuste aux feuilles persistantes, lancéolées, coriaces, verticillées par 3. Fleurs en cymes terminales, celles du type sont roses, il en existe de blanches, lilas, etc. ; elles sont simples ou doubles. Le cultivar 'Variegatum' a des feuilles bordées de blanc ou de crème. Le laurier rose commun, aux fleurs rose vif, simples, est aussi le plus vigoureux. Il faut en tenir compte dans son choix pour la culture en appartement.
Il est difficile, hélas, de trouver dans le commerce autre chose que des culti-

vars. On peut obtenir l'espèce ordinaire en la semant ou en se procurant des boutures.

Nértera

Rubiáceæ

Nom. Du grec *nerteros*, bas. C'est en effet une très petite plante.

Origine. On trouve environ 8 espèces dans diverses régions montagneuses de l'hémisphère austral ; on n'en connaît qu'une seule en culture d'appartement.

Exposition. Ce sont de petites plantes qui exigent avant tout d'être cultivées en atmosphère fraîche. Dans le Sud-Ouest, on les cultive au jardin de

rocaille. On considère qu'elles tolèrent un minimum de 10 °C.

Soins. La plante est habituellement vendue au moment de sa fructification. On lui donnera un emplacement bien éclairé, à l'abri du soleil ardent et on veillera à une bonne aération de la pièce. En fait, elle se plaît surtout en plein air. Vers le mois d'octobre, on l'entrepose dans un local frais, à l'abri du gel (on peut, à titre d'expérience, la laisser dehors), où elle passe sa période de repos. Si on possède un coffre froid, il fera un abri parfait. La floraison commence à la fin d'avril. Veiller à ce que la plante ne soit pas mouillée à ce moment-là : la fructification en souffrirait. Une température trop élevée avant et pendant la floraison compromet également la fructification mais favorise le développement du feuillage. L'idéal est une température inférieure à 13 °C. On peut rentrer le *Nértera* en appartement au moment où ses fruits commencent à se colorer.

Arrosage. Toujours arroser par-dessous pour éviter la pourriture. N'utiliser que de l'eau de pluie. Conserver la motte régulièrement humide en été, un peu plus sèche en hiver.

Fertilisation. Ajouter de temps à autre un peu d'engrais à l'eau d'arrosage en période de végétation.

Rempotage. Il est bon de mêler un peu d'argile au mélange qui peut se composer de terreau de feuilles et de fumier décomposé. Rempoter au printemps.

Multiplication. Semer en février-mars sur légère chaleur de fond, sous châssis. Élever les plantules dans un endroit très clair. Le plus souvent, on divise les touffes en août. Les fragments sont placés directement dans des petits pots.

Maladies. On note des pucerons sur les plantes exposées aux courants d'air. La fonte survient lorsqu'on arrose les plantes par-dessus ou que l'on bassine le feuillage.

Nértera granadénsis

◑ ☺ ☺ ☺ ▥

Syn. *Nértera depréssa.* Petite plante vivace gazonnante, aux tiges abondamment couvertes de feuilles. Cel-

Néterera granadénsis : le feuillage disparaît sous l'abondance des fruits.

Notocáctus purpúreus

les-ci sont ovoïdes-larges (4 à 8 mm de diamètre), un peu charnues, vert clair. Fleurs insignifiantes, vertes. Baies de 8 mm de diamètre, rouge orangé clair.

Notocáctus
Cactáceæ

Nom. Du grec *nôtos*, dos, et *cactus*, cactus.
Origine. On trouve 15 espèces environ, croissant de préférence sur des pentes rocailleuses, dans le sud du Brésil, le nord de l'Argentine, le Paraguay et l'Uruguay.
Description. Beaux cactus globuleux, intéressants à plus d'un titre : ils fleurissent jeunes et très abondamment et sont pourvus d'aiguillons très décoratifs. Les côtes sont divisées en mamelons qui portent les aréoles.
Exposition. On ne peut leur trouver de meilleur emplacement que la serre tempérée. Contrairement à la plupart des autres cactus, ils n'exigent pas une température très basse en hiver : un minimum de 10 °C leur suffit. Ces caractéristiques leur permettent de

s'acclimater plus facilement en appartement.
Soins. Autre point qui distingue le *Notocáctus* de ses frères : il tolère l'ombre légère. Les jeunes tiges en particulier redoutent les premiers rayons du soleil printanier. Il fleurit en été, même à la mi-ombre.
Voici enfin un cactus particulièrement bien adapté à la culture en appartement. On le placera près d'une fenêtre orientée au sud-est ou au sud-ouest. Si la fenêtre n'est pas tout à fait hermétique, le cactus trouvera contre le vitrage une température voisine des 10 °C qui lui conviennent. Sinon, mettre le cactus dans une pièce non chauffée, chambre d'amis, etc.
Si le cactus a tendance à végéter, on aura intérêt à le greffer, par exemple, sur *Eriocéreus jusbértii*. Le porte-greffe stimule la floraison.
Arrosage. Ce cactus diffère encore des autres en ce qui concerne l'arrosage. L'été, il faut conserver sa motte humide en permanence, ce qui est rarement le cas pour les autres cactées. Même l'hiver, elle ne doit pas sécher complètement : quelques gouttes d'eau versées au bord du pot suffiront. Tout dépend de la température ambiante. On peut arroser à l'eau du robinet, mais l'eau de pluie ou déminéralisée est préférable.

Notocáctus hórstii

Notocáctus mammulósus

Fertilisation. Il est recommandé d'apporter un peu d'engrais peu azoté (engrais spécial pour cactées) toutes les 3 semaines, de mai à août.
Rempotage. Prendre le mélange habituel pour cactus : 50 % de mélange standard du commerce + 50 % de perlite. On peut aussi préparer un mélange composé de terre argileuse finement émiettée, de terreau de feuilles et de sable grossier, à parties égales. Utiliser de préférence des pots en plastique, bien drainés. Les jeunes spécimens sont rempotés chaque année, au printemps, les exemplaires âgés de plus de 3 ans se satisfont d'un rempotage tous les deux ans.
Multiplication. Elle se fait généralement de semis. Semer en mars sur légère chaleur de fond et à l'étouffée. Repiquer le plus tôt possible. Les espèces prolifères peuvent être bouturées ou greffées. Faire sécher les boutures au préalable pendant une semaine pour prévenir toute pourriture. Le greffage permet d'insuffler un peu de vigueur aux espèces chétives.
Maladies. On note des ravages causés par les cochenilles farineuses et les pucerons des racines.

Notocáctus aprícus
Syn. *Malacocárpus aprícus*. Espèce de petite taille, à 15-20 côtes tuberculées. 18-20 aiguillons extérieurs raides et 4 aiguillons intérieurs un peu plus longs (2-3 cm). Fleurs jaunes mesurant jusqu'à 8 cm de long.
Notocáctus concínnus
Syn. *Malacocárpus concínnus*. Globuleux-large, vert et luisant, au sommet concave, mamelonné et dépourvu de piquants. Aréoles garnies d'aiguillons dressés, jaunes ou rougeâtres. 18 côtes. Fleurs mesurant jusqu'à 7 cm de long, jaunes, soyeuses, luisantes, rouges à l'extérieur.
Notocáctus græssneri
Syn. *Malacocárpus græssneri* ; *Brasilicáctus græssneri*. Cactus sphérique, au sommet aplati. Corps vert clair, à 50-60 côtes. Aréoles garnies d'aiguillons jaunes et de poils jaunes laineux. Fleurs vert clair.
Notocáctus haselbérgii
Syn. *Malacocárpus haselbérgii* ; *Brasilicáctus haselbérgii*. Cactus globuleux à légèrement cylindrique. Sommet concave. Entièrement couvert de piquants blancs très nombreux. 30 côtes. Fleurs rouge orangé à rouges.
Notocáctus leninghaúsii
Syn. *Malacocárpus leninghaúsii* ; *Eriocáctus leninghaúsii*. Cactus cespiteux, cylindrique, à 20-30 côtes. Aréoles très rapprochées, pourvues de fins aiguillons jaunes. Fleurs jaunes à reflet soyeux, de 5-6 cm de diamètre.
Notocáctus mammulósus
Syn. *Malacocárpus mammulósus*. Cactus globuleux ou légèrement cylindrique, vert foncé, à 18-20 côtes mamelonnées. Sommet laineux, blanc. Aiguillons brun-jaune, ceux du centre ont une pointe brune (2 cm de long). Fleurs de 3 à 5 cm de long, jaune soufre, rougeâtres à l'extérieur.
Notocáctus scópa
Syn. *Malacocáctus scópa*. Cactus globuleux, puis cylindrique, à 30-40 côtes, aréoles très rapprochées les unes des autres. Aiguillons extérieurs blancs, raides, aiguillons du centre brunâtres, longs de 1 cm. Fleurs jaunes de 6 cm de diamètre.

Odontoglóssum pulchéllum

Odontoglóssum gránde : l'espèce qui réussit le plus facilement en appartement.

Odontoglóssum

Orchidáceæ

Nom. Du grec *odous, odontos,* dent, et *glôssa,* langue.
Origine. 80 à 90 espèces croissent en épiphytes dans les hautes montagnes boisées de l'Amérique tropicale.
Description. Orchidées à pseudobulbes. Feuilles digitées et fleurs petites à très grandes, dont le labelle a une sorte de dent à la base.
Exposition. Les espèces originaires d'Amérique centrale, et en particulier *Odontoglóssum gránde,* s'élèvent souvent avec succès en appartement. Les autres espèces préfèrent une ambiance très fraîche et sont destinées à la serre froide ou tempérée.

Odontoglóssum bictoniénse

Soins. Les espèces d'appartement sont celles qui s'accommodent le mieux de la chaleur. Elles ont des pseudobulbes durs et solides. Aussitôt après la floraison, on leur fait subir une période de repos en les gardant quelque temps dans un lieu frais et en les arrosant au minimum (il faut tout juste empêcher les pseudobulbes de se rider). Après un mois de ce traitement, les plantes sont prêtes à redémarrer. Elles apprécient les rayons du soleil couchant, mais il faut les protéger de l'insolation en milieu de journée. On les placera de préférence auprès d'une fenêtre orientée à l'est ; elles pourront rester là toute l'année. Les espèces ont des pseudobulbes tendres et n'exigent pas un repos marqué. Elles posent quelques problèmes à ceux qui les cultivent car l'été, elles supportent à la fois mal l'atmosphère chaude de la serre et la sécheresse de l'air à l'extérieur. On est pratiquement obligé d'équiper la serre d'un ventilateur. On s'efforcera d'abaisser au maximum la température de la serre en ventilant et en se servant de claies d'ombrage. Il faut aérer même en hiver, excepté lorsqu'il gèle. Il est vain de tenter la culture de ces espèces en appartement.
Arrosage. Arroser, dans la mesure du possible, à l'eau douce. L'eau de pluie, amenée à température, est ce qui convient le mieux à ces plantes. Arroser sans excès : les racines sont sensibles à la pourriture. Cesser pratiquement les arrosages en période de repos.
Fertilisation. Engrais dilué, une fois par mois en période de végétation. Diminuer de moitié la concentration normale.
Rempotage. On recommande pour ces orchidées un mélange de sphagnum et de polypode. Les amateurs ont souvent leur recette personnelle. Les granulés d'argile expansée et la tourbe s'utilisent aussi très fréquemment. Le rempotage a lieu après la floraison. Les pots sont remplis jusqu'à la moitié de leur hauteur de granulés de polystyrène ou de tessons.
Multiplication. On divise les touffes au moment du rempotage. Le semis est possible, mais compliqué.

Pour l'appartement, on recommande les espèces suivantes :
Odontoglóssum bictoniénse
Pseudobulbes de 10 cm de haut, grappes généralement simples, de 1 m de haut, portant 12 fleurs brun rouge taché de violet, de 3 à 4 cm de diamètre.

Odontoglóssum gránde
Fleurs de 15 cm de diamètre, jaunes, maculées de brun et de blanc. La meilleur espèce pour l'appartement et aussi la plus répandue. Il en existe plusieurs variétés.
Odontoglóssum pulchéllum
Grappes de fleurs petites, odorantes, au labelle garni d'une crête jaune à stries rouges.
Odontoglóssum schlieperiánum
Ressemble à *Odontoglóssum gránde,* mais la fleur ne dépasse pas 9 cm de diamètre, elle est plus claire et maculée de brun.

Espèces recommandées pour la serre froide ou tempérée :
Odontoglóssum cervantésii
Espèce naine, aux pseudobulbes ovoïdes. Hampe florale pendante, mesurant jusqu'à 20 cm. Fleurs parfumées, blanches, maculées de jaune.
Odontoglóssum cordátum
Pseudobulbes ovoïdes. Grappes lâches de 5 à 8 fleurs de 8 cm de diamètre, aux pétales étroits, jaunes à macules brunes, labelle cordé, blanc avec quelques taches brunes. Hampes de 30 à 40 cm.
Odontoglóssum críspum
Pseudobulbes ovoïdes, de 6 cm de haut. Fleurs en grappes arquées. Chaque tige porte jusqu'à 20 fleurs de 10 cm de diamètre, blanches, maculées de rose et de brun. Nombreuses variétés.
Odontoglóssum maculátum
Très proche de *Odontoglóssum cordátum.* Sépales bruns, pétales jaune clair à macules brunes.
Odontoglóssum œrstédtii
Espèce naine, aux pseudobulbes ovales. Fleurs blanc pur, teintées de jaune à la base du labelle.
Odontoglóssum róssii
Pseudobulbes ovoïdes de 3 cm de haut. Grappes portant jusqu'à 3 fleurs de 6 cm de diamètre, odorantes, blanches à macules brunes et roses, labelle arrondi, à crête jaune.

Ólea

Oleáceæ

olivier

Nom. Le nom grec est *elaia,* le nom latin, *olea.*
Origine. On connaît environ 40 espèces que l'on retrouve en Afrique, en Asie tropicale et dans les pays méditerranéens.
Description. Arbrisseau très ramifié, aux branches érigées ou étalées latéralement. Feuilles vert argenté. Rustique dans le Midi. Comme plante d'appartement, l'olivier gagne peu à peu du terrain, surtout depuis les travaux de sélection de Ir. Jurriaanse, directeur de l'école d'horticulture de Frederiksoord.
Exposition. Ces travaux ont notamment révélé que l'olivier s'acclimatait très bien à l'atmosphère d'un appartement. Il recherche un climat plus frais en période d'hivernage, mais tolère jusqu'à 20 °C.
Soins. L'idéal est de pouvoir l'entreposer pendant l'hiver dans un local clair où règne une température de 5 à 10 °C. Il tient cependant bon en appartement. L'été, on peut le sortir au soleil, sur un balcon ou une terrasse, mais il supportera fort bien de passer toute l'année à l'intérieur. Le seul ennui est sa taille : on peut le limiter en le rabattant de temps en temps. L'été, paraissent des petites fleurs blanches, odorantes. Les fruits mûrissent en hiver.
Arrosage. L'olivier supporte bien la sécheresse en été, mais il vaut mieux conserver la motte modérément humide en permanence, même l'hiver. Le manque d'eau provoque la chute des feuilles.
Fertilisation. Fertiliser tous les 15 jours en période de végétation.
Rempotage. L'olivier poussera bien dans un mélange ordinaire, mais il appréciera l'adjonction d'une partie de terre argileuse. Rempoter tous les ans.
Multiplication. L'olivier ne se bouture pas très facilement. Utiliser des boutures de tête mi-aoûtées que l'on récolte en été. Couper sous un œil, enlever les feuilles de la base et tremper la bouture dans de la poudre de bouturage. Faire enraciner à l'étouffée, sur chaleur de fond de 30-35 °C. Surveiller l'humidité du substrat. On multiplie aussi par voie de semis.
Maladies. Cette plante, par ailleurs si résistante, est très sensible aux cochenilles à bouclier, surtout lorsqu'elle a hiverné en local chaud.

Ólea europæa

Olivier. Arbuste au feuillage persistant. Dans le Midi, c'est un petit arbre. Feuilles lancéolées, gris-vert, mesurant 4 à 7 cm de long sur 7 à 12 mm de large, pétiole court, duvet blanc ou rouille sur le revers. Fleurs blanc jaunâtre en grappes axillaires.

Ólea europæa, plante d'appartement robuste.

Oncídium krameriánum

Oncídium
Orchidáceæ

Nom. Du grec *ogkos*, grosseur, enflure. La face supérieure du labelle est bullée ou renflée.

Origine. Il en existe non moins de 530 espèces, toutes épiphytes. On les trouve dans de nombreuses contrées d'Amérique centrale et du Sud.

Description. La plupart des espèces ont des pseudobulbes très apparents portant une ou deux grandes feuilles, mais ce n'est pas le cas de toutes. Les fleurs se présentent également sous des formes diverses. Souvent, elles sont réunies en très longues grappes.

Exposition. Les *Oncídium* sont dispersés sur d'immenses territoires, il n'est donc pas étonnant que les différentes espèces aient des exigences très diversifiées. Les unes s'acclimatent en serre chaude, les autres en serre froide ou tempérée. On en a tiré d'innombrables hybrides. Les espèces se prêtant à la culture en appartement sont rares.

Soins. D'abord quelques indications concernant la culture en serre.

a. *Serre froide.* Même l'été, la température doit y rester aussi fraîche que possible : aérer fréquemment, asperger le toit et ombrer. Créer une atmosphère humide à l'intérieur de la serre en mouillant le sol. Arroser les plantes modérément, mais régulièrement et les cultiver dans des pots plutôt que sur des bûches ou dans des paniers suspendus. Point n'est besoin d'une période de repos marquée. Température hivernale minimale : 5 °C.

b. *Serre tempérée.* Arroser très copieusement en été, mais l'hiver, après la floraison — généralement entre novembre et mars —, on arrosera le moins possible, se contentant d'empêcher les pseudobulbes de se rider. Protéger les plantes de l'insolation et maintenir l'atmosphère de la serre assez humide.

c. *Serre chaude.* Même soins qu'en serre tempérée, mais la température minimale en hiver est de 18 °C. La serre doit être bien claire en hiver.

Les espèces cultivées en appartement seront placées auprès d'une fenêtre fraîche, orientée à l'est. Donner un repos après la floraison en abaissant encore la température de quelques degrés et en réduisant les arrosages. Quelques espèces, comme l'*Oncídium krameriánum*, fleurissent durant des années sur la même hampe. Inutile de préciser qu'il

ne faut en aucun cas couper cette hampe après la floraison. D'autres, et en particulier celles qui sont originaires du Brésil, produisent des hampes florales si énormes qu'il faut les raccourcir pour empêcher la plante de s'épuiser.

Arrosage. Toutes les espèces s'arrosent à l'eau douce. L'été, on baignera les pots et les bûches ; pendant le repos, il faudra au contraire maintenir la terre aussi sèche que possible : il suffira que les pseudobulbes ne se rident pas. Ne pas bassiner trop fréquemment.

Fertilisation. Léger apport d'engrais une fois par mois en période de végétation.

Rempotage. Beaucoup d'espèces se cultivent dans un mélange de racines de fougères (osmonde) et de sphagnum (proportions : 2-1). On utilise souvent aussi de la tourbe acide. Quelques espèces se cultivent sur des blocs de fougère arborescente. Déposer une épaisse couche de tessons au fond des pots.

Multiplication. Division des touffes au moment du rempotage. Le semis n'est pratiqué que par les professionnels.

Maladies. Attaques possibles d'araignées rouges et de cochenilles à bouclier.

Espèces pour la culture en appartement :
Oncídium ornithorhýnchum
① ③ ④ ⊗ ⑥ ⑦
Hampes arquées portant des panicules de fleurs nombreuses, mesurant jusqu'à 4 cm de long, parfumées, rose violacé ; bulle jaune sur le labelle. Floraison : oct.-nov.

Oncídium varicósum
Hampes légèrement arquées portant de riches panicules de fleurs jaunes à macules brunes ; grand labelle jaune. On cultive surtout la var. *rogérsii*, aux fleurs plus grandes, d'un plus beau jaune. Floraison : oct.-janvier.

Espèces pour la serre froide :
Oncídium críspum
① ③ ⊗ ⑤ ⑥
Fleurs de 5 à 7 cm, marron clair à macules jaunes. Labelle brun et jaune. Floraison : sept.-déc.

Oncídium marshalliánum
Fleurs de 7 cm, jaune d'or avec, au centre, des macules transversales brun foncé. Labelle jaune ponctué de rouge. Floraison : mai-juin.

Espèces pour la serre tempérée :
Oncídium cavendishiánum
① ③ ⊗ ⑤ ⑦
Hampe ramifiée portant de nombreuses fleurs de 3 à 4 cm de large, odorantes, jaunes à macules brun rouge ; labelle jaune d'or. Floraison : avril-mai.

Oncídium sphacelátum
Grappe de fleurs nombreuses, mesurant 3 cm, de couleur marron, bordées de rouge brun. Floraison : avril-juin.

Oncídium wentworthiánum
Hampe florale mesurant jusqu'à 2 m. Très nombreuses fleurs jaunes, tachées de brun. Fleurit en juin-août.

Espèces pour la serre chaude :
Oncídium altíssimum
① ③ ⊗ ⑤ ⑦
Hampe pendante mesurant jusqu'à 1,5 m. Fleurs jaune clair avec des macules brunes. Labelle jaune, au centre brun. Floraison : avril-juin.

Oncídium krameriánum
Les divisions supérieures de la fleur sont semblables à des antennes, les divisions latérales sont brunes, maculées de jaune.

Ophiopógon jabúran : l'inflorescence.

Ophiopógon
Liliáceæ

Nom. Du grec : *ophis*, serpent, et *pôgôn*, barbe, du nom japonais *rinnofige*, barbe de serpent. Personne n'a pu expliquer ce qu'était une barbe de serpent et en quoi cette plante y ressemblerait.

Origine. On connaît actuellement 8 espèces, répandues du Japon à l'Himàlaya.

Description. Plante aux feuilles linéaires, ressemblant beaucoup au *Liríope* (voir ce nom) : on les confond fréquemment. Le *Liríope* a un ovaire supère et des fleurs dressées en oblique, généralement de couleur violette ; l'*Ophiopógon* a un ovaire semi-

infère et des fleurs blanches sur une hampe recourbée. La distinction est difficile à faire en dehors de la floraison.

Exposition. L'*Ophiopógon* se cultive normalement en appartement, à l'abri du soleil, mais il est préférable de lui donner une situation plus fraîche en hiver.

Soins. Ces plantes se satisfont d'une humidité relative modérée, elles ont même des problèmes quand elles séjournent dans une serre où l'hygrométrie est élevée : leurs tiges pourrissent. Elles n'exigent pas une forte luminosité ; les espèces panachées réclament toutefois un assez bon éclairement pour conserver leurs striures claires.

Les fleurs se montrent en été et sont suivies de baies vertes prenant une jolie teinte bleu foncé. L'hiver, la température tolérée peut descendre jusqu'à 5 °C. Si les plantes ne quittent pas l'appartement chauffé, il faudra faire des pulvérisations sur le feuillage.

Arrosage. L'été, on conservera la motte modérément humide en permanence. On peut arroser, sans risque de problème, à l'eau du robinet si elle n'est pas exagérément calcaire. L'hiver, les plantes logées en local frais seront tenues plus sèches, celles qui restent dans les pièces chauffées seront arrosées comme en été.

Fertilisation. Utiliser un engrais pour plantes d'appartement une fois tous les 15 jours, en période de végétation.

Rempotage. Les plantes qui se plaisent à l'endroit où elles se trouvent se développent avec vigueur et il est recommandé de les rempoter tous les ans. On utilisera un mélange de rempotage ordinaire du commerce. L'adjonction d'un peu de terre argileuse

Ophiopógon jabúran 'Vittatus'

finement émiettée donnera peut-être de meilleurs résultats.

Multiplication. C'est surtout dépotées et plantées à même la tablette de la serre que les plantes émettront des rejets : ceci est vrai d'*Ophiopógon japónicus*. On les détache au printemps pour la multiplication. Les vieilles touffes peuvent être divisées lors d'un rempotage. Les baies mûres se sèment mais ne donnent que des espèces à feuillage vert uni.

Ophiopógon jabúran

Plante à feuilles radicales, dressées, persistantes, rubannées, longues de 30 à 60 cm, larges de 10 à 15 mm, n'émettant pas de rejets. La hampe florale est plane, de même longueur que les feuilles. Grappes de 10 cm de petites fleurs blanches, mesurant 10 mm de diamètre. Baies violettes. Le cultivar 'Vittatus' a des bandes longitudinales blanches et est plus décoratif.

Ophiopógon japónicus

Cette espèce produit des rejets. Feuilles nombreuses, mesurant 10 à 20 cm de long et seulement 2 à 3 mm de large ; elles sont arquées et de couleur vert foncé. Les fleurs sont réunies en épis beaucoup plus courts que les feuilles, elles ont un diamètre de 5 mm, elles sont blanches ou légèrement lilacées et pendantes. Les baies sont vertes et par la suite, bleues.

Il existe une forme aux striures blanches appelée 'Variegatus', mais on ne la trouve pratiquement jamais dans le commerce.

Oplísmenus hirtéllus : une profusion de tiges retombantes.

Oplísmenus

Gramíneæ

Nom. Du grec *oplismenos*, qui porte une armure. Les barbes à la base de la hampe florale sont épineuses.
Origine. Il existe une vingtaine d'espèces, répandues à peu près partout.
Description. Plantes aux très longues tiges pendantes. Les feuilles, sessiles, sont ondulées.
Exposition. Charmantes plantes d'appartement pour suspensions. L'hiver, il vaut mieux les mettre au frais, dans une serre par exemple. On en fait aussi un beau couvre-sol dans les petites serres et vitrines.
Soins. L'été, il faut les abriter du soleil ardent. Cependant, les espèces au feuillage panaché ont besoin de beaucoup de lumière pour conserver leurs jolies couleurs. L'hiver, on approchera les plantes le plus près possible d'une fenêtre. L'*Oplísmenus* perd rapidement son attrait en vieillissant. Il faut le renouveler constamment en faisant des boutures. La température hivernale idéale se situe entre 10 et 20 °C : un peu plus bas que la température d'une pièce normalement chauffée. Peu importe d'ailleurs pourvu qu'il survive, car au retour du printemps, on se servira des tiges pour faire des boutures qui donneront des plantes touffues et bien colorées. Les plantes placées en atmosphère sèche doivent être bassinées quotidiennement.
Arrosage. Lorsqu'il fait chaud, ces plantes boivent énormément. Veiller à conserver la motte toujours humide, sinon les plantes perdent leurs feuilles. Ce sont surtout les corbeilles suspendues qui échappent à la vigilance des jardiniers. Décrocher les pots tous les deux jours pour les baigner.
Fertilisation. Donner de temps à autre un peu d'engrais au cours de l'été. Trop d'engrais nuit aux espèces panachées, qui perdent leur beauté.
Rempotage. Rempoter au printemps dans un mélange ordinaire du commerce. Il faut surtout planter des jeunes boutures. Employer des pots en plastique qui conservent mieux l'humidité de la motte.
Multiplication. Les longues tiges s'enracinent souvent d'elles-mêmes. On multiplie les plantes en prélevant tout simplement des segments de tiges enracinées que l'on plante. On bouture également, au printemps, des extrémités de tiges que l'on fait enraciner à chaud (20 °C). Les boutures émettent même des racines quand on les laisse tremper dans un verre d'eau : ne recourir à cette dernière méthode qu'en vue de l'hydroculture.

Oplísmenus hirtéllus

Plante aux tiges rampantes ou, souvent, pendantes. Feuilles lancéolées, mesurant de 5 à 15 cm de long et 1 à 2 cm de large, aiguës, ondulées, vert jaunâtre. La forme 'Variegatus' (syn. *Panícum variegátum*) a des feuilles aux panachures tricolores : blanches, rose vif et jaune verdâtre. C'est la variété la plus belle.

Opúntia

Cactáceæ

oponce, raquette

Nom. *Opuntia* est un ancien nom latin déjà utilisé par Pline et que l'on a appliqué plus tard à tout le genre.
Origine. Les espèces spontanées, dont le nombre est supérieur à 200, sont originaires d'Amérique du Nord et du Sud.
Description. On divise ce genre en plusieurs groupes : nous désignons surtout par *Opúntia* les cactus à raquettes. Les *Cylindropúntia* ont des tiges cylindriques

Opúntia phæacántha peut aussi se cultiver sur le balcon ou la terrasse.

et les *Tephrocáctus* forment des articles courts, ovoïdes ou globuleux. On rencontre parfois les noms désignant les groupes utilisés comme noms de genres. Nous n'avons pas commis cette confusion. La plupart des espèces présentent sur les aréoles, outre les aiguillons normaux, des touffes de piquants que l'on appelle des glochides : on les trouve jusque sur les fruits. Ces petits piquants ont des extrémités recourbées en hameçon ; au moindre attouchement, ils se détachent des aréoles et se plantent dans la peau, d'où il est très difficile de les extraire. Ne jamais toucher un *Opúntia* avec les mains nues !
Exposition. Toutes les espèces réclament une exposition chaude et ensoleillée en été, la fraîcheur et la sécheresse en hiver. Nombre d'entre elles sont rustiques et bravent le gel au jardin, pourvu qu'elles soient plantées en terrain bien drainé.
Soins. Durant l'été, les plantes doivent être exposées en plein soleil. On pourra les mettre dans un bac, sur le balcon ou la terrasse. Mais c'est placées derrière une fenêtre orientée au sud, sans voilage ni volets, qu'elles se plairont le mieux. Toutes ne fleuriront pas, car beaucoup exigent, pour produire des fleurs, une intensité lumineuse supérieure à celle qui existe dans la plupart de nos régions.
À l'approche de l'hiver, les plantes seront transportées dans un local clair et frais : une serre froide, un jardin d'hiver, une chambre inoccupée, etc. Les articles plats de ces cactus n'emmagasinent pas autant d'humidité que les tiges des espèces globuleuses. Les *Opúntia* ne peuvent donc pas se passer totalement d'eau : de temps à autre il faudra les arroser très légèrement. Il est facile de contrôler, à l'aspect des plantes, si elles ont soif ou non. Les sujets que l'on garde dans des pièces chauffées continueront même à être arrosés normalement. Ces cactus sont très robustes et réussissent parfois à se passer de repos hivernal, mais à la fin de la saison, leurs articles démesurément allongés leur donnent une allure efflanquée.
Arrosage. Les *Opúntia* transpirent peu et ne consomment jamais beaucoup d'eau. En été, on maintiendra leur motte très modérément humide, plutôt un peu

Opúntia clavarioïdes

sèche. L'hiver, s'ils sont entreposés au froid, on se contentera de leur donner quelques gouttes d'eau de temps en temps. Ils sont suffisamment robustes pour accepter l'eau de robinet.
Fertilisation. Ne fertiliser que de temps à autre en été, et toujours à l'engrais spécial pour cactus, qui est peu azoté.
Rempotage. Il a lieu au printemps. Les espèces à raquettes, qui sont aussi les plus robustes, se satisfont d'une terre de rempotage ordinaire du commerce. Les autres préfèrent un mélange spécial pour cactées. Toujours drainer soigneusement les pots.
Multiplication. On bouture des raquettes ou des articles. On prélève, au printemps, sur les parties nées l'année précédente ; l'été, on prend des articles mi-aoûtés, nés au cours de la saison. Les faire sécher quelques jours et les planter dans un mélange plutôt sec. Ne pas

Opúntia tunicáta

Opúntia micródasys 'Albispina'

arroser au début. Les graines ne germent parfois qu'au bout d'un an, mais tentez donc au moins une fois un semis d'*Opúntia* en mélange, c'est une expérience amusante.
Maladies. Les cochenilles farineuses attaquent parfois les plantes autour des aréoles. La formation de liège sur les articles âgés est fréquente et sans gravité.

Opúntia basiláris
Articles plats, assez étroits, obovés à spatulés, d'un vert glauque remarquable, bordés de rouge ; fines rides transversales, nombreuses aréoles sans aiguillons mais garnies de glochides de couleur brune. Fleurs rouge carmin.

Opúntia bergeriána
Articles plats, allongés et étroits, mesurant jusqu'à 15 cm de long, vert clair mat, parfois un peu bleutés, aiguillons par 2 ou 3 mesurant 4 cm, glochides jaunes. Fleurs rouges.

Opúntia clavarioïdes
Syn. *Austrocylindropúntia*. Articles cylindriques à claviformes, teintés de brun. Doit être élevé sur un porte-greffe.

Opúntia cylindrica
Syn. *Austrocylindropúntia*. Articles cylindriques mesurant jusqu'à 7 cm d'épaisseur, verts, à tubercules peu saillants, rides en forme d'hexagone ; feuilles mesurant jusqu'à 15 mm de long, très fugaces ; aiguillons généralement solitaires, mesurant jusqu'à 3 cm. Fleurs roses.

Opúntia diademáta
Syn. *Tephrocáctus*. Articles courts, arrondis, mesurant jusqu'à 5 cm de long. Aiguillons mous, blancs à brunâtres. Fleurs jaune clair.

Opúntia exaltáta
Syn. *Austrocylindropúntia*. Articles cylindriques mesurant jusqu'à 5 cm d'épaisseur, tubercules saillants, feuilles mesurant jusqu'à 3 cm, fugaces ; aiguillons solitaires, mesurant jusqu'à 1 cm, gris jaunâtre. Fleurs roses.

Opúntia fícus-índica
Figuier de Barbarie. Disques oblongs-spatulés, mesurant jusqu'à 50 cm de long. Glochides jaunes, aiguillons parfois absents. Fleurs jaunes avec du rouge. Constitue un bon porte-greffe.

Opúntia leucótricha
Articles plats, mesurant jusqu'à 20 cm, ovoïdes allongés, verts, couverts d'un duvet velouté qui ne se voit qu'à la loupe. Aréoles nombreuses, pourvues de 1 à 3 aiguillons plutôt souples et de quelques longs poils tordus. Fleurs jaunes.

Opúntia micródasys
Articles plats, arrondis, vert clair, abondamment couverts d'aréoles garnies uniquement de glochides de couleur brune. Fleurs jaunes. Il en existe divers cultivars.

Opúntia phæacántha
Port couché. Articles ovoïdes-arrondis, mesurant jusqu'à 15 cm, aréoles espacées portant des glochides jaune brun et des aiguillons un peu aplatis. Fleurs jaunes à centre orangé. Espèce rustique.

Opúntia scheérii
Articles plats, vert glauque, ovoïdes, mesurant jusqu'à 30 cm de long. Les nombreuses aréoles sont couvertes d'un feutrage brunâtre et de glochides ; aiguillons jaunes par 12, nombreux poils jaunes et blancs. Fleurs jaune clair.

Opúntia subuláta
Syn. *Austrocylindropúntia*. Articles discoïdes, mesurant jusqu'à 5 cm d'épaisseur. Tubercules ovoïdes allongés ; feuilles de 3 à 10 cm, durables ; aiguillons solitaires mesurant jusqu'à 3 cm, gris jaunâtre. Il existe un cultivar connu, monstrueux.

Opúntia tunicáta
Syn. *Cylindropúntia*. Articles discoïdes de 30 cm de long sur 5 cm d'épaisseur. Feuilles petites, vertes, fugaces. Aiguillons par 6-7, mesurant jusqu'à 4 cm, blancs à blanc brunâtre. Fleurs vert jaunâtre:

Oreocéreus celsiánus

Oreocéreus
Cactáceæ

Nom. Du grec *oros*, *oreos*, montagne, et de *Céreus*, nom de genre.
Origine. On connaît 8 espèces qui croissent dans les Andes, jusqu'à une altitude de 4 000 m.
Description. Grands cactus colonnaires, généralement couverts de poils blancs et de nombreux aiguillons.
Exposition. Peu adaptés à la culture en appartement où ils ne retrouvent pas les grands écarts de température entre le jour et la nuit qui caractérisent leur habitat naturel. Ils se cultivent par contre très bien en coffre froid.
Soins. Les cactus seront placés dans un coffre assez profond, muni d'un châssis amovible. En été, on enlèvera le châssis pour que les cactus bénéficient de la chaleur du soleil et de la fraîcheur de la nuit. Les cactus pourront même être bassinés le soir. La température peut descendre jusqu'à 0° pourvu qu'elle remonte à 10-15°C pendant la journée. Sinon, couvrir le coffre et stopper les arrosages. Aérer dès que la température se réchauffe.
Arrosage. Arroser modérément en été. Suspendre pratiquement les ar-

rosages en hiver, quand les températures sont basses.
Fertilisation. Distribuer l'engrais avec grande parcimonie. Trop d'engrais les incite à s'allonger démesurément.
Rempotage. Ce sont des plantes qui se plaisent surtout plantées à même la tablette, dans une terre plutôt pauvre. Ajouter 50 % de sable à un mélange ordinaire du commerce. Ou bien, utiliser un mélange spécial qui contient 50 % de terre de rempotage ordinaire et 50 % de perlite.
Multiplication. Bouturage ou semis.

Oreocéreus celsiánus
Cactus cylindrique, épais de 10 à 15 cm, à 10-20 côtes, au sommet couvert de poils laineux. Aiguillons jaunes devenant foncés par la suite, poils blancs rugueux. La var. *tróllii* (syn. *Oreocéreus tróllii*) est moins haute, ramifiée à la base et plus abondamment couverte de poils, les aiguillons sont plus fins et le feutrage plus épais. La var. *fossulátus* (syn. *Oreocéreus fossulátus*) est un cactus colonnaire assez ramifié dont l'épaisseur atteint 8 cm, à 8-10 côtes ondulées et aux aiguillons mêlés de poils blancs. Fleurs de 10 cm, rose brunâtre, couvertes de poils rugueux.

Oreópanax capitátus

Oreópanax
Araliáceæ

Nom. Du grec *oros*, *oreos*, montagne, et de *Pánax*, nom de genre.
Origine. On connaît quelque 120 espèces, toutes originaires des forêts en altitude d'Amérique du Sud.
Description. Plantes assez rares, dont le feuillage vert et coriace rappelle vaguement celui du lierre.
Exposition. Notre expérience en ce qui concerne ces plantes est encore limitée, mais il semblerait que ce soit une excellente plante d'appartement. Elle peut séjourner en plein air durant l'été.
Soins. Il est intéressant de constater que cette plante tolère des températures assez élevées en hiver : c'est assez rarement le cas de plantes qui, l'été, croissent chez nous en plein air. Si on souhaite donc la cultiver en alternance dehors et à l'intérieur, il faudra, au printemps, l'acclimater très progressivement à la lumière aggressive du soleil et aux températures basses. La réadaptation en sens inverse se fera également suivant une lente progression : on évitera de cette façon les brûlures et la chute des

feuilles. Peut-être vaut-il mieux la conserver toute l'année dans une pièce pas trop chaude et très claire. Faire de fréquentes pulvérisations sur le feuillage en hiver. Les plantes ont une jolie floraison et produisent d'énormes pousses d'où naissent plusieurs feuilles à la fois.

Arrosage. Garder la motte modérément humide, hiver comme été.

Fertilisation. Administrer de l'engrais pendant la période de végétation, mais sans excès. La plante a, par elle-même, une croissance vigoureuse.

Rempotage. On recommande toutes sortes de mélanges mais, à notre avis, une terre de rempotage standard donne d'excellents résultats.

Multiplication. Prélever des boutures de tête, tremper l'extrémité dans de la poudre de bouturage et faire enraciner sur chaleur de fond de 30-35 °C. Couvrir d'une feuille de plastique.

Oreópanax capitátus
○ ⓖ ⊗ ⓖ ▣

Syn. *Oreópanax nymphæifólius.* Petit arbre à feuilles persistantes, oblongues, vert foncé, luisantes. Elles sont parcourues de nervures saillantes et portées par de longs pétioles. Les fleurs blanches ressemblent à celles du lierre.

Óxalis
Oxalidáceæ

Nom. Probablement du grec *oxys*, aigu, acide, et *o hals, halos*, le sel.
Origine. Il existe au moins 800 espèces.

Óxalis purpuráta var. *bowíei*

Pachycéreus prínglei

la plupart originaires d'Afrique du Sud, d'Amérique centrale et du Sud. Une seule espèce est indigène chez nous.
Description. Feuilles à au moins trois folioles.
Exposition. En serre ou en appartement chauffés, ces plantes deviennent souvent flasques. Elles sont plutôt destinées à la serre froide. Il existe même une espèce rustique.
Soins. Ces petites plantes sont souvent vendues à l'approche de Noël. Il faut les mettre dans une pièce fraîche ou dans un vestibule jusqu'au moment de les sortir au jardin ou sur le balcon, en juin. La variété la plus répandue dans le commerce, *Óxalis déppei*, pourra rester dehors toute l'année. *Ó. carnósa* n'est pas rustique, non plus que *Ó. vulcanícola.*

On peut obtenir soi-même des trèfles à quatre feuilles vers la Noël en cultivant des bulbes. On achète des petits bulbes en septembre et on les empote par plusieurs dans un petit pot, à 5 cm de profondeur. Observer au début une température de 6-8 °C. Par la suite, 12 à 14 ° seront un maximum.
Arrosage. Lorsqu'on les élève soi-même, il faut arroser peu. Augmenter un peu les arrosages si les plantes se trouvent dans un local chaud.
Fertilisation. Fertiliser une fois par semaine en période de végétation.
Rempotage. Choisir de préférence une terre légère, argilo-sableuse.
Multiplication. Plantation des bulbilles

Óxalis carnósa
○ ⓖ ⊗ ⓖ ▣

Petite plante rampante aux tiges épaisses et aux petites feuilles charnues, vert frais. Petites fleurs jaunes. À cultiver en appartement.

Óxalis déppei
○ ⓖ ⊗ ⓖ ▣

Feuille à quatre folioles vert clair, marquées d'une tache rose. Fleurs rose foncé avec un cœur jaune. Pour le plein air.

Óxalis purpuráta var. bowíei
○ ⓖ ⊗ ⓖ ▣

Feuilles à 3 folioles et long pétiole. Grandes fleurs rose pourpre en juillet. À cultiver en pot, à température fraîche.

Óxalis vulcanícola
Feuilles trifoliées, tiges rouges, fleurs jaune d'or. Espèce à cultiver en serre.

Pachycéreus
Cactáceæ

Nom. Du grec *pachys*, épais, et de *Céreus*, nom de genre.
Origine. On trouve une dizaine d'espèces au Mexique.
Description. Cactus colonnaires qui, dans leur pays natal, peuvent atteindre une taille considérable. Les jeunes sujets sont remarquablement beaux et pour cette raison très appréciés comme plantes d'appartement.
Exposition. Cactus à cultiver de préférence dans une serre froide, abondamment aérée en été et maintenue à 5 °C en hiver. En appartement, on leur donnera une place tout près d'une fenêtre ensoleillée.
Soins. Après quelques années de culture, ces cactus deviennent trop grands pour l'appartement et même pour la serre. Les fleurs ne se montrent que sur les spécimens âgés. L'intérêt est donc limité au corps du cactus lui-même. Les horticulteurs ont néanmoins à répondre à une demande élevée, car ce cactus séduit par la vigueur exceptionnelle de sa croissance et sa valeur décorative lorsqu'il est jeune. Exposer au soleil en été et loger au frais en hiver, car les plantes qui hivernent en local chauffé et croissent de façon continue deviennent toutes flasques. Bien exposer à la lumière.
Arrosage. Arroser modérément et régulièrement en été. Arroser très peu l'hiver si la température du local est basse. On peut utiliser de l'eau du robinet.
Fertilisation. Il est inutile de stimuler une végétation qui n'est déjà que trop exubérante.
Rempotage. De la terre de rempotage ordinaire mélangée pour moitié de sable grossier constitue un excellent milieu de culture, mais on peut aussi utiliser du terreau spécial pour cactus, acheté prêt à l'emploi ou préparé par soi-même.
Multiplication. Le *Pachycéreus* se propage généralement de semis.

Pachycéreus holliánus
○ ⓖ ⊗ ⓖ ▣

7 à 14 côtes. L'un des aiguillons intérieurs est particulièrement long et peut mesurer jusqu'à 4 cm. Les aréoles ne sont pas reliées entre elles par un feutrage.

Pachycéreus prínglei
Cactus colonnaire vert foncé, épais de 10 cm, à 11-13 côtes. Les aréoles couvertes d'un feutrage gris sont reliées les unes aux autres par une bande de feutrage sur les sujets âgés. 1 à 3 aiguillons intérieurs, blancs avec l'extrémité sombre, 10 à 14 aiguillons extérieurs, blancs à gris clair.

Óxalis vulcanícola : belle espèce pour la serre, à glisser entre d'autres plantes.

Óxalis déppei

Pachýphytum
Crassuláceæ

Nom. Du grec *pachys*, épais, et *phyton*, plante.
Origine. On trouve 8 espèces spontanées au Mexique. On a créé de nombreux hybrides en les croisant avec le genre *Echevéria* : on les trouvera commentés à l'article x *Pachyvéria*, à la page suivante.
Description. Plantes aux petites feuilles charnues, parfois très épaisses, insérées en rosette lâche. Signe botanique distinctif : les étamines placées en avant des pétales sont recouvertes sur toutes leurs faces d'une écaille membraneuse, ce qui n'est pas le cas chez les *Echevéria*.
Exposition. Petites plantes grasses de culture aisée, car elles sont peu exigeantes. De par leur nature, ce sont des plantes qui se prêtent à la culture en serre froide où elles passent l'hiver au sec et à basse température : conditions auxquelles elles répondent par une abondante floraison et une riche coloration de leur feuillage. Mais elles survivent aussi dans une atmosphère chaude, pourvu qu'on ne les relègue pas dans un coin trop sombre et qu'on ne les noie pas.
Soins. Les exposer au soleil en toutes saisons : tablette de fenêtre orientée au sud. À partir de la mi-mai, on peut les exposer au jardin ou sur le balcon. Les planter dans des pots bien stables qui ne pourront pas être renversés par le vent.
En automne, à l'approche des premières gelées, les *Pachýphytum* sont rentrés à l'abri, dans un local frais et clair, ou tout au moins dans une pièce peu chauffée, tout contre une fenêtre. La température hivernale minimale se situe à 5 °C. La motte doit alors être tenue parfaitement sèche.
Arrosage. Arrosages modérés à parcimonieux en été : eau de pluie ou eau du robinet. Ne jamais mouiller directement le feuillage. La meilleure façon de procéder est de baigner de temps en temps les pots jusqu'à ce que la motte soit complètement imbibée. La

plante tiendra ensuite 15 jours au soleil. L'hiver, il ne faut arroser que si les plantes sont logées au chaud. Les arrosages sont superflus lorsqu'elles séjournent dans un endroit frais.
Fertilisation. Elle n'est pas indispensable. Une croissance trop vigoureuse dénature l'aspect des plantes.
Rempotage. Toutes les espèces se cultivent dans le mélange spécial pour cactées dont nous donnons la composition à propos de la culture de ces plantes. Il faut une terre qui soit perméable tout en étant capable de retenir un peu d'eau. Rempoter tous les ans, après le repos hivernal. Un rempotage tous les deux ou trois ans suffit aux plantes âgées.
Multiplication. La méthode la plus simple est le bouturage des feuilles. Prendre une ou plusieurs petites feuilles et les faire sécher à l'ombre, dans un endroit sec. Attendre que les premières petites racines se soient montrées avant d'empoter les boutures dans de la terre plutôt sèche. On bouture aussi des extrémités de tiges ou on sème. Les magasins spécialisés dans la vente des cactées disposent de graines d'un grand nombre d'espèces.
Maladies. Les plantes sont attaquées par les cochenilles farineuses, les pucerons et les anguillules des racines. Au moment du rempotage, on trouve sur les racines des protubérances où les anguillules se réfugient. Le traitement le plus simple consiste à changer complètement la terre des vieilles plantes. Les racines touchées seront toutes éliminées.

Pachýphytum bracteósum
○ ⊕ ⊙ ⊙ ⊞
Tiges mesurant jusqu'à 50 cm et portant des feuilles de 5 à 8 cm de long, 1,5 à 3 cm de large et un peu moins d'épaisseur, obovales à spatulées, obtuses, très charnues et violet pruineux. Longue inflorescence d'abord inclinée, fleurs insérées d'un même côté de la hampe, grandes bractées pruineuses, sépales pruineux, plus longs que les pétales rouge foncé à rouge orangé.
Pachýphytum brevifólium
Plante aux tiges arquées, gluantes. Petites feuilles épaisses, alternes, bleuâtres, pruineuses, à reflet rouge. Fleurs rouges, campanulées.
Pachýphytum compáctum
Tiges de 20 cm. Feuilles serrées les unes contre les autres, longues de 2 à 3 cm, larges de 1 à 2 cm et épaisses d'autant, anguleuses sous l'effet de la compression ; elles sont de couleur gris-vert et pruineuses. Inflorescence garnie de bractées, sépales plus courts que les pétales qui sont rouges à la base et verts au sommet.
Pachýphytum hoókeri
Tiges mesurant au maximum 60 cm, épaisses de 1 à 2 cm et peu ramifiées. Feuillage compact sur les plantes jeunes, plus étalé sur les sujets âgés. Les petites feuilles sont presque sphériques, légèrement aplaties au sommet et terminées par une pointe courte. Couleur : gris-vert clair. Longueur : 2 à 4 cm. Largeur : 1,5 à 2 cm. Les fleurs sont rouge clair avec des extrémités jaunes.
Pachýphytum oviferum
Plante aux tiges courtes, ramifiées, blanches, pruineuses. Feuilles de 4 cm de long sur 2-2,5 cm de large, très épaisses, ovoïdes, un peu aplaties à l'endroit où elles se touchent, couvertes d'une épaisse pruine blanche. Fleurs rouges, sépales d'inégale longueur, bleus, pruineux. L'une des plus belles espèces.

Pachypódium laméri, au stade juvénile.

Pachypódium
Apocynáceæ

Nom. Du grec *pachys*, épais, et *podion*, petit pied.
Origine. Le genre comprend une vingtaine d'espèces qui croissent dans les déserts d'Angola, d'Afrique du Sud-Ouest et à Madagascar.
Description. Mélange curieux de plante à feuillage et de cactus. La tige cylindrique, à l'aspect de cactus, est surmontée d'un panache de feuilles vertes.
Exposition. Les feuilles se développent à la saison des pluies et tombent en saison sèche.
Soins. Il faut essayer de reconstituer en appartement les conditions de l'habitat naturel. Les plantes s'adaptent sans difficulté à l'inversion des saisons, étant donné que dans l'hémisphère sud elles se reposent naturellement à une époque qui correspond à notre hiver. L'été, on leur donnera une exposition chaude et ensoleillée et on les arrosera régulièrement et sans excès. Placées à proximité d'une fenêtre orientée au sud, sans aucun dispositif d'ombrage, elles développeront leurs feuilles. À l'approche de l'automne, on réduit progressivement les arrosages : les feuilles jaunissent et tombent et il ne reste que la tige nue du cactus. Les plantes peuvent rester là où elles se trouvent : inutile de les mettre en serre froide. La température minimum se situe à 13 °C. Les feuilles réapparaîtront au printemps : on n'augmente les arrosages qu'après leur apparition.

Arrosage. Suivre les indications données plus haut. Le fait de poursuivre les arrosages alors que le feuillage est en train de jaunir provoque la pourriture de la plante. S'il arrive aux feuilles de jaunir à un moment autre que l'automne, au printemps par exemple, on suspendra aussitôt les arrosages et on laissera la plante au repos jusqu'à ce qu'elle produise d'elle-même de nouvelles feuilles. Les plantes importées sont parfois perturbées en passant d'un hémisphère à l'autre. Il est à peine nécessaire d'arroser en hiver.
Fertilisation. Inutile.
Rempotage. Rempoter au printemps dans un mélange de terreau de feuilles et de terre argileuse.
Multiplication. Par semis de graines importées. À chaud.

Pachypódium brevicaúle
○ ⊕ ⊙ ⊙ ⊞
La plante, massive, ressemble à une pierre. Les feuilles forment des rosettes, elles mesurent 2 à 3 cm de long et environ 12 mm de large, et sont entremêlées d'épines.
Pachypódium geaýi
Les jeunes plantes ne sont pas ramifiées. Le tronc est grisâtre et couvert de tubercules et d'épines brunes, velues. Les feuilles, linéaires, mesurent jusqu'à 20 cm de long et 6 mm de large, elles sont vert brun et poilues.
Pachypódium laméri
Chez cette espèce, les épines ne sont pas velues et les feuilles sont plus larges : jusqu'à 11 cm de large et 40 cm de long. Elles sont de couleur vert frais.
Pachypódium succuléntum
Tronc épais et court. Feuilles linéaires, velues sur la face supérieure, glabres sur le revers et pourvues de

Pachýphytum compáctum

Pachystáchys lútea

deux épines à la base. On rencontre parfois d'autres espèces et hybrides dans le commerce.

Pachystáchys

Acantháceæ

Nom. Du grec, *pachys*, épais, et *stachys*, épi.
Origine. L'espèce que nous décrivons est originaire du Mexique et du Pérou. C'est une plante à la mode, mais contrairement à ce que l'on croit, ce n'est pas une nouveauté, on la retrouve dans les manuels d'horticulture datant de la fin du siècle passé.
Description. Le *Pachystáchys* fait beaucoup penser à un *Belopérone* qui aurait des inflorescences dressées ou à un *Aphelándra*. Il est en fait apparenté à ces deux genres.
Exposition. Ce sont des plantes qui exigent chaleur et humidité. L'hiver, il leur faut un peu de fraîcheur. Ce sont donc des plantes de serre qui peuvent séjourner en appartement à titre temporaire. C'est un intermède qu'elles supportent d'ailleurs assez mal et l'intérêt fulgurant qu'elles ont suscité au début des années 70 est en train de s'estomper rapidement.
Soins. La plante produit des bractées jaunes entre lesquelles apparaissent des fleurs blanches très éphémères. Les bractées, qui constituent l'attrait principal de la plante, persistent heureusement plus longtemps. Il arrive assez souvent que les plantes que l'on vient d'acquérir, suite au changement de milieu, perdent leurs inflorescences : bractées, fleurs et tout ce qui s'y rattache. Heureusement, dans de bonnes conditions de culture, elles ne tardent pas à émettre de nouvelles pousses porteuses d'inflorescences aux bractées jaunes et aux fleurs blanches, comme au départ.
Il faut qu'au moment de la floraison le feuillage bénéficie régulièrement de vaporisations fines, surtout si la plante se trouve en appartement. Il faut beaucoup de lumière, la plante supporte le plein soleil, même en milieu de journée. Plus il y aura de lumière et plus la végétation sera compacte et vigoureuse.
L'hiver, la plante réclame une température légèrement plus basse. On la taille un peu au printemps et si tout se passe bien, elle repart pour une nouvelle floraison.
Arrosage. Tenir la motte modérément et régulièrement humide en période de végétation. On peut arroser

sans crainte à l'eau du robinet. La tenir un peu plus sèche en hiver, mais veiller à ne pas laisser jaunir le feuillage.
Fertilisation. À l'apparition des nouvelles pousses, on donnera un peu d'engrais une fois tous les 15 jours.
Rempotage. La plante semble croître normalement dans un mélange ordinaire. On rempote au printemps, dans des pots en plastique munis d'un orifice de drainage.
Multiplication. Les pousses non fleuries s'enracinent assez facilement, bouturées à l'étouffée sur une légère chaleur de fond. On les repique par 3, dans des pots de 12 cm. Pour obtenir des plantes touffues, il faut les pincer à une ou deux reprises quand elles sont encore petites. Il faut obtenir de nombreuses pousses pour avoir ensuite une floraison abondante.

Pachystáchys lútea

○ ⊕ ∞ ◐ ⊟

Petit arbuste aux rameaux verts, anguleux et aux feuilles ovales, aiguës. Nervures très saillantes. L'inflorescence est formée de bractées jaune clair, dressées, entre lesquelles apparaissent de petites fleurs blanches.

X Pachyvéria

Crassuláceæ

Nom. Le nom est composé des noms des deux genres (*Echevéria* et *Pachýphytum*) du croisement desquels ce groupe est issu.
Origine. Les premiers essais d'hybridation ont commencé il y a plus de cent ans.
Description. De par leurs caractères, ces plantes se situent à mi-chemin entre leurs parents. Elles n'ont pas exactement les petites feuilles spatulées, charnues mais peu épaisses des *Echevéria*, ni celles parfois sphériques ou oviformes des *Pachýphytum*, mais plutôt des feuilles qui sont à la fois très épaisses et nettement spatulées, disposées en rosette.
Exposition. Comme leurs parents, ce

sont des plantes de serre froide, qui se plairont aussi sur une tablette de fenêtre dans une pièce chauffée.
Soins. Les plantes peuvent être exposées en plein air dès la fin du mois de mai, à condition qu'on leur donne un coin particulièrement ensoleillé et bien abrité. À l'intérieur, on leur réservera une fenêtre orientée au sud. L'hiver, elles exigent une température basse et une atmosphère sèche : c'est très important, et pour la floraison et pour l'intensité de la couleur du feuillage et la beauté de la pruine qui le recouvre. La température minimum se situe à 5 °C.
Arrosage. Ce sont des plantes grasses et elles n'ont pas besoin de beaucoup d'eau. En été, on arrosera modérément à peu, selon la température et l'ensoleillement. L'hiver, on arrosera ou ne même pas du tout. Sitôt que les feuilles font mine de se rider, on s'empressera de donner un peu d'eau tiédie.
Fertilisation. Il n'est pas recommandé de fertiliser ce genre de plantes. L'engrais leur fait perdre leur caractère original et favorise la pourriture.
Rempotage. Il se pratique de préférence après le repos hivernal, donc au printemps. On a intérêt à utiliser un mélange spécial pour cactées acheté prêt à l'emploi ou que l'on prépare soi-même (consulter le chapitre consacré à ce sujet dans l'introduction générale). Il faut qu'il soit à la fois perméable et capable de retenir un peu d'eau.
Multiplication. Prélever quelques feuilles, les laisser sécher quelques jours et les faire enraciner dans un mélange de sable et de tourbe qu'il faudra laisser complètement sec les premiers temps. Les extrémités de pousses se bouturent aussi très facilement. On peut également acheter des semences.

X Pachyvéria 'Clavata'

○ ⊕ ⊕ ◐ ⊘ ⊟

Croisement d'une espèce inconnue d'*Echevéria* et de *Pachýphytum bracteósum*, réussi en France en 1874. Feuilles spatulées, vert glauque, peu pruineuses, se colorant à peine au

soleil. Petites fleurs à la corolle rouge orangé.

X Pachyvéria 'Clavifolia'

Parents identiques. Rosette allongée de feuilles de 5 cm de long, 1,5 cm de large et 5 mm d'épaisseur, élargies sur la moitié supérieure, convexes sur les deux faces, vert glauque, bordées de rouge. Fleurs poudrées de blanc à l'intérieur, rouges à l'extérieur.

X Pachyvéria 'Glauca'

Croisement vraisemblablement de *Echevéria glaúca* et de *Pachýphytum compáctum*. Rosettes radicales de feuilles longues de 6 cm, larges de 1,5 cm et épaisses de 1 cm, planes sur la face supérieure, convexes sur le revers, pointues, gris vert, pruineuses. Fleurs rouges, jaunes à l'intérieur.

Pandánus

Pandanáceæ

pandanus

Nom. Du malais, *pandan*, désignant *Pandánus odoratíssimus* L.f., aux fleurs parfumées dont les Malais ornent leurs cheveux.
Origine. Il n'existe pas moins de 600 espèces natives de Madagascar, de l'Archipel Indien, des îles du Pacifique, etc. Seul un nombre limité a été acclimaté à la culture en appartement ou en serre.
Description. Plantes imposantes, surtout lorsqu'elles ont atteint un certain âge. Elles ont de longues feuilles souples, très épineuses sur les bords, insérées en spirale le long du tronc.
Exposition. Le *Pandánus* aime une ambiance assez chaude et surtout très humide. C'est avant tout une plante de serre, mais cultivée correctement, elle s'acclimate bien en appartement.
Soins. Il est essentiel de lui donner une exposition très claire, à l'abri d'un ensoleillement direct. Comme on peut le constater sur la photo qui se trouve à la p. 34, c'est une plante qui peut occuper un espace assez considérable.
La température ne doit pas descendre au-dessous de 18 °C. Il ne faut pas exposer la plante en plein air : un coup de froid peut avoir des effets néfastes qui se prolongent pendant plusieurs mois et entraînent finalement la mort de la plante.
L'hiver, le *Pandánus* restera donc dans l'appartement. On remédiera à la sécheresse de l'atmosphère en bassinant souvent le feuillage à l'eau douce (pour éviter les taches laissées par le calcaire) ou en faisant fonctionner un humidificateur.
Arrosage. Utiliser autant que possible une eau peu calcaire. Ne jamais verser d'eau entre les feuilles. Arroser modérément en été, un peu moins à partir de septembre. L'eau d'arrosage doit toujours être amenée à température, surtout l'hiver.
Fertilisation. En période de végétation, le *Pandánus* profitera beaucoup d'apports d'engrais administrés une fois tous les 15 jours.
Rempotage. Il arrive qu'il faille rempoter plusieurs fois par an les plantes jeunes. Par la suite, un rempotage annuel, au printemps suffit. Les mélanges ordinaires, prêts à l'emploi donnent satisfaction, mais il n'est pas mauvais d'y ajouter un peu de terre argileuse et du terreau de feuilles de hêtre. Veiller soigneusement à la qualité du drainage. Écarter les pots modernes qui ne sont pas percés au

x *Pachyvéria* 'Glauca'. La plante à l'avant-plan est un *Sédum stáhlii*, voir p. 251.

Jeune exemplaire de *Pandánus veítchii*. À la p. 34, on peut voir un sujet beaucoup plus grand.

On distingue très facilement à l'œil les espèces de serre chaude des espèces de serre tempérée.

Les espèces au feuillage vert uni sont des orchidées de serre tempérée exigeant une température hivernale minimum de 14 °C. *Paphiopédilum insígne* fait exception à la règle et tolère un minimum de 10 °C ; il demande aussi le plus de fraîcheur possible en été.

Ces espèces à feuillage panaché se cultivent en serre chaude, à une température minimale de 18 °C.

Arrosage. N'utiliser que de l'eau de pluie ou, à défaut, de l'eau adoucie. L'été, on pourra bassiner les plantes en fin de journée, lorsqu'il a fait chaud. Un arrosage quotidien est généralement suffisant.

On supprime les arrosages sur *Paphiopédilum callósum* pendant les premières semaines qui suivent le rempotage.

Fertilisation. Pendant la période de végétation, on fera de légers apports d'engrais exempt de calcium.

Rempotage. On a utilisé longtemps un mélange composé de 95 % de sphagnum haché et de 5 % de polypode. Actuellement, on fait plutôt un mélange de granulés de tourbe (20 %) et de granulés d'argile expansée (80 %) et on fertilise un peu plus souvent en été. Les espèces à feuillage vert uni sont rempotées en février, les autres, en juin. Déposer une couche épaisse de drainage au fond des pots.

Multiplication. Par division des touffes au moment du rempotage.

Paphiopédilum callósum

Feuilles mesurant jusqu'à 25 cm, vert glauque clair. Fleur de 10 cm de diamètre, étendard blanc, strié. Pétales pendants. Le sabot est pourpre marron. Fleurit de mars à juillet.

Paphiopédilum fairieánum

Feuilles linéaires de 15 cm. Fleurs mesurant jusqu'à 6 cm. Étendard blanc verdâtre, striures violettes ; pétales blanc jaunâtre, striés de violet. Labelle vert brunâtre, veiné de pourpre. Fleurit de juillet à septembre.

Paphiopédilum insígne

Feuille vert clair. Fleurs mesurant jusqu'à 13 cm de diamètre, vert jaune,

---

fond, à moins qu'on ne dispose d'une sonde hygrométrique fiable.

Multiplication. Les plantes âgées émettent des rejets à leur pied. On les sépare et on les fait enraciner sur chaleur de fond de 20-25 °C, à l'abri d'un châssis.

Pandánus baptístii

Cette espèce n'a pas de feuilles épineuses. La nervure médiane est profondément incrustée. Bandes longitudinales jaunes.

Pandánus sánderi

Feuilles longues, celles de la base sont recourbées. Fines épines sur les bords. Bandes longitudinales jaunes.

Pandánus útilis

Vaquois. Feuilles vert glauque, non striées, bordées d'épines brun rouge. Ne tolère pas une température inférieure à 16 °C.

Pandánus veítchii

Espèce très proche de *Pandánus sánderi*. Les feuilles sont un peu plus grossièrement dentées et surtout, elles sont bordées de bandes blanc pur. Lorsqu'elle prend de l'âge, cette espèce, comme à vrai dire toutes les autres, se garnit de belles racines adventives. Espèce la plus répandue.

Paphiopédilum

Orchidáceæ

sabot de Vénus

Nom. Du grec *Paphios*, de Paphos (aujourd'hui Baffa, ville de Chypre, avec un temple à Aphrodite), et *pedilon*, chaussure. Le labelle de la fleur a la forme d'un petit sabot. Autrefois classés dans le genre *Cypripédium*.

Origine. L'Archipel Indien fournit une cinquantaine d'espèces botaniques de cette orchidée terrestre.

Description. Orchidées sans pseudobulbes. Elles se distinguent par deux traits remarquables : leur étendard (qui est l'un des sépales) et leur labelle en forme de sabot, que nous avons déjà mentionné.

Exposition. Certaines espèces se cultivent en serre chaude, d'autres en serre tempérée. *Paphiopédilum callósum* et *Paphiopédilum sukhakúlii* réussissent parfois très bien en appartement, placés à proximité d'une fenêtre au nord ou à l'est.

Soins. Toutes les espèces réclament beaucoup de lumière en hiver et une lumière tamisée de février à octobre. Humidité relative élevée. Bonne aération pendant la nuit. Pas de période de repos marquée, mais des arrosages réduits en hiver si la température est basse.

Paphiopédilum suklakúlii

Paphiopédilum hybride 'Memoria F.M. Ogilvie'.

portées par de longues hampes violacées et velues. Étendard couvert de striures et de macules brun rouge, blanc au sommet. Pétales recourbés vers l'avant, veinés de brun ; labelle lavé de brun. Cette espèce a donné naissance à d'innombrables hybrides, entre autres : 'Sanderæ', fleur jaune, l'étendard est finement ponctué à la base et la tache blanche du sommet est plus accentuée

que chez le type. Époque de floraison : octobre à janvier.

Paphiopédilum níveum
ⓐ ⓘ ⓢ ⓒ ⓣ

Feuille vert foncé, panachée de gris, violacée sur le revers. Fleurs mesurant jusqu'à 8 cm de diamètre, blanches, parsemées ici et là de points rouges ; étendard de forme arrondie ; sabot oviforme et petit. Floraison d'avril en août.

Paphiopédilum spiceriánum
ⓐ ⓘ ⓢ ⓒ ⓣ

Feuilles vertes mesurant jusqu'à 25 cm. Fleur de 6 cm de diamètre. Étendard blanc neigeux, verdâtre à la base, traversé d'une bande pourpre au centre. Pétales verts, finement ponctués de brun. Sabot brunâtre avec des macules violettes. Floraison de novembre à janvier.

Paphiopédilum sukhakúlii
ⓐ ⓘ ⓢ ⓒ ⓣ

Feuilles vert foncé aux panachures vert clair, mesurant 25 cm. Fleur de 14 cm de diamètre, étendard vert clair avec des striures longitudinales plus sombres, pétales terminés en pointe, vert clair moucheté de violet, sabot vert clair maculé de brun rouge. Floraison d'octobre à novembre.

Paphiopédilum venústum
ⓐ ⓘ ⓢ ⓒ ⓣ

Feuilles marbrées de gris, brun clair violacé au revers. Fleur de 8 cm de diamètre. Étendard blanchâtre, strié de

vert. Pétales largement étalés, rougeâtres ou verdâtres à la base, brunâtres à l'extrémité, marqués de petites verrues noires. Le sabot est vert jaune, veiné de vert. Floraison de novembre à janvier. Contrairement aux autres espèces panachées, celle-ci se cultive en atmosphère fraîche.

Paphiopédilum villósum

Feuille verte et luisante. Fleurs mesurant jusqu'à 12 cm ; étendard brun olive, brun pourpré de la base à la moitié de la hauteur. Bord blanc étroit. Larges pétales jaune brun, plus foncés sur le dessus, bande centrale brun pourpre foncé. Sabot jaune brun, veiné de clair. Floraison de décembre en avril.

Paródia
Cactáceæ

Nom. Probablement du nom de Domingo *Parodi*, botaniste paraguayen.
Origine. Les quelque 40 espèces connues proviennent d'Argentine, de Bolivie, du Brésil et du Paraguay.
Description. Cactus sphériques, devenant parfois cylindriques avec l'âge. Ils sont ornés de magnifiques piquants et fleurissent dès leur plus jeune âge. Très souvent on les greffe, bien que ce ne soit pas indispensable pour toutes les espèces.
Exposition. Ils exigent le plein soleil en été : serre ou tablette de fenêtre, au choix. Ils ne fleurissent qu'à la condition d'hiverner à très basse température.
Soins. Ils sont très appréciés des amateurs, surtout de ceux qui disposent de peu de place. Leur croissance est lente et ils produisent rapidement une jolie profusion de fleurs.
Leur température hivernale idéale se situe entre 8 et 12 °C, mais s'ils sont bien secs, ils pourront passer l'hiver dans la serre froide en compagnie des autres cactus et supporteront comme eux un minimum de 5 °C.
Arrosage. Arroser modérément en été et pas du tout en hiver. Utiliser de l'eau de pluie amenée à température. L'eau abîme facilement le collet, on aura donc avantage à baigner les pots.
Fertilisation. Faire des apports d'engrais spécial, peu azoté, toutes les 3 semaines en été.
Rempotage. Rempoter au printemps dans le mélange habituel réservé aux cactus (terre de rempotage standard fortement allégée de perlite). On peut également se servir d'autres mélanges. Les pots en plastique sont ceux qui conviennent le mieux.
Multiplication. La plupart des espèces ne produisent pas de pousses latérales pouvant servir de boutures. Il reste donc le semis qui est assez facile mais lent. Le gros problème, ce sont les algues qui envahissent les terrines de semis : il faut stériliser la terre et travailler en milieu aussi stérile que possible. Au bout de 4 mois, les plantules peuvent être greffées sur un porte-greffe adéquat. Dans les premiers temps, il faut les protéger du soleil ardent.
Maladies. Des erreurs commises dans l'arrosage entraînent la pourriture de la base. Se montrer très circonspect et arroser de préférence par-dessous.

Paródia aureispína
ⓞ ⓢ ⓣ

Cactus globuleux mesurant jusqu'à 12 cm de large. Chaque aréole porte

Paródia supréma

Paródia mutábilis

environ 40 piquants extérieurs très fins et 4 aiguillons jaune d'or et raides, dont un crochu, au centre. Fleurs jaune d'or, de 3 cm.

Paródia chrysacánthion

Sphère aplatie de 12 cm de diamètre. Aiguillons jaunes. Les aréoles sont disposées en spirale. Aiguillons extérieurs par 20 à 40, jaune clair, 4 aiguillons intérieurs. Fleurs jaunes, couvertes d'un feutrage blanc à l'extérieur.

Paródia maássii

Sphère vert clair, au sommet laineux. Aiguillons bruns, raides, dont un seul est crochu. Les fleurs sont rouge cuivré.

Paródia microspérma

Cactus globuleux mesurant jusqu'à 10 cm. Aiguillons extérieurs translucides, aiguillons du centre brun rouge, l'un d'eux est crochu. Fleurs rouge orangé ou jaunes.

Paródia mutábilis

Cactus globuleux mesurant jusqu'à 8 cm de diamètre, abondamment couvert de piquants. Aiguillons extérieurs par 50 environ, blancs et très fins, 4 aiguillons intérieurs jaunes ou brun rouge et crochus. Fleurs jaunes.

Paródia nivósa

Cactus cylindrique atteignant 15 cm de haut et 8 cm de diamètre. Sommet couvert de poil laineux. Nombreux aiguillons extérieurs blancs et fins, 4 grands piquants intérieurs, également blancs, mesurant jusqu'à 2 cm. Fleurs rouge clair.

Paródia rítteri

Cactus ne devenant cylindrique qu'avec l'âge et mesurant jusqu'à 10 cm de diamètre. La tige est abondamment couverte de piquants. Aiguillons extérieurs par 10 à 14, droits et rayonnants, 1 à 4 aiguillons intérieurs légèrement crochus : ils passent du rose vif au rose taché de blanc. Fleurs rouge sang à brun rouge.

Paródia supréma

Tige vert glauque, divisée en 15 à 25 côtes. Les aiguillons sont blanchâtres à noirs en passant par le brun jaune. Fleurs rouge écarlate. Est souvent considéré comme une variété de *Paródia maássii*.

De gauche à droite : *Paphiopédilum venústum*, *P. spiceriánum* et *P. fairieánum*.

Parthenocíssus henryána

Parthenocíssus

Vitáceæ

vigne vierge

Nom. Du grec *parthenos*, vierge, et *kissos*, lierre.

Origine. L'espèce décrite ici est originaire de Chine et est l'une des rares à n'être pas rustique. On cultive toutes sortes de *Parthenocíssus* au jardin.

Description. Liane à feuilles caduques, digitées, de texture assez épaisse, et marquées de blanc le long des nervures.

Exposition. L'espèce que nous décrivons est presque rustique et supporte donc très bien une atmosphère froide. Plante grimpante idéale pour la serre froide mais aussi pour des dégagements et escaliers peu chauffés.

Soins. Cette plante s'accroche d'elle-même aux parois à condition qu'elles ne soient pas parfaitement lisses, sinon il faut lui fournir un léger support. On ne pense pas souvent à la cultiver en appartement, alors qu'elle s'y prête très bien, du moment qu'il n'y fait pas trop chaud. De toute façon, la température n'a pas une importance capitale puisque la plante perd toutes ses feuilles en automne et que ses tiges sont peu sensibles à la chaleur. La plante risque seulement de souffrir du manque de luminosité si elle sort ses nouvelles feuilles prématurément : tout dépend donc du climat et de l'ensoleillement local.

Arrosage. Arroser raisonnablement en été, mais mouiller à peine la terre à partir de la chute des feuilles. L'eau du robinet peut convenir.

Fertilisation. Engrais liquide tous les 15 jours en période de végétation.

Rempotage. Il se pratique au printemps. Prendre de la terre de rempotage ordinaire du commerce, en y ajoutant éventuellement un peu de terre argileuse ou de limon.

Multiplication. Le bouturage d'extrémités de pousses mi-aoûtées en été, sur une légère chaleur de fond, est très facile. Couvrir d'un châssis. L'enracinement est rapide. Pincer les boutures à plusieurs reprises.

Parthenocíssus henryána
○ ◑ ◐ ☺ ◎ ◒ ▦

Vigne vierge de Chine. Plante grimpante aux vrilles adhésives ; tiges anguleuses ; feuilles composées de 3 à 5 folioles glabres, un peu épaisses, vert foncé lavé de rose, panachure blanche le long des nervures. Les feuilles se parent de teintes magnifiques en automne, sauf peut-être en appartement, à cause de la chaleur. Petites fleurs vertes en panicule.

Passiflóra

Passifloráceæ

passiflore

Nom. Du latin *passio*, souffrance, et *flos, floris*, fleur. On a vu dans la forme de la fleur de *Passiflóra cærúlea* une figuration des instruments de la Passion du Christ. Les 10 divisions du périanthe représenteraient les 10 bons apôtres (Judas et Pierre sont exclus du nombre) ou, selon d'autres, les 10 commandements. Les cinq folioles pointues symbolisent les 5 abaissements de Jésus : sa naissance, ses souffrances, sa mort, sa mise au tombeau et sa descente en enfer. La couronne interne tricolore représente : le manteau pourpre dont le Christ était couvert quand il comparut devant Hérode, le centre blanc de la couronne est la robe avec laquelle le Christ fut renvoyé par Hérode à Pilate. La tranche brune figure la robe de lin sans couture. Le renflement sur le style, c'est l'éponge. Sous ce renflement, 5 points : les cinq plaies du Christ. Les stigmates, les 3 clous avec lesquels il fut crucifié, l'ovaire, la coupe du Seigneur, et ainsi de suite.

Origine. Les 400 espèces connues croissent pour la plupart en Amérique tropicale, quelques-unes en zone subtropicale et en Australie, Polynésie et Asie tropicale.

Description. Plantes grimpantes, aux fleurs curieuses donnant parfois de jolis fruits comestibles. Seul un petit nombre d'espèces sont cultivées en appartement ou en serre.

Exposition. Pas de problème pour les plantes élevées en serre. Certaines espèces croissent en plein air dans le Midi. Là où les hivers sont doux, on peut les palisser contre un mur ensoleillé et abrité, en plein sud. Quelques espèces survivent un bon moment en appartement.

Soins. L'espèce la plus répandue et aussi la plus résistante est *Passiflóra cærúlea*. L'été, on peut la placer derrière une fenêtre, au soleil. On enroulera au fur et à mesure ses pousses sur un arceau de fil de fer. L'hiver, il faut impérativement la mettre dans un endroit très frais : 5 à 10 °C représentent une bonne norme. On aime aussi la planter en pleine terre sur une terrasse ensoleillée où un grand trou de plantation a été prévu. On peut encore la laisser sur le balcon, plantée dans un bac assez grand. Les premières années, il faudra la protéger au pied. Elle pourra s'y développer avec vigueur et donner chaque année une profusion de fleurs suivies de fruits orange. C'est sans doute la forme de

La fleur de la Passion : symbole des souffrances du Christ.

culture la plus recommandable. Les autres espèces, beaucoup plus frileuses, réclament la serre froide (minimum 5 °C). Le mieux est de les planter directement dans le sol. Les tiges seront palissées le long du toit : au début il est souvent nécessaire de les attacher. À protéger en cas de forte insolation.

Arrosage. Donner beaucoup d'eau en été, très peu en hiver. Peu importe si les feuilles jaunissent, pourvu qu'elles ne tombent pas.

Fertilisation. Faire quelques apports d'engrais en été ; surtout si les plantes sont cultivées dehors.

Rempotage. Les jeunes plantes, quand elles ne sont pas plantées au jardin ou à même le sol de la serre, doivent être rempotées tous les ans. Prendre une terre limoneuse ou un mélange standard. En même temps, on les rabattra sévèrement et on évitera de les exposer tout de suite en plein soleil.

Multiplication. Le procédé le plus facile consiste à prélever des pousses nées de la souche. On bouture aussi des extrémités de tiges à demi-aoûtées que l'on place sous châssis, avec une légère chaleur de fond. Les fruits mûrs fournissent parfois des graines capables de germer mais qui donnent des plantes fleurissant mé-

diocrement. On réussit parfois à se procurer des graines d'importation.

Maladies. Des températures hivernales trop élevées sensibilisent les plantes aux attaques des cochenilles farineuses. Une atmosphère trop sèche en été favorise l'apparition d'araignées rouges.

Passiflóra cærúlea
○ ☺ ◎ ◒ ▦

Fleur de la Passion. Arbuste grimpant aux feuilles profondément découpées, à 5-7 lobes lancéolés. Fleurs solitaires mesurant jusqu'à 10 cm de diamètre, légèrement odorantes, blanc verdâtre, sépales bleus à l'extrémité, blancs au milieu, pourpres à la base. La forme de culture 'Constance Elliott' a des fleurs blanches légèrement bleutées.

Passiflóra quadranguláris
◍ ◐ ☺ ◎ ◒ ▯

Barbadine. Plante vigoureuse, au développement trop important pour une petite serre. Tiges quadrangulaires, ailées, feuilles ovales. Fleurs odorantes, très grandes, colorées de blanc, de rouge et de pourpre. Fruits comestibles, vert jaune teinté de pourpre, commercialisés. Exige un minimum de 14 °C en hiver.

Passiflóra racemósa
○ ◍ ◐ ☺ ◎ ◒ ▯

Plante grimpante aux feuilles alternes, profondément découpées en 3 lobes, très rarement entières, pétiole de 5 cm généralement à 4 glandes. Grappes pendantes réunissant jusqu'à 20 fleurs mesurant chacune jusqu'à 12 cm de diamètre, inodores, rouges, à calice nettement tubuleux.

Passiflóra violácea

Feuilles trilobées dont les folioles sont parfois partiellement soudées entre elles, vertes sur le dessus, gris vert sur le revers. Les fleurs, atteignant tout au plus 10 cm, sont odorantes et portées par de longs pédoncules ; elles sont rose pourpré, marquées de violet et de blanc.

À côté des quelques espèces mentionnées dans ces pages, il existe une énorme quantité d'hybrides vendus ici et là chez les fleuristes.

Passiflóra cærúlea

Passiflóra violácea

Pavónia

Malváceæ

pavon

Nom. Du nom de José Antonio *Pavón* (1750-1844), explorateur espagnol.
Origine. Environ 150 à 170 espèces existent à l'état spontané en Amérique tropicale, en Afrique, en Asie et en Australie.
Description. Petit arbuste aux fleurs formées d'un calice remarquable, aux sépales rouges, et d'une corolle pourpre qui ne s'ouvre pas.
Exposition. Plante exigeant un degré d'hygrométrie élevé et cultivée, pour cette raison, en serre tempérée. Vendue depuis peu comme plante d'intérieur.
Soins. Ce sont des plantes qui tolèrent très mal l'atmosphère desséchée de nos intérieurs modernes. Les 40 % d'humidité relative qui règne en général dans les pièces pourvues du chauffage central sont largement insuffisants pour la plupart des plantes et pour le *Pavónia* en particulier. On peut essayer de le transporter en hiver dans un local moins chauffé, 12 °C étant un minimum : l'atmosphère y sera automatiquement plus humide. Donner un emplacement clair en été, mais protégé du plein soleil. Bassiner le feuillage quotidiennement. Les boutons floraux se forment à partir du moment où la plante cesse de développer de nouvelles feuilles.
Arrosage. Arroser modérément et régulièrement en été, réduire les arrosages en hiver, mais éviter de laisser sécher la motte. On peut utiliser l'eau du robinet.
Fertilisation. Administrer un peu d'engrais tous les 15 jours en période de végétation.
Rempotage. Rempoter au printemps dans un mélange acide et riche en humus de terreau de feuilles et terre de bruyère ou sapinette mêlés de fumier de vache décomposé. Rabattre les tiges de moitié par la même occasion.
Multiplication. Faire enraciner, sur chaleur de fond de 30-35 °C, des boutures de tête trempées dans de la poudre de bouturage. L'enracinement est difficile. Élever les plantules en milieu chaud et humide.

Pavónia multiflóra

Ⓘ ⓘ ⊗ Ⓒ Ⓣ

Arbuste tomenteux. Feuilles oblongues (15-20 cm de long sur 4,5 cm de large). Fleurs dressées, en corymbes terminaux. Nombreuses bractées linéaires, rouges, velues et plus longues que les sépales également rouges. Pétales pourpre terne, ne s'ouvrant pas. Les étamines, gris bleuâtre, émergent de l'inflorescence bien avant son épanouissement.

Pavónia multiflóra

Pedilánthus tithymaloídes 'Variegata'

Pedilánthus

Euphorbiáceæ

Nom. Du grec *pedilon*, chaussure, et *anthos*, fleur.
Origine. On connaît environ 15 espèces que l'on trouve principalement en Amérique centrale.
Description. Plante à l'aspect maladif. Rameaux zigzagants, feuilles recroquevillées : c'est son allure normale. Elle secrète un latex particulièrement toxique.
Exposition. Plante de serre chaude. Elle attire les regards par son port étrange. Elle se cultive parfois avec succès en appartement.
Soins. On ne cultive guère que la variété panachée 'Variegata', et elle exige beaucoup de lumière pour conserver ses couleurs. Il ne faut tamiser la lumière qu'en milieu de journée (entre 10 et 17 h), lorsque le soleil est ardent. Nul besoin d'une hygrométrie très élevée, bien au contraire, car elle provoquerait l'oïdium. La plante semble donc convenir parfaitement à la culture en appartement, mais on ne la rencontre que très rarement. Elle fait partie des curiosités. L'hiver, on peut la laisser dans l'appartement chauffé. Elle perdra un peu ses feuilles, à moins qu'on ne réduise la température de quelques degrés.
Arrosage. Arrosages modérés et réguliers en été. Tenir un peu plus au sec en hiver. L'eau du robinet peut convenir.
Fertilisation. L'été, on fertilisera tous les 15 jours en se conformant au dosage recommandé sur l'emballage.
Rempotage. Rempoter après la période de repos (donc au printemps) dans un mélange standard, prêt à l'emploi.
Multiplication. Prélever des boutures de tête au printemps, les plonger un moment dans de l'eau très chaude pour stopper l'écoulement du latex, faire sécher une journée avant de faire enraciner sur une chaleur de fond de 25 °C. Pincer à plusieurs reprises dès que la végétation est amorcée pour favoriser la ramification.
Maladies. Oïdium, lorsque l'humidité relative est trop élevée. Pucerons.

Pedilánthus tithymaloides

Ⓘ ⓘ ⊗ Ⓒ Ⓣ

Arbuste à branches vertes, charnues, croissant en zigzag. Feuilles de 5 à 8 cm de long, ovoïdes à lancéolées, légèrement concaves, de couleur vert clair. Fleurs entourées de bractées rouge clair. On ne cultive en fait que la forme 'Variegata', aux feuilles lavées de rouge et bordées de blanc.

Pelargónium

Geraniáceæ

pélargonium

Nom. Du grec *pelargos*, cigogne. Les amateurs parlent communément de géraniums. Nous ne les imiterons cependant pas pour conserver la distinction entre la plante d'appartement, *Pelargónium,* et la plante de jardin, le vrai géranium *(Geránium).*
Origine. Il existe environ 250 espèces spontanées qui croissent, pour la plupart, en Afrique du Sud.
Description. À côté des pélargoniums d'appartement et des jardins que tout le monde connaît et qui se classent dans les catégories a) *zonále,* b) *peltátum* et c) *grandiflórum,* on trouve des espèces succulentes qui perdent leur feuillage en hiver et des pélargoniums odorants qui sont cultivés pour le parfum de leurs feuilles. Entre ces deux groupes se glisse toute une série d'espèces botaniques intermédiaires, rarement cultivées par les amateurs.
Exposition. Les pélargoniums de balcon, du type *zonále* et *peltátum,* se cultivent en plein air et en plein soleil, à partir de la mi-mai. Le pélargonium français du type *grandiflórum* est plus

'Friesdorf' : un hybride de *Pelargónium zonále.*

'Dawn' : un hybride de *Pelargónium zonále.*

Un hybride de *Pelargónium zonále,* aux feuilles marginées de blanc.

Pelargónium x *citrósmum* 'Variegatum'

Pelargónium gravéolens 'Variegatum'

'Mrs. Pollock' : un hybride de *Pelargónium zonále*, cultivar à feuilles tricolores. Ces cultivars sont injustement méconnus du public.

sensible au froid et se cultive beaucoup en appartement, où il fait merveille. Les formes panachées du *Pelargónium zonále* sont cultivées en serre, sous un léger ombrage. Les espèces odorantes font de vigoureuses potées pour l'appartement.

Soins. En règle générale, les pélargoniums se cultivent au soleil. Même les plus communs d'entre eux ont des tiges un peu succulentes, ce qui signifie qu'ils se contentent de peu d'eau. Toutes les espèces doivent hiverner dans un local frais où leur végétation pourra marquer un arrêt, sinon ils continuent à pousser, leurs tiges s'étiolent et leur feuillage prend une teinte livide, faute de lumière suffisante. Les espèces robustes de plein air, comme le *P. zonále* et le *P. peltátum,* résistent à une température avoisinant 0 °C. Les *grandiflórum* réclament un minimum de 8 à 10 °C ; les autres espèces botaniques, les pélargoniums odorants et ceux à caractère nettement succulent hivernent en serre tempérée, à la température de 10-12 °. Les pélargoniums des jardins et ceux du type *grandiflórum* ne sont conservés que si l'on désire avoir des plantes de très forte taille. Généralement, on prélève des boutures en août et on jette les plantes mères. Pour obtenir des petits arbustes sur tige, on élimine toutes les tiges sauf une que l'on conduit sur un tuteur. Au bout d'un an ou deux de ce traitement, on laisse la tête se développer à sa guise. Il faut évidemment choisir des races qui ont naturellement une croissance vigoureuse. C'est une erreur d'entreposer les pélargoniums dans la cave pendant l'hiver. Pour peu qu'il y fasse doux, les plantes continueront à croître et produiront de longues pousses grêles et pâles qui les

épuisent totalement. Mieux vaut encore enterrer complètement les plantes dans une tranchée, au jardin, elles y souffriront moins. Les pélargoniums odorants peuvent passer tout l'hiver dans une pièce chauffée car leur floraison n'a qu'un intérêt mineur. Il suffira de les tailler au printemps.

Arrosage. Le *Pelargónium* boit peu. Un pélargonium de type *grandiflórum,* aux grandes feuilles tendres, fera toutefois une consommation d'eau non négligeable par les journées ensoleillées. Le secret, c'est de ne jamais distribuer beaucoup d'eau à la fois, car s'il existe un moyen d'exterminer un pélargonium, c'est bien en le noyant. Les plantes conservées l'hiver à basse température pourront pratiquement se passer d'arrosage. Les autres recevront juste assez d'eau pour les empêcher de s'effondrer.

Fertilisation. Ce sont surtout les espèces à développement rapide, donc les pélargoniums des jardins, qui réclament une petite ration d'engrais en été. Ne pas fertiliser les espèces succulentes et donner très peu d'engrais aux races à feuillage panaché qui pourraient ainsi perdre leur belle coloration.

Rempotage. La plupart des espèces se satisfont d'une terre de rempotage ordinaire. Les pots doivent être soigneusement drainés car le pélargonium hait l'eau stagnante. Les espèces succulentes se plantent en mélange pour cactus, donc très perméable.

Multiplication. Le pélargonium se bouture avec une extrême facilité et cela lui vaut une grande partie de son succès auprès des amateurs. Prélever une extrémité de pousse, la laisser un peu sécher, puis l'empoter

dans un mélange sableux : c'est la réussite assurée à tous les coups. La période la plus favorable se situe vers le milieu du mois d'août, les boutures auront alors le temps de s'enraciner avant l'hiver et on sera assuré d'une bonne provision de plantes robustes et peu encombrantes. Les vieilles plantes ne sont généralement pas très belles et on les jette. Un pélargonium fleurit surtout bien la première et la deuxième année de sa culture.

On peut actuellement acheter des graines de pélargoniums des jardins. On les sème en janvier, sur chaleur de fond, pour obtenir des plants fleuris en mai. Ce ne sont malheureusement pas encore les plus belles races que l'on peut propager par ce moyen. Le semis sert donc surtout à obtenir rapidement une grande quantité de plantes. Les succulentes se multi-

Pelargónium grandiflórum 'Maréchal Foch'

Un hybride de *Pelargónium grandiflórum.*

Un hybride de *Pelargónium zonále* (de plus d'un an).

'Horace Read' : un hybride de *Pelargónium zonále*

plient également par semis. On peut les bouturer, mais c'est dommage car la suppression de pousses les défigure.

Maladies. Pucerons et mouches blanches sucent le feuillage. Les autres maladies, et notamment les maladies à virus, ne ravagent que les vastes cultures, les amateurs ont rarement à en souffrir. L'oïdium est le résultat d'arrosages excessifs.

Pelargónium carnósum
○ ⓖ ○ ☉ ⓘ
Espèce succulente, à courte tige, haute de 15 cm et épaisse de 4 à 5 cm. Feuilles profondément découpées. Fleurs roses.

Pelargónium × citrósmum
○ ⓘ ⓖ ⓖ ⊗ ☉ ⓘ
Syn. *Pelargónium críspum.* Hybride à odeur de citron. Feuilles de 1 à 2 cm, à bord dentelé et frisotant, pétiole court. Ombelles de fleurs roses aux veines foncées, sur des pédoncules de 5 cm. 'Variagatum' a des feuilles maculées de blanc.

Pelargónium grandiflórum (Hybrides de)
○ ⓘ ⓖ ⓖ ⊗ ☉ ⓘ
Ce sont les fameux pélargoniums des fleuristes, issus du croisement de *Pelargónium grandiflórum, Pelargónium cordátum* et d'autres. Tiges assez minces, feuilles de 4 à 10 cm de diamètre, vertes, au bord ondulé. Ombelles de fleurs mesurant jusqu'à 6 cm de diamètre, de couleurs variées mais portant toutes une macule foncée. La mise à fleurs de ces hybrides obéit à l'influence de températures inférieures à 10 °C et peut être obtenue artificiellement en été, époque à laquelle ils ne fleurissent normalement pas.

Pelargónium gravéolens
Géranium rosat. Plante à ample développement, à feuilles palmées, profondément découpées, vert bleuté, odorantes. Fleurs rose vif avec une tache violet foncé sur les deux pétales supérieurs. 'Variegatum' a des feuilles bordées de blanc.

Pelargónium peltátum (Hybrides de)
○ ⓖ ⊗ ☉ ⓘ
Pélargoniums à feuilles de lierre. Tiges souples, retombantes, feuilles peltées, à 5 angles, vertes, luisantes, charnues, mesurant 5 à 8 cm de diamètre, pétiole partiellement adhérant au bord des feuilles. Fleurs lilas, rose carminé, blanches. Pour la décoration des balcons.

Pelargónium rádens
○ ⓘ ⓖ ⓖ ⊗ ☉ ⓘ
Géranium à odeur citronnée (il existe au moins 4 espèces sentant le citron). Feuilles palmatipartites, mesurant 5 à 8 cm de diamètre, lobes très étroits, en patte de corneille. Fleurs en ombelle, roses avec des veines plus sombres, pédoncules courts.

Pelargónium zonále (Hybrides de)
Syn. *Pelargónium x hortórum.* Groupe très important d'hybrides entre *P. ínquinans* et *P. zonále*, à tiges dressées, épaisses, charnues, pubescentes. Feuilles peltées, avec une zone foncée, dégageant une odeur caractéristique lorsqu'on les froisse. Fleurs de couleurs très variées. C'est à cette catégorie qu'appartiennent les variétés les plus répandues de géraniums des jardins et des balcons. Il existe même quelques races naines comme 'Friesdorf', au feuillage profondément découpé et aux petites fleurs. Certaines formes très originales arborent des feuilles aux panachures tricolores, jaunes, rouges et vertes, comme chez 'Mrs. Pollock'.

Pellæa
Sinopteridáceæ

Nom. Du grec *pellos*, de couleur sombre, allusion à l'aspect des frondes.

Origine. On a répertorié environ 80 espèces, la plupart des régions sèches d'Amérique et d'Afrique du Sud, de Nouvelle-Zélande, etc.

Description. En général les espèces sont xérophiles : elles croissent dans des endroits très secs, comme les rochers. Fougères bien connues, aux frondes vert foncé, étalées.

Exposition. Des fougères capables de croître dans des endroits très secs sont particulièrement aptes à vivre dans des pièces d'habitation chauffées. Leurs frondes coriaces transpirent peu. Elles n'aiment pas la lumière vive du soleil.

Soins. Ces plantes se contentent de peu de lumière et peuvent passer toute l'année en appartement. Si on peut leur donner, l'hiver, une température plus basse, 12 à 15 °C, elles ne s'en porteront que mieux. Une fenêtre au nord les satisfait. Elles se plaisent beaucoup cultivées en panier suspendu.

Le fait qu'elles résistent à la sécheresse de l'atmosphère ne signifie pas qu'il ne faille pas, de temps à autre, bassiner leur feuillage : c'est au contraire un traitement qui favorisera grandement leur développement.

Arrosage. À l'état spontané, ces plantes croissent sur des rochers. Ceci nous indique qu'elles boivent peu mais ne se trouvent jamais complètement à sec. Les rochers sur lesquels elles se développent accumulent de l'eau dans des fentes ; il se forme aussi, sous les racines, une couche d'humus que les plantes elles-mêmes préservent du dessèchement. Nous retiendrons donc qu'il ne faut jamais laisser la motte se dessécher. L'eau du robinet peut convenir.

Fertilisation. En été, on fertilisera tous les 15 jours.

Rempotage. Ces plantes ont un système radiculaire superficiel. Il faut les

Pellæa falcáta

élever en terrines larges et peu profondes, dans des coupes ou des paniers à suspendre. Bien drainer les récipients et s'assurer qu'ils ont un orifice dans le fond. Le mélange doit être composé de : 1/3 de terreau de feuilles de hêtre, 1/3 de fumier de vache décomposé et 1/3 de tourbe fine. Une terre de rempotage ordinaire peut aussi donner de bons résultats. Si on prépare son mélange soi-même, on y ajoutera un peu de calcaire.

Multiplication. On sème les spores que l'on recueille sur le revers des frondes de vieilles plantes. Semer sous châssis, à 18 °C. Ombrer. Il est plus facile de diviser les touffes lors d'un rempotage.

Maladies. Généralement aucune. On trouve quelquefois des cochenilles farineuses sur le rachis, entre les folioles.

Pellæa rotundifólia
⊞ ⓖ ⊗ ○ ○ ⓘ
Fougère au rhizome rampant. Frondes longues de 20 à 30 cm, larges de 4 cm, simplement pennées, 10 à 20 paires de pinnules oblongues-arrondies, vert foncé, coriaces.

Pellæa víridis
Frondes plus grandes, bipennées, pinnules vert plus clair, triangulaires.

Pellæa rotundifólia

Pelliónia púlchra

Pelliónia répens

Pelliónia
Urticáceæ

Nom. Du nom d'Alphonse *Pellion* (XVIIIe siècle), officier français qui fit partie de l'expédition de Freycinet. Le genre s'est longtemps appelé *Elatóstema*.

Origine. On trouve 15 à 20 espèces en Asie tropicale et orientale et dans les îles du Pacifique.

Description. Plantes basses, rampantes, sorte de couvre-sol au feuillage joliment panaché. Elles sont très proches des *Pílea* (voir ce nom).

Exposition. Etant donné leurs exigences en matière d'humidité, ce sont surtout des plantes de serre. Elles trouvent également leur place dans les bonbonnes, les serres et les vitrines d'appartement et dans les grands bacs à plantations composées.

Soins. Les plantes cultivées en appartement doivent être souvent bassinées. Il n'est pas mauvais de placer les pots au-dessus d'une coupe remplie d'eau, surtout l'hiver quand le chauffage marche. Ces plantes n'aiment pas le soleil direct, mais elles réclament néanmoins une lumière abondante pour conserver leurs panachures. L'hiver, la température peut, mais ne doit pas, descendre jusqu'à 12 °C.

Arrosage. Il est recommandé de n'utiliser que de l'eau de pluie. Tenir la motte modérément humide en été et un rien plus sèche en hiver.

Fertilisation. L'été, les plantes peuvent être fertilisées normalement, c'est-à-dire une fois tous les 15 jours.

Rempotage. Il se pratique au printemps, dans un mélange de terreau de feuilles, de fumier de vache décomposé ou, à défaut, déshydraté, et de tourbe. Utiliser des pots en plastique peu profonds et bien drainés (couche de tessons au fond du pot). Lorsqu'elles sont utilisées comme couvre-sol, les plantes s'accommodent de la terre de rempotage du bac, sauf si elle contient beaucoup de calcaire.

Multiplication. Les boutures de tête s'enracinent assez facilement lorsqu'on les fait sur une chaleur de fond (25 °C) et sous châssis. Planter plusieurs boutures par pot pour obtenir de belles touffes. Les jeunes plantes exigent, au début, une ambiance chaude (24 °C) et humide.

Maladies. Les plantes exposées aux courants d'air et à une ambiance trop sèche peuvent souffrir d'attaques de pucerons et de cochenilles à bouclier.

Pelliónia púlchra

Syn. *Elatóstema púlchrum.* Plante rampante, aux tiges légèrement charnues. Feuilles oblongues, asymétriques, longues de 4 à 8 cm, larges de 2 à 4 cm, vert olive, veinées de sombre, revers pourpre. Fleurs mâles en cyme pédonculée de 10 cm ; fleurs femelles en petites touffes sessiles.

Pelliónia répens

Syn. *Elatóstema répens ; Pelliónia daveauána.* La face supérieure des feuilles est vert olive lavé de brun, avec une large bande médiane d'un vert plus clair.

Péntas
Rubiáceæ

Nom. Du grec *pente,* cinq.

Origine. On trouve une trentaine d'espèces au Moyen-Orient, à Madagascar, en Afrique tropicale, etc. C'est un arbrisseau très commun dans tous les jardins de la plupart des pays tropicaux du monde.

Description. Sous-arbrisseau donnant des fleurs rouge carmin, réunies en corymbe. Ressemble au *Bouvárdia.*

Exposition. L'été, la culture de ces plantes n'offre aucun problème. Elles réclament simplement beaucoup de lumière, sans ensoleillement direct. Il faut le pincer à plusieurs reprises pour les aider à se ramifier. On élimine les boutons floraux qui apparaissent avant septembre. Les plantes fleurissent à partir de septembre et peuvent être rentrées dans la maison, à la condition que la température y soit très modérée. Pulvériser fréquemment de l'eau sur le feuillage.

Arrosage. Des arrosages trop abondants font jaunir les feuilles. Arroser peu à la fois, il suffit que la motte soit modérément humide. On réduit encore les arrosages après la floraison.

Fertilisation. Faire les apports d'engrais usuels une fois tous les 15 jours, pendant les mois d'été.

Rempotage. Préparer, de préférence, un mélange de terreau de feuilles et de terre de taupinière ramassée en région au sol argileux. Les plantes se satisferont, au besoin, d'une terre de rempotage standard. Ajouter de la perlite au mélange pour le rendre plus perméable et placer des tessons au fond des pots.

Multiplication. En mars-avril, on peut faire enraciner des jeunes pousses placées sous châssis, avec une chaleur de fond. Pincer les boutures à plusieurs reprises dès que la végétation s'est amorcée. La propagation par semis est également possible, mais la couleur des fleurs n'est pas stable.

Péntas lanceoláta

Petit arbrisseau érigé, pubescent, aux feuilles mesurant 5 à 12 cm de long et 2 à 5 cm de large, de couleur vert clair. Fleurs réunies en corymbes terminaux, corolle formée d'un tube étroit, élargi au sommet, de 2 cm de long, et d'un limbe à 5 lobes ; couleur variant du blanc au rose carminé.

Peperómia
Piperáceæ

Nom. Du grec *peperi,* poivre, et *omoios,* semblable.

Origine. Il existe un bon millier d'espèces dont la majorité vivent en Amérique tropicale et subtropicale, les unes en épiphytes sur le tronc des arbres, les autres sur le sol des forêts vierges.

Description. La plupart sont des plantes basses, au port rampant ou pendant, aux tiges épaisses et aux feuilles charnues. Ce sont des semi-succulentes, capables de retenir une provision d'humidité dans leurs tiges et dans leurs feuilles. Lorsqu'on coupe une feuille, on observe très nettement une couche de tissu turgescent sous-jacent à la surface. Les fleurs sont des espèces de petites queues de rat toutes blanches.

Exposition. Grâce à leurs feuilles plutôt solides, coriaces et légèrement charnues, les *Peperómia* transpirent peu et résistent généralement assez bien à l'atmosphère sèche des pièces chauffées. Ils prospèrent aussi remarquablement en serre tempérée.

Soins. Les espèces à feuillage vert uni n'exigent pas énormément de lumière et se plaisent même derrière une fenêtre orientée au nord. Le plein soleil leur est de toute façon contraire.

Les feuilles panachées contiennent moins de chlorophylle et sont plus sensibles au manque de lumière. Placées trop à l'ombre, elles vont se mettre à produire davantage de chlorophylle et leurs chatoyantes panachures ne tarderont pas à s'estomper.

L'hiver, les *Peperómia* tolèrent un minimum nocturne de 12 °C, ce qui correspond très exactement à la température minimale de la serre tempérée. En appartement, ils se comportent bien à 16 °C, température que nous devrions en somme nous imposer, si nous voulions observer les impératifs de la crise économique actuelle. Quand il fait jour, toutes les espèces supportent facilement la température normale d'un appartement.

Quelques pulvérisations de temps à autre seront très bénéfiques. Utiliser de l'eau tiède et douce afin d'éviter les taches de calcaire si disgracieuses sur le feuillage. Dans de bonnes conditions de culture, les plantes donnent des fleurs très décoratives que l'on garde jusqu'à ce qu'elles se soient complètement fanées.

Péntas lanceoláta

Peperómia sérpens

Peperómia gríseo-argentéa, aux feuilles argentées veinées de sombre.

Peperómia clusiifólia en fleurs.

Arrosage. Des arrosages trop abondants, à l'eau trop froide causent le pourrissement des tiges. Mieux vaut pas assez d'eau que trop. Si les feuilles font mine de se flétrir, on pourra toujours sauver la plante en l'arrosant un peu plus copieusement, mais si la pourriture s'installe, la plante est irrévocablement condamnée et il ne reste plus qu'à essayer de faire des boutures.

On ne peut que recommander l'utilisation d'eau de pluie de préférence à l'eau du robinet qui contient toujours toutes sortes de sels et d'impuretés.

Fertilisation. Il n'y a aucune raison de forcer ces petites plantes à prendre du développement, mais lorsqu'elles sont en pleine période de croissance, on peut leur donner un peu d'engrais pour plantes d'appartement, une fois par mois.

Rempotage. La plupart des espèces sont épiphytes et ont, pour cette raison, un système radiculaire superficiel, adapté à un milieu terreux acide et humifère. Là où elles croissent, à la fourche des branches d'arbres et sur le sol des forêts vierges tropicales, le calcaire est rarissime. Il faut donc composer pour elles un mélange de terreau de feuilles, de tourbe acide, de fumier de vache décomposé et de sable grossier. On les cultive en serre ou vitrine d'appartement, installées sur une branche d'arbre ou dans des paniers en lattes, en les posant sur des coussinets de sphagnum. Si on choisit de les cultiver dans des pots normaux, en appartement, on choisira des récipients larges et peu profonds, comme des coupes, et on veillera à assurer un excellent drainage.

Multiplication. Sur les espèces qui produisent de longues pousses, on aura la possibilité de prélever des boutures de tête ou des boutures d'yeux à faire enraciner au printemps, sous châssis et à chaud. Les espèces à feuilles charnues disposées en rosette se propagent par boutures de feuilles : prendre les feuilles avec un morceau du pétiole, laisser sécher une journée et planter dans un mélange sableux, plutôt sec, si possible avec chaleur de fond. Il est déconseillé de recouvrir les boutures de sacs de plastique : elles sont beaucoup trop sensibles à la pourriture. Il faut bouturer régulièrement, car les vieilles plantes ne restent pas toujours attrayantes.

On se procure, hélas, très difficilement des graines.

Maladies. Les feuilles du *Peperómia* pâlissent lorsque l'atmosphère ambiante est trop humide ou que les arrosages sont trop copieux. La pourriture du pied est due à un mauvais drainage, une motte trop humide, de l'eau d'arrosage trop froide. Les cochenilles à bouclier s'installent parfois sur les tiges et les feuilles, et les limaces occasionnent des dégâts dans les serres.

Peperómia argyreía

Syn. *Peperómia arifólia* var. *argyreía* ; *Peperómia sandérsii.* Feuilles peltées, vert foncé, ornées de belles panachures argentées en forme de croissant de lune et portées par de longs pétioles rouges.

Peperómia arifólia

Plante au port érigé. Ses feuilles sont semblables à celles de l'espèce précédente en ce qui concerne la forme, mais leur couleur est vert foncé luisant.

Peperómia blánda

Plante dont toutes les parties sont pubescentes. Feuilles verticillées par 3 ou 4, mesurant 3 à 6 cm de long et 1 à 2 cm de large, elliptiques aiguës, teintées de rouge sur la face inférieure.

Peperómia caperáta

Feuilles plutôt ovoïdes, longues de 3,5 cm, larges de 2-3 cm, se distinguant par leur limbe gaufré et maculé de blanc et de vert entre les nervures. Les inflorescences blanches émergent, bien dégagées, au-dessus du feuillage. Nombreuses versions différant par la forme des feuilles.

Peperómia clusiifólia

Syn. *Peperómia obtusifólia* var. *clusiifólia.* Ressemble beaucoup à l'espèce *obtusifólia* (voir plus loin), le pétiole en moins. Le bord des feuilles, légèrement ourlé vers l'extérieur, est rouge. Feuille grande et coriace.

Peperómia fráseri

Syn. *Peperómia resediflóra.* Tiges dressées, charnues. Feuilles rondes à cordées, vert foncé, généralement insérées en rosette sur la tige. Petites fleurs blanches, odorantes, en épi.

Peperómia glabélia

Espèce à croissance vigoureuse, grimpante. Feuilles cordées, maculées de jaune, blanc et vert. Pour suspensions.

Peperómia gríseo-argéntea

Syn. *Peperómia hederifólia ; Peperómia pulchélla.* Longs pétioles blancs, striés de rouge, portant des feuilles plutôt arrondies, de 6 cm de long, vertes à nervures foncées. Limbe fortement gaufré entre les nervures. Bord de la feuille légèrement ondulé. Revers de la feuille vert pâle.

Peperómia incána

Petite plante entièrement couverte d'un épais duvet blanc. Feuilles ovales-arrondies.

Peperómia blánda

Peperómia obtusifólia

Peprómia argyreía

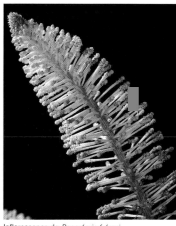

Inflorescence de *Peperómia fráseri.*

Un *Peperómia polybótrya*, aux feuilles peltées, abondamment fleuri.

Peperómia puteoláta

Peperómia metállica

Plante aux tiges érigées, grêles, non ramifiées. Feuilles lancéolées, de 2 cm de long, sur de très courts pétioles rouges. Dessus métallique, vert-brun teinté de gris, avec une bande médiane vert clair. Nervures rouges sur le revers.

Peperómia obtusifólia

Syn. *Peperómia magnoliifólia*. Feuilles épaisses et raides sur un pétiole court, de formes variées, mesurant 5 à 12 cm de long, 3 à 5 cm de large, panachées de vert et de jaune, brillantes. La race 'Greengold' a des panachures plus accusées.

Peperómia puteoláta

Plante aux tiges retombantes, anguleuses et aux feuilles coriaces, lancéolées, étroites, mesurant jusqu'à 10 cm de long, vert foncé, marquées, sur le dessus, de 5 sillons contrastants, jaune clair.

Peperómia rotundifólia

Syn. *Peperómia nummulariifólia* ; *Peperómia prostráta*. Tiges rampantes, très grêles. Petites feuilles de 1 cm de diamètre, arrondies, le dessus est généralement brun, marbré de vert foncé. A suspendre.

Peperómia sérpens

Syn. *Peperómia scándens*. Tiges rampantes, se redressant légèrement par la suite. Petites feuilles ovoïdes-larges ou réniformes, cireuses, vert frais.

Peperómia velutína

Tiges rougeâtres, velues. Feuilles de 7 cm sur 4, vert foncé, légèrement velues sur les bords et au sommet. Bandes argentées le long des nervures.

Peperómia verticilláta

Plante couverte de poils blancs, aux tiges dressées, rouges. Petites feuilles verticillées par 4 à 6, de 1 à 2 cm de long, obovales, obtuses, vertes, à nervures plus claires.

Peréskia
Cactáceæ

Nom. Du nom de Nicholas Claude Fabry de *Peiresc* (1582-1637), botaniste français.
Origine. Une vingtaine d'espèces vivent en Amérique tropicale et en Inde occidentale.
Description. On admet généralement que ces plantes représentent un stade intermédiaire dans l'évolution des végétaux à feuilles vers la forme de cactus. Les rameaux présentent des aréoles tomenteuses portant des faisceaux de forts aiguillons. Ces plantes ne fleurissent pratiquement jamais sous nos climats.
Exposition. Le *Peréskia* peut séjourner l'été dans l'appartement. L'hiver,

Peréskia aculeáta

il vaut mieux le loger dans un endroit plus frais.
Soins. Il peut être exposé en permanence en plein soleil : son feuillage vert olive n'en sera que plus beau. Il n'est pas indispensable de le bassiner. À l'approche de l'automne, les feuilles foncent et tombent toutes ou en partie. À ce moment, les plantes sont tenues plus au sec et la température peut descendre jusqu'à 10 °C.
Arrosage. À l'inverse des autres cactacées, celles-ci consomment assez d'eau en été. L'eau du robinet convient.
L'hiver, quand les plantes sont dépouillées de leur feuillage, elles peuvent se passer presque totalement d'arrosage.
Fertilisation. En période de végétation, on arrosera tous les quinze jours avec une solution d'engrais.
Rempotage. Rempoter au printemps, dans un mélange standard. Bien drainer les pots avec des tessons ou des billes d'argile expansée.
Multiplication. Bouturer, en été, des extrémités de pousses dans un mélange sableux, sous châssis. Supprimer une partie des feuilles et donner une légère chaleur de fond. On peut également semer au printemps. Température de fond : 22 °C.

Peréskia aculeáta

○ ⓘ ⊛ ☉ ▣

Arbuste grimpant aux longs rameaux. Feuilles de 5 à 7 cm de long, ovoïdes, allongées, terminées par une courte pointe, vert foncé. Aiguillons par 2, courts, généralement crochus. Fleurs par petits bouquets, mesurant 3 à 4 cm de diamètre, rose jaunâtre, à odeur désagréable. On cultive le plus souvent la forme 'Godseffiana', aux feuilles vert olive lavé de rouge.

Perilépta
Acantháceæ

Nom. Du grec *peri*, autour, et *leptos*, mince. La plante est encore souvent appelée *Strobilánthes*.

Origine. Environ 8 espèces vivent dans les forêts tropicales d'Asie.
Description. Plantes herbacées, aux remarquables feuilles panachées à reflet métallique.
Exposition. Plante de serre chaude et humide pouvant séjourner temporairement en appartement ou même en plein air.
Soins. Toutes ces plantes, lorsqu'elles sont jeunes, ont de belles panachures caractéristiques. Lorsque les pousses vieillissent ou que les plantes sont exposées à des températures trop basses (dehors, par exemple), les feuilles se ternissent. Éviter de placer les plantes en plein soleil, car lui aussi a une action négative sur la coloration des feuilles. En résumé : donner au *Perilépta* une lumière abondante mais tamisée. Les plantes hivernent normalement en serre chaude. On essaie de les maintenir en vie jusqu'au moment de faire des boutures.
Arrosage. Maintenir la motte modérément humide en permanence. Utiliser soit de l'eau du robinet, soit de l'eau de pluie, ce qui est préférable.
Fertilisation. Il est inutile de fertiliser les plantes puisqu'on est amené à les renouveler régulièrement à partir de boutures empotées dans de la terre de rempotage fraîche.
Rempotage. On peut planter dans un mélange ordinaire du commerce ou préparer soi-même une terre de rempotage composée de terreau de feuilles, de fumier de vache décomposé et de terreau de gazon.
Multiplication. Elle a toute son importance, car seules les jeunes plantes méritent de retenir l'attention. Il faut donc bouturer régulièrement. Les boutures de tête s'enracinent rapidement à chaud, dans une caissette à multiplication munie d'un couvercle de verre. Lorsqu'on les pince, les tiges se ramifient mais produisent des feuilles plus petites.

Perilépta dyeriána

◑ ⓘ ⊛ ☉ ▣

Syn. *Strobilánthes dyeriánus*. Petit arbrisseau aux tiges quadrangulaires couvertes de poils rudes. Feuilles ovales-allongées, embrassantes, dessus vert clair maculé de violet, puis de gris entre les nervures ou devenant entièrement violet ; revers pourpre violacé. Fleurs bleu violacé, en épi.

Perilépta dyeriána

Pérsea

Lauráceæ

Nom. Nom donné en grec ancien à un arbre d'Égypte portant des fruits sur le tronc. Attribué par la suite à l'avocatier.
Origine. 135 espèces vivent en Amérique du Nord et du Sud, quelques-unes croissent en Asie du Sud-Est et une seule dans les îles Canaries.
Description. Plante d'appartement robuste, aux jolies feuilles vert clair. Ne produit pas de fruits sous nos climats.
Exposition. Le *Pérsea* peut séjourner en appartement d'un bout à l'autre de l'année, mais il vaut mieux le loger au frais pendant l'hiver.
Soins. Il exige un degré d'humidité relative assez élevé : il faut donc le bassiner le plus souvent possible à l'eau tiède. Le feuillage souffre souvent en hiver, à moins que la plante puisse observer une période de repos à une température de 10-12 °C, soit dans une serre tempérée, soit dans une pièce peu chauffée. Au printemps, après une légère taille, les plantes sont remises en végétation.
Arrosage. Arroser copieusement en été, réduire les arrosages en hiver, surtout si la température est basse : on se contente d'empêcher la chute des feuilles.
Fertilisation. Fertiliser tous les 15 jours en période de végétation.
Rempotage. L'avocatier affectionne un mélange composé de terreau de feuilles, de terre argileuse finement émiettée et de fumier de vache décomposé. Lorsqu'il est planté dans un

C'est ainsi que germe un noyau d'avocat.

Plante née d'un noyau : *Pérsea americána*.

mélange ordinaire du commerce son feuillage jaunit facilement.
Multiplication. On obtient des plantes en faisant germer des noyaux de fruits. Très facile à réussir sur chaleur de fond et même sur un verre d'eau. Piquer quelques allumettes dans le noyau de façon à pouvoir le maintenir au-dessus du verre. Au bout de quelque temps, le noyau se fend par le milieu, laissant apparaître le germe.

Pérsea americána
○ ◐ ⊕ ⊗ ○ ⊡

Syn. *Pérsea gratíssima*. Avocatier. Arbre à feuilles persistantes, alternes, ovales-oblongues, de 10 à 15 cm de long et de 5 à 10 cm de large, glauques et légèrement velues sur le revers, pétiole de 2 à 3 cm. Ne fleurit généralement pas en appartement.

Phalænópsis

Orchidáceæ

Nom. Du grec *phalaina*, phalène, et *opsis*, aspect.
Origine. Une quarantaine d'espèces sont répandues dans les forêts vierges tropicales, de l'Asie à l'Australie. Ce sont des orchidées épiphytes.
Description. Ces orchidées n'ont pas de pseudobulbes mais un rhizome court d'où naissent directement des feuilles charnues, ovales à oblongues. Les fleurs, réunies en grappe lâche, ont la forme d'un papillon.
Exposition. Le *Phalænópsis* est une orchidée de serre chaude.
Soins. Ombrer la serre à partir de mars et maintenir un degré d'humidité relative de l'atmosphère proche de 70 à 80 %. Enlever les claies d'ombrage à partir de fin octobre et pour toute la durée de l'hiver, afin de permettre aux plantes de bénéficier d'une lumière suffisante. Une période à basse température (12 °C) favorise la floraison, surtout chez les hybrides : elle doit durer de 3 à 4 semaines pendant lesquelles on supprime les arrosages.
Arrosage. Utiliser exclusivement de l'eau de pluie. Tenir modérément humide en été, restreindre les arrosages en hiver, après la floraison. Ne jamais bassiner le feuillage à l'eau froide, on provoquerait de vilaines taches.
Fertilisation. L'été, on peut apporter tous les 15 jours une petite dose d'engrais chimique spécial pour orchidées.
Rempotage. Autrefois, on avait l'habitude de cultiver ces orchidées dans de l'osmonde (racines de fougère) mélangée d'un peu de sphagnum. On préfère aujourd'hui un mélange de tourbe concassée et de billes d'argile (20 %) dont on remplit des pots en plastique, sans autre drainage si ce n'est, au fond du pot, un orifice pour l'évacuation de l'excédent d'eau. Le *Phalænópsis* se cultive également sur des tronçons de fougère arborescente. Il ne faut rempoter que tous les 2 ans et, de préférence, en mai.
Multiplication. Ces orchidées se propagent surtout par le semis, qui est une affaire de spécialistes. On importe beaucoup de plantes de l'étranger : leur prix de revient semble finalement inférieur à celui des sujets obtenus à partir de semis. On trouve chez les spécialistes une grande variété d'espèces et surtout d'hybrides.
Maladies. Parfois des pucerons. Apparition d'araignées rouges quand l'atmosphère est trop sèche. Les limaces et les cloportes raffolent des racines.

Un hybride moderne de *Phalænópsis*.

Une variété de *Phalænópsis amábilis*.

Phalænópsis amábilis
◉ ⊕ ⊗ ⊙ ⊡

Syn. *Phalænópsis grandiflóra*. Fleurs mesurant jusqu'à 10 cm de diamètre, blanches. Labelle maculé de jaune et strié de rouge. Floraison d'octobre à janvier. Nombreuses variétés.

Phalænópsis esmerálda
Syn. *Phalænópsis buissoniána*. Hampe non ramifiée, portant 10 à 15 fleurs dont chacune mesure jusqu'à 4 cm de diamètre. Les couleurs varient du lilas au blanc, le labelle est plus foncé. Floraison d'août à novembre. Craint moins la lumière.

Phalænópsis lueddemanniána
3 à 4 fleurs de 4 cm de diamètre par hampe, blanches, maculées de rose vif. Le labelle est violet avec des macules plus claires. Fleurit très longtemps : mai-juin.

Phalænópsis schilleriána
Feuilles panachées de gris blanc.

Hampe florale pendante, ramifiée, portant de nombreuses fleurs dont chacune mesure 9 à 10 cm de large. Leur forme est semblable à celle des fleurs du *Phalænópsis amábilis*, leur couleur est rose vif. Le labelle est taché de rouge à la base et maculé de jaune et de rouge. Floraison de janvier à mars.

Phalænópsis stuartiána
Ressemble à l'espèce précédente. Pétales blancs, légèrement maculés de brun rouge. Labelle jaune avec des macules brun rouge. Floraison : janvier-mars.

Phalænópsis violácea
Hampe florale courte, portant 2 à 5 fleurs dont chacune mesure 6 à 8 cm de large, elles sont de couleur blanc verdâtre, violettes à la base. Le labelle est violet maculé de jaune. Floraison : mai-juin.

Philodéndron
Aráceæ

Nom. Du grec *philos*, ami, et *dendron*, arbre. Plante sarmenteuse se plaisant dans les arbres.

Origine. On compte environ 275 espèces vivant dans les forêts tropicales d'Amérique centrale et du Sud.

Description. Plantes d'appartement très répandues, aux feuilles tantôt entières, tantôt découpées, luisantes. Tiges sarmenteuses et longues racines aériennes.

Exposition. Dans les serres, où le degré d'hygrométrie est élevé, ces plantes atteignent une taille considérable. Plusieurs espèces se comportent très bien placées à l'ombre, dans l'appartement.

Soins. Nous nous en tiendrons aux soins à donner en appartement car en serre, ces plantes poussent comme de la mauvaise herbe. La température ne doit jamais descendre au-dessous de 14 °C : elles apprécient un bon 20° d'un bout à l'autre de l'année. Pas question de les sortir au jardin pour leur donner une bonne petite douche au tuyau d'arrosage. Ce qui est excellent, c'est de les bassiner, à l'intérieur, avec de l'eau tiède. Ne pas trop éloigner le *Philodéndron* de la fenêtre ; dans la nature, ses tiges grimpent jusqu'au sommet des arbres, à la rencontre de la lumière dont elles ont tout de même besoin pour bien se développer. Les races panachées sont celles qui exigent le plus de clarté.

L'hiver, il appréciera la présence d'un humidificateur électrique placé dans son voisinage. Les petits évaporateurs que l'on accroche aux radiateurs ne sont d'aucun secours. Si l'humidificateur est insuffisant, on peut ou bien bassiner le feuillage plusieurs fois par jour à l'eau de pluie tiède (ne tache pas), ou baisser la température de quelques degrés, ce qui aura pour effet de faire monter le degré d'humidité relative de l'atmosphère. L'air froid contient plus de vapeur d'eau que l'air chaud, les feuilles sècheront donc moins vite.

Beaucoup d'espèces sont vendues avec un tuteur moussu. C'est très joli, encore faut-il trouver le moyen de conserver la mousse humide, sans quoi elle ne sert plus à rien. Voir à la p. 64 comment fabriquer un tuteur moussu percé de petits trous et fermé hermétiquement à la base. L'eau que l'on verse par le haut s'échappe par les minuscules orifices et imprègne la mousse.

Philodéndron domésticum planté dans un pot cylindrique en plastique. À son pied, un *Plectránthus*.

Philodéndron squamíferum : le pétiole.

Philodéndron mícans

Les tiges trop longues pour être attachées au tuteur peuvent être palissées contre un mur ou le long d'une rampe d'escalier. Les racines aériennes sont ramenées dans le pot. On s'arrangera à disposer la plante de façon à pouvoir continuer à la bassiner sans détremper les rideaux.

Certaines espèces fleurissent assez facilement en appartement. Leurs inflorescences sont constituées d'une spathe blanche entourant un spadice également blanc. La floraison peut être le signe que la plante se prépare à mourir, mais elle peut tout aussi bien indiquer qu'elle se plaît particulièrement bien à l'endroit où elle se trouve. On attendra pour éliminer la hampe florale que la fleur se transforme en fruit. De toute façon, les graines n'arriveront pas à maturité et le bouturage est tellement plus facile.

Arrosage. Il est recommandé d'arroser le *Philodéndron* à l'eau de pluie pure ou à l'eau déminéralisée. Le calcaire et autres éléments nocifs contenus aujourd'hui dans l'eau du robinet ne sont guère du goût des racines habituées au milieu acide et humifère qui s'accumule naturellement à la fourche des branches d'arbres. Faire tiédir l'eau avant de s'en servir pour arroser : le *Philodéndron* n'aime pas avoir froid au pied.

Fertilisation. Lorsque la plante est en pleine période de végétation, on lui administrera, tous les 15 jours, un engrais pauvre en calcium.

Rempotage. Le mélange ordinaire du commerce ne convient pas, il est trop compact et contient trop de calcaire. La plante ne refusera pas d'y pousser, mais elle se sentira beaucoup plus à l'aise dans un mélange composé de

Philodéndron melanochrýsum 'Andreanum'

Philodéndron pandurifórme

Philodéndron radiátum

sapinette, fumier de vache décomposé et tourbe concassée. Le terreau de feuilles de hêtre et l'osmonde conviennent aussi parfaitement. Drainer très soigneusement les pots et rempoter tous les ans, afin d'éliminer la terre saturée des impuretés de l'eau d'arrosage. Les espèces de petite taille peuvent se cultiver en panier suspendu. Le *Philodéndron* se prête très bien à l'hydroculture.

Multiplication. Les extrémités de tiges s'enracinent facilement lorsqu'on les coupe sous un œil et qu'on les plante sous châssis, avec une chaleur de fond. Lorsqu'on a besoin d'un grand nombre de plantes, il vaut mieux faire des boutures à un œil. On peut également marcotter : c'est généralement ce que l'on fait sur les plantes qui se sont dégarnies à la base. On peut parfois se procurer des graines qui lèvent bien si elles sont fraîches. Si la plante émet des racines aériennes, on prélèvera des segments de tige comportant de ces racines. On enroule la racine et on plante dans un godet.

Maladies. Le *Philodéndron* est en général exempt de maladies. Des erreurs de culture favorisent l'apparition de cochenilles à bouclier. Le jaunissement des feuilles signale un excès ou un manque d'eau.

Philodéndron bipinnatífidum
Espèce non grimpante, à tige épaisse, abondamment couverte de feuilles. Pétioles de 40 à 50 cm. Feuilles cordées, longues de 40 à 60 cm, profondément découpées en lanières.

Philodéndron cordátum
Espèce à grandes feuilles cordées ressemblant à celles du *Mónstera*, mais sans découpes, ni perforations.

Philodéndron domésticum
Syn. *Philodéndron hastátum*. Feuille vert foncé ressemblant à celle du *Philodéndron erubéscens*, mais plus hastée.

Philodéndron élegans
Plante grimpante très robuste. Pétioles cylindriques de 60 cm de long, souvent couverts de taches claires. Feuilles profondément pennatifides, de 40 à 70 cm de long. Leur forme cordée se reconnaît à peine, tant elles sont découpées.

Philodéndron erubéscens
Espèce à tige rouge verdâtre devenant grise en vieillissant. Les jeunes feuilles sont entourées de stipules roses de 7 à 14 cm de long, très fugaces. Les feuilles vert foncé à reflet pourpre, luisantes, cordiformes-allongées ou sagittées, longues de 20 cm, ne sont pas découpées, sauf du côté du pétiole. Cette espèce souvent cultivée a donné naissance à plusieurs races comme : 'Red Emerald', 'Green Emerald' et 'Bourgogne', dont les feuilles sont légèrement plus rouges ou plus vertes que chez le type.

Philodéndron gloriósum
Tige rampante, vert foncé, bourgeons foliaires très rapprochés. Jeunes feuilles entourées de bractées roses persistantes. La feuille est cordiforme et mesure 40 cm sur 30, elle n'est pas découpée. La face supérieure est vert foncé velouté. La nervure médiane est bordée de blanc crème ; nervures latérales blanches.

Philodéndron ilsemánnii
Il s'agit peut-être d'une forme juvénile de *Philodéndron sagittifólium*, son nom serait dans ce cas *Philodéndron sagittifólium* 'Ilsemannii'. Feuilles sagittées, mesurant jusqu'à 40 cm de long, profondément découpées à la base. Le dessus est panaché de vert, de rose et de crème. Exige beaucoup de lumière et croît lentement.

Philodéndron ímbe
Tige verte ou pourprée. Pétioles de 25-35 cm. Les feuilles ont la consistance du papier, elles sont sagittées et découpées profondément à la base.

Philodéndron laciniátum
Syn. *Philodéndron laciniósum ; P. amazónicum ; P. pedátum*. Pétiole de 40 à 50 cm. Feuille au limbe mince, à 3 lobes profondément découpés. Les deux appendices et un lobe central, côté pétiole, sont à leur tour incisés, de sorte que le lobe central est très souvent divisé à son tour en une partie pointue entourée de 2 ailes.

Philodéndron martiánum
Syn. *Philodéndron cannifólium*. Espèce non sarmenteuse, à tige courte et épaisse. Pétioles de 40 cm, très gonflés. Feuilles oblongues, mesurant jusqu'à 50 cm, nervure principale épaisse, vert foncé.

Philodéndron melanochrýsum
Syn. *Philodéndron andreánum*. Plante grimpante, aux feuilles pendantes mesurant jusqu'à 50 cm de long, rougeâtres quand elles viennent de s'épanouir, puis couleur bronze et enfin vert velouté. Nervures blanches. 'Melanochrysum' est la forme juvénile, à feuilles cordiformes- courtes et petites, 'Andreanum' est la forme adulte, aux feuilles cordiformes longues. Les deux types de feuilles peuvent être présents sur une plante, en même temps.

Philodéndron mícans
Semblable à l'espèce précédente mais de taille réduite ; feuille brun clair, nervures pointillées de vert clair, revers des feuilles pourpré.

Philodéndron pandurifórme
Pétiole de 25 à 35 cm de long ; feuille de 20-25 cm, à nervure médiane très épaisse, forme sagittée-allongée aux lobes fortement rétrécis vers le sommet : on dit que la feuille est en forme de violon.

Philodéndron radiátum
Syn. *Philodéndron dubium*. Feuilles larges, d'un vert soutenu, profondément découpées.

Philodéndron scándens
Syn. *Philodéndron cordátum ; Philodéndron cuspidátum*. Plante grimpante, aux tiges grêles et aux petites feuilles cordées de 8 à 14 cm de long, coriaces, vertes. L'une des variétés les plus vendues.

Philodéndron laciniátum

Philodéndron sélloum

Philodéndron sélloum
Espèce non grimpante. Tige de 1,50 m. La feuille peut mesurer de 50 à 90 cm de long et est cordiforme. Tout le contour de la feuille est découpé et légèrement ondulé, sa surface est parsemée de taches translucides.

Philodéndron squamíferum
Plante grimpante, aux feuilles mesurant jusqu'à 30 cm de long, à 5 lobes profondément découpés ; pétiole atteignant jusqu'à 30 cm, abondamment couvert de poils épais, frisés. Spathe jaune clair, maculée de rouge.

Philodéndron verrucósum
Syn. *Philodéndron daguénse ; Philodéndron triúmphans*. Pétioles de 50 cm, couverts d'une sorte de verrues. Feuilles cordées, mesurant jusqu'à 50 cm de long, vert velouté et bronze, dessous rouge.

Philodéndron ilsemánnii, peut-être un cultivar de Philodéndron sagittifólium.

Philodéndron scándens

Phlebódium
Polypodiáceæ

Nom. Probablement du grec *phleps*, *phlebos*, veine, vaisseau sanguin. Généralement rattaché au genre *Polypódium* (du grec *poly*, nombreux, et *podos*, pied).
Origine. Ce genre est représenté par une seule espèce, présente en Amérique du Sud.
Description. Fougère aux frondes typiques, découpées, de couleur bleutée. Rhizome rampant, brun doré.
Exposition. Plante d'excellente tenue en appartement chauffé, où elle peut passer toute l'année.
Soins. On a tendance à croire que toutes les fougères exigent de vivre en atmosphère humide : c'est une erreur, en tout cas en ce qui concerne le *Phlebódium* qui s'accommode remarquablement bien d'une ambiance sèche. Peu de gens le savent, et ceci explique peut-être pourquoi cette plante est si rarement cultivée. Bien sûr, son feuillage acceptera avec reconnaissance quelques vaporisations. Elle se plaira, installée à proximité d'une fenêtre orientée au nord, à l'est ou à l'ouest. Le plein sud est trop lumineux pour elle. Elle supporte une

Phlebódium aúreum 'Mandaianum'

température hivernale descendant jusqu'à 16 °C, on pourra donc baisser sans crainte le thermostat pour la nuit.
Le rhizome, généralement dissimulé dans le pot, est très décoratif. Lors d'un rempotage, on peut s'arranger à laisser une partie apparente, pour le plaisir des yeux.
Arrosage. N'utiliser que de l'eau de pluie ou de l'eau adoucie et conserver la motte toujours modérément humide. Plante se prêtant très bien à l'hydroculture ou à la culture en bac à réservoir d'eau.
Fertilisation. Pendant la période de végétation, on fertilisera tous les 15 jours.
Rempotage. Se servir de pots en plastique que l'on remplit d'un mélange composé de terreau de feuilles, fumier décomposé et d'un peu de sable grossier. Rempoter tous les ans.
Multiplication. Division des touffes ou des rhizomes. On peut également semer des spores.

Phlebódium aúreum
Ⓘ Ⓘ ⊗ ⊕ ⊙ ⊙
Syn. *Polypódium aúreum*. Fougère au feuillage bleuté. Long rhizome rampant, brun clair, écailleux. Frondes mesurant de 30 à 50 cm, profondément pinnées et portées par un pé-

tiole jaunâtre faisant jusqu'à 50 cm de long. La forme 'Mandaianum' a des frondes aux divisions frisées irrégulièrement et incisées.

Phœnix
Pálmæ

Nom. Du grec *phoinix*, palmier, dattier.
Origine. Il existe une dizaine d'espèces, originaires d'Afrique et d'Asie.
Description. Le dattier vrai et le dattier des Canaries sont des palmiers rigides et épineux. L'espèce *rœbelénii* ressemble au *Microcœlum*.
Exposition. Bonne tenue en appartement. Quelques espèces doivent toutefois hiverner dans des locaux plus frais.
Soins. *Phœnix rœbelénii* doit passer toute l'année dans un endroit chaud où la température ne descend jamais au-dessous de 16 °C. Bassiner le feuillage très souvent pour élever au maximum le degré d'hygrométrie de l'air ambiant. Lui donner un emplacement ombragé.
Phœnix dactylifera, le dattier vrai, et *Phœnix canariénsis* supportent le plein soleil et peuvent être sortis en plein air, en été. Ils demandent par contre à passer l'hiver dans un local frais, le dattier vrai à 8 °C (T° minimale) et le dattier des Canaries jusqu'à 4 °C : ce dernier est une vraie plante de serre froide, à cultiver avec les plantes grasses et les cactées.
Arrosage. L'été, on peut arroser assez généreusement de façon à ne jamais laisser sécher la motte. Il est bon de baigner les pots de temps à autre pour régénérer l'air autour des racines. L'extrémité des feuilles peut

Phœnix canariénsis

roussir : si l'eau d'arrosage est trop dure, quand la plante est trop arrosée en hiver ou si l'eau est trop froide. C'est un accident qui se produit aussi l'été, si on laisse la motte devenir complètement sèche.
Fertilisation. Les palmiers répondent très bien aux engrais. D'avril à septembre, on peut même les fertiliser toutes les semaines.
Rempotage. Comme on le sait, les palmiers se plantent en pots étroits et hauts. Il est bon que le pot soit pourvu d'un bon orifice de drainage, mais si on les arrose avec beaucoup de circonspection, on pourra les mettre dans un de ces beaux cylindres à la mode. Les racines des palmiers obstruent assez facilement l'orifice de drainage : prendre la précaution de le couvrir d'un gros tesson. Donner la préférence à des pots en plastique.
Multiplication. On arrive à faire germer les noyaux des dattes séchées en les faisant d'abord tremper un moment dans de l'eau. On peut aussi acheter des graines de quelques espèces. *P. rœbelénii* peut se diviser.
Maladies. Les cochenilles à bouclier se logent sur les plantes qui hivernent dans des pièces trop chaudes. Le manque de lumière provoque la formation de petites taches jaunes.

Phœnix canariénsis
○ ○ ⊗ ⊙ ⊙
Dattier des Canaries. Stipe assez épais. Feuilles pinnées, dressées à la base, recourbées au sommet. Pinnules étroites (1 cm), aiguës, disposées par paires ; celles de la base sont transformées en épines jaunes.

Phœnix dactylifera
○ ⊕ ⊗ ⊙ ⊙
Palmier-dattier, dattier, dattier vrai. Ressemble à l'espèce précédente,

Phyllánthus angustifólius

mais la gaine des feuilles est couverte de longs poils bruns.
Phœnix rœbelénii
Ⓘ Ⓘ ⊗ ⊙ ⊙
Feuilles pinnées, gracieusement arquées, pinnules de 15 cm × 1 cm, souples, vert foncé luisant, bord des feuilles lisse.

Phyllánthus
Euphorbiáceæ
phyllanthe

Nom. Du grec *phyllon*, feuille, et *anthos*, fleur. Chez quelques espèces, les fleurs apparaissent sur les rameaux aplatis en forme de feuille.
Origine. On trouve environ 480 espèces, répandues dans la plupart des contrées tropicales et subtropicales. Les espèces que nous décrivons sont originaires de la Jamaïque.
Description. Plantes assez rares, mais point dénuées d'intérêt et qui peuvent enrichir la serre des amateurs. Les rameaux sont aplatis et dilatés jusqu'à prendre la forme de feuilles que l'on appelle des phyllocladodes. Cette métamorphose permet aux plantes de limiter leur transpiration. Les phyllocladodes sont en même temps des réservoirs d'eau. On reconnaît leur caractère foliacé au fait que les fleurs sont insérées directement sur leurs échancrures.
Exposition. Plante à exposer en serre chaude, à l'ombre légère.
Soins. Plante à caractère succulent et transpirant peu, le *Phyllánthus* semble tout désigné pour la culture en appartement. Les essais sont parfois couronnés de succès. La plante doit pouvoir bénéficier d'une chaleur constante et d'un emplacement clair mais non ensoleillé : près d'une fenêtre orientée à l'est, par exemple. Bassiner de temps en temps le feuillage.
Arrosage. Le *Phyllánthus* fait ses propres réserves d'eau, il faut donc l'arroser peu, surtout l'hiver.
Fertilisation. Apports d'engrais une fois tous les 15 jours, en période de végétation.
Rempotage. Utiliser un mélange de terreau de feuilles et de fumier décomposé.
Multiplication. Les boutures s'enracinent à chaud (30 °C), sous châssis. On peut aussi semer des graines fraîches.

Phyllánthus angustifólius
Ⓘ ⊕ ⊗ ⊙ ⊙ ⊙
Ressemble à l'espèce suivante, mais ses phyllocladodes sont plus étroits (6 à 8 mm) et les rameaux sont moins rétrécis à la base.

Phyllítis scolopéndrium 'Undulatum'

Phyllánthus speciósus

Arbuste aux rameaux verts, dilatés en cladodes mesurant de 5 à 10 cm de long sur 1 à 2 cm de large, placés sur deux rangs, fortement rétrécis à la base. Fleurs blanchâtres, insignifiantes, naissant directement dans les échancrures superficielles des cladodes, à la partie supérieure des rameaux.

Phyllítis
Aspleniáceæ

Nom. Du grec *phyllon*, feuille.
Origine. Fougère terrestre, en Europe et en Amérique du Nord.
Description. Plante rustique, cultivée au jardin, aux frondes entières, coriaces, vertes et luisantes, ayant la forme d'une langue.
Exposition. Bonne plante d'appartement, à condition qu'il y fasse frais. Accepte des emplacements assez peu éclairés et peu chauffés, tels des dégagements, halls, escaliers.
Soins. À placer de préférence à proximité d'une fenêtre orientée au nord ou, en tout cas, hors d'atteinte du soleil. Bassiner le feuillage le plus fréquemment possible, en évitant

d'utiliser de l'eau calcaire, qui tache le feuillage. L'été, la plante se plaira partout dans la maison, mais l'hiver, il faudra lui trouver un endroit frais. Si la plante s'acclimate mal, on a toujours la ressource de la planter au jardin, en choisissant un coin humide et ombragé.
Arrosage. Arroser très généreusement en été, tenir un peu plus au sec en hiver, si le local est froid. Il ne faut pas laisser mourir le feuillage.
Fertilisation. En été, il faut fertiliser la plante régulièrement tous les 15 jours. Plus sa croissance sera rapide, plus la plante sera belle.
Rempotage. Utiliser une terre humifère à base de terreau de feuilles ou un mélange standard du commerce. À l'état spontané, ces fougères vivent dans les bois où le sous-sol rocheux contient du calcaire : nous n'avons donc pas affaire à une fougère calcifuge. Rempoter au printemps dans des pots en plastique bien drainés.
Multiplication. Seule l'espèce type se propage par semis de spores, que l'on pratique en mars, sous châssis. Les variétés de culture se multiplient par division des souches ou en bouturant à chaud des segments de pétioles comportant une partie de la souche. On voit d'abord se former des bulbilles, puis des racines. On peut pratiquer cette opération dès le début d'octobre, on obtiendra des petites plantes en février.
Maladies. Les *Phyllítis* qui passent l'hiver dans des locaux trop chauds et trop secs sont rapidement attaqués par les thrips. Des coléoptères grignotent parfois le bord des frondes.

Phyllítis scolopéndrium

Scolopendre, « langue de bœuf », « langue de cerf ». Fougère à pétioles courts et végétation dense. Les frondes, en forme de langue, ne sont pas divisées, elles mesurent jusqu'à 40 cm de long et 6 cm de large. Elles sont dressées et portent, au revers, des sores disposés en rangées transversales parallèles aux nervures. Il existe plusieurs cultivars dont le mieux connu est 'Undulatum', aux belles frondes ondulées.

Pílea
Urticáceæ

Nom. Du grec *pilos*, bonnet. Les Néerlandais donnent au *Pílea microphýlla* le nom de « plante-canon » à cause de la propriété qu'ont ses étamines de se contracter en projetant leur pollen : ce phénomène se produit lorsqu'on mouille les fleurs par une journée ensoleillée.
Origine. Il existe environ 200 espèces dispersées dans tous les pays tropicaux, sauf en Australie.
Description. Petites plantes basses, au feuillage panaché particulièrement attrayant.
Exposition. Les *Pílea* ne conservent la beauté de leur feuillage que s'ils

bénéficient d'une exposition claire. Ils tolèrent une température un peu plus basse en hiver qu'en été. Leur emplacement idéal se trouve dans la serre tempérée ; ils ne se comporteront pas trop mal sur une tablette de fenêtre.
Soins. Plantes exigeant un degré d'hygrométrie assez élevé, c'est pourquoi il leur arrive de souffrir lorsqu'elles sont cultivées en appartement. Elles supportent heureusement une température hivernale pouvant descendre jusqu'à 15 et même 12 °C : à ces températures l'atmosphère est automatiquement plus humide.
Parfois, ces plantes sont cultivées en plein air, à partir de la fin mai, surtout l'espèce *Pílea microphýlla*.
Arrosage. Il faut éviter de bassiner le feuillage, l'eau provoque des taches noirâtres, surtout sur des espèces

Pílea microphýlla

Phyllítis scolopéndrium

Pílea spruceána 'Norfolk'

Pílea cadiérei

Píper crocátum

Pisónia umbellífera 'Aureovariegata'

comme *Pílea involucráta,* aux feuilles bullées. L'été, on tiendra la motte modérément humide ; on réduira quelque peu les arrosages en hiver, si la température est basse.

Fertilisation. Donner un peu d'engrais tous les 15 jours, en période de végétation.

Rempotage. On fera un excellent mélange avec 2 parties de terreau de feuilles, 1 partie de terre de gazon, 1 partie de fumier de vache décomposé et 1 partie de sable grossier ou de perlite. Rempoter au moins une fois par an, au printemps, dans des coupes larges et peu profondes, soigneusement drainées. Au besoin tailler légèrement les plantes.

Multiplication. En mai, bouturer à chaud de jeunes boutures de tête : elles s'enracinent facilement. Renouveler constamment les plantes, elles se dégradent en vieillissant.

Pílea cadiérei

Petites plantes à feuillage ne dépassant pas 15 à 40 cm de haut. Feuilles elliptiques-ovoïdes mesurant jusqu'à 10 cm de long sur 5 cm de large, terminées en pointe aiguë. Le dessus est blanc argenté, très joliment panaché de 3 bandes longitudinales vert foncé, celles de l'extérieur légèrement courbes, reliées entre elles par des traits transversaux plus étroits.

Pílea involucráta

Syn. *Pílea pubéscens.* Feuilles ovales, un peu charnues, très gaufrées, vert foncé à reflet brun cuivré, bord vert clair.

Pílea microphýlla

Syn. *Pílea muscósa ; Pílea callitrichoídes.* Plante au feu d'artifice. Petite plante basse, très fournie, feuilles de 2 à 6 mm de long sur 1 mm de large, opposées, vert clair, chaque paire ayant l'une de ses feuilles plus petite et à pétiole plus court que l'autre.

Pílea nummulariifólia

Petite plante aux tiges rampantes, succulentes et velues ; feuilles de 1 à 2 cm de diamètre, rondes, vert brun, luisantes, violacées en dessous, pubescentes sur les deux faces.

Pílea serpyllácea

Syn. *Pílea globósa.* Très semblable à *Pílea microphýlla* mais de taille plus grande. Les feuilles mesurent jusqu'à 10 mm de long, les tiges sont épaisses et turgescentes (succulentes).

Pílea serpyllifólia

Très proche de l'espèce précédente. Feuilles légèrement plus grandes (10 mm), chaque paire en comprenant une légèrement plus petite que l'autre.

Pílea spruceána

Espèce à feuilles ovales, ridées, de 8 cm de long, gaufrées entre les nervures. Il en existe deux formes : 'Silver Tree', à bande centrale blanc argenté et à bord bronze, taché de

blanc, et 'Norfolk', à deux bandes blanches près du bord des feuilles.

Píper

Piperáceæ

poivrier

Nom. Du latin *piper,* poivre.
Origine. L'un des genres les plus importants du monde végétal, comprenant au moins 700 espèces répandues dans toutes les régions tropicales. Plusieurs espèces sont exploitées commercialement pour la production du poivre.
Description. Plantes généralement grimpantes, aux feuilles souvent cordées et quelquefois joliment panachées.
Exposition. En principe, il faudrait cultiver le poivrier en serre chaude, mais on parvient parfois à l'acclimater en appartement.
Soins. Il faut beaucoup de chaleur. La température ne doit jamais descendre au-dessous de 12 °C.
Píper nígrum, l'espèce la moins intéressante du point de vue esthétique, est la plus robuste : elle tolère la mi-ombre et même l'ombre et résiste bien à une atmosphère sèche. Les belles espèces à feuillage panaché exigent beaucoup de lumière et un degré d'hygrométrie élevé. Il faut toutefois éviter de les placer en plein soleil. Les tiges doivent être palissées sur un support. Le poivrier peut être utilisé en suspension.
Arrosage. La motte doit toujours être modérément humide. L'hiver, on peut faire des pulvérisations sur le feuillage. N'utiliser que de l'eau de pluie.
Fertilisation. Toutes les espèces peuvent être fertilisées tous les 15 jours, de mars en août.
Rempotage. Le meilleur des mélanges pour le poivrier se compose de terreau de feuilles, fumier de vache décomposé et sable grossier. On utilisera, au besoin, de la terre de rempotage ordinaire du commerce. Rempoter tous les ans et tailler les plantes quand le besoin s'en fait sentir.
Multiplication. Boutures de tête et boutures d'yeux s'enracinent avec une égale facilité, plantées dans des godets ou caissettes placés sur chaleur de fond supérieure à 20 °C. Couvrir d'une feuille de verre ou de plastique.
Maladies. Des feuilles recroquevillées indiquent que le degré d'hygrométrie est trop bas. Parfois des dégâts dûs à la présence de pucerons.

Píper crocátum

Plante grimpante aux tiges et aux pétioles grêles, filiformes. Feuilles ovales-allongées, acuminées, vert olive foncé, panachées de blanc le

long de nervures profondément incrustrées, macules roses et blanches entre les zones vertes et blanches. Le dessous est violacé. Cette espèce est fréquemment confondue avec *Píper ornátum.*

Píper nígrum

Poivrier noir. Plante grimpante. Les pétioles mesurent moins de 5 cm. Les feuilles, vert foncé, coriaces, ovales, de 15 cm de long, sont terminées en longue pointe très aiguë. Fleurit très rarement en appartement. Les fleurs sont suivies de grappes de petites baies vertes, puis rouges et enfin noires qui, une fois séchées, donnent le poivre.

Píper ornátum

Plante grimpante aux tiges et aux pétioles grêles et rougeâtres. Feuilles cordées-larges, acuminées, cireuses, de 12 cm de long, vert foncé, panachées de rose et, plus tard, ponctuées de blanc. Le dessous est vert pâle.

Pisónia

Nyctagináceæ

Nom. Du nom de Willem *Piso* (1611-1648), médecin à Leiden, puis à Amsterdam, fondateur de la médecine coloniale.
Origine. Une trentaine d'espèces vivent en Australie, en Nouvelle-Zélande, à Hawaii et dans d'autres îles du Pacifique.
Description. Plante difficile à distinguer du *Fícus,* cependant elle appartient à une tout autre famille qui est aussi celle des bougainvillées.
Exposition. En raison de ses exigences en humidité atmosphérique, le *Pisónia* se cultive, en principe, dans la serre chaude. Bien soigné, il s'accommode de l'appartement.
Soins. Curieusement, on ne voit jamais que l'espèce à feuillage panaché. Il existe pourtant une espèce à feuillage vert uni, beaucoup plus robuste. L'espèce panachée réclame beaucoup de lumière et énormément de pulvérisations à l'eau de pluie.

L'eau dure défigure les plantes en laissant sur les feuilles de vilains dépôts de calcaire. On peut aussi laver les feuilles à l'aide d'une éponge. Cette plante, tout comme le *Fícus,* accepte une température élevée en hiver.
Ombrer en milieu de journée, lorsque le soleil est ardent.
Arrosage. La motte doit toujours être modérément humide, quelle que soit la saison. Il est recommandé d'arroser à l'eau de pluie, bien que ce ne soit pas absolument indispensable.
Fertilisation. Distribuer un peu d'engrais pour plantes d'appartement une fois tous les 15 jours, en été.
Rempotage. Recette pour un excellent mélange de rempotage : terreau de feuilles, terre argileuse finement effritée ou limon et fumier de vache, à parties égales. La plante prospère aussi dans un mélange ordinaire du commerce.
Multiplication. Boutures de tête et boutures d'yeux s'enracinent sans trop de problèmes sur une chaleur de fond d'environ 25 °C. Couvrir d'une feuille de verre ou de plastique.

Pisónia umbellífera

Syn. *Heimerliodéndron umbellífera.* Arbuste aux longues feuilles ovales mesurant jusqu'à 30 cm, minces, coriaces, presque verticillées. On voit surtout la forme 'Variegata', au feuillage irrégulièrement panaché de blanc. La forme 'Aureovariegata' a des macules jaunâtres.

Pisónia umbellífera 'Variegata'

Pittósporum undulátum. Toutes les espèces décrites préfèrent passer l'été en plein air.

« Corne d'élan » : les frondes stériles appliquées en forme de nid.

ont déjà totalement disparu, car la plupart des espèces fleurissent de février à avril. Si la plante a été pollinisée, on peut s'attendre à avoir des fruits. Fin septembre, avant les premiers risques de gelée nocturne, les plantes sont rentrées à l'abri. Elles supportent un minimum de 5 °C.

Arrosage. Le *Pittósporum* boit beaucoup en été et comme c'est un arbuste à feuillage persistant, il faut aussi penser à l'arroser en hiver. Utiliser, de préférence, de l'eau de pluie.

Fertilisation. On peut faire des apports d'engrais pendant l'été. Une fertilisation tous les 15 jours suffit. Ne pas fertiliser en dehors de la période de végétation.

Rempotage. Il est bon que le mélange contienne une certaine quantité de terre argileuse ou de limon ; 2/3 de terre argileuse et 1/3 de terreau de feuilles, par exemple. Rempoter les jeunes plantes tous les ans, les sujets plus âgés tous les deux ou trois ans. Utiliser des grands bacs en plastique, bien drainés. L'idéal est de les planter dans des caisses en teck véritable : elles sont indestructibles.

Multiplication. Boutures de tête mi-aoûtées, en août, à chaud et sous châssis. Ou semis de graines fraîches.

Maladies. Les plantes qui hivernent dans des locaux trop chauds sont, en été, la proie des cochenilles à bouclier.

Pittósporum crassifólium

Arbrisseau à feuilles obovales, longues de 8 cm, sur un pétiole court et épais. Leur face supérieure est verte et coriace, le dessous est brun clair et tomenteux. Fleurs rouge pourpre.

Pittósporum eugenioïdes

Arbuste à feuilles persistantes, alternes, réunies au sommet des rameaux, ovales-oblongues, de 5 à 10 cm de long et de 1,5 à 3 cm de large, ondulées, vertes. Fleurs en corymbes denses, blanc jaunâtre, odorantes. 'Variegatum' a des feuilles bordées de blanc.

Pittósporum tobíra

Feuilles obovales à spatulées, obtuses, à bord souvent incurvé, épaisses, coriaces, vert foncé. La forme 'Variegatum', aux feuilles maculées de blanc, est assez connue.

Pittósporum revolútum

Arbrisseau qui, au moment de l'épanouissement, est entièrement couvert d'un duvet brun rouge. Feuilles ovales-étroites, mesurant jusqu'à 10 cm de long, vert foncé luisant sur le dessus, couleur rouille et tomenteuses sur le dessous. Fleurs jaunes, odorantes.

Pittósporum undulátum

Feuilles oblongues, de 7 à 15 cm de long et de 2 à 5 cm de large, très ondulées. Fleurs blanc crème, en ombelles.

Platycérium

Polypodiáceæ

Nom. Du grec *platys*, large, plat, et *keras*, corne.

Origine. On compte 180 espèces, répandues dans les forêts vierges tropicales d'Asie, Australie, Afrique et Amérique du Sud. Elles croissent dans les arbres, jusqu'à 30 m au-dessus du sol.

Description. Ces fougères à l'allure spectaculaire ont deux sortes de frondes, les stériles, appliquées contre le rhizome et formant une sorte de nid au pied de la plante, les fertiles, dressées, divergentes, semblables à des ramures de cervidé et mesurant parfois plus d'un mètre de long.

Exposition. Grâce à une pellicule cireuse couvrant ses frondes et limitant les effets de la transpiration, cette plante résiste admirablement à la sécheresse de l'atmosphère. Plante idéale pour les habitations dotées du chauffage central.

Soins. Le *Platycérium* a un peu perdu de son immense popularité. Il est passé de mode. Ce n'est pas la première fois que cela lui arrive et il s'en est toujours bien tiré. Le véritable amateur connaît ses qualités de résistance et sait que, même placée à l'ombre, cette plante peut lui donner de grandes satisfactions. Il ne faut surtout pas chercher à la dépoussiérer, on enlèverait la couche protectrice qui la garantit du dessèchement. Il est tout aussi insensé de la bassiner. Elle accepte toute l'année une température de 20 °C, mais quelques degrés en moins, l'hiver, ne peuvent lui être que bénéfiques en élevant le degré d'hygrométrie ambiante. On sait que dans leur habitat naturel plusieurs espèces résistent à des températures légèrement inférieures à 0 °C, mais elles se trouvent à ce moment-là complètement au sec.

Arrosage. La meilleure façon d'arroser le *Platycérium* est de baigner le pot, autant que possible dans de l'eau de pluie, puis de le suspendre à sa place pour toute une semaine.

Fertilisation. Diluer un peu d'engrais dans l'eau du bain quand la plante est en période de végétation.

Rempotage. Le *Platycérium* doit être

Pittósporum

Pittosporáceæ

Nom. Du grec *pitta*, poix, et du latin *sporus*, semence, graine. Les graines sont entourées d'une matière poisseuse.

Origine. On connaît environ 160 espèces, répandues dans toute l'Asie et une partie de l'Afrique.

Description. Arbustes robustes aux petites feuilles coriaces, portant, au printemps, des petites fleurs blanc crème, odorantes.

Exposition. Ce sont des plantes qui, l'hiver, doivent séjourner dans un endroit très frais, et bien qu'on puisse en faire des plantes d'appartement, ce sont en réalité des plantes d'orange-rie. Si on les cultive à l'intérieur, il faudra penser à leur donner un emplacement peu chauffé, à l'abri des gelées.

Soins. Cultivés en caisse, les *Pittósporum* atteignent des proportions assez considérables et finissent par encombrer ceux de leurs propriétaires qui ne disposent pas d'une vaste serre froide, d'une chambre ou d'un grand hall peu chauffés où les loger en hiver. Si on se trouve dans ce cas, mieux vaut s'abstenir. Sans être dénuées d'attrait, ce ne sont tout de même pas des plantes extraordinaires. On les cultive en plein air dans l'Ouest et le Midi. Dans le nord du pays, on peut les sortir à partir de la mi-mai. La plupart des livres recommandent le plein soleil, nous avons obtenu de meilleurs résultats à l'ombre légère. À cette époque, les fleurs

Pittósporum eugenioïdes

Les fleurs du *Pittósporum.*

Pittósporum tobíra 'Variegatum'.

Platycérium bifurcátum

séparément. Ils s'enracinent assez rapidement, placés à l'étouffée. La multiplication se fait aussi par le semis des spores dans un milieu stérile, à 25 °C et sous feuille de verre. L'élevage des plantules est délicat.

Maladies. Les cochenilles à bouclier se manifestent après un hiver passé dans des locaux trop chauds. Transporter la plante en lieu plus frais.

Platycérium bifurcátum

Syn. *Platycérium alcicórne*. « Corne d'élan ». Frondes stériles à peine découpées, mesurant jusqu'à 30 cm de large, appliquées, convexes, d'abord vertes puis brunes. Frondes fertiles 2 à 3 fois fourchues, gris vert clair, lobes pendants portant des spores à leur extrémité.

Platycérium gránde

Frondes stériles formant un nid à la base, lobes dressées et fourchus au sommet. Frondes fertiles pendantes, fortement bifurquées, velues au départ, lobes lancéolés-larges, sores placés entre les premières fourches.

Platycérium híllii

Ressemble à l'espèce précédente mais les frondes fertiles sont plus longues, plus dressées et plus larges à la base, nombreux lobes plus aigus et plus verts.

cultivé en suspension, dans des corbeilles ou des paniers ajourés. Le mélange qui lui convient est composé de terreau de feuilles ou de sapinette, d'osmonde et de sphagnum, plus un peu de fumier de vache décomposé.

Multiplication. Toutes les espèces, à l'exception de *Platycérium gránde*, produisent des bourgeons adventifs que l'on détache pour les empoter

Platycérium willínckii

Proche de *Platycérium gránde* mais de taille plus réduite, frondes fertiles blanches, duveteuses, sores à l'extrémité des fourches. Toutes les espèces ont donné des variétés avec des modifications particulières dans la forme des frondes ; il serait fastidieux de les énumérer.

Plectránthus
Labiátæ

Nom. Du grec *plêktron*, éperon, ergot, et *anthos*, fleur. Les fleurs de certaines espèces ont un éperon.

Origine. On connaît environ 120 espèces dispersées en Afrique, Asie, Australie et jusqu'en Polynésie.

Description. Petites plantes toutes simples faisant penser au *Cóleus*, mais leur feuillage est moins beau. L'espèce *Plectránthus fruticósus* a la réputation d'éloigner les mites par son odeur, et de soulager les rhumatismes. On peut toujours essayer...

Exposition. Plantes sans exigences, qui peuvent passer toute l'année en appartement, même bien chauffé en hiver.

Plectránthus œrtendáhlii

Plectránthus fruticósus soulage, dit-on, les rhumatismes.

Soins. *Plectránthus fruticósus* ne redoute pas le plein soleil mais se contente aussi d'un éclairement moyen. L'hiver, la température peut descendre jusqu'à 12 °C. Les plantes ne restent pas belles très longtemps, il faut les renouveler à partir de boutures, au moins une fois par an.

Plectránthus œrtendáhlii exige plus d'humidité et doit être protégé de l'insolation en été.

Plectránthus parviflórus est l'espèce qui résiste le mieux à l'ombre.

Arrosage. *Plectránthus fruticósus* réclame de copieux arrosages en été. Arroser un peu moins en hiver, si la température est basse.

Fertilisation. Habituellement, ces plantes ont une croissance naturellement vigoureuse. On ne leur fera cependant aucun tort en leur donnant un peu d'engrais en été.

Rempotage. Rempoter chaque année, au printemps. Si on souhaite avoir de grosses potées, on renouvellera l'opération au début de l'été. Une terre de rempotage ordinaire du commerce suffit.

Multiplication. Toutes les espèces se bouturent avec la plus grande facilité. Les extrémités de pousses s'enracinent aussi bien dans la terre que dans l'eau. Renouveler fréquemment les boutures. Les plantes sont surtout attrayantes lorsqu'elles sont jeunes. *Plectránthus œrtendáhlii* donne facilement des graines que l'on peut semer.

Plectránthus fruticósus

Sous-arbrisseau dressé, légèrement duveteux, odorant. Feuilles ovales-cordées, mesurant jusqu'à 15 cm de long, vert clair sur les deux faces. Fleurs en thyrses, corolle assez petite, lilas.

Plectránthus œrtendáhlii

Plante rampante, aux feuilles ovales-arrondies mesurant jusqu'à 4 cm de long, vert clair à nervures blanches, dessous rose carminé. Fleurs en thyrse court, corolle blanche ou lilas très clair.

Plectránthus parviflórus

Syn. *Plectránthus austrális*. Ressem-

Platycérium en serre : d'énormes frondes (à gauche) se couvrent de larges plaques de spores ; d'autres (à droite) sont stériles.

ble beaucoup à l'espèce précédente, les feuilles sont simplement plus épaisses, luisantes et vert uni. Il existe une plante toute semblable, dite *Plectránthus strigósus,* qui aurait donné une forme à feuilles bordées de blanc, appelée 'Élégance'.

Pleióne

Orchidáceæ

Nom. Du nom de *Plêionê,* mère des Pléiades, les sept vierges poursuivies par Orion et métamorphosées par Zeus d'abord en colombes, puis en étoiles (constellation des Pléiades).
Origine. 15 espèces vivent dans la région qui s'étend de l'Himãlaya à la Chine.
Description. Ravissantes petites orchidées à pseudobulbes, aux fleurs rose violacé, proposées pour la culture en appartement et au jardin.
Exposition. Ces plantes prospèrent sur un bord de fenêtre pas trop exposé à la chaleur ou en plein air dans un coin abrité, à l'ombre légère.
Soins. On les achète souvent tout empotées, au printemps, en les commandant par correspondance. Il

Pleióne bulbocodioídes

faut les garder à l'intérieur jusqu'à ce qu'elles aient émis des feuilles. Aérer abondamment et bassiner de temps à autre. Le feuillage se dessèche et meurt en automne et le *Pleióne* est conservé au sec et au frais jusqu'au printemps suivant. Température minimale : 5 °C.
Arrosage. Arroser peu au démarrage et copieusement en pleine période de végétation. Réduire les arrosages en automne, jusqu'à la chute des feuilles. Puis conserver à sec, dans le pot. N'utiliser que de l'eau de pluie.
Fertilisation. Légers apports d'engrais tous les 15 jours, en période de végétation.
Rempotage. Le *Pleióne* doit être rempoté tous les ans dans un mélange de polypode, sphagnum haché, billes d'argile et fumier de vache séché. Mettre plusieurs plantes ensemble dans des terrines ou des coupes bien drainées.
Multiplication. Au moment du rempotage, on peut séparer les jeunes pseudobulbes et les planter à part.

Pleióne bulbocodioídes

Syn. *Pleióne limpríchtii* ; *Pleióne formosána* ; *Pleióne hénryii.* Pseudobulbes mesurant jusqu'à 3 cm de diamètre, ovoïdes-courts, à une seule feuille

Plumbágo auriculáta

Plumbágo índica

lancéolée. Fleurs solitaires, rose lilacé, ayant jusqu'à 10 cm de diamètre, labelle frangé, maculé de jaune et de blanc. Plusieurs cultivars de teintes variées.

Plumbágo

Plumbagináceæ

Nom. Du latin *plumbum,* plomb. La sève de *Plumbágo europǽa* teinte la peau en gris plombé.
Origine. 20 espèces, répandues dans toutes les parties du monde où le climat est chaud.
Description. Plantes grimpantes bien connues, aux fleurs bleu ciel ou rouges, en grappes.
Exposition. L'espèce à fleurs bleues peut se cultiver dehors en été, mais doit hiverner en lieu frais. C'est une plante de plein air dans le Midi. L'espèce à fleurs rouges se cultive en serre.
Soins. Les *Plumbágo* produisent tout leur effet plantés à même le sol de la serre. *Plumbágo auriculáta* peut être sorti à partir de mai et placé dans un coin très abrité, protégé du soleil entre 11 h et 15 h. On le rentre à l'abri en automne, à une température de 13 à

16 °C jusqu'en décembre, puis jusqu'à un minimum de 7 °C. *Plumbágo índica* convient pour la serre tempérée ; si on n'en possède pas, on pourra le garder à l'intérieur durant l'été et lui donner un emplacement frais, à 13 °C, en hiver. Il faut à tout prix empêcher les plantes de démarrer trop tôt au printemps.
Arrosages. Conserver la motte toujours modérément humide en été et empêcher les plantes de se dessécher en hiver.
Fertilisation. Fertiliser tous les 15 jours, de mai en août.
Rempotage. Un bon mélange doit contenir de la terre argileuse ou du limon. On prendra, par exemple, 1/3 de terre franche argileuse, 1/3 de terreau de feuilles ou de terre de rempotage et 1/3 de fumier de vache décomposé. Les plantes prospèrent aussi dans une terre de rempotage du commerce. Rempoter au début du printemps et rabattre sévèrement les plantes. Utiliser des bacs en plastique avec un bon drainage.
Multiplication. *Plumbágo auriculáta* se bouture en juin d'extrémités de pousses semi-aoûtées. Sur *Plumbágo índica,* on prélève déjà les jeunes pousses en avril-mai. Il faut, pour les deux espèces, une chaleur de fond de 20 °C. Les graines, lorsqu'on peut s'en procurer, se sèment à chaud, au printemps.
Maladies. On trouve parfois des anguillules des racines dans la terre : on le remarque aux racines qui sont boursouflées par endroits. Bouturer et jeter les vieilles plantes. Une température trop élevée en saison de repos prédispose les plantes aux attaques des pucerons et les incite à émettre des pousses molles.

Plumbágo auriculáta

Syn. *Plumbágo capénsis.* Arbuste aux tiges vertes, d'abord dressées, puis sarmenteuses. Feuilles alternes à court pétiole, mesurant 5 à 10 cm de long et 3 à 5 cm de large, le dessous (de même que les tiges) est couvert d'écailles blanches, la base du limbe embrasse le pétiole, grandes stipules réniformes. Fleurs en courts corym-

bes velus, bleu ciel. La forme 'Alba' fleurit blanc.

Plumbágo índica

Syn. *Plumbágo rósea* ; *Plumbágo coccínea.* Ressemble à l'espèce précédente, sans stipules. Fleurs en grappe glabre, rouges.

Podocárpus

Podocarpáceæ

Nom. Du grec *podos,* pied, et *karpos,* fruit.
Origine. On trouve environ 65 espèces dans les régions subtropicales de l'hémisphère austral.
Description. Arbrisseau à feuillage persistant, appartenant à l'embranchement des gymnospermes (espèces à graine nue) et plus particulièrement à la famille des conifères.
Exposition. Dans le sud de l'Allemagne, ces arbustes peuvent passer l'hiver dehors. Ce qui signifie que même dans les pays à climat froid, on cherche à leur donner l'emplacement le plus frais possible. Ce sont des plantes d'orangerie.
Soins. Il est possible de garder le *Podocárpus* à l'intérieur pendant l'été, mais il faut, dans ce cas, le placer à proximité d'une baie très claire. Le soleil ne peut pas le gêner. On peut également le mettre sur le balcon à partir de fin mai. Au Japon, on cultive beaucoup le *Podocárpus* en pot. Une terrasse abritée constitue aussi un excellent emplacement pendant la belle saison.
L'hiver, il faut mettre ce conifère en serre froide ou dans n'importe quel local très clair et à l'abri du gel : escalier, dégagement etc. Quelques degrés au-dessous de zéro ne l'endommageront pas s'il est bien sec.
Arrosage. Arrosages modérés en été, et très réduits en hiver, si la plante est installée au froid.
Fertilisation. On peut fertiliser tous les 15 jours en saison de végétation.
Rempotage. La plante se propage de boutures de rameaux à faire enraciner sous cloche.

Podocárpus macrophýllus

À l'âge adulte, c'est un arbre aux branches pendantes ; feuilles en double rang, longues de 7-10 cm, larges de 1 cm, lancéolées, vert luisant, plus claires en dessous.
La var. *máki* a des branches érigées, les feuilles sont insérées plus près les unes des autres et elles sont plus

Podocárpus macrophýllus : un jeune sujet.

petites, jusqu'à 7 cm de long et 7 mm de large, leur bord est légèrement ourlé.

Polýscias
Araliáceæ

Nom. Du grec *polys*, beaucoup, et *skias*, ombrelle, parasol. Il signifie sans doute que cet arbre donne beaucoup d'ombre.

Origine. On connaît plus de 70 espèces, à Madagascar, en Asie tropicale de l'Est et dans les îles du Pacifique.

Description. Rien qu'à la façon dont la pétiole enveloppe la tige, on reconnaît aussitôt un membre de la famille des araliacées. Comparer les *Hédera, Fátsia, Trevésia,* etc. Dans chaque cas, les feuilles sont composées et la foliole du sommet a un pétiolule. Parfois les folioles sont découpées. Le dessus des feuilles est quelquefois vert et, chez certaines races, panaché de jaune, de blanc ou de gris.

Exposition. La température minimum se situe quelque part entre celle de la serre chaude (18 °C) et celle de la serre tempérée (12 °C), soit aux alentours de 15 °C. Si l'on dispose chez soi d'une pièce où règne cette température (chambre inoccupée, par exemple), on pourra cultiver le *Polýscias* sans problème en saison de repos. Il faut que la plante conserve son feuillage : on continue donc à arroser en hiver. Les plantes qui hivernent dans des pièces normalement chauffées souffriront de l'air sec ambiant, à moins qu'on ne s'applique à y remédier.

On prévient la chute des feuilles en pratiquant des pulvérisations plusieurs fois par jour. N'utiliser dans ce but que de l'eau de pluie. On importe actuellement ces plantes sous forme de « totems » (segments de tronc), comme pour les *Dracæna*. On les fait enraciner à chaud et on les endurcit avant de les mettre en vente. Ces « totems » ne présentent ni avantages, ni inconvénients particuliers, ils plaisent à certains, c'est tout.

Arrosage. En été, la motte des *Polýscias* doit toujours être modérément à très humide. Les arroser le plus possible à l'eau de pluie car ils redoutent l'excès de calcaire dans la terre. Les pots seront tenus un rien plus secs en hiver.

Fertilisation. En pleine saison de croissance, on peut arroser la plante tous les 15 jours avec une solution d'engrais. Ne pas fertiliser au-delà de

Polýscias balfouriána 'Pennockii'

Polýscias guilfoýlei

la mi-août, on empêcherait les pousses de se lignifier avant l'hiver.

Rempotage. On recommande deux préparations de mélange : a) un mélange parfaitement acide, composé de sapinette additionnée d'un peu de fumier de vache décomposé ; b) un mélange contenant une petite quantité de terre argileuse, donc de calcaire : 1/3 de terre argileuse ou limoneuse, 1/3 de terreau de feuilles (feuilles de hêtre, par exemple), 1/6e de sable grossier ou de perlite et 1/6e de fumier de vache décomposé. Les deux mélanges donnent des résultats excellents, qui se valent.

Multiplication. On peut prélever des extrémités de tiges au printemps : en les récupérant, par exemple sur les tiges que l'on taille. Attention ! il ne suffit pas de planter une feuille composée avec son pétiole, seules les boutures comportant un vrai segment

de tige ont la propriété de s'enraciner. Placer les boutures sur chaleur de fond de 25-30 °C et couvrir d'une cloche. Les jeunes plantes seront pincées à plusieurs reprises.

Maladies. Les plantes qui hivernent à des températures trop élevées sont très sensibles, au printemps suivant, aux attaques des cochenilles à bouclier.

Polýscias balfouriána
○ ○ ○ ○ ○ ○ ○

Syn. *Arália balfouriána*. Arbuste à rameaux ponctués de taches grises, feuilles à pétiole de 15 cm, généralement composées de 3 folioles presque rondes, de 7 à 10 cm de diamètre chacune, cordées à la base, vert luisant, marbrées de gris ou de vert jaunâtre, à nervures blanches.

Polýscias filicifólia
Feuilles composées de 9 à 13 folioles

pétiolées, de couleur vert clair. Les folioles sont très découpées sur les jeunes plantes.

Polýscias guilfoýlei.
Syn. *Nothópanax guilfoýlei*. 5 à 7 folioles vert clair, bordées de blanc. La race 'Victoria' a des folioles profondément et irrégulièrement découpées.

Polýscias paniculáta
Feuille composée de 7 folioles, celle du sommet étant la plus grande. Bord des feuilles denté. 'Variegata' a des feuilles maculées de jaune.

Sores à la face inférieure d'une fronde de fougère.

Polýstichum tsus-siménse

Polýstichum

Aspidiáceæ

Nom. Du grec *polys,* nombreux, et *stichos,* rangée. Les sores sont disposés sur de nombreux rangs.
Origine. Environ 225 espèces, dispersées dans toutes les parties du monde.
Description. Belles fougères aux frondes pennées et dont plusieurs espèces peuvent être cultivées à l'intérieur.
Exposition. Leur texture coriace permet à ces fougères de résister avec succès à l'air sec. Au prix de quelques soins, on parvient à les conserver en appartement.
Soins. Il faut repérer une situation très claire mais à l'abri de l'ensoleillement direct. Faire des vaporisations le plus souvent possible. Cette fougère se plaît surtout en compagnie d'autres plantes, dans de grands bacs : leur présence lui procure un peu de l'humidité dont elle a besoin. L'hiver, le *Polýstichum* apprécie la fraîcheur, il supporte très bien un minimum de 10 °C. Continuer à bassiner le feuillage ou placer le pot dans la serre tempérée, sous une tablette ; la plante s'y reposera très à l'aise.
Arrosage. Arroser à saturation en été : à l'eau de pluie ou déminéralisée ce sera parfait. La motte doit rester modérément humide pendant l'hiver.
Fertilisation. Pour être belle, une fougère doit avoir une croissance vigoureuse : il faut donc bien la fertiliser, même si c'est par petites doses. Faire des apports d'engrais hebdomadaires pendant toute la période de végétation, mais en réduisant la concentration normale de moitié.
Rempotage. On utilise un mélange de terreau de feuilles, de fumier de vache décomposé et d'un peu de sable grossier. On peut aussi se servir d'une terre de rempotage du commerce.
Multiplication. Les plantes se divisent au printemps. On sème aussi les sores, à une température de 18-20 °C, sous châssis. Stériliser la terre au préalable pour éviter qu'elle soit envahie par les algues. Les plantules sont délicates à élever.

Polýstichum auriculátum
Fougère des régions montagneuses. Rhizome et pétioles écailleux. Frondes lancéolées, mesurant jusqu'à 30 cm de long, coriaces. Pinnules sessiles, ovales à rhomboïdales, incurvées en forme de faucille, à bord grossièrement denté.
Polýstichum tsus-siménse
Pétioles sombres. Frondes sagittées, de 20 cm de long, bipinnées, vert foncé. La plus répandue des espèces.

Prímula obcónica. Groupe de plantes aux fleurs diversement colorées.

Prímula

Primuláceæ

primevère

Nom. Du latin *primula,* adjectif féminin diminutif de *primus,* premier. Allusion à la floraison précoce de certaines espèces.
Origine. Les quelque 550 espèces connues vivent surtout dans les régions montagneuses d'Europe et dans les zones tempérées d'Asie et d'Amérique du Nord. La plupart des espèces sont des plantes de jardin, quelques-unes seulement sont cultivées en appartement.
Description. Plantes aux feuilles tomenteuses, donnant une profusion de fleurs dans des teintes très variées.
Exposition. Les primevères tiennent bien en situation fraîche. Tablettes de fenêtre, pièces surchauffées n'ont pas leur faveur.
Soins. La plupart des espèces ne se conservent que très difficilement. Généralement on les jette après la floraison. On cherche donc surtout à prolonger au maximum la durée de leur floraison par des soins appropriés. La première chose à faire est de leur choisir un emplacement aussi frais que possible : un corridor, une chambre, une fenêtre entrouverte, surtout si on achète la plante à l'approche de l'été. Il ne s'agit pas de créer un courant d'air, mais bien de rafraîchir constamment l'atmosphère. Le second point délicat est la lumière : il en faut beaucoup, mais point de soleil direct.
Prímula obcónica, l'espèce qui provoque des allergies de la peau chez certaines personnes, est un cas à part : on peut facilement la conserver plusieurs années, surtout en la mettant au jardin. Pour la faire refleurir en hiver, il faut la mettre à l'abri dans une serre froide ou un coffre, à l'approche de l'automne. Elle résiste un peu mieux à la chaleur que les autres espèces. Les inflammations de la peau sont causées par une substance toxique secrétée par toutes les parties de la plante et présente surtout dans la fleur et son pédoncule : la primine. Le simple contact des poils qui recouvrent les feuilles peut être irritant. La sensibilité à la primine varie, selon les personnes, de 0 à 100 %. Des recherches ont permis de sélectionner des races exemptes de primine. Il est surprenant que ce renseignement ne figure jamais sur les plantes distribuées dans le commerce : on en reste donc au stade de l'expérimentation.

Prímula vulgáris. À cultiver de préférence au jardin.

Prímula prænítens. Primevère de Chine.

Prímula malacoídes 'Pink Panther'

Prímula malacoídes peut être replanté au jardin mais ne refleurit pas forcément. Les *Prímula vulgáris*, primevères souvent vendues comme potées d'appartement, sont en fait des plantes qu'il vaut mieux mettre tout de suite au jardin, si toutefois on aime leurs coloris agressifs, car ce sont de vraies plantes de parterres. La même remarque s'applique à *Prímula elátior*. La primevère de Chine tolère raisonnablement une ambiance chaude. Hivernée à une température minimum de 5 °C et remise en végétation dès janvier, elle a des chances de refleurir. Mais mieux vaut ne pas se faire trop d'illusions : seules les personnes aux doigts vraiment « verts » réussissent à conserver les primevères. Dans 99 % des cas, on le jette après la floraison.

Arrosage. Toutes les espèces boivent énormément pendant la floraison et, plus que toute autre, *Prímula vulgáris*, que l'on peut laisser en permanence dans une soucoupe pleine d'eau. La primevère de Chine et *Prímula obcónica* peuvent souffrir d'arrosages excessifs. N'utiliser que de l'eau de pluie et éviter de mouiller le feuillage.

Fertilisation. Quelques apports d'engrais en cours de floraison permettent de prolonger la durée des fleurs. Diminuer de moitié la concentration normale. Ne pas oublier les plantes que l'on a sorties au jardin pour l'été, elles aussi réclament de l'eau et de la nourriture.

Rempotage. On cultive de plus ou en plus les primevères dans de la tourbe. Une terre de rempotage du commerce convient également très bien. Un bon p H se situe à 6-6,5.

Lorsqu'on désire conserver ses plantes, il faut les rempoter aussitôt après la floraison. Éliminer toutes les hampes florales et les feuilles abimées. Utiliser des pots en plastique avec un orifice de drainage.

Multiplication. La méthode utilisée est le semis, c'est aussi celle qui est pratiquée par les horticulteurs. Les graines sont faciles à se procurer. La température de germination est de 16 °C. Les graines sont à peine recouvertes de terre. Le moment le plus propice est juin-juillet, ou même un peu plus tôt, pour obtenir des plantes qui fleuriront au printemps suivant. Plus on sème tôt, plus les plantes seront fortes. Les jeunes plantules sont repiquées deux fois, puis placées au jardin, à l'ombre, jusqu'en septembre. On les met ensuite en serre froide ou en coffre froid où elles poursuivent leur croissance, à température très modérée, jusqu'au printemps.

Maladies. Le jaunissement des feuilles indique généralement qu'il y a carence de fer : le pH de la terre est trop élevé (il doit se situer à 6-6,5).

Prímula × kewénsis
Croisement de *Prímula floribúnda* et *Prímula verticilláta*. Feuilles spatulées, vert clair, souvent poudrées de blanc. Fleurs grandes, jaunes, en verticilles superposés.

Prímula malacoídes
Feuilles en rosette, sur des pétioles mesurant jusqu'à 8 cm. Hampes florales bien dégagées du feuillage. De 2 à 6 ombelles superposées par hampe. Les fleurs ont un œil jaune, leurs couleurs varient du blanc au rose lilacé en passant par le rose vif.

Prímula obcónica
Espèce provoquant des irritations de la peau. Seul un très petit pourcentage de gens y sont sensibles. Feuilles vert clair, oviformes, duveteuses. Fleurs en grandes ombelles semi-sphériques, de coloris très variés. Longs pédoncules.

Prímula prænítens
Syn. *Prímula sinénsis*. Primevère de Chine. Feuilles en rosette, aux lobes profondément découpés et dentés. Longs pétioles. Fleurs en ombelles terminales lâches, parfois verticillées, dans les coloris rouge, orange et blanc. Longues hampes. Les races aux fleurs frangées appartiennent au groupe des 'Fimbriata'.

Prímula vulgáris
Syn. *Prímula acaúlis*. Plante cespiteuse, aux feuilles oblongues. Fleurs en ombelles radicales, ayant généralement un œil jaune.

Pseuderánthemum atropurpúreum 'Tricolor'

Pseuderánthemum
Acanthácéæ

Nom. Du grec *pseudos*, mensonge, erreur, et d'*Eránthemum*, nom de genre. Plante ressemblant beaucoup à l'*Eránthemum* sans en être : elle a des feuilles brunes ou veinées de jaune alors que l'*Eránthemum* a des feuilles vertes.

Origine. On connaît 70 espèces vivant dans de nombreuses contrées tropicales.

Description. Petites plantes très modestes ; les plus connues ont des feuilles entièrement brun rouge.

Exposition. Plantes se prêtant mal à la culture en appartement. On les réserve à la plantation en bonbonne, vitrine et serre d'appartement. À abriter du soleil.

Soins. Ces plantes exigent une atmosphère trop humide pour pouvoir vivre ailleurs que sous abri vitré. Elles aiment des températures élevées tout l'été. À l'approche de l'hiver, on leur accordera un semi-repos à 16 °C (c'est le minimum toléré). On peut bassiner sans crainte le feuillage, en se servant de préférence d'eau de pluie afin d'éviter la formation de taches de calcaire.

Arrosage. Conserver la motte toujours modérément humide en été, un rien plus sèche en hiver. N'arroser qu'à l'eau de pluie, ces plantes n'apprécient pas le calcaire.

Fertilisation. Fertiliser tous les 15 jours, en été, avec des solutions d'engrais très légères (la moitié de la concentration normale).

Rempotage. Mélange riche en humus composé de terreau de feuilles, fumier de vache décomposé et sable grossier. Prendre des pots larges, peu profonds et bien drainés.

Multiplication. Les extrémités de pousses s'enracinent facilement avec une légère chaleur de fond. Refaire des boutures régulièrement car les plantes sont surtout jolies quand elles sont jeunes.

Pseuderánthemum atropurpúreum
Plante entièrement brun rouge, aux tiges dressées et aux feuilles ovoïdes mesurant jusqu'à 15 cm de long et 8 cm de large, parfois beaucoup plus petites. Fleurs en épi, calice rougeâtre, corolle blanche tachée de rose, aux lobes très étroits. La race 'Tricolor' a des feuilles panachées de rose et de blanc.

Pseuderánthemum reticulátum
Feuilles plus étroites, vert foncé et

Ptéris quadriauríta

Ptéris quadriauríta 'Argyreia'

non brunâtres, les plus jeunes ont des nervures jaunes très marquées. Fleurs en panicule, blanches à gorge pourpre.

Ptéris
Pteridáceæ

Nom. Du grec *pteron*, aile. Les pennes ont parfois la forme d'une aile.

Origine. Il existe environ 280 espèces répandues dans tout le monde tropical et subtropical, on en trouve aussi quelques-unes en zone tempérée. Ce sont des plantes terrestres qui vivent dans les forêts humides.

Description. Ces fougères ont un court rhizome écailleux duquel partent de longs pétioles portant des frondes en général simplement pinnées. Les espèces diffèrent beaucoup les unes des autres.

Expositions. Les espèces à frondes vert uni se cultivent en atmosphère fraîche, celles à frondes panachées réclament davantage de chaleur. Pas de soleil, forte humidité ambiante. Plantes mieux désignées pour la serre que pour l'appartement.

Soins. Il se pose peu de problèmes lorsque les plantes sont élevées en serre, en vitrine ou en bonbonne. Les espèces vertes s'accommodent assez bien d'un éclairement réduit, les espèces panachées doivent être placées à proximité d'une fenêtre mais ne supportent pas le soleil. L'hiver, les espèces vertes tolèrent un minimum de 12 °C. Pour les espèces panachées, la température minimale hivernale doit se maintenir à 16-18 °C.

Si l'on tient à conserver ces fougères dans l'appartement, il faudra prendre quelques dispositions propres à faire monter le degré d'hygrométrie : on plantera les *Ptéris* en compagnie d'autres plantes, dans de grands bacs, on évitera de les placer auprès d'un radiateur, on les bassinera quotidiennement. Les difficultés surgissent surtout en hiver, lorsque le chauffage fait descendre le degré d'hygrométrie à 40 % : c'est une atmosphère à laquelle les fougères résistent très mal. Il faut à ce moment-là leur trouver un logement plus frais (une chambre inoccupée, par exemple) où elles pourront hiverner dans des conditions plus favorables. La petite soucoupe pleine d'eau placée sous le pot ne nous paraît pas être très efficace. L'intention est louable, mais l'effet bien insuffisant pour répondre aux besoins d'une belle grosse potée : c'est tout un étang qu'il lui faudrait !

Arrosage. L'été, la motte ne doit, jamais, au grand jamais, se trouver sèche. Elle doit être modérément mais constamment humide. Le pH de l'eau doit mesurer entre 4,5 et 5,5. L'eau du robinet est généralement trop calcaire. Donc : eau de pluie pure (celle recueillie en zone industrielle est très souvent polluée par toutes sortes d'émanations toxiques).

L'hiver, on règlera les arrosages selon la température ambiante.

Fertilisation. Les fougères sont des plantes gourmandes, mais elles redoutent aussi l'accumulation de sels dans la terre. On fertilisera donc souvent (une fois par semaine) mais en utilisant des solutions de faible concentration (1 cc par litre d'eau), et en période de végétation uniquement.

Rempotage. Le mélange ne doit pas contenir trop de calcaire. Une terre de rempotage standard peut convenir, mais si on désire préparer son propre mélange, on prendra 1/3 de terreau de feuilles (de hêtre, de préférence), 1/3 de fumier de vache parfaitement décomposé et 1/3 de sable grossier ou de perlite : on aura obtenu de cette façon une terre riche en humus se rapprochant de celle que les plantes trouvent dans le sol des forêts où elles croissent spontanément.

Les pots de plastique valent mieux que les pots de terre : l'humidité s'y conserve mieux. Veiller à ce qu'il y ait un bon drainage. Des coupes larges, des bacs à plantes, bacs à réservoir d'eau et bacs d'hydroculture : tout cela peut convenir.

Multiplication. Lorsqu'on a besoin d'un petit nombre de sujets, il suffit de diviser la touffe au moment du rempotage, donc au printemps. Autrement,

il vaut mieux semer des spores. On les trouve dans des magasins spécialisés ou on les recueille sur des plantes adultes. La terre dans laquelle s'effectue le semis doit être préalablement stérilisée. La levée se produit à 25 °C. L'élevage des plantules requiert beaucoup de patience et de soin. Dans les premiers temps, les petites plantes sont gardées sous châssis.

Maladies. On observe parfois de grandes taches noires entre les nervures : elles sont causées par les anguillules des feuilles. Jeter les plantes atteintes. Parfois, mais c'est rare, on trouve des cochenilles à bouclier.

Ptéris crética

Pétioles jaunes ou brun clair, assez rigides, mesurant jusqu'à 30 cm. Les frondes coriaces, qui atteignent jusqu'à 30 cm de long et 20 cm de large, sont de couleur vert clair, avec 2 à 6 pinnules disposées de part et d'autre de la nervure médiane. Ces pinnules sont dentées ou découpées de très diverses façons. Elles sont parfois traversées au centre d'une bande blanche. Les races les plus importantes sont : 'Albolineata', aux pinnules plus larges avec une raie blanche au centre ; 'Alexandræ', variété égale-

De g. à d. : en haut, *Ptéris crética* 'Alexandræ', 'Major', 'Parkeri' ; en bas, 'Albolineata', *Doryópteris palmáta* et *P. ensifórmis* 'Victoriæ'.

Ptéris crética 'Nobilis' en pot à réservoir d'eau.

ment panachée et dont les pinnules sont découpées et frisées à leur sommet ; 'Gauthierii' a des pinnules larges, profondément découpées, pointues, irrégulières ; 'Major' ressemble au type, mais sa croissance est plus vigoureuse, ses pinnules plus larges sont soudées à la base ; 'Parkeri' a des frondes très larges, non ondulées et rugueuses au toucher. 'Rivertoniana' est très proche de 'Gauthierii' mais son feuillage est plus fin et plus dense, les pinnules du sommet sont plus larges et parfois lobées ; 'Rœweri', race très touffue et très ramifiée, a des pinnules pétiolées, celles du sommet étant découpées et frisées ; 'Wimsettii', variété robuste et très répandue, ressemble également à 'Gauthierii' et a des frondes découpées en pinnules irrégulières, aux extrémités frisées.

Ptéris ensifórmis

Syn. *Ptéris crenáta.* Pétioles jaune paille, minces, mesurant jusqu'à 15 cm de long. Les frondes fertiles (porteuses de spores) ont de longues pinnules terminales et 2 à 4 paires de pinnules latérales aux bords entiers. Les frondes stériles ont des pinnules plus courtes, obtuses, aux bords crénelés. On trouve surtout ses cultivars : 'Evergemiensis' a de larges raies blanches longitudinales, et 'Victoriæ' est panaché de la même façon, mais avec des bandes blanches moins nettes et moins larges. Les frondes fertiles sont plus étroites. Les deux formes citées se marient quelquefois.

Ptéris multífida

Syn. *Ptéris serruláta.* Pétioles bruns, frondes mesurant jusqu'à 50 cm de long, divisées en étroites pinnules vert foncé, très écartées les unes des autres. La forme 'Cristata' a des pennes cristées à leur extrémité ; sa croissance est plus faible.

Ptéris quadriaurita

Pétioles jaune paille, frondes ayant jusqu'à 50 cm de long, bipinnées et de forme triangulaire. Les pinnules les plus petites sont sessiles. Le cultivar 'Argyreia' a des pennes rayées de blanc verdâtre au centre.

Ptéris tré:nula

Pétioles bruns, mesurant jusqu'à 30 cm de long, frondes faisant jusqu'à 1 m de long, bi- et tripennées. Les divisions du sommet sont très écartées les unes des autres, celles de la base sont beaucoup plus épaisses et beaucoup plus longues (jusqu'à 30 cm). Croissance vigoureuse.

Ptéris umbrósa

Pétioles brun rouge, de 50 cm. Frondes de 60 cm de long et 30 cm de large, formées d'une pinnule terminale et de 6 à 9 paires de pinnules latérales, de couleur vert foncé uni. Les pinnules du sommet sont finement dentées, celles de la base sont divisées ou pinnées. Ressemble de très près à *Ptéris crética* 'Major' et souvent confondu avec lui.

Ptéris vittáta

Syn. *Ptéris longifólia.* Pétioles vert jaune, de 20 cm, couverts d'écailles claires. Frondes ovales-allongées, de 70 cm de long et 10 cm de large, simplement pinnées, portant 20 à 30 paires de pinnules le long de la nervure médiane. Espèce plus rare.

Púnica

Punicáceæ

grenadier

Nom. Du latin *punicum,* grenade, ou *malum punicatum,* pomme de Carthage. Au temps des Romains, les meilleures grenades venaient de Carthage, la province punique.
Origine. 2 espèces. Le grenadier commun est cultivé depuis l'Antiquité. À l'origine, il venait de contrées situées près de l'Iran et de l'Inde du Nord-Est, où la grenade était le symbole de la fertilité. La pulpe pressée servait à préparer des boissons et la peau était utilisée pour soigner les maux de gorge. On faisait une tisane avec ses feuilles et on combattait le ver solitaire avec ses racines.
Le grenadier a été, selon toute probabilité, l'une des toutes premières plantes d'orangerie.
Description. Arbuste épineux, à petites feuilles caduques, produisant des fruits, les grenades, à chair comestible. Il pousse en plein air dans les pays méditerranéens, on le trouve dans le Midi et dans les jardins abrités des régions de l'Ouest. Le jus des grenades sert à fabriquer la grenadine. On ne cultive en pot que la forme naine 'Nana' ; il lui arrive de porter des fruits dans le Nord, mais ils parviennent rarement à maturité.
Exposition. À partir de fin mai, le grenadier se plaît installé dans un endroit ensoleillé et abrité du jardin. On peut, à la rigueur, le placer sur le rebord d'une fenêtre bien ensoleillée.
Soins. À l'approche de l'automne, on le transporte dans un local clair et frais : une serre, par exemple. Si on manque de place, on pourra raccourcir les rameaux les plus longs. La température minimale se situe à 5 °C.
Arrosage. En saison de végétation, la motte doit toujours être humide. Diminuer les arrosages à partir du mois d'août pour permettre aux pousses de se lignifier. Cesser pratiquement d'arroser au début de l'hiver.
Fertilisation. Les fientes d'oiseaux semblent donner d'excellents résultats. Fertiliser tous les 15 jours en période de végétation.
Rempotage. Il est bon d'ajouter un peu de terre argileuse ou limoneuse au mélange.
Multiplication. Les pousses semi-aoûtées s'enracinent sur chaleur de fond. On peut aussi faire des semis à partir de février.

Púnica granátum

○ ⊕ ⊛ ○ ⃝

Grenadier commun. Arbuste épineux à feuillage caduc. Feuilles oblongues, de 3 à 8 cm de long et 2 à 5 cm de large, alternes ou fasciculées. Fleurs terminales, par bouquets de 2 à 5, calice charnu, persistant, corolle rouge orangé. Fruits sphériques, juteux, à deux loges superposées. En appartement et en orangerie, on cultive exclusivement la race 'Nana', une forme naine, produisant des fleurs de 2 cm de diamètre. Il existe un cultivar moins connu, 'Pleniflora', aux grandes fleurs pleines ; 'Albescens' a des fleurs doubles blanches, de même que 'Multiplex'.

Pyrrhocáctus

Cactáceæ

Nom. Du grec *pyrrhos,* d'un rouge de feu, et du latin *cactus,* cactus. Les fleurs ont une couleur flamboyante.
Origine. 8 espèces, répandues de l'ouest de l'Argentine au centre du Chili.

Description. Cactus globuleux à légèrement cylindriques, aux côtes très saillantes et aux aiguillons rigides. L'extérieur des fleurs est velu.
Exposition. Ils exigent le plein soleil et un repos hivernal à basse température.
Soins. L'endroit qui leur convient le mieux est la serre froide, où ils bénéficient d'un maximum d'ensoleillement et de chaleur en été, et d'une ambiance fraîche (minimum 5 °C) et sèche en hiver. Seul le froid hivernal leur permet de produire les fleurs tant attendues et les empêche de se ramollir et de pourrir. L'été, pas de problème en appartement : on les pose sur un bord de fenêtre, au soleil. L'hiver, il faut évidemment trouver un petit endroit bien frais.
Arrosage. En période de végétation, on peut faire quelques apports d'engrais spécial pour cactées, peu azoté. Une fois par mois suffit.
Rempotage. Utiliser le mélange habituel pour cactus, préparé par soi-même (voir l'introduction générale) ou acheté prêt à l'emploi : il aura le pH adéquat et une bonne perméabilité. Prendre des pots en plastique, bien drainés.
Multiplication. Semer au printemps, à 20 °C, sous châssis. Repiquer et endurcir les plantules. Tamiser la lumière au cours des premiers mois.

Pyrrhocáctus strausiánus

○ ⊕ ⊛ ○ ⃝ ⊞

Syn. *Echinocáctus strausiánus ; Malacocárpus strausiánus.* Cactus sphérique, gris vert, à 12-18 côtes tuberculées. Aiguillons brun rouge, gris, brun gris, noirs, longs de 3 cm, souvent un peu recourbés. Fleurs brunâtres et poilues à l'extérieur, rouge saumon soutenu à l'intérieur.

Rebútia

Cactáceæ

Nom. Du nom d'un éleveur de cactus, P. *Rebut,* qui vécut à Paris dans la seconde moitié du XIXᵉ siècle.
Origine. On compte une cinquantaine d'espèces spontanées qui, toutes, croissent en Argentine du Nord et dans les contrées limitrophes de la Bolivie. On les trouve jusqu'à des altitudes très élevées. Nous avons inclus dans la catégorie des *Rebútia* les genres *Aylóstera* et *Mediolobívia,* qui sont parfois traités à part.
Description. Ces cactus, en majorité très petits, ont une forme sphérique aplatie. Leurs côtes spiralées sont

Púnica granátum 'Nana'

Pyrrhocáctus scopárius

formées de petits tubercules. Les rejets et les fleurs naissent à la base des tiges. Ils fleurissent abondamment dès leur plus jeune âge et sont, pour cette raison, très recherchés des amateurs. Les fleurs sont souvent rouges, mais on trouve aussi des espèces à fleurs jaunes, orange ou violettes.

Exposition. Leur emplacement de prédilection est une serre sans dispositif d'ombrage et où règne un degré d'hygrométrie point trop bas. Ils seront aussi très à l'aise installés sur une tablette de fenêtre, en plein soleil, pourvu que l'on pense à les loger au frais pendant l'hiver. Les espèces les plus robustes supportent un peu d'ombre, mais la coloration de leurs aiguillons est alors moins belle.

Soins. En été, ils réclament chaleur et soleil, mais en hiver il leur faut surtout le froid et le sec. Ils supportent une température minimale de 5 °C, sans arrosage du tout.

Arrosage. On commence à arroser avec beaucoup de parcimonie à l'apparition des bourgeons et on augmente progressivement les arrosages jusqu'à leur verser l'eau directement sur la tête en été, ce qui est aussi une façon de créer un microclimat humide autour des plantes. Diminuer peu à peu les arrosages en automne, pour arriver à les supprimer totalement en novembre.

Fertilisation. Au cours de l'été, on peut distribuer quelques rations d'engrais soluble, peu azoté, spécial pour cactus, que l'on dilue dans l'eau d'arrosage.

Rempotage. Les résultats les meilleurs s'obtiennent en utilisant le mélange spécifique pour cactus dont nous donnons la composition dans l'introduction générale. Les plantes parviennent même à croître dans une terre ingrate et pauvre. Le rempotage a lieu au printemps, mais pas nécessairement tous les ans. Ne pas choisir des pots trop petits.

Multiplication. Elle est extrêmement facile : les plantes forment souvent des rejetons à leur base : on les sépare, on les fait sécher quelques jours et on les plante dans une terre sableuse. Elles donnent aussi des grai-

Rebútia senílis : les fleurs prennent naissance sous la base de la tige.

Une belle collection de *Rebútia*. On remarquera le grand nombre d'espèces fleuries.

Rebútia aureiflóra

Rebútia grácilis aux fleurs énormes.

nes qui lèvent sans peine. On trouve des graines de *Rebútia* dans le commerce : elles sont excessivement fines et il faut à peine les recouvrir. Le greffage, qui se pratique beaucoup sur les cactus, est rarement appliqué ici, car les *Rebútia* poussent très bien sur leurs propres racines.

Maladies. Les araignées rouges et les cochenilles farineuses envahissent les plantes qui souffrent de la sécheresse en été.

Rebútia aureiflóra
○ ⓘ ⓢ ⓒ ⓣ
Syn. *Mediolobívia aureiflóra.* Forme une boule aplatie. Aiguillons par 15 à 20, doux, sétiformes, bruns ou jaunes, mesurant jusqu'à 5 mm de long, les 2 à 3 aiguillons du centre étant plus longs (30 mm) et dressés. Fleurs orange, jaunes ou rouges, mesurant jusqu'à 40 mm de diamètre et se montrant au printemps et en été.

Rebútia deminúta
Syn. *Aylóstera deminúta.* Un peu plus haut que large. Aiguillons par 8 à 12, sétiformes, blanc jaunâtre, de 4 à 5 mm de long. Les aiguillons de l'intérieur ne diffèrent pas des autres. Fleurs rouges à rouge orangé, de 30 mm de long comme de large, apparaissant au printemps et en été. La var. *pseudominúscula* a une tige plus sphérique, les aiguillons centraux se distinguent des autres et les fleurs sont rouge lilacé.

Rebútia fiebrígii
Syn. *Aylóstera fiebrígii ; Echinocáctus fiebrígii.* Boule aplatie ; faisceaux de 30 à 40 aiguillons sétiformes, blancs, de 10 mm de long, les aiguillons centraux, au nombre de 2 à 5, sont nettement plus longs, ils sont bruns,

blancs à la base, leur extrémité blanchit avec le temps. Fleurs rouges, de 20 mm de diamètre, se montrant au printemps et en été.

Rebútia marsóneri
Tige cylindrique, large et plate, légèrement déprimée au sommet. Aiguillons par 30 à 35. Ceux du bas sont blancs, ceux du haut sont brun rouge. Fleurs jaune d'or, de 40 mm de diamètre, se montrant au printemps.

Rebútia minúscula
Tige globuleuse aplatie, aiguillons blancs ou jaunâtres, en faisceau de 20 à 30. Fleurs rouges, mesurant jusqu'à 40 mm en largeur et en longueur, et se montrant au printemps et en automne. La var. *grandiflóra* a des fleurs plus grandes. On connaît en outre une variété *minúscula* dont il existe plusieurs formes, notamment : form. *knuthiána*, également connue sous le nom de *Rebútia knuthiána*, et form. *violaciflóra*, plus répandue et généralement dénommée *Rebútia violaciflóra*. Cette dernière variété produit en juin des fleurs rose lilas mesurant 40 mm.

Rebútia pseudodeminúta
Syn. *Aylóstera pseudodeminúta.* Tige globuleuse, déprimée au sommet, formant des touffes à la base. Aiguillons extérieurs par 9 à 17, de 7 mm de long, translucides. Aiguillons intérieurs par 2 ou 3, blancs à pointe brune. Fleurs rouge orangé, de 30 mm de diamètre, au printemps et en été.

Rebútia pygmæa
Syn. *Echinópsis pygmæa.* Légèrement oviforme, très petit au départ, il atteint un maximum de 10 cm de haut. 9 à 12 aiguillons par aréole, d'abord blancs, devenant gris. Fleurs pourpres, de 25 mm de diamètre, apparaissant en mai-juin.

Rebútia rítteri
Syn. *Mediolobívia rítteri.* Petit cactus globuleux, formant des touffes à la base, couvert de petits aiguillons blancs, celui du centre est plus long et jaune d'or. Fleurs rouge carmin, mesurant jusqu'à 50 mm de diamètre et se montrant au début de l'été.

Rebútia senílis
Boule aplatie, de 8 cm de haut, abondamment couverte d'aiguillons blancs de 20 mm de long, réunis en faisceaux de 20 à 30. Fleurs rouge clair, de 40 mm de long et 20 mm de diamètre, au printemps et en été. Ce type a fourni de très nombreuses variétés aux fleurs jaunes, lilas ou orange.

Rebútia spinosissima
Syn. *Aylóstera spinosíssima.* Tige légèrement étirée, déprimée au sommet. Les aréoles, très rapprochées, portent de nombreux aiguillons blancs et 5 à 6 aiguillons centraux plus épais, de couleur jaune. Fleurs rose vif, de 40 mm de diamètre, se montrant en été.

Rebútia xanthocárpa
L'une des plus minuscules espèces du genre : elle fait à peine de 3 à 4 cm de haut. Aiguillons par 15 à 20, fins, blancs, de 3 à 7 mm de long. Fleurs rouge carmin, de 20 mm de diamètre, apparaissant en été.

Rechsteinéria

Gesneriáceæ

Nom. Du nom de *Rechsteiner* (XIXᵉ siècle), ecclésiastique suisse.
Origine. Les 75 espèces connues vivent dans les forêts tropicales d'Amérique du Sud.
Description. Plantes tubéreuses. Jo-

lies feuilles veloutées, souvent panachées, opposées ou verticillées. Fleurs tubuleuses, aux couleurs claires, en ombelle ou en panicule.

Exposition. Ce sont toutes des plantes de serre chaude, exigeant un degré d'hygrométrie élevé.

Soins. Les tubercules sont mis en pot au début du printemps. Les yeux ne doivent pas être recouverts. Placer sous châssis et donner une chaleur de fond de 20-25 °C jusqu'à l'apparition des premières petites feuilles. Veiller à ce que la pourriture ne s'installe pas. Exposer à la lumière tout en protégeant du plein soleil. Après un mois, commencer à endurcir les plantes et les transplanter dans des pots plus grands. On peut les mettre dans l'appartement, à titre temporaire, pendant la floraison. À partir de septembre, réduire progressivement les arrosages. Laisser sécher le feuillage. À la fin du mois, on cesse complètement d'arroser. Les tubercules sont conservés au sec dans leur pot ou dans de la tourbe, à une température minimale de 12 °C.

Arrosage. Arroser très peu au moment du démarrage des tubercules, puis augmenter les arrosages au fur et à mesure que les plantes se développent. Seules les jeunes plantes tolèrent de l'eau sur leurs feuilles. Ne jamais laisser sécher la motte en été. N'utiliser que de l'eau de pluie, si c'est possible.

Fertilisation. À partir de juin et jusqu'à la fin de la floraison, il faut faire des apports d'engrais dilué.

Rempotage. Rempoter chaque année dans un mélange terreux spécial, composé de tourbe concassée, de terreau de feuilles de hêtre et de fumier de vache décomposé. Utiliser des pots en plastique, larges et peu profonds ou des coupes. Drainer soigneusement les récipients.

Multiplication. Boutures de feuilles et de pousses s'enracinent facilement sur chaleur de fond, à l'étouffée. On pratique aussi le semis, au printemps ou à tout autre moment de l'année. L'hiver, les jeunes plantules doivent recevoir un éclairage d'appoint. Pour diviser les tubercules on attendra que les yeux soient bien apparents.

Maladies. Généralement aucune.

Rechsteinéria cardinális

Syn. *Gesnéria cardinális ; Corytholóma cardinále.* Feuilles ovales cordiformes, mesurant jusqu'à 15 cm de long, vert clair, couvertes d'un duvet blanc. Fleurs rouge clair, étalées à l'horizontale, longue corolle de 7 cm, lèvre supérieure nettement plus longue que la lèvre inférieure. La date de la floraison dépend de celle du semis, mais elle se situe le plus souvent en été. 'Compacta' est une forme naine ne dépassant pas 30 cm.

Rechsteinéria leucótricha

Feuilles obovales, de 15 cm de long, gris argenté, à duvet gris. Fleurs rouge saumoné.

Rhaphidóphora

Aráceæ

Nom. Du grec *rhaphis*, aiguille, et *phorein*, porter. Les fleuristes donnent à cette plante le nom de *Scindápsus*.

Origine. On trouve plus de 100 espèces appartenant à ce genre dans l'archipel Indien.

Rhaphidóphora aúrea 'Marble Queen', très belle espèce, mais un peu fragile.

Description. Plante grimpante aux racines aériennes. Feuilles coriaces, cordiformes. L'espèce ordinaire a une croissance rapide, l'espèce panachée de blanc a un développement plus faible.

Exposition. L'espèce à feuillage vert a une résistance exceptionnelle à l'ombre. Dans les grands bacs placés un peu trop loin d'une fenêtre, elle est, de toutes les plantes, celle qui tient bon le plus longtemps. L'espèce panachée réclame davantage de lumière mais ne supporte pas le plein soleil. On peut palisser cette plante contre un mur ou la cultiver en suspension. Elle demande, en général, à être attachée.

Soins. Plante robuste, parfaitement à l'aise dans un appartement normalement chauffé. Elle n'exige pas à tout prix une période de repos, mais une température hivernale de 15 °C ne peut lui faire que du bien. L'espèce ordinaire tolère un minimum de 12 °C. Le *Rhaphidóphora* peut être considéré comme une plante de tout repos, une mauvaise herbe d'appartement, increvable.

Arrosage. Arroser modérément et avec régularité en été. Réduire les arrosages en hiver si la température est basse. Un excès ou un manque d'eau ici et là n'entraîneront pas de conséquences graves. Utiliser une eau peu calcaire.

Fertilisation. L'espèce ordinaire, dont la croissance est très vigoureuse, demande à être fertilisée tous les 15 jours. Ne pas administrer d'engrais en dehors de la pleine période de végétation.

Rempotage. Un bon mélange devra être plutôt acide et aéré : sapinette, tourbe concassée, fumier de vache décomposé. La plante est cependant suffisamment vigoureuse pour prospérer dans une terre de rempotage standard ou même une terre un peu calcaire. On conseille de bien drainer les pots.

Multiplication. Les jeunes extrémités de tiges s'enracinent facilement avec une très légère chaleur de fond et même dans un verre d'eau. Les boutures d'yeux ne posent pas davantage de problèmes. Les tiges couchées s'en-

Rhaphidóphora aúrea

racinent d'elles-mêmes lorsqu'elles sont en contact avec la terre.

Maladies. Elles se manifestent très rarement.

Rhaphidóphora aúrea

Syn. *Scindápsus aúreus.* Liane à racines aériennes. Feuilles généralement cordées, au sommet asymétrique, le dessus est strié et maculé de jaune. Les feuilles adultes sont souvent découpées.

La race 'Marble Queen' a de remarquables panachures blanches. Sa croissance est très lente car elle contient très peu de chlorophylle. Lorsque la plante est exposée trop à l'ombre, sa magnifique coloration blanche se change en un gris sale.

Rhipsalidópsis

Cactáceæ

Nom. Du nom de genre *Rhípsalis* (du grec *rhips*, jonc) et du grec *opsis*, aspect. Cette plante ressemble au *Rhípsalis.*

Origine. Les *Rhipsalidópsis*, dont il n'existe que 2 espèces véritables, vi-

Rechsteinéria leucótricha : une espèce rare.

Rechsteinéria cardinális : l'espèce la plus courante.

Rhipsalidópsis gærtneri

Rhipsalidópsis rósea, une espèce moins répandue.

vent dans les forêts tropicales du sud du Brésil où ils croissent sur les arbres.
Description. Cactus épiphytes dont les longues tiges pendantes remplissent la fonction de feuilles. Ils vivent sur les rochers ou les arbres. Leurs rameaux sont soit aplatis, soit anguleux (ils peuvent être pentagonaux) et légèrement crénelés. Ici et là subsistent quelques aréoles portant des aiguillons rudimentaires.
Exposition. Ce cactus réussit surtout en serre chaude, ombragée, mais certains amateurs obtiennent d'excellents résultats en appartement. La période de repos est très importante, si on ne la respecte pas, on n'obtient pas de fleurs. L'hiver, il faut donc à tout prix placer la plante en serre froide.
Soins. Il ne fleurit pas à Noël, comme le *Zygocáctus* (dit aussi cactus de Noël), mais au printemps : en Hollande, on l'appelle le cactus de Pâques. La formation des boutons floraux dépend de la température et de la durée du jour. Pratiquement, cela signifie que pour fleurir ce cactus doit obligatoirement passer l'hiver à une température variant entre 10 et 15 °C. Si la température se situe à 17-20 °C, la durée du jour doit impérativement être inférieure à 12 heures.

Après la floraison, la plante est rempotée et placée dans un coin abrité du jardin. Il n'est pas impossible d'élever ces plantes correctement dans la maison, mais l'emplacement idéal reste la serre. En automne, les plantes sont mises au repos, à l'abri du gel, dans un local où règnent les températures que nous préconisons ci-dessus.
Arrosage. Arroser très généreusement pendant la végétation. L'hiver, il suffit de donner quelques légers arrosages pour éviter aux tiges de se rider.
Fertilisation. Quelques apports d'engrais en été, et jusqu'en août, pourront être bénéfiques.
Rempotage. Utiliser une terre acide et riche en humus, comme le mélange pour *Anthúrium*. Le drainage doit être parfait. Planter, de préférence, en corbeille ou en panier ajourés.
Multiplication. On prélève des extrémités de rameaux que l'on fait sécher une journée avant de les emporter à une température de 20-25 °C. *Rhipsalidópsis gærtneri* peut aussi se semer.
Maladies. Lorsqu'on tourne les pots, on provoque la chute des boutons floraux. Au jardin, il faut protéger les plantes contre les limaces. On observe, mais très rarement, des araignées rouges et des cochenilles farineuses.

Rhipsalidópsis gærtneri
Syn. *Epiphýllum gærtneri* ; *Schlumbérgera gærtneri*. Cactus de Pâques. Cactus très ramifié, aux tiges retombantes. Les rameaux du sommet sont plats, ceux de la base ont de 3 à 6 côtes. Chaque article est marqué d'environ 5 incisions très légères. Le bord des tiges est pourpré, le reste vert mat. Fleurs terminales, par 1 à 3, rouge feu, pétales légèrement retroussés, longues étamines rouges, pointues, style blanc. Fleurit en avril.
Rhipsalidópsis x *grǽseri*
Croisement de *R. gærtneri* et *R. rósea*. Fleurs un peu plus petites, rouge orangé à lilas, pétales se terminant brusquement en pointe. Est souvent greffé sur *Eriocéreus jusbértii*.

Rhipsalidópsis rósea
Syn. *Rhipsalis rósea*. Port plus dressé, articles mesurant de 2 à 5 cm de long. Fleurs rose vif, odorantes. Généralement, on le greffe pour obtenir des plantes plus vigoureuses.

Rhododéndron
Ericáceae
rhododendron, azalée

Nom. Du grec *rhodos*, rose, et *dendron*, arbre. Toutes les azalées en pot et même celles cultivées au jardin sont depuis fort longtemps classées dans le genre *Rhododéndron*.
Origine. Les espèces qui ont été acclimatées à la culture en appartement sont originaires de la partie orientale de l'Asie : la Chine et le Japon.
Description. Parmi les espèces cultivées en appartement, on distingue : *Rhododéndron símsii*, aux grandes fleurs souvent doubles, un petit arbuste non rustique, propre au forçage, originaire de Chine et parent des azalées hybrides de l'Inde ; et *Rhododéndron obtúsum*, pour la culture en serre et en plein air, originaire du Japon et l'un des parents (avec *Rhododéndron kǽmpferi* et *Rhododéndron kusiánum*) des azalées hybrides de Kurume (ville de Kyūshū).
Exposition. Si nous en jugeons par leur habitat naturel, ces arbustes affectionnent une atmosphère assez fraîche, très humide et un emplacement à l'ombre : toutes conditions qui n'existent pas dans un appartement chaud et sec. Heureusement, on ne les garde à l'intérieur que le temps de la floraison : c'est une période assez courte pour qu'ils y survivent. L'été, on peut très bien les mettre au jardin,

pourvu qu'ils y soient à l'abri du soleil et du vent. Dans les périodes intermédiaires, en automne, avant la floraison, et au printemps, après la floraison, alors qu'il fait trop froid dehors et trop chaud dans la maison, il faut les ranger dans un endroit frais et clair, à l'abri du gel : coffre, serre, véranda ou abri de jardin. Nos habitations modernes sont, il est vrai, assez démunies de ressources de ce genre et ceci explique pourquoi cette plante si charmante est en forte régression.
Soins. On achète généralement les potées d'azalées au moment où elles commencent à fleurir. Il faut se souvenir que les fleurs tiendront d'autant plus longtemps que la température ambiante sera plus basse. Il vaut donc mieux placer le pot dans l'entrée que dans le séjour. Les azalées n'aiment pas être exposées directement aux rayons du soleil, mais le problème ne se pose que rarement à la saison où elles fleurissent. Des vaporisations sont bénéfiques au feuillage mais contraires aux fleurs, qu'elles tachent. Les fleurs de l'azalée japonaise sont plus solides que les autres. Après la floraison, on enlève avec précaution toutes les inflorescences, pédicelles y compris. La plante est transportée, dans un local frais, si possible à une température se situant entre 6 et 10 °C. Parfois, de jeunes pousses ont fait leur apparition au cours de la floraison, alors que la plante séjournait dans l'appartement. Il faut les éliminer. On ne conserve que les pousses nées après la mi-avril. Fin mai, l'azalée émigre dans le jardin ou sur le balcon, s'il est abrité. On la met dans un pot en terre que l'on enterre profondément. Si la plante est en pot de plastique, le trou sera plus profond de façon à ce que le

Rhododéndron obtúsum, communément appelé azalée japonaise.

Azalée de l'Inde à fleurs simples.

Les nouvelles pousses apparaissent déjà pendant la floraison.

Azalée de l'Inde aux fleurs blanches pleines.

dessus de la motte se trouve au-dessous du niveau du sol et que le haut du pot soit recouvert de terre. Au cours de l'été, la plante va se développer et former des boutons qui fleuriront au printemps suivant. Les azalées de l'Inde sont rentrées les premières, en septembre, les azalées japonaises sont moins frileuses et peuvent attendre un peu plus longtemps. Choisir, pour entreposer les pots, un

endroit bien frais, humide et clair. Si l'atmosphère est trop sèche, les boutons et les feuilles tomberont. On ne peut augmenter progressivement la température qu'à partir du moment où les boutons floraux se mettent à gonfler. À partir de là, on pulvérisera très souvent de l'eau sur les plantes, jusqu'à ce que les fleurs commencent à s'épanouir.

Arrosage. Il est très important de n'arroser les azalées qu'à l'eau douce. Utiliser de l'eau de pluie pure ou traiter l'eau du robinet. L'eau calcaire fait mourir les azalées. La motte ne doit jamais sécher : on a donc intérêt à se servir de pots en plastique.

Fertilisation. On peut faire quelques apports d'engrais pauvre en calcium, comme le Pokon, au cours de l'été.

Rempotage. Rempoter environ un mois après la floraison, quand les plantes commencent à sortir de nouvelles pousses. La terre de rempotage standard contient trop de calcaire et doit être écartée. La terre de bruyère, la sapinette, la tourbe

concassée sont les substrats qui conviennent le mieux. On peut leur ajouter du fumier de vache bien décomposé. Bien drainer les pots.

Multiplication. On bouture au printemps de jeunes pousses un peu fortes, sur une chaleur de fond de 20-25 °C. Recouvrir les boutures de manchons de plastique ou faire une installation de brouillard artificiel. Les premiers pincements s'effectuent dès que l'on a constaté l'enracinement. On peut aussi greffer les azalées sur *Rhododéndron concínnum*.

Maladies. Le jaunissement des feuilles signale que les plantes souffrent de chlorose. La teigne de l'azalée fait se recroqueviller le sommet des feuilles. Éliminer les insectes ou traiter. Les tordeuses qui roulent les feuilles en cornet sont également enlevées à la main ou combattues avec un insecticide. La sécheresse favorise l'apparition d'araignées rouges. Diverses maladies cryptogamiques sont le résultat d'erreurs de culture.

Rhododéndron obtúsum

Arbuste aux feuilles semi-persistantes, spatulées, longues de 4 cm. Fleurs par 2 à 5, simples ou doubles, dans des coloris très variés. Également utilisé au jardin.

Rhododéndron simsii

Azalée de Sims. Arbuste aux feuilles persistantes, de 5 cm de long, abondamment couvertes de poil rugueux en dessous. Fleurs mesurant jusqu'à 5 cm de diamètre, simples ou doubles, dans des teintes très nombreuses. Il existe des variétés hâtives (floraison dès octobre), des variétés mi-hâtives (à partir de janvier) et des variétés tardives (fleurs à partir de février).

Rhoéo

Commelináceæ

Nom. Origine inconnue.

Origine. Une seule espèce, en Amérique centrale.

Description. Feuilles ensiformes formant une rosette. Petites fleurs blanches, incluses dans les bractées en forme de coquille.

Exposition. Exposition claire en appartement, même l'hiver.

Soins. Éviter le soleil ardent. Donner des soins normaux à partir du printemps, réduire les arrosages et baisser la température (minimum 15 °C) à partir d'octobre. Pas de repos marqué. Faire des pulvérisations sur le feuillage aussi souvent que possible.

Arrosage. En été, arroser régulièrement à l'eau de pluie légèrement tiédie. On peut, à la rigueur, utiliser l'eau du robinet.

Fertilisation. À partir du moment où la végétation a démarré, on peut fertiliser tous les 15 jours. Stopper les apports d'engrais dès l'automne.

Rempotage. La plante se comporte bien dans une terre de rempotage ordinaire. Rempoter tous les ans dans des pots en plastique, s'ils sont bien

Rhoéo spathácea 'Vittata'.

drainés. Tailler sévèrement les plantes au moment du rempotage.

Multiplication. Les boutures, qu'elles soient de tête ou latérales, s'enracinent très facilement. Si la plante ne fournit pas suffisamment de boutures, on lui coupe tout simplement la tête, elle en produira ensuite une grande quantité. La saison la plus propice au bouturage est le printemps, mais tout autre moment de l'année s'y prêtera également. Il se forme souvent de nombreux rejets au pied de la plante mère : on peut les séparer et les planter en pots individuels. Les plantes donnent aussi des graines qui lèvent lorsqu'elles sont semées sur un mélange sableux, à une température d'environ 20 °C. Couvrir d'une feuille de verre.

Maladies. Un excès d'humidité en hiver provoque la pourriture. On observe parfois des araignées rouges et des thrips.

Rhoéo spathácea

Syn. *Rhoéo díscolor*. Feuilles pratiquement radicales, de 15 à 30 cm de long et 3 à 6 cm de large, disposées en rosettes, vert foncé sur le dessus, violacées sur le revers. L'inflorescence est formée de petites fleurs blanches en fascicule, incluses dans

Rhododéndron símsii ou azalée de Sims : une forme à fleurs bicolores, doubles.

Rhoicíssus capénsis

des bractées en forme de coquille. La race 'Vittata' a des bandes longitudinales jaunes.

Rhoicíssus
Vitáceæ

Nom. Du grec *rhoia*, grenadier, et du nom de genre *Císsus*.
Origine. L'unique espèce toujours classée dans ce genre est *Rhoicíssus capénsis,* originaire, comme son nom l'indique, du Cap, Afrique du Sud. L'espèce *rhomboídea* est classée avec les *Císsus*.
Description. Plante grimpante décorative, aux grandes feuilles vert éméraude. Pas de fleurs.
Exposition. C'est une plante qui se plaît à des températures très modérées et dans une ambiance assez humide. En général, elle semble toutefois résister raisonnablement à une température constante de 20 °C. On obtiendra les meilleurs résultats en plaçant son *Rhoicíssus* dans une entrée fraîche, un dégagement, un escalier, si ces endroits reçoivent un éclairement satisfaisant.
Soins. Les jeunes pousses ne s'accrochent pas d'elles-mêmes aux murs, il faut les attacher. Elles s'accrocheront plus facilement sur un support en lattes. La température hivernale peut descendre jusqu'à 7 °C, si elle est plus élevée, il faudra bassiner fréquemment la plante. De temps à autre, on lavera les feuilles à l'aide d'une éponge.
Arrosage. Arroser généreusement en été. Réduire les arrosages en hiver, lorsque l'ambiance est fraîche. En

général, on put se servir de l'eau du robinet.
Fertilisation. Faire des apports d'engrais soluble tous les 15 jours en été.
Rempotage. On le pratique de préférence au printemps. Lorsqu'on divise les souches, on trouve, outre les racines, des tubercules assez volumineux. On plante en terre de rempotage ordinaire. Le *Rhoicíssus* appartient à la famille de la vigne et ne craint pas du tout le calcaire. On utilisera indifféremment des pots en terre ou en plastique, pourvu qu'ils soient parfaitement drainés : déposer une bonne couche de tessons au fond du pot.
Multiplication. Le bouturage réussit assez facilement, surtout lorsqu'il s'agit de boutures à un œil. Sectionner la tige juste au-dessus et au-dessous du point d'insertion du pétiole. L'œil dormant qui doit se développer se trouve juste à l'aisselle. On supprime la moitié de la feuille ou on l'enroule sur elle-même pour limiter la transpiration. Une feuille recouverte d'une cloche de verre ou de plastique. Le *Rhoicíssus* se propage aussi de boutures de tête. On plante en général trois boutures par pot.
Maladies. Feuilles brunes ou tachées, chute des feuilles : tout ceci peut résulter aussi bien d'un excès que d'un manque d'arrosage. Sortir la plante du pot et examiner les racines.

Rhoicíssus capénsis
ⓘ▦ⓘ⊗ⓘ▣
Arbuste grimpant couvert de poils bruns. Feuilles plutôt cordées, mesurant jusqu'à 15 cm de large, à long pétiole. Le dessus de la feuille, vert éméraude, est d'abord velu, puis glabre. Le dessous est brun rouille et tomenteux.

Rivína
Phytolaccáceæ

Nom. Du nom d'Augustus Quirinus *Rivinus* (1652-1722), botaniste à Leipzig.
Origine. Sud des U.S.A., Mexique et quantité de pays tropicaux.
Description. La valeur décorative de cette plante réside surtout dans ses belles grappes de baies rouges. On ne la trouve que très rarement dans le commerce.
Exposition. Plante de serre chaude, pouvant séjourner dans l'appartement à titre temporaire. Le point délicat est, comme toujours, celui de l'hygrométrie ambiante.
Soins. Cette plante réclame une bonne chaleur et une protection contre le soleil ardent. Ne pas lésiner sur l'eau en été. Éviter toutefois de mouiller les fleurs, on empêcherait les fruits d'arriver à maturité. Les vieilles plantes perdent de leur vigueur : il faut refaire des boutures tous les ans. En hiver, la température peut descendre jusqu'à 12 °C : les baies resteront plus longtemps belles.
Arrosage. Arroser à l'eau du robinet, si elle n'est pas trop polluée. Réduire un peu les arrosages en hiver.
Fertilisation. Fertiliser tous les 15 jours en été.
Rempotage. Planter les jeunes boutures dans de la terre de rempotage ordinaire du commerce, au printemps. Les pots en plastique sont parfaits, mais il faut les drainer soigneusement.
Multiplication. Les fruits parvenus à maturité sont semés en mars, sur un sol sableux. Donner une petite chaleur de fond et couvrir la caissette à multiplication d'une feuille de verre ou de plastique. Repiquer une première fois, puis planter par 3 à 5 dans des pots de 12 cm. Au printemps, on peut également prélever des extrémités de tiges et faire enraciner sur chaleur de fond de 20 à 25 °C.

Rivína húmilis
ⓘⓘ⊗ⓘⓘ▣
Plante suffrutescente, d'environ 60 cm de haut. Feuilles vert clair, ovales, aiguës aux deux extrémités, légèrement velues et assez épaisses. Les fleurs blanches ou roses, réunies en longues grappes, se montrent de janvier à octobre, mais elles passent plutôt inaperçues. Les baies rouges ou orangées, grosses comme des petits pois, qui persistent plusieurs mois sur la plante, sont par contre assez décoratives.

Rivína húmilis portant des fleurs et des fruits.

Róchea
Crassuláceæ

Nom. Du nom de François de la *Roche* (?-1813), botaniste français.
Origine. 4 espèces, toutes originaires d'Afrique du Sud.
Description. Genre très proche des *Crássula*. Petites feuilles charnues, disposées sur quatre rangs le long de tiges rigides.
Exposition. Les *Róchea* se cultivent, l'été, à exposition claire, pas trop chaude : bord de fenêtre pas trop exposée à la chaleur, coffre froid, serre.
Soins. On achète généralement les plantes toutes fleuries, au printemps. Tailler légèrement les tiges après la floraison, éventuellement rempoter et conserver en local frais ou dehors : coin abrité dans le jardin ou sur le balcon. Éviter le plein soleil. Mettre à l'abri à l'approche de l'hiver : 5 °C suffisent. La serre froide est un abri idéal. En fait, il est assez difficile de faire refleurir les plantes mais, si on est à même de réunir les conditions énumérées ci-dessus, il vaut la peine d'essayer.
Arrosage. Arroser modérément à peu en été, suspendre pratiquement les arrosages en hiver, lorsque les plantes sont entreposées à basse température. On se contentera de donner un peu d'eau si les feuilles font mine de se ratatiner.
Fertilisation. Il est inutile de faire des apports d'engrais si on procède à un rempotage annuel.
Rempotage. Ces plantes se développent particulièrement bien dans un mélange composé de : 1/3 de terre franche argileuse, 1/3 de terreau de feuilles et 1/3 de sable grossier lavé. Les pots (en terre ou en plastique) doivent être soigneusement drainés.
Multiplication. Les extrémités de tiges que l'on supprime après la floraison peuvent servir de boutures. On les laisse sécher un jour ou deux et on les plante dans un mélange sableux. Chaleur de fond : entre 15 et 20 °C.

Róchea coccínea
ⓘⓘⓘ⊘ⓘ▣
Syn. *Crássula coccínea.* Petit arbrisseau érigé, ramifié dès la base. Petites feuilles obovales à oblongues, de 3 à 5 cm de long et de 1 à 2 cm de large, régulièrement disposées sur 4 rangs le long des tiges. Fleurs rouges en cymes corymbiformes denses. Il existe une forme 'Alba', aux fleurs blanches.

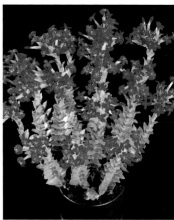

Róchea coccínea

Rodriguézia secúnda : une orchidée à floraison exceptionnellement riche.

Rodriguézia

Orchidáceæ

Nom. Du nom d'Emanuel *Rodriguez*, médecin et botaniste espagnol. Cette plante était autrefois connue sous le nom de *Burlingtónia*.

Origine. La majorité des 35 espèces connues vivent surtout au Brésil, en Amérique centrale et aux Antilles.

Description. Orchidées épiphytes à pseudobulbes. Leur floraison est particulièrement exubérante.

Exposition. À cultiver exclusivement en serre à orchidées, tempérée et humide.

Soins. Entretenir toute l'année une température minimum de 18 °C. Ces orchidées exigent beaucoup de lumière, il faut les placer le plus près possible du vitrage mais les protéger du soleil. Il faut que règne dans la serre une humidité relative d'au moins 70 %. On restreint un peu les arrosages en hiver. Pas de repos marqué.

Arrosage. N'arroser qu'à l'eau parfaitement douce : eau de pluie tiédie ou eau de ville filtrée. Arroser copieusement en été. L'hiver, on donnera juste assez d'eau pour empêcher les plantes de se flétrir.

Fertilisation. En période de végétation, on ajoutera de temps à autre à l'eau d'arrosage une émulsion de poisson ou tout autre engrais spécial pour orchidées.

Rempotage. Ces orchidées sont très souvent cultivées sur des segments de tronc de fougère arborescente. Si on utilise des pots ou des paniers ajourés, il faut les remplir d'un mé-

lange de polypode et d'osmonde, sans oublier une épaisse couche de tessons dans le fond.

Multiplication. La multiplication peut se faire par voie de semis, mais c'est là un travail de professionnel. En règle générale, les plantes sont importées. Ce serait dommage de diviser les touffes, car elles sont surtout belles lorsqu'elles sont importantes.

Rodriguézia decóra

Long rhizome. Les pseudobulbes déprimés sont espacés de 10 en 10 cm. Chaque bulbe mesure 3 cm de haut et porte une étroite feuille pointue, de 6 à 9 cm de long. La grappe florale peut mesurer jusqu'à 30 cm de long. Elle se compose de 10 à 15 fleurs blanches, maculées de brun rouge et ayant chacune environ 50 mm de diamètre. La floraison a lieu de novembre à mai.

Rodriguézia secúnda

Pseudobulbes de 4 cm, déprimés, portant généralement une seule feuille coriace. Grappes d'au moins 10 fleurs rose lilas, mesurant 20 mm, toutes disposées sur un seul côté de la hampe. Floraison en automne.

Rodriguézia venústa

Pseudobulbes ne mesurant pas plus de 2 cm. Fleurs blanches ; pas plus de 10 par grappe. Floraison en été.

Rósa

Rosáceæ

rosier

Nom. *Rosa* était déjà le nom utilisé par les anciens Romains.

Origine. On connaît environ 200 espèces de rosiers sauvages, répandues dans tous les pays de l'hémisphère nord. On ne cultive en pot que les descendants de *Rósa chinénsis* 'Minima', rosier aux origines confuses mais introduit chez nous dès le début du XIX⁰ siècle. Un autre rosier, *Rósa roulétii*, dont on sait qu'il était cultivé en pot en Suisse dès 1918, a également beaucoup servi aux hybridations.

Description. Tous les mini-rosiers modernes sont des produits obtenus par croisement. Ce sont d'authentiques rosiers miniaturisés, ne dépassant parfois pas 15 cm de haut et reproduisant à la perfection de minuscules roses simples ou doubles, et même parfumées dans certains cas.

Exposition. La plupart des rosiers miniatures sont rustiques et sont en fait destinés à être plantés en plein air, au jardin. Les rosiéristes vendent parfois leur excédent sous forme de plantes en pot, que l'on achète toutes fleuries en été. Ces petits rosiers poursuivent normalement leur floraison, placés sur une tablette de fenêtre bien ensoleillée ou, mieux encore, sur le balcon.

Soins. Il faut beaucoup de lumière (inutile d'ombrer) et beaucoup d'air frais. Éliminer régulièrement les fleurs fanées. Quand les jours commencent à raccourcir, à la rencontre de l'automne, ces petits rosiers réclament une température plus fraîche, proche de celle qu'il fait à l'extérieur. La solution la plus rationnelle consiste à enterrer le pot au jardin. On peut également conserver la plante sur le balcon en l'emballant soigneusement lorsqu'il gèle, car il ne faut pas que le pot se transforme en un bloc de glace. La végétation redémarre en

principe au mois de mars : c'est alors qu'il faut tailler sévèrement, de la même manière que l'on taille les rosiers normaux, en laissant de 3 à 5 fortes branches portant chacune environ 3 yeux. Grosso modo, cela revient à tailler à 5-7 cm au-dessus du sol. Éviter d'exposer prématurément les arbustes à la chaleur : il vaut mieux que les feuilles ne s'épanouissent pas avant la mi-avril. En mai, le mini-rosier peut regagner sa place sur la tablette de la fenêtre ou être transplanté, sans son pot, directement dans le jardin, en plein soleil.

Arrosage. La motte doit rester bien humide tout le printemps et tout l'été. Les rosiers tolèrent le calcaire, et l'eau du robinet ne les gêne pas outre mesure.

Fertilisation. Pendant toute la période de végétation, environ jusqu'à la mi-août, on administrera un peu d'engrais dilué, une fois tous les quinze jours.

Rempotage. On transplante généralement les rosiers en automne, mais cela peut aussi se faire au printemps. Utiliser une terre de rempotage standard et des pots en plastique bien drainés.

Multiplication. Les mini-rosiers se propagent par bouturage effectué en août-septembre, à l'abri du gel. Les rosiéristes procèdent généralement par écussonnage.

Maladies. Oïdium, pucerons, araignées rouges.

Rósa chinénsis 'Minima'

Syn. *Rósa lawranceána*. Rosier bijou. Petits arbustes de 10 à 30 cm de haut. Feuilles composées, à 3-5 folioles, fleurs généralement solitaires, fruits bruns. On ne cultive que des hybrides.

Rosier miniature sur tige.

Les *Saintpaúlia* à fleurs simples ou doubles existent dans un grand nombre de coloris.

Les fleurs existent dans des teintes et des formes très variées.

Saintpaúlia

Gesneriáceæ

Nom. Du nom de Walter von *Saint-Paul-Illaire* (1860-1910), gouverneur de district, qui fit la découverte de cette plante au cours de son mandat dans l'ex-colonie allemande en Afrique orientale.
Origine. Le *Saintpaúlia* vit à l'état spontané dans les montagnes de l'Usambara, une région d'Afrique orientale couverte de forêts tropicales. Il en existe une vingtaine d'espèces.
Description. Petites plantes vivaces, naines et acaules, aux feuilles munies de longs pétioles et souvent disposées en rosette.
Exposition. Le préjugé selon lequel le *Saintpaúlia* serait une plante délicate, ne prospérant qu'en atmosphère extrêmement humide a aujourd'hui complètement disparu. Sans doute les croisements ont-ils permis de renforcer considérablement sa résistance à la sécheresse de l'atmosphère. Maintenant, les *Saintpaúlia* fleurissent infatigablement à l'abri de milliers de fenêtres, partout dans le monde. Les placer de préférence à l'ouest, car ils n'apprécient pas tellement le soleil. L'hiver, ils fleurissent rarement et seront plus à l'aise dans une serre chaude.
Ces petites plantes font merveille dans les vitrines d'appartement et les terraria. Il faut compter une intensité lumineuse de 5 000 lux au minimum pour obtenir une floraison généreuse.
Soins. D'ordinaire, on trouve les *Saintpaúlia* tout fleuris au printemps. Leur choisir un emplacement clair mais non ensoleillé. Si on les met à proximité d'une fenêtre, s'assurer qu'ils ne seront pas gênés par la chaleur émanant des radiateurs : elle est très néfaste au feuillage. Pour remédier aux effets d'une atmosphère trop sèche, on peut placer le pot sur une coupe remplie d'eau. Attention : le pot doit être surélevé et ne doit pas pouvoir absorber l'eau par capillarité. Ne pas faire de pulvérisations sur le feuillage : il est pubescent et les gouttelettes, en s'accumulant entre les poils fins, provoquent la formation de vilaines taches brunes ou jaunes. Pour la même raison, il faut éviter de mouiller les feuilles en arrosant. La formation des boutons floraux dépend de l'intensité de l'éclairement (nous avons mentionné un minimum de 5 000 lux) et aussi de la durée du jour. Il n'est donc pas surprenant que les fleurs se montrent surtout l'été. Un éclairage d'appoint en automne (la lumière d'une ampoule ordinaire suffit) permet de prolonger la floraison. En cultivant le *Saintpaúlia* sous une lampe spéciale pour plantes, qui permet à la fois d'agir sur l'intensité de la lumière et sa durée, on obtient une floraison ininterrompue. Il faut toutefois accorder à la plante au moins un mois de repos par an, en abaissant la température à 16 °C et en réduisant l'arrosage. À l'issue de ce repos, la plante est rempotée et la fête recommence.
Il arrive qu'on obtienne beaucoup de feuilles et peu de fleurs : la terre ou l'engrais contiennent probablement dans ce cas trop d'azote. On enlève les plus grosses feuilles jusqu'à ce que la plante, ayant consommé son excédent d'azote, se remette à produire des boutons floraux.
Arrosage. Si l'eau de votre région est très dure, évitez d'arroser le *Saintpaúlia* à l'eau du robinet : il est très sensible au calcaire. Il faut préférer l'eau de pluie ou déminéralisée. La faire un peu tiédir au préalable. Ne jamais noyer la motte : il vaut mieux qu'elle soit trop sèche que trop mouillée. Attendre, pour arroser, que la plante montre qu'elle a soif en laissant un peu pendre ses feuilles.
Fertilisation. En période de végétation, les plantes doivent être fertilisées une fois par mois. Si elles émettent trop de feuilles, on utilisera un engrais peu azoté, comme l'engrais spécial pour cactus, sinon utiliser un engrais ordinaire pour plantes d'appartement.
Rempotage. On recommande de rempoter les *Saintpaúlia* tous les ans, au printemps, pour débarrasser la terre des résidus minéraux que les arrosages successifs y ont accumulés. Utiliser un mélange acide et choisir des pots larges, peu profonds et bien drainés. Si on n'a à sa disposition qu'un mélange terreux standard, on y ajoutera une forte proportion de tourbe.
Multiplication. Le *Saintpaúlia* se bouture très facilement. Toute feuille prélevée avec 2-5 cm de pétiole peut donner naissance à plusieurs plantules. Planter les feuilles verticalement dans une caissette de bouturage pourvue d'un couvercle de verre. La température doit être réglée sur 20-22 °C. Les feuilles produisent même des racines lorsqu'elles trempent un verre d'eau. Séparer délicatement les plantules et les empoter individuellement sous châssis ou dans une serre d'appartement. Par la suite, les plantes sont endurcies et élevées séparément. Il est bon de renouveler régulièrement les vieilles plantes, soit en bouturant, soit en divisant.
Maladies. Elles se manifestent rarement lorsque les plantes reçoivent des soins corrects et sont rajeunies à temps.

Saintpaúlia ionántha

Violette d'Usambara. Plante vivace, acaule, couverte d'un duvet rugueux. Feuilles ovales-arrondies, poils dressés, de longueur très égale. Fleurs axillaires, en bouquets pédonculés de 2 à 8 fleurs d'un violet soutenu, mesurant chacune 20 à 30 mm.
En opérant différents croisements, et notamment avec *Saintpaúlia confúsa*, on a obtenu les races d'appartement que nous connaissons, aux grandes fleurs de coloris variés, simples ou doubles et à feuillage gaufré.

Cuvette ancienne garnie de *Saintpaúlia*.

Sandersónia aurantíaca

Sandersónia

Liliáceæ

Nom. Du nom de John *Sanderson* (1820 ?-1881), secrétaire honoraire de la société d'horticulture du Natal.
Origine. Il existe une espèce unique, originaire du Natal.
Description. Plante tubéreuse, aux tiges molles, de 60 cm de haut. Feuilles sessiles. En été, apparaissent, à l'aisselle des feuilles, des fleurs en forme d'urne.
Exposition. Plante de serre dont la culture est identique à celle du *Gloriósa*, que l'on connaît mieux. On peut tenter de le cultiver sur une tablette de fenêtre mais, dans le meilleur des cas, sa vie n'excédera pas un an.
Soins. On trouve parfois les tubercules dans les catalogues des établissements de vente par correspondance ou chez des grainetiers très spécialisés. On les empote en février-mars en recouvrant les yeux de 3 à 5 cm de terre. Mettre les pots au chaud et n'arroser que très parcimonieusement jusqu'à l'apparition des premières pousses. Augmenter progressivement les arrosages et donner de l'eau à satiété en été. Les tiges sont assez molles et il est souvent nécessaire de leur donner un tuteur ou de les attacher aux montants de la serre.
Après la floraison, on diminue petit à petit les arrosages jusqu'à la disparition du feuillage. Les tubercules sont conservés totalement secs dans leur pot et rangés dans un coin de la serre (sous la tablette, par exemple). Le cycle végétatif repart au printemps.
Arrosage. Il est conseillé d'arroser à l'eau de pluie. Arroser très généreusement en été.
Fertilisation. Un peu d'engrais soluble tous les 15 jours, en période de végétation.
Rempotage. Le meilleur mélange se compose de parties égales de tourbe, terreau de feuilles de hêtre et terre argileuse finement émiettée. Utiliser des pots en plastique bien drainés.
Multiplication. Par division des tubercules.

Sandersónia aurantíaca

Plante tubéreuse, grimpante, aux feuilles sessiles, lancéolées, de 7 cm de long, souvent terminées par une vrille. En été, fleurs jaune orangé clair, gonflées, urcéolées, inclinées, de 25 mm de long.

Sanseviéria

Agaváceæ

sansevière

Nom. Cette plante indestructible doit son nom à Raimondo de Sangro, prince de *Sanseverio,* né et mort à Naples (1710-1771). En néerlandais, on appelle cette plante aux feuilles acérées: «langues de femmes»; les Anglais, tout aussi aimables et plus précis, la nomment «langue de belle-mère».

Origine. Il existe une douzaine d'espèces spontanées et on les trouve surtout en Éthiopie. Ce sont des plantes de contrées désertiques, construites pour résister à des conditions de végétation défavorables. Elles résistent incroyablement à la sécheresse. Certaines espèces sont encore cultivées pour leurs fibres que l'on transforme ensuite dans des corderies. Ce genre d'industrie est en voie de disparition.

Description. Plantes aux rhizomes épais et rampants d'où naissent directement des feuilles charnues, en forme de baïonnette, capables de stocker une certaine quantité d'eau en prévision de la sécheresse. Elles sont étroitement apparentées aux *Cordýline* et aux *Dracæna*.

Exposition. Natifs du désert, les Sanseviéria aiment tout naturellement le soleil, mais ils résistent aussi vaillamment à l'ombre. Seules leurs panachures s'estompent. À placer de préférence près d'une fenêtre orientée plein sud, sans aucune protection contre le soleil.

Soins. On peut donner bien des conseils au sujet de la culture des *Sanseviéria,* mais l'expérience à elle seule prouve qu'il faut être un bien exécrable jardinier pour les faire crever. On n'y parvient qu'en leur donnant trop à boire. Il faut aussi éviter de les exposer trop longtemps à des températures inférieures à 14 °C : la pourriture finirait par s'attaquer à la base des feuilles. À l'adresse de ceux qui souhaitent malgré tout des directives plus précises, nous ajouterons qu'il faut leur donner un emplacement très clair, arroser avec parcimonie, sauf l'été quand de nouvelles pousses font leur apparition. Mais même à ce moment-là, on évitera d'imbiber complètement la motte. L'hiver, on abaisse la température et on restreint encore l'arrosage.

Arrosage. Beaucoup de personnes placent les *Sanseviéria* dans des cache-pot au fond desquels l'eau stagne sans que l'on s'en aperçoive. C'est ce qui peut arriver de pire à cette plante.

Les cylindres de plastique ne permettent pas davantage de contrôler étroitement le degré d'humidité de la terre. Il ne faut jamais perdre de vue que l'on a affaire à une plante désertique qui se satisfait de très peu d'eau : peu importe qu'elle soit dure ou douce.

Fertilisation. L'été, lorsque les plantes sont en pleine période de croissance, on peut leur administrer un peu d'engrais une fois tous les 15 jours ou une fois par mois. On conseille parfois de sélectionner un engrais peu azoté, genre engrais pour cactus : les feuilles pousseront moins vite et conserveront mieux leur caractère. On stimulera en outre la formation des fleurs qui ne sont pas dépourvues d'attrait.

Rempotage. Les *Sanseviéria* croissent avec une telle vigueur qu'ils font parfois éclater les pots. On peut, si l'on veut, choisir des pots très vastes : on ne fera qu'encourager le phénomène. Le mieux est de changer de pot tous les deux ans, au printemps. Les pots de terre cuite conviennent parfaitement. Si on opte pour des pots en plastique, il faudra veiller de près au drainage. Prendre une terre de rempotage ordinaire : le *Sanseviéria* n'en demande pas plus.

Multiplication. On obtient les meilleurs résultats en divisant les touffes.

Les espèces à feuillage vert uni se propagent de boutures de feuille. Couper une longue feuille en segments de 7 cm, les laisser sécher quelques jours et les planter dans un mélange sableux, avec une chaleur de fond de 25 °C. Respecter le sens initial de la feuille, sinon il ne se formera pas de racines.

Maladies. Des taches brunes sur les feuilles et des déformations liégeuses sont causées par un excès d'humidité ou par des variations de température trop importantes.

Sanseviéria trifasciáta

○ ⊕ ○ ◑ ▥

Feuilles partant directement du rhizome, longues de 150 cm, larges de 7 cm, légèrement caniculées, vert mat, zébrées transversalement de bandes vert clair. Fleurs blanc verdâtre, en grappe étroite, de moitié aussi longue que les feuilles, odorantes. 'Laurentii', une forme très répandue, a des feuilles bordées de jaune. 'Gigante' est un cultivar aux larges feuilles gris vert. 'Hahnii' forme une courte rosette en entonnoir. 'Golden Hahnii' lui ressemble mais avec des feuilles gris vert bordées de bandes jaunes. Enfin 'Silver Hahnii' a des feuilles argentées finement marbrées de blanc.

Sauromátum venósum : tiges et feuilles.

Sauromátum

Aráceæ

Nom. Du grec *sauros,* lézard, et *matos,* quête. Les macules qui couvrent les spathes évoquent assez bien ce reptile.

Origine. On connaît 6 espèces, que l'on rencontre en Afrique tropicale, en Inde et à Sumatra.

Description. Est-ce vraiment une plante d'appartement ? On peut se poser la question. Le *Sauromátum* est généralement présenté comme une plante bulbeuse, capable de produire à sec (sans terre, ni eau) une longue inflorescence en forme de spadice, au demeurant peu attrayante, car elle ne s'épanouit jamais complètement et, qui plus est, répand une odeur nauséabonde.

Exposition. On peut poser le bulbe sur la tablette de la fenêtre au moment de l'épanouissement de l'inflorescence, à condition de supporter son odeur pestilentielle.

Soins. Au départ, les soins à donner sont quasiment inexistants. La floraison terminée, on n'a généralement aucune envie de revoir la plante et on se débarrasse du bulbe. Mais on peut aussi le planter au jardin et là, la culture devient réellement intéressante. Au printemps, on voit sortir une tige couverte de macules remarquables et portant une feuille unique, immense et profondément découpée. Le bulbe est semi-rustique et il faut prendre la précaution de le planter en un endroit très bien abrité. Le feuillage disparaît à l'automne. On peut alors rentrer le bulbe dans la maison où il refleurit à sec.

Arrosage. Lorsque le *Sauromátum* est planté en pleine terre, la pluie lui suffit. S'il est planté en pot, on l'arrose modérément.

Fertilisation. Apporter un peu d'engrais chimique en période de végétation.

Rempotage. Empoter, éventuellement, en terre de rempotage ordinaire.

Multiplication. Au jardin, il se forme de jeunes tubercules que l'on sépare et que l'on cultive à part : ils fleuriront au bout de 3 ans.

Sauromátum venósum

▥ ○ ⊛ ◑ ▥

Syn. *Sauromátum guttátum ; Árum guttátum.* Plante bulbeuse produisant une feuille solitaire, composée, formant une sorte de parasol de 50 cm d'envergure au sommet d'une tige dressée. Le bulbe sec émet une spathe bigarrée, vert pourpre à l'extérieur, vert parsemé de macules violacées à l'intérieur. L'inflorescence dégage une odeur de charogne.

Sanseviéria trifasciáta 'Laurentii'

Inflorescence de la sansevière.

Sanseviéria trifasciáta 'Golden Hahnii'

Sanseviéria trifasciáta 'Hahnii'

Saxífraga

Saxifragáceæ

saxifrage

Nom. Du latin *saxum,* rocher, et *frangere,* briser.

Origine. La plupart des espèces sont des plantes de jardin rustiques, originaires des montagnes, où elles réussissent effectivement à faire éclater les pierres. *Saxifraga stolonífera,* dont il est plus particulièrement question dans cet ouvrage, est l'une des rares espèces à n'être pas rustique. Elle est répandue en Chine et au Japon.

Description. *S. stolonífera,* qu'il ne faut pas confondre avec *Tolmíea* (voir ce nom), produit de longs stolons pendants, porteurs de plantules.

Exposition. L'espèce ordinaire à feuillage vert est presque rustique et supporte, surtout en hiver, des situations très fraîches et très aérées. Il lui faut beaucoup de lumière, mais pas de soleil direct. La forme panachée 'Tricolor' exige des températures plus élevées, 16 °C au minimum. Très jolies petites plantes à suspendre contre un mur.

Soins. Aérer abondamment, surtout pour l'espèce à feuillage vert. Protéger de l'insolation violente en été et arroser régulièrement avec modération. Observer une légère période de repos en hiver. L'espèce panachée ne doit pas subir des températures trop basses. Dès que les plantes se mettent à fleurir, c'est le signe que leur fin est proche. Penser à les renouveler à temps à partir de boutures. Un dernier mot au sujet de *Saxifraga cotylédon,* l'espèce à rosettes. Cette espèce ne peut être rentrée en appartement qu'au moment de la floraison et doit retourner au jardin aussitôt après. Elle est rustique. Les rosettes ne fleurissent qu'après deux à quatre années de culture.

Arrosage. Il n'est pas indispensable d'adoucir l'eau, à moins qu'elle ne soit particulièrement dure. Ne pas se montrer trop prodigue mais éviter de laisser la motte se dessécher. Les plantes mises au repos à basse température ne réclament que très peu d'eau.

Fertilisation. L'été, on donnera aux saxifrages un peu d'engrais soluble, une fois tous les 15 jours.

Rempotage. Le printemps est la saison qui se prête le mieux au rempotage. Une terre de rempotage standard du commerce suffit largement. Les perfectionnistes pourront préparer un petit mélange de feuilles de hêtre, tourbe, fumier de vache dé-

Schéfflera actinophýlla est une plante à feuillage robuste, pour locaux frais.

Saxífraga cotylédon : fleurs.

Saxífraga stolonífera avec ses stolons.

composé et terreau de gazon. Prendre des pots de plastique bien drainés.

Multiplication. Rien n'est plus simple. Les jeunes plantes qui se forment d'elles-mêmes sont le plus souvent munies de racines. On les sépare, on les empote et on les place à l'étouffée jusqu'à ce qu'elles se soient bien installées. On plante plusieurs sujets par pot. La multiplication par semis est également possible.

Maladies. Les plantes qui séjournent en atmosphère trop chaude sont rapidement envahies par les pucerons. Les araignées rouges s'installent l'hiver si la température est trop élevée et l'ambiance trop sèche. Des soins corrects permettent d'échapper à ces deux parasites.

Saxífraga cotylédon

○ ☺ ☺ ☺ ▣

Syn. *Saxífraga pyramidális.* Plante vivace originaire des Pyrénées. Grandes rosettes lâches de petites feuilles coriaces, spatulées, de 4 à 8 cm de long. Magnifique grappe de fleurettes blanches, de 50 cm de long, en mai-juin (un peu plus tôt en culture forcée).

Saxífraga stolonífera

▥ ☺ ☺ ☺ ▣

Syn. *Saxífraga sarmentósa.* Plante retombante, aux longs stolons souples sur lesquels naissent de jeunes plantes. Feuilles lâches, de 4 à 6 cm de diamètre, grossièrement dentées, le dessus est vert mat veiné de blanc, le dessous est rouge ; long pétiole. Fleurs blanches en panicules lâches, duveteuses. La race 'Tricolor', qui est la plus courante, a des feuilles plus petites, plus découpées, largement bordées de blanc et parsemées de petites taches rouges et blanches.

Schéfflera

Araliáceæ

Nom. Du nom de J.-Chr. *Scheffler* (XVIIIe siècle), botaniste originaire de Dantzig, qui fut ami de Linné.

Origine. L'espèce la mieux connue vient d'Australie. Les autres (il y en a 150) sont répandues dans presque tous les pays tropicaux.

Description. À l'état spontané, ce sont des arbustes ou de petits arbres aux grandes feuilles composées, digitées. Ils ne produisent pas de fleurs en culture.

Exposition. Ce sont des plantes tropicales mais croissant à de hautes altitudes, ce qui nous explique pourquoi elles ont un si grand besoin d'air frais. Elles se trouvent peu à l'aise dans une salle de séjour : il y fait trop chaud. Une cage d'escalier, une entrée fraîche, l'été, un petit coin de jardin leur conviennent beaucoup mieux. On les considère à juste titre comme des plantes d'orangerie.

Soins. Protéger du soleil et, dehors, choisir un emplacement bien abrité. L'hiver, la température peut descendre jusqu'à environ 12 °C. La plante est capable de résister à des températures plus basses, mais elle perd alors son feuillage. Les nouvelles feuilles repoussent au printemps.

Arrosage. Arroser modérément en été, un peu moins l'hiver si la température est basse. Il n'est pas nécessaire d'utiliser de l'eau adoucie.

Fertilisation. Pendant les mois d'été, quand la plante est en pleine croissance, il suffit de lui donner de l'engrais une fois par mois. Un engrais ordinaire pour plantes d'appartement est satisfaisant.

Rempotage. Ces plantes se dévelop-

Saxífraga stolonífera 'Tricolor'

Probablement *Schéfflera venulósa.*

Probablement *Schéfflera octophýllum.*

pent avec une grande vigueur. La première année, il est parfois nécessaire de les rempoter deux fois. Par la suite, un rempotage annuel au printemps suffit. Utiliser une terre de rempotage ordinaire. Planter en grand bac de plastique muni d'un orifice de drainage.
Multiplication. Le *Schéfflera* ne se bouture pas. Les graines fraîches, importées, lèvent à une température de 20-25 °C, sous châssis. Repiquer et endurcir les jeunes plantes.
Maladies. Présence de cochenilles à bouclier sur les plantes séjournant en atmosphère trop chaude.

Schéfflera actinophýlla
Syn. *Brassaía actinophýlla.* Arbre ombelle. Espèce la mieux connue. À l'état naturel, c'est un arbre de 30 m. En pot, il atteint 2 à 3 m. Feuilles composées, digitées, à 5-10 folioles ovoïdes-allongées à oblongues, mesurant chacune de 10 à 20 cm de long et de 4 à 6 cm de large, coriaces, vert luisant ; pétioles de 4 cm.

Schéfflera digitáta
Espèce de taille plus réduite. Feuilles à 5-10 folioles parcheminées, très pointues, sur les vieux sujets elles sont finement dentées, vert clair.

Schéfflera octophýllum
Feuilles également digitées, par 8 à 9, les folioles sont plus dressées, vert clair à nervures très apparentes, et mesurent 7 cm de long sur 3 cm de large.

Schéfflera venulósa
Syn. *Heptapleúrum venulósum.* 7 à 8 folioles lancéolées devenant ovales par la suite, mesurant jusqu'à 15 cm de long, vert foncé lustré. Il n'est pas toujours aisé de distinguer nettement les espèces les unes des autres et la nomenclature est parfois confuse. *Schéfflera actinophýlla* est en fait la seule espèce au sujet de laquelle on se soit mis d'accord.

Scílla
Liliáceæ

scille

Nom. *Du grec skilla,* scille maritime (*Urgínea marítima,* autrefois appelée *Scílla marítima*).
Origine. La plupart des espèces sont originaires des régions tempérées d'Europe, d'Asie et d'Afrique. Les espèces décrites ici viennent d'Afrique du Sud.
Description. La scille est une plante bulbeuse commune dans nos jardins. Préparées au forçage en chambre froide, ces plantes s'accommodent d'un bref séjour en appartement. Les espèces que nous décrivons valent surtout par leur feuillage décoratif.
Exposition. Les scilles se comportent bien à des températures variant entre 10 et 20 °C. On conseille parfois de les cultiver en serre ; elles s'acclimatent aussi en appartement, posées sur une tablette de fenêtre ensoleillée.
Soins. Contrairement à ce que l'on pourrait penser, la scille est une bulbeuse qui conserve son feuillage toute l'année. Donc, pas de période de dormance hivernale avec disparition totale du feuillage. Il est essentiel de donner aux scilles une exposition très claire en été, éventuellement dehors ; des températures trop élevées leur sont néfastes. Mettre au frais et réduire les arrosages, mais sans exagération, après la floraison. Conserver à température modérée en hiver et bassiner le feuillage.
Arrosage. Arroser assez peu, même en été. On peut se contenter de l'eau du robinet.
Fertilisation. On peut faire quelques apports d'engrais au moment où la plante émet de nouvelles feuilles. Une fertilisation par mois doit pouvoir suffire.
Rempotage. Il se pratique indifféremment à l'automne ou au printemps. Une terre de rempotage standard convient, on peut aussi préparer soi-même un mélange de terreau de feuilles de hêtre, terre argileuse finement émiettée et fumier de vache décomposé. Bien drainer les pots.
Multiplication. Il se forme beaucoup de bulbilles que l'on sépare et rempote à part au printemps.

Scílla paucifólia
○ ○ ⊗ ○ ○ ▣
Semblable à *S. violácea,* mais le feuillage est vert clair à macules plus sombres, la face inférieure n'est pas pourprée.

Scílla violácea
Bulbe très prolifère, croissant à moitié hors du sol. La face supérieure des feuilles est vert olive à striures argentées, la face inférieure est rouge vineux et luisante. Fleurs verdâtres à étamines violettes, sur de longs pédoncules.

Scílla violácea, une bulbeuse plutôt rare.

Scindápsus
Aráceæ

Nom. Du grec *skindapsos,* nom d'une plante grimpante ressemblant au lierre.
Origine. Une vingtaine d'espèces, plantes grimpantes à feuillage persistant, apparentées, entre autres, au *Philodéndron,* et répandues en Asie du Sud-Est, en Indonésie, etc.
Description. À la suite de remaniements dans la nomenclature des plantes appartenant à ce genre, une seule espèce continue à être présentée sous ce nom en tant que plante d'appartement. Les autres, bien mieux connues d'ailleurs, ont été classées parmi les *Rhaphidóphora* (voir ce nom). La plante dont nous nous occupons ici à des tiges souples et des feuilles cordées, toutes mouchetées.
Exposition. Étant donné ses exigences en hygrométrie, cette plante est mieux désignée pour la serre chaude que pour l'appartement. Elle sert parfois de couvre-sol dans les grands bacs où elle bénéficie, grâce à la présence des autres plantes, d'un microclimat favorable. Elle se prête particulièrement bien à la plantation en terrariums, bonbonnes et serres d'appartement. Très bonne épiphyte.

Scindápsus píctus 'Argyræus'

Soins. Cette plante peut séjourner à demeure dans une serre chaude ou dans tout autre local réunissant les mêmes conditions d'humidité et de chaleur. Ses tiges souples gagneront à être attachées à un tuteur moussu. La mousse enveloppant le tuteur doit rester humide en permanence, ce qui est quelquefois problématique.
Arrosage. Utiliser de préférence de l'eau adoucie ou une bonne eau de pluie. Arroser avec modération en été. On diminue souvent encore les arrosages en hiver.
Fertilisation. On peut faire des apports d'engrais chimique tous les 15 jours, en période de végétation.
Rempotage. Le mélange doit être aéré et acide : tourbe, terreau de feuilles de hêtre, sphagnum, fumier décomposé. Pots bien drainés.
Multiplication. Extrémités de pousses et boutures à un œil s'enracinent au début de l'été, à 20-25 °C, sous châssis. Les boutures de tiges émettent même des racines lorsqu'elles sont plongées dans un verre d'eau.

Scindápsus píctus
◑ ⊕ ⊗ ○ ▣
Plante grimpante à tiges verruqueuses. Feuilles cordées, très pointues, épaisses, à la face supérieure vert émeraude, parsemée de mouchetures bleuâtres et blanchâtres. On rencontre le plus souvent le cultivar 'Argyræus', aux feuilles plus petites, bordées de clair et aux mouchetures plus accentuées.

Scírpus
Cyperáceæ

scirpe

Nom. Du latin *scirpus,* jonc.
Origine. On compte environ 250 espèces appartenant à ce genre, que l'on retrouve partout dans le monde. La seule espèce cultivée en appartement est une plante des régions méditerranéennes.
Description. La plante ressemble à une sorte de grande perruque verte, aux cheveux pendants, d'une jolie teinte fraîche.
Exposition. Pour croître, cette plante a besoin d'une lumière abondante. Elle craint toutefois le soleil ardent. Elle se

Scírpus cérnuus

plaît à une fenêtre orientée à l'est, dans une serre, ou plantée dans un terrarium. Une température variant entre 16 et 20 °C est idéale. Bonne plante pour suspensions.

Soins. La plante peut passer toute l'année en appartement ou en serre. Si la température reste suffisamment élevée en hiver, sa végétation ne connaîtra pas d'interruption. Avec le temps, le centre se dégarnit, c'est pourquoi on divise la plante une fois par an et on replante les parties extérieures, vertes et saines. Le *Scírpus* est une plante de lieux humides, il faut le placer en dehors d'emplacements soumis à un courant d'air chaud et le bassiner souvent, surtout l'hiver.

Arrosage. C'est le type même de plante qui doit reposer toute l'année sur une soucoupe pleine d'eau. Ne pas immerger complètement la motte car la plante périrait. L'hydroculture et les bacs à réservoir d'eau sont tout à fait adaptés à ses exigences.

Fertilisation. En période de végétation, c'est-à-dire pratiquement toute l'année, il faut apporter de l'engrais une fois tous les 15 jours.

Rempotage. On renouvelle la terre au moment de la division des touffes. Prendre une terre de rempotage ordinaire.

Multiplication. Le procédé le plus simple est la division des touffes. Ne réutiliser que les parties jeunes du pourtour. Le *Scírpus* peut également se multiplier par le semis.

Maladies. Une croissance languissante est due à un manque de lumière ou à un excès de sécheresse de l'air ambiant.

Scírpus cérnuus

Syn. *Isólepis grácilis.*

Plante vivace, cespiteuse, dense, vert clair, aux tiges filiformes, retombantes, garnies de feuilles sétiformes et portant à leur extrémité des épillets brunâtres. Hauteur : 20 cm.

Sédum

Crassuláceæ

orpin

Nom. Ce nom pourrait venir du latin *sedare,* se fixer. Les Romains faisaient pousser ces petites plantes sur les toits, comme nous faisons pousser le *Sempervívum ;* elles s'y cramponnent à l'aide de leurs racines.

Origine. On connaît environ 500 espèces, répandues dans toutes les régions tempérées. Les espèces cultivées en appartement proviennent surtout du Mexique.

Description. Les *Sédum* appartiennent à la catégorie des plantes grasses ou, plus précisément, à la famille des plantes succulentes. Ils ont la propriété d'emmagasiner de l'humidité dans le tissu épais de leurs feuilles qui, souvent, sont très joliment teintées de rouge. On trouve dans ce genre de très belles plantes à port retombant et des espèces à feuilles cylindriques.

Exposition. Certaines espèces sont de culture très facile et se conservent en permanence en appartement, sans le moindre problème. Le soleil leur est indispensable. Il arrive simplement qu'ayant passé l'hiver dans une pièce chauffée, elles perdent leur belle coloration si caractéristique. Il est donc préférable de les cultiver dans une serre froide ou, à défaut, dans un coffre froid, protégé du gel, que l'on découvre complètement en été.

Soins. Les plantes se développent au cours de l'été. L'hiver, par une température avoisinant les 5 °C, elles peuvent prati-

Sédum pachyphýllum

Sédum gríseum

Sédum rubrotínctum

quement se passer d'eau. Les petites feuilles charnues contiennent une réserve d'humidité suffisante pour satisfaire aux besoins de la plante pendant des mois, lorsque la température est si basse. Si les feuilles paraissent se rider, il suffit de verser quelques gouttes d'eau tiède au bord du pot. Si les plantes hivernent en local chauffé, ce qui, en principe, est une hérésie, elles réclameront bien évidemment des arrosages un peu moins chiches.

Arrosage. Peu de besoins, même l'été. On peut arroser à l'eau du robinet. Toujours amener l'eau à la température ambiante.

Fertilisation. Inutile de fertiliser les plantes rempotées régulièrement.

Rempotage. Rempoter au printemps, dans une terre poreuse et humifère contenant un peu de calcaire. Le mélange pour cactus est excellent. On peut

préparer soi-même un mélange composé de terreau de feuilles, terre argileuse finement émiettée, fumier de vache décomposé, sable grossier ou perlite. Drainer parfaitement les pots.

Multiplication. Chez certaines espèces, les feuilles qui tombent s'enracinent spontanément. En règle générale, prélever des feuilles, les laisser sécher un jour ou deux et les bouturer. On bouture également des extrémités de rameaux. Le semis sert aussi à la propagation des espèces.

Maladies. Elles sont rares. La pourriture est la conséquence d'arrosages excessifs à basse température. On observe parfois des cochenilles farineuses.

Sédum béllum

Petite touffe dense aux petites feuilles repliées, ayant l'apparence d'un bouton.

Au cours de la 2e année de culture, on voit se déployer des feuilles épaisses, spatulées. Petites fleurs blanches, étoilées, à cinq pointes.

Sédum dasyphýllum

Petite plante très naine, ne dépassant pas 5 cm de haut, à tiges rampantes. Minuscules feuilles charnues, de 3 mm de long, superposées sur 4 à 6 rangs, de couleur gris bleuté, couvertes d'un court duvet. Fleurs blanches en corymbes grêles.

Sédum gríseum

Petit arbrisseau trapu, aux tiges dressées portant des feuilles cylindriques, gris vert poudré de blanc. Fleurs blanches.

Sédum morganiánum

Plante à tiges retombantes ressemblant à des queues. Feuilles cylindriques, légèrement courbes et pointues, gris clair, régulièrement imbriquées les unes dans les autres. Plante remarquable. Fleurs roses.

Sédum pachyphýllum

Espèce typique, très connue. Rameaux érigés, en buisson. Les petites feuilles cylindriques, de 30 à 40 mm de long et 8 à 10 mm de large, légèrement recourbées vers le haut sont disposées tout le long des tiges. Elles sont glauques, teintées de rouge à leur extrémité. Fleurs jaunes.

Sédum platýphyllum

Tiges épaisses, érigées. Feuilles vert jaunâtre, spatulées, pruineuses, rassemblées au sommet des tiges. Fleurs blanc verdâtre moucheté de rouge.

Sédum prææltum

Buisson de croissance vigoureuse. Feuilles épaisses, spatulées, légèrement recourbées vers le haut, vertes, luisantes. Inflorescence jaune pouvant mesurer 10 cm de haut. On connaît surtout la forme 'Cristatum' dont les rameaux aplatis sont assez remarquables.

Sédum stáhlii

Sédum rubrotínctum

Syn. *Sédum guatemalénse*. Petite plante grasse très populaire. Ses fins rameaux dressés portent de petites feuilles cylindriques de 10 à 20 mm de long et 4 à 8 mm d'épaisseur, de couleur vert brillant à brun rouge. Comme toujours chez les *Sédum*, l'intensité de la coloration est fonction de l'ensoleillement et de la sécheresse. Les fleurs sont jaunes. On cultive beaucoup la forme 'Aurora', aux feuilles roses à saumonées.

Sédum siebóldii

Cette espèce déborde un peu du cadre de cet ouvrage car elle est le plus souvent proposée pour la décoration des parterres et des balcons. Elle exige effectivement une ambiance fraîche. Rameaux flexibles. Feuilles glauques, à bord blanc, lavées de rouge et verticillées par 3 à une distance de 3 cm. Fleurs roses, en octobre. La forme 'Mediovariegatum' a des feuilles portant une tache blanche au centre.

Sédum stáhlii

Tiges grêles, divergentes. Petites feuilles cylindriques, de 10-15 mm de long et 5-7 mm de large, vertes, souvent lavées de brun (tout dépend de l'ensoleillement) et ressemblant à des haricots. Elles se détachent très facilement. Fleurs jaunes.

Selaginélla

Selaginelláceæ

sélaginelle

Nom. Diminutif de *Selágo*, nom de genre (du latin *selago*, nom employé par Pline pour une plante que les druides récoltaient lors de mystérieuses cérémonies).
Origine. Environ 700 espèces, dans les forêts tropicales humides.
Description. Petites plantes basses, généralement vert clair, ressemblant à des mousses.
Exposition. Autant que possible, en milieu confiné : bonbonnes, vitrines, etc. En appartement leur survie est limitée.
Soins. Cultiver à exposition claire, non ensoleillée, et à une température constante de 15° au minimum. Entretenir autour des plantes une atmosphère très humide.
Arrosage. Ne jamais laisser sécher.
Fertilisation. Pendant l'été, pulvériser de temps à autre un engrais foliaire.
Rempotage. Terre de rempotage standard, allégée avec du sphagnum ou de la tourbe, etc. Planter en coupelles peu profondes, bien drainées.
Multiplication. Division des touffes.
Maladies. Attirent les limaces.

Selaginélla ápoda

Plante très basse, gazonnante, feuilles vert clair, très finement dentelées.

Selaginélla kraussiána

Lycopode des jardiniers. Tiges rampantes de 30 cm, avec des ramifications latérales vertes, divisées. Feuillage vert frais. 'Aurea' est vert jaunâtre, 'Brownii' a une végétation très naine, 'Variegata' a les extrémités des tiges blanches.

Selaginélla lepidophýlla

Plante à la résurrection. Tiges courtes dont les ramifications latérales, divisées, s'enroulent par temps sec. La plante se détend lorsqu'on la mouille. Elle fait penser à la rose de Jéricho (voir *Anastática*).

Selaginélla marténsii

Tiges érigées à la base, puis étalées, à racines aériennes, feuillage vert clair. 'Watsoniana', aux extrémités blanc argenté, en éventail, est la mieux connue, 'Compacta' est très naine, 'Variegata' a les extrémités de ses tiges et ses feuilles latérales blanches ou striées de blanc.

Selenicéreus

Cactáceæ

Nom. Du grec *selênê*, lune, et de *Céreus*, nom de genre.
Origine. On connaît environ 25 espèces de ce cactus. On les trouve surtout en Amérique centrale et du Sud.
Description. Cactus à port buissonnant, aux tiges grimpantes, longues de plusieurs mètres et souvent pourvues de racines adventives. Ils produisent des fleurs immenses, très fugaces.
Exposition. Compte tenu de sa vigueur, ce cactus est surtout réservé à la serre, mais certains amateurs lui consacrent toute une fenêtre et obtiennent des résultats intéressants. Le problème majeur est celui de l'hygrométrie : il faut qu'elle soit très élevée. La lumière joue aussi un rôle important : il en faut énormément, tout en évitant d'exposer la plante aux effets du plein soleil.
Soins. Planté en pleine terre, dans une serre chaude, ce cactus émet des pousses pouvant atteindre jusqu'à 3 m de long. La culture, dans ces conditions, pose peu de problèmes : arroser modérément en été, le moins possible en hiver, saison durant laquelle la température de la serre est ramenée à 10 °C. Ce dernier point est très important, d'où la difficulté de conserver cette plante en appartement. Pour ce cactus, et pour les cactées et plantes grasses en général, c'est l'hivernage qui conditionne la mise à fleurs. La plante par elle-même ne craint pas la chaleur, mais celle-ci l'empêche de fleurir. Il faut ajouter que le *Selenicéreus* est dépourvu de tout attrait et ne vaut guère la peine d'être cultivé si ce n'est pour ses fleurs. Les longues tiges doivent être soigneusement palissées sur des fils solides car, avec le temps, leur poids peut devenir important. Quand approche le moment de la floraison, les boutons se mettent à gonfler dans l'après-midi. Vers 10 h du soir, la fleur est largement épanouie, mais au matin, quand le jour se lève, elle s'affaisse comme un soufflé raté. Pendant sa brève existence, elle exhale un parfum suave. Une plante vigoureuse peut produire de très nombreuses fleurs au cours d'un été : on a donc tout de même l'occasion d'en profiter. Les jeunes plantes mettent, hélas, beaucoup de temps à fleurir.
Arrosage. Il est recommandé d'arroser le *Selenicéreus* à l'eau de pluie, il réagit mal au calcaire. Supprimer presque totalement les arrosages en hiver.
Fertilisation. Un peu d'engrais ne peut qu'être bénéfique à une plante si exubérante dans sa croissance. Si elle est plantée en pleine terre, elle trouvera dans le sol la nourriture dont elle a besoin. En pot ou en caisse, on lui apportera un peu d'engrais spécial pour cactus, une fois par mois.
Rempotage. Ce n'est pas une mince affaire que de rempoter cet animal long de plusieurs mètres et tout hérissé de piquants. Pour le manipuler plus facilement, on l'emballera dans de vieilles couvertures. Un mélange de tourbe, terreau de feuilles, fumier décomposé et sable grossier ou perlite conviendra très bien. On peut aussi utiliser un mélange acide, vendu prêt à l'emploi.
Multiplication. Diviser une tige en segments de 10 cm, que l'on laisse sécher pendant une semaine. Planter ensuite dans un sol sableux. Le semis est également pratiqué.

Selenicéreus grandiflórus

Syn. *Céreus grandiflórus*. C'est l'espèce à fleurs géantes. Tiges à 5-8 côtes épaisses de 2 à 3 cm, aiguillons par 7 à 11, longs de 4 à 6 cm, mêlés de poils blanchâtres. Fleurs mesurant jusqu'à 30 cm de diamètre, pétales intérieurs blancs, pétales extérieurs jaunes, maculés de rouge. Odeur de vanille.

Selenicéreus pteránthus

Tiges de 4 cm d'épaisseur, à 4-6 côtes peu profondes, aiguillons plus raides, mêlés à des poils sur les tiges juvéniles uniquement. Fleurs plus petites.

De gauche à droite : *Selaginélla marténsii* 'Watsoniana', *S. marténsii* et *S. ápoda*

Les fleurs immenses de *Selenicéreus grandiflórus*.

Sempervívum

Crassuláceæ

joubarbe

Nom. Du latin *semper,* toujours, et *vivum,* vivant. Ce sont effectivement des plantes indestructibles.

Origine. Régions montagneuses de l'hémisphère nord. On connaît 20 à 30 espèces.

Description. Plantes formant des rosettes de feuilles et couvrant parfois de vastes étendues. Elles poussent aux endroits les plus invraisemblables et jusque sur les toits.

Exposition. Toutes les espèces se cultivent en jardin de rocaille et sont donc parfaitement rustiques. On les propose néanmoins souvent comme plantes d'appartement. Elles se plaisent beaucoup au bord d'une fenêtre bien ensoleillée, mais l'hiver, il est préférable de les transporter dans un endroit très frais. En les mettant au jardin ou dans des terrines bien drainées, sur le balcon, on s'éviera tout problème.

Soins. Les *Sempervívum* sont d'une frugalité exemplaire : plus on les néglige et mieux ils se portent. Un excès d'eau, d'engrais, de chaleur ramollit les plantes et les dénature.

Arrosage. Pratiquement superflu. Il leur faut, bien sûr, une petite goutte d'eau de temps à autre, mais en général on pèche toujours par excès.

Fertilisation. «On se moque», doit se dire la plante, quand elle voit arriver une petite ration d'engrais. Elle a l'habitude de trouver sa nourriture elle-même, au besoin dans les parois du pot. Inutile de la gâter.

Rempotage. Il est superflu car il apporte aux plantes une nouvelle provision d'éléments nutritifs qui les dénaturent. Donc, rempoter le moins souvent possible et dans n'importe quoi, pourvu que le fond du récipient soit tapissé d'une bonne couche de drainage.

Multiplication. Très facile : il suffit d'empoter à part des rosettes munies de quelques racines. On peut aussi semer.

Sempervívum arachnoídeum

○ ◔ ◔ ◑ ▥

Joubarbe toile d'araignée. Forme des petites rosettes couvertes d'une véritable toile d'araignée. Petites fleurs rouge clair sur des hampes de 15 cm, en juin-juillet.

Sempervívum téctorum

Joubarbe des toits. Espèce à l'aspect très variable, formant habituellement d'assez grandes rosettes de feuilles coriaces, vert clair, à pointe brune. Fleurs roses. Il existe un très grand nombre d'hybrides.

Senécio

Compósitæ

séneçon

Nom. Nom latin employé par Pline et dérivé de *senex,* vieillard.

Origine. Ce genre comprend une énorme quantité d'espèces (environ 1 300), répandues dans le monde entier. Nous nous limiterons ici aux cinéraires, natives des îles Canaries, à quelques espèces succulentes originaires d'Afriquc du Sud et à 2 espèces à teuillage provenant, elles aussi, de cette partie du globe.

Description. Les cinéraires hybrides, issus de *Senécio cruéntus,* fleurissent infatigablement. Les espèces succulentes sont celles que nous appelons couramment séneçons ; leurs feuilles, rondes comme des petits pois, sont enfilées sur les tiges comme des perles. Les espèces à feuillage, à caractère légèrement succulent, ressemblent à un lierre panaché.

Exposition. Les cinéraires aiment un emplacement clair et frais. Exposées au soleil et aux courants d'air, elles ne tardent pas à se couvrir de pucerons. Les plantes grasses, quant à elles, se cultivent en plein soleil et hivernent au froid, si possible. *Senécio mikanioídes,* qui est une plante à feuillage, tolère l'ombre et des températures assez basses. *Senécio macroglóssus,* par contre, se traite comme les plantes succulentes.

Soins. *Senécio cruéntus* apparaît sur le marché au printemps, en pleine floraison. Mettre la plante dans un endroit aussi frais que possible et très lumineux. Faire des pulvérisations d'eau sur le feuillage, de temps en temps, et veiller à bien protéger du soleil. Une fois la florai-

Senécio citrifórmis en fleurs.

Senécio cruéntus « cinéraire hybride »

Senécio macroglóssus 'Variegatum'

son passée, il n'y a plus qu'à jeter la plante.

Les espèces succulentes, y compris *Senécio macroglóssus,* exigent beaucoup de soleil et de chaleur en été, mais doivent passer l'hiver au frais et au sec. Ce sont heureusement des plantes solides, qui résistent souvent en appartement chauffé. On les placera le plus près possible d'une fenêtre, là où il fait le moins chaud.

L'espèce à feuilles minces, *Senécio mikanioídes,* réclame la fraîcheur ; ce n'est pas une plante pour locaux chauds et secs. C'est une excellente plante grimpante ou retombante. Elle tolère un peu d'ombre.

Arrosage. Les grandes feuilles des cinéraires transpirent énormément. Il faut souvent baigner les pots. Amener l'eau du bain à température. Les espèces à feuilles charnues, c'est-à-dire les succu-

lentes, se contentent de peu d'eau en été. L'hiver, lorsqu'elles reposent à des températures proches de 10 °C, elles pourraient presque se passer d'arrosages. *Senécio mikanioídes,* l'espèce à feuillage panaché, doit toujours être modérément humide. Toutes les espèces peuvent être arrosées à l'eau du robinet, à condition qu'elle ne soit pas exagérément calcaire.

Fertilisation. Il n'est pas inutile de donner un peu d'engrais aux cinéraires : on peut de cette façon prolonger quelque peu leur floraison. Veiller à ne pas trop concentrer la solution. Les succulentes n'ont guère besoin d'être fertilisées si elles sont rempotées annuellement. *Senécio mikanioídes* doit être fertilisé normalement tous les 15 jours, en été.

Rempotage. On ne rempote jamais *Senécio cruéntus* puisqu'on le jette après la floraison. Les petites plantes de semis

Une auge plantée de diverses espèces de *Sempervívum* peut faire un excellent décor de balcon.

se cultivent dans une terre de rempotage standard.

Les succulentes préfèrent un mélange très perméable, comme celui que l'on réserve aux cactées. *Senécio mikanioïdes* s'élève en terre ordinaire et se rempote chaque année, au printemps.

Multiplication. Le semis de *Senécio cruéntus* n'est pas aisé à réussir. Il faut absolument que la température soit très fraîche. Les horticulteurs sèment en juillet-août. Aussitôt après la levée, les plantes sont mises en coffre froid où l'on conserve, l'hiver, une température minimale de 5 °C. La floraison intervient au printemps.

Les succulentes se multiplient facilement de boutures. Il faut laisser la blessure occasionnée par la coupe se cicatriser un jour ou deux avant de planter. *Senécio mikanioïdes* se reproduit aussi sans problème à partir de boutures de tête qu'il suffit même de faire tremper dans un verre d'eau pour leur faire émettre des racines.

Maladies. Pour peu que les cinéraires soient exposées à la chaleur ou aux courants d'air, elles sont envahies de ces bestioles voraces que sont les pucerons. Si l'atmosphère est trop humide, elles sont victimes de l'oïdium. Elles supportent aussi très difficilement l'accumulation de résidus minéraux dans le pot : leurs feuilles jaunissent rapidement ou se recroquevillent. Il faut donc éviter de faire des apports d'engrais trop concentrés ou d'arroser à l'eau impure.

Les succulentes peuvent avoir à souffrir des pucerons et des cochenilles farineuses. S'il fait trop froid ou si elles sont trop mouillées, elles pourrissent très facilement.

Senécio articulátus
◐ ⊕ ☉ ◔ ▦

Syn. *Kleínia articuláta*. Petit arbuste à tiges épaisses, cylindriques, le long desquelles sont implantées des petites feuilles profondément découpées et portées par de longs pétioles. Les feuilles tombent pendant la période de repos. La plante entière est blanche, pruineuse, les feuilles sont glauques. Fleurs jaunâtres, à odeur désagréable.

Senécio citrifórmis
Petite plante à tiges couchées, assez courtes. Les feuilles, en forme de citron,

Senécio rowleyánus (à g.) et *Senécio herreiánus*

mesurant jusqu'à 20 mm. Elles sont pruineuses, bleuâtres à striures translucides. Fleurs blanches.

Senécio cruéntus (Hybrides de)
◑ ☉ ⊗ ◔ ▦

Syn. *Cinerária* hybrides. Cinéraires hybrides (des horticulteurs). Plantes à feuillage pubescent. Feuilles grandes, découpées irrégulièrement, vaguement lobées. Capitules en corymbes terminaux larges et denses, mesurant jusqu'à 8 cm de diamètre, de toutes les couleurs sauf le jaune. On a réussi à créer différents types de fleurs.

Senécio hawórthii
◯ ⊕ ☉ ◔ ▦

Syn. *Kleínia tomentósa*. Petit arbuste à l'aspect laineux. Petites feuilles cylindriques, terminées en pointe, mesurant jusqu'à 30 mm de long.

Senécio herreiánus
Syn. *Kleínia gomphophýlla*. Plante aux tiges pendantes, le long desquelles sont insérées de petites feuilles presque cylindriques, pointues, d'un vert grisâtre parfois strié de rouge. Souvent confondu avec *Senécio rowleyánus*.

Senécio macroglóssus
Plante retombante à petites feuilles de lierre, de caractère nettement succulent. La race la plus décorative est 'Variegatum', aux feuilles marginées de blanc. À ne pas confondre avec l'espèce suivante.

Senécio mikanioídes
◐◑ ⊕ ☉ ⊗ ◔ ▦

Syn. *Mikánia scándens*. Plante sarmenteuse. Feuilles semblables à celles du lierre, vert clair, minces, lobées, larges de 5 à 10 cm, sur un long pétiole. Il n'existe pas de forme panachée.

Senécio rowleyánus
◯ ⊕ ☉ ◔ ▦

Petite plante aux tiges pendantes, couvertes de minuscules feuilles ressemblant à des petits pois. Fleurs blanches, tachées de lilas.

Setcreásea

Commelináceæ

Nom. Origine inconnue. Plante souvent appelée à tort *Tradescántia*.
Origine. Espèces peu nombreuses, toutes originaires du Mexique. Elles ne figurent parmi les plantes d'appartement qu'à partir de 1955.
Description. Leur singularité réside dans leur coloration entièrement pourpre, fait assez rare chez les plantes d'intérieur. Elles valent surtout par la beauté de leur feuillage.
Exposition. Pour conserver tout l'éclat de ses feuilles pourpres, la plante doit, avant tout, bénéficier d'une exposition très lumineuse. La température n'a pas une importance primordiale. Lorsque l'hiver est doux, la plante peut même rester dehors, contre un mur exposé plein sud.
Soins. Mis à part son besoin de lumière, c'est une plante vraiment peu exigeante. Elle apprécie un abaissement de la température et de l'humidité en hiver, mais peut aussi s'en passer. Dès que l'aspect de la plante commence à se délabrer, il faut s'empresser de faire des boutures. C'est une bonne chose que de renouveler les plantes tous les ans car les sujets adultes ne valent pas les jeunes.
Arrosage. Il faut veiller à ne pas éclabousser le feuillage en arrosant, car il se forme de vilaines taches. La motte doit être modérément humide en permanence l'été, un peu plus sèche en hiver, si la température est basse. L'eau du robinet convient très bien.
Fertilisation. Lorsque la plante se développe avec une certaine vigueur, on peut

Setcreásea purpúrea

lui donner une petite ration d'engrais dilué, tous les 15 jours, mais ce n'est pas indispensable. L'excès d'engrais ramollit la plante.
Rempotage. Rempoter chaque année, au printemps, dans un mélange standard.
Multiplication. Le *Setcreásea* se multiplie facilement de boutures de tête de 7-10 cm, faites de préférence au printemps. Elles réussissent également en d'autres saisons. Laisser les boutures sécher un jour ou deux avant de les planter, les tiges sont légèrement succulentes.

Setcreásea purpúrea
◯ ⊕ ☉ ⊗ ◔ ▦

Plante vivace, entièrement pourpre. Feuilles concaves, de 15 cm de long et 5 cm de large, nervures sombres très nombreuses, longs poils soyeux sur les bords. Hampes florales dressées, bractées en coupe, corolles violettes.

Sidérasis

Commelináceæ

Nom. Probablement du grec *sidêros*, fer, à cause des poils bruns qui recouvrent la plante.
Origine. On ne connaît qu'une seule espèce, originaire du Brésil.

Description. La plante doit en grande partie son attrait au duvet brunâtre qui habille ses feuilles et contraste agréablement avec ses fleurs bleues, virant parfois au rouge.
Exposition. C'est une plante qui a sa place dans la serre chaude ou la vitrine d'appartement, là où règne une hygrométrie élevée. Elle réussit parfois assez bien sur une tablette de fenêtre. Il faut tenter l'expérience. À protéger du soleil ardent.
Soins. Pas de période de repos obligatoire : la plante peut passer toute l'année au chaud. Il lui faut de toute façon une température minimum de 16 °C.

En appartement chauffé, il faut créer un climat humide autour de la plante en pratiquant des vaporisations ou en plaçant dans son voisinage un humidificateur ou une bassine pleine d'eau. Les gouttes d'eau qui se déposent sur les feuilles provoquent assez facilement de vilaines taches.
Arrosage. Si l'atmosphère doit être assez humide, la motte, par contre, ne doit pas l'être trop. Arroser plutôt avec parcimonie. On peut se servir sans crainte de l'eau du robinet.
Fertilisation. Faire un léger apport d'engrais une fois par mois, en été. Un excès de « nourriture » dénature la plante.
Rempotage. Il est bon de rempoter les plantes tous les ans, au printemps. Utiliser des pots en plastique au fond desquels on aura déposé un lit épais de tessons. Une terre de rempotage ordinaire du commerce suffit.
Multiplication. Le bouturage et le semis sont très délicats. On a généralement recours à la division des touffes lorsqu'on souhaite obtenir de nouveaux sujets.

Sidérasis fuscáta
◐◑ ⊕ ☉ ◔ ▦

Petite plante. Feuilles épaisses, disposées en rosettes, ovales, mesurant 7 à 10 cm de long et 3 à 5 cm de large. La face supérieure de la feuille est verte, couverte de poils bruns. Bande blanche de long de la nervure médiane. Le revers est rougeâtre. Fleurs solitaires, bleuâtres ou pourpres, sur un court pédoncule.

Sidérasis fuscáta

Sinníngia speciósa : le gloxinia, désuet mais toujours populaire.

Skímmia japónica couvert de fruits.

Sinníngia

Gesneriáceæ

gloxinia

Nom. Du nom de Wilhelm *Sinning* (1794-1874), directeur du jardin botanique de Bonn. Benjamin Peter *Gloxin* était médecin à Colmar.

Origine. On dénombre une vingtaine d'espèces spontanées dans les forêts tropicales humides du Brésil. Les variétés horticoles disponibles actuellement sont issues du croisement de variétés naturelles de *Sinníngia speciósa*.

Description. Plantes acaules, aux grandes feuilles et aux racines tubéreuses épaisses de 3 cm. Les grandes fleurs, en forme d'entonnoir, sont dotées de couleurs chatoyantes.

Exposition. C'est la serre chaude qui, en fait, convient le mieux à ces plantes frileuses et avides d'humidité. Certains amateurs enthousiastes, en nombre de plus en plus limité, les cultivent cependant en appartement. Ne pas les exposer au soleil vif.

Soins. Choisir dans la pièce un emplacement chaud, clair, mais non ensoleillé et créer l'ambiance la plus humide possible. La température ne doit pas descendre au-dessous de 18 °C.

Laisser la plante poursuivre sa croissance après la floraison. Restreindre progressivement les arrosages à la fin de l'été, jusqu'à ce que les feuilles jaunissent et meurent. Conserver les tubercules au sec, dans leur pot, à une température minimale de 15 °C. Fin février, on sort les tubercules, on les rempote dans de la terre fraîche et on les remet en végétation à une température de 20 °C. Laisser deux pousses par tubercule. Dans la mesure du possible, on élève les plantes en serre.

Arrosage. Le *Sinníngia* consomme beaucoup d'eau et redoute les effets des sels minéraux. Ne les arroser qu'à l'eau de pluie ou adoucie. Baigner les pots dès que les feuilles se ramollissent. Toujours amener l'eau à la température de la pièce.

Fertilisation. Le *Sinníngia* est vorace. Il faudrait, pour bien faire, toujours ajouter une légère dose d'engrais à l'eau d'arrosage. Surtout ne jamais dépasser la moitié de la concentration normale prescrite sur l'emballage.

Rempotage. Si, à l'achat, le pot paraît un peu petit, il ne faut pas hésiter à le changer immédiatement. Utiliser une terre acide. L'idéal est un mélange de parties égales de terreau de feuilles, tourbe et fumier de vache décomposé.

Multiplication. Le procédé de multiplication le plus simple est le bouturage des feuilles et des rejets. Les horticulteurs sèment en automne, sous châssis, et ont recours à un éclairage d'appoint fourni par des lampes spéciales. Il faut une température de 20-22 °C. On repique une première fois 3 semaines après le semis et une deuxième fois, 1 mois plus tard. Les plantes sont finalement empotées en pots de 12 cm. Les races les plus précoces fleurissent dès avril.

Maladies. Les feuilles qui s'enroulent signalent un manque d'eau. Des arrosages à l'eau trop froide provoquent la pourriture du pied. Des taches brunes circulaires sur le feuillage sont dues à une maladie cryptogamique contre laquelle on n'a pas de remède. Les feuilles abritent parfois des acariens jaunes et des tarsonèmes.

Sinníngia speciósa

◐ ⊕ ∞ ○ ⑰

Syn. *Gloxínia speciósa*. Gloxinia élégant. Souche tubéreuse d'où naissent directement des feuilles ovales-allongées, de 25 cm de long, duveteuses, veloutées. Leur revers est souvent rouge. Fleurs solitaires ou groupées, généralement dressées, corolle en forme de cloche, mesurant jusqu'à 5 cm, long pédoncule. Les hybrides sont disponibles dans des coloris variés.

Skímmia

Rutáceæ

skimmie

Nom. Du japonais *skimmi,* fruit nuisible, désignant *Skímmia japónica*, dont les baies sont toxiques pour les humains et les oiseaux.

Origine. On connaît environ 12 espèces spontanées, de Chine, du Japon et de l'Himãlaya.

Description. Le *Skímmia* est surtout connu en tant que plante de jardin. Il réussit particulièrement bien en zones littorales au climat doux. Ce sont des arbustes à feuilles persistantes, produisant des grappes de baies rouges. Des sujets de petite taille sont parfois offerts sur le marché des plantes d'appartement : il s'agit toujours du *Skímmia japónica*.

Exposition. Il est clair que cette plante n'est pas destinée à la culture en appartement chauffé. Elle peut servir à la décoration d'un corridor frais, d'une maison de campagne non chauffée, etc. Elle supporte sans inconvénient de légères gelées et on peut fort bien la laisser sur un balcon abrité ou au jardin. Éviter le plein soleil.

Soins. Lorsque la plante est conservée à l'intérieur, il faut bassiner fréquemment le feuillage et la transporter ailleurs dès que le chauffage est mis en route. Il faut savoir que le *Skímmia* est dioïque : certaines plantes produisent des fleurs mâles, d'autres des fleurs femelles. Pour obtenir des fruits, il faut avoir au moins un sujet mâle qui fleurisse en même temps que les sujets femelles, quelques abeilles ou, à rigueur, un petit pinceau. Il est évident que cette plante n'offre au jardinier en chambre que des satisfactions limitées.

Arrosage. Arroser de préférence à l'eau de pluie.

Fertilisation. Apport d'engrais dilué, tous les 15 jours, en été.

Rempotage. La terre doit être humifère et acide. Sapinette ou terre de bruyère.

Multiplication. Les baies mûres donnent des graines qui peuvent être semées à froid, en automne. On peut aussi bouturer en août des extrémités de tiges, de 10 cm, toujours à froid. Dans les deux cas, il suffit que la température se maintienne juste au-dessus de 0 °C.

Skímmia japónica

◐ ● ○ ∞ ○ ⑰

Skimmie du Japon. Arbuste de 1 m environ. Feuilles elliptiques, coriaces, de 7 à 10 cm de long. Fleurs blanchâtres. Baies rouge clair très toxiques.

Smithiántha hybride à fleurs jaune orangé.

Smithiántha

Gesneriáceæ

Nom. Du nom de Matilda *Smith* (1854-1926), dessinatrice de plantes aux Kew Gardens de Londres, et du grec *anthos*, fleur.

Origine. 5 ou 6 espèces, au Mexique et au Guatemala, dans les forêts humides, en altitude.

Description. Plantes rhizomateuses, aux feuilles tendres, souvent cordiformes, disparaissant en hiver.

Exposition. Plantes pour serre chaude, vitrine ou serre d'appartement. Au prix de soins assidus, on peut les conserver un certain temps en vie, placées sur une tablette de fenêtre, mais elles y souffriront généralement de l'atmosphère sèche.

Soins. Les *Smithiántha* ne sont pas des plantes que l'on voit couramment aux étalages des fleuristes. On se procure les rhizomes en les commandant à un établissement de vente par correspondance. L'aventure commence donc par la découverte de quelques bouts de rhizome emballés dans de la sciure de bois. On les plante aussitôt dans une terre humifère, dans de la tourbe ou du sphagnum humides, à une température

de 20-25 °C et on les place sous châssis, en surveillant étroitement le degré d'humidité car il ne faut pas qu'ils moisissent. Quand les pousses sont nettement apparentes, on empote 3 à 5 segments de rhizome par pot de 12 cm. Si l'on dispose d'une grande quantité de rhizomes, on aura avantage à ne pas les faire démarrer tous en même temps, mais à en planter quelques-uns chaque semaine afin de prolonger la floraison.

Il est recommandé de conserver les plantes nouvellement empotées quelque temps sous châssis. Un passage trop brusque à l'air libre provoque un arrêt de la végétation. La température, et surtout celle du fond, doit être maintenue à 20-22 °C. Au bout de quelques semaines, on commence à endurcir progressivement les plantes. On mesure aisément leur résistance à l'air sec à leur comportement. On les conservera, autant que possible, en permanence à l'abri d'une mini-serre (on peut s'en procurer une pour un prix très raisonnable) ou de tout autre type de vitrine. À la fin de la floraison, c'est-à-dire vers la fin de l'été, on diminue petit à petit les arrosages jusqu'à la disparition du feuillage. Les rhizomes sont hivernés au sec, dans leur pot, à une température minimale de 12 °C.

Arrosage. Conserver la motte modérément et constamment humide durant tout l'été. Cesser totalement les arrosages en hiver. Il est conseillé de se servir exclusivement d'eau de pluie tiédie.

Fertilisation. On peut fertiliser légèrement une fois tous les quinze jours, au moment où les plantes sont en plein développement.

Rempotage. Il a lieu au moment où l'on remet les rhizomes en végétation. La terre doit être très aérée et humifère et peut se composer de tourbe, terreau de feuilles et fumier de vache décomposé. Le mélange doit être pauvre en calcaire.

Multiplication. Les rhizomes peuvent être divisés en tronçons possédant chacun au moins un bourgeon. L'été, on peut faire des boutures de feuilles. On raccourcira un peu le pétiole et on donnera une chaleur de fond de 20-25 °C.

Smithiántha cinnabárina

◑ ⓘ ⊗ ⊖ ▣

Syn. *Gesnéria cinnabárina ; Nægélia*

cinnabárina. Petite plante garnie de poils glanduleux. Feuilles vertes, rondes cordiformes, de 10 cm de diamètre, légèrement cloquées, couvertes de poils rouges. Fleurs rouges avec du blanc.

Smithiántha hybrides

Croisements des espèces citées ci-dessous. Ce sont les variétés que l'on trouve le plus fréquemment dans le commerce.

Smithiántha multiflóra

Fleurs blanc crème maculé de jaune.

Smithiántha zebrína

Feuilles velues, veloutées, vertes avec du brun le long des nervures. Fleurs rouges, à la gorge marquée d'un pointillé.

Solánum

Solanáceae

Nom. Nom de plante datant des Romains. On n'en connaît pas exactement l'origine, peut-être est-ce *solamen*, consolation, soulagement.

Origine. On compte au total environ 1 500 espèces, répandues sur tout le globe. Nombre d'entre elles sont très toxiques.

Description. Petites plantes affectant la forme d'un arbuste de taille réduite, chargées de baies toutes rondes. On les voit surtout en automne.

Exposition. Il est essentiel de faire hiverner ces plantes à une température assez basse : 10 °C suffisent. L'été, on les met au jardin ou sur la terrasse ou le balcon.

Soins. Rentrées en octobre en appartement chauffé, ces petites plantes ne tarderont pas à péricliter. Il faudra tout au moins les bassiner souvent. Aussitôt que les baies se sont flétries, on taille sévèrement et on entrepose les plantes en lieu frais pour l'hiver.

La végétation repart au printemps. Conserver les plantes quelque temps au frais après le rempotage et les placer dehors à partir de fin mai. Elles fleurissent en été, et s'il se trouve suffisamment d'insectes pour les polliniser, elles fructifieront abondamment. On les rentre dès l'automne, car elles sont très sensibles aux gelées nocturnes.

Arrosage. Il faut arroser très généreusement en été. La plante transpire aussi énormément au début de l'hiver. Si elle est conservée dans une pièce chauffée, il faudra veiller à ce que l'atmosphère soit suffisamment humide. L'état du feuillage vous renseignera. L'eau du robinet peut convenir.

Fertilisation. En été, fertiliser tous les 15 jours à l'engrais peu azoté.

Rempotage. On peut se contenter d'un mélange de rempotage ordinaire du commerce.

Multiplication. On fait généralement des semis en décembre-janvier, sur chaleur de fond de 20 °C. Repiquer après la levée et pincer à plusieurs reprises, sinon on obtient des plantes grêles. La température peut être ramenée à 15 °C. Vers la mi-mai, les plantes sont exposées à un endroit ensoleillé, en plein air.

On peut également bouturer des extrémités de rameaux en hiver. Le mode de culture sera identique à celui des plantules de semis. Un éclairage d'appoint pendant les mois les plus sombres de l'hiver peut opérer des miracles.

Maladies. Les plantes conservées en atmosphère trop sèche peuvent être envahies par les pucerons. On note aussi des attaques de thrips et d'aleurodes.

Solánum pseudocápsicum

○ ◐ ⊗ ⊖ ▣

Syn. *Cápsicum capsicástrum.* Oranger de savetier, cerisier de Jérusalem, cerisier d'amour, pommier d'amour, amamou. Petit arbuste aux feuilles lancéolées, ondulées, de 5 cm de long, vert frais. Grappes de petites fleurs blanc jaunâtre dont une seule est féconde. Baies sphériques, rouge orangé brillant.

Les cultivars les plus répandus sont : 'New Patterson', arbuste très compact, baies vertes devenant rouge orangé ; 'New Patterson Goldball', fruits blancs devenant jaunes ; 'Christmas Cherry Jubilee', baies blanches devenant rouge cerise et 'Red Giant', race particulièrement vigoureuse, produisant de très grosses baies rouges.

Les *Smithiántha* hybrides ont un feuillage agréablement panaché.

Solánum pseudocápsicum ou « pommier d'amour ».

Soleirólia
Urticáceæ

Nom. Du nom d'Henri Augustine *Soleirol* (1792-?), capitaine qui collectionna des plantes en Corse. On donne encore très souvent à cette plante le nom de *Helxíne*, qui vient du grec *helkein*, tirer, traîner.
Origine. Plante originaire de Corse. On n'en connaît qu'une seule espèce.
Description. Plante naine, rampante, de couleur vert clair, pouvant servir de couvre-sol.
Exposition. Couvre-sol idéal dans les petites serres. Se développe moins bien en appartement.
Soins. La chaleur n'est pas un facteur primordial, ce qui manque surtout à la plante lorsqu'elle est placée dans une pièce chauffée, c'est l'humidité ambiante. Des vaporisations apportent une certaine amélioration. Il vaut mieux se servir du *Soleirólia* comme plante tapissante dans un grand bac à plantations multiples plutôt qu'en solitaire dans un pot : il y trouvera une ambiance plus conforme à ses exigences. La température ne doit pas être très élevée : 15 °C suffisent. La plante redoute les rayons

Soleirólia soleirólii

directs du soleil mais apprécie une lumière abondante. Lorsque celle-ci manque, les tiges s'étirent démesurément. L'hiver, le thermomètre peut descendre jusqu'à 10 °C.
Arrosage. Arroser régulièrement et modérément. On peut se servir de l'eau du robinet.
Fertilisation. On peut, si on le souhaite, stimuler le développement de la plante en lui apportant un peu d'engrais.
Rempotage. La plante a une tendance marquée à déborder des limites du pot. Le rempotage est surtout destiné à contrôler son développement. Il se pratique tous les ans. Utiliser une terre de rempotage ordinaire et des récipients larges.
Multiplication. La division des touffes est très facile et peut se faire à n'importe quel moment de l'année. Au début, on limitera les effets de la transpiration en plaçant les plantes sous châssis.

Soleirólia soleirólii
Ⓘ ⊕ ⊛ ⊙ ⊙ ⊞
Syn. *Helxíne soleirólii*. Petites plantes tapissantes, aux tiges radicantes, ne dépassant pas 50 mm de haut. Petites feuilles arrondies-obliques, de 4 mm de large, vert clair. 'Argentea' a un feuillage argenté et 'Aurea' est doré.

Soneríla margaritácea

Soneríla
Melastomatáceæ

Nom. Probablement de *Soothi-Soneri-ila*, nom d'une des espèces au Malabâr.
Origine. Java. Ce genre comprend environ 70 espèces connues, répandues dans l'Archipel Indien, le sud de la Chine, etc.
Description. Petites plantes aux jolies petites fleurs d'une couleur contrastant avec le feuillage panaché.
Exposition. C'est une plante qui exige une humidité atmosphérique relative très élevée et se plaît, pour cette raison, en serre chaude, en serre ou vitrine d'appartement et même en bonbonne. L'été, on peut la poser sur une tablette de fenêtre, à condition que l'air ambiant contienne beaucoup d'humidité.
Soins. Le *Soneríla* réclame une température de 20 °C, sauf la nuit, où il se contente de 16 °C et l'hiver, où 18 °C suffisent. En appartement, on posera le pot au-dessus d'une coupe remplie d'eau. On peut aussi le planter en grandes jardinières ou bacs peu profonds d'où il se dégage davantage d'humidité. Ne pas vaporiser d'eau sur le feuillage qui s'abîmerait. Pour conserver à la plante ses magnifiques panachures, il faut lui fournir beaucoup de lumière mais tamiser les rayons du soleil.
Arrosage. Il est conseillé de n'utiliser que de l'eau de pluie ou adoucie : la plante est calcifuge. La motte doit être modérément humide en permanence.
Fertilisation. Fertiliser à l'engrais liquide tous les 15 jours, en été.
Rempotage. Le *Soneríla* affectionne une terre acide, perméable. On pourra utiliser de la sapinette additionnée de fumier décomposé. Planter de préférence en récipients de plastique, larges et peu profonds, soigneusement drainés.
Multiplication. Les boutures d'extrémités de tiges s'enracinent facilement à la fin du printemps, sur chaleur de fond de 20-25 °C.

Soneríla margaritácea
Ⓘ ⊕ ⊛ ⊙ ⊙
Petite plante aux tiges couchées, rouges. Feuilles elliptiques-larges, mesurant jusqu'à 7 cm de long, dont la face supérieure, vert foncé, est parsemée de taches blanches formant des traits. Le dessous des feuilles est rougeâtre. Fleurs rose lilas. On cultive surtout la forme 'Hendersonii', aux feuilles vert olive traversées d'une nervure médiane rouge.

Sparmánnia
Tiliáceæ
tilleul d'appartement

Nom. Du nom d'Andreas *Sparmann* (1748-1820), naturaliste suédois.
Origine. On connaît 7 espèces spontanées, qui croissent en Afrique et à Madagascar. L'espèce que nous décrivons est native d'Afrique du Sud.
Description. Arbuste aux grandes feuilles vert clair, très tendres. Les fleurs, blanches, ont de belles étamines jaunes et brun rouge qui au moindre effleurement (un insecte, par exemple) se tendent lentement vers l'extérieur de la corolle.
Exposition. Le *Sparmánnia* s'acclimate très bien en habitation chauffée au chauffage central. Il semble néanmoins perdre rapidement de sa popularité. Il se cultive sans problème lorsqu'on peut lui donner un emplacement frais durant les mois d'hiver.
Soins. Dans des conditions de culture favorables, il fleurit entre janvier et avril. Il est bon de lui accorder une période de repos à l'issue de la floraison, en le mettant au frais et en réduisant les arrosages. Vers la fin mai, on l'installe, couché sur le sol (pour éviter que la pluie n'inonde la motte), dans le jardin ou sur le balcon, à l'abri du soleil, bien entendu. On abandonne ainsi la plante pendant un mois, puis on la taille sévèrement (à 20 ou 30 cm de la base), on la rempote et on la replace au jardin à un endroit abrité et demi-ombragé. On obtient de la sorte un buisson énorme qui peut atteindre 2 m de haut. On le rentre avant les premières gelées nocturnes. C'est à ce moment que se posent quelques problèmes, car il faut

Sparmánnia africána. Le tilleul d'appartement au tendre feuillage duveteux.

que la plante s'adapte à une atmosphère plus sèche. Le mieux est de lui accorder l'exposition la plus fraîche possible, le minimum s'arrêtant à 5 °C. Bassiner fréquemment si la température est plus élevée.

Arrosage. En mai et après la taille, la plante sera arrosée avec parcimonie. Dès qu'elle entre dans sa phase de croissance, il faut au contraire l'arroser généreusement. L'hiver, les arrosages tiendront compte de la température ambiante. On peut, sans inconvénient, utiliser l'eau du robinet si elle est modérément calcaire.

Fertilisation. En période de croissance, on peut faire des apports d'engrais hebdomadaires. Suspendre les fertilisations en août.

Rempotage. Si l'on veut obtenir très rapidement une plante de grande envergure, il faudra la rempoter tous les deux mois jusqu'à ce qu'elle se trouve enfin dans un grand bac en plastique. Un mélange de rempotage ordinaire est satisfaisant. Cependant, si on désire choyer son tilleul d'appartement, on lui préparera tout exprès un mélange composé d'une part de terreau de feuilles de hêtre, d'une part de terre argileuse ou limoneuse finement émiettée et d'une part de fumier décomposé.

Multiplication. On prélève, au printemps, des boutures sur des bran-

Les fleurs de *Sparmánnia africána.*

ches prêtes à fleurir. L'expérience montre qu'on obtient ainsi des plantes plus florifères qu'en bouturant des tiges sans fleurs. Les boutures sont placées sur chaleur de fond, en milieu confiné, jusqu'à l'enracinement. On pince à plusieurs reprises pour obtenir des plantes bien ramifiées. Les boutures sont, sorties en plein air dès le retour de l'été.

Maladies. Les feuilles sont extrêmement sensibles aux émanations de charbon, gaz et à la fumée. Des feuilles qui jaunissent sont dues à des arrosages trop copieux, trop chiches, à l'eau trop froide ou à une carence d'éléments nutritifs. Le rempotage peut apporter une amélioration. Les plantes sont parfois envahies par les pucerons, thrips et aleurodes.

Sparmánnia africána
Ⓘ ☺ ☺ ∞ ☺ ☺

Grand arbuste aux feuilles vert clair, couvertes de poils hérissés ; elles mesurent jusqu'à 25 cm. Longues hampes portant des ombelles très fournies de fleurs blanches. Les boutons sont pendants. Chaque petite fleur mesure de 30 à 40 mm de diamètre. Les étamines stériles sont jaunes à sommet pourpre, les fertiles sont entièrement pourpres avec des anthères jaunes. Floraison au printemps.

Spathiphýllum wallísii rappelle l'*Anthúrium* par la forme de son inflorescence.

Spathiphýllum
Aráceæ

Nom. Du grec *spathê*, spatule, et *phyllon*, feuille. Allusion à la forme de l'inflorescence.

Origine. La plupart des espèces sont indigènes en Amérique tropicale, 2 seulement sont natives de l'archipel Indien.

Description. Dans l'ensemble, la plante rappelle un *Anthúrium* qui aurait des fleurs blanches. Lorsqu'on l'examine de plus près, on s'aperçoit que la forme de la fleur et de la feuille est différente. Le mode de culture de ces deux plantes est assez similaire.

Exposition. Le meilleur emplacement est la serre chaude, où sont réunies les conditions de chaleur et d'hygrométrie requises. Des amateurs enthousiastes réussissent toutefois à cultiver le *Spathiphýllum* avec succès en appartement.

Soins. Les feuilles, assez minces, transpirent beaucoup : tout le problème vient de là. On pourrait sans doute poser le pot au-dessus d'une bassine remplie d'eau, mais quelle ne devra pas être la taille de cette bassine ! La survie de la plante sera vraisemblablement mieux assurée si on fait fonctionner un humidificateur électrique dans son voisinage immédiat. L'avantage de ces plantes, c'est qu'en hiver elles traversent une période de repos pendant laquelle elles tolèrent beaucoup mieux la sécheresse. Au cours de cette période, la température ne devra pas descendre au-dessous de 16 °C.

Arrosage. L'eau d'arrosage doit toujours être à la température de la pièce. Arroser copieusement en été, mais modérément en hiver.

Fertilisation. Ne fertiliser qu'en été, à raison d'une fertilisation tous les 15 jours.

Rempotage. Rempoter au printemps dans un mélange ordinaire, prêt à l'emploi.

Multiplication. La solution la plus simple consiste à diviser les touffes au moment du rempotage. Le semis n'est pas particulièrement difficile, mais il n'est pas aisé de se procurer des graines.

Maladies. Les pointes de feuilles roussies signalent un excès d'engrais ou la présence dans la terre de sels minéraux nocifs. Rempoter le plus vite possible.

Spathiphýllum floribúndum
Ⓘ Ⓘ ☺ ∞ ☺

Feuilles ovales allongées, vert foncé, mesurant 10 à 20 cm de long sur 5 à 9 cm de large. Les nervures latérales forment avec la nervure centrale un angle de 70°. La hampe florale est plus longue que les feuilles. La spathe mesure 7 cm sur 3, elle est incurvée et de couleur blanche. C'est l'espèce la plus cultivée.

Spathiphýllum patínii
Cette espèce a des feuilles d'un vert plus sombre et plus luisant. Les nervures latérales font avec la nervure médiane un angle de 45°. La fleur est sensiblement identique à celle de l'espèce précédente.

Spathiphýllum wallísii
Cette espèce n'est pas très éloignée de la précédente. Même angle de 45° entre nervures latérales et nervure médiane. Ce qui les différencie, c'est la forme de la spathe : au lieu d'être entièrement incurvée elle est simplement légèrement concave ; elle est aussi un peu plus grande.

Sprekélia
Amaryllidáceæ
amaryllis croix Saint-Jacques

Nom. Du nom de J.-H. von *Sprekelsen* (?-1764), secrétaire municipal de la ville de Hambourg. La couleur et la forme de la fleur sont souvent mis en corrélation avec la croix rouge de l'ordre des chevaliers de Calatrava.

Origine. L'unique espèce connue est originaire d'Amérique centrale.

Description. Plante bulbeuse qui rappelle l'*Hippeástrum* ou l'amaryllis, beaucoup mieux connu. La fleur a une forme très originale.

Exposition. Les bulbes se cultivent aussi bien sur un bord de fenêtre qu'au jardin ou sur un balcon. Une température modérée prolonge la durée des fleurs.

Soins. Les bulbes sont souvent livrés au début du printemps par des spécialistes ou des maisons de vente par correspondance. Empoter sans enterrer entièrement le col du bulbe. Au début, on arrosera peu et on placera les pots dans un endroit bien chaud pour favoriser le départ de la végétation. On peut même les placer directement sur un radiateur, en veillant à ne pas laisser la terre se dessécher. Aussitôt que les bulbes ont démarré, on cherchera un emplacement plus frais afin de prolonger la floraison. On continuera à nourrir les bulbes quelque temps après la floraison : on les placera donc en pleine lumière, on leur donnera de l'engrais et on ne diminuera les arrosages qu'à partir de début juillet pour laisser au feuillage le loisir de se dessécher. Il n'est pas nécessaire de déterrer le bulbe. On se contente de conserver les pots à une température de 15 °C. Les bulbes sont remis en végétation à partir de novembre.

Arrosage. Les arrosages, modérés, sont limités à la période de végétation.

Fertilisation. Uniquement tant que le feuillage se développe.

Rempotage. À l'issue de la période de repos. Un mélange de rempotage prêt à l'emploi peut convenir. Utiliser des récipients en plastique, bien drainés.

Multiplication. Le bulbe donne naissance à des caïeux qui peuvent être cultivés séparément. Ils mettent 3 à 4 ans à fleurir. On peut propager les *Sprekélia* en semant des graines fraîches.

Sprekélia formosíssima
Ⓘ ☺ ∞ ☺ ☺

Syn. *Amaryllis formosíssima.* Amaryllis croix Saint-Jacques, croix de Saint-Jacques. Plante bulbeuse, aux feuilles ensiformes mesurant jusqu'à 40 cm. Longues hampes portant une fleur solitaire, symétrique par rapport à un axe médian vertical, rouge sombre luisant, étamines jaune d'or.

Sprekélia formosíssima.

Stapélia variegáta

Stenándrium lindénii

Stapélia

Asclepiadáceæ

stapèle

Nom. Du nom de Johannes Bodaeus van *Stapel* (?-1631), médecin néerlandais.
Origine. Environ une centaine d'espèces. La plupart croissent dans le sud et le sud-ouest de l'Afrique.
Description. Plantes aux tiges succulentes. Fleurs singulières, en forme d'étoile, répandant une odeur de viande pourrie.
Exposition. On les cultive de préférence en serre tempérée, mais l'été il est possible de les cultiver sur une tablette de fenêtre ensoleillée.
Soins. On élève généralement ces plantes en paniers ajourés que l'on suspend dans la serre. L'essentiel est de leur assurer un drainage parfait, car les tiges charnues sont extrêmement sensibles à la pourriture : il suffit d'un excès d'arrosages lorsque la température est basse. On peut fort bien les laisser hiverner à 5 °C, en compagnie des autres plantes grasses dans la serre froide, mais il faut alors que la terre soit absolument sèche, sinon la pourriture gagne les plantes. Si on les conserve l'hiver à la chaleur, elles survivront mais ne fleuriront pas.
Même l'été, il faudra les arroser avec parcimonie. On peut même s'abstenir de leur donner à boire quand le temps est un peu froid et pluvieux. La sécheresse n'a pas facilement raison de ces plantes-là.
Arrosage. Il est conseillé de n'arroser qu'à l'eau de pluie. Pour le reste, voir le paragraphe « soins ».
Fertilisation. Inutile de fertiliser les plantes rempotées annuellement.
Rempotage. Mélanger du terreau de feuilles, un peu de terre limoneuse, du fumier de vache décomposé et du sable : ce sera parfait. Bien drainer les pots.
Multiplication. Détacher des segments de tiges, les laisser sécher et les bouturer en milieu plutôt sec. On peut également faire des semis.

Stapélia variegáta

○ ◐ ◑ ◒ ◓ ◔ ◕ ◖
Tiges tétragones, gris vert lavé de rouge. Fleurs aux taches brunes très prononcées (voir illustration). C'est l'espèce qui résiste le mieux en appartement. Il en existe au moins une vingtaine de variétés. Les amateurs en cultivent de nombreuses espèces que nous ne mentionnons pas ici. Les soins qu'on leur prodigue sont tous identiques.

Stenándrium

Acantháceæ

Nom. Du grec *stenos*, étroit, et *anêr*, *andros*, homme.
Origine. On rencontre une trentaine d'espèces en Amérique tropicale et subtropicale. Nous n'en cultivons qu'une seule.
Description. Petite plante rampante, aux feuilles agréablement panachées et aux épis de fleurs jaunes.
Exposition. Ce n'est pas une plante à cultiver en pièce chauffée : elle réclame une atmosphère beaucoup trop humide pour cela. Par contre, elle sera parfaitement à l'aise dans une vitrine ou serre d'appartement bien hermétiques, en bonbonne, ou en serre chaude.
Soins. Elle demande a être gardée à une chaleur constante, jamais inférieure à 20 °C. L'hiver, elle tolère un minimum de 13 °C. Si on tient à l'élever en appartement, il faudra faire de fréquentes vaporisations sur son feuillage. L'été, il faut la protéger des rayons du soleil, mais l'hiver, il faut l'exposer à la lumière pour lui conserver ses panachures. Un éclairage d'appoint sera fort utile.
Arrosage. Il faut que l'été la motte reste modérément humide en permanence. L'hiver, les arrosages sont restreints dans la mesure où il y a abaissement de la température. Il est recommandé d'arroser à l'eau de pluie préalablement tiédie.
Fertilisation. Fertiliser à intervalles de 15 jours, à partir du moment où la plante émet de nouvelles pousses.
Rempotage. Le mélange doit contenir beaucoup d'humus, peu de calcaire et être très poreux. Il se composera de préférence de tourbe grossièrement concassée, de fumier de vache décomposé et de sapinette. Utiliser des récipients peu profonds et bien drainés.
Multiplication. Les plantes se multiplient par division des touffes et par bouturage d'extrémités de rameaux. Dans les deux cas, il faut commencer par garder les jeunes plantes en atmosphère confinée, avec une chaleur de fond de 30 °C.

Stenándrium lindenii

◐ ◑ ◒ ◓ ◔
Petite plante aux tiges courtes et rampantes. Feuilles obovales, mesurant jusqu'à 10 cm de long, le dessus est vert sombre velouté à nervures jaunes, le dessous est rougeâtre. Fleurs en épis étroits, longs de 7 cm, corolle jaune.

Stenocárpus

Proteáceæ

Nom. Du grec *stenos*, étroit, et *karpos*, fruit.
Origine. Quelque 30 espèces sont répandues en Nouvelle-Calédonie, Australie, Nouvelle-Guinée et dans le sud des Moluques.
Description. Plante d'appartement plutôt rare, que l'on rencontre occasionnellement chez les fleuristes. Elle fait penser à un *Codiæum* qui aurait des feuilles vertes. Ses feuilles sont découpées de façon très irrégulière.
Exposition. Contrairement à une opinion communément répandue, le *Stenocárpus* est une plante à conserver en serre froide ou en tout autre local qui reste frais en hiver. Gardée toute l'année en appartement chauffé, elle régresse.
Soins. Sa culture ne diffère pas beaucoup de celle des *Grevíllea*, autre arbuste australien qui dans son pays natal peut devenir un arbre gigantesque. Sous nos climats, sa taille reste relativement modeste, ce qui, l'été, nous prive malheureusement de ses magnifiques ombelles de fleurs rouges et jaune orangé, apanage des grands sujets. Si la plante se trouve dans une vaste serre où elle peut atteindre 4 à 6 m de haut, on peut espérer une floraison ; sur les sujets plus petits, elle ne se produit jamais.
L'été, ces plantes peuvent séjourner en plein air, à condition que l'emplacement soit abrité et protégé du soleil ardent. On les rentre à la fin du mois de septembre dans un local où la température hivernale pourra être maintenue entre 4 et 10 °C.
Arrosage. L'été, on peut arroser copieusement et même baigner de temps en temps le pot. Mais l'hiver, lorsque la température est basse, il faut beaucoup moins d'eau. L'utilisation d'eau du robinet ne génère pas de catastrophes.
Fertilisation. Placée dans de bonnes conditions, la plante fait preuve d'une grande vigueur et il est bon de lui apporter un peu d'éléments nutritifs, à intervalles de 15 jours.
Rempotage. Un rempotage annuel, au printemps, permet d'éliminer les sels nocifs accumulés dans la motte. L'utilisation d'une terre de rempotage standard donne de bons résultats.
Multiplication. Faire, en août, des boutures de tête que l'on conserve tout l'hiver sous châssis, à une température oscillant entre 5 et 10 °C. Lorsqu'au printemps on constate qu'il ne s'est pas formé de racines, on donne une petite chaleur de fond. La première année, les jeunes plantes sont élevées en serre. La multiplication par semis ne présente pas non plus de trop grandes difficultés. On sème en janvier-février, sur une chaleur de fond de 20 °C.

Stenocárpus salígnus

◐ ◑ ◒ ◓ ◔
Dans la nature, c'est un arbre. En culture, c'est un arbuste aux rameaux brun rouge et aux feuilles coriaces, lancéolées, plutôt sessiles. Fleurs blanc crème, odorantes.

Stenocárpus sinuátus

Arbuste vigoureux, aux feuilles découpées, de forme très irrégulière, vertes, luisantes, à nervuration très apparente. Fleurs en ombelles termi-

Stenocárpus sinuátus aime la fraîcheur.

Stenotáphrum secundátum 'Variegatum'

nales ou axillaires, rouge écarlate, étamines et bractées jaunes.

Stenotáphrum

Gramíneæ

Nom. Du grec *stenos*, étroit, et *taphros*, fosse, tranchée.
Origine. Il existe environ 8 espèces qui croissent sur le littoral de nombreuses contrées tropicales.
Description. Graminée rampante, à feuilles larges qui, sous sa forme commune, verte, est souvent utilisée en guise de gazon dans les pays tropicaux.
Exposition. Petites plantes que l'on peut exposer en plein soleil et même en plein air durant l'été.
Soins. Herbe solide, capable de résister aux conditions extérieures les plus variées. L'hiver, elle préfère un emplacement assez frais et des arrosages modérés. L'été, il lui faut beaucoup de lumière pour conserver ses panachures. C'est plantée en pot suspendu qu'elle est le plus à son avantage.
Arrosage. La qualité de l'eau est indifférente. Si la plante se trouve exposée l'été en plein soleil, il faudra l'arroser abondamment pour éviter qu'elle ne sèche.
Fertilisation. Une bonne fertilisation permet à la plante de prendre une extension rapide. Des engrais trop azotés font régresser la panachure.
Rempotage. La plante se satisfait d'une terre de rempotage ordinaire. Une adjonction de terre argileuse ou limoneuse activera cependant sa végétation. La meilleure façon de procéder consiste à diviser les touffes chaque année, au printemps, et à rempoter les parties les plus belles.
Multiplication. Les longs stolons sont souvent porteurs de petites plantes pourvues de racines, que l'on peut séparer et planter. La division des touffes est une autre méthode de propagation facile. Et enfin, on peut aussi bouturer des pousses.

Stenotáphrum secundátum
○ ◑ ⊛ ◗ ▣

Syn. *Stenotáphrum americánum*; *Stenotáphrum glábrum*. Plante aux tiges planes, rampantes, feuilles de 15 cm × 1 cm, obtuses, engainées à la base dans de larges spathes. Épis portés par de longues hampes flexibles, se divisant en épillets.
En culture, on ne trouve pratiquement que le cultivar 'Variegatum', aux bandes longitudinales blanc crème.

Stephanótis

Asclepiadáceæ

Nom. Du grec *stephanos*, couronne, et *ous, ôtos*, oreille.
Origine. Environ 15 espèces, dans les forêts, sur les pentes des montagnes de Madagascar et de Malaisie.
Description. En culture, les longs rameaux volubiles de cette plante grimpante sont généralement enroulés sur des arceaux, pour permettre de déplacer les pots. Ses fleurs blanches, odorantes font la fierté d'amateurs fanatiques et ont encore la faveur de mainte épousée aux goûts traditionnels.
Exposition. Nous avons là une véritable plante d'appartement, ce qui ne l'empêche pas de se comporter encore beaucoup mieux en serre, où il est nettement plus facile de lui accorder la température hivernale assez basse qu'elle réclame en hiver.
Soins. Bien des amateurs rencontrent des difficultés lorsqu'ils essaient de cultiver cette jolie plante. Ou bien elle refuse de fleurir, ou elle laisse choir ses boutons, ou elle se laisse envahir par toutes sortes de parasites. Tous ces accidents doivent être imputés à des erreurs de culture. Voici comment il faut procéder. Lorsqu'on achète, au printemps, une plante en pleine floraison, il faut lui donner un emplacement clair, à l'abri du soleil en milieu de journée. L'idéal est une fenêtre orientée à l'est. On peut, de temps à autre, faire quelques vaporisations sur le feuillage. Les nouvelles pousses sont attachées au fur et à mesure sur un arceau, car la plante doit rester transportable. Il est possible qu'au début on constate la chute de quelques boutons : elle est due à la nouvelle orientation de la plante par rapport à la lumière. Faire sur le pot une marque qui permette dorénavant de repérer son orientation habituelle par rapport à la fenêtre. Maintenir la température entre 18 et 20 °C pendant le jour et ne pas la laisser descendre au-dessous de 15 °C pendant la nuit.
À l'approche de l'automne, on diminue les arrosages. La plante doit à tout prix émigrer vers un local plus frais où la température ne dépasse pas 12 à 14 °C. On pourra, par exemple, la mettre dans une chambre inoccupée. Si ces conditions ne sont pas remplies, c'est le fiasco garanti dans l'année qui suit.
La mise à boutons a lieu à la fin de l'hiver, quand les jours commencent à allonger. On peut obtenir une floraison précoce en faisant usage d'un éclairage d'appoint : une ampoule ordinaire suffit. Il faut porter la durée du jour à 12 heures.
En serre chaude, le mieux est de planter le *Stephanótis* à même la tablette. Les longs rameaux peuvent être fixés aux chevrons. L'été, il faudra, bien évidemment, faire usage des claies d'ombrage. L'hiver, on abaissera la température de quelques degrés. De toute façon, les rameaux palissés le long du vitrage bénéficieront d'une fraîcheur supplémentaire.
Arrosage. L'eau d'arrosage ne doit pas être trop dure, on aura donc avantage à utiliser de l'eau de pluie. L'été, la motte doit toujours être humide : une sécheresse excessive est néfaste à la plante. Il n'y a que l'hiver où l'on pourra réduire les arrosages : on aura soin de toujours faire tiédir l'eau au préalable.
Fertilisation. En période de végétation, on peut faire de légers apports d'engrais espacés de 15 jours. Suspendre les fertilisations si on estime que la vigueur de la végétation répond à ce qu'on en attend. La motte contient de quoi subvenir aux besoins de la plante pendant un an.
Rempotage. On conseille de rempoter chaque année, au printemps. C'est une façon de se débarrasser des résidus nocifs accumulés dans la motte. Le meilleur des mélanges se compose de terreau de gazon, fumier de vache décomposé, terreau de feuilles et sable grossier. Qui ne peut se procurer ces composants pourra se servir avec succès d'une terre de rempotage standard. Toujours commencer par déposer un lit de tessons au fond du pot. Fixer un arceau de métal dans le pot pour y attacher les pousses des jeunes plantes.
Multiplication. Le meilleur procédé consiste à bouturer des pousses aoûtées. C'est important : il ne faut pas choisir les jeunes pousses tendres de la saison. On fait des boutures d'yeux ou des boutures de tiges. Le fait d'utiliser de la poudre de bouturage peut faciliter l'enracinement. La température de fond doit se situer à 20-25 °C

Fleurs du *Stephanótis* ou jasmin de Madagascar.

et les boutures sont gardées à l'étouffée, sous vitre ou capuchon de plastique. Il faut attendre au moins deux mois pour obtenir des racines.
Parfois, le jardinier voit apparaître, à son grand étonnement, un gros fruit ressemblant à une prune. Il met toute une année à mûrir, puis il éclate, mettant à jour des graines plates, de couleur brune et couvertes d'un duvet argenté. Semées à chaud, elles lèveront facilement. Il est évidemment fort agréable d'étendre sa collection de cette manière. L'expérience nous enseigne, hélas, que les plantes obtenues ainsi mettent très longtemps à fleurir ou ne fleurissent jamais. Il vaut donc mieux s'en tenir au bouturage.
Maladies. Le *Stephanótis* est assez sensible aux araignées rouges, cochenilles farineuses et surtout aux cochenilles à bouclier. Il faut évidemment combattre ces parasites, mais sachant qu'ils sont la conséquence d'un hivernage à température trop élevée, mieux vaut corriger les erreurs de culture.

Stephanótis floribúnda
◐ ◑ ⊛ ◗ ▣ ▣

Jasmin de Madagascar. Arbuste grimpant aux feuilles persistantes, ovales, luisantes, vert foncé, mesurant jusqu'à 9 cm de long et 5 cm de

Stephanótis floribúnda : ses tiges volubiles sont enroulées sur un arceau en fil de fer.

Strelítzia regínæ, l'oiseau de paradis.

Un hybride de *Streptocárpus* très répandu dans le commerce.

large. Fleurs en ombelles axillaires très fournies, corolles tubuleuses aux lobes étalés, blanches, odorantes.

Strelítzia

Musáceæ

oiseau de paradis

Nom. Du nom de Charlotte von *Mecklenburg-Strelitz* (1744-1818), qui fut l'épouse de George III d'Angleterre. L'aspect de la fleur évoque la tête d'un oiseau de paradis.
Origine. On trouve, en Afrique du Sud, 5 espèces spontanées dont une seulement se cultive en appartement.
Description. Plante aux énormes feuilles, rappelant le *Músa*. Les fleurs, tout à fait remarquables, sont portées par de longues hampes.
Exposition. C'est une plante qui se plaît surtout en serre tempérée où elle peut atteindre une taille considérable. Mais on peut aussi la cultiver en plante d'orangerie. L'appartement est un peu trop chaud pour elle en hiver.
Soins. À l'intérieur et en plein air, le *Strelítzia* accepte le plein soleil. La température hivernale optimale se situe entre 8 et 14 °C. À défaut d'une serre tempérée, on peut lui trouver un autre local très bien éclairé. Les fleurs se montrent en décembre-janvier. Elles sont d'une grande originalité.
Arrosage. L'été, les *Strelítzia* boivent beaucoup. On peut réduire considérablement les arrosages pendant l'hiver, mais il ne faut pas laisser se flétrir le feuillage. Amener l'eau d'arrosage à la température de la pièce.
Fertilisation. Fertiliser tous les 15 jours en période de végétation.
Rempotage. La plante est pourvue de racines charnues qui pourrissent facilement dès qu'elles sont blessées. On srempote donc le moins souvent possible et toujours en prenant d'infinies précautions. Les plantes adultes se contentent d'un rempotage tous les 3 ans : entre-temps, on se limite à un léger surfaçage au printemps. C'est d'ailleurs dans la couche de terre superficielle que se trouve l'essentiel des sels nocifs. Si par mégarde on endommageait une racine, il

faut faire une coupe nette à l'aide d'une lame bien aiguisée et saupoudrer la blessure de poudre de charbon de bois. Un excellent mélange pourra être obtenu en associant 1/3 de terre argileuse ou limoneuse, 1/3 de terreau de feuilles de hêtre et 1/3 de fumier de vache décomposé. Ajouter encore une petite poignée de poudre d'os.
Multiplication. Les grosses touffes peuvent être divisées au moment du rempotage. On multiplie aussi par voie de semis : les graines doivent être très fraîches. Il faut attendre quatre ans pour obtenir des plantes prêtes à fleurir. Peut-on faire enraciner des fleurs coupées ? La question m'est parfois posée. La réponse est non, naturellement.

Strelitzia regínæ

○ ☺ ∞ ○ ▢
Plante acaule. Énormes feuilles (80 cm × 25 cm) portées par de longs pétioles, à bords ondulés relevés en gouttière, coriaces, de couleur glauque. Une grande spathe en forme de nacelle contient les boutons floraux qui y baignent dans un liquide. Les fleurs épanouies sont orange et bleu.

Streptocárpus

Gesneriáceæ

Nom. Du grec *streptos*, tourné, et *karpos*, fruit. Les fruits sont effectivement contournés en spirale.
Origine. On connaît quelque 90 espèces, originaires de régions boisées en Afrique du Sud et à Madagascar.
Description. Ces plantes se font remarquer par leurs grandes feuilles, surtout chez les espèces spontanées. L'hybridation a porté sur la sélection de plantes à feuilles plus réduites. Les fleurs, violettes, rose violacé ou blanches, sont portées par de longs pédoncules.
La sève contenue dans les feuilles peut provoquer de violentes irritations cutanées.
Exposition. En serre, ces plantes ne posent pas le moindre problème, mais

Streptocárpus hybride à fleurs rose violacé.

L'une des espèces d'origine.

elles se cultivent aussi avec succès dans l'appartement. Elles se plaisent surtout à proximité d'une fenêtre orientée à l'est ou à l'ouest.
Soins. Le *Streptocárpus* est une plante de jours longs, qui fleurit en été. C'est très heureux, car à cette époque l'atmosphère des habitations est bien moins sèche qu'en hiver, et le *Streptocárpus,* plante forestière par excellence, a besoin d'une ambiance humide pour se sentir à l'aise. Il supporte très mal l'ensoleillement, surtout entre 11 h et 17 h, quand le soleil est particulièrement ardent.
Pendant la floraison, on peut éliminer quelques vieilles feuilles. Elles seront promptement remplacée par de nouvelles. Les fleurs fanées sont supprimées au fur et à mesure avec leur pédoncule. Correctement soignées, les plantes peuvent fleurir de façon continue de mai à octobre. Un éclairage d'appoint — ce peut être une simple ampoule ordinaire — permettant d'allonger artificiellement la durée du jour prolongera encore la floraison. Les fleurs coupées tiennent presque une semaine en vase.
L'hiver, les *Streptocárpus* sont laissés au repos à une température de 12 °C, dans une chambre inoccupée, sous la tablette dans une serre chaude ou ailleurs. Si on manque d'espace, on

pourra supprimer toutes les grandes feuilles.
En avril, après le rempotage, les plantes sont remises en végétation. Elles redémarrent très vite.
Arrosage. Tout l'été, la motte doit rester modérément humide. Si les feuilles se flétrissent, un arrosage leur rendra rapidement leur vigueur. Utiliser de préférence de l'eau de pluie. Tenir les plantes un peu plus sèches en hiver.
Fertilisation. On fera des apports d'engrais tous les 15 jours pendant la période de végétation.
Rempotage. Il a lieu après le repos hivernal et se renouvelle tous les ans. Choisir des pots en plastique, pas trop petits, munis d'un bon orifice de drainage et les poser sur des soucoupes destinées à recueillir l'excédent d'eau. Au moment du rempotage, on divise les touffes en ne conservant que les parties les plus belles. Les plantes âgées de 2 ans sont à l'apogée de leur forme, tout ce qui est plus âgé est jeté. Une terre de rempotage ordinaire donne pleine satisfaction.
Multiplication. Le procédé de multiplication est original. On procède à partir de boutures de feuilles. À la fin du printemps, on prend une feuille que l'on divise en deux, en la découpant tout le long de la nervure mé-

diane. Les deux parties sont plantées dans un terreau de bouturage, en enterrant le côté sectionné. On place les boutures sous châssis et on donne une chaleur de fond. Au bout de quelque temps, on voit apparaître des plantules tout le long de la plaie. On les sépare et on les plante individuellement en les conservant, au début, en milieu confiné.

On peut également faire des semis toute l'année, à une température de 18 °C. Repiquer les plantules sous châssis et les endurcir progressivement. Les hybrides que nous mentionnons ne se reproduisent pas fidèlement par semis : on peut avoir bien des surprises.

Maladies. Pucerons et thrips.

Streptocárpus hybrides

ⓘ ☺ ⊛ ⊕

Les hybrides du *Streptocárpus* ont des feuilles de formes diverses mais toutes sont allongées, parfois lisses, parfois ridées, parfois disposées en rosettes, d'autres fois solitaires. Tout dépend des caractéristiques de leurs ascendants. Parmi les races les mieux connues rappelons : 'Constant Nymph', aux fleurs violacées à veines plus foncées et les hybrides de 'Wiesmoor', dont les couleurs varient (rose vif, blanc, bleu).

Streptocárpus wendlándii

Espèce botanique à feuille unique pouvant mesurer jusqu'à 50 cm de long, boursouflée, pourpre au revers. Fleurs petites mais très nombreuses, bleues, réunies en panicule très longue.

Strománthe

Marantáceæ

Nom. Du grec *strôma*, couverture, et *anthos*, fleur.
Origine. 13 espèces croissent spontanément dans les régions tropicales d'Amérique du Sud.
Description. Ces plantes, assez peu courantes, peuvent facilement être confondues avec les *Ctenánthe* et les

Caláthea. Leurs feuilles portent des panachures tout à fait remarquables.
Exposition. Plantes de serre chaude. L'atmosphère de l'appartement, surtout l'hiver lorsqu'il est chauffé, est trop sèche pour elles.
Soins. Ces plantes exigent une température constante de 18 à 22 °C, même en hiver. Leur période de végétation ne connaît pratiquement pas d'interruption. On doit les protéger du soleil vif entre 9 h et 17 h. On les vend quelquefois comme plantes d'appartement et elles réservent alors bien des déceptions. En milieu confiné (vitrine, serre d'appartement), elles réussissent par contre merveilleusement bien.
Arrosage. Il est recommandé de n'arroser qu'à l'eau de pluie pure.
Fertilisation. On les fertilise normalement, à l'engrais dilué, à raison d'une fois tous les 15 jours pendant la période de végétation.
Rempotage. Les *Strománthe* se plantent en récipients larges et peu profonds, bien drainés. Ils se plaisent aussi plantés à même la tablette de la serre chaude où leurs racines peuvent s'étendre à loisir. Ils exigent une terre légère et très perméable.
Multiplication. On pratique surtout la division des touffes.

Strománthe amábilis

ⓘ ☺ ⊛ ◐ ⊕

Plante érigée, aux feuilles solides, ovales, terminées par une pointe aiguë. Leur face supérieure est vert clair à bandes tranversales grises, le dessous est gris vert.

Strománthe sanguinea

Plante érigée au port raide. Feuilles charnues, lancéolées, mesurant jusqu'à 40 cm de long, vert foncé, luisantes, nervure médiane claire. Le revers est rouge sang.

Syngónium

Aráceæ

Nom. Du grec *syn*, avec, et *gonê*, enfantement, semence.

Syngónium podophýllum 'Albolineatum'

Origine. Plantes des forêts vierges tropicales. On en trouve une vingtaine d'espèces en Amérique centrale et du Sud.
Description. Plantes très proches du *Philodéndron*, seules les espèces de petite taille, à feuillage panaché, s'en distinguent visuellement. Leur culture est identique à celle du *Philodéndron*.
Exposition. Les espèces les plus robustes résistent bien en appartement. Les autres se développent mieux en serre chaude. Elles n'exigent pas énormément de lumière.
Soins. Ce sont des lianes et il faut les attacher à un support, un tuteur moussu, par exemple. Il leur faut, toute l'année, une température au moins égale à 15 °C et de préférence proche de 20 °C. Leur éviter le plein soleil. Elles profiteront beaucoup de vaporisations quotidiennes et d'un bon lavage mensuel. Les racines aériennes peuvent être ramenées vers le pot.
Arrosage. Ce sont des plantes calcifuges et il serait regrettable de les abîmer en les arrosant à l'eau calcaire. Il faut plutôt leur donner de l'eau de pluie, préalablement tiédie. La motte doit conserver une humidité permanente modérée, en toutes saisons.
Fertilisation. Faire des apports d'engrais dilué, tous les 15 jours, au moment où la plante émet de nouvelles pousses.
Rempotage. Ces plantes ont un développement très vigoureux et épuisent la terre : il est bon de les repoter tous les ans. Le mélange qui leur convient le mieux se compose de terreau de feuilles, tourbe concassée et fumier décomposé. La sapinette donne aussi de très bons résultats. Elles se comporteront très raisonnablement, plantées en terre de rempotage standard, même si ce type de mélange est un peu lourd pour elles.
Multiplication. On peut faire, au choix, des boutures d'yeux ou d'extrémités de tiges. Il faut une chaleur de fond. Placer les boutures sous châssis ou sous un capuchon de plastique. Les plantes dégingandées se marcottent.
Maladies. Les plantes sont parfois

Syngónium podophýllum

envahies par les cochenilles farineuses ou à bouclier, surtout si elles sont exposées aux courants d'air.

Syngónium aurítum

ⓘ ☺ ⊕ ⊛ ◐ ⊕

Feuilles épaisses, vertes, luisantes, à 3 ou 5 segments. Les plantes adultes ont des feuilles dont les lobes sont disposés un peu comme les cinq doigts d'une main dont le pouce et l'auriculaire seraient tout petits.

Syngónium podophýllum

Feuilles pédatiséquées, à 5-11 segments. Il en existe de nombreuses formes aux belles panachures, notamment 'Albolineatum'.

Syngónium vellozíánum

C'est l'espèce qui ressemble le plus au *Philodéndron*. Elle s'en distingue par la forme très variable de ses feuilles. Au stade juvénile, elles sont sagittées, plus tard elles se divisent en 3, puis 5 lobes avec, généralement, 2 oreillettes supplémentaires. Toutes les espèces peuvent produire des inflorescences en forme de spathe et de spadice, mais elles n'apparaissent que rarement.

Strománthe amábilis

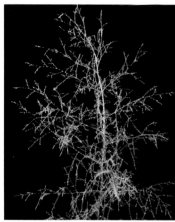

Tetraclínis articuláta

Tetraclínis

Cupressáceæ

Nom. Du grec *tetraclinos*, à quatre lits. Appellation due à la forme des feuilles régulièrement rangées par 4. Elles peuvent faire penser à des petites couches.

Origine. Une seule espèce, en Algérie, au Maroc et à Malte.

Description. Il existe dans le commerce des jeunes plantes d'importation ou de semis effectués en serre. Elles ressemblent à de petits cyprès et ont un feuillage typique, de couleur glauque.

Ces arbres produisent un bois dur, à fibre très fine, auquel les anciens Romains attachaient, semble-t-il, un grand prix. Ils s'en servaient pour fabriquer des meubles, ce que l'on fait encore de nos jours. On en tire également une résine odorante qui entre dans la composition des vernis de très haute qualité.

Exposition. L'été, ces conifères séjournent indifféremment à l'intérieur ou en plein air. En hiver, il faut les tenir à l'abri du gel.

Soins. On peut se demander si le *Tetraclínis* est réellement le genre de plante à élever en appartement. Mais les conifères d'intérieur sont si rares et celui-ci est si attrayant qu'on n'y résiste pas. On prolongera sa vie en le vaporisant très souvent. Il faut lui donner une exposition claire, mais à l'abri des rayons du soleil. Les arbres adultes, en Afrique, supportent parfaitement le soleil, mais les jeunes sujets qu'on nous propose sont beaucoup plus délicats. À l'approche de l'hiver, le *Tetraclínis* sera transporté en serre froide ou en orangerie, où il hivernera à une température minimale de 5 °C.

Arrosage. Arroser modérément en été et réduire encore les arrosages en hiver.

Fertilisation. En période de végétation, on donnera un peu d'engrais dilué, tous les 15 jours.

Rempotage. Le *Tetraclínis* requiert une terre substantielle contenant de l'argile.

Multiplication. On sème des graines importées, qui lèvent sous châssis.

Tetraclínis articuláta

Syn. *Cállitris quadriválvis* ; *Thúja articuláta*. Petit arbre aux branches cylindriques, divergentes. Petites feuilles aciculaires, devenant squamiformes. Cônes sphériques à ovoïdes.

Tetrastígma

Vitáceæ

Nom. Du grec *tetra*, quatre, et *stigma*, piqûre, stigmate. Le stigmate est effectivement composé de 4 lobes, ce qui est exceptionnel chez les vitacées.

Origine. Presque une centaine d'espèces sont répandues en Asie tropicale jusqu'en Nouvelle-Guinée ; une seule croît en Australie.

Description. Plante grimpante, aux feuilles composées de 5 folioles. Sa parenté avec la vigne vierge est évidente.

Exposition. Le *Tetrastígma* se plaît énormément en serre et le manifeste par une croissance rapide, voire envahissante.

Soins. Son comportement en appartement est capricieux. S'il décide de pousser, il le fait par à-coups et produit des tiges longues de plusieurs mètres, très fragiles, portant de petites pustules transparentes que l'on pourrait croire dues à une maladie, ce qui n'est pas le cas. Leur présence est un phénomène normal, elles disparaissent d'ailleurs par la suite.

La plante n'apprécie guère la chaleur. L'atmosphère d'une pièce chauffée est trop sèche pour elle. Elle se trouve à l'aise lorsque la température se maintient entre 12 et 18 °C. L'hiver, le thermomètre peut descendre à 10 °C. Les plantes trop envahissantes peuvent être rabattues. Les tiges doivent être solidement palissées.

Arrosage. Conserver la motte modérément humide en permanence.

Fertilisation. Au moment de sa croissance, la plante peut recevoir de l'engrais tous les 15 jours.

Rempotage. La plante se développe bien en terre de rempotage standard. Prendre des pots pas trop petits, bien drainés.

Multiplication. Le *Tetrastígma* se propage surtout de boutures à un œil. On prélève un segment de tige en coupant juste au-dessus et en dessous d'un œil. On conserve le pétiole et une partie de la feuille. Il faut une chaleur de fond de 25 °C pour obtenir des racines.

Tetrastígma voinieriánum

Syn. *Vítis voinieriána*. Liane à feuilles persistantes, digitées, à 5 folioles de 15 cm de long et 6 cm de large, vertes et luisantes dessus, brunâtres et pubescentes dessous. Fleurit rarement.

Thunbérgia

Acantháceæ

thunbergie

Nom. Du nom de Carl Pehr *Thunberg* (1743-1822), botaniste et professeur suédois, ami de Linné.

Origine. Une centaine d'espèces croissent en Afrique orientale, à Madagascar et en Asie tropicale. Deux espèces se cultivent en appartement.

Description. Plante volubile, aux rameaux grêles, produisant de nombreuses fleurs jaune orangé au cœur noir.

Exposition. Peut se cultiver sur une tablette de fenêtre ensoleillée. À partir de fin mai, elle peut se mettre au jardin ou sur le balcon. Dans les ré-

Thunbérgia aláta

gions à climat doux (Côte d'Azur), c'est une plante de plein air.

Soins. En général, on traite ces plantes comme des annuelles. Il faut les préserver des courants d'air mais elles ne posent guère d'autres problèmes. Pour les conserver d'une année à l'autre, il faut les élever en serre froide. Après la taille et le rempotage du printemps, elles redonnent une riche floraison. Leurs tiges doivent être tuteurées. Il existe également des espèces de serre chaude et de serre tempérée, mais on ne les voit que très rarement.

Arrosage. L'été, il faut arroser assez copieusement, à l'eau du robinet. L'hiver, on mouille juste assez pour maintenir la plante en vie.

Fertilisation. Des apports d'engrais réguliers, à intervalles de 15 jours, prolongent la floraison. Doser l'engrais normalement.

Rempotage. Il ne s'impose que si le *Thunbérgia* est cultivé en plante vivace : on utilisera alors une terre de rempotage ordinaire.

Multiplication. Le semis est à la portée de n'importe quel amateur. On se procure les graines par correspondance ou, quelquefois, chez un grainetier. Couvrir la caissette de semis d'une feuille de verre et la maintenir à 20 °C. Garder la caissette à l'étouffée pendant quelque temps après la levée. Tuteurer soigneusement les pousses.

Thunbérgia aláta

Plante grimpante annuelle, pubescente. Feuilles sagittées-cordées, de 5 cm de long, à fines dents espacées et à pétiole ailé. Fleurs axillaires, solitaires, corolle de 4 cm de diamètre, jaunes à orangées, à centre très foncé. Il existe des races à fleurs blanches, jaune clair et orange pur.

Thunbérgia grandiflóra

Plante grimpante, glabre, aux feuilles oviformes-lancéolées, parfois découpées, mesurant jusqu'à 15 cm de long. Le pétiole n'est pas ailé. Fleurs en grappes denses, pendantes, corolle bleue pouvant atteindre 7 cm de diamètre. Ne convient qu'à la culture en grande serre chauffée.

Tetrastígma voinieriánum

Tillándsia
Bromeliáceæ

Nom. Du nom d'Elias *Tillands* (1640-1693), professeur de biologie suédois.

Origine. Il existe plus de 400 espèces, répandues dans les états méridionaux de l'Amérique du Nord et dans toute l'Amérique australe.

Description. Toutes les espèces ne présentent pas les rosettes en entonnoir si caractéristiques des broméliacées. Certaines ont des feuilles très menues.

Exposition. Les espèces aux feuilles écailleuses réclament beaucoup de lumière et de chaleur en même temps que beaucoup d'air. Toutes n'exigent pas le même degré d'hygrométrie. Les espèces aux feuilles non écailleuses se satisfont de moins de lumière mais réclament, par contre, une humidité ambiante élevée et constante.

Soins. Toutes les espèces doivent être protégées du soleil. Nombre d'entre elles sont épiphytes et peuvent se cultiver avec succès fixées sur une branche, dans une vitrine ou

Tillándsia flabelláta

Tillándsia lindénii

Tillándsia usneoídes

Tillándsia leiboldiána

une serre d'appartement. Comme chez toutes les broméliacées, leurs rosettes ne fleurissent qu'une fois.

Les espèces à feuilles écailleuses réclament moins de chaleur en hiver. On peut les conserver en serre tempérée, à une température hivernale minimale de 12 °C. Les autres espèces se cultivent en serre chaude, à une température minimale de 18-20 °C.

Arrosage. Les *Tillándsia* redoutent le calcaire, on ne peut les arroser qu'à l'eau de pluie pure ou à l'eau déminéralisée. À moins qu'ils ne soient fixés à la fourche d'une branche, il est parfois bien difficile de les arroser efficacement : dans ce cas, il faut faire des vaporisations sur le feuillage. Les espèces qui séjournent à des températures fraîches en hiver réclameront aussi moins d'eau et parfois pas d'arrosage du tout.

Fertilisation. L'engrais sera distribué sous forme de vaporisations. On peut se procurer dans le commerce des engrais foliaires spécialement conçus pour cet usage. Ne fertiliser qu'en période de végétation.

Rempotage. Les espèces épiphytes à feuilles non écailleuses peuvent se cultiver en pots garnis d'un mélange très poreux : terre de bruyère fibreuse, terreau de feuilles de hêtre et racines d'osmonde. On peut les rempoter tous les ans. Les espèces à feuilles écailleuses se fixent à l'aide de fils de cuivre, par exemple, sur des coussinets de sphagnum, polypode ou osmonde, posés sur des branches d'arbre.

Multiplication. On peut séparer de la plante mère des jeunes rejets munis de racines. Les placer un moment sous châssis.

Espèces aux feuilles non écailleuses
Tillándsia cyánea

Syn. *Tillándsia morreniána*. Plante ayant une envergure d'environ 30 cm, feuilles étroites en rosettes, base rouge brun, striures longitudinales brunes. Hampe florale rigide, garnie de bractées superposées, vertes, formant une inflorescence de 5 cm de large et 8 cm de haut : elle est surmontée de quelques petites fleurs bleu foncé, sans œil blanc.

Tillándsia flabelláta

Plante de 20 à 50 cm de haut, feuilles mesurant 4 cm de large et jusqu'à 40 cm de long, vertes ou rougeâtres. Hampe florale très courte, bractées rouges en épi allongé, fleurettes bleues aux étamines jaunes, proéminentes.

Tillándsia leiboldiána

Plante de 30 à 60 cm de haut. Feuilles vert tendre, de 30 cm de long sur 5 cm de large. Longue hampe florale portant des bractées étalées, enroulées et des petites fleurs tubuleuses, bleues.

Tillándsia lindénii

Plante de 40 cm de haut. Feuilles vertes, de 25-35 cm de long et 1-2 cm de large. Longue hampe florale, inflorescence grande, bractées rose violacé, fleurs bleu foncé à œil blanc.

Espèces aux feuilles écailleuses
Tillándsia argéntea

Feuilles engainantes formant un véritable bulbe à la base, puis enroulées, subulées, entièrement couvertes de petites écailles argentées de 1 mm d'épaisseur à la base et de 2 à 3 cm de long. Bractées étalées, rouges ou vertes ; fleurs bleues ou rouges.

Tillándsia usneoídes

Fille de l'air, barbe de vieillard. Plante

Tolmíea menziésii

dépourvue de racines, formant aux branches des arbres des touffes pendantes de rameaux très fins. Petites feuilles cylindriques, de 5 cm de long, entièrement couvertes d'écailles grises. Petites fleurs vert jaunâtre, insignifiantes.

Tolmíea
Saxifragáceæ

Nom. Du nom de William Fraser Tolmie (?-1886), chirurgien américain, collectionneur de plantes.

Origine. Une seule espèce, originaire de la côte occidentale de l'Amérique du Nord.

Description. Petite plante toute simple, sur les feuilles de laquelle se développent des bulbilles donnant naissance à des plantules.

Exposition. Plante solide, prospérant en toutes situations, pourvu qu'elle ne soit pas exposée en plein soleil. Elle peut passer l'été au jardin.

Soins. La culture de cette plante est à la portée de tous et il est étonnant qu'elle ait si peu de popularité. Elle prospère même à l'ombre. Une température de 10 °C en hiver la satisfait, mais elle sera tout aussi à l'aise dans une pièce chauffée á 22 °C. Elle accueillera avec reconnaissance des vaporisations sur son feuillage, mais elle s'en passera tout aussi bien. Si on la trouve trop encombrante ou dégingandée, on pourra la tailler à loisir. Lorsqu'elle est cultivée en plein air, elle produit souvent des fleurs.

Arrosage. Les plantes de grande taille consomment beaucoup d'eau. Une plante assoiffée, dont les feuilles pendent, est rapidement ramenée à la vie par un bon bain.

Fertilisation. On peut donner un peu d'engrais dilué, tous les 15 jours, en été.

Rempotage. Rempoter au printemps dans des pots en plastique garnis d'une terre de rempotage standard.

Multiplication. Très facile. Prendre une feuille-mère, la découper tout autour de la petite plantule aérienne et empoter. Les plantes adultes se divisent très facilement.

Tolmiea menziésii

Feuilles à long pétiole, insérées en rosettes, cordées, à 3 ou 5 lobes doublement dentés, couvertes de poils glanduleux, vertes. Des petites plantes naissent à la base du limbe. Fleurs vertes à brunâtres, en grappes de 25 cm.

Torénia fourniéri se cultive en annuelle.

Torénia
Scrophulariáceæ

Nom. Du nom d'Olav *Torén* (1718-1753), ecclésiastique suédois qui découvrit le *Torénia asiática* et d'autres plantes d'Asie.

Origine. Ce genre comprend plus de 40 espèces, répandues dans les régions tropicales et subtropicales d'Asie et d'Afrique.

Description. Charmantes petites plantes cultivées en annuelles, que l'on rencontre assez rarement dans le commerce. Fleurs violettes, marquées de jaune.

Exposition. On peut disposer les pots sur un bord de fenêtre bien éclairé, en été, de même qu'on peut les exposer en plein air, sur un balcon bien abrité ou sur une terrasse.

Soins. Les plantes sont proposées toutes fleuries au début de l'été. On les laisse poursuivre tranquillement leur floraison jusqu'en automne. Il ne sert à rien d'essayer de prolonger leur existence au-delà : dès que leur floraison atteint son terme, elles meurent.

Arrosage. L'été, il faut que la motte soit toujours modérément humide. Ce sont des plantes qui transpirent beaucoup lorsqu'elles sont exposées au soleil. Elles acceptent l'eau du robinet.

Fertilisation. Lorsque les *Torénia* sont plantés dans de petits pots, ce qui est généralement le cas, ils ont épuisé toutes leurs réserves nutritives au moment où ils vont se mettre à fleurir. Il n'est donc pas inutile de les fertiliser tous les 15 jours.

Rempotage. On se procure les graines par correspondance. Semer en février, sous châssis, à une température d'environ 18 °C. Après la levée, repiquer définitivement en pots de 12 cm, en mettant 5 à 10 petites plantes par pot. Endurcir progressivement les plantes, les pincer à plusieurs reprises pour obtenir une bonne ramification et tenir les pots à l'abri du soleil ardent.

Torénia fourniéri
Ⓘ ⊕ ⊛ ◯ ▣

Plante annuelle à tiges d'abord couchées, puis dressées. Feuilles oviformes, de 3 à 5 cm de long et de 1 à 2 cm de large, à pétiole assez long. La base de la feuille embrasse légèrement la tige. Fleurs en grappes terminales, calice à ailes larges, corolle violet clair, à 3 lobes dont 2 sont marqués d'une grande macule violet foncé, gorge jaune. Il existe une forme dite 'Alba', à corolle blanche maculée de violet et une forme 'Grandiflora', aux fleurs très grandes.

Tradescántia
Commelináceæ

Nom. Du nom de John *Tradescant* (?-1638), jardinier de Charles Ier, roi d'Angleterre ; son fils John, mort en 1662 (ou 1652 ?), fut botaniste et explorateur.

Origine. Genre représenté par plus de 30 espèces que l'on trouve en Amérique du Nord et du Sud. Les espèces d'appartement ont été découvertes bien après les espèces que l'on cultive au jardin.

Description. Plantes à tiges rampantes s'enracinant aux nœuds. Les feuilles ont de jolies panachures qui en font des plantes à suspendre très décoratives.

Exposition. Les espèces abondamment panachées de blanc exigent une exposition très claire pour conserver leurs couleurs. Elles se plaisent en appartement mais supportent également le plein air en été. On s'en sert souvent comme couvre-sol sous les tablettes des serres.

Soins. Un repos hivernal en atmosphère fraîche leur est très bénéfique. En appartement chauffé, les plantes ont souvent à souffrir de la séche-

Tradescántia blossfeldiána 'Variegata'

Tradescántia albiflóra 'Rochford Silver'

resse ambiante. Éviter de les exposer à des températures inférieures à 10 °C.

Dans l'ensemble, ce sont des plantes de culture très facile, posant peu de problèmes. Lorsque les feuilles perdent de leur éclat, on renouvelle rapidement sa collection à partir de boutures.

Arrosage. Les tiges de ces plantes sont quelque peu charnues, ce qui leur permet de se contenter de peu d'eau en été. L'hiver, si elles sont logées au frais, on peut même de temps en temps laisser leur motte sécher complètement. On ne les arrosera que si leurs tiges se ramollissent : utiliser de l'eau tiédie.

Fertilisation. Ces plantes ont un développement vigoureux et il est bon de les fertiliser tous les 15 jours en été. Suspendre les apports d'engrais en hiver.

Rempotage. Les tiges poussent souvent de façon désordonnée et il faut les rabattre de temps à autre ou faire des boutures. On plante en terre de rempotage ordinaire, prête à l'emploi, car ces plantes n'ont pas d'exigences particulières. Utiliser des pots en plastique ou des pots à suspendre pourvus d'un orifice de drainage, que l'on pose sur une soucoupe destinée à recueillir l'excédent d'eau.

Multiplication. Les pousses s'enracinent au simple contact du sol : ceci peut donner une idée de la facilité du bouturage. Que l'on plante les boutures en terre ou qu'on les trempe dans un verre d'eau, on est sûr de voir se former des racines. La période la plus favorable est l'été.

Maladies. Les *Tradescántia* sont des plantes très résistantes. Toutefois, exposées aux courants d'air, elles pourront être sujettes aux attaques de pucerons. Ceux-ci disparaîtront d'eux-mêmes si on corrige les erreurs de culture, sinon on aura recours à l'un ou l'autre petit moyen de lutte traditionnel.

Tradescántia albiflóra
Ⓘ ⊕ ⊛ ◯ ▣

Plante glabre, à tiges rampantes ou retombantes. Petites feuilles de 15 mm de large et de 45 à 60 mm de long, de couleur verte et à pétiole court. Fleurs blanches. 'Albovittata' est strié longitudinalement de blanc crème. 'Rochford Silver', un cultivar plus récent, a des panachures très blanches, plus nettes. 'Tricolor' a des bandes blanches et violet clair.

Tradescántia blossfeldiána
Plante velue, à tiges rampantes. Feuilles légèrement charnues, de 4 à 8 cm de long sur 2 à 4 cm de large, disposées sur deux rangs serrés. Le dessus des feuilles est vert mat, le revers est violet et pubescent. Il en existe une forme aux striures claires, dite 'Variegata'.

Tradescántia fluminénsis
Ressemble beaucoup à l'espèce *albiflóra*. On les distingue facilement en faisant couler un peu de sève de leurs tiges : celle de *T. fluminénsis* est teintée de violet, celle de *T. albiflóra* est incolore. *T. fluminénsis* a également des feuilles plus courtes : leur longueur n'égale que 2 à 3 fois leur largeur. Ici aussi, il existe une forme 'Variegata' présentant des bandes longitudinales blanches.

Tradescántia sillamontána
Plante entièrement couverte de longs poils blancs. Tiges rampantes. Feuilles assez petites. Fleurs roses. Cette espèce connaît un repos hivernal très marqué au cours duquel sa partie aérienne disparaît

Trevésia sánderi

Trevésia
Araliáceæ

Nom. Du nom d'une famille italienne, *Treves di Bonfiglio*, qui encouragea la recherche botanique.

Origine. 8 espèces, répandues en Asie tropicale et dans les îles du Pacifique.

Description. Grandes plantes à feuillage vert dont les feuilles sont découpées de manière très originale. Les fleurs sont moins intéressantes.

Exposition. Autrefois, on n'élevait ces plantes qu'en serre tropicale. De nos jours, on les propose parfois comme plantes d'appartement. Il faudrait plutôt les traiter comme des plantes d'orangerie.

Soins. En serre, ces plantes atteignent plusieurs mètres de haut. Leur croissance est beaucoup plus limitée en appartement. Elles tolèrent assez bien l'ombre. Il faut surtout bassiner fréquemment leur feuillage.

Si on choisit d'en faire une plante d'orangerie, on sort le *Trevésia* en plein air, à un endroit abrité et ombragé, dès le début de juin. À l'entrée de l'hiver, les sujets ayant passé l'été dehors et ceux restés en appartement doivent être remisés dans un local frais, où la température se maintient entre 14 et 16 °C. On peut, à titre d'expérience, élever le *Trevésia* en appartement en lui appliquant les mêmes soins qu'au *Fícus*. On est encore peu renseigné sur les résultats obtenus.

Arrosage. Arroser modérément en été, un peu moins en hiver.

Fertilisation. En période de végétation, on peut faire des apports d'engrais espacés de 15 jours.

Rempotage. Rempotage annuel en mélange ordinaire, prêt à l'emploi.

Multiplication. Les boutures d'extrémités de pousses ne s'enracinent qu'à une température de fond de 30 à 35 °C. On réussit parfois les marcottes. La méthode la plus simple est le semis, quand on peut se procurer des graines.

Trevésia sánderi
Ⓘ ⊕ ⊛ ◯ ▣

Petit arbre. Les feuilles sont massées à l'extrémité des rameaux. Elles mesurent 30 à 40 cm de large et sont découpées en 5 à 9 lobes à leur tour incisés et se rejoignant plus tard à la base, en forme de patte de canard. Au stade juvénile, les feuilles sont couvertes d'écailles blanc grisâtre qui disparaissent avec le temps. On lui donne souvent le nom de *Trevésia palmáta* qui, en fait, s'applique à une espèce dont les feuilles affectent dès le départ leur forme adulte.

Trichocéreus
Cactáceæ

Nom. Du grec *thrix, trichos,* cheveu, et de *Céreus,* nom de genre.

Origine. Leurs colonnes et leurs candélabres sont typiques des paysages d'Amérique du Sud, où on en dénombre une trentaine d'espèces.

Description. Ce sont des cactus à fort développement, qui se caractérisent par leurs nombreuses côtes et leurs aiguillons vigoureux. Leurs fleurs s'épanouissent pendant la nuit.

Exposition. Ces cactus, d'une extrême robustesse, peuvent passer l'été en plein air, exposés au soleil. L'hiver, on les rentre dans un local frais et clair, une serre froide est l'endroit idéal, et on les conserve bien secs. Ils supportent une température minimale de 5 °C.

Soins. Les amateurs de cactus en cultivent quelques espèces sous leur forme naturelle : cela donne de très beaux sujets qui fleurissent assez rapidement. Ils sont toutefois beaucoup plus souvent utilisés en tant que porte-greffes pour des espèces plus délicates. Pour obtenir de nombreux porte-greffes, on divise une longue tige en tronçons de 7 cm que l'on fait sécher avant de les bouturer.

Trichocéreus spachiánus (à g.) et *T. pasacána*

Chaque bouture va émettre à son sommet plusieurs pousses que l'on prélèvera à leur tour pour les bouturer (couper un peu au-dessus de la base), et ainsi de suite. Le procédé de la greffe elle-même est décrit à la p. 76.

Arrosage. L'été, on peut arroser abondamment, de préférence à l'eau de pluie. Cesser totalement d'arroser durant l'hiver.

Fertilisation. Fertiliser en été, à l'engrais spécial pour cactus (peu azoté).

Rempotage. Prendre un mélange spécial pour cactus ou une terre de rempotage ordinaire.

Multiplication. Faire des boutures en suivant les conseils donnés à la rubrique « soins ». On fait aussi des semis, à une température de 20 °C.

Trichocéreus schikendántzii
○ ◑ ◌ ◔ ▦

Cactus cespiteux, aux tiges mesurant jusqu'à 25 cm de haut ; 14 à 18 côtes ; aiguillons jaunâtres par 10-20. Fleurs blanches.

Trichocéreus spachiánus

Cactus colonnaire, peu ramifié, à 10-15 côtes, aiguillons aciculaires, brun jaune, de 10 mm de long, groupés par 8-10. L'aiguillon central est légèrement plus long que les autres. Fleurs blanches. C'est l'espèce que l'on utilise le plus fréquemment comme porte-greffe.

Diverses espèces de tulipes forcées, exposées sur une tablette de fenêtre. De gauche à droite : 'Golden Melody', 'Sunlight', 'Angélique' et 'Apeldoorn'.

Túlipa
Liliáceæ
tulipe

Nom. Du persan *toliban,* lui-même dérivé du turc *tülbend,* (plante) turban.

Origine. Il existe environ 150 espèces de tulipes sauvages, originaires d'Asie orientale et centrale, d'Europe et d'Afrique du Nord.

Description. Tout le monde connaît les tulipes de culture, plantées par millions dans les jardins. Il n'existe pas de véritable tulipe d'appartement, on a simplement sélectionné des variétés se prêtant au forçage. Les bulbes sont d'ailleurs soumis dans ce but à des traitements particuliers jouant sur la température : on dit qu'ils sont préparés.

Exposition. Pour réussir la culture des tulipes en appartement, il faut avant tout se garder de les placer dans des pièces trop bien chauffées. Il vaut mieux les laisser dans une entrée ou une serre un peu fraîches. En atmosphère chaude et sèche, les fleurs passent très vite.

Soins. Toutes les tulipes ne sont pas propres au forçage. Il faut qu'elles supportent un certain degré de chaleur, sinon mieux vaut les planter au jardin. Tout catalogue sérieux renseigne les acheteurs sur ce point : on s'y reportera pour faire son choix. C'est en enterrant complètement les pots que l'on obtient les meilleurs résultats. Choisir un endroit du jardin pas trop humide et y ouvrir une tranchée d'environ 40 cm de profondeur. Planter les bulbes dans des pots de façon que leur sommet se trouve juste à la surface de la terre. Ranger les pots côte à côte dans la tranchée. Pour

repérer les pots on peut, soit planter une baguette dans chacun d'eux, soit simplement aux quatre coins de la tranchée. Recouvrir de terre et, au moment des gelées, ajouter une couverture protectrice de paille ou de feuilles.

Le moment le plus propice pour enterrer les pots est le mois d'octobre. À la fin de janvier, on les déterre pour contrôler le degré de leur avancement. Si les pousses ont atteint environ 7 cm et si le bouton floral est bien formé au centre de la pousse (tâter du bout des doigts), les pots peuvent être déterrés définitivement. Les tulipes moins avancées sont replacées dans la tranchée ou, tout au moins, à l'obscurité totale.

Les pots déterrés ne doivent surtout pas être exposés directement dans une pièce chauffée. Il faut les maintenir, au début, à une température n'excédant pas 15 °C. Pour empêcher les pousses de se dessécher, on enfermera les pots dans des sacs en plastique. Les pots peuvent être exposés dans l'appartement à partir du moment où les boutons floraux commencent à se colorer. La durée de la floraison dépendra de la température ambiante : cela peut aller de quelques jours à quelques semaines. Le forçage épuise les bulbes, que l'on jette après la floraison. Si on n'a pas de jardin, on pourra entreposer les pots dans un local sombre où la température ne monte pas au-dessus de 12 °C. L'obscurité doit être totale, sinon on couvrira les pots de petits sacs de plastique noir. S'il fait trop chaud, il ne se formera pas de racines. 9 °C est une température optimale.

Les maisons modernes n'offrent pas toujours un refuge répondant à ces

Tulipe 'Prins Carnaval'

conditions, c'est pourquoi on conseille d'enterrer les pots au jardin. Les personnes qui habitent en appartement pourront enfouir les pots dans une caisse placée sur le balcon. Les pots seront recouverts de tourbe et les caisses protégées du gel. Cela vaudra mieux que de fourrer les pots dans le débarras.

Arrosage. Au moment de la formation des racines, la terre devra toujours être modérément humide. Les pots enfermés dans des caisses devront donc être légèrement arrosés de temps à autre.

Fertilisation. Superflue.

Rempotage. Planter les oignons dans un mélange composé d'une partie égale de sable grossier et de terre de rempotage prête à l'emploi.

Multiplication. Pas de multiplication.

Choix. Consulter un bon catalogue.

Vallóta speciósa

Vánda cœrúlea

Vallóta

Amaryllidáceæ

Nom. Du nom de Pierre *Vallot* (1594-1671), médecin français à qui l'on doit, entre autres, une description du jardin de Louis XIII.
Origine. On ne connaît qu'une seule espèce spontanée et elle croît en Afrique du Sud.
Description. Cette plante rappelle un peu l'*Hippeástrum*, mais ses fleurs sont beaucoup plus petites. Elles se montrent en été.
Exposition. On se procure les bulbes en les commandant dans des établissements de vente par correspondance ou en les achetant dans des centres d'horticulture. Les bulbes sont empotés en mars-avril et les pots placés directement à la lumière. On augmente les arrosages au fur et à mesure que se développe le feuillage, puis on les diminue progressivement après la floraison. Il n'est pas indispensable de laisser mourir le feuillage, mais même si on le maintient en vie, il faut accorder aux bulbes un temps de repos en plaçant les pots dans un local clair, une serre froide, par exemple, où la température se maintient entre 5 et 10 °C, et en arrosant peu. Si on laisse sécher le feuillage, les bulbes peuvent être conservés dans leur pot. Au début du printemps (février), on élimine toutes les vieilles feuilles et on remet les pots au chaud.
Arrosage. Il ne faut arroser copieusement qu'en été.
Fertilisation. Il est bon de fertiliser chaque semaine, pendant toute la période de végétation.
Rempotage. Il n'est pas nécessaire de changer complètement la terre tous les ans : un surfaçage, au printemps, suffit. Un mélange de rempotage prêt à l'emploi peut convenir. On l'améliorera en lui ajoutant un peu de terre argileuse.
Multiplication. On peut séparer les caïeux et les cultiver à part. On sème également les graines arrivées à maturité, à une température de 18 °C.

Vallóta speciósa

Plante bulbeuse, aux feuilles distiques longues de 30 à 50 cm, larges de 2 à 3 cm, vertes. Fleurs mesurant jusqu'à 8 cm de diamètre, dressées obliquement, par 3 à 10, en ombelle, de couleur rouge orangé. `Major' a des fleurs plus grandes et plus rouges ; 'Alba' a des fleurs blanches.

Vánda

Orchidáceæ

Nom. Du sanskrit *vanda*, désignant plusieurs espèces du genre.
Origine. Il existe environ 60 espèces, répandues dans toutes les régions à climat chaud de l'Asie.
Description. Toutes les espèces sont monopodiales, ce qui signifie qu'elles se développent uniquement par le sommet. Chez cette orchidée, la forte tige centrale est couverte de feuilles coriaces disposées sur deux rangs. On cultive de nombreuses espèces, d'innombrables hybrides et des races obtenues par croisement de genres différents. Citons pour exemple *Aerídes, Aráchnis* et *Phalænópsis*.
Exposition. Toutes les espèces exigent un haut degré d'humidité. Les amateurs les cultivent en serre chaude ou tempérée et, plus rarement, en vitrine ou serre d'appartement.
Soins. Il faut à ces plantes énormément de lumière. On les place très près du vitrage, en ne leur donnant souvent qu'une très légère protection contre le soleil en milieu de journée. On peut laisser monter la température très haut pendant la journée mais l'été, par les nuits chaudes, il faut ouvrir les châssis d'aération. La température nocturne minimale tolérée est de 12 °C.
Le *Vánda* n'a pas de pseudobulbes et ne connaît pas d'arrêt de la végétation très marqué. Il faut l'arroser toute l'année, même si l'hiver, à une température minimale de 18 °C, la transpiration est plus limitée.
Arrosage. Il va de soi que ces orchidées ne s'arrosent qu'à l'eau de pluie pure ou à l'eau parfaitement adoucie. Surtout, qu'elle ne soit pas trop froide !
Fertilisation. Le préjugé selon lequel les orchidées n'ont pas besoin d'engrais est dépassée. On peut leur distribuer un peu d'engrais chimique en période de végétation, mais en concentration très faible (diviser par 2 la dose normale). Les connaisseurs ne jurent que par les engrais aux algues ou les émulsions de poisson.
L'urine de vache pleine constituerait pour les orchidées le suprême régal ! Que ne ferait-on pour ses plantes ?
Rempotage. Les *Vánda* se cultivent en pots, mais aussi en corbeilles ajourées. Ce qui est essentiel, c'est un bon drainage. Pour le mélange de culture, on utilise des granulés d'argile, des racines d'osmonde, du sphagnum et de la tourbe fibreuse. Dans qu'elles proportions ? Chaque amateur a sa recette personnelle. Tous les traités de culture préconisent des mélanges différents. On

en est au stade de l'expérimentation. On élève parfois les *Vánda* tout simplement sur des écorces d'arbre ou sur des tronçons de fougère arborescente. On n'a que l'embarras du choix.
Multiplication. On peut bouturer des pousses latérales, pour autant qu'elles soient pourvues de véritables racines. On pratique également le semis, mais il n'est pas à la portée de l'amateur.

Espèces de serre tempérée :
Vánda amesiána, bensónii, cœrúlea, cœrúlescens et parfois *trícolor.*

Espèces de serre chaude :
Vánda hookeriána, kimballiána, lamelláta, luzónica, merrílii, sanderiána (actuellement *Euánthe sanderiána*), *téres, tesseláta* et parfois *trícolor.*

Nous choisirons pour exemple :
Vánda cœrúlea

Tige centrale mesurant jusqu'à 60 cm. Feuilles échancrées sur une profondeur de 20 cm. Grappes de 20 fleurs mesurant chacune jusqu'à 12 cm de diamètre, bleues, pétales obovales, lobes latéraux du labelle étalés, lobe médian de couleur plus sombre.

Veltheímia

Liliáceæ

Nom. Du nom d'August Ferdinand von *Veltheim* (1741-1801), botaniste allemand.
Origine. Les 5 espèces connues sont toutes originaires d'Afrique du Sud. La fleur n'est pas sans rappeler celle du *Kniphófia*.
Description. Plante bulbeuse qui émet, en hiver, une haute hampe portant un épi de fleurs rose saumoné.
Exposition. L'hiver, cette plante exige de séjourner dans un local dont la température se situe vers 12 °C. Au-delà de ce degré de chaleur, elle ne fleurit pas.
Soins. Les bulbes sont empotés en automne. Les pots peuvent être aussitôt exposés à la lumière. Il faut très peu

arroser au début. La première semaine, les pots sont entreposés à une température de 20 °C, mais ils sont placés au frais dès que le feuillage se montre. Le meilleur endroit est une serre froide ou tempérée. Les fleurs apparaissent de janvier à avril. S'il ne gèle pas, la plante peut être exposée en plein air, les fleurs dureront d'autant plus longtemps.
Après la floraison, en mai ou juin, on diminue progressivement les arrosages. Au bout d'une quinzaine de jours, les feuilles sont totalement flétries. Commence alors une période de repos durant laquelle les pots peuvent rester dehors, à l'abri d'un auvent. En septembre, on voit généralement pointer la première petite pousse verte.
Arrosage. Arroser peu au départ, augmenter les arrosages au fur et à mesure que se développe le feuillage et les supprimer en période de repos.
Fertilisation. À l'apparition du feuillage, on pourra fertiliser à intervalles de 15 jours.
Rempotage. Le meilleur des mélanges se compose de terreau de feuilles, de terre argileuse finement émiettée et de fumier décomposé. Changer la terre en septembre. Planter trois bulbes par pot.
Multiplication. On procède surtout à la séparation des caïeux dont on stimule la formation en creusant la base du bulbe mère. Planter et cultiver à part pour obtenir des bulbes prêts à fleurir au bout de deux ans. Les plantes issues de semis ne fleurissent qu'après 4 ans de culture.

Veltheímia capénsis

Plante aux bulbes oviformes produisant chacun 10 à 12 feuilles de 20 à 30 cm de long et de 6 à 8 cm de large, vertes, luisantes, à bord légèrement ondulé. Fleurs en grappe dense, tubuleuses, pendantes, pédoncules de 5 à 8 mm, périanthe de 3 à 4 cm de long, tacheté de jaune et de rouge, lobes verts.

Veltheíma glauca

Se distingue par ses feuilles glauques, très ondulées, mesurant au plus 4 cm de large. Les fleurs sont plus pendantes ce qui donne des épis plus étroits ; les pédoncules font à peine 2 à 3 mm de long. Le périanthe même mesure 2 à 3 cm de long, il est rouge tacheté de jaune.

Veltheíma capénsis

Vriésea

Bromeliáceæ

Nom. Du nom de W.H. de *Vriese* (1807-1862), professeur de biologie à Amsterdam.

Origine. On trouve quelque 200 espèces en Amérique du Sud et en Amérique centrale.

Description. Broméliacées typiques formant de grandes rosettes en entonnoir. Les feuilles sont souvent très longues et très larges et agrémentées de fort belles panachures. À l'état spontané, ces plantes croissent généralement en épiphytes sur des branches d'arbres ou des rochers. Du point de vue morphologique, ce genre s'apparente de très près au *Tillándsia*, mais les espèces habituellement rencontrées en culture ont des feuilles plus robustes que celles des *Tillándsia* de culture. Ce sont des plantes qui connaissent une grande faveur du public, ce qui explique que l'on ait créé un si grand nombre de beaux hybrides.

Exposition. Tout dépend du but poursuivi. Si on se contente de cultiver une plante unique, on pourra la mettre n'importe où. Si on se propose de se livrer à la multiplication, il faudra fournir à la plante mère une lumière tamisée, un haut degré d'hygrométrie et une température de 18-20 °C : toutes conditions plus facilement réunies dans une serre chaude que dans un appartement, où l'on réussit cependant, parfois, à faire émettre des rejets valables à des variétés particulièrement vigoureuses.

Soins. Certaines broméliacées, comme les *Billbérgia* et les *Tillándsia*, produisent un grand nombre de petites rosettes qui ne fleurissent pas toutes la même année. En tenant compte de ce fait, on peut les considérer comme des plantes qui, dans des conditions de culture favorables, sont capables de fleurir plusieurs années de suite. Peu importe si les rosettes qui ont fleuri meurent : elles sont aussitôt remplacées par de jeunes rejets.

Il en va autrement du *Vriésea*. La plante que l'on achète se compose généralement d'une rosette unique, de belle taille, prête à fleurir. Mais il faut savoir que toute rosette ayant produit une inflorescence est irrémédiablement condamnée à mourir : chaque rosette ne peut fleurir qu'une seule et unique fois. Cependant plante et fleur conservent leur beauté pendant plusieurs mois et même davantage si la température ambiante est fraîche. Il y a même des broméliacées qui, à ce stade, ne réclament aucun arrosage. Elles passent imperceptiblement au repos éternel : c'est à peine si l'on s'aperçoit que la fleur a séché (c'est le cas, entre autres, du *Cryptánthus*).

La rosette fleurie ne réclame donc pas d'égards particuliers : elle ne craint ni l'ombre, ni la fraîcheur, contrairement aux plantes que l'on destine à la multiplication. Peu importe même si l'atmosphère est un peu sèche.

La culture des jeunes plantes est beaucoup plus délicat. En appartement, il leur faut une température constante de 18 °C, hiver comme été. Elles tolèrent le soleil couchant, mais à partir de 10 h à 11 h du matin, la lumière doit être tamisée. L'idéal est de les placer à proximité d'une fenêtre orientée à l'est. Il faut veiller, en outre, à entretenir un degré d'hygro-

métrie aussi élevé que possible, soit en pratiquant des pulvérisations sur le feuillage, soit en installant un humidificateur électrique.

Les plantes se développent au printemps et en été : durant toute cette période, l'entonnoir de la rosette doit se trouver rempli d'eau douce. L'hiver, il faut le vider. Après environ trois ans de culture correctement conduite, les jeunes plantes doivent normalement fleurir. Souvent, hélas, il n'en est rien. Il existe fort heureusement un petit truc qui permet de faire fleurir les plantes parvenues à l'âge adulte. On introduit dans l'entonnoir un peu d'acétylène ou l'on met un peu de carbure dans l'eau qui baigne l'entonnoir. Les pommes mûres dégagent de l'acétylène et l'on peut emballer la plante, durant quelques jours, dans un sac de plastique contenant deux ou

trois pommes. Les horticulteurs disposent d'un liquide spécial destiné à stimuler la floraison des broméliacées : il leur suffit d'en verser quelques gouttes dans l'entonnoir et quelques mois plus tard, on voit apparaître la hampe florale.

Les espèces qui se propagent avec le plus de facilité sont celles qui ont un feuillage vert ou grisâtre. Les espèces au feuillage panaché sont souvent si belles qu'elles peuvent se dispenser de fleurir pour séduire.

Arrosage. En période de végétation, la motte doit conserver une humidité modérée permanente ; elle peut être un rien plus sèche en hiver. L'arrosage et le remplissage de l'entonnoir ne doivent se faire qu'à l'eau parfaitement douce. Le mieux est d'utiliser de l'eau de pluie. La faire tiédir avant d'arroser ou de pulvériser.

Fertilisation. L'été, les plantes pourront être fertilisées à l'engrais exempt de calcium, comme le Pokon. Un apport par mois est généralement suffisant.

Rempotage. La terre ne doit pratiquement pas contenir de calcaire. On obtiendra un bon mélange en utilisant de la tourbe concassée, du sphagnum, du terreau de feuilles de hêtre et du fumier décomposé. Utiliser des pots en plastique, au fond desquels on dépose un lit de drainage de quelques centimètres d'épaisseur. Les plantes se cultivent aussi en épiphytes sur des troncs d'arbres. Les racines sont fixées sur un coussinet de sphagnum, d'osmonde et de polypode et le tout est attaché sur le tronc à l'aide de fils de cuivre.

Multiplication. Les jeunes rejets se forment presque toujours pendant

Vriésea spléndens

Vriésea x pœlmánii

Vriésea rodigasiána

Vriésea viminális 'Rex'

l'agonie de la rosette mère. On attendra six mois avant de les détacher avec leurs racines pour les empoter séparément. La propagation à partir de semis est une affaire de longue haleine : il faut des années avant que les plantes puissent fleurir.

Vriésea carináta

Rosette en entonnoir formée de larges feuilles linguiformes, au bord lisse, entièrement vertes. Hampe florale rouge, bractées rouges, jaunâtres au sommet. Fleur jaune à pointes vertes.

Vriésea hieroglýphica

Grande rosette formée de feuilles mesurant 60-80 cm de long et 12 cm de large, vertes, marquées de panachures presque noires qui évoquent un dessin d'hiéroglyphes. Généralement pas de fleurs.

Vriésea x pœlmánii

L'un des nombreux hybrides existants. Feuilles vert clair, bractées rouge carmin, fleurs jaunes et jaune verdâtre.

Vriésea rodigasiána

Très petite rosette de feuilles vert mat, pourpres à la base. Hampe florale ramifiée, l'inflorescence comporte des bractées et des fleurs jaune citron, de texture cireuse.

Vriésea spléndens

L'espèce la mieux connue. Rosette de feuilles mesurant jusqu'à 10 cm de long et 4 cm de large, à bandes transversales brunes. Inflorescence étroite et longue, bractées rouge clair, fleurs jaunes. Ne fleurit pas toujours. Les races 'Major' et 'Flammendes Schwert' ont des inflorescences plus grandes.

Washingtónia filífera

Xantheránthemum ígneum

Washingtónia
Pálmæ

Nom. Du nom de George *Washington* (1732-1799), le premier président des U.S.A.
Origine. Il existe deux espèces, que l'on trouve dans le sud des U.S.A.
Description. Genre de palmiers assez peu connus, dont les frondes ne sont pas retombantes mais simplement recourbées vers le bas, de façon à masquer la tige.
Exposition. Ce palmier peut être exposé presque toute la journée en plein soleil, il suffit de lui procurer un peu d'ombre en milieu de journée. Il réclame une atmosphère très aérée et demande une ambiance fraîche et une humidité réduite en hiver.
Soins. Ces plantes sont décevantes lorsqu'on les cultive à l'intérieur : l'été, elles manquent d'air et l'hiver, elles souffrent de la chaleur. Dès qu'elles ont atteint une certaine taille, il faut les laisser dehors, en un endroit abrité, ce peut même être un balcon. Les pointes roussies peuvent être supprimées sans entamer la partie verte qui, autrement, brunirait aussitôt à son tour. L'hiver, ces plantes doivent être transportées en orangerie. Si l'on a aménagé un local frais et clair, on pourra obtenir des spécimens spectaculaires. Température minimale : 5 °C.
Arrosage. L'été, il faut arroser régulièrement et modérément. Tenir la motte un peu plus sèche durant l'hiver.
Fertilisation. Apports d'engrais tous les 15 jours, en période de végétation.
Rempotage. Planter en pots étroits et hauts. Plus tard, lorsque le palmier a grandi, on lui donnera une caisse en bois ou en plastique. Toujours bien drainer les récipients. Prendre comme terre de rempotage un mélange de terre argileuse bien effritée, terreau de feuilles de hêtre et vieux fumier de vache. Au cours des premières années, il faudra rempoter annuellement, au printemps.
Multiplication. Faire tremper des graines fraîches pendant plusieurs jours avant de les semer à chaud, sur une température de fond de 25-30 °C. La germination se fait souvent attendre.

Washingtónia filífera
○ ◐ ⊙ ⊛ ◔ ⊙ ▣
Le limbe des fouilles, entier au stade juvénile, se divise par la suite, sur la moitié de sa longueur, en segments effilochés au sommet. Pétioles épineux à la base.
Washingtónia robústa
Les feuilles adultes perdent leurs filaments. Le pétiole est épineux sur toute sa longueur. Réclame un peu plus de chaleur.

Xantheránthemum
Acanthéceæ

Nom. Du grec *xanthos,* jaune, et de *Eránthemum,* nom de genre. L'espèce que nous décrivons ici porte dans de nombreux ouvrages le nom de *Chameránthemum* (du grec *chamai,* à terre, bas).
Origine. Pérou, cordillère des Andes.
Description. Plantes naines, aux tiges couchées et aux jolies feuilles panachées. Les différents genres et espèces se distinguent assez mal les uns des autres et sont souvent confondus.
Exposition. Plantes se prêtant particulièrement à la plantation en bonbonne et en vitrine. Se plairont également en serre chaude et humide. La culture en appartement donne des résultats décevants.
Soins. Si, malgré tout, on veut tenter la culture du *Xantheránthemum* en appartement, il faut le planter dans des coupes larges ou parmi d'autres plantes, et bassiner le feuillage plusieurs fois par jour, à l'eau douce tiédie. Éviter à la plante un ensoleillement direct, mais lui donner cependant un bon éclairement, sinon elle perdra ses belles panachures. C'est souvent ce qui se passe lorsqu'on la plante en bonbonnes placées généralement à l'ombre et pas toujours très transparentes. La température idéale se situe entre 18 et 22 °C, un peu plus bas en hiver.
Arrosage. Donner la préférence à l'eau de pluie et à défaut utiliser de l'eau parfaitement adoucie que l'on amène à température.
Fertilisation. Fertiliser tous les 15 jours en période de végétation.
Rempotage. Mélange de tourbe grossièrement concassée, terreau de feuilles et fumier. On peut ajouter un peu de terre argileuse ou de limon finement émietté.
Multiplication. Les boutures de tête s'enracinent assez facilement, placées en caissette à multiplication couverte d'une feuille de verre ou de plastique. Les jeunes plantes sont élevées sous châssis.

Xantheránthemum ígneum
◐ ⊕ ⊛ ⊙ ▣
Syn. *Chameránthemum ígneum ; Erán-themum ígneum ; Stenándrium ígneum.* Petites plantes aux tiges courtes et couchées, abondamment fournies en feuilles ovales de 5-10 cm de long et 2-4 cm de large, dessus vert brun, velouté, nervures soulignées de blanc jaunâtre, dessous rougeâtre. Inflorescence en épi, grandes bractées, petites fleurs jaunes.

Xanthosóma
Aráceæ

Nom. Du grec *xanthos,* jaune, et *sôma,* corps.
Origine. On trouve une trentaine d'espèces dans les forêts humides d'Amérique.
Description. Plantes à feuillage, aux belles grandes feuilles panachées, ressemblant à l'*Alocásia* et au *Colo-cásia.* Rhizomes souterrains. Une seule espèce est tubéreuse. La tige, contient du latex.
Exposition. Conviennent à la culture en serre chaude où règne un haut degré d'hygrométrie. Ce sont des plantes à fort développement, qui exigent beaucoup d'espace. Elles réussissent généralement mal en appartement.
Soins. Le *Xanthosóma* supporte une chaleur permanente. L'hiver, la plupart des espèces pourront se satisfaire d'un minimum de 15 °C : c'est une température légèrement supérieure à la température normale d'une serre tempérée. Seul *Xanthosóma lindénii* exige un minimum de 18 °C et doit être cultivé en serre chaude. Ces plantes ne tolèrent absolument pas le soleil : la serre doit être ombrée en permanence. Quiconque voudra à tout prix cultiver ces plantes en appartement devra s'équiper d'un puissant humidificateur, ou passer son existence le pulvérisateur à la main.
Arrosage. Il est recommandé d'arroser à l'eau de pluie pure. Veiller surtout à ce qu'elle ne soit pas trop froide. L'été, on peut arroser copieusement. L'hiver, pendant la période de repos, la motte doit rester un peu plus sèche au toucher.
Fertilisation. Ces plantes ont une croissance phénoménale et consomment une grande quantité d'éléments nutritifs. Si l'on dispose de beaucoup d'espace, on pourra les fertiliser généreusement tout au long de l'été.
Rempotage. Le *Xanthosóma* se plaît surtout planté à même la tablette de la serre. Si on plante en pot, choisir un récipient assez grand, mettre au fond

une bonne couche de drainage et achever de remplir avec un mélange riche en humus composé de sapinette, terreau de feuilles de hêtre, tourbe concassée, fumier de vache décomposé et, éventuellement, granulés d'argile. Au besoin, on pourra utiliser un mélange standard. Choisir des pots en plastique.
Multiplication. Les plantes peuvent être divisées au moment du rempotage. On débite également la tige en tronçons : placés sous châssis, avec une chaleur de fond, ils ne tarderont pas à émettre des rejets.

Xanthosóma lindénii
◐ ⊕ ⊛ ⊙ ▣
Syn. *Phyllotaénium lindénii.* Plante aux feuilles épaisses, sagittées, étalées à l'horizontale, face supérieure vert clair, nervures blanc frais, pétiole vert clair marqué longitudinalement de deux striures noires. Fleurs avec spathe blanc ivoire.
Xanthosóma nígrum
Syn. *Xanthosóma violáceum.* Plante aux rhizomes comestibles. Feuille sagittée, jusqu'à 50 cm de long, vert foncé à reflet pourpre, pétiole charnu, brun pourpre, couvert d'une pruine violette.

Yúcca
Agaváceæ

yucca

Nom. En Amérique centrale, on appelle « yuca » le *Mánihot esculénta,* le manioc. Ce nom populaire est devenu, par la suite, le nom du genre dont il est question dans ces lignes.
Origine. Il existe une trentaine d'espèces, répandues au sud de l'Amérique du Nord et en Amérique centrale. Quelques espèces sont cultivées chez nous en plein air depuis fort longtemps. Le commerce des espèces non rustiques, à cultiver en appartement, ne s'est développé que depuis les années 60.
Description. Les feuilles, coriaces ou souples, en forme de lame d'épée, sont insérées en rosette à l'extrémité de courtes tiges écailleuses. Les fleurs se montrent rarement en culture.

Xanthosóma nígrum

Yúcca aloifólia doit, autant que possible, séjourner en plein air en été. Attention ! les feuilles ont des pointes acérées.

Yúcca elephántipes aux feuilles « souples ».

Yúcca aloifólia 'Marginata' est une forme panachée que l'on rencontre plus rarement.

Exposition. En appartement, leur culture n'est pas toujours couronnée de succès, car il est bien difficile de leur fournir à la fois une exposition très lumineuse, de l'air frais en abondance et une température hivernale basse. En orangerie, par contre, les *Yúcca* ne posent pas l'ombre d'un problème. Les espèces à feuilles pointues doivent être placées hors d'atteinte des enfants.

Soins. Rien de plus décoratif dans un intérieur moderne qu'un *Yúcca* à plusieurs tiges. Au début des années 70, une telle plante valait le prix d'une télévision couleur. Les importations massives ont fait tomber les prix. En outre, beaucoup de gens se refusent à acheter cette plante à cause de ses feuilles dangereusement acérées.
Placé dans un endroit peu éclairé de la maison, le *Yúcca* est voué à une mort certaine, mais il est si résistant que son agonie pourra durer des années. Il continuera même à se développer un peu en puisant dans ses réserves nutritives, mais bientôt il sera envahi par les pucerons. L'horticulteur offre une garantie qui ne dépasse pas les 6 mois (ce qui représente la durée de résistance minimale de la plante) : au-delà de cette limite, le client en est pour ses frais.
L'amateur averti aura soin de trouver pour son *Yúcca* une place au soleil, sur la terrasse. L'hiver, il le remisera dans

un garage clair, le plus près possible d'une fenêtre. La température minimale tolérée est de 5 °C. Ce n'est pas un traitement idéal, mais l'expérience prouve que la plante est suffisamment robuste pour tenir le coup, à condition qu'elle puisse faire, l'été, le plein de son assimilation chlorophyllienne. Le meilleur moment pour la sortir en plein air se situe vers la mi-mai. Au cours du premier mois, il est bon de lui assurer une légère protection : un passage trop brutal au climat de l'extérieur peut causer le jaunissement des feuilles. De toute façon, les feuilles de la base se flétriront, c'est leur chute qui peu à peu forme la tige. Il ne faut pas couper ces feuilles : elles doivent se détacher d'elles-mêmes.

Arrosage. Arroser modérément en été. L'hiver, par une température de 5 °C, les arrosages seront supprimés totalement.
Fertilisation. Si la plante est rempotée annuellement, la fertilisation est superflue.
Rempotage. N'utiliser que des pots pourvus d'un orifice pour l'écoulement de l'eau et d'un bon lit de drainage. Les bacs en plastique conviennent très bien. Le mélange de culture doit contenir du limon ou de la terre argileuse, un peu de terreau de feuilles et du fumier. Si on se sert d'un mélange de rempotage ordinaire, prêt à l'emploi, on y ajoutera, de préférence, de la terre argileuse ou limoneuse.
Multiplication. Presque toutes les plantes sont importées. Les pousses latérales peuvent se bouturer. Laisser sécher les boutures pendant plusieurs mois jusqu'à ce qu'il se forme des racines. Éviter le soleil.
Maladies. Principalement les pucerons, lorsque les plantes séjournent l'hiver dans des locaux chauffés.

Yúcca aloifólia
○ ⊕ ⊛ ③ ⑪
Espèce aux pointes épineuses. Rosettes denses de feuilles vert mat, mesurant jusqu'à 50 cm de long et 1,5 cm de large, terminées par une pointe très aiguë. Tiges très décoratives, brunes, marquées par la cicatrice des anciennes feuilles.
Yúcca elephántipes
Tige renflée à la base. Rosettes de feuilles de 60-80 cm de long. Leur largeur fait de 5 à 8 cm vers le milieu et à peine 2 cm à la base. Les feuilles inférieures sont pendantes, de couleur vert mat, leur extrémité n'est pas épineuse.
Yúcca gloriósa
Difficile à distinguer de l'espèce précédente. La tige est un peu plus courte et généralement non ramifiée. Le feuillage est plus dense, pareillement gris vert et souple. C'est l'espèce qui résiste le mieux au froid hivernal.

Zantedéschia

Aráceæ

Nom. Du nom de Francesco *Zantede-schi* (1773-1846), biologiste et natura-liste italien. On donne également à cette plante le nom de *Cálla* ou *Richárdia*.
Origine. On trouve 8 espèces croissant en Afrique tropicale et du Sud, dans les marais s'asséchant en été.
Description. Plantes à rhizomes char-nus, grandes feuilles épaisses et spa-thes blanches ou colorées.
Exposition. Ce ne sont point des plan-tes à cultiver en appartement. L'été, on peut les mettre au jardin, mais l'hiver, il faut leur trouver un emplacement modé-rément frais.
Soins. L'arum fleurit au printemps,

Zantedéschia æthiópica

jusqu'au début de mai. Ensuite il connaît une période de repos. Certains gardent la plante à l'intérieur, en l'arrosant très peu jusqu'à la disparition quasi totale du feuillage, d'autres l'abandonnent sans plus durant tout un mois, au jardin. On rempote la plante à la fin du mois de juin et sa végétation redémarre : elle peut être laissée au jardin, dans un endroit à la fois ensoleillé et humide ou placée sur une tablette de fenêtre ; il faudra veiller à ce que la motte reste très humide en permanence. À l'automne suit une deuxième période de repos, durant la-quelle on suspend carrément tout arro-sage pour laisser mourir complètement le feuillage. Les rhizomes passent l'hiver dans leur pot, à une température mini-male de 10 °C. La végétation repart très tôt, dès la fin de janvier. Avec un peu de chaleur, les fleurs ne tardent pas à se montrer.
Arrosage. Au printemps et après le re-pos de mai-juin, arrosages copieux à très copieux. Le reste du temps, arroser très parcimonieusement ou pas du tout.
Fertilisation. Au printemps, pendant la période de végétation, on fertilisera chaque semaine.
Rempotage. La période la plus favora-ble se situe après le repos estival, donc vers le début de juillet. On peut égale-ment rempoter après le repos hivernal. Le mélange de culture doit contenir de la terre argileuse ou du limon.
Multiplication. On divise les rhizomes au moment du rempotage.

Zantedéschia æthiópica

○ ◑ ☺ ☺ ☺ ☺ ☺

Arum d'Éthiopie. Rhizome allongé don-nant naissance à des feuilles sagittées, vertes, luisantes et charnues, mesurant jusqu'à 50 cm et portées par un long pétiole. L'inflorescence se compose d'une spathe blanche, en cornet, et d'un

spadice jaune, odorant, apparaissant au sommet d'une haute hampe.

Zantedéschia elliottiána

Feuilles oviformes, cordées à la base, maculées de blanc. La spathe est de couleur jaune clair.

Zantedéschia rehmánnii

Feuilles lancéolées, cunéiformes à la ba-se, mesurant jusqu'à 4 cm de large, la spathe de l'inflo-rescence est blanche, lavée de rose vio-lacé sur les bords et violet foncé à l'inté-rieur.

Zebrína

Commelináceæ

Nom. Du latin *zebrinus,* rayé.
Origine. On trouve 4 espèces spon-tanées en Amérique centrale.
Description. Ces plantes ressem-blent beaucoup aux *Tradescántia* et sont, en règle générale, confondues avec eux. C'est sans grande impor-tance car les deux genres exigent le même type de soins. Le *Zebrína* se distingue par le tube très développé de la corolle de la fleur. Les autres commélinacées ont des pétales libres ou à peine soudés à la base.
Exposition. Plantes à suspendre à exposition très claire ou plantes tapis-santes pour garnir les serres et vitri-nes d'appartement. La température hivernale ne doit pas être trop élevée.
Soins. Les *Zebrína* exigent peu de choses en dehors d'un bon éclaire-ment. Ils n'aiment pas le soleil ardent mais le manque de lumière les prive de leurs belles zébrures. En apparte-ment, il faut veiller à entretenir une humidité ambiante assez forte. À l'is-sue de l'hiver, rajeunir les plantes en

Zebrína péndula 'Quadricolor'

Zebrína purpúsii

les taillant sévèrement : elles émet-tront de nouvelles pousses.
Les *Zebrína* tolèrent une température hivernale de 12 °C au minimum. Il est recommandé de les entreposer dans un local frais, où le degré d'hygromé-trie est toujours plus élevé et la crois-sance ralentie.
Arrosage. Arroser modérément et régulièrement en été. L'eau du robi-net peut convenir. Ne pas oublier les pots suspendus !
Fertilisation. Éviter de trop fertiliser. Un excès d'engrais nuit à la colora-tion des feuilles.
Rempotage. Il est bon de rempoter les plantes chaque année, au prin-temps : c'est aussi l'occasion de sup-primer toutes les parties abîmées. Si la plante a beaucoup souffert de l'hi-ver, le mieux est de faire de nouvelles boutures. On utilise de la terre de rempotage standard que l'on peut — mais ce n'est pas une obliga-tion - alléger d'un peu de sable grossier.
Multiplication. Les pousses s'enra-cinent souvent d'elles-mêmes au simple contact de la terre : les sépa-rer et les empoter. Les extrémités de tiges se bouturent aussi très facile-ment. Les faire sécher une journée (la tige est légèrement charnue) avant de planter dans un mélange de sable et de tourbe. Elles émettent des racines, même placées simplement dans un verre d'eau : c'est un avantage lors-qu'on opte pour l'hydroculture.

Zebrina péndula

◑ ☺ ☺ ☺ ☺ ☺

Plante aux tiges rampantes ou pen-dantes, feuilles ovoïdes, aiguës, des-sus vert, rayé longitudinalement de gris blanc, dessous pourpre. Petites fleurs rose pourpre ou blanches. 'Quadricolor' a des feuilles colorées de rose pourpre.

Zebrina purpúsii

Plante de taille plus forte que l'espèce précédente. Feuilles poilues à la base. Leur face supérieure est de couleur variable, le plus souvent vert foncé à rouge vineux, sans striures blanches. La forme 'Minor' a des feuil-les moins rouges et est de taille plus réduite.

Zantedéschia æthiópica 'Green Goddess' cultivé en serre.

Zephyránthes

Amaryllidáceæ

Nom. Du grec *zephyros,* zéphyr, vent, et *anthos,* fleur.
Origine. On rencontre 55 espèces en Amérique du Sud et en Amérique centrale.
Description. Plante bulbeuse assez rare, fleurissant en été ou en automne et rappelant le *Vallóta.*
Exposition. La plupart des espèces, peuvent se cultiver en plein air durant l'été, sur la terrasse ou le balcon. On ne laisse pas complètement sécher les bulbes en hiver.
Soins. On se procure les bulbes au printemps, par correspondance ou en les achetant dans une jardinerie bien approvisionnée. Empoter et mettre en végétation en apportant peu de chaleur. Les pots peuvent être sortis dès la mi-mai à un emplacement ensoleillé et abrité. La floraison a lieu en été et, chez certaines espèces, en automne.
Zephyrántes cándida est suffisamment rustique pour être planté en pleine terre, avec une légère couverture de protection durant l'hiver. Les autres espèces se rangent dans la serre froide, à une température minimale de 5 °C. On conserve la motte très légèrement humide : le feuillage ne doit pas disparaître complètement. À l'état spontané, ces plantes vivent dans des endroits humides, c'est pourquoi il faut éviter de les laisser sécher tout à fait. Les bulbes sont remis en végétation au printemps.
Arrosage. Arroser assez copieuse-

Zephyránthes cándida

ment en été et conserver la terre légèrement humide en hiver.
Fertilisation. Il n'est pas indispensable de renouveler la terre tous les ans, mais il faut alors fertiliser les plantes tous les 15 jours en période de végétation.
Rempotage. Un mélange terreux ordinaire donne des résultats satisfaisants. Planter plusieurs bulbes ensemble dans des pots larges et peu profonds en ne plus y toucher pendant deux ou trois ans. Si le rempotage s'avère nécessaire, on le pratiquera après la période de repos.
Multiplication. Il se forme assez facilement des caïeux qui fleurissent relativement vite. Les plantes se divisent sans difficulté au moment du rempotage. Le semis est également possible, pour autant que l'on réussisse à se procurer des graines.

Zephyrántes cándida

Bulbes foncés et allongés donnant naissance à 4-6 feuilles linéaires, de 2-5 mm de large, presque cylindriques. Les fleurs poussent à l'extérieur des rosettes de feuilles. Elles mesurent 3 à 5 cm de long et sont blanches, parfois teintées de pourpre.

Zephyránthes citrína

Espèce à fleurs jaune soufre se montrant en été. Plus frileuse.

Zephyránthes grandiflóra

Feuilles linéaires, rougeâtres à la base. Grandes fleurs rose violacé, à gorge jaune, apparaissant à partir de mai.

Zephyránthes rósea

Produit en automne des fleurs plus petites, rose violacé. Exige pour fleurir un peu plus de chaleur que les autres espèces.

Zygocáctus

Cactáceæ

Nom. Du grec *zygos,* joug, et de *cactus.* Souvent appelé *Epiphýllum* ou *Schlumbérgera.* Noter aussi ce qui le différencie du *Rhipsalidópsis.*
Origine. Plusieurs espèces croissent dans les arbres, dans l'est du Brésil.
Description. Cactus foliacé, aux articles aplatis, donnant des fleurs violettes aux environs de Noël.
Exposition. L'hiver, ce cactus peut se garder dans la maison ; l'été, il vaut mieux le laisser dehors.
Soins. Cette plante ne réussit que si l'on respecte scrupuleusement ses périodes de repos végétatif. Supposons que l'on achète une plante fleurie en décembre. Elle va se trouver éclairée sous un nouvel angle et commencera donc par perdre quelques boutons. Cet accident se produit moins facilement avec les nouveaux hybrides à fleurs rose clair, orange ou blanches. De toute façon, il faut éviter de tourner le pot. Pendant toute la durée de la floraison, le cactus pourra être conservé dans l'appartement chauffé, il suffira de pulvériser de temps à autre un peu d'eau sur le feuillage. Après la floraison vient une période de repos de 5 à 6 semaines et même davantage, à une température pouvant descendre jusqu'à 15 °C. Réduire les arrosages en même temps que la température. Il suffit d'empêcher les feuilles de se rider. En mars-avril, on rempote et on donne un peu plus de chaleur. Fin mai, on sort la plante en plein air : c'est à ce moment qu'elle se remet en végétation.
Septembre : on rentre le cactus au frais et au sec jusqu'à l'apparition des boutons floraux roses. La mise à fleurs est provoquée par : a) la sécheresse, b) les jours courts. Veiller à ce que le soir, la plante soit plongée dans une obscurité totale, sinon elle pourrait s'imaginer que l'été se poursuit.
Arrosage. En période de végétation, donc en été, la motte ne doit jamais sécher. Pendant la floraison, on arrose peu. Le reste du temps, on arrose aussi parcimonieusement que possible. Utiliser de l'eau de pluie tiède.
Fertilisation. En période de végétation, apport d'engrais spécial pour cactus tous les 15 jours.
Rempotage. L'époque la plus favorable est celle qui suit le repos du printemps. Ces cactus sont souvent plantés en pots de terre ou de plastique, alors que les corbeilles et paniers ajourés en plastique ou en lattes leur conviennent beaucoup mieux,

Zygocáctus truncátus

Un hybride dans un coloris légèrement différent.

car ce sont des plantes épiphytes. On peut planter dans un mélange de sapinette et fumier de vache décomposé, terreau de feuilles de hêtre, sphagnum et fumier, racines de fougère hachées, etc. Si on choisit des pots, il faudra les drainer très soigneusement. Les plantes adultes ne sont rempotées que tous les trois ans.
Multiplication. Prélever, au printemps, les boutures sur des pousses de l'année précédente, non encore aoûtées, les laisser sécher un jour ou deux et les planter sur une légère chaleur de fond. Arroser peu, par crainte de la pourriture.
On obtient un bel arbuste sur tige en greffant des boutures sur un porte-greffe, par exemple sur *Selenicéreus hamátus.* La méthode la plus simple est le greffage en fente, qui consiste à introduire des boutures taillées en biseau dans des fentes pratiquées sur un porte-greffe ébourgeonné. Maintenir les greffons en place à l'aide d'un long aiguillon de cactus et d'un lien de raphia jusqu'à ce qu'ils aient pris.
Maladies. Si la plante se trouve dans le jardin, prendre garde aux limaces qui peuvent la dévorer. La chute des boutons peut être due aux causes suivantes : a) une carence d'éléments nutritifs à la fin du printemps ; b) pots tournés au cours de la formation des boutons ; c) écarts de température trop importants entre le jour et la nuit pendant la formation des boutons ; d) arrosages irréguliers en période de végétation ; e) eau d'arrosage trop froide.

Zygocáctus truncátus

Cactus de Noël. Cactus très ramifié, aux tiges retombantes, articles de 6 cm de long, aplatis, ailés. Aréoles uniquement sur le bord des articles, qui est légèrement ondulé, et surtout vers le sommet, qui est poilu. Les fleurs, qui consistent en deux corolles superposées, naissent à l'extrémité des tiges. Elles mesurent 6 à 8 cm de long, sont violet clair et ont des pétales retroussés. Le *Zygocáctus* se distingue du *Rhipsalidópsis* par ses fleurs à peu près symétriques par rapport à un axe médian et par ses pétales assez larges.
Chez le *Rhipsalidópsis,* les fleurs sont symétriques de partout et les pétales étroits. Il existe actuellement de nombreux hybrides nés du croisement des deux genres et de *Schlumbérgera.* Leurs caractéristiques dépendent de celles de leurs ascendants. Ils sont en général plus robustes que les espèces et la couleur de leurs fleurs varie du blanc au lilas en passant par l'orangé.

Tableaux et index

Plantes pour plein soleil et température élevée ○ ⊕

Les plantes figurant dans le tableau ci-dessous doivent être cultivées en plein soleil, à une température estivale minimale allant de 16 à 20 °C. La plupart se plairont sur la tablette d'une fenêtre orientée au sud. Certaines préfèrent une serre sans dispositif d'ombrage. Aucune d'entre elles ne peut être sortie en plein air l'été.

Lorsque le nom du genre est mentionné seul, on en conclura que les mêmes conditions de culture sont valables pour toutes les espèces appartenant au genre. Si c'est le nom d'une espèce qui figure sur la liste, cela signifie que les conditions de culture préconisées ne concernent qu'elle seule.

Ananas
Anastatica
Canna
Cephalocereus
Cereus
Ceropegia
Chlorophytum
Cissus quadrangularis
Coleus
Echinocactus
Echinocereus
Epidendrum radicans
Espostoa
Eugenia myriophylla
Euphorbia fulgens
Ferocactus
Gloriosa
Hamatocactus
Haworthia cuspidata
Haworthia obtusa
Haworthia tesselata
Haworthia truncata
Heliconia
Hippeastrum
Jasminum sambac
Jatropha
Kalanchoe blossfeldiana
Kalanchoe longiflora
Kalanchoe manginii
Lithops
Musa
Opuntia
Pachypodium
Pachystachys
x Pachyveria
Parodia
Pereskia
Persea
Plectranthus fruticosus
Plectranthus parviflorus
Pyrrhocactus
Rebutia
Sansevieria
Senecio articulatus
Senecio citriformis
Senecio haworthii
Senecio herreianus
Senecio macroglossus
Senecio rowleyanus
Stapelia

Plantes pour plein soleil et température moyenne ○ ⊕

Les plantes dont le nom figure ci-dessous doivent être cultivées en plein soleil, à une température estivale minimale allant de 10 à 16 °C. Une tablette de fenêtre orientée au sud et bien aérée leur convient. On peut aussi les exposer en plein air, en

situation abritée, à condition de ne pas les sortir trop tôt en saison et de les rentrer à temps. Lire les explications accompagnant le premier tableau pour ce qui concerne le traitement des genres en général et des espèces en particulier.

Adromischus
Æonium
Agapanthus
Agave
Amaryllis
Aporocactus
Arachis
Borzicactus
Bougainvillea
Callistemon
Capsicum
Catharanthus
Citrus
Cleistocactus
Cocculus
Colletia
Conophytum
Cordyline
Corynocarpus
Cotyledon
Crassula
Crinum
Cuphea
Dasylirion
Datura
Dolichothele
Echeveria
Elisena
Erythrina
Euphorbia abyssinica
Euphorbia caput-medusæ
Euphorbia coerulescens
Euphorbia globosa
Euphorbia grandicornis
Euphorbia lophogona
Euphorbia meloformis
Euphorbia milii
Euphorbia obesa
Euphorbia tirucalli
Faucaria
Gasteria
Gerbera
Graptopetalum
Hæmanthus
Hibiscus
Homalocladium
Hoya australis
Hoya carnosa
Hymenocallis
Hypocyrta
Impatiens
Iresine
Jacobinia pauciflora
Jasminum mesnyi
Jasminum officinale
Jasminum polyanthum
Kalanchoe daigremontiana
Kalanchoe laxiflora
Kalanchoe marmorata
Kalanchoe tomentosa
Kalanchoe tubiflora
Lachenalia
Lampranthus
Lapeirousia
Lilium
Littonia
Malvastrum
Melocactus
Mikania
Myrtillocactus
Myrtus
Neoporteria
Nerium
Olea
Opuntia
Oreopanax
Oxalis carnosa
Oxalis vulcanicola
Pachycereus
Pachyphytum
x Pachyveria
Parthenocissus
Pelargonium carnosum
Pelargonium x citrosmum
Pelargonium grandiflorum (hybrides de)
Pelargonium graveolens
Pelargonium radens
Pelargonium zonale (hybrides de)
Phœnix dactylifera
Punica
Rosa
Sandersonia
Scilla
Sedum
Setcreasea
Stenotaphrum
Strelitzia
Thunbergia
Trichocereus
Vallota
Washingtonia
Yucca
Zantedeschia
Zephyranthes

Plantes pour plein soleil et température basse ○ ☺

Les plantes mentionnées dans ce tableau doivent être culitvées en plein soleil, à une température estivale minimale allant de 3 à 10 °C. Une tablette de fenêtre ensoleillée ou une serre sont des emplacements trop chauds pour elles. L'idéal est de les

mettre dès la mi-mai sur le balcon ou la terrasse. Il faut les rentrer avant les premières gelées nocturnes. Lire les explications accompagnant le premier tableau pour ce qui concerne le traitement des genres en général et des espèces en particulier.

Acacia
Aloe
Arequipa
Beaucarnea
Coryphantha
Eucomis
Eugenia paniculata
Euonymus
Harpephyllum
Hebe
Lagerstroemia
Laurus
Lobivia
Lophophora
Mammillaria
Nerine
Oreocereus
Oxalis deppei
Passiflora caerulea
Pelargonium peltatum (hybrides de)
Phœnix canariensis
Pittosporum
Podocarpus
Saxifraga cotyledon
Sempervivum
Solanum
Veltheimia

Plantes pour mi-ombre et température élevée ◑ ⊕

Les plantes réunies ci-dessous réclament beaucoup de lumière, mais doivent être protégées des rayons directs du soleil entre 10 et 17 heures. Elles exigent une température estivale minimale de 16 à 20 °C, ce qui impli

que qu'elles doivent passer toute l'année dans l'appartement ou la serre. Une fenêtre voilée orientée au sud ou une fenêtre nue orientée à l'est ou à l'ouest sont pour elles des emplacements adéquats.

Acalypha
Achimenes
Æchmea
Aerides lawrenceae
Aerides multiflorum
Æschynanthus
Aglaonema
Alloplectus
Alocasia
Angræcum
Anthurium andreanum
Anthurium crystallinum
Anthurium magnificum
Aphelandra
Ardisia malouiana
Astrophytum
Begonia albo-picta
Begonia boliviensis
Begonia boweri
Begonia conchifolia
Begonia corallina
Begonia crispula
Begonia diadema
Begonia elatior (hybrides de)
Begonia x erythrophylla
Begonia foliosa
Begonia fuchsioides
Begonia goegoensis
Begonia heracleifolia
Begonia hispida
Begonia hydrocotylefolia
Begonia imperialis
Begonia incana
Begonia incarnata
Begonia limmingheiana
Begonia luxurians
Begonia maculata
Begonia manicata
Begonia masoniana
Begonia metallica
Begonia rajah
Begonia rex (hybrides de)
Begonia serratipetala
Begonia socotrana
Begonia venosa
Billbergia
Brosimum
Caladium
Calantha
Calathea
Calliandra
Celosia

Plantes pour mi-ombre et température élevée (suite)

Cissus discolor
Cissus gongylodes
Cissus njegerre
Clerodendrum
Coccoloba
Cocos
Codiæum
Codonanthe
Cœlogyne massangeana
Coffea
Coleus
Columnea gloriosa
columnea hirta
Columnea linearis
Columnea microphylla
Columnea teuscheri
Columnea tulæ
Costus
Crossandra
Cryptanthus
Ctenanthe
Cycnoches
Dendrobium chrysotoxum
Dendrobium superbiens
Dichorisandra
Dieffenbachia
Dipladenia
Dipteracanthus
Dracæna

Elettaria
Episcia
Eucharis
Euphorbia pulcherrima
Exacum
Ficus aspera
Ficus bengalensis
Ficus benjamina
Ficus buxifolia
Ficus cyathistipula
Ficus deltoidea
Ficus elastica
Ficus lyrata
Ficus macrophylla
Ficus montana
Ficus neckbudu
Ficus pumila
Ficus radicans
Ficus religiosa
Ficus triangularis
Fittonia
Gardenia
Guzmania
Gynura
Haworthia attenuata
Haworthia fasciata
Haworthia margaritifera
Haworthia reinwardtii
Hedera canariensis

Hemigraphis
Hoya bella
Hypoestes
Ixora
Jacobina carnea
Kohleria
Maranta
Medinilla
Microcœlum
Monstera
Murraya
Nautilocalyx
Neoregelia
Nepenthes
Notocactus
Oncidium altissimum
Oncidium kramerianum
Pandanus
Passiflora quadrangularis
Pavonia
Pedilanthus
Pellionia
Peperomia
Perilepta
Philodendron
Phlebodium
Phœnix rœbelenii
Phyllanthus
Piper crocatum
Pisonia
Platycerium

Plectranthus œrtendahlii
Plumbago indica
Polyscias
Polystichum
Pseuderanthemum
Rechsteineria
Rhaphidophora
Rhipsalidopsis
Rodriguezia
Scindapsus
Scirpus
Selenicereus
Siderasis
Sinningia
Smithiantha
Sonerila
Spathiphyllum
Stenandrium
Stephanotis
Stromanthe
Syngonium
Tillandsia cyanea
Tillandsia flabellata
Tillandsia leiboldiana
Tillandsia lindenii
Tolmiea
Vriesea
Xanthosoma
Zebrina

Plantes pour mi-ombre et température moyenne

Les plantes figurant au tableau ci-dessous réclament beaucoup de lumière, mais aussi une protection contre les rayons directs du soleil entre 10 et 17 heures. Elles exigent une température estivale minimale de 10 à 16 °C, ce qui implique qu'elles peuvent être sorties en plein air, à condition que ce ne soit pas trop tôt en saison. Elles se plairont à proximité d'une fenêtre voilée orientée au sud et qui pourra être ouverte par temps chaud. Certaines d'entre elles doivent être cultivées en serre ombragée et bien ventilée.

Abutilon
Acanthus
Aerides japonicum
Aerides vandarum
Allamanda
Ampelopsis
Araucaria
Ardisia crenata
Arisæma
Asparagus
Aspidistra
Begonia (bégonias tubéreux)
Begonia lorraine (hybrides de)
Begonia schmidtiana
Begonia semperflorens (hybrides de)
Bouvardia
Brassavola
Brassia
Browallia
Brunfelsia
Callisia
Carex
Cattleya
Chamæcereus
Chamædorea

Chamærops
Chrysanthemum
Chysis
Cissus antarctica
Cissus rhombifolia
Cissus striata
Cleyera
Clivia
Cœlogyne cristata
Cœlogyne flaccida
Columnea x banksii
Coprosma
Cycas
Cyperus
Dendrobium aggregatum
Dendrobium chrysanthum
Dendrobium fimbriatum
Dendrobium nobile
Dendrobium phalænopsis
Dendrobium thyrsiflorum
Dendrobium wardianum
Dizygotheca
Duchesnea
Echinopsis
Epidendrum ciliare

Epidendrum cochleatum
Epidendrum radiatum
Epidendrum stamfordianum
Epidendrum vitellinum
Epiphyllum
x Fatshedera
Ficus rubiginosa
Ficus sycomorus
Fuchsia
Glechoma
Grevillea
Gymnocalycium
Hæmanthus
Hatiora
Hedera helix
Howea
Hyacinthus
Jacaranda
Lælia
x Læliocattleya
Liriope
Lycaste candida
Miltonia
Mimosa
Narcissus
Nephrolepis
Odontoglossum bictoniense
Odontoglossum grande
Odontoglossum pulchellum
Odontoglossum schlieperianum
Oncidium cavendishianum
Oncidium ornithorhynchum
Oncidium sphacelatum
Oncidium varicosum
Oncidium wentworthianum
Ophiopogon

Oplismenus
Passiflora racemosa
Passiflora violacea
Pentas
Pilea
Piper nigrum
Pleione
Plumbago auriculata
Primula x kewensis
Primula malacoides
Primula obconica
Primula prænitens
Pteris
Rhododendron
Rhoeo
Rhoicissus
Rivina
Rochea
Saintpaulia
Saxifraga stolonifera
Schefflera
Selaginella
Senecio mikanioides
Soleirolia
Sprekelia
Streptocarpus
Tetraclinis
Tetrastigma
Tillandsia argentea
Tillandsia usneoides
Tolmiea
Torenia
Tradescantia
Trevesia
Vanda
Zygocactus

Plantes pour mi-ombre et température basse

Les plantes comprises dans la liste ci-dessous réclament beaucoup de lumière, mais doivent être protégées des rayons directs du soleil entre 10 et 17 heures. Elles tolèrent une température estivale minimale allant de 3 à 10 °C, on peut donc les sortir en plein air à partir de la mi-mai en leur donnant un emplacement abrité, à l'ombre d'un arbre ou d'un bâtiment. Quelques espèces préfèrent une serre froide, fraîche et bien ombrée. En appartement, il faut à tout prix leur trouver une pièce fraîche.

Acanthocalycium
Acorus
Aucuba
Begonia dregei

Begonia grandis
Begonia pearcei
Calceolaria
Camellia

Campanula
Colchicum
Convallaria
Crocus
Cussonia
Cyclamen
Cymbidium
Cylisus
Erica
Fatsia
Helleborus
Lycaste aromatica
Lycaste cruenta
Lycaste virginalis
Nertera

Odontoglossum cervantesii
Odontoglossum cordatum
Odontoglossum crispum
Odontoglossum maculatum
Odontoglossum œrstedtii
Odontoglossum rossii
Oncidium crispum
Oncidium marshallianum
Primula vulgaris
Sauromatum
Senecio cruentus (hybrides de)
Skimmia
Sparmannia
Stenocarpus
Tolmiea

Plantes pour ombre et température élevée ◉ ◔

Les plantes figurant sur cette liste tolèrent un éclairement moyen pouvant être réduit jusqu'à un minimum de 1 000 lux. Une luminosité plus vive ne pourra cependant que leur être bénéfique. Elles se plairont presque toujours à une fenêtre orientée au nord, car le soleil ne leur est pas in-dispensable et peut parfois même leur être contraire.

Les plantes de ce groupe exigent une température estivale minimale de 16 à 20 °C et ne doivent jamais être sorties en plein air. Si elles sont cultivées en serre, il faudra prévoir un dispositif d'ombrage très complet.

Adiantum	Anthurium	Billbergia	Phaphiopedilum niveum
Aglaonema	Bertolonia	Brosimum	Phaphiopedilum sukhakulii

Adiantum
Aglaonema
Anthurium
Bertolonia
Billbergia
Brosimum
Calathea
Dieffenbachia
Didymochlaena
Dracæna
Ficus deltoidea
Ficus pumila
Ficus radicans
Hemigraphis
Howea
Maranta
Microlepia speluncæ
Monstera
Phaphiopedilum niveum
Phaphiopedilum sukhakulii
Phalænopsis
Philodendron
Phlebodium
Phœnix rœbelenii
Plalyrerium
Polystichum
Rhaphidophora
Sansevieria
Siderasis
Spathiphyllum
Syngonium
Zebrina

Plantes pour ombre et température moyenne ◉ ◔

Les plantes figurant au tableau ci-dessous tolèrent un éclairement moyen pouvant être réduit jusqu'à un minimum de 1 000 lux. Une lumino-sité plus vive ne pourra cependant que leur être bénéfique. Elles se plai-ront presque toujours à une fenêtre orientée au nord, car le soleil ne leur est pas indispensable et peut parfois même leur être contraire.

Les plantes de ce groupe exigent une température estivale minimale de 10 à 16 °C, ce qui implique qu'elles peu-vent être sorties en plein air, à un endroit abrité et ombragé, si la tem-pérature extérieure n'est pas infé-rieure aux normes indiquées.

Asparagus
Aspidistra
Asplenium
Blechnum
Chamædorea
Chlorophytum
Cissus antarctica
Cissus rhombifolia
Cissus striata
Clivia
Cyrtomium
Dionæa
Doryopteris
x Fatshedera
Hypocyrta
Miltonia
Nephrolepis
Odontoglossum
Ophiopogon
Paphiopedilum callosum
Paphiopedilum spicerianum
Pellæa
Peperomia
Pteris
Rhoicissus
Schefflera
Selaginella
Soleirolia
Tetrastigma
Tradescantia

Plantes pour ombre et température basse ◉ ◔

Les plantes figurant dans ce tableau tolèrent un éclairement moyen pou-vant être réduit jusqu'à un minimum de 1 000 lux. Une luminosité plus vive ne pourra cependant que leur être bénéfique. Elles se plairont presque toujours à une fenêtre orientée au nord, car le soleil ne leur est pas in-dispensable et peut parfois même leur être contraire.

Les plantes de ce groupe exigent une température estivale minimale de 3 à 10 °C et se cultivent très bien en plein air. Lorsqu'elles sont cultivées en serre, il faut beaucoup ombrer et ven-tiler en permanence.

Aucuba
Calceolaria
Darlingtonia
Fatsia
Hedera helix
Hydrangea
Odontoglossum
Paphiopedilum insigne
Paphiopedilum venustum
Paphiopedilum villosum
Phyllitis scolopendrium
Skimmia

Plantes exigeant une atmosphère très humide ◔

Les plantes figurant sur la liste ci-des-sous exigent un degré d'humidité rela-tive supérieur à 60 %. L'hiver, elles s'accommoderont mal de l'atmo-sphère d'un appartement chauffé au chauffage central, à moins que l'on ne prenne des mesures particulières destinées à élever le degré d'hygro-métrie. Ce sont donc des plantes à cultiver de préférence en serre. En appartement, il faut les placer en milieu confiné : serre, vitrine, bon-bonne. Plusieurs espèces supporte-ront l'atmosphère de l'appartement en été. Bassiner le feuillage aussi souvent que possible, à moins qu'il ne soit sensible aux taches (ex : les feuil-lages duveteux).

Acalypha
Achimenes
Adiantum
Aerides
Æschynanthus
Alloplectus
Alocasia
Ananas
Angræcum
Anthurium
Aphelandra
Araucaria
Ardisia malouiana
Asplenium
Brassavola
Caladium
Calanthe
Calathea
Cattleya
Clerodendrum
Cocos
Codiæum
Cœlogyne massangeana
Coffea
Coleus
Columnea gloriosa
Columnea hirta
Columnea microphylla
Columnea teuscheri
Columnea tulæ
Costus
Crocus
Crossandra
Ctenanthe
Cycnoches
Cyrtomium
Darlingtonia
Dendrobium
Dichorisandra
Didymochlæna
Dieffenbachia
Dionæa
Dipladenia
Dipteracanthus
Dizygotheca
Doryopteris
Dracæna goldieana
Epidendrum
Episcia
Eucharis
Fittonia
Gloriosa
Guzmania
Heliconia
Hemigraphis
Hoya bella
Hypoestes
Ixora
Jacaranda
Jacobinia carnea
Jasminum sambac
Kohleria
Lælia
x Læliocattleya
Lycaste
Maranta
Medinilla
Melocactus
Microcœlum
Microlepia
Mikania
Miltonia
Mimosa
Monstera
Murraya
Musa
Nautilocalyx
Neoregelia
Nepenthes
Nephrolepis
Odontoglossum cervantesii
Odontoglossum cordatum
Odontoglossum crispum
Odontoglossum maculatum
Odontoglossum œrstedtii
Odontoglossum rossii
Oncidium altissimum
Oncidium cavendishianum
Oncidium crispum
Oncidium kramerianum
Oncidium marshallianum
Oncidium sphacelatum
Oncidium wentworthianum
Pachystachys
Pandanus
Paphiopedilum
Passiflora quadrangularis
Passiflora racemosa
Passiflora violacea
Pavonia
Pellionia
Pentas
Perilepta
Persea
Phalænopsis
Philodendron
Phœnix rœbelenii
Phyllanthus
Phyllitis
Pilea
Piper crocatum
Pisonia
Plectranthus œrtendahlii
Plumbago indica
Polyscias
Polystichum
Primula vulgaris
Pseuderanthemum
Pteris
Rechsteineria
Rhipsalidopsis
Rivina
Rodriguezia
Saintpaulia
Sandersonia
Scilla
Scindapsus
Scirpus
Selaginella
Siderasis
Sinningia
Smithiantha
Sonerila
Spathiphyllum
Stenandrium
Stromanthe
Tetraclinis
Tetrastigma
Tillandsia cyanea
Tillandsia flabellata
Tillandsia leiboldiana
Tillandsia lindenii
Trevesia
Vanda
Vriesea
Washingtonia
Xanthosoma
Zebrina

Plantes exigeant une atmosphère moyennement humide ○

Les plantes figurant au tableau ci-dessous exigent un degré d'humidité relative de l'atmosphère se situant entre 50 et 60 %, difficile à maintenir l'hiver dans une habitation chauffée. On réussit cependant à les conserver en appartement en les bassinant fréquemment, en les plaçant au-dessus d'une coupe pleine d'eau, en faisant intervenir un humidificateur. Les plantes dont la végétation observe un repos marqué doivent de toute évidence être transportées, pendant l'hivernage, dans un local frais, où le degré d'hygrométrie se situe normalement au-dessus des normes indiquées.

Abutilon
Acacia
Acanthocalycium
Acanthus
Acorus
Æchmea
Agapanthus
Amaryllis
Ampelopsis
Arachis
Ardisia crenata
Arisæma
Asparagus
Aspidistra
Aucuba
Begonia
Billbergia
Blechnum
Bougainvillea
Bouvardia
Brassia
Brosimum
Browallia
Brunfelsia
Calceolaria
Calliandra
Callisia
Callistemon
Camellia
Campanula
Canna
Capsicum
Carex
Catharanthus
Celosia
Cephalocereus
Chamædorea
Chamærops
Chlorophytum
Chrysanthemum
Chysis
Cissus
Citrus
Cleistocactus
Cleyera
Clivia
Coccoloba
Cocculus
Codonanthe
Cœlogyne cristata
Cœlogyne flaccida
Colchicum
Columnea x banksii

Columnea linearis
Conophytum
Convallaria
Coprosma
Cordyline
Corynocarpus
Cotyledon
Crinum
Cryptanthus
Cuphea
Cussonia
Cycas
Cyclamen
Cymbidium
Cyperus alternifolius
Cyperus argenteostriatus
Cyperus diffusus
Cyperus gracifis
Cyperus haspan
Cyperus papyrus
Cytisus
Dasylirion
Datura
Dolichothele
Dracæna deremensis
Dracæna draco
Dracæna fragrans
Dracæna godseffiana
Dracæna hookeriana
Dracæna marginata
Dracæna reflexa
Dracæna sanderiana
Dracæna umbraculifera
Duchesnea
Echinocactus
Echinocereus
Elettaria
Elisena
Epiphyllum
Erica
Erythrina
Espostoa
Eucomis
Eugenia
Euonymus
Exacum
x Fatshedera
Fatsia
Faucaria
Ferocactus
Ficus
Fuchsia
Gardenia

Gasteria
Gerbera
Glechoma
Graptopetalum
Grevillea
Gymnocalycium
Gynura
Hæmanthus
Harpephyllum
Hatiora
Hebe
Hedera
Helleborus
Hibiscus
Hippeastrum
Homalocladium
Howea
Hoya australis
Hoya carnosa
Hyacinthus
Hymenocallis
Hypocyrta
Impatiens
Iresine
Jacobinia paucitlora
Jasminum mesnyi
Jasminum officinale
Jasminum polyanthum
Kalanchoe blossfeldiana
Kalanchoe longiflora
Kalanchoe manginii
Kalanchoe marmorata
Kalanchoe tomentosa
Lachenalia
Lagerstrœmia
Lapeirousia
Laurus
Lilium
Liriope
Littonia
Malvastrum
Myrtillocactus
Myrtus
Narcissus
Nerine
Nerium
Nertera
Notocactus
Odontoglossum bictoniense
Odontoglossum grande
Odontoglossum pulchellum
Odontoglossum schlieperianum
Olea
Oncidium ornithorhynchum
Oncidium varicosum
Ophiopogon
Oplismenus
Opuntia
Oreocereus
Oreopanax
Oxalis
Pachycereus
Pachypodium
Parthenocissus
Passiflora cærulea
Pedilanthus
Pelargonium x citrosmum

Pelargonium grandiflorum
   (hybrides de)
Pelargonium graveolens
Pelargonium peltatum (hybrides de)
Pelargonium radens
Pelargonium zonale (hybrides de)
Pellæa
Peperomia
Pereskia
Phlebodium
Phœnix canariensis
Phœnix dactylifera
Piper nigrum
Pittosporum
Platycerium
Plectranthus fruticosus
Plectranthus parviflorus
Pleione
Plumbago auriculata
Podocarpus
Primula x kewensis
Primula malacoides
Primula obconica
Primula prænitens
Punica
Rebutia
Rhaphidophora
Rhododendron
Rhoeo
Rhoicissus
Rochea
Rosa
Sauromatum
Saxifraga
Schefflera
Selenicereus
Senecio cruentus (hybrides de)
Senecio mikanioides
Setcreasea
Skimmia
Solanum
Soleirolia
Sparmannia
Sprekelia
Stapelia
Stenocarpus
Stenotaphrum
Stephanotis
Strelitzia
Streptocarpus
Syngonium
Thunbergia
Tillandsia argentea
Tillandsia usneoides
Tolmiea
Torenia
Tradescantia
Trichocereus
Vallota
Veltheimia
Yucca
Zantedeschia
Zephyanthes
Zygocactus

Plantes tolérant une atmosphère assez sèche ○

Les plantes figurant au tableau ci-dessous se satisfont d'une humidité relative inférieure à 50 %. La liste comprend beaucoup de cactus et plantes grasses qui doivent hiverner au frais. La plupart des autres végé-taux résistent bien à l'air sec de l'appartement. Il est inutile de bassiner leur feuillage. L'été, la plupart de ces plantes supportent sans problème un air sec et chaud.

Adromischus
Æonium
Agave
Aglaonema
Aloe
Anastatica
Aporocactus

Arequipa
Astrophytum
Beaucarnea
Borzicactus
Cereus
Ceropegia
Chamæcereus

Colletia
Coryphantha
Crassula
Echeveria
Echinopsis
Euphorbia
Hamatocactus
Haworthia
Jatropha
Kalanchoe daigremontiana
Kalanchoe taxifolia
Kalanchoe tubiflora
Lampranthus
Lithops
Lobivia
Lophophora
Mammillaria

Neoporteria
Pachyphytum
x Pachyveria
Parodia
Pelargonium carnosum
Pyrrhocactus
Sansevieria
Sedum
Scmpervivum
Senecio articulatus
Senecio citriformis
Senecio haworthii
Senecio herreianus
Senecio macroglossus
Senecio rowleyanus
Zebrina

Plantes à cultiver dans un mélange terreux standard ⑨

Par mélange terreux standard, nous entendons des mélanges terreux de qualité, définis page 62 dans le paragraphe « les principaux mélanges du commerce ». Toutes les plantes énumérées ci-dessous peuvent se cultiver avec succès dans ce type de mélange. Il n'est pas exclu pour autant que l'amateur expérimente des mélanges de sa propre composition. On lui conseille, dans ce cas, de prendre comme base un mélange terreux standard auquel il mêlera des éléments supplémentaires : tourbe, fumier de vache, perlite, etc.

Abutilon
Acacia
Acanthus
Adromischus
Alloplectus
Amaryllis
Ampelopsis
Ananas
Anastatica
Arachis
Ardisia
Aspidistra
Aucuba
Begonia dregei
Begonia elatior (hybrides de)
Begonia x erythrophylla
Begonia foliosa
Begonia fuchsioides
Begonia goegoensis
Begonia pearcei
Begonia schmidtiana
Begonia semperflorens (hybrides de)
Billbergia
Bougainvillea

Brosimum
Brunfelsia
Callisia
Campanula
Canna
Capsicum
Carex
Catharanthus
Celosia
Chrysanthemum
Cocculus
Cocos
Coleus
Coprosma
Cordyline
Crinum
Cuphea
Cytisus
Dipteracanthus
Duchesnea
Elettaria
Eucomis
Euonymus
Ferocactus

Glechoma
Hemigraphis
Hippeastrum
Impatiens
Iresine
Kalanchoe daigremontiana
Kalanchoe laxiflora
Kalanchoe tubiflora
Lapeirousia
Liriope
Malvastrum
Olea
Ophiopogon
Opuntia
Oreopanax
Pachystachys
Pandanus
Parthenocissus
Passiflora caerulea
Passiflora racemosa
Passiflora violacea
Pedilanthus
Pelargonium x citrosmum
Pelargonium grandiflorum
  (hybrides de)
Pelargonium graveolens
Pelargonium peltatum
  (hybrides de)
Pelargonium radens
Pelargonium zonale (hybrides de)
Pereskia
Perilepta
Phyllitis
Plectranthus
Primula

Rhoeo
Rhoicissus
Rivina
Rosa
Sansevieria
Sauromatum
Saxifraga
Schefflera
Scilla
Scirpus
Sempervivum
Senecio cruentus (hybrides de)
Senecio mikanioides
Setcreasca
Siderasis
Solanum
Soleirolia
Sparmannia
Spathiphyllum
Sprekelia
Stenocarpus
Stenotaphrum
Streptocarpus
Tetrastigma
Thunbergia
Tolmiea
Torenia
Tradescantia
Trevesia
Trichocereus
Vallota
Zephyranthes

Plantes exigeant un mélange terreux très acide ⑩

Les plantes figurant sur la liste ci-dessous aiment une terre légère, riche en humus, contenant par exemple beaucoup de tourbe concassée ou en poussière, de la sapinette ou de la terre de bruyère. Une terre de rempotage standard ne leur convient pas, elle contient trop de calcaire. Le mélange spécial pour calcéolaires, la sapinette ou la terre de bruyère, que l'on peut trouver parfois dans le commerce, sont mieux adaptés à leurs besoins.

Achimenes
Aphelandra
Begonia albo-picta
Begonia boliviensis
Begonia boweri
Begonia conchifolia
Begonia corallina
Begonia crispula

Begonia diadema
Begonia grandis
Begonia heracleifolia
Begonia hispida
Begonia hydrocotylefolia
Begonia imperialis
Begonia incana
Begonia incarnata

Begonia (bégonias tubéreux)
Begonia limmingheiana
Begonia lorraine (hybrides de)
Begonia luxurians
Begonia maculata
Begonia manicata
Begonia masoniana
Begonia metallica
Begonia rajah
Begonia rex (hybrides de)
Begonia serratipetala
Begonia socotrana
Begonia venosa
Blechnum
Calathea
Calceolaria
Calliandra
Callistemon

Camellia
Crossandra
Dizygotheca
Doryopteris
Erica
x Fatshedera
Hebe
Hydrangea
Jacaranda
Kohleria
Myrtus
Rhododendron
Saintpaulia
Sinningia
Skimmia

Plantes exigeant un mélange terreux spécial ⑪

Les plantes énumérées ci-dessous réclament un mélange terreux particulier qu'il faudra souvent préparer soi-même. On peut trouver dans le commerce quelques mélanges spéciaux, prêts à l'emploi, comme le mélange spécial pour anthuriums ou pour cactus. Pour chaque genre, nous indiquons à la rubrique « rempotage » la composition du mélange adéquat. On trouvera à la page 62 des détails complémentaires concernant les substrats utilisés.

Acalypha
Acanthocalycium
Acorus
Adiantum
Æchmea
Æonium
Aerides
Æschynanthus
Agapanthus
Agave
Aglaonema
Alocasia
Aloe
Angræcum
Anthurium
Aporocactus
Araucaria
Arequipa
Arisæma
Asparagus

Asplenium
Astrophytum
Beaucarnea
Borzicactus
Bouvardia
Brassavola
Brassia
Browallia
Caladium
Calanthe
Cattleya
Cephalocereus
Cereus
Ceropegia
Chamæcereus
Chamædorea
Chamærops
Chlorophytum
Chysis
Cissus

Citrus
Cleistocactus
Clerodendrum
Cleyera
Clivia
Coccoloba
Codiæum
Codonanthe
Cœlogyne
Coffea
Colchicum
Colletia
Columnea
Conophytum
Convallaria
Corynocarpus
Coryphantha
Costus
Cotyledon
Crassula
Crocus
Cryptanthus
Ctenanthe
Cussonia
Cycas
Cyclamen
Cycnoches
Cymbidium
Cyperus
Cyrtomium

Darlingtonia
Dasylirion
Datura
Dendrobium
Dichorisandra
Didymochlaena
Dieffenbachia
Dionæa
Dipladenia
Dolichothele
Dracæna
Echeveria
Echinocactus
Echinocereus
Echinopsis
Elisena
Epidendrum
Epiphyllum
Episcia
Erythrina
Espostoa
Eucharis
Eugenia
Exacum
Fatsia
Euphorbia
Faucaria
Ficus
Fittonia
Fuchsia

Plantes exigeant un mélange terreux spécial (suite)

Gardenia
Gasteria
Gerbera
Gloriosa
Graptopetalum
Grevillea
Guzmania
Gymnocalycium
Gynura
Hæmanthus
Hamatocactus
Harpephyllum
Hatiora
Haworthia
Hedera
Heliconia
Helleborus
Hibiscus
Homalocladium
Howea
Hoya
Hyacinthus
Hydrangea
Hymcnocallis
Hypocyrta
Hypoestes
Ixora
Jacobinia
Jasminum
Jatropha
Kalanchoe blossfeldiana
Kalanchoe longiflora
Kalanchoe manginii
Kalanchoe marmorata
Kalanchoe tomentosa

Lachenalia
Lælia
X Læliocattleya
Lagerstrœmia
Lampranthus
Laurus
Lilium
Lithops
Littonia
Lobivia
Lophophora
Lycaste
Mammillaria
Maranta
Medinilla
Melocactus
Microcœlum
Microlepia
Mikania
Miltonia
Mimosa
Monstera
Murraya
Musa
Myrtillocactus
Narcissus
Nautilocalyx
Neoporteria
Neoregelia
Nepenthes
Nephrolepis
Nerine
Nerium
Nertera
Notocactus

Odontoglossum
Oncidium
Opuntia
Oreocereus
Oxalis
Pachycereus
Pachyphytum
Pachypodium
x Pachyveria
Paphiopedilum
Parodia
Passiflora quadrangularis
Pavonia
Pelargonium carnosum
Pellæa
Pellionia
Pentas
Peperomia
Phalænopsis
Philodendron
Phlebodium
Phœnix
Phyllanthus
Pilea
PIper
Pisonia
Pittosporum
Platycerium
Pleione
Plumbago
Podocarpus
Polyscias
Polystichum
Pseuderanthemum
Pteris
Punica
Pyrrhocactus

Rebutia
Rechsteineria
Rhaphidophora
Rhipsalidopsis
Rochea
Rodriguezia
Sandersonia
Scindapsus
Sedum
Selaginella
Selenicereus
Senecio articulatus
Senecio citriformis
Senecio haworthii
Senecio herreianus
Senecio macroglossus
Senecio rowleyanus
Smithiantha
Sonerila
Stapelia
Stenandrium
Stephanotis
Strelitzia
Stromanthe
Syngonium
Tetraclinis
Tillandsia
Vanda
Veltheimia
Vriesea
Washingtonia
Xanthosoma
Yucca
Zantedeschia
Zygocactus

Plantes à fleurs

Le mérite essentiel des plantes figurant au tableau ci-dessous réside dans leurs fleurs. En face de chacune figure l'époque habituelle de la floraison. Il n'est pas rare qu'une plante fleurisse en dehors de ces dates. Le chiffre 1 correspond à janvier, le 2 à février, etc. La plupart des plantes à fleurs doivent observer une période de repos ou subir un traitement spécial pour pouvoir refleurir l'année suivante. Consulter la rubrique « soins ». On trouvera d'autres plantes à fleurs parmi les plantes bulbeuses, tubéreuses et rhizomateuses, retombantes et grimpantes, les plantes d'orangerie, les orchidées et les plantes grasses.

Abutilon darwinii	1-12	Begonia lorraine		Campanula isophylla	7-9	Ixora hybrides	5-9
Abutilon hybrides	5-10	(hybrides de)	11-1	Catharanthus roseus	3-10	Jacobinia carnea	6-8
Abutilon megapotamicum	1-12	Begonia maculata	6-10	Celosia argentea	7-9	Jacobinia pauciflora	12-2
Abutilon striatum	8-11	Begonia manicata	11-1	Chrysanthemum indicum		Medinilla magnifica	2-8
Acalypha hispida	1-10	Begonia schmidtiana		(hybrides de)	1-12	Mimosa pudica	7-8
Achimenes erecta	7-9	Begonia semperflorens		Clerodendrum philippinum	1-12	Pachystachys lutea	3-10
Achimenes grandiflora	7-9	(hybrides de)	6-9	Clerodendrum		Passiflora cærulea	6-9
Achimenes hybrides	7-9	Begonia socotrana	11-2	speciosissimum	6-9	Passiflora quadrangularis	5-6
Achimenes patens	7-9	Begonia venosa		Clerodendrum splendens	12-5	Passiflora racemosa	5-9
Allamanda cathartica	5-9	Beloperone guttata	1-12	Clerodendrum thomsoniæ	3-7	Passiflora violacea	8-9
Anthurium	1-12	Bouvardia hybrides	7-11	Clivia miniata	2-5	Pavonia multiflora	9-5
Aphelandra aurantiaca	10-12	Bouvardia longiflora	8-11	Clivia nobilis	8-11	Pelargonium grandiflorum	
Aphelandra blanchetiana	7-8	Browallia speciosa	1-12	Crossandra flava	12-4	(hybrides de)	4-6
Aphelandra chamissoniana	9-10	Browallia viscosa	6-9	Crossandra infundibuliformis	5-8	Pelargonium graveolens	6-8
Aphelandra fascinator	9-10	Brunfelsia hopeana	2-3	Crossandra nilotica	5-8	Pelargonium zonale	
Aphelandra liboniana	4-5	Brunfelsia pauciflora	2-3	Cuphea ignea	5-9	(hybrides de)	4-10
Aphelandra nitens	4-5	Calathea crocata		Cytisus x racemosus	3-5	Pentas lanceolata	9-1
Aphelandra squarrosa	4-10	Calceolaria hybrides	4-5	Dichorisandra thyrsiflora	9-10	Plumbago auriculata	6-9
Begonia dregei	6-9	Calceolaria integrifolia	5-9	Erica gracilis	9-12	Plumbago indica	6-11
Begonia elatior (hybrides de)	3-10	Calliandra tweedyi		Erica hyemalis	2-3	Primula x kewensis	2-4
Begonia fuchsioides	7-8	Callistemon citrinus	6-7	Erica x willmorei	4-5	Primula malacoides	1-3
Begonia hydrocotylefolia	6-8	Camellia japonica	1-4	Erica ventricosa	5-9	Primula obconica	1-12
Begonia incarnata	9-3	Campanula fragilis	6-7	Euphorbia fulgens	9-3	Primula praenitens	12-4
				Euphorbia pulcherrima	12	Primula vulgaris	3-4
				Exacum affine	7-9	Saintpaulia	1-12
				Fuchsia	7-10	Senecio cruentus	
				Gardenia jasminoides	7-10	(hybrides de)	2-4
				Gerbera jamesonii	4-9	Spathiphyllum floribundum	3-4
				Hebe andersonii (hybrides d')	9-10	Streptocarpus hybrides	5-8
				Helleborus niger	12-3	Streptocarpus wendlandii	8-9
				Hibiscus rosa-sinensis	3-10	Thunbergia alata	5-10
				Hydrangea macrophylla	7-8	Torenia fournieri	6-9
				Hypocyrta glabra	7-9	Zantedeschia æthiopica	1-6
				Impatiens balsamina	6-9	Zantedeschia elliottiana	6-8
				Impatiens marianæ	6-7	Zantedeschia rehmannii	
				Impatiens walleriana	1-12		

Plantes à feuillage

On a repris ci-dessous les plantes d'appartement qui se distinguent par la beauté de leur feuillage plutôt que par celle de leurs fleurs. Il n'a été établi aucune distinction entre les plantes à feuillage à cultiver en appartement et celles destinées uniquement à la serre. Il faut se rappeler que les plantes à feuillage panaché exigent toujours plus de lumière que les espèces à feuillage vert uni appartenant au même genre. Nous mentionnons à part les palmiers et les fougères, qui sont également des plantes à feuillage.

Abutilon
Acalypha
Acanthus
Acorus
Æschynanthus
Agave
Aglaonema
Alocasia
Aloe
Ampelopsis

Ananas
Anthurium
Aphelandra
Araucaria
Ardisia
Asparagus
Aspidistra
Aucuba
Beaucarnea
Begonia albo-picta

278

Plantes à feuillage (suite)

Begonia boweri
Begonia crispula
Begonia diadema
Begonia x erythrophylla
Begonia foliosa
Begonia goegoensis
Begonia heracleifolia
Begonia hispida
Begonia imperialis
Begonia Incana
Begonia luxurians
Begonia masoniana
Begonia metallica
Begonia rex (hybrides de)
Begonia serratipetala
Bertolonia maculata
Brosimum
Caladium
Calathea
Callisia
Carex
Chlorophytum
Cissus
Cleyera
Coccoloba
Cocculus
Codiæum
Coffea

Coleus
Coprosma
Cordyline
Cryptanthus
Ctenanthe
Cussonia
Cycas
Cyperus
Dasylirion
Dichorisandra reginæ
Dieffenbachia
Dionaea
Dizygotheca
Dracæna
Episcia
Eugenia
Euonymus
x Fatshedera
Fatsia
Ficus aspera
Ficus bengalensis
Ficus benjamina
Ficus buxifolia
Ficus cyathistipula
Ficus deltoidea
Ficus lyrata
Ficus macrophylla
Ficus religiosa

Ficus sycomorus
Ficus triangularis
Fittonia
Glechoma
Grevillea
Gynura
Harpephyllum
Hedera
Heliconia
Hemigraphis
Hibiscus
Homalocladium
Hypoestes
Iresine
Laurus
Liriope
Maranta
Mimosa
Monstera
Musa
Ophiopogon
Oplismenus
Pandanus
Parthenocissus
Pedilanthus
Pelargonium x citrosmum
Pelargonium radens
Peperomia
Perilepta
Persea

Philodendron
Pilea
Piper
Pisonia
Pittosporum
Plectranthus
Podocarpus
Polyscias
Pseuderanthemum
Rhoeo
Sansevieria
Saxifraga
Schefflera
Scindapsus
Selaginella
Senecio
Setcreasea
Siderasis
Skimmia
Sonerila
Sparmannia
Stromanthe
Syngonium podophyllum
Tetrastigma
Tolmiea
Tradescantia
Xanthosoma
Yucca
Zebrina

Broméliacées

Les genres énumérés ci-après appartiennent à la famille des broméliacées. Chez toutes ces plantes, la rosette fleurit une seule fois avant de mourir. La multiplication par bouturage des rejets nés au pied de la plante mère doit généralement se pratiquer en serre.

Æchmea
Ananas
Billbergia
Cryptanthus
Guzmania
Neoregelia

Tillandsia
Vriesea

Palmiers

Les plantes à feuillage citées ci-contre appartiennent à la famille des palmiers.

Chamædorea
Chamærops
Cocos

Howea
Microcœlum
Phœnix

Washingtonia

Fougères

Ce tableau rassemble toutes les fougères décrites dans cet ouvrage.

Adiantum
Asplenium
Blechnum
Cyrtomium
Didymochlæna

Doryopteris
Nephrolepis
Pellæa
Phlebodium
Phyllitis

Platycerium
Polystichum
Pteris

Orchidées

Groupe de plantes chères aux amateurs. Elles appartiennent toutes à une même famille et se cultivent presque exclusivement en serre. Seul un nombre restreint d'espèces s'adapte à la culture en appartement. Les chiffres signalent l'époque de floraison : 1 = janvier, 2 = février, etc.

Aerides japonicum	6-8	Cattleya warscewiczii	7-8	Epidendrum radicans	2-5
Aerides lawrenceæ	6-8	Chysis aurea	5-6	Epidendrum stamfordianum	3-4
Aerides multiflorum	6-9	Chysis bractescens	3-5	Epidendrum vitellinum	10-12
Aerides vandarum	2-3	Cœlogyne cristata	1-3	Lælia anceps	12-1
Angræcum eburneum	12-1	Cœlogyne flaccida	3-4	Lælia cinnabarina	2-5
Angræcum sesquipedale	12-2	Cœlogyne massangeana	5-7	Lælia gouldiana	12-1
Brassavola cucullata	11-12	Cycnoches chlorochilum	5-6	Lælia pumila	9-10
Brassavola nodosa	10-12	Cymbidium lowianum	2-5	Lælia purpurata	5-6
Brassavola perrinii	5-6	Cymbidium x tracyanum	10-1	x Læliocattleya	
Brassia maculata	6-8	Dendrobium aggregatum	3-5	Lycaste aromatica	4-5
Brassia verrucosa	4-6	Dendrobium chrysanthum	8-9	Lycaste candida	12-3
Calanthe triplicata	4-5	Dendrobium chrysotoxum	3-4	Lycaste cruenta	3-5
Calanthe vestita	12-2	Dendrobium fimbriatum	3-5	Lycaste virginalis	11-3
Cattleya bowringiana	10-11	Dendrobium nobile	3-6	Miltonia candida	8-11
Cattleya dowiana	7-9	Dendrobium phalænopsis	8-12	Miltonia phalænopsis	8-11
Cattleya gaskelliana	7-9	Dendrobium superbiens	10-12	Miltonia roezlii	10-11
Cattleya labiata	10-11	Dendrobium thyrsiflorum	3-5	Miltonia spectabilis	8
Cattleya mendelii	5-7	Dendrobium wardianum	1-3	Odontoglossum bictoniense	9-10
Cattleya mossiæ	5-7	Epidendrum ciliare	11-1	Odontoglossum cervantesii	11-3
Cattleya skinneri	3-4	Epidendrum cochleatum	11-2	Odontoglossum cordatum	7-8
Cattleya trianæ	12-2	Epidendrum radiatum	5-6	Odontoglossum crispum	2-4
				Odontoglossum grande	11-3
				Odontoglossum maculatum	3-4
				Odontoglossum œrstedtii	2-5
				Odontoglossum pulchellum	2-4
				Odontoglossum rossii	2-4
				Odontoglossum schlieperianum	7-9
				Oncidium altissimum	4-6

Oncidium cavendishianum	4-5
Oncidium crispum	9-12
Oncidium kramerianum	1-11
Oncidium marshallianum	5-6
Oncidium ornithorhynchum	10-11
Oncidium sphacelatum	4-6
Oncidium varicosum	10-1
Oncidium wentworthianum	6-8
Paphiopedilum callosum	3-7
Paphiopedilum fairieanum	7-9
Paphiopedilum insigne	10-1
Paphiopedilum niveum	4-8
Paphilopedilum spicerianum	11-1
Paphiopedilum sukhakulii	10-11
Paphiopedilum venustum	11-1
Paphiopedilum villosum	12-4
Phalænopsis amabilis	10-1
Phalænopsis esmeralda	8-11
Phalænopsis lueddemanniana	5-6
Phalænopsis schilleriana	1-3
Phalænopsis stuartiana	1-3
Phalænopsis violacea	5-7
Pleione bulbocodioides	5
Rodriguezia decora	9-2
Rodriguezia secunda	9-11
Rodriguezia venusta	7-8
Vanda cœrulea	9-11

Cactées

Groupe de plantes presque toujours pourvues d'aiguillons. Pour réussir leur culture, il faut respecter scrupuleusement leur repos végétatif.

Acanthocalycium	Chamæcereus	Epiphyllum
Aporocactus	Cleistocactus	Espostoa
Arequipa	Coryphantha	Ferocactus
Astrophytum	Dolichothele	Gymnocalycium
Borzicactus	Echinocactus	Hamatocactus
Cephalocereus	Echinocereus	Hatiora
Cereus	Echinopsis	Lobivia

Acanthocalycium
Aporocactus
Arequipa
Astrophytum
Borzicactus
Cephalocereus
Cereus

Chamæcereus
Cleistocactus
Coryphantha
Dolichothele
Echinocactus
Echinocereus
Echinopsis

Epiphyllum
Espostoa
Ferocactus
Gymnocalycium
Hamatocactus
Hatiora
Lobivia
Lophophora
Mammillaria
Melocactus
Myrtillocactus
Neoporteria
Notocactus

Opuntia
Oreocereus
Pachycereus
Parodia
Pereskia
Pyrrhocactus
Rebutia
Rhipsalidopsis gærtneri
Rhipsalidopsis x græseri
Selenicereus
Trichocereus
Zygocactus truncatus

Plantes grasses

Liste de plantes succulentes et semi-succulentes, à l'exception des cactées qui sont réunies à part. Toutes les plantes citées ont la propriété de stocker de l'eau dans leurs tissus. Ce caractère est moins apparent chez les semi-succulentes. Plus le caractère succulent d'une plante est accusé, plus stricte sera la période de repos à respecter (généralement en hiver). Nous avons indiqué l'époque de la floraison pour les plantes fleurissant avec une certaine régularité. 1 = janvier, 2 = février, etc.

Adromischus	
Æonium arboreum	1-2
Æonium haworthii	4-5
Æonium tabuliforme	7-8
Aloe arborescens	1-4
Aloe ferox	3-4
Aloe humilis	3-4
Aloe mitriformis	4-8
Aloe saponaria	5-6
Aloe striata	4-5
Aloe variegata	4-5
Ceropegia	
Cissus gongylodes	
Cissus quadrangularis	
Conophytum	
Cotyledon orbiculata	7-8
Cotyledon paniculata	
Cotyledon reticulata	
Cotyledon undulata	3-7
Crassula arborescens	6-7

Crassula barbata	1-5
Crassula columnaris	10-11
Crassula cooperi	3-5
Crassula cordata	6-8
Crassula falcata	7-9
Crassula lycopodioides	2-3
Crassula obliqua	4-7
Crassula perforata	4-5
Crassula pyramidalis	
Crassula rupestris	4-5
Crassula schmidtii	4-8
Echeveria agavoides	5-6
Echeveria carnicolor	1-3
Echeveria derenbergii	4-6
Echeveria elegans	3-7
Echeveria gibbiflora	9-10
Echeveria harmsii	5-7
Echeveria peacockii	4-7
Echeveria pulvinata	3-4
Echeveria secunda	4-5

Echeveria setosa	4-7
Euphorbia abyssinica	
Euphorbia caput-medusæ	
Euphorbia cœrulescens	
Euphorbia globosa	
Euphorbia grandicornis	
Euphorbia milii	1-12
Euphorbia obesa	
Euphorbia pseudocactus	
Euphorbia trigona	
Faucaria bosscheana	
Faucaria felina	
Faucaria tigrina	
Faucaria tuberculosa	
Gasteria angulata	
Gasteria armstrongii	
Gasteria cæspitosa	
Gasteria liliputana	
Gasteria maculata	
Gasteria pulchra	
Gasteria verrucosa	
Graptopetalum amethystinum	7-8
Graptopetalum paraguayense	
Haworthia	
Hoya australis	9-11
Hoya bella	7-9
Hoya carnosa	5-9
Jatropha podagrica	5-6
Kalanchoe	
Lampranthus blandus	7-9
Lithops	

Pachyphytum bracteosum	4-6
Pachyphytum brevifolium	
Pachyphytum compactum	
Pachyphytum hookerii	4-5
Pachyphytum oviferum	5-6
Pachypodium	
x Pachyveria	
Pelargonium carnosum	5
Peperomia	
Phyllanthus	
Rochea coccinea	7-8
Sedum bellum	3-5
Sedum dasyphyllum	6-8
Sedum griseum	1-2
Sedum morganianum	
Sedum pachyphyllum	4
Sedum platyphyllum	
Sedum præaltum	
Sedum rubrotinctum	
Sedum sieboldii	9-10
Sedum stahlii	8-9
Sempervivum arachnoideum	6-7
Semperivum tectorum	6-8
Senecio articulatus	
Senecio citriformis	
Senecio haworthii	
Senecio herreianus	
Senecio macroglossus	12-2
Senecio rowleyanus	
Stapelia variegata	

Plantes bulbeuses

Les plantes rassemblées dans ce tableau comptent parmi les bulbeuses. Quelques-unes fleurissent au printemps, mais la majorité d'entre elles produisent leurs fleurs en été. Leur période de floraison et de végétation alterne régulièrement avec une période de repos très stricte. Les chiffres signalent l'époque de la floraison : 1 = janvier, 2 = février, etc.

Amaryllis belladonna	8-9
Crinum x powellii	7-9
Elisena longipetala	
Eucharis grandiflora	5-8

Hæmanthus albiflos	7-10
Hæmanthus x hybridus	7-9
Hæmanthus katharinæ	7-8
Hæmanthus multiflorus	4-5

Hippeastrum hybrides	1-4
Hyacinthus orientalis	4-5
Hymenocallis narcissiflora	6-7
Hymenocallis speciosa	9-11
Hymenocallis x festalis	
Lachenalia aloides	1-3
Lachenalia bulbifera	1-3
Lilium hybrides 'Mid-Century'	6-7
Narcissus	12-1
Nerine sarniensis	9-10
Oxalis deppei	8-10
Oxalis carnosa	
Oxalis vulcanicola	7

Scilla paucifolia	4-5
Scilla violacea	4-5
Sprekelia formosissima	4-5
Tulipa	12-1
Vallota speciosa	7-8
Veltheimia capensis	1-3
Veltheimia glauca	
Zephyranthes candida	7-10
Zephyranthes citrina	
Zephyranthes grandiflora	4-6
Zephyranthes rosea	9-10

Plantes tubéreuses et rhizomateuses

Plantes à rhizomes ou à tubercules fleurissant au printemps ou en été, très rarement en automne. La plupart de ces plantes traversent une période de repos au cours de laquelle le feuillage meurt en partie ou en totalité. Les chiffres indiquent l'époque de la floraison : 1 = janvier, 2 = février, etc.

Achimenes erecta	7-9
Achimenes grandiflora	7-9
Achimenes hybrides	7-9
Achimenes patens	7-9
Agapanthus africanus	7-8

Agapanthus præcox subsp. orientalis	7-8
Arisæma	
Begonia boliviensis	
Begonia grandis	

Begonia (bégonias tubéreux)	
Begonia pearcei	
Caladium	
Canna indica (hybrides de)	6-10
Colchicum autumnale	8
Crocus neapolitanus	3-4
Crocus speciosus	9-11
Cyclamen persicum	8-4
Eucomis bicolor	
Gloriosa rothschildiana	6-8
Gloriosa superba	6-8
Kohleria hybrides	7-9
Lapeirousia laxa	4-6

Littonia modesta	6-7
Rechsteineria cardinalis	3-4
Rechsteineria leucotricha	4-8
Sandersonia aurantiaca	7
Sauromatum	
Sinningia speciosa	6-8
Smithiantha cinnabarina	4-6
Smithiantha hybrides	7-9
Smithiantha multiflora	7-8
Zantedeschia æthiopica	1-6
Zantedeschia elliottiana	6-8
Zantedeschia rehmannii	

Plantes retombantes et grimpantes

Bien qu'il existe une différence fondamentale entre ces deux groupes, nous les mentionnons ensemble car il faudrait considérer trop de cas limites. Époque de floraison : 1 = janvier, 2 = février, etc.

Æschynanthus boscheanus	6-8	Ceropegia stapeliiformis	7-10	Ficus montana		Pellæa	
Æschynanthus javanicus		Ceropegia woodii	1-12	Ficus pumila		Pellionia	
Æschynanthus lobbianus	6-7	Chlorophytum		Ficus radicans		Philodendron	
Æschynanthus marmoratus		Cissus		Ficus rubiginosa		Piper	
Æschynanthus parasiticus	7-8	Clerodendrum philippinum	1-12	Fuchsia	5-10	Platycerium	
Æschynanthus pulcher	6-8	Clerodendrum		Glechoma		Rhaphidophora	
Æschynanthus speciosus	6-9	speciosissimum	6-9	Gloriosa rothschildiana	6-8	Rhipsalidopsis gærtneri	4
Ampelopsis		Clerodendrum splendens	12-4	Gloriosa superba	6-8	Rhipsalidopsis X græseri	3-4
Aporocactus		Clerodendrum thomsoniæ	3-7	Gynura		Rhoicissus	
Asparagus		Codonanthe		Hedera		Saxifraga stolonifera	
Begonia corallina	1-12	Coleus		Hoya australis	9-11	Scindapsus	
Begonia limmingheiana		Columnea		Hoya bella	7-9	Scirpus	
Begonia rajah		Dipladenia atropurpurea	7-8	Hoya carnosa	5-6	Senecio herreianus	
Bougainvillea X buttiana	4-6	Dipladenia boliviensis	4-10	Jasminum mesnyi	3-4	Senecio macroglossus	
Bougainvillea glabra	4-6	Dipladenia eximia	6-8	Jasminum officinale	6-9	Senecio mikanioides	
Bougainvillea spectabilis	4-6	Dipladenia hybrides	5-10	Jasminum polyanthum	6-9	Senecio rowleyanus	
Callisia		Dipladenia sanderi	6-8	Jasminum sambac	3-10	Setcreasea	
Campanula fragilis	6-7	Dipladenia splendens	7-9	Lampranthus		Soleirolia	
Campanula isophylla	7-9	Duchesnea indica	6-9	Littonia modesta	6-7	Stenandrium	
Ceropegia africana		Epiphyllum		Microlepia		Stenotaphrum	
Ceropegia barkleyi		Euonymus		Mikania		Stephanotis floribunda	6-9
Ceropegia radicans	6-8	X Fatshedera		Monstera		Syngonium auritum	
Ceropegia sandersonii	7-9	Ficus elastica		Oplismenus		Syngonium vellozianum	
				Parthenocissus		Tetrastigma	
				Passiflora caerulea	6-9	Thunbergia alata	5-10
				Passiflora quadrangularis	5-7	Tradescantia	
				Passiflora racemosa	5-9	Zebrina	
				Passiflora violacea	8-9	Zygocactus truncatus	10-12
				Pelargonium peltatum			
				(hybrides de)	4-10		

Plantes d'orangerie

La plupart des espèces sont cultivées en caisses, car elles atteignent un grand développement. Ce sont des plantes qui, l'été, peuvent être cultivées en plein air et qui doivent hiverner dans un local frais, à l'abri du gel. Presque toutes les plantes mentionnées se prêtent mal à la culture en appartement. Époque de floraison : 1 = janvier, 2 = février, etc.

Acacia armata	3-4	Bougainvillea X buttiana	4-6	Datura candida	6-9	Passiflora violacea	8-9
Acacia baileyana	3-4	Bougainvillea glabra	4-6	Datura sanguinea	1-3	Pittosporum eugenioides	7-8
Acacia dealbata	1-4	Bougainvillea spectabilis	4-6	Erythrina crista-galli	8-9	Pittosporum tobira	3-5
Agapanthus africanus	7-8	Callistemon citrinus	6-7	Harpephyllum		Pittosporum undulatum	5-7
Agapanthus præcox		Camellia japonica	1-4	Hibiscus rosa-sinensis	3-10	Plumbago auriculata	6-9
subsp. orientalis	7-8	Citrus		Jacaranda		Podocarpus	
Agave		Cleyera		Jasminum mesnyi	3-4	Punica granatum	7-8
Aloe		Colletia cruciata	11-12	Jasminum officinale	6-9	Rhododendron	12-4
Araucaria		Corynocarpus		Jasminum polyanthum	6-9	Rosa	6-9
Aucuba		Crinum X powellii	7-9	Jasminum sambac	3-10	Schefflera	
				Lagestroemia indica	8-10	Skimmia	
				Laurus		Solanum	
				Malvastrum capense	6-9	Sparmannia africana	1-4
				Myrtus communis	6-10	Stenocarpus sinuatus	7-8
				Nerium oleander	6-9	Strelitzia reginæ	12-1
				Olea europæa	7-8	Tetraclinis	
				Oreopanax dactylifolius	1-3	Trevisia	
				Passiflora caerulea	6-9	Washingtonia	
				Passiflora quadrangularis	5-7	Yucca	
				Passiflora racemosa	5-9		

Plantes toxiques

Il est bon de savoir quelles sont les plantes dotées de propriétés plus ou moins toxiques ou irritantes. Non qu'il faille toutes les bannir, mais pour les placer hors d'atteinte des enfants qui ont la manie de tout porter à la bouche. Rares sont les plantes dont le poison peut entraîner la mort.

Allamanda cathartica	Capsicum frutescens	Clivia miniata	Hyacinthus orientalis
Anthurium scherzerianum	Catharanthus roseus	Codiæum variegatum	Monstera
Aucuba japonica	Clerodendrum	Colchicum	Narcissus
		Convallaria majalis	Nerium oleander
		Cyclamen	Philodendron
		Datura	Primula obconica
		Dieffenbachia	Rhododendron
		Euphorbia	Senecio
		Gloriosa superba	Skimmia japonica
		Hedera helix	Solanum pseudocapsicum
		Helleborus	Zantedeschia
		Hoya	

Index

Bibliographie

Liste des principaux ouvrages consultés pour l'élaboration de la présente encyclopédie. Ils pourront servir de guides à tous ceux qui souhaiteraient approfondir leurs connaissances techniques sur un sujet précis.

Baines, Jocelyn & Katherine Kay : The ABC of house and conservatory plants
Bolton, Brett L. : Geheime krachten van de plant
Boom, Dr. B.K. : Flora van kamer- en kasplanten
Bruijn, Jac. de : Plantenterminologie
Cullmann, Willy : Kakteen
Encke, Fritz : Die schönsten Kalt- und Warmhauspflanzen
Encke, Fritz : Parey's Blumengärtnerei
Encke, Fritz : Zimmerpflanzen
Fleur : Praktische bloemen- en planten-encyclopedie
Graf, Alfred B. : Exotica, 7e édition
Haage, Walther : Het praktische cactusboek in kleuren
Herwig, A.J. & Rob : De nieuwe Herwig kamerplanten encyclopedie
Herwig, Rob & Margot Schubert : Het grote kamerplantenboek
Hessayon, D.G. : Be your own houseplant expert
Hyams, Edward : A history of gardens and gardening
Kranz, Frederick & Jacqueline : Gardening indoors under lights
Melville, Joan : Bonsai, boom in pot
Oudshoorn, Wim : 126 cactussen en vetplanten in kleur
Paul, Michel : Orchideeën
Plantenziektenkundige Dienst : Gids voor ziekten en onkruidbestrijding
Raalte, D. van : Handboek voor de bloemisterij
Rauh, Werner : Bromelien für Zimmer und Gewächshaus, I + II
Reader's Digest : Bloemen- en planten-encyclopedie
Salzer, Ernst H. : Der Zimmerpflanzen Doktor
Schubert, Margot : Mehr Blumenfreude durch Hydrokultur
Scott-James, Anne : Sissinghurst, the making of a garden
Seddon, George : Your indoor garden
Smit, Daan : Modern kamerplantenboek
Tompkins, Peter & Christopher Bird : Het verborgen leven van de plant
Walls, Ian G. : The complete book of the greenhouse
Wright, Michael : The complete indoor gardener
Wright/Oudshoorn : Zelf planten vermeerderen
Zander, c.s. : Handwörterbuch der Pflanzennamen, 10e édition

Responsables de la photographie

Toutes les photos reproduites dans cet ouvrage sont l'œuvre de l'auteur, à l'exception des photos mentionnées ci-dessous.
(h.d. = en haut à droite, b.g. = en bas à gauche, c. = au centre, etc.).

M. Ruys : 83 h.d., 133 b.d.
M. Eisenheiss : 88 h.g., 211 h.g.
M. J.F.M. Strampraad : 151 b.g.
Paul ter Straeten : 14,24 b.g., 266 b.g.
Rijksmuseum voor Volkenkunde : 8.
Halls Angleterre : 22 h.c.
Wolfram Stehling : 92 b.d., 16 h.g., 19 h.e., 27.
Harry Smith : 19 b.d., 21, 22 h.g., 26 h.d., 31 h.g., 32 h.g., 32 c.g., 32 h.d., 40 b.d.
Georges Lévêque : 9 g., 11 h.d., 18 b.g., 22 g.c., 22 d.c., 22 b.g.
Mme Buining : 11 h.g., 11 c.g., 11 b.g., 11 b.c., 11 b.d.
Luwasa : 15 h.g., 41 b.g.
Grosfillex : 46 h.c.